D1235112

NEDERLANDSE SPREEKWOORDEN/SPREUKEN EN ZEGSWIJZEN

K. TER LAAN

Nederlandse spreekwoorden/spreuken en zegswijzen

Met de WEERSPREUKEN *verzameld door*

A.M. HEIDT JR.

Vierentwintigste druk

MCMLXXXVIII ELSEVIER

CIP-GEGEVENS KONINKLIJKE BIBLIOTHEEK, DEN HAAG

Laan, K. ter

Nederlandse spreekwoorden/spreuken en zegswijzen/K. ter Laan; met de weerspreuken verz. door A.M. Heidt jr. – Amsterdam [etc] : Elsevier. – Ill.
Met lit. opg.
ISBN 90-10-03020-2 geb.
SISO * 845 UDC 398.9=393
Trefw.: spreekwoorden; Nederland.

D/MCMLXXXVIII/0199/93 ISBN 90 10 03020 2

Inhoud

Lijst van afkortingen

D, E, F, L. = Duits, Engels, Frans, Latijn.
Mnl. = Middelnederlands.
Ned. Wdb. = het grote Woordenboek der Ned. Taal.
N. en Z. = het tijdschrift *Noord en Zuid.*
Ts. = Tijdschrift voor Ned. Taal en Letterkunde; het Leidse Tijdschrift.
Z. = Zeeland.

De illustraties zijn ontleend aan:

1 *Verzamelde Werken* van Jacob Cats, in 1665 bij Jacob Schippersz. te Amsterdam gedrukt, waarvan de gravures waarschijnlijk door Adriaan van de Venne werden vervaardigd.

2 *Sinnepoppen* van Roemer Visscher, in 1614 uitgegeven, met gravures van Claes Jansz. Visscher.

Voorbericht

In de *Inleiding* van mijn *Nederlandse Overleveringen* (1932) heb ik geschreven: 'Overleveringen zijn zwervers. Men kan ze met de Heidens of Zigeuners vergelijken, die er ook in alle tijden waren en die onder alle volken verkeren: overal gelijk en toch telkens weer anders...'
'De overleveringen zijn zwervers door alle tijden en door alle landen... Evenmin als het sprookje is de overlevering aan een bepaalde plaats gebonden. Het lijkt alleen maar zo, omdat het er bij verteld wordt. Het lijkt ook daarom alleen maar zo, omdat de verteller zelf niet anders weet.'
Zo is het ook met de spreekwoorden. Wat wij voor echt Nederlands houden, omdat het ons zo gemeenzaam is, dat hebben de Duitsers ook, ja, maar ook de Denen en de Noren, en ook de Fransen en Italianen; ja weer verder op, dat is ook bij de Polen en de Russen en allicht nog verder weg, over de grenzen van Europa.
Geen wonder: de spreekwoorden zijn uitingen van de volksgeest en de mensen zijn in hun diepste wezen overal gelijk.
In zijn verdienstelijk artikel over *Oost-Brabantsche Spreekwoorden*, verschenen in *Land van Dommel en Aa*, (Eindhoven 1947), toont Drs. Hein Mandos met de stukken aan, hoe de spreekwoorden over land en zand gaan, zonder ooit de minste hinder te hebben van grenzen tussen landen en volken. Hij maakt mij er een verwijt van, dat ik in het verzamelwerk *De Nederlandse Volkskarakters* (Kampen 1938) een overvloed van Groninger spreekwoorden heb aangevoerd, om daardoor het Groninger karakter te kenschetsen. Want, zegt hij, die spreekwoorden zijn op dezelfde wijze gangbaar in andere streken, onder ander volk. Zo, om één voorbeeld te noemen:
De beste paarden moeten op stal gezocht worden.
Maar dat zegt men niet alleen in Groningen, doch in heel Groot-Nederland; en de Duitsers kennen het ook, en het gaat over gans Europa.
Volkomen in orde. En tòch is het een Groninger spreekwoord, omdat het bij voorkeur dáár gebruikt wordt. En zo is het ook met de bundel Nederlandse spreekwoorden, die in dit werk verzameld zijn. De naarstige speurder zal bij andere volken dezelfde vinden, het doet er niet toe; dit zijn de onze, met onze eigen stempel gemerkt, voortgekomen uit en overeenstemmende met ons eigen leven; zij geven onze eigen begrippen en opvattingen weer. En daarom zijn het uitingen van ons eigen volkskarakter.
De Groninger spreekwoorden staan sterk onder invloed van de boer; in de Hollandse heeft de zeeman het grote woord. In heel Nederland treft men de spreekwoorden en zegswijzen aan, ontleend aan handel en nering, aan ambacht en bedrijf, aan school en kerk.
Van zeer bijzondere betekenis voor ons zijn de overtalrijke spreekwoorden

en uitdrukkingen, die aan de Bijbel ontleend zijn. Men vindt ze in dit boek met opgave van de plaats, waarop ze betrekking hebben en voor 't gemak van de lezer met aanhaling van de bijbeltekst.
Te allen tijde zijn er mannen geweest, die zich tot de spreekwoorden en spreuken aangetrokken gevoelden. Aan koning Salomo wordt de verzameling *Spreuken* toegeschreven, die men in het bekende bijbelboek aantreft. In de Apokriefe Boeken vindt men de Spreuken van Jezus Sirach, d.i. Jezus zoon van Sirach, die in 't Hebreeuws zijn opgesteld, ongeveer 200 jaar vóór Christus. Niemand minder dan de grote Erasmus legde een verzameling van Latijnse spreekwoorden aan. Jacob Cats vergaarde in zijn *Spieghel van de oude en de nieuwe Tijdt* de spreuken en spreekwoorden van de Nederlanders en van de andere natiën. En na hem kwamen zovele anderen, die tot onze beste landgenoten behoren. En altijd weer worden ze graag gelezen.

Mandos komt in zijn studie tot deze slotsom:
'De tijd van het spreekwoord lijkt voorbij. De waarde ligt besloten in de cultuurhistorische betekenis, die zij nog bezitten voor de wetenschap.'
Dit is een doodvonnis. Stel daar tegenover het juichende voorwoord, dat in 1887 geschreven werd door Amaat Joos bij zijn *Schatten uit de Volkstaal.* Hij had met al zijn leerlingen – hij was priester en professor aan de bisschoppelijke normaalschool te Sint-Niklaas in Oost-Vlaanderen – enige duizenden volksspreuken gerangschikt en verklaard. En nu roept hij uit:
'Wat zijn eenige duizenden spreuken bij de miljoenen die in de dichterlijke tale van ons volk leven en zingen?...
Mijne verzameling is maar een klein zandeken van den hoogen berg, een ellendig druppelken uit de wijde, verre zee.
Want ieder Vlaming is dichter, ieder Vlaamsch huisgezin heeft zijne schat poëzie...
Al wat rond het volk leeft en beweegt... dat alles helpt het volk in zijn dichten en brengt zijnen voorraad bevallige beelden met heele handvollen aan.'
Dit is Hosanna.
Het komt mij voor, dat de waarheid in 't midden ligt, om het met een spreekwoord te zeggen.
Lang niet alle sprekers maken alle dagen nieuwe spreekwoorden. Maar de goede sprekers wel. Ik heb zo menigmaal bij boeren aan de haard gezeten en daar waren altijd mannen en vrouwen in het gezelschap met eigen beelden, vergelijkingen en tegenstellingen. Maar zo is het bij de burgers in de stad ook, even overvloedig, ja rijk, als men er maar oor voor heeft. 't Zijn woorden, die weer vervliegen en het hangt maar van het toeval af, of die nieuwe levende spreuken en spreekwoorden gemeengoed worden en in geschrifte worden vastgelegd.
Hoe het zij, de rijkdom der bestaande spreekwoorden is uitbundig. En het is mij gegaan gelijk alle verzamelaars vóór mij: het was een vreugde, ze bijeen te brengen. Hier zijn behalve enkele oude spreuken de voornaamste, die nu onder ons gangbaar zijn. De lezer moge er ook zijn behagen in vinden. Naar

volledigheid heb ik niet gestreefd; het aantal is eindeloos. In de verzameling van Harrebomée vindt men er 42000 bijeengebracht.
Dit is geen geleerd wetenschappelijk werk, gelijk dat van Stoett; het is beknopt en eenvoudig opgesteld ten dienste van het algemeen, opdat er weer zo menigeen zich verlustigen zal in deze rijkdom van Hollands taalschat. En zo heb ik dan met lust en met liefde, – om nog een ander oud-vaderlands spreekwoord te gebruiken, – deze kinderen van de volksgeest *met de wan in de zon gedragen.*
De spreekwoorden zijn gerangschikt naar 't hoofdwoord dat er in voorkomt.
Opgenomen is een lijst van schrijvers, die zich met het verzamelen van spreekwoorden hebben bezig gehouden, in volgorde van de tijd, waarin zij leefden, met enkele aantekeningen over hun betekenis en hun werk.
Het blijkt, dat het steeds weer mannen zijn uit de kringen der ontwikkelden, die zich vermeiden in de rijkdom en de kernachtigheid van de taal van het volk.
Alleen Anna Folie springt ook in dit opzicht uit de band.
Tot de Nederlandse spreuken behoren ook de Vlaamse en de Friese. De eerste zijn vooral genomen uit de verzamelingen van Guido Gezelle en van Amaat Joos. De Friese zijn te vinden o.a. in de *Findling* van Nissen en in de verzameling van Burmania.

Bij Friezen en Vlamingen beiden ook weer die overstelpende rijkdom, toegepast op alle omstandigheden des levens. Vaak met dezelfde woorden als in de zustergouwen, vaak ook met een eigen stempel. En net als elders, wat men zelf niet zeggen wil, dat laat men door een ander doen. Zo in de spreekwoorden van Burmania:
Met gemak, zei Goffe Roorda, en hij kreeg een vuist in zijn oog.
Maar gewoonlijk, zegt Dr. Brouwer in zijn *Inleiding*, worden de woorden in de mond gelegd van een bagijn, een blinde, een bruid, de Duivel, een vrouw, een koster, een man, een snijder, een dief, enz. of van dieren als de ekster, de kikker, de hond, de reiger of de uil. Het zijn *andermansspreuken.*
Te bed is 't beste, zei de bruid, en ze werd bij 't vuur vergeten, om een enkel voorbeeld te nemen uit dit betoog. Er blijkt uit, dat het vooral in scherts is, als men een ander aan het woord laat.
Zo, op dezelfde wijze: De eer is maar lastig om te bewaren, zei de meid, ik ben blij dat ik de mijne kwijt ben.
En verder:
Daar geen krijg is, is geen eer, zei de koster en hij sloeg de beelden met de zakdoek om de neus.
Deze zei-spreekwoorden komen op dezelfde wijze in al onze gewesten voor. En zo is 't met bijna alle andere spreekwoorden ook. Veel van de Friese spreuken, zegt Dr. Brouwer, vindt men ook reeds in de Kamper verzameling van 1550, en wat er het meest Fries uitziet, dat is elders ook in zwang.
Maar iedere landsman zegt het op zijn manier en menig duister gezegde wordt verklaard door een woord in een ander dialekt. Zo besluit ook Dr.

Brouwer zijn betoog, gelijk Dr. Stoett vóór hem heeft gedaan:
Voor de verklaring van onze spreekwoorden 'niet maar wat raden, maar de taal kennen, de parallellen er bij halen, van dezelfde tijd of oudere, dat is de moeizame, maar de enigste weg.'
Ik heb zo goed als ik kon nagegaan, wat onze taalgeleerden op die weg gevonden hebben en ik houd mij voor betere en voor meer aanwijzingen bij voortduring aanbevolen.
Wassenaar, Januari 1950.

BIJ DE TWEEDE DRUK. De tweede druk is onveranderd. Doch er is een rijke verzameling *weerspreuken* aan toegevoegd, van de hand van mijn jonge medewerker Heidt.
Voor Vlaanderen was er al zo'n boekje: *Onze Volksche Weerkunde*, door Dr. L. Dufour van het Belgisch Meteorologisch Instituut, uitgegeven bij Manteau te Brussel.
Voor Nederland bestond tot heden geen volledige verzameling. Volledig? Dat zal ook dit bundeltje nooit zijn en we houden ons voor aanvulling steeds aanbevolen. Maar ook zo als de lijst nu is, vertrouw ik, dat de lezer zich zal verlustigen in de overvloed van deze volkswijsheid.
Wassenaar, September 1950.

BIJ DE DERDE DRUK alleen een woord van grote erkentelijkheid voor de medewerking, die ik van zeer velen mocht ontvangen. In het bijzonder noem ik Alois Suys uit Mere bij Aalst in Oost-Vlaanderen, overleden in 1953, die zijn schat van aantekeningen ter beschikking stelde voor dit boek. En voor Zeeland P. Glas Jzn. te Kapelle-Biezelinge.
Wassenaar, Zomer 1956.

DE VIERENTWINTIGSTE DRUK verschijnt ongewijzigd
1988

Alfabetische lijst van spreekwoorden, spreuken en zegswijzen

A

a, 1. *Geen a voor een b kennen* = niets geleerd hebben.
2. *Van a tot z* = van het begin tot het einde; *van alfa tot omega.*
3. *Wie a zegt moet ook b zeggen* = wie eenmaal begonnen is moet ook doorgaan, anders heeft zijn woord (zijn werk) geen waarde.
Aagje, *'t Is een nieuwsgierig Aagje* = zij wil graag alles weten.
Van 1653 is de klucht van Huygens (weergaas aardig zei Potgieter), van de schippersvrouw uit Zaandam, die met haar man naar Antwerpen voer, om eens wat van de wereld te zien en die daar allerlei avonturen beleefde. Haar geschiedenis is bekend gebleven, maar niet onder haar naam, want zij heette Trijntje Cornelis. De naam Aagje komt twee jaar later voor, namelijk in 'het kluchtigh avontuurtje van 't Nieuwsgierigh Aeghje van Enkhuizen', verhaald door de humoristische dichter Jan Zoet van Amsterdam. Dit verhaal staat achter zijn *Leven en Bedrijff van Clement Marot*, koddige geschiedenissen, die met Marot niets te maken hebben, maar die zeer in de smaak vielen. En zo spreken wij nog van 't nieuwsgierig Aagje en niet van Trijntje.
aal, 1. *Hij is zo glad als een aal* = men heeft geen vat op hem.
2. *Hij is te vangen als een aal bij de staart* = a. men kan hem nooit te spreken krijgen; b. hij is zo handig, dat hij zich overal uit weet te redden.
3. *Een aal bij de staart hebben* = bezig zijn met een zaak, die zo goed als zeker mislukt.
4. *Men kan nooit weten waar de aal kruipt* = het gaat wonderlijk toe in de wereld; men weet niet, waar zijn fortuin ligt.
Bij Guido Gezelle: *Wie weet waar men paling vangt, zei Pa, en hij zette zijn fuike in een wagenslag.* Ditzelfde ook in Groningen.
aalmoes, *Aalmoezen geven armt niet,* maakt niet arm. Ook reeds in de Kamper verzameling (37):
Preek horen verzuimt niet,
Aalmoezen geven armt niet,
Onrechtvaardig goed gedijt niet.
En in *Rapiarys*:
Dat ic gaf es mi gebleven,
Dat ic behielt, heft mi begeven.
't Spreekwoord is naar *Spreuken* XXVIII : 27. 'Die de armen geeft, zal geen gebrek hebben.'
aambeeld, 1. *Hij slaat altijd op hetzelfde aambeeld* = hij komt steeds weer op hetzelfde onderwerp terug.
2. *Hij zit tussen hamer en aambeeld* = hij krijgt klappen van beide partijen.
aan,
Zo der an,
Zo der van.
Zo als men er aan komt, zo raakt men er ook weer af; *zo gewonnen, zo geronnen.*
aanfluiting, *Iemand tot aanfluiting maken* = maken dat iedereen hem bespot en beschimpt; dat men hem uitfluit.
Bijbelse uitdrukking. 'Babel zal worden tot steenhopen, een woning der draken, een ontzetting en aanfluiting, dat er geen inwoner zij.' (*Jeremia* LI : 37.)
aangenomen werk. *'t Is net of 't aangenomen werk is* = men werkt zo hard als men maar kan. Zo arbeiden immers degenen, die een bepaald werk tegen een overeengekomen bedrag moeten opleveren, in tegenstelling met arbeiders in dagloon.
aangeschoten. *Hij is aangeschoten* = hij heeft te diep in 't glas gekeken, hij kan niet goed meer lopen, zo als 't met een haas gaat die door de jager geraakt is.
aangeschreven. *Hij staat goed aangeschreven* = hij is gunstig bekend. Misschien naar Exodus 32 : 32, waar Mozes zegt tot de Heer: delg mij nu uit Uw boek, hetwelk Gij geschreven hebt.
aangetrouwd. *Aangetrouwd is maar aan-*

gewaaid (Gron.) = aangetrouwde familie wordt nooit eigen. In Zeeland: *Aangetrouwd is maar tegengetrouwd.*
aangezicht. zie *gezicht.*
aanhouden. *'t Is daar een huisje van houaan* = daar wordt men vriendelijk ontvangen en daar is 't altijd even hartelijk en gezellig.
aanhouder. 1. *De aanhouder wint* = wie volhardt bereikt zijn doel. Anders gezegd: 2. *Aanhouden doet verkrijgen.*
aankalken. *Iemand iets aankalken* = iemand de schuld van iets geven. Kalk, oude naam voor krijt; in de herberg tekende men iemands gelag op met krijtstreepjes.
aanklampen. *Iemand aanklampen* = aanspreken. Ontleend aan de gevechten op zee bij de oude houten schepen; men klampte 't vijandelijk schip aan boord = men haakte er zich met een klamp aan vast en sprong dan over.
aanleggen. *Hij legt bij elk heilig huisje aan* = hij kan geen herberg voorbij komen. Zeemanswoord.
aannemen, *'t Is aangenomen werk,* zie *aangenomen* en *werk* 1, 9.
aansmeren, *Iemand iets aansmeren* = hem iets verkopen tegen te hoge prijs door mooie praatjes, door hem honig om de mond te smeren.
aanspannen. *Met iemand aanspannen* = gezamenlijk met iemand een werk ondernemen. Ontleend aan twee paarden, die voor dezelfde wagen worden gespannen. Elk een paard leveren, om samen dat werk te doen.
aanspraak. *Hij maakt daar aanspraak op* = hij vordert het als zijn recht. Aanspraak was van ouds de gerechtelijke eis.
aanstoot. 1. *Aanstoot geven* = iemand kwetsen in zijn zedelijke of godsdienstige opvattingen. Bijbelse uitdrukking: aanstoot = een voorwerp waaraan men zich stoot. Zo Leviticus 19 : 14, gij zult voor het aangezicht des blinden geen aanstoot zetten.
2. *Steen des aanstoots* = reden tot ergernis. Ontleend aan 1 Petrus 2 : 7, de steen die de bouwlieden verworpen hebben, deze is geworden tot een steen des aanstoots (nl. voor de ongelovigen).
aanstoot lijden. Oudtijds een bekende uitdrukking = aangevallen worden, te lijden hebben, b.v. in het spreekwoord: die aan de weg timmert, lijdt veel aanstoots. Ook: mooie meisjes en oude kleren hebben veel aanstoot.
Dit woord betekent dus aanval, aanranding, vijandige opmerking.
aanzeggen. *Dat zou men hem niet aanzeggen* = dat zou men niet van hem denken. Aanzeggen is het oude woord voor beschuldigen.
aanzien. 1. *Aanzien doet gedenken.*
2. *Zonder aanziens des persoons* = zonder iemands rijkdom of voorname staat of bloedverwantschap in aanmerking te nemen, alleen lettende op de zaak. Uit de Bijbel, Romeinen II : 11; 'want er is geen aanneming des persoons bij God.' En dit weer naar *Deuteronomium* X: 17: 'God die geen aangezicht aanneemt, noch geschenk ontvangt.'
In Matth. XXII : 16 wordt van Jezus gezegd: 'Gij ziet de persoon der mensen niet aan.'
3. *Zie niet aan, wat voor ogen is* = laat u niet misleiden door de schijn.
Bijbelse uitdrukking. Toen Samuel een koning over Israël moest kiezen uit de zonen van Isaï in plaats van Saul, dacht hij dat Eliab het zijn moest, omdat deze zo fors en groot was. 'Doch de Heer zeide: Het is niet gelijk de mens ziet; want de mens ziet aan wat voor ogen is, maar de Here ziet het hart aan.' (1 Samuel XVI : 7.)
aap. 1. *Iemand voor de aap houden* = voor de gek houden. De aap is hier het bespottelijke wezen.
2. *Aap, wat heb je mooie jongen!* uitdrukking die te kennen geeft, dat iemand een ander vleit, om wat van hem gedaan te krijgen.
Ontleend aan Reynaert II, vers 6543. Reinaart de vos, in 't hol van een lelijke aap, zegt van de jonge aapjes:
hoe lieflic sijn si ende hoe scone!
3. *Hij heeft de aap binnen* = hij heeft het geld te pakken.
De aap is hier oorspronkelijk de stenen spaarpot in de vorm van een aap, maar dat er vroeger zulke spaarpotten waren, moet nog bewezen worden, schrijft Stoett. Hij denkt aan de oude uitdrukking: *die uit Oost-Indiën komen, zien op geen aap* = wie in 't veen zit, ziet op geen turfje.
4. *Hij heeft de aap in de mouw* = hij verbergt zijn slechte voornemens. *Toen kwam de aap uit de mouw* = toen bleek

pas de ware bedoeling.
De uitdrukking is misschien ontleend aan de wijde mouwen van de goochelaars, die met een aapje reisden.
5. *Al draagt een aap een gouden ring, het is en blijft een lelijk ding* = 't mooiste kleed maakt een lelijk mens niet mooi. Ook: rijkdom brengt geen ware beschaving mee.
De zegswijze is uit het Latijn afkomstig.
6. *In de aap gelogeerd zijn*, lett. = een slecht onderdak hebben; fig. = in verlegenheid zijn; teleurgesteld zijn. De aap zal een uithangteken van een herberg geweest zijn.
7. *Hij ziet op geen aap, als hij uit Oost-Indië komt* = hij is royaal, nu hij zelf overvloed heeft.
Die uit de Oost terugkwamen, namen nog al eens een aap mee.
8. *Als apen hoger klimmen willen,*
Dan ziet men juist hun naakte billen, wanneer iemand van lage komaf zich voornaam wil voordoen, dan merkt men juist dat hij opvoeding en beschaving mist. Bij De Brune:
Te meer de simme (= aap) klimt om [hoogh,
Te meer haer naectheyd valt in d'oogh.
9. *'t Is moeilijk, oude apen leren muilen maken* (Gezelle) = men kan een oude aap niet meer leren, dat hij lelijke gezichten trekt. Zie *beer* 3 en *hoog* 4.
aard. 1. *Hij is uit de aard geslagen* = hij aardt niet naar zijn vader of moeder, naar zijn geslacht.
2. *Men danste, dat het een aard had* = dat het zo mooi ging als 't maar kon.
3. *Hij heeft een aardje*
Naar zijn vaartje = hij aardt naar zijn vader. Misschien naar *Handelingen* VII : 51. Gij wederstaat altijd den Heiligen Geest; gelijk uwe vaders, alzo ook gij.
4. *Dat ligt in de aard van 't beestje*, zie *beest* 4.
aardappel. *Een mens is geen aardappel*, zie *mens* 6.
aarde. 1. *Dit woord viel in goede aarde* = werd goed ontvangen en droeg vruchten. Ontleend aan de gelijkenis van de

1. Als apen hoog klimmen willen (z. *aap*)

zaaier, Marcus IV : 8. 2. *Hij ziet er uit als (de) aarde* = asgrauw (door ziekte of verdriet).

Aarlanderveen. *Op zijn Aarlanderveens, Aarleveens* = op landelijke, ouderwetse wijze. Aarlanderveen, dorp onder Alfen aan den Rijn had blijkbaar de naam, dat men daar erg achteraankwam.

Aäron. De *Aäronskelk*, een van onze allermooiste bloemen, draagt zijn naam naar het verhaal in *Numeri* XVII : 1—8. Om uit te maken, wie de priester zou zijn in Israël, moest voor ieder van de 12 stammen een staf gelegd worden in de tent der getuigenis: 'En ziet, Aärons staf, voor het huis van Levi, bloeide; want hij bracht bloeisel voort, en bloesemde bloesem, en droeg amandelen.'

aas. *Volkje van deux-aas*, zie *deux*.

a-b. 1. *Hij zit nog op de a-b-bank* = hij moet 't eerste begin nog leren; 2. *Hij kent het als het a-b-c* = door en door.

abracadabra. *Dit is abracadabra voor mij* = onverstaanbare taal. Het abracadabra was een toverspreuk, op perkament geschreven, aan een draad om de hals gehangen in deze vorm:

a b r a c a d a b r a
a b r a c a d a b r
a b r a c a d a b
a b r a c a d a
a b r a c a d
a b r a c a
a b r a c
a b r a
a b r
a b
a

Iedere regel telt een letter minder; zo moest ook de koorts elke dag afnemen. Wellicht zijn de letters ontstaan uit verminkte Arabische woorden. De woorden 'äbräkhä dabir' betekenen: 'het is genezen.' Volgens Dr. Er. Bischoff in *Die Kabbalah* is de verklaring Abbara Kedabra = verdwijn, zo als dit woord.

De driehoekige vorm van het formulier is nog gebruikelijk bij de muzelmanse priesters voor hun zegel, waarmede zij trachten ziekten te genezen of sloten open te maken. De zieke wordt het papiertje dan op de pijnlijke plek gebonden, en evenals telkens een paar letters verdwijnen, wordt de zieke allengs van zijn kwaal verlost.

Zulk een abracadabra-zegel wordt niet alleen door de muzelmannen gebruikt, maar ook door christenen, en curieus is: de christenen halen zulk een 'weffk' bij de muzelmanse priester en de muzelmannen bij de Franciscaner monniken of bij een Griekse priester.

Een christen, die zich tot de mahomedaanse priester wendt, bewijst eer aan Allah en ondervindt dan Allah's genade, zo redeneren de muzelmannen.

Abraham. 1. *Hij zit in Abrahams schoot* = hij heeft het geheel naar zijn zin; hij leidt een aangenaam leven. Ontleend aan Lucas XVI : 22 en 23, waar verhaald wordt dat de bedelaar Lazarus van de engelen gedragen werd in de schoot van Abraham.

In het Oosten lag men bij de maaltijd op rustbanken, waarbij het hoofd van de een rustte tegen de boezem van een ander, d.i. 'in zijn schoot.' (Zeeman, blz. 33.)

2. *Hij weet waar Abram de mosterd haalt* = hij is op de hoogte van de zaak. Ook in 't algemeen: hij is bij de pinken. Men heeft aan *mutsaard* gedacht, d.i. de brandstapel voor Abrahams offer in Genesis XXII. Maar Stoett zegt, dat in dit verhaal niet naar een mutsaard gevraagd wordt; hij denkt, dat Abraham een gewone jongensnaam is en dat die Abram om een boodschap gestuurd wordt.

3. *Hij heeft Abraham gezien* = hij is boven de 50 jaar. Naar Johannes VIII : 57, waar de Joden tot Jezus zeggen: Gij hebt nog geen vijftig jaren, en hebt Gij Abraham gezien?

4. *Abrahammetje spelen* = maar de halve waarheid zeggen, om zich daardoor uit de moeilijkheden te redden. Toen Abraham in Egypte kwam, zei hij dat zijn vrouw Saraï zijn zuster was, uit vrees dat Farao anders hem zou doden, om in het bezit van de vrouw te komen. (Genesis XII : 10—19.) Daarna kwam Abraham te Gerar bij koning Abimelech, en daar gebeurde wederom hetzelfde. Abimelech nam Sara tot zich, maar God kwam in een droom tot hem des nachts en waarschuwde hem. Toen de koning Abraham verweet, dat deze hem bedrogen had, antwoordde Abraham: En ook is zij waarlijk mijn zuster; zij is mijns vaders dochter, maar niet mijner moeder dochter; en zij is mij ter vrouwe geworden. (Genesis XX : 12.)

Absalom. 1. *'t Is een Absalom* = een zoon, die zich verzet tegen zijn eigen vader. Naar Absalom, de zoon van koning David, die tegen zijn vader in opstand kwam, doch die met zijn lang haar in de takken van een boom bleef hangen (II Samuel XVIII.)
Vandaar ook: 2. *Hij ziet er uit als Absalom*: hij mag zijn haar wel eens laten knippen.
Zeeman merkt er bij op, dat er in de Bijbel alleen gezegd wordt, dat Absalom met zijn hoofd tussen de takken bleef hangen.
abt. 1. *Zo de abt, zo de monniken* = zo heer zo knecht.
2. *Hij is daar abt en voogd* = hij heeft er alles te zeggen. De abt, de overste van een klooster, werd in de Middeleeuwen vaak met de voogdij belast. Zie *schepper*.
3. *Als de abt met de kaarten speelt, wat zullen dan de munken?* (Vlaams); d.i. zo heer zo knecht. Ook: slecht voorgaan doet slecht volgen.
Achab, *'t Is een Achab* = een wreed, slecht mens. Achab was de koning van Israël, het Rijk der Tien Stammen, 884—861 v. Chr. Hij stond onder invloed van zijn vrouw Izebel, een Phoenicische prinses, die hem aanzette tot de moord op *Naboth* (zie daar) en die de Baäls-afgodendienst bevorderde, waartegen de profeet Elia ijverde.
Zo bleef Achab zeer ongunstig bekend. Zijn geschiedenis vindt men in I Koningen XVII—XXII.
Achilleshiel. *Dat is zijn Achilleshiel* = zijn zwakke plek. De hiel van held Achilles vóór Troje was zijn enige kwetsbare plaats; zijn moeder Thetis had hem in de Styx gedompeld, doch de plek aan de hielen, waar zij hem vasthield, was niet nat geworden. Daar trof de god Apollo hem met zijn pijl. Homerus vermeldt deze overlevering niet; die treft men aan bij Hyginus, die tijdens keizer Augustus leefde. Zie Stoett I, 18.
Achitofel. *Een Achitofelsraad* = een goede raad, maar die niet wordt opgevolgd. Absalom, de zoon van koning David, wilde zijn vader van de troon stoten; Achitofel, raadsman des konings, sloot zich bij Absalom aan en hij zei: Laat mij nu twaalfduizend mannen uitlezen, dat ik mij opmake en David deze nacht achterna jage, (II *Samuel* XVII :1).
Doch Absalom volgde deze raad niet; hij luisterde naar Husaï, die op Davids hand was. En zo zag Achitofel, dat Absalom het spel verliezen zou en hij hing zich op.
acht. *Acht is meer dan duizend* = acht geven op zijn zaken is meer waard dan duizend gulden (woordspeling).
In 't Fries: *Acht is meer als negen*.
achtentwintig. *'t Is een oude achtentwintig* = een meisje boven 28. Zie *klop*.
achterbaks. *Hij heeft zich achterbaks gehouden* = hij deed niet openlijk mee. *Achterbaks* is een oud woord = achter de rug. Zie *bakboord*.
achterdeur. *Hij houdt altijd een achterdeur open* = hij weet zo voorzichtig te praten, dat men hem op zijn woorden niet kan vangen; hij heeft altijd nog een uitvlucht. Ook: als de zaak mislukt, weet hij zich toch nog te redden.
achterhek. *Iemand het achterhek injagen* = hem ernstig benadelen.
Boerengezegde. 't Achterhek is de achterste afsluiting van een boerenwagen. Een volgende wagen moet er met zijn disselboom niet tegen aan rijden, want daar is het achterhek niet tegen bestand.
achterna. *Achterna kakelen de kippen* = als iets gebeurd is, kan men er licht zijn oordeel over zeggen, maar wie vooruit ziet, hoe 't afloopt, die is knapper. Een andere boerenspreuk met dezelfde betekenis: *Van achteren kijkt men de koe in zijn gat*.
achterste. 1. *Toen zette hij zijn achterste tegen de kribbe*, ook: *tegen de disselboom* = toen weigerde hij halsstarrig, om nog verder mee te doen. Een paard moet met zijn kop bij de kribbe komen; als het paard zich met zijn achterste tegen de disselboom stelt, dan trekt het de wagen niet meer.
2. Zie *gat* 2.
Adam. 1. *'t Is mijn neef van Adamswege* = hij is familie, maar 't is ver verwijderd.
2. *Zij liepen daar in Adamskostuum rond* = splinternaakt; (Genesis III: 7). 'Zij werden gewaar, dat zij naakt waren.'
3. *Wij moeten met Adamsvorken eten* = er zijn geen vorken, dus maar met de vingers.
4. De *Adamsappel*, het deel van 't strottenhoofd dat aan de keel vooruitsteekt. De overlevering zegt, dat het een stuk van de appel is, die Eva geplukt had

van de verboden boom.
5. *De oude Adam afleggen* = zich vrijmaken van de lust tot zondigen: *De oude Adam* is de mens, die zijn zinnelijke natuur nog niet heeft afgelegd.
Waarschijnlijk naar Efezen IV : 22. 'Gij zoudt afleggen de oude mens, die verdorven wordt door de begeerlijkheden der verleiding.'
6. Toen Adam spitte en Eva span,
Waar vond men toen een edelman?
Alle mensen hebben dezelfde waarde en dezelfde rechten. Men vindt de spreuk reeds bij Jacob van Maerlant (1220—'90).
7. *Als de rechte Adam komt, gaat Eva mee*, vergelijk *Jozef* 1.
8. *Zij leven als Adam en Eva in 't Paradijs* = zij leven rustig en gelukkig.
Naar *Genesis* II : 9—25.
ad calendas graecas. *Iets verschuiven ad calendas graecas* = tot de tijd die nooit komt.
Ad calendas graecas (L.) = tot de Griekse *calendae*. De *calendae* waren de eerste dagen van de maand bij de Romeinen, maar de Grieken hadden die indeling niet. Vgl. *St. Juttemis.*
adder. 1. *Hij heeft een adder aan zijn borst gekoesterd* = hij heeft goed gedaan aan iemand, die hem met ondank loont. Ontleend aan de fabelen van Aesopus.
2. *Er school een adder onder 't gras* = 't leek heel mooi, maar er was kwade trouw of een boze bedoeling in het spel. Uit het Latijn.
3. *Adderengebroedsel* = gemeen volk. Bijbels woord. Johannes de Doper, 'ziende velen van de Farizeeën en Sadduceeën tot zijn doop komen, sprak tot hen: Gij adderengebroedsels!' (*Matth.* III : 7.)
adem. 1. *Hij laat over alles zijn adem gaan* = hij kijkt alles na, of 't wel naar zijn zin is.
2. *Zolang als er adem is, is er hoop* (Vlaams), zie *leven* 2.
admiraal. *Hij is 't ammiraaltje van de buurt* = hij is haantje-de-voorste; ook: hij is de voornaamste. Zie *vlag* 3.
Adonis. *Adonis* was volgens de Griekse fabelleer de schone jongeling, de lieveling van de godin Aphrodite zelf.
ad patres. *Hij is ad patres* = hij is dood. *Ad patres* (L.) = naar de voorvaderen. Maar ook Bijbels. De Heer zei tot Abraham: 'gij zult tot uw vaderen gaan met vrede; gij zult in goede ouderdom begraven worden.' (*Genesis* XV : 15.)
advokaat. 1. Advokaat,
Kwade raad
(Vlaams); zie *stijfkop, koe* 4 en *proces.* Ook 2. *Gij zult winnen, zegt de advokaat, en hij slaat op zijn zak.* Zie ook *vonnis.*
Bij Guido Gezelle:
3. *Advocatentongen moeten met muntolie gesmeerd zijn.* Woordspeling met pepermunt en met munt = geld.
afdingen. *Wat men afdingt is de eerste winst.*
afgezaagd. Een *afgezaagde redenering* is zo dikwijls herhaald, dat er geen nieuws meer aan is. Zagen, fig. = aldoor 't zelfde deuntje op de viool spelen; aldoor hetzelfde vertellen. Op dezelfde wijze in het Frans: *une scie* = een telkens herhaalde spreuk, een gemeenplaats.
afgod. *Van 't geld zijn afgod maken*, zie *geld* 21.
afkammen. *Iemand afkammen* = hem min maken; zijn gebreken in 't licht stellen. Gevormd als tegenstelling van *opkammen*; zie daar.
afleggen. 1. *Hij heeft het afgelegd* = hij is dood; d.i. hij heeft het leven afgelegd met al zijn lasten. Naar Joh. X : 17: 'Daarom heeft mij de Vader lief, overmits ik mijn leven afleg, opdat ik hetzelve wederom neme.'
2. Vandaar: *hij heeft het afgelegd* = hij heeft de wedstrijd verloren; hij kan zijn taak niet volbrengen.
aflopen. *Hoe loopt dat af?* = wat zal de uitslag zijn?
Waarschijnlijk van 't aflopen van een nieuw gebouwd schip van de helling.
afpoeieren. *Ze hebben hen daar afgepoeierd* = afgescheept, met een kluitje in 't riet gestuurd.
Lett. = ze hebben hem het poeder van zijn jas geklopt, gelijk in de pruikentijd wel nodig was, en toen kon hij gaan.
afroffelen. 1. *Een werk afroffelen* = vlug, doch onnauwkeurig afmaken. De roffel is de ruwe schaaf.
2. *Iemand afroffelen, hem een afroffeling geven* = hem een ruw standje geven voor zijn slecht gedrag.
afschepen. *Iemand afschepen* = hem onverrichterzake wegsturen; hem onder een mooi voorwendsel kwijt zien te ra-

ken. (Afschepen = verkochte waren per schip verzenden.)

aftakelen. *Hij takelt af* = hij wordt minder; zijn krachten nemen af. Lett. een schip aftakelen = van zijn takelage, d.i. van zijn tuig ontdoen.

aftands. *Zij is aftands* = zij is over 't beste heen; zij veroudert. Lett. gezegd van een paard, dat zo oud is, dat men aan de tanden de leeftijd niet meer zien kan.

aftocht. *De aftocht blazen* = terugtrekken, omdat men zijn doel niet kan bereiken; de strijd verloren hebben. Gezegd van een leger, dat zich onder 't blazen van de trompet terug moet trekken.

aftroeven. *Iemand aftroeven* = hem de les lezen, hem zijn minderheid doen gevoelen. Bij 't kaartspel troeft men iemand af, door een (hogere) troef uit te spelen.

aftuigen. *Iemand aftuigen* = zijn gebreken in 't licht stellen, hem scherpe verwijten maken; ook: iemand een pak slaag geven.

Als men een schip *aftuigt*, d.i. van zijn *tuig* ontdoet, kan het niet meer varen.

afwezigheid. *Schitteren door zijn afwezigheid* = opvallen juist doordat men er niet bij is. Uit het F. Stoett haalt een paar regels aan van M. J. Chénier (1764—1811) uit zijn treurspel Tibère:

Brutus et Cassius brillaient
par leur absence.

afwimpelen. *Iets afwimpelen* = iets niet door laten gaan.

Misschien een schipperswoord. Een vlaggesein op zee eindigt, als een roodwitte wimpel gehesen wordt. Misschien ook van de voormalige schutterij. De oefening ging niet door, als er een wimpel uit de toren hing.

afzakken. *Hij zakt af*: hij gaat weg, zonder dat hij zijn doel bereikt heeft; ook: hij gaat beschaamd weg.

Afzakken is een schipperswoord; de schipper zakt af, als hij zijn schip laat afdrijven op de stroom.

afzakkertje, glaasje op de valreep, waarna men dus 'afzakken' kan. Lett. = een glaasje na het eten, waardoor de spijzen gemakkelijk 'zakken'.

Doch misschien ook éénvoudig naar *afzakken* = heengaan. Zie vorig artikel.

afzouten. *Iem. afzouten* = hem met een kleinigheid wegsturen, hem zijn deel niet geven. In Groningen en Friesland was het vanouds gebruikelijk, dat alleen de kleine kinderen op St. Niklaasavond hun mandje mochten opzetten, waarin ze dan de volgende morgen hun lekkers vonden. Als ze ouder werden, dan lag er (mee) een zakje met zout in; ze werden afgezouten; het volgende jaar mochten ze niet meer opzetten. Stoett neemt deze verklaring niet aan, doch die is in 't Noorden van 't land algemeen gangbaar tot op onze dagen.

air. *Zich een air geven* = zich (voornaam) voordoen. Uit het F.

Aken, zie *Keulen.*

akkefietje. *Met dat akkefietje ben ik lelijk opgeknapt* = dat is een lastige opdracht, een vervelende boodschap, een onaangenaam werk. Van L. *aqua vita*, letterlijk = levenswater = brandewijn; dus = een bitter drankje.

akker. 1. *Hij is aan 't eind van de akker* = hij kan niet verder, zijn krachten begeven hem, zijn vermogen is genoegzaam verdwenen. Aldus bij Sprenger van Eyk, *Landleven.*

In Groningen, in dezelfde betekenis: *hij is aan de winakker.* De win-akker, d.i. wendakker, is het einde van de akker, waar de boer de ploeg wendt.

2. *Gods water over Gods akker laten lopen*, zie *God*, 6.

akkoord. 1. *Daar ga ik mee akkoord* = dat is m.i. de waarheid, dat is volgens recht, volgens overeenkomst. Uit het F.

2. *Akkoord, Van Putten!* schertsende bevestiging. Men behoeft daarbij volstrekt niet aan een bepaalde persoon te denken, zo als een inzender doet in *De Navorscher* VIII, 29, 6. Daar wordt verteld, dat Van Putten een kastelein was te Helvoetsluis; hij had aldaar tot 1822 een koffiehuis voor de zee-officieren. Het woord *akkoord!* lag hem in de mond bestorven. Als de zegswijze dus van die kant komt, dan zou men moeten zeggen: Akkoord, met of volgens Van Putten.

3. *Beter een mager akkoord dan een vet proces*, zie *koe* 4.

akte. *Daarvan neem ik akte* = wat je daar zegt (schrijft), dat neem ik aan als iets dat vaststaat. Ontleend aan 't rechtswezen; men neemt akte van iets, als men schriftelijke aantekening verlangt van wat er verklaard is. (F. *acte*, lett. = handeling.)

al. *Die 't al wil hebben, krijgt niets,* zie *kan.* Reeds in *Reinaert* II, 4588:
Diet al wil hebben, het valt bi tiden,
Dat hi van allen missen moet.

alarm. 1. *Alarm blazen* = waarschuwen voor dreigend gevaar, dat de anderen nog niet zien; ook *de alarmklok luiden.* Lett. = op de trompet blazen, om het leger te wapen te roepen. (F. *alarme* = te wapen!)
2. *Een loos alarm* = een waarschuwing waar geen reden voor is.

Alexander. *Zo ik Alexander niet was, zou ik Diogenes willen zijn* = als ik de allergrootste en rijkste niet was, dan wilde ik de allerarmste zijn en zonder zorgen leven. Woorden, die koning Alexander de Grote van Macedonië zou gesproken hebben tegen de wijsgeer Diogenes in zijn ton.

alfa. *Ik ben de alfa en de omega, het begin en het einde* (Openbaring XXI : 6.) De alfa, de a, is de eerste letter van 't Griekse alfabet; de omega, de lange o, was de laatste.

alias. Een *alias* is een guit, een grappenmaker, een rare snoeshaan.
L. *alias* = anders; b.v. Jan Groot, *alias* De Neus. Zo kreeg alias de betekenis van bijnaam en daarna die van iemand met zo'n bijnaam en nog weer verder die van een loze guit.

alibi. *Alibi* is 't bewijs, dat men elders was dan op de plaats en de tijd van een misdrijf; L. *alibi* = elders. Men kan dan *zijn alibi bewijzen.*

alleluja. *Men moet geen Alleluja zingen voordat Pasen daar is* (Vlaams), zie *haring* 4, *hei* 2 en *mossel* 2.
Alleluja (Hebr. = prijst God), loflied; het woord komt veelvuldig voor in de R.K. liturgie. Van Septuagesima tot Pasen wordt het Alleluja in de mis weggelaten.

alleman. 1. *Wat alleman zegt is waar,* Vlaams spreekwoord, de vertaling van de L. spreuk *vox populi vox Dei,* de stem van 't volk is de stem van God.
2. *Jan en alleman,* zie *Jan* 1.
3. Die alleman belieft en paait,
Zulk volk is deerlijk dunne gezaaid,
men kan het niet alle mensen naar de zin maken. Integendeel.
4 *Allemans vriend is allemans gek.*

allemansgading. *'t Is geen allemansgading!* = afblijven! Gezegde wanneer ieder van wat lekkers wat afnemen wil. Allemansgading stond (of staat) op 't uithangbord van banketbakkers; 'dat van de Deventer-koekbakker is wel het meest bekende.' (Woordenschat.)

alm. *Goede alm maakt goed werk* (Vlaams) = goed gereedschap is 't halve werk.

almanak. 1.
De almanak en de krant
Zijn de leugenzakken van het land,
kortweg: Almanak,
Leugenzak.
Dit gezegde komt van de weerberichten.
2. *Dat mag wel met een rode letter in de almanak,* zie *rood.*
3. *De geleerden maken de almanak, maar God maakt het weer,* zie *mensen* 13.
4. *Hij heeft een kop als een almanak* = hij weet veel. Vandaar: *meen je, dat mijn kop een almanak is?* = dat ik alles onthouden kan?

alpha, zie *alfa.*

als. 1. *Als de lucht valt, krijgen we allemaal een blauwe slaapmuts op,* antwoord op de bezwaren van iemand, die aldoor komt met: *als* dit eens gebeurt, *als* dat eens gebeurt... Zie ook: *as is verbrande turf.*
2. *Als ik maar een man krijg, zei de meid, wat gaan mij andere meisjes aan?,* elk zorgt voor zichzelf.

altaar. *Die 't altaar bedient, moet van het altaar leven* = een geestelijke moet door de gemeente behoorlijk worden onderhouden. In 't algemeen: men moet kunnen bestaan van het ambt, dat men bekleedt.
Bijbelse spreuk. Paulus vraagt (1 *Korinthen* IX : 13): 'Weet gij niet, dat degenen die de heilige dingen bedienen, van het heilige eten? en die steeds bij het altaar zijn, met het altaar delen?'
Bij Guido Gezelle: *Die in de wijngaard werkt mag van de druiven eten.*

ambacht. 1. *Twaalf ambachten, dertien ongelukken* = als iem. telkens van beroep verandert, loopt het altijd weer op niets uit.
2. *Vrijen is een leugenachtig ambacht,* zie vrijen 3 en 4.
3. Gelukkig man,
Die een ambacht kan, Vlaams rijmpje.

ambt. 1. *Met het ambt komt het verstand,* opmerking die gemaakt wordt, als men meent dat iemand in een ambt benoemd

is door gunsten en gaven, zonder dat hij de nodige bekwaamheid ervoor bezit.
2. *Alle ambten zijn smerig* (Gron.): elk baantje levert wel enig voordeel op. Woordspeling: *smeer* betekent ook, 'dat de hand gesmeerd wordt.'
't Spreekwoord ook reeds in de Kamper Spreekwoorden van 1559.
Ook met een schertsend verlengstuk:
Alle ambten zijn smerig, zei de kostersvrouw, en zij nam de kaarsen mee uit de kerk.
Dit ook bij Anna Folie.
3. *Ambten en posten hangen niet aan de boom, maar wel aan de kruiwagen* (Fries) = die geen voorspraak heeft van een man van invloed, komt niet in aanmerking voor een benoeming.
amen. 1. *Ja en amen zeggen* = alles maar goedvinden, wat een ander gezegd heeft, er zonder eigen oordeel mee instemmen. *Amen* is een Hebreeuws woord = zo is het waarlijk. De uitdrukking is bijbels: 'Want zo vele beloften Gods als er zijn, die zijn in Hem ja, en zijn in Hem amen, Gode tot heerlijkheid door ons!' (2 Korinthen I : 20.)
2. *Ik zeg er amen toe* = ik *beaam* het ten volle.
3. *Van eeuwigheid tot amen* = aldoor hetzelfde. Waarschijnlijk ontleend aan de beide laatste woorden van het Onze Vader, Matth. VI : 13.
amerij. Een *amerijtje* = een ogenblik, lett. de tijd die men nodig heeft om een *Ave Maria* op te zeggen, d.i. een zeer korte groet aan Maria. (Maria werd vroeger uitgesproken als *Merij*.)
ander. 1. *Die een ander jagen wil, moet zelf draven* = een baas die altijd achter zijn werkvolk aan zit, heeft zelf ook nooit rust.
2. Wat gij niet wilt, dat u geschiedt,
Doe dat ook aan een ander niet.
Bijbels. 'Alle dingen dan, die gij wilt, dat u de mensen zouden doen, doet gij hun ook alzo; want dat is de wet en de profeten.' (Matth. VII :12.)
3. *Andere lui zijn ook lui* = anderen hebben dezelfde rechten als wij. Ook: anderen hebben ook hun begrip, al zijn ze 't niet met ons eens.
4. *Een ander is het, die zaait, en een ander, die maait*, spreuk uit *Johannes* IV : 37.
5. *Wie zich aan een ander spiegelt, spiegelt zich zacht*, zie *spiegelen*.
6. *Wat de een niet lust, daar eet een ander zich dik in* = de smaken verschillen. Zie ook *handvol* en *traag*.
7. *Een anders lijden is maar een droom* (Vlaams) = wie het zelf goed gaat, voor hem bestaat het lijden en de nood van een ander niet; hij kan zich dat nauwelijks voorstellen.
anderhalf. *Anderhalve man en een paardekop*, zie *man* 12.
anderman. 1. *Van andermans leer is goed riemen te snijden* = op andermans kosten kan men licht royaal zijn.
2. *Andermans boeken zijn duister te lezen* = over andermans omstandigheden is het moeilijk naar waarheid te oordelen.
3. *Andermans schotels zijn altijd vet* = men verbeeldt zich, dat een ander het beter heeft dan je zelf; uiting van afgunst en ontevredenheid.
4. *Zijn voeten onder een andermans tafel steken*, zie *tafel* 1.
5. *Dat is net een kat als een andermans kat* = dat is een gewoon geval; er is niets bijzonders bij.
andermansspreuken, zie *zeispreuken*.
angel. *Iemand aan zijn angel krijgen* = hem in de macht krijgen door het lokaas, dat men hem belooft of geeft. De *angel* is de haak van de hengel, de vishaak.
anker. 1. *Hij heeft hier zijn anker laten vallen* = hij heeft zich hier gevestigd; zeemansuitdrukking.
2. *'t Is tijd, dat ik mijn anker licht* = dat ik heenga.
3. *Hij ligt voor zijn laatste anker* = hij is gevaarlijk ziek.
4. *Het anker der hoop* = datgene waar de hoop op berust; de hoop zelf.
Het anker is het zinnebeeld der hoop, waarschijnlijk naar *Hebreeën* VI : 18 en 19, waar de schrijver getuigt van de hoop: 'welke wij hebben als een anker der ziel, hetwelk zeker en vast is.'
5. *Hij is voor anker gegaan* = hij leeft nu van zijn verdiende geld: hij heeft pensioen gekregen. Van een zeeman: hij vaart niet meer, maar leeft nu aan de wal. Ook:
6. *Hij heeft het anker uitgeworpen.*
7. *Hij zit zo vast als een schip voor twee ankers* = zijn zaak gaat verkeerd; hij kan zich niet meer roeren.
8. *Beter een anker kwijt dan het schip* = gelukkig hebben wij 't voornaamste be-

houden; 't ongeluk is te herstellen.
9. *Geen anker of touw kan het houden* = 't loopt de spuigaten uit; 't gaat met geweld.
apegapen. *Hij ligt op apegapen* = hij ligt op sterven, hij hijgt naar adem. Misschien = *happen en gapen.*
apekool. *Je moet hier geen apekool verkopen* = ons niet met praatjes voor de gek houden. *Kool* = onzin; *apekool* is dus nog groter gekheid. (Ned. Wdb. II, 533.)
apeliefde. Dit is liefde, die meer kwaad dan goed doet, zoals men vertelt dat een aap soms uit liefde zijn jongen dooddrukt.
apokrief. *Wat hij vertelt lijkt mij apokrief* = niet betrouwbaar. De Apokriefe Bijbelboeken zijn niet in de canon opgenomen; ze staan wel in de Statenbijbel, doch niet in de gewone uitgaven. (Gr. *apokryphos* = opgeborgen.) Maar er staat een waarschuwing bij, dat de Apokriefe boeken geschreven zijn door eigen ingeven van mensen, die in de leer zouden kunnen dwalen.
apostel. 1. *'t Is een rare apostel* = een zonderlinge man.
2. *De kleine apostels* = de kinderen. Apostel, lett. = bode. Misschien dus schertsend: boodschaplopers. (Zeeman.)
3. *Op Apostelpaarden rijden* = te voet gaan. De apostels moesten te voet reizen; (Matth. X : 5—11). Ook vaak met de L. uitdrukking *per pedes apostolorum.*
4. *Een apostel des ongeloofs* = de verkondiger van ongeloof, evenals de twaalf jongeren van Jezus het evangelie moesten verkondigen.
5. *Er zijn apostelen en martelaren* = de een verkondigt de leer en de ander lijdt ervoor.
appèl. *Hij is nooit op 't Appèl* = komt nooit op tijd op de afgesproken plaats. Appèl (uit het F.) = het afroepen van de namen der soldaten, om te weten of ze aanwezig zijn.
appel. 1. *De appel valt niet ver van de stam* = zo de ouders, zo de kinderen.
2. *Eén rotte appel in de mande*
Maakt al het gave fruit te schande
= één slechte man in 't gezelschap bederft vaak alle anderen. Vlaams:
2b. Een appel, die bedorven is,
Schendt al wat in de korven is.
3. *Voor een appel en een ei verkopen* = veel te goedkoop. De volksverbeelding houdt zich bezig met de verhalen van landerijen, die 'voor een appel en een ei' verkocht zijn. Zo over de *Hamwoning* bij Delft, die heet voor twee hammen verkocht te zijn. Ook in Groningerland vertelt men graag dergelijke geschiedenissen van boerderijen. Zo zijn de vier boerderijen in De Hemen bij Blijham indertijd verkocht voor een ton boter. Aan 't eind van de Ouderwijvenweg bij Winschoten staat het huis Pondjebotter; dat is ook voor een appel en een ei verkocht in de volksfantasie, namelijk voor een toom kippen (20 en een haan) en voor een pond boter. En in Woltersum zijn 9 grazen land verkocht voor 4 eendvogels. Dit moet in 1708 gebeurd zijn.
4. *In een zure appel bijten* = een onaangename taak aanpakken. Volgens Tuinman naar de appel van Eva, Genesis III : 6; Laurillard ziet geen verband.
5. *Een schip met zure appels* = een stevige regenbui. De wolken werden vanouds met schepen vergeleken.
6. *Zijn woorden zijn gouden appelen in zilveren schalen* = zijn rede is rijk aan inhoud en sierlijk van vorm. Spreuken XXV : 11; een rede, op zijn pas gesproken is als gouden appelen in zilveren gebeelde schalen.
7. *Iemand liefhebben als de appel zijner ogen* = als het kostelijkste wat men bezit. Naar Spreuken VII : 2; bewaar mijn geboden en mijn wet als de appel uwer ogen.
8. *Een appeltje voor de dorst bewaren* = wat sparen voor de tijd van nood. Dat kan voor ieder te pas komen, zegt men in Vlaanderen:
Een appelken tegen de dorst
Is dienstig voor schooier en vorst.
9. *Ik heb nog een appeltje met hem te schillen* = ik moet hem onder handen nemen, de waarheid zeggen, een standje toedienen, hem zijn gedrag voorhouden. *Een appeltje te schillen hebben* komt noch bij Harrebomée, noch bij Tuinman voor. Bij deze laatste: *Ik heb een eitje met u te pellen of Ymand met de billen blootleggen.* Sprenger van Eyk praat Tuinman na. J. de Brune 'Nieuwe wijn in oude ledersacken,' 1636, heeft: *Hij zal dat eytjen moeten pellen.* De verklaring wordt wellicht gegeven in J. Nooseman's 'Berooide Student,' 2e druk 1657,

waarin 'Elsje' tot de student, die de rol van Klein Klaas vervulde zegt:
'Ick heb een uye met jou te schille, hoor hier jij knappe gast.' (Uye = ui.)
Zo komen De Brune en Tuinman aan hun ei en zo werd het later een appel.
10. *Zij kreeg een appelflauwte* = zij viel in zwijm, maar 't had niet veel te betekenen; met een zure appel was 't weer te genezen.
11. *De kinderen hebben last van 't appelmannetje* = zij zijn ziek, omdat ze te veel appels gegeten hebben. Algemeen gezegde van Groningen tot in Vlaanderen, ook reeds bij Cats: Den appelman staat om zijn gelt te komen.
12. *Die zijn lichaam bewaart, bewaart geen rotte appel* = zorg dat je gezond blijft.
13. *De appel smaakt bomig* = de kinderen gelijken op de ouders. Zie no 1.
14. *Die appels vaart, ook appels eet* (Fries), zie *altaar*.
Appels varen = een lading appels overbrengen.
15. *Hij is er gezien als een rotte appel bij de groenvrouw* = men moet niets van hem hebben.
16. *Als de appel rijp is, valt hij, al is 't ook in een moddersloot* = als een meisje tot haar jaren gekomen is, geeft zij toe aan de liefde.
April. 1. Op den eersten April
Verloor Alva zijn bril.
spotdeuntje op de inneming van Den Briel in 1572. Oorspronkelijk heette het, dat hij *een bril op zijn neus kreeg*, zoals de onhandelbare paarden, doch al heel spoedig vermaakte men zich met het bekend gebleven rijmpje. (*Ned. Wdb.* III, 1382.)
2. De Aprilmaand moet niet warm zijn, volgens de boerenwijsheid, want dan komt er een koele zomer. Vandaar:
April koud en nat
Vult zak en vat.
geeft veel koren en veel boter.
3. Aprilletje zoet
Geeft nog wel eens een witte hoed,
of met een ander rijm:

2. Eén rotte appel in de mand (z. *appel*)

3a. *April doet wat hij wil.*
4. Op den eersten April
Stuurt men de gekken waar men wil.
Vanouds was het de gewoonte, dat men op 1 April iemand voor de gek mocht houden; men verzint boodschappen met de bedoeling, hem voor gek te laten lopen. In *Rapiarys*:
Menne sal nemmermere liegen,
No enen anderen bedriegen,
Maar op den eersten dach in Aprille
Liegt een so vele als hi wille.
5. *Aprilweer en herengunst daar is geen staat op te maken* (Fries).

arbeid. 1. *Na gedane arbeid is 't goed rusten.*
2. *Arbeiden is voor de dommen* = met zware lichamelijke arbeid brengt men het niet ver in de wereld. Gezegde, wanneer iemand vooruit komt in de handel of in een goedbezoldigde betrekking.
3. *Sisyfusarbeid*, zie *Sisyfus.*
4. Arbeid verwarmt,
Luiheid verarmt,
d.i. met arbeid verdient men zijn gezellig thuis voor vrouw en kind.
5. *Arbeid adelt.* Met de sarcastische aanvulling: *maar adel arbeidt niet.*
6. Arbeid zonder verstand
Is schade voor de hand.
d.i. werk met overleg, want het *ligt voor de hand* dat het anders verkeerd uitkomt. Zie *nering* 1.
7. *Dat men geerne doet, is geen arbeid* (Vlaams). Ook:
8. *Vrijwillige arbeid is maar half werk.*

arbeider. 1. *Een arbeider is zijn loon waard.* Aldus Lukas x : 7.
2. *Een arbeider in de wijngaard des Heren* = iem. die werkt voor het koninkrijk Gods, in 't bijzonder een predikant. Naar de gelijkenis in Markus XII en Lukas XX.

Argusogen. *Iets met Argusogen bewaken* = zeer scherp bewaken. Argus was volgens de Gr. mythologie een man met honderd ogen; Hera, de godin, stelde hem aan als bewaker van Io, de beminde van Zeus; Io was eerst door de vertoornde godin in een koe veranderd.

3. Arbeid verwarmt (z. *arbeid*)

Ariadne. Zie *draad* 8.
arke. 1. *Een arke Noachs* = een huis met veel woningen.
In Genesis VII : 1—3 vindt men het gebod, dat Noach van alle rein vee zeven en zeven mee moest nemen in de arke en van het vee dat niet rein was twee en ook van het gevogelte zeven en zeven, het mannetje en het wijfje.
2. *Dat is nog uit de arke van Noach* = dat is al een heel oud stuk gereedschap, een oud huis enz.
Arlekijn. *Het kampt, zei Arlekijn, en hij lag onder* (Vlaams), gezegde wanneer de verliezende partij zich nog groot houden wil. *Het kampt* = het is kamp, het is gelijk spel.
arm I. 1. *Iemand in de arm nemen* = zijn hulp vragen.
2. *Iem. met open armen ontvangen* = zeer hartelijk.
3. *Lange armen hebben* = veel macht bezitten. *Koningen hebben lange armen.* Omgekeerd:
4. *Zijn armen zijn te kort* = hij heeft voor dat doel te weinig kracht, te weinig geld vooral.
5. *Hij is zo vriendelijk als een armvol jonge katten*, zie *vriendelijk.*
6. Alles op den arm,
Niets in den darm,
Vlaams rijmpje op de mensen, die alles over hebben voor mooie kleren, doch die nauwelijks het geld voor het eten er af nemen.
arm II. 1. *Zo arm als Job.* In het 1e hoofdstuk van 't bijbelboek *Job* wordt verhaald dat Job al zijn zeer rijke bezittingen verloor.
2. Al is een moeder nog zo arm,
Zij dekt toch warm,
zie *moeder* 6.
3. *Die de arme geeft, leent de Heer* = wie weldadig is, maakt zich aangenaam bij God.
'Die zich des armen ontfermt, leent de Here; en Hij zal hem zijn weldaad vergelden' (Spreuken XIX : 17).
4. Arm met eren
Kan niemand deren,
of zonder rijm: *armoede is geen schande.*
5. Zijt gij arm of zijt gij rijke,
Zijt en blijft bij uws gelijke,
raad van Guido Gezelle.
6. *Zij heeft de armen lief, maar ze mag de bedelaars niet lijden* (Fries) = als men haar hoort praten, dan heeft zij een medelijdend hart, maar als het op de daad aankomt, dan wijst ze een arm mens van de deur.
armelui. 1. *Armelui's kalveren en rijkelui's dochters komen gauw aan de man.*
Ja, want de arme man moet vlug zijn kalf verkopen.
2. *Armelui's pannekoeken en rijkelui's ziekten ruiken ver*, d.i. als een arme man eens pannekoeken bakt en als een rijke man ziek is, dan wordt daar alom over gepraat.
In Vlaanderen ook de tegenstelling:
3. *Van armemans ziekte en rijkemans kermis wordt weinig gesproken.*
armen = arm maken.
1. *Geven armt niet*; zie *aalmoes.*
2. *Kinderen, dat armt niet* = een groot gezin komt ook door de wereld. Doch het antwoord luidt vaak: *maar er moet brood voor wezen.*
armoede. 1. *Armoede zoekt list* = een arm mens bedenkt van alles, om aan wat geld of kleren te komen.
2. *Als de armoe de deur in komt, vliegt de liefde 't venster uit* = als 't gezin verarmt, dan geeft de een de schuld aan de ander en ontstaat er twist.
3. *Armoe is geen schande*, of op rijm:
4. Armoe met eren
Kan niemand deren.
In Vlaanderen:
5. *Armoede schendt geen eer.*
En ook:
5a. Beter arm met eren
Als met schande zijn goed te vermeren.
6. *Die zich niet weet te behelpen, is niet waard dat hij armoe lijdt*, schertsend, wanneer iemand zich met geringe middelen weet te redden.
7. *Armoede en verdriet kan men verdragen, maar weelde en jeukte niet* (Vlaams).
8. *Armoede is luiheids loon*, Vlaams. Zie *luiheid.*
9. De armoe is een zware roe,
Ze sluit elkeen de deur toe (Gezelle).
De roe is de staaf, waarmee men de deur afsluit.
as I. 1. *In zak en as*; zie *zak* 1.
2. *As is verbrande turf*, gezegde tot iemand, die bezwaar maakt: *as* dit of dat eens gebeurde. Woordspeling met de beide betekenissen van *as.* Zulke woordspelingen zijn in de volksmond zeer talrijk. Zo als iem. zegt, dat het hem

niet *schelen* kan: *Schelen zijn de mooisten niet.*
3. *Uit zijn as verrijzen* = weer worden opgebouwd na brand, schoner dan tevoren. Zo bij Vondel *Op de doorluchtige Zege* van 1672:
O Groninge, uit het puin en asch en stof [verrezen,
Vergeet de weldaad niet, die Godt u heeft bewezen.
De Gr. geschiedschrijver Herodotus gewaagt van de Egyptische wondervogel Feniks (Phoenix), die zich om de 500 jaar liet verbranden en tot as verteren, om dan verjongd weer op te staan. Deze feniks was een adelaar met goudkleurige veren.
4. *Iets uit de as oprakelen* = iets dat al lang vergeten was weer in herinnering brengen; weer opnieuw beginnen over een oude zaak, die reeds lang beslecht is. Gezegde uit de tijd van het open haardvuur. Toen werd elke avond het vuur ingerekend, ingerakeld, d.w.z. onder de as gelegd in de askuil onder de haardplaat, die in Groningerland nog als *rakeldòbbe* bekend is. Des morgens werd de smeulende kool weer uit de as opgerakeld en werd het turfvuur weer aangeblazen.
as II. (van de molen). *As komt bij de molen te pas*, antwoord als iemand bezwaren maakt: as dit eens gebeurt ...
as III (als). Zie beide vorige artikels en ook *als*.
aspergebedden. *Hij heeft er zijn aspergebedden aangelegd* = hij gaat daar niet meer vandaan. Het aanleggen van die bedden is kostbaar en het duurt een paar jaar, eer men van de eerste asperges genieten kan.
assepoester. *Zij was er zoveel als assepoester* = zij moest er alle vuile werk doen; letterlijk: zij moest er de haard poetsen, zij moest de as verwijderen van het vroegere open haardvuur. *Assepoester* is de heldin van een van de sprookjes van Moeder de Gans; haar zusters mochten naar het feest, maar toen het glazen muiltje gepast moest worden, waren niet de zusjes de gelukkigen, doch Assepoester; zij werd koningin. Toen in de Stadsschouwburg van Groningen het eerste stuk in dialect werd opgevoerd, heette het van de vroeger geminachte volkstaal:
Assepoester is Koningin geworden.
't Glazen muiltje' berust op een vergissing. In 't oorspronkelijk Frans stond niet *pantoufle de verre* (glazen muiltje), doch *pantoufle de vair* (van bont), dat net zo wordt uitgesproken.
aterling, d.i. een ellendeling, een die tot alles in staat is, een gemene verrader. Lett. = een hond uit de eerste worp; volgens het volksgeloof was de beet van zulk een hond vergiftig.
Attisch zout, d.i. geestigheid in 't gesprek. *Attika* was de naam voor de oud Griekse staat Athene, en de Atheners werden geroemd om hun fijne geestigheid.
Augias. *De Augiasstal reinigen* = een buitengewoon vuile boel opknappen. Koning Augias van Elis bezat volgens de Griekse overlevering 3000 runderen, maar hij had in geen 30 jaar de mest opgeruimd. Dit nu werd opgedragen aan Hercules, die er twee rivieren door leidde, de Alpheus en de Peneus.
averij. *Hij heeft averij geleden* = hij heeft schade opgelopen. Letterlijk is averij een scheepswoord = schade aan schip of lading; afkomstig van een Arabisch woord awâr. (Dozij, *Vreemde Oosterlingen*, 22.)
avond. 1. *Hoe later op de avond, hoe schoner volk!* schertsend gezegde, als er 's avonds laat nog bezoek komt.
2. *'t Is nog geen avond, had de kraaivanger gezegd, en toen had hij er al een* = hou er de moed maar in; 't kan nog goed worden.
3. Hij komt *'t avond of morgen* = de een of andere tijd, meestal = hij komt wel spoedig.
4. *Men moet de dag niet vóór de avond prijzen*, zie *dag* 8.
In Rapiarys:
Men sal beiden den lesten dach,
Eer men eenen salich heten mach,
d.i. men moet de laatste dag afwachten, eer men iemand zalig kan heten.
Ook:
5. *De avond prijst (looft) de dag.*
Dan:
6. *Die dag is nog niet ten avond* = men weet nog niet hoe het afloopt.
avondreden. *Avondreden en morgenreden zijn niet gelijk* = wat men des avonds beloofd heeft, voert men de volgende morgen vaak niet uit.

avondrood.
Avondrood
Mooi weer aan boot (boord).
Morgenrood,
Water in de sloot.
Boerenwijsheid. Maar reeds ten tijde van Christus algemeen. Immers in Mattheus XVI : 2 en 3 zegt Jezus tot de Farizeeën en Sadduceeën:
'Als het avond geworden is, zegt gij: Schoon weder; want de hemel is rood. En des morgens: Heden onweder; want de hemel is droevig rood'.
Azazel. *De bok Azazel* = de zondebok; zie daar. Ten onrechte. Azazel was de boze geest, aan wie de weggaande 'bok' geofferd werd. (Leviticus XVI : 9.)
azijn. *Met azijn vangt men geen vliegen*, zie *vlieg* 6.

B

baadje. *Hij moest wat op zijn baadje hebben!* = een pak slaag. Een *baadje, baaitje* is namelijk een katoenen buis; het woord is uit het Maleis en door de matrozen meegebracht uit Indië.
Baäl. *Een Baälspriester* = een verkondiger van een verkeerde leer, vooral: een aanhanger van wereldse opvattingen. *Baäl*, lett. = Heer, in de Bijbel herhaaldelijk genoemd. Hij was de zonnegod van de Filistijnen en Phoeniciërs, maar hij werd ook heel vaak aangebeden door de Israëlieten, ondanks de heftige bestrijding door de profeten, vooral onder de regering van koning Achab. (1 *Kon.* XVIII.)
baan. 1. *Ruim baan maken* = alle belemmeringen uit de weg ruimen.
2. *De baan is schoon* = nu is er een goede gelegenheid.
3. *Baanbrekende arbeid verrichten* = nieuwe wegen openen op het gebied van wetenschap of sociaal werk. Volgens Ned. Wdb. III, 1250, uit het Duits. Daar heet een weg een baan en daar legt men vaak wegen aan, die door de rotsen moeten gebroken worden.
4. *Iemand van de baan knikkeren* = hem als mededinger op zij zetten. Letterlijk: bij 't knikkeren een medespeler overwinnen, zodat hij niet meer mee mag doen in de baan bij dat spel.
5. *De baan warm houden* = gedurig langs dezelfde weg gaan; steeds weer op bezoek komen. Allicht ontleend aan de glijbaan, waar de jongens onophoudelijk over glissen.
6. *Iets op de lange baan schuiven* = eerst ter zijde leggen en misschien voorgoed. De rechters zaten op de korte bank in de rechtszaal; als nu een zaak eerst uitgesteld werd, schoven ze de processtukken op de lange bank, langs de zijde van de zaal, zoals nog te zien in 't stadhuis van Vere. 't Moet dus zijn: iets op de lange bank schuiven. Deze uitdrukking is in het Duits nog bewaard: 'etwas auf die lange Bank schieben.'
baar. *Geen baren (golven) gaan hem te hoog* = hij ziet nergens tegen op; hij zwicht voor niemand.
baard, 1.
Een man met een baard,
Daar is een vrouw bij bewaard.
Oud spreekwoord, ook reeds bij Tuinman. 2. *Hij heeft de baard nog in de keel* = hij is nog niet eens volwassen. Lett. = zijn stem is nog die van een jongen; dat wordt anders, als de baard doorkomt.
3. *Hij wil aan mijn baard leren scheren* = hij wil het wel eens op mijn kosten beproeven.
4. *Een kus zonder baard is een ei zouder zout*, oud spreekwoord; allicht denken de vrouwen er nu anders over. Zie *kus* 1.
5. *Iemand in de baard varen* = hem halfweg komen, hem flink tegenspreken; ook: hem heftige verwijten doen.
Uit de tijd, dat de mannen nog algemeen een baard droegen, vooral onder de boeren. 't Is ook nu nog een echt boerengezegde.
6. Rode baard,
Duivels aard,
zie *rood* 5.
7. *Spelen om des keizers baard*, zie *keizer* 4.
baas. 1. *Liever kleine baas dan grote knecht*, 't is veel waard dat men een eigen zaak heeft, al is die dan ook maar gering en eenvoudig. Zie *knecht*.
2. *Er is altijd baas boven baas*: er is altijd wel iemand, die 't nog beter kan.
baat. 1. *Alle baat helpt, zei de mug, en piste in de zee*; zie *zeispreuken* 17 en 49. Ook: 2. *Alle baat helpt, zei de schipper, en hij blies in 't zeil.*

In Vlaanderen:
3. *Alle baten helpen, zei de begijn, en zij roerde heure pap met een naalde.*
En ook:
4. *Alle baten helpen, zei de beer, en hij snapte naar een mug.*
5. *Daar is maar één baat en elk zoekt ze* (Vlaams), namelijk *eigenbaat.*
Babel. 1. *Het moderne Babel* = Parijs, voorgesteld als een stad van weelde en onzedelijkheid. Deze voorstelling is uit de Bijbel; zij is gevallen, Babylon, die grote stad; (Openbaring XIV : 8).
2. *'t Was op de vergadering een Babylonische spraakverwarring:* de een sprak tegen de ander in, zodat men er niet wijs uit werd. In Genesis XI : 1—9 leest men, dat de mensen een toren wilden bouwen te Babel, die tot in de hemel zou reiken; dit plan kon niet worden uitgevoerd, omdat de Heer kwam nedervaren en hun spraak verwarde. 'Alzo verstrooide hen de Heer vandaar over de ganse aarde.'
Hiernaar ook
3. *Zo hoog als de toren van Babel.*
En:
4. *'t Was daar een Babel van verwarring* = er was niets in orde; alles lag overhoop. Ook: niemand wist raad.
bajonet. *De bajonet afslaan* = zich gewonnen geven, in ieder geval: eindigen met de strijd, met het werk.
Kazernetaal. Bij het eind van een oefening luidde het commando: bajonet af! De soldaat moest dan de bajonet 'afslaan' en kon inrukken.
bak. 1. *Ik kon geen slag aan de bak krijgen:* ik kon niet aan het woord, aan de beurt komen.
De bak aan boord van een zeeschip is de grote houten kom voor het eten van de bemanning.
2. *Dat is een flauwe bak* = laffe aardigheid. Overdrachtelijk van flauwe kost (uit de bak voor 't zeevolk). (Kerdijk) Bij verdere uitbreiding:
3. *Zal ik je een bak vertellen?* = een grap, een ui, een aardigheid.
4. *Men moet om een bak zaad geen molen bouwen* (Gron.) zie *mud* 2.
bakbeest. *'t Is een bakbeest van een mens* = een lompe dikke (domme) man. Volgens Stoett: een varken, dat aan de bak gevoederd wordt.
bakboord. *Iemand van bakboord naar stuurboord sturen* = van 't kastje naar de muur. 't Bakboord is de linkerkant van een schip, 't stuurboord de rechterzijde. Letterlijk is *bakboord* zoveel als rugboord; het roer hing namelijk oudtijds aan de rechterkant van 't schip; de stuurman stond daarbij met zijn rug naar de linkerzijde gekeerd. Ook verbasterd tot *bikboord.*
baken. 1. zie *schip* 3; 2. zie *tij* 1; 3. *De bakens zijn verzet* = de omstandigheden zijn veranderd.
De bakens in of bij de vaargeul wijzen aan, hoe het schip varen moet zonder te stranden.
baker. 1. *Hij is al te heet gebakerd* = al te driftig bij zijn werk of zijn plannen, al te voortvarend. Schertsend, alsof het bakeren invloed heeft op iemands aard en wijze van doen.
2. *'t Is bakerpraat* = beuzelpraat; lett.: wat de bakers aan de kinderen vertellen of voorzingen.
Van Vloten achtte die deuntjes toch wel van zoveel belang, dat hij ze verzamelde en uitgaf als *Ned. Baker- en Kinderrijmen.*
3. *'t Hindert niet, zei de baker, als 't kind er maar is,* (Gron.) = let op geen kleinigheden.
bakermat. *De bakermat der beschaving* = de plaats van waar de beschaving uitging. De bakermat was een mand, waarin de baker met de zuigeling voor 't vuur zat, om 't kind te verzorgen, beschermd tegen tocht.
bakken. 1. *Zoete broodjes bakken,* zie *brood* 4. 2. *Bak-intijds ontleent geen brood,* (Vlaams) = wie op tijd klaar is, heeft geen ander nodig. Lett.; wie op tijd gebakken heeft, behoeft bij een ander geen brood te lenen.
bakker. 1. *De bakker werd gehangen, maar de schenker kwam vrij,* woord dat men in vrolijk gezelschap tot de schenker richt.
Zinspeling op het bijbelverhaal: Farao 'deed de overste der schenkers wederkeren tot zijn schenkambt, zodat hij de beker op Farao's hand gaf. Maar de overste der bakkers hing hij op.' (Genesis XL : 21, 22.) De bakker is vaak het mikpunt in schertsend gesprek. Zo:
2. *Daar heeft de bakker zijn wijf doorgejaagd,* wanneer er holle plekken zijn in het brood.

En ook:
3. *Dat heeft geen zwarigheid, zei de bakker, en hij had zijn brood te licht.* Gezegde, als iemand zegt, dat er geen zwarigheid, geen bezwaar, bestaat.
4. *'t Is beter de bakkers te paard, als de dokters* (Vlaams) = beter dat de mensen gezond en goede klanten van de bakker zijn dan dat de dokters veel verdienen. Zie *schoen* 15.
5. *Het is voor de bakker* = het is in orde.
bakker-aan. *Hij is bakker-aan* = hij is gesnapt. Misschien uit *hij bakt er aan*, hij kleeft er aan, hij zit er aan vast.
bakkes. *Zijn bakkes zal vliegen vangen* = hij krijgt een slag in zijn gezicht.
baksel. *Alle baksels en brouwsels vallen niet even goed uit* = alle werk gelukt niet even goed. Zie ook *breister.*
bakvis. Schertsend voor een nog niet volwassen meisje; uit het D. *Backfisch.* De vis die gebakken wordt is in de regel niet van de grootste.
bakzeil halen, d.i. terugkrabbelen, zijn woorden intrekken. Letterlijk een zeewoord uit het Engels: *to back a sail* = het zeil brassen, zodat de wind er van voren vat op heeft en de vaart van 't schip vermindert.
bal. 1. *Hij weet er geen bal van* = niets van. Bal is hier een kleinigheid, een ding van geen belang. Verbasterd tot: *hij weet er de ballen van.*
2. *Hij sloeg de bal mis*: hij giste, redeneerde, oordeelde verkeerd. Van het kaatsen of kolven afkomstig.
3. *Die kaatst moet de bal verwachten* = wie iemand aanvalt moet er op rekenen, dat die zich verdedigt.
4. *Elkaar de bal toewerpen* = elkaar wederkerig voorthelpen; als maats optreden.
5. *Ik zal er eens een balletje van opgooien* = ik zal er over beginnen om te horen wat anderen er van zeggen; om te weten, of er kans van slagen is. Misschien ontleend aan een jongensspel, waarbij een de eerste is, om de bal op te gooien.
baliekluiver, d.i. een man die niets uitvoert, letterlijk: die over de balie van de brug hangt en kringen in 't water spuwt.
balk. 1. *Een balk in zijn wapen voeren* = van onechte geboorte zijn. Een bastaard mocht het wapen voeren van zijn vader, maar met een schuine streep er door van links boven naar rechts beneden. Die schuine streep heet volgens Van Dale *baar*, zo leest men in *Woordenschat* en hij loopt ook niet van links naar rechts, doch van rechts boven naar links beneden. Een *balk* op een wapen is daarentegen een brede horizontale band en wordt dus ten onrechte als teken van bastaardij beschouwd. De uitdrukking voert dus zelf een balk in zijn wapen.
2. *Men moet het aan de balk schrijven* = dat is al heel bijzonder; dat is een kunststuk. In de ijsherbergen wordt aan een zolderbalk geschreven, wie er het eerst over het ijs is aangekomen. Dit is een overblijfsel van de oude gewoonte, om merkwaardige dingen met krijt aan de balk te schrijven. Zo tekende men in 1535 met rode letters op een balk in de Nieuwe Kerk van Amsterdam aan:
Int jaar vijftien hondert vijf en dertich,
Wilt dit onthouwen,
Liepen hier naect
Mans ende vrouwen.
Ook in de Nieuwe Kerk werd aldus de heugenis bewaard aan de Onoverwinnelijke Vloot (1588):
De Spaanse Vloot,
Machtig en groot,
Heeft Godt te niet gebracht
Int jaar tachentig en acht.
In de Oude Schouwburg van Amsterdam kon men lezen:
De Byen storten hier
het eelste datse lesen,
Om d'Ouden stock te voên
en Ouderloose Weesen.
Het spel heeft oock sijn tijd,
wanneer 't de tijd gehengt;
't Vermaeckelijk en Nut
wert hier van pas gemengt.
In de school konden de leerlingen lezen:
Elck wil — hem stil —
en vroet — soo draghen,
Dat hij — blijft vrij
van boet — en slaghen.
In de herberg:
Gezegend zij' uw ingang,
als u het geld niet faalt;
Gezegend zij uw uitgang,
wanneer gij hebt betaald.
(Koenen, *Woordverklaring.*)
3. *Hij gooit zijn geld ook niet over de balk* = hij is zuinig, oppassend. Letterlijk: hooi over de balk gooien, n.l. over de balk heen, zodat het niet in de ruif komt, dus = verkwisten.

Een geheel andere verklaring is ook beproefd. De *balk* is de ijzeren middellijn in de korenmaat. Wie de maat vulde tot over de balk en die dan geen strekel gebruikte, gaf meer dan hij verplicht was.
4. *Men ziet de splinter in een anders oog, maar niet de balk in zijn eigen*; zie *oog* 2.
balsem. 1. *Is er geen balsem in Gilead?* = is er dan geen uitkomst meer?
Deze vraag vindt men in Jeremia VIII : 22. De profeet is diep terneergedrukt door het dreigend gevaar, dat het Joodse volk onder koning Jojakim boven 't hoofd hangt. Hij is bevreesd voor een vijandelijke inval.
De balsemstruik groeide veel in Gilead over de Jordaan bij de rivier Jabbok.
Balsem van Gilead is ook de titel van een stichtelijk boek van Willem Teellinck, 1579—1629, de bekende piëtistische predikant te Middelburg.
2. *Dat is balsem voor de wonde* = dat is een grote troost; dat verzacht het leed.
De balsem, het sap uit de balsemstruik, gebruikt als reukwerk, doch vooral als verzachtend geneesmiddel.
band. 1. *Door de band* = gemiddeld, door elkaar gerekend. De uitdrukking zal gekomen zijn van de gebonden schoven koren, die ook gemiddeld dezelfde dikte hebben. Men hoort ook vaak: *door de bank*.
2. *Uit de band springen* = zich onttrekken aan tucht en orde. Lett. springt een vat uit de band, als de hoepels het niet kunnen houden. Doch Tuinman denkt aan een hond, die zich losbreekt van zijn ketting.
3. *Hij en is niet geheel vrij, die nog een stuk van zijn banden nasleept.*
bandrekel. *'t Is een eerste bandrekel* = een echte kwajongen; een die het ergste kattekwaad uitvoert; een brutaal heer.
Lett. een rekel (hond), die aan de band (de ketting) moet gehouden worden.
banier. *Hij strijdt onder eigen banier* = hij is geen volgeling van een ander; hij komt voor zijn eigen partij op.
De banier was het vaandel, waarom zich de krijgslieden schaarden.

4. Hij en is niet geheel vrij (z. *band*)

banjerheer, d.i. een grote meneer, een die zich voornaam voordoet.
In de Vad. Gesch. waren de *baanderheren* bekend, die onder eigen banier ten oorlog trokken. In Gelderland de heren van Bahr, Bronkhorst, Wisch en Berg ('s Herenberg) in de Graafschap:
Berg de oudste,
Baer de rijkste,
Bronkhorst de edelste
en Wisch de stoutste.
Verder de heren van Batenburg, Buren en Kuilenburg.
bank. 1. zie *band* 1. 2. *Achter de bank raken* = in 't vergeetboek raken. 3. *Zo zeker als de bank*, n.l. als de Nederl. Bank. 4. zie *stoel.*
bankroet. Het woord is via het Frans afkomstig van It. *banca rotta*, d.i. gebroken bank. Wanneer een wisselaar (op de markt in oude tijd) niet aan zijn verplichtingen kon voldoen, dan brak men zijn bank af.
Barbertje. *Barbertje moet hangen* = ook als men geheel onschuldig is, draait men toch voor een zaak op.
Ontleend aan het motto vóór in *Max Havelaar*. 't Merkwaardige is, dat aldaar niet Barbertje moet hangen; dat is een vrouwtje, waarvan beweerd wordt dat ze vermoord is door Lothario. Zij zegt aan de rechter, dat Lothario haar niet vermoord heeft, hij heeft haar juist veel goeds gedaan. En... even goed is 't vonnis, dat Lothario moet hangen.
Barrebiesje. 1. *Hij gaat naar de Barrebiesjes* = hij gaat om zeep.
De bedoeling is: naar *Berbice*, de kolonie die naast Suriname ligt en die vroeger aan de Westindische Compagnie behoorde; 't werk op de plantages was er zeer ongezond.
Berbice, Demerary en Essequibo werden in 1804 door de Engelsen bezet en bij de Vrede van 1814 hebben zij deze landstreken behouden.
Ook, maar zeer oneerbiedig:
2. *Hij is naar de Barbiesjes* = hij is dood.
Bartjens. *Willem Bartjens* was een rekenmeester te Amsterdam (1587—1673). Zijn rekenboek kwam uit in 1637 en werd nog in de 19e eeuw gebruikt. Vandaar: *dit komt uit volgens Bartjens* = dit is secuur berekend. Hij was reeds bij zijn leven zo beroemd, dat niemand minder dan Vondel hem in een gedicht prees.
bast. 1. *Iemand de bast vullen* (plat) = hem de kost geven, lett. = het lijf vullen. *Bast* = de huid, overgebracht op 't gehele lichaam. Zo ook:
2. *Iemand wat op zijn bast geven* = hem een pak slaag toedienen.
basta! *En hiermee basta!* = nu wil ik er niets meer van horen, van zeggen enz. It. *basta* = het is genoeg.
bataljon. *Hij is van het tiende bataljon*, schertsend: hij is Rooms. [kruises.
Naar X = tien, maar ook het teken des
baten.
Baat het niet,
Dan schaadt het niet
= men kan het licht beproeven, het wordt er toch niet minder van.
batterij. *Nu zullen wij eens van batterij veranderen* = nu praten we over wat anders; nu pakken wij de zaak eens anders aan. Lett. = wij vallen de vijand aan van een andere batterij.
bed. 1. *Kleed je niet uit, vóór je naar bed gaat*, zie *uitkleden.*
2. *Op zachte bedden slaapt men hardst* (Vlaams) = rijke mensen hebben vaak veel zorgen.
3. *Die zijn bed verkoopt, moet op de stenen slapen.* (Vlaams); zie *gat* II 5.
4. 't Is beter geëten
Als 't bedde versleten,
Vlaamse rijmspreuk. Zie *schoen* I 5.
5. *Menigeen maakt het bed klaar voor een ander en komt zelf op stro te liggen* = aan opvolgers gelukt veeltijds het streven, waarbij de voorgangers te gronde zijn gegaan. (Op stro werden de doden gelegd.)
bedelaar. 1. *'t Is de ene bedelaar leed, dat de ander voor de deur staat* = mensen van 't zelfde vak benijden elkaar; ongegund brood wordt veel gegeten. Ook Vlaams.
2. *De jongste bedelaar moet de korf dragen* (Fries), zie *ezel* 8.
bedlam, d.i. een krankzinnigengesticht. In de *Camera* b.v.: Een beestenspel is een bedlam vol idioten.
Genoemd naar *'t Bethlehemhospitaal* te Londen, een inrichting voor geesteszieken.
bedplank. *'t Is er een van de bedplank* = het kind kwam precies negen maanden na het huwelijk.
bedrog. 1. *Bedrog loont zijn meester* = een bedrieger komt in het eind slecht

weg.
2. *Dromen zijn bedrog*; zie *droom* 1.
bedruipen. *De oudste kan zichzelf al bedruipen* = voorziet al in zijn eigen onderhoud. Ontleend aan een kip of ander slachtbeest, dat in zijn eigen vet gebraden wordt.
bedrijven. *Hij weet wel wat hij bedrijft, als hij een varken in touw heeft* (Gron.), schertsend: hij neemt het zekere voor het onzekere; laat hem maar begaan!
beek. *Veel beekskens maken een groot water* (Vlaams), zie *kleintje* 1 en 2.
been I. 1. *'t Zijn sterke benen, die de weelde dragen* = men moet een vast karakter hebben, als men zich niet te buiten gaat, wanneer men rijk of machtig wordt.
2. *Hij is met het verkeerde been uit bed gestapt* = hij heeft de bokkepruik op.
3. *Op één been kan men niet lopen* = uitdrukking van de gastvrouw om na 't eerste glas nog een tweede te nemen.
4. *Ze zetten hun beste beentje voor* = zij doen hun uiterste best, om goed voor den dag te komen.
5. *Pas op, dat men je geen beentje licht* = dat men je niet te vlug af is, dat men zich niet van jouw deel meester maakt, dat men jou je kansen niet afkaapt. Ontleend aan 't worstelen als jongensspel.
6. *Iemand bij 't been krijgen* = hem bedriegen; hem te veel laten betalen. Zoals men iem. laat struikelen, als men hem bij 't been pakt.
7. *Iemand benen maken* = hem op de vlucht jagen.
Lett. = hem gewaar laten worden, dat hij benen heeft.
8. *Hij stond op zijn achterste benen* = hij kwam er driftig tegen op.
Ontleend aan een steigerend paard.
9. *'t Been stijf houden* = op zijn stuk staan, niet toegeven.
Lett. = vast staan.
10. *Hij staat reeds met zijn ene been in*

5. 't Zijn sterke benen (z. *been*)

't graf. = zijn leven is haast ten einde. Zie *voet.*

11. *Dat krijgt hij op zijn zeer been* = dat komt voor zijn rekening.

12. *Ik kan 't niet uit de benen snijden* = ik heb het geld er niet voor. Ook: *Ik kan het niet van mijn rug afsnijden.*

13. *Hij kreeg geen been aan de grond* = hij legde het verschrikkelijk af. Ontleend aan het worstelen.

14. *De benen onder een andermans tafel steken* = dienstbaar worden, gezegd van een inwonende dienstbode.

15. *Hij kan nog niet op eigen benen staan* = hij is nog niet zelfstandig.

16. *Hij ging heen met de staart tussen de benen* = hij trok beschaamd af, zoals een hond die een pak slaag gehad heeft.

17. *Hij heeft een blok aan 't been,* zie *blok* 1.

18. *De appels lopen op gouden benen,* gezegde wanneer er haast geen appels meer zijn en ze dus heel duur worden.

19. *Beter een kwaad been als geen* (Vlaams) = men moet van twee kwaden het beste kiezen.

been II (bot). *Daar vindt hij geen been in* = dat is voor hem geen bezwaar, al is 't ook verboden, al mag het ook niet. Ontleend aan vlees, waar geen been in zit.

beer. 1. *Hij zit stevig in de beer* = in schulden. Uit het Duits; de schulden zijn als brommende beren.

2. *'t Is een ongelikte beer* = een man zonder fatsoen. Volgens het volksgeloof worden de jonge beren geboren als een vormeloos stuk vlees; de berin likt ze zo lang, totdat zij 't goede fatsoen hebben. Zo dacht de dichter Staring (1767—1840) er ook nog over:

Schoon 't Beerenjong bij
Moeders lekken winn'.
Als 't lieve Leven faalt,
dat lekt geen tong er in.

Wel merkt Walch op, dat er ook nog een ander woord *likken* = polijsten bestaat, dat hier te pas kan worden gebracht. Maar reeds bij Ovidius blijkt, dat de Romeinen aan de berin gedacht hebben en ook de Fransen spreken van *un ours mal léché.*

3. *Oude beren dansen leren is zwepen verknoeien;* zie *oud* 12.

4. *De beer is los!* = het spektakel begint; de ruzie is losgebroken.

5. *Ze zien er uit als beren* = ze zijn sterk en gezond.

6. *Men moet de huid niet verkopen, eer de beer geschoten is,* zie *huid* 3.

beest. 1. *Hij is beest* = hij heeft alles verloren. De uitdrukking is uit het Frans en betekent bij 't kaartspel, dat hij geen enkele slag heeft gehaald en dus opnieuw moet inzetten. (F. *la bête* = de inzet.) Dit Franse woord is blijven leven in de Groninger tongval met andere betekenis. *Hai is lebait* = hij is ziek.

2. *Een beest maken,* bij 't biljarten een slechte stoot maken, maar die toch goed uitvalt.

3. *De beest spelen* = opspelen, zich ruw gedragen. Vroeger zei men *de* beest in plaats van *het* beest.

4. *Dat ligt in de aard van 't beestje* = dat is nu eenmaal zijn natuur.

5. Hoe groter geest,
Hoe groter beest.
Zie *geest* 3.

6. *Schuld is een kwaad beest,* zie *schuld.*

beetje. *Alle beetjes helpen.* Vaak schertsend:

Alle beetjes helpen en alle vrachtjes lichten, zei de schipper, en hij smeet zijn vrouw overboord.

Zie *baat* 1.

begeren.

Die meer begeert dan hem betaamt,
Krijgt minder dan hij had geraamd.
Vergelijk *kan* 1.

begin. 1. *Een goed begin is een daalder waard;* ook: *is 't halve werk.* In Vlaanderen: *Goed begonnen, half gewonnen.* En ook:

1a. *kwalijk begonnen, kwalijk gelukt,* en

1b. Een goed begin
Geeft moed en zin.
Ook:

1c. *Goed begin heeft een goed behagen.* Zie *slag* 10.

begrepen. 1. *Ik heb 't op hem begrepen* = ik heb 't op hem gemunt. *Begrijpen* betekende vroeger: een plan maken. Vandaar ook:

2. *Ik heb 't niet op hem begrepen* = ik mag hem niet.

begijn. 1. *Daar is een begijn te geselen* = daar zal heel wat bijzonders geschieden. Geen wonder: begijnen immers zijn geestelijke zusters, die geen bindende gelofte hebben afgelegd, maar die zich evenzeer onderscheiden door een braaf leven. In de Middeleeuwen trof men

overal begijnhoven aan; de naam is nog over te Amsterdam en te Delft. Er zijn nog altijd grote begijnhoven in Breda, Brugge, Gent en andere Belgische steden.
2. *Werken is zalig zeiden de begijntjes*; zie *werken* 5.
behelpen. 1. *Die zich niet weet te behelpen, is niet waard dat hij armoe lijdt*, schertsend gezegde, waarmee men zich verontschuldigt, wanneer men zich redden moet in moeilijke omstandigheden. Schertsend, bij Guido Gezelle:
2. *Behulp is alles, zei de boer, en hij spande zijn wijf voor de ploeg.*
behept. *Hij is met een kwaal behept* = hij lijdt er aan. Volgens de taalgeleerden niet afkomstig van *hebben*, maar van een woord, dat zoveel betekende als er mee opgescheept zijn.
beide. *Men gaat met zijn beiden naar de kerk en men komt met zijn drieën weerom* (Fries), ja, want dan is de Duivel er bij; 't spreekwoord slaat namelijk op het huwelijk; als dat eenmaal gesloten is, gebeurt het dat er twist en tweedracht komt.
bek. 1. *Bek-af zijn* = doodmoe, uitgeput. Uit de oude uitdrukking: een paard de bek afrijden = zo hard voortjagen, dat het zijn adem kwijt is.
2. *Zij heeft een bek als een scheermes* = zij is heel scherp in haar spreken.
bekaaid. *Hij is er maar bekaaid afgekomen* = 't is hem tegengelopen, hij is teleurgesteld, hij heeft zijn deel niet.
Bekaaid is een oud woord met de betekenis van vuil, bedorven.
zich bekeren. 1. *Hij heeft zich bekeerd van zwijn tot varken* (Gron.) = hij doet zich voor, alsof hij een beter leven zal leiden, maar 't is nog de oude zondaar. Nog erger:
2. *Hij heeft zich bekeerd van een kleine schelm tot een grote.*
beklonken. *De zaak is beklonken* = men is het er over eens geworden. Lett. = 't is vastgeklonken, zoals men ijzeren platen aan elkander klinkt. (*Ned. Wdb.* II, 1606.)
bekomst. *Daar heb ik mijn bekomst van* = daar moet ik niets meer van hebben. Van: *dat bekomt mij niet meer* = ik lust er niet meer van. (*Ned. Wdb.* II, 1624.)
bekwaam. *Iets met bekwame spoed behandelen.* Hier heeft bekwaam nog de oude betekenis van *passend*.
belabberd. *Dat ziet er belabberd uit* = akelig, beroerd, lamlendig.
Een Middelnederlands woord, dat *bevuild* betekende. Dus geen scheepsterm, al betekent *belabberd* nu ook, dat de zeilen slap neerhangen bij windstilte.
belazerd. *Ben je belazerd!* = ben je zestig? Belazerd is letterlijk = melaats, de ziekte waaraan *Lazarus* leed; zie daar.
beleven. *Als je wat beleven wilt, dan moet je trouwen* (Gron.).
belezen. *Hij is licht te belezen* = over te halen. Belezen is letterlijk = bezweren, n.l. een toverspreuk over iemand uitspreken. Wie behekst was, ging naar een duivelbanner en die kon hem genezen door allerlei onbegrepen woorden te prevelen.
belhamel. *Hij is altijd de belhamel* = de voorman bij een relletje, de baldadigste van een troep. Lett. = de hamel, de ram die de bel draagt en waarnaar de overige schapen van de kudde zich richten.
Belial. *Belialskinderen* = deugnieten. Belial is een van de namen van de Satan. In 2 Korinthe VI : 15 leest men: Wat samenstemming heeft Christus met Belial?
belofte. 1.
Beloften half gedaan
Zijn haast in rook vergaan.
Vlaams rijmspreukje: als men zich niet stellig voorneemt, zijn belofte te houden, dan komt er niet veel van terecht.
Een ander Vlaams spreekwoord zegt:
2. Een belofte in dwang
En duurt niet lang,
men houdt een afgedwongen belofte niet langer dan men moet.
En in een derde spreuk heet het:
3. *In 't land van belofte sterft men van armoede*, zie *beloven* 1.
4. *'t Land van Belofte*, zie *land* 1.
5. *Belofte maakt schuld* = wat men belooft, moet men volbrengen.
En schuld maakt beloften, voegt schertsend de Vlaming er bij: de schuldenaar komt met mooie beloften, dat hij zijn schuld voldoen zal.
beloven.
1. Veel beloven en weinig geven,
Dat doet de gekken in vreugde leven
= dwaas is wie zich laat paaien met schone beloften. Reeds in de Kamper

verzameling van 1559;
Veel te loven, ende luttel te geven,
Dat doet den gecken mit vrouwden leven.
Daartegenover een ander rijmpje:
2. Beloven en houden
Past jongen en ouden.
Belzebub. *De duivel uitdrijven met Belzebub*, zie *duivel* 25.
bemorst. *Die niet bemorst is, en moet zijn pens niet afvegen* (Gezelle) = wie de schoen past, behoeft hem niet aan te trekken. Zie *schoen* 9.
beniesd. *Het is beniesd*: het is waar, want het wordt door niezen bekrachtigd (Vlaanderen).
Benjamin. 1. *Hij is de Benjamin* = de jongste zoon. Benjamin was de jongste zoon van vader Jacob; *Genesis* XXXV : 18.
2. *Hij is Benjamin af* = er is nog een broertje bij gekomen. Titel van een bekend gedichtje van De Genestet.
3. *Daar kwam een stuk vlees op tafel van Benjamin!* = daar werd overvloedig opgedist.
Naar het verhaal van het onthaal, dat Jozef aan zijn broeders bood bij hun komst in Egypte:
'En hij langde hun van de gerechten, die voor hem waren; maar Benjamins gerecht was vijfmaal groter dan de gerechten van hen allen. En zij dronken, en zij werden dronken met hem'. (*Genesis* XLIII : 34.)
De uitdrukking werd ook verbasterd tot: *een stuk vlees op tafel van wat-ben-je-me*.
benijden. 1. *Beter benijd dan beklaagd.*
Dezelfde gedachte op rijm op een gevelsteen op 't stadhuis van Veere:
2. Die mi beniden en niet en geven
Moeten mi liden en laeten leven.
Ook op veel andere gevelstenen.
Zo op de Brink van Deventer:

3.	Alst		benijt
	Godt	Beter	als
	behaghet		beklaget.

beogen.
Te veel beogen
Heeft velen bedrogen.
Vlaams rijm; zie *kan* 1.
beraad. *Kort beraad, goed beraad* = men moet kort overleggen, een kloek besluit nemen en het zonder aarzelen uitvoeren.
berd. *Iets te berde brengen*, lett. = iets ter tafel brengen; met een voorstel, met een opmerking, met een verontschuldiging aankomen in gezelschap. *Berd* is een oude vorm van *bord*; als *bred* (= plank), meervoud *breden* nog in gewoon gebruik in Groningen.
berebijt. *Hij is in de berebijt geweest* = hij is lelijk gehavend; hij is in gevecht geweest en ziet er geschonden uit.
De *berebijt* was een herberg, waar men honden liet vechten tegen beren (varkens). Tot voor korte jaren stond er aan de Amstel even buiten Amsterdam nog een koffiehuis, dat de naam *Berebijt* droeg. Nu deel van de stad.
Aldaar was het grote wagen- en schuiteveer van Amsterdam en dus vanzelf een drukke herberg. Maar reeds in 1689 werden de honden- en berengevechten verboden.
berg. 1. *De berg heeft een muis gebaard* = 't leek heel wat, maar 't is op niets uitgelopen. De uitdrukking is afkomstig van een van de fabelen van de Latijnse dichter Phaedrus.
2. *Gouden bergen beloven* = rijk zijn in beloften, die niet uitkomen; lett. = bergen van goud beloven. De uitdrukking is te vinden bij de Latijnse toneeldichter Terentius. (*Ned. Wdb.* II, 1866.) Bij Gezelle: *Die goudbergen belooft, zal gebroken potten geven.*
3. *Als de berg niet tot Mohammed komt, dan zal Mohammed tot de berg gaan* = als 't niet anders kan, dan zal ik de minste wel wezen. Volgens overlevering gelastte Mohammed de berg tot hem te komen, doch toen deze niet kwam, koos Mohammed de wijste partij.
4. *Bergen en dalen ontmoeten elkaar niet, doch mensen wel!* uitroep als men plotseling iemand ontmoet, die men in 't geheel niet verwacht had.
Ook de bedreiging van een wraakgierig mens: ik zal je wel weer krijgen, als je onder mijn bereik komt!
5. *Bergen verzetten* = werk tot stand brengen, dat onmogelijk schijnt.
Bijbelse uitdrukking. 'Zo gij een geloof hadt als een mosterdzaad, gij zoudt tot deze berg zeggen: Ga heen van hier derwaarts! en hij zal heengaan; en niets zal u onmogelijk zijn.' (Matth. XVII : 20.)
Zeeman verwijst echter naar 1 *Korinthe* XIII : 2, waar Paulus zegt:
'al ware het, dat ik al het geloof had, zodat ik bergen verzette, en de liefde niet

had, zo ware ik niets.'
6. *Hij is de berg over* = hij is de grote moeilijkheden te boven.
7. Hoe hoger berg
Hoe dieper dal (Gezelle)
= wanneer iemand ten val komt, die in hoogheid gezeten was, dan is die val zoveel te dieper.
berouw. 1. *Berouw komt (steeds) te laat* = een verkeerde daad is niet weer goed te maken. Maar ook:
2. *Berouw komt nooit te laat* = wie oprecht berouw heeft, moet dat tonen, al is de verkeerde daad ook lang geleden geschied, en die moet zijn fout weer goed maken zoveel als hij kan.
3. *Berouw komt na de zonde* = als de verkeerde daad gepleegd is, heeft men er spijt van, maar dan is 't niet meer ongedaan te maken.
berucht. *Kwalijk berucht is half gehangen* (Vlaams), zie *wolf* 1.
Berucht = befaamd.
beschaamd. 1. *Die beschaamt is loopt met een lege buik*, Vlaams spreekwoord, evenals 2. *Een beschaamde schooier heeft een platte zak*. Zie *schooier* 3.
beschuit. *Men moet nooit zonder beschuit in zee gaan* (Vlaams) = voor een groot werk moet men zich degelijk voorbereiden.
besmetten.
Vooraleer een ander te besmetten,
Wilt eerst op uzelven letten,
Vlaamse rijmspreuk: wie in een glazen huis woont, moet niet met stenen gooien.
best. 1. *Lest best* = 't laatste is nog het beste.
2. *Iets ten beste geven* = tot iemands best. Ook in een vergadering: *een voordracht ten beste geven* = tot genoegen van 't gezelschap. Lett. = iets kosteloos aanbieden in een gezelschap, b.v. een glas bier of wijn.
3. De *bestekamer* = 't geheim gemak, volgens Stoett geen vertaling van F. *chambre basse* = benedenkamer, gelijk veel werd aangenomen, doch eenvoudig een schertsende benaming.
4. *Men moet het beste hopen, 't ergste komt gauw genoeg* = verlies de moed maar niet; hoop doet leven.
5. *Die bij elk een beste is, is een slechte voor zich zelf* (Fries) = al te goed is buurmans gek.
bestendig.
Van buiten bestendig,
Knepen inwendig, zie *stil* 1.
betalen. *De een moet je betalen en de ander moet je geld geven* (Gron.): 't is gelijk, of je van de kat of de kater gebeten wordt.
beter. 1. *Beter benijd dan beklaagd.*
2. *Beter een half ei dan een lege dop.*
3. *Beter ten halve gekeerd dan ten hele gedwaald.* Zie *half* 1.
4. *Beter één vogel in de hand dan tien in de lucht.*
5. *Beter hard geblazen dan de mond gebrand.*
6. *Beter een luis in de pot dan helemaal geen vlees*, schertsend: als men 't beste niet krijgen kan, wees dan maar tevree als je wát hebt.
7. *Beter een goede buur dan een verre vriend.* Vriend heeft hier de oude betekenis van bloedverwant. Zo in Spreuken XXVII : 10. 'Beter is een gebuur, die nabij is, dan een broeder die verre is.'
8. *Beter duur als niet te koop.*
9. *'t Kan beter van de zak dan van de band* = de rijkste kan het best betalen; die mag de anderen wel vrijhouden. Ook:
10. *'t Kan beter van de stad dan van een dorp.*
11. *Beter een lap dan een gat* = beter met gelapte kleren lopen dan met gaten er in.
12. Beter klein en kregel
Dan een grote vlegel.
Opmerking tegen een grote, forse lummelachtige man. *Kregel* = flink, ferm, dapper. Zie *klein* 4.
13. Beter mest in 't land
Dan stuivers in de hand.
Een boer moet niet op geld voor mest zien.
14. *Beter arm met ere dan rijk met schande.*
15. *Beter een rijke vader te verliezen dan een arme moeder.* Zie *vader*.
16. *Een goede naam is beter dan olie.* Zie *naam*.
17. *Beter één die met mij gaat dan twee die mij volgen*, zie *volgen* 2.
18. *Beter een kleine heer dan een grote knecht* = liever baas op eigen gebied, dat gering mag zijn, dan ondergeschikte in een grote onderneming, waar men de bevelen van een ander heeft af te

wachten.
19. *Beter een mager vergelijk dan een vet proces*, zie *koe* 4.
20. *Beter een anker kwijt dan het hele schip*, zie *anker* 8.
21. *Beter in een oude wagen op de heide dan in een nieuw schip op zee*, zie *wagen* 1, 3.
22. *'t Is beter met de uil gezeten dan met de valk gevlogen*, zie *uil* 1, 5.
23. *Beter onrecht lijden dan onrecht doen.*
24. *Beter Blo Jan dan Do Jan*, zie *Jan* 19.
25. *Beter een ons geluk dan een pond wijsheid*, zie *ons*.
26. *Beter laat dan nooit.*
27. *Beter te slijten als te roesten* (Vlaams) = arbeid is beter dan lediggang.
28. *Beter onder de galge gebiecht als niet* (Vlaams) = berouw komt nooit te laat.
29. *Beter wat dan niets*, zie no 2. De Friezen maken er een zeispreuk van:
Beter wat als niet, zei de man, en hij had een kikker in de fuik.
30. *Beter een bemodderde schoen dan een teen met as bemorst* (Fries) = het is beter door modder en water te lopen, om iets te verdienen, dan leeg bij de haard te zitten met de tenen in de as. (P. C. Scheltema.)
31. *Beter een blind paard dan een leeg helster* (Fries).
't Helster is het touw, dat het paard om de kop heeft, als het niet werkt, dus op stal of als het geleid wordt.
32. *Beter is beter, zei Stien, en zij strooide suiker over de stroop* (Fries), gezegde als iemand het al te mooi maakt.
33. *Beter er om verlegen dan er mee verlegen*, gezegde wanneer iemand de vrouw niet krijgen kan, die hij graag hebben wil.
34. *Men kan beter op een zak met vlooien passen dan op een jonge meid* = een vrijend meisje vindt altijd wel gelegenheid.

zich beteren. *Hij betert zich, als zijn vingers even lang zijn*, schertsend gezegde.

Beth-El, d.i. een plaats van afzondering en gebed; ook wel de naam van een ziekenhuis of een evangeliegebouw.
Toen Jakob ontwaakte uit zijn droom, waarin hij de geopende hemel met de aarde verbonden zag door een ladder, zei hij:
'Dit is niet dan een huis Gods, en dit is de poort des hemels.'
'En hij noemde de naam dier plaats Beth-El,' d.i. Huis Gods. (*Genesis* XXVIII : 17, 19.) Vandaar: plaats, waar aan iemand een gunstige wending van zijn lot te beurt valt. (Zeeman.)

Bethesda, naam voor een inrichting van liefdadigheid.
Naar Johannes V : 2, 3: 'Daar is te Jeruzalem een badwater, hetwelk in het Hebreeuws toegenaamd wordt Bethesda, hebbende vijf zalen. In dezelve lag een grote menigte van kranken, blinden, kreupelen, verdorden, wachtende op de roering des waters.'

Bethlehem. *Wij gaan naar Bethlehem = naar bed.*
Schertsende woordspeling. *Bethlehem*, de geboorteplaats van Jezus (Lukas II : 4—7), is een aan ieder bekende naam.

betrouwen.
1. Betrouwt de lien,
Maar weet wel wien.
Vlaams rijmpje. Vertrouw op de lui, maar onderzoek eerst, of ze 't vertrouwen verdienen. Vergelijk *trouw* 3.
2. Myn schilt ende betrouwen
Syt ghij, o Godt, mijn Heer!
Op u soo wil ick bouwen,
Verlaet my nimmermeer.
't Wilhelmuslied.

beugel. *Dat kan niet door de beugel* = dat kunnen wij niet toelaten; dat hoort niet zo. De beugel was een ijzeren ring als maat voor de honden; men mocht geen hond houden, die niet door de beugel kon. (*Ned. Wdb.* II, 2267.)

beuker. *Een beuker van een jongen* = een kleine, stevige jongen. De naam leeft in het Fries en ook in de Groninger volkstaal. Stoett denkt aan beuker = klopper, stamper, knuppel.

beul. *Hij is zo brutaal als de beul van* [*Haarlem.*
Te Haarlem namelijk woonde de beul, die de vonnissen van het Hof van Holland uitvoerde tot in het begin der 17e eeuw. Zo vertelt A. M. de Jong in *De Dolle Vaandrig*, dat de beul van Haarlem moest komen, om Pietje Morsebel te Amsterdam op te knopen.

beunhaas. Een *beunhaas* is iemand, die zijn vak niet verstaat, een knoeier; vroeger iemand, die een vak uitoefende zonder dat hij als lid van het gilde was toegelaten.
Schertsend noemt men een kat een beunhaas, in Groningen *beunhoas*, een haas

op zolder. En zo zou zulk een werkman op zolder zijn werkplaats gehad hebben; de uitdrukking is uit het Platduits afkomstig. (*Ned. Wdb.* II, 2278).

beurs. 1. *Iemand de beurs lichten* = van zijn geld beroven. Herinnering aan de tijd, dat men zijn beurs droeg aan een riem, die aan de gordel bevestigd was. *Lichten* = wegnemen. Vandaar ook de naam *beurzesnijder* = zakkenroller.
2. *Met gesloten beurs betalen* = over en weer ongeveer hetzelfde bedrag te vorderen hebben, zodat men 't maar gelijk rekent.
3. Een ijdele beurs en een ijdele maag
Dat is een grote plaag (Vlaams).
IJdel = leeg.
4. *Platte beurzen maken dulle zinnen* (Vlaams) = armoe drijft wel tot dwaze daden; armoede zoekt geweld.
5. *Traag aan de beurs*, zie *hoed* 4b.

beweging. *Zij zijn van gelijke beweging als wij* = zij hebben dezelfde aard, dezelfde wensen en verlangens; zij zijn mensen net als wij.
Bijbelse uitdrukking. 'De apostelen, Barnabas en Paulus, dat horende, scheurden hun klederen, en sprongen onder de schare, roepende en zeggende: Mannen! waarom doet gij deze dingen? wij zijn ook mensen van gelijke bewegingen als gij.' (Zij werden namelijk aangezien voor de Griekse goden Jupiter en Mercurius.) (*Handelingen* XIV : 14, 15.)
Onder de titel *Van gelijke beweging als wij* schreef Hendrik de Veer een roman, die in 1859 verscheen.

bewimpelen, zie *wimpel* 2.

bezeilen. 1. *Men kan vaak niet bezeilen, wat men bestevent* = men bereikt niet altijd zijn doel.
Zeemansgezegde. Bezeilen = bereiken, n.l. de haven waar men heenzeilt, waarheen men de steven gewend heeft.
2. *Er is geen land met hem te bezeilen,* zie *land* 3.

bezem. 1. *Nieuwe bezems vegen schoon* = wie in een nieuw ambt optreedt, ziet toe dat alles in orde is. Doch, voegt de Vlaming er bij:
1a. *Die eerst een bezem was, wordt daarna een schrobber* = het mooie en het nieuwe gaan er af.
2. *De bezem in de mast voeren* = meester zijn van de heerschappij ter zee. De overwinnaar bond een bezem in de mast, zinnebeeld van het schoonvegen der zee; dit is herhaaldelijk voorgekomen. Het bekendste voorbeeld is van 1433—'41, toen de oorlog van de eertijds zo machtige Hanze tegen de Nederlandse handelssteden op een schrikkelijke nederlaag uitliep.
3. *De bezem hangt er uit* = er wordt steeds overvloedig opgedist en ieder wordt er gul onthaald (Waling Dijkstra), met de verklaring: er valt iets te vegen.
Ook:
4. *Daar steekt de bezem uit.* De voorstelling treft men aan bij Brueghel en op de Haagse schilderij. Vgl. blz. 434 en 451.
5. *Maak eens een bezem van een schrobber* = maak eens een vuist, als je geen hand hebt. (Fries.)

bezeten. *Hij lijkt wel* (*van de Duivel*) *bezeten* = hij lijkt wel razend. Men stelde zich voor, dat een boze geest van zo iemand *bezit* genomen had. Zo staat het ook uitdrukkelijk in Lukas VIII : 33; 'de duivelen, uitvarende van de mens, voeren in de zwijnen'.

bezien. *Bezie je zelf!* = let op je eigen gebreken, eer je wat van een ander zegt; ook: *zie op je zelf!*

bezinnen. *Bezint, eer gij begint.* Vlaams: *verzint, eer ge begint.*

bezit.
't Bezit van een zaak
Is 't eind van 't vermaak;
zodra men iets verworven heeft, is de aardigheid er af.

bezitter. *Zalig zijn de bezitters*, zie *zalig* 4.

bezoeking. *'t Is een bezoeking* = een zware, niet af te wenden ramp, veelal opgevat als straf voor bedreven kwaad. Bijbelse uitdrukking. Zo in de Tien Geboden: Ik, de Here uw God, ben een ijverig God, Die de misdaad der vaderen bezoek aan de kinderen. (Exodus XX : 5.) En zo op verschillende bijbelplaatsen. Men beschouwt elke ramp als straf.

bier. 1. *Een vaatje zuur bier* = een meisje dat te oud is geworden, om nog te verwachten dat zij aanzoek krijgt.
2. *Hij betert zich als scherpbier op de tap*, zie *scherpbier*.
3. *Bier en barmhartigheid komen bij elkaar,* spottend gezegde, wanneer een

dronken man moet overgeven. Dan geeft hij ook, dan is hij dus barmhartig. Ook wel: een dronken man heeft in zijn dronken bui medelijden met alle arme mensen en hij zou ze allemaal tegelijk willen helpen.
4. *Hij verloopt zijn bier net als Slatius*, zie *Slatius*.
5. *Koud bier maakt warm bloed* (Vlaams); er komt twist, ruzie en vechten uit voort.
6. *Goed bier behoeft geen krans* (Fries), zie *wijn*.
7. *Eigen bier smaakt het beste* (Fries) = er gaat niets boven 't geen men zelf gemaakt heeft.
8. *'t Is net, of hij al het heet bier alleen op heeft* (Gron.), schertsend gezegde, wanneer iemand heel erg rood en opgezet in zijn gezicht is.
Bierkaai. *Je kunt toch niet tegen de bierkaai vechten* = je kunt tegen de overmacht niet op; je kunt het onmogelijke niet bereiken. Volgens Jan ter Gouw was de Bierkaai een deel van de Oudezijds Voorburgwal te Amsterdam bij de Oude Kerk en waren de bewoners echte vechtersbazen.
biezen. 1. *Hij pakte vlug zijn biezen* = ging er vandoor (uit vrees; als iem. die 't spel verloren heeft). Men denkt aan rondreizende kunstenmakers op de markten, die hun matten uitspreidden op de grond en die er vlug van doorgingen, als hun werk geëindigd was en ze de duiten binnen hadden. Vandaar ook: *zijn matten oprollen.*
2. *Hij zoekt knopen in een bies* = hij bedenkt zwarigheden, die er niet zijn.
big. 1. *Hij is er zoveel als de dertiende big*, zie *lam* 2.
2. *Hij is tussen zwijn en big*, zie *servet*.
3. *Waar geen viggens zijn, schreeuwen ze niet* (Vlaams), troost voor een kinderloos echtpaar.
Viggens = biggen.
bikboord, zie *bakboord*. Iemand van bikboord naar bakboord sturen.
bil. 1. *We zullen eens zien, wie de blankste billen heeft* = het zal blijken, wie de baas is, wie het best voor de dag komt. Gezegd van klimmende apen.
2. *Hij heeft het lood al in de bil* = hij heeft de slag al beet; hij moet zich gewonnen geven.
Van de jager, die een haas schiet.
3. Kinderen die willen
Krijgen voor de billen,
dreigement van moeder, als de kinderen zeuren om hun zin te krijgen.
4. *Hij heeft al zijn goed door de billen gelapt* = hij heeft alles verkwist. Lett.: hij heeft het met eten en drinken verteerd.
5. *Wie zijn billen brandt, moet op de blaren zitten* = wie wat doet dat verkeerd is, moet de gevolgen dragen.
6. *Op de billewagen* = te voet. Ook: *op de benewagen.*
Bileam. 1. *Hij slacht Bileams ezel* = hij spreekt, voordat hij gevraagd wordt.
Balak, de koning der Moabieten, ontbood, bij de nadering der Israëlieten, Bileam, om dat volk dat uit Egypte kwam te vervloeken. Bileam ging met koning Balak mee op zijn ezelin. Deze ezelin zag de Engel des Heren met uitgetrokken zwaard en week uit de weg, tot driemaal toe. Bileam sloeg het beest met een stok. Toen sprak de ezelin: Wat heb ik u gedaan, dat gij mij nu driemaal geslagen hebt? (Numeri XXII : 28.)
2. *Hij lijkt op Bileams ezel, die droeg wijn, maar hij dronk water*, d.i. hij kan het er best van nemen, maar hij leeft altijd heel eenvoudig.
Dat Bileams ezel wijn droeg, staat in de Bijbel niet vermeld. 't Is dus een schertsende uitdrukking. Harrebomée zegt er van, dat men een zakje wijn mee op reis nam; die wijn was voor de wonderman, de ezel kreeg alleen maar water.
bink. *De bink steken*, dat is moedwillig de school verzuimen; aldus Beets in zijn *Na Vijftig Jaar*, aantekeningen bij de *Camera Obscura*. Stoett voegt er bij, dat men deze uitdrukking alleen in N. Holland gebruikt en dat over de oorsprong niets met zekerheid te zeggen is.
binnen. 1. *Hij is binnen* = hij heeft zijn schaapjes op het droge. Zeemanstaal: binnen de haven zijn.
2. *'t Is een binnenvetter* = 't is er een, die meer bezit dan je denkt; ook die meer weet of kan dan men vermoedt. Genoemd naar een slachtbeest, dat meevalt als het opengesneden is.
bit. *Het bit op de tanden nemen* = op hol slaan. Ontleend aan het paard, dat bij schrik het bit los in de bek neemt en zich niet meer laat sturen.
bitter.
Bitter in de mond
Maakt het hart gezond;

volgens de volksopvatting zit de meeste kracht in bittere poeiers of drankjes.

bivak. *De Kozakken sloegen hun bivak op in de open lucht* = zij betrokken hun kamp. Fig. *Zijn bivak hier of daar opslaan* = zich vestigen.

Bivak is een van de woorden, die wij uit het Frans hebben overgenomen, maar die de Fransen eerst van ons hadden, n.l. uit het Nederduitse *biwake* = wacht.

blaas. *Hij gaat aan de haal voor een blaas met bonen* = als er nog helemaal geen gevaar is; bij 't minste gerucht.

Volgens Sprenger van Eyk ontleend aan een kinderspel.

blad. 1. *'t Blaadje is omgekeerd* = 't is nu een heel ander geval geworden. Ontleend aan het omslaan van een blad in een boek, net of aan de ommezijde heel wat anders staat.

2. *Hij is omgekeerd als 't blad van een boom* = hij is geheel van aard veranderd; hij treedt nu geheel anders op.

3. *Hij staat in een goed blaadje* = hij staat gunstig bekend. Naar het blad, waarop in een winkel de klanten stonden aangetekend met wat zij betaald hadden of nog schuldig waren. Doch volgens Laurillard misschien naar *Openbaring* XX : 12; zie *boek* 5.

4. *De bijbel van 52 bladen* = een spel kaarten. Schertsend bijbel genoemd, omdat men 't kaartspel in vrome kringen licht als zonde beschouwt.

5. *Geen blad voor de mond nemen* = precies zeggen waar het op aankomt, al is het niet aangenaam als men het horen moet. Men denkt aan een spreker, die geen blad papier nodig heeft, om eerst op te schrijven wat hij zeggen zal.

6. *'t Is bladstil weer* = zo stil dat geen blad aan een boom zich beweegt. Zie ook *blakstil.*

7. *'t Mensdom valt als blaren af*, zie *mensdom.*

blakstil, dat is: zo stil dat het water *blak*, d.w.z. dat het geheel effen is. Vergelijk *blad* 6.

blank. *Een halfblanks heer*, zie *half* 6.

blauw. 1. *Iets blauw-blauw laten* = niet over een zaak spreken. Lett. iets wat blauw is, blauw laten blijven (Tuinman I, 234).

Van Lennep vermeldt het rijmpje, dat ook reeds bij Sprenger van Eijk voorkomt:

Als ik de waarheid niet mag schrijven,
Dan zal ik alles maar blauw blauw laten blijven.

(Uithangtekens, 33.)

De herbergier had eerst op zijn uithangbord pijpen geschilderd met het onderschrift:

Grote stelen en kleine stelen,
Maar grote stelen het meeste.
En dat mocht niet.

'Blauw is de kleur van spijt, teleurstelling, bedrog; men noemt dus blauw, wat bedriegelijk is, wat waar of schoon of deugdelijk schijnt, maar het niet is, vervolgens wat geen waarde heeft, niets betekent' (Harrebomée).

2. *Een blauwe boon* = een geweerkogel. Naar de kleur van het lood.

3. *Een blauwe maandag* = nog maar heel kort. Hij heeft hier een blauwe maandag gewerkt, gewoond enz. Men heeft gedacht aan de maandag vóór de Vasten, omdat men dan in de M.E. in de kerk de beelden met blauwe doeken behing.

Blauw zal hier eenvoudig de betekenis hebben van: zonder betekenis, waardeloos. Zo noemt men de laatste week van de maand wel *de blauwe week*, omdat dan bij de meeste maandgelders niet veel meer in huis is.

4. Een *blauwkous* = een geleerde vrouw; het woord is een vertaling van het E. *bluestocking.*

In de 18e eeuw had men te Londen geleerde genootschappen; van een daarvan was lid Benj. Stillingfleet en die droeg bij verdere vreemde kleding blauwe kousen. De admiraal Edward Boscawen schold de hele vergadering uit voor blauwkousen en die naam bleef voortaan gelden voor de vrouwen, die er lid van waren.

5. *Een blauwe scheen krijgen*, d.i. *een schop voor de schenen krijgen*; fig. afgewezen worden bij een huwelijksaanzoek, *een blauwtje lopen.* De uitdrukking is al oud; Roemer Visscher 'bezong' reeds *'t Loff van de blaeuwe scheen.*

6. *Blauwe duiven, blauwe jongen*, zie *duif.*

blazen, 1. zie *meel* 1; 2. zie *toren*; 3. *Beter hard geblazen dan de mond gebrand*, zie *mond* 16.

Vlaams:

4. *Te heet gegaapt is te laat geblazen.*

blik. 1. *Een blikken dominee* = geen echte dominee, een oefenaar, een hulpprediker, een godsdienstleraar, een straatprediker.
Wat van blik is, heeft weinig waarde.
2. *'t Is net een blikken pan, zo heet en zo koud* = 't is iem. die heel gauw driftig is, maar ook spoedig weer bekoelt.
blikken. *Hij zei dat zonder (te) blikken of (te) blozen* = lett. zonder bleek te worden of te blozen, dus: vrijmoedig, onbeschaamd.
blind. 1. *Hij is zo blind als een mol.* Volgens het volksgeloof kan een mol niet zien. Reeds bij Jacob van Maerlant (1220—1291) leest men van
Een mol,
Die onder daerde maect zijn hol
Ende es ene blinde beeste.
2. *In 't land der blinden is éénoog koning* = waar allen onwetend zijn, geldt degene die althans iets weet als een heel bijzonder man. 't Spreekwoord kwam reeds voor bij de Grieken en Romeinen.
3. *Hij is met blindheid geslagen* = hij heeft geen inzicht, hij begrijpt niet wat er om hem heen gebeurt.
Uit de Bijbel: *De Here zal u slaan met blindheid* (Deuteronomium XXVIII : 28).
4. *Hij slaat er naar als de blinde naar het ei* = hij gist in het wilde; hij doet er maar een slag naar.
Ontleend aan het spel van blindemannetje, waarbij een geblinddoekte naar een ei moet slaan.
5. *Hij oordeelt als een blinde over de kleuren* = hij praat over dingen, waar hij niet het minste verstand van heeft.
6. *Er zijn meer zienden, die blind zijn, dan blinden die niet zien kunnen* = menigeen gaat door het leven, zonder dat hij terdege merkt wat er om hem heen gebeurt.
Ook eenvoudig:
7. *Menigeen is ziende blind.*
8. *Als de blinde de blinde leidt, dan vallen ze beiden in de gracht* = als een onkundige anderen wil voorlichten, dan worden ze beiden er ongelukkig door.
Zie *leidslieden.*
9. *Ik wou 't graag zien, zei de blinde, dat men ogen uitdeelde* (Fries), gezegde als antwoord, als iemand dit of dat graag wou; vooral als men denkt, dat die wens nooit in vervulling gaan kan.
bloed. 1. *'t Bloed kruipt, waar 't niet gaan kan* = de stem des bloeds laat zich altijd gelden. Fig. De oude voorkeur openbaart zich telkens weer. In Groningen ook:
1a. *Bloed zoekt bloed.*
2. *Dat heeft kwaad bloed gezet* = dat heeft wrok veroorzaakt. Vroeger dacht men, dat 'kwaad bloed' iemands gevoel, gezindheid, bedierf.
3. *Hij moet er voor bloeden* = hij draagt de gevolgen; hij moet de kosten betalen. Lett. hij is een slachtbeest, dat moet bloeden. Misschien ook met de gedachte aan de oude lijfstraffelijke rechtspleging.
4. *Zijn bloed is op uw hoofd* = zijn dood is uw schuld.
Bijbelse uitdrukking. 'Een, die het geluid der bazuin hoort, wel hoort, maar zich niet laat waarschuwen; en het zwaard komt, en neemt hem weg, diens bloed is op zijn hoofd' (Ezechiël XXXIII : 4).
5. *Hij ziet er uit als melk en bloed*, zie *kleur*, 2b. Daartegenover: *hij heeft een kleur als 't bloed van een aardappel* (Gron.).
6. 't Is niet goed,
Dat men prijst zijn eigen bloed,
men moet niet opscheppen over zijn eigen familie.
7. *Mijn bloed werd karnemelk* = 'k werd meer dan kwaad: schertsende uitdrukking.
8. *Iemand het bloed onder de nagels weghalen* = hem dwingen, de alleruiterste prijs te betalen; hem laten betalen tot zijn laatste cent. Oorspronkelijk: hem de duimschroeven aanzetten.
bloedvin. *'t Gaat door als een bloedvin* (Gron.), schertsende bevestiging, dat iets stellig doorgaat.
Een bloedvin (= negenoog, een grote steenpuist) gaat ook door, al is het in een geheel andere zin.
bloedworst. *Men kan hem met een bloedworst de hals afsnijden* (Gron.), zie *metworst* 3.
bloem. 1. *Wij zullen vandaag de bloemetjes buiten zetten* = feest vieren, pret maken. Stoett denkt daarbij aan: 'zich door een bloem uitdossen.'
2. *De waarheid verbloemen* = mooier voorstellen dan de werkelijkheid is.
Lett. = onder bloemen bedekken.
3. *De bloem, daar de bij honig uit zuigt,*

daar zuigt de spin venijn uit = de een prijst een zaak, waarvan een ander niets dan kwaad weet te vertellen.

blok. *Een blok aan 't been hebben* = belemmerd zijn in zijn doen en laten; fig. = getrouwd zijn. De uitdrukking is ontleend aan de paarden, die een blok aan de poot krijgen, als ze anders niet in de wei blijven.
Vroeger kregen de jongens in de weeshuizen en zelfs de mannen in 't oudemannenhuis een blok aan 't been, als ze zich niet netjes gedroegen of als ze wegliepen. Zulk een blok wordt o.a. te Zaandam nog bewaard.

blijde. *Verblijdt u met de blijden* = verheugt u, als het uw naasten goed gaat.
Het woord is uit de brief van Paulus aan de *Romeinen*, XII : 15.

blijven. *Die blijven wil moet schrijven* = een zaak zonder boekhouding gaat te gronde.

Boanerges. *'t Is een vurige Boanerges*: een opbruisend, heftig karakter; een geestdriftig man.
Naar Markus III : 17. Jezus gaf aan de apostelen Jakobus en Johannes, de zonen van Zebedeüs, de toenamen Boanerges, hetwelk is, zonen des donders.
Het is dus een meervoudig woord, waarvan een enkelvoud is gemaakt.

Boaz. *Hij is zo rijk als Boaz* = hij is rijk en mild.
Boaz was de grondbezitter uit Bethlehem, die bewogen werd door de liefde en zorg van Ruth voor haar schoonmoeder Naomi en die met haar trouwde. (*Ruth* II : 1 e.v.)

bocht I. *Voor iemand in de bocht springen* = voor hem opkomen, hem verdedigen. Ten Doornkaat Koolman, de schrijver van het grote Oostfriese Woordenboek, denkt aan de *melkbocht*, waar de koeien bijeengedreven worden, als ze worden gemolken. Tuinman gist, dat het gezegde ontleend is aan het touwtjespringen.

bocht II (boog). 1. *Hij wrong zich in alle bochten* = hij beproefde op alle mogelijke wijzen, om uit de moeilijkheid te komen. Voor de hand ligt, dat men een kronkelende paling, die zoekt los te komen, in gedachten heeft.
2. *Hij houdt de bocht om de arm* = hij zorgt, dat hij de baas blijft, dat hij 't gezag houdt.
Lett.: = bij het trekken aan een touw zorgt hij, dat hij een stuk er van om de arm geslagen houdt.
3. *Hij gaat de bocht om*: hij gaat het hoekje om. Zie *hoek* 2.

bode. *De beste bode is de man zelf* = men moet zijn eigen zaken zelf behartigen.

bodem. 1. *Alle hoop werd de bodem ingeslagen* = ging te niet. Zoals er van de inhoud van een vat niets overblijft, als men daarvan de bodem inslaat.
2. Zie *boom* = *bodem*.
3. *Van eigen bodem* = inheems. Titel van een reeks schoolleesboeken van Honigh en Vos, die daarmee wilden zeggen, dat de stukken allemaal van Nederlandse schrijvers zijn. *Bodem* is hier een germanisme. Wij zeggen: van de eigen grond.
4. *Een bodemloos vat*, zie *vat* 10.

boeg. 1. *Wij hebben nog heel wat voor de boeg vandaag* = wij moeten nog veel werk verrichten, nog ver lopen enz. Zeemanswoord: 't schip heeft zijn reis voor de boeg.
2. *Wij moeten het over een andere boeg wenden* (*gooien*) = wij moeten het anders beproeven; van onderwerp veranderen, een andere reden opgeven, om iemand op onze zij te krijgen. 't Is letterlijk: wij moeten 't schip in andere richting sturen. Hier is *boeg* de zijde van 't schip: de linker- en de rechterboeg.
3. *Dat is mij tegen de boeg* = dat stuit mij tegen de borst.
4. *Iemand dwars voor de boeg komen* = tegen hem optreden, hem hinderen in zijn voornemen.

boei. *Ze hadden een kleur als een boei.* De *boei* is de ton, die als baken dient bij een vaargeul in onze zeegaten; hij is hoogrood van kleur.

boek. 1. *Hij spreekt als een boek* = stijve boekentaal.
2. *Dat spreekt als een boek* = dat is zo duidelijk als twee maal twee vier is.
3. *De toekomst is een gesloten boek* = is een geheim. Ontleend aan Openbaring V : 1; 'een boek, verzegeld met zeven zegelen.' Vandaar ook:
3a. *De toekomst is een boek met zeven zegelen.*
4. *Hij staat als voorzichtig te boek* = hij wordt geacht, voorzichtig te zijn.
5. *Ik zal eens een boekje van hem open-*

doen = ik zal eens vertellen, wat ik van hem weet, n.l. wat hij voor kwaads gedaan heeft.
Misschien naar Openbaring XX: 12; 'ik zag de doden, staande voor God; en de boeken werden geopend.'
6. *Nu gaat hij buiten zijn boekje* = nu zegt hij wat, dat hij niet verantwoorden kan, iets waar hij geen recht toe heeft.
7. *Dat staat niet in mijn boekje* = daar heb ik niet mee nodig.
8. *Veel boeken te lezen is kwelling des geestes* = men moet niet al te zeer streven naar wijsheid en wetenschap.
In Prediker XII : 12 leest men: 'Van vele boeken te maken is geen einde, en veel lezens is vermoeiing des vleses.'
Deze woorden staan daar als het slot van zijn vermaning, om met de voorafgaande lessen tevreden te zijn.
9. *In een andermans boeken is duister te lezen* (Gron.) = men weet nooit, hoe een ander er voor staat.
boekweit. 1.
Boekweitzaad
En vrouwenpraat
Lukt alle zeven jaar. (Achterhoek.)
Boekweit is een zeer wisselvallig gewas. Met één nachtvorst is alles weg. Ook kan de boekweit niet tegen storm, zware regen en hagelslag.
2. *Het doet de boekweit geen scha, als de koeien over 't koren lopen* (Fries) = het hindert mij niet, als een ander het beter heeft dan ik.
boer. 1. *De boer opgaan* = het platteland afreizen voor zaken.
2. *Zo vraagt men de boeren de kunst af* = zo dacht je achter 't geheim te komen, maar zo onnozel ben ik niet.
3. *Boeren en varkens worden knorrende vet* = 't gaat een boer wel goed, al is 't ook zijn gewoonte om altijd te klagen. Schertsend oordeel van de ambachtslui ten plattelande.
Ook:
3a. *Als een boer ophoudt met klagen, is 't in het laatste der dagen.*
Bij Guido Gezelle:
3b. *Als de boeren ophouden van klagen, de wereld gaat vergaan.*
Maar 't spreekwoord zegt naar waarheid:
3c. *In februari klagen de boeren het minst.*
Ja, want dat is de kortste maand.
De boer antwoordt:
4. *Een boer is een meelzak, hoe meer men er op klopt, hoe meer stuift er uit* = de boer moet altijd maar meer belasting betalen.
5. *Het is geen boer wijs te maken, hoe een soldaat aan de kost komt*, schertsend gezegde, als men niet wil vertellen, waar men zijn geld verdiend heeft, waarom men zo lang uitgebleven is, wat men gedaan heeft enz.
6. *Hij zit geen boer in 't venster* = hij zit niemand in de weg.
Lett.: hij beneemt het uitzicht van de boer niet, de boer is het hoofd van hofstede en gezin; hij zit in de hoek van de haard voor 't venster. (Gron., Drente, Overijsel.)
7. *Hij kijkt als een boer, die kiespijn heeft* = hij ziet er zeer nors en ongezellig uit.
8. *De boer op de edelman zetten* = eerst iets heel lekkers eten en daarna gewone kost; b.v. boekweitepap op patrijzen, zegt Tuinman.
9. *De man een vogel, de boer een gans* = ieder moet evenveel hebben, maar men kan wel aan iemand die 't waard is wat meer geven.
De boer weer beschouwd als de heer van 't land. Lett.: ieder een (eend)vogel, maar de boer zelf krijgt een gans voor zijn aandeel.
10. *De boer moet weten wat de boter kost* = de verkoper behoort de prijs van zijn waar te vragen; dan kan de koper een bod doen.
11. *Wat weet een boer van saffraan?* = men moet bij een eenvoudig man niet met vreemde dingen aankomen.
12. *Elk zijn meug, zei de boer, en hij at vijgen*, schertsend gezegde, wanneer iemand de voorkeur geeft aan wat een ander minder goed vindt; vooral als iemand veel van een gerecht houdt, dat een ander niet mag. Dit spreekwoord is vreemd, omdat vijgen eten nog zo kwaad niet is. Maar de bedoeling blijkt uit de oudere vorm, waarin de spot duidelijk tot uiting komt, namelijk:
Elk zijn meug, zei de boer, en hij at paardekeutels in plaats van vijgen. De boer wordt hier dus voorgesteld als de koppige man, die zijn eigen zin doet, al lijkt het een ander vreemd. Nog veel onvriendelijker: *Elk zijn meug, zei de boer, en hij braadde boter op de tang.*
En vooral:

13. *Twaalf boeren en een hond zijn dertien rekels.* Dat is de taal van de stedeling, die een boer nors en bokkig vindt, omdat hij de boerenmanieren niet verstaat.
14. *Van die boer geen varkens!* = met die man wil ik niets meer te maken hebben. Bij Harrebomée: *Van dien boer geene boter.*
15. *'t Is geen kunst om boer te worden, maar om boer te blijven,* zie *kunst* 4.
16. *Hij laat de boeren dorsen* = hij trekt zich nergens wat van aan, vooral: hij leeft er maar op los; hij denkt: 't zal toch wel goed gaan.
17. *Hij staat op zijn woord als een boer op zijn klompen,* schertsend: als hij eenmaal wat gezegd heeft, is hij er niet weer af te krijgen.
18. *Wat een boer niet kent, dat eet hij niet,* schertsend gezegde, als men niet nemen wil van een schotel met spijs, die men niet gewoon is; fig. wat vreemd lijkt, dat doet men niet.
19. *Een boer waagt wel een kers* (Vlaams) = die winnen wil, moet wagen.
20. *Een boer steekt altijd een arm of een been uit* (Gron.) = hij laat altijd merken, dat hij een boer is.
21. *Als de boer mij niet houden wil, zei 't knechtje, dan wil ik ook niet blijven* (Gron.), gezegde van iemand, die zich groot houdt, die bij een weigering laat voorkomen, dat die hem volstrekt niet hindert.
22. *Wat ze niet maken voor geld, zei de boer, en toen zag hij een aap,* gezegde als iemand zich verbaast zonder reden.

boezem. *De hand in eigen boezem steken* = bij zich zelf nagaan of men niet schuldig is aan datgene, waar men een ander van beschuldigt.
In *Exodus* IV : 6 leest men, dat de Heer tot Mozes zei: Steek uwe hand in uwen boezem! (De *boezem* is hier het kleed, dat de borst bedekt.)

bof. *Dat noem ik nog eens een bof!* = een fortuintje, een meevaller. Lett. = een slag, n.l. een goede slag.

bok. 1. *Een bok schieten* = zich lelijk vergissen. Bok = een dier, dat lelijk en lomp is. (Stoett.)
Franck-Van Wijk acht mogelijk, dat men aan een *bokkesprong* moet denken en dat het *schieten* er later bij gekomen is.
Ook vindt men aldaar de verklaring: *bok* is een term bij het kegelen, als de bal van de plank rolt en tegen de wand botst; dan is *bok* = slag, bons.
2. *De bokkepruik op hebben* = een norse, ontevreden bui hebben. De bok in dit geval als een ongemakkelijk dier. De uitdrukking betekent dus: *bokkig zijn,* en is gevormd van 't gezegde: *de pruik op hebben* = uit zijn humeur zijn. Zie *pruik.*
3. *Een oude bok lust wel een groen blaadje* = een oude man houdt nog wel van een jong meisje.
4. *Oude bokken hebben stijve horens* = oude mannen zijn eigenzinnig.
5. *Hij zit er op als de bok op de haverkist* = hij is er dadelijk bij, om wat te verdienen; hij is onmiddellijk bezig, om zijn doel te bereiken.
6. *Hij zal van de bok dromen,* zie *Duivel* 18. Bok zal gezegd worden, als men de Duivel buiten spel wil laten.
Volgens 't *Ned. Wdb.* is 't ook mogelijk, dat men te denken heeft aan *de bok,* de naam voor een straftuig, een soort van geselbank.
7. *Hij heeft een bokje aan het touw* = hij loopt dronken langs de weg.
Wie in werkelijkheid een bokje aan het touw heeft, kan ook niet recht doorlopen vanwege de 'bokkesprongen', die 't dier maakt.
8. *Hij springt van de bok op Jasper* = van de hak op de tak.
Harrebomée denkt, dat Jasper een van de vele namen van de Duivel is, maar al is dat zo, dan is daarmee de uitdrukking niet verklaard.
9. *Hij zit zo vol kuren* (*grappen, streken*) *als een bok vol keutels.*
10. *De bok is vet* = 't kan er nu op staan; 't is een gelegenheid, om het er eens van te nemen; men heeft een fortuintje gehad.

bokking. *Iemand een droge bokking geven* = een schampere berisping; een hard verwijt.

bolleboos, d.i. een uitmunter, een meester in zijn vak. Misschien van het Hebreeuwse *ba'al-ha-bojis* = heer des huizes, met bijgedachte aan bol = knappe vent.

bom I. *De bom is gebarsten* = het is tot een beslissende uitbarsting gekomen. Ook: 't geheim is uitgekomen.
Bom is volgens het Ned. Wdb. de spon

van een vat. Als die er uitspringt, loopt de inhoud weg.
Maar daarnaast bestond in de 17e eeuw het gezegde:
De bom is uitgebroken. En daar is *bom* = zweer. Wij zeggen nu: de zweer is doorgebroken. Doch wat het spreekwoord betreft, denkt men nu niet meer aan de bom van een vat en zeker niet meer aan bom of bommel = zweer, want dat woord is nu geheel onbekend. Maar men denkt aan het ontploffende projectiel in de oorlog. Vandaar nu ook het woord *barsten.*
Het gewijzigde beeld heeft de gehele betekenis doen veranderen. (De Vooys.)

bom II. *'t Kan mij geen bom schelen* = 't is mij onverschillig. Hier is *bom* = slag. Ook *'t Kan mij niet bommen.*

bombast. *Een redevoering vol bombast* = vol grote woorden zonder inhoud. Van E. *bombast* = ruwe katoen, gebruikt voor voering en vulling.

bon. *De veldwachter heeft hem op de bon gezet* = heeft proces-verbaal gemaakt. F. *bon* = goed; vandaar = bewijs dat 'goed' is voor iets dat men er op bekomen kan; en vandaar weer = briefje, papiertje in 't algemeen.

bonis. *Een man in bonis* = een vermogend man. Latijnse uitdrukking van studenten afkomstig.

bonnefooi. *Dat moet dan maar op de bonnefooi* = op goed geluk; in de hoop dat het goed afloopt. Verbasterd uit het F. *à la bonne foie* = te goeder trouw.

bons. *Zij heeft haar vrijer de bons gegeven* = afgezegd. Bons = stoot, duw, slag.

bont. 1. *Nu maak je het al te bont* = al te erg.
2. *Iemand bont en blauw slaan*, verbastering van *blond en blauw*, hem gele en blauwe plekken op zijn vel bezorgen. Zo bij Vondel, in zijn klinkdicht vóór Palamedes:
... een schim,
mishandelt blond en blaeu.
3. *Hij is er bekend als de bonte hond* = zeer ongunstig.
4. Van boven bont,
Van onder stront,
zie *boven* 6.

6. Een boom valt niet... (z. *boom*)

Bontekoe. *Een reis van Bontekoe* = een reis met aanhoudende en zware ongelukken.
Willem IJsbrands Bontekoe was een schipper uit Hoorn, genoemd naar het uithangbord van zijn vaders herberg. Hij zeilde in 1618 uit naar Indië. In de Indische wateren raakte zijn schip in brand en slechts zeer weinigen van de bemanning kwamen na ongelofelijke moeilijkheden aan land.
Het verhaal is bekend geworden uit het *Journael* van Bontekoe, dat bewaard bleef.
boodschap. 1. *Aan hem heb ik geen boodschap* = ik wil niets met hem te maken hebben.
2. *Je kunt hem best om een boodschap sturen* = hij is van alle markten thuis.
3. *Een grote boodschap doen*, nette uitdrukking in kindertaal.
boog. 1. *De boog kan niet altijd gespannen zijn* = men kan niet altijd doorgaan met inspannende arbeid.
2. *Hij heeft meer dan één pijl op zijn boog* = hij heeft ook nog wel andere middelen om zijn doel te bereiken.
boom I. 1. Zie *vrucht* 2. Daarbij ook:
1a. *Een goede boom brengt goede vruchten voort.* (Matth. VII : 17.)
2. *Men moet geen oude bomen verpoten* = oude mensen moet men laten waar ze zijn, zo als ze zijn.
3. *Hoge bomen vangen veel wind* = wie een voorname betrekking bekleedt, is vaak het voorwerp van afgunst en nijd en staat bloot aan veroordeling van zijn daden.
4. *Hij ziet door de bomen het bos niet* = door te veel te letten op de bijzonderheden heeft hij geen kijk op 't geheel. Zo als het met Yankee Doodle ging in 't oude Amerikaanse volkslied; die zag de stad niet, want er waren te veel huizen. Ook Duits: *er sieht den Wald vor lauter Bäumen nicht.*
5. *Een boom valt niet met de eerste slag* = een groot werk komt maar niet in eens tot stand. Ook: wie ziek is, heeft altijd kans op herstel.
6. *Een kerel als een boom* = groot, stevig, sterk.
7. *Een boom opzetten* = een gezellig praatje houden onder vrienden of kennissen. Ontleend aan het jassen, waarbij men in de vorm van een boompje aantekent, hoeveel slagen iedere partij gewonnen heeft.

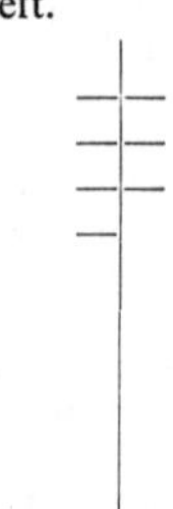

8. *Men moet de boom buigen als hij jong is* = de opvoeding moet bij 't jonge kind beginnen; later helpt het niet meer.
Vader Cats heeft er een rijmpje bij:
Een jongh hondeken kan leeren springen,
Een jongh vogelken kan leeren singen,
Een jonghe papegay leert menschen praet,
Maar als men oudt is komt leeren te laet.
9. *Alle bomen vangen wind*, zie *haag* 1.
10. Boompje groot,
Potertje dood.
11. Aan een boom, zo vol geladen,
Mist men vijf, zes pruimpjes niet,
bij zulk een overvloed merkt men niet, als er een kleinigheid weg is.
Regels uit *De Pruimenboom* van Van Alphen, waar de jeugdige snoeper zijn geweten in slaap sust, omdat men die paar pruimen toch niet merken zal.
12. *Hij heeft van de boom der kennis gegeten* = hij is tot inzicht gekomen, hij is niet zo dom en achterlijk meer.
Ontleend aan Genesis II : 9, doch daar is sprake van 'de boom der kennis des goeds en des kwaads', dus enkel van wat goed en wat niet goed was in zedelijk opzicht. (Zeeman.)
13. *Hij is omgedraaid als 't blad van een boom*, zie *blad* 2.
14. *Kleine boompjes worden groot* = voor je er om denkt zijn de kinderen groot.
15. *Zoals de boom valt, zo blijft hij liggen* = na des mensen dood is zijn lot onherroepelijk.
Bijbelse uitdrukking naar Prediker XI : 3. 'Als de boom naar het Zuiden, of als hij naar het Noorden valt, in de plaats, waar de boom valt, daar zal hij wezen.'
Volgens Zeeman heeft deze bijbeltekst echter volstrekt niet het oog op het

eeuwige leven. 't Is alleen een aansporing, om alle gelegenheden aan te grijpen om te werken, zo lang men leeft, want als de dood komt, dan is het te laat.
Van het volgende leven is hier geen sprake, vervolgt Zeeman; dat zou ook geheel in strijd zijn met de levensbeschouwing des Predikers. Deze was niet Salomo, maar een schrijver, die omstreeks 200, volgens sommigen 350 jaar vóór Christus leefde.
16. *Zulke boom, zulke vruchten*, zie no 1. (Vlaams). Ook: *zulke boom, zulke wis.* (wis = twijg.)
17. *Zo als men 't boomken kweekt, zal men het hebben* (Vlaams) = 't komt op de opvoeding van de kinderen aan.
18. *Men kent de boom aan zijn schors, maar de man niet aan zijn vel* (Vlaams) = de mensen zijn niet wat zij schijnen.
19. *Van de beste boom komen ook vernepen vruchten* (Vlaams) = goede ouders kweken niet altijd goede kinderen. Vergelijk no. 1 en no. 16.
Vernepen, lett. = stuk geknepen; miezerig, bedorven.
boom II = **bodem.** 1. *Van de hoge boom teren* = zijn goed opmaken zonder aan de gevolgen te denken. Hier is *hoge boom* misschien de bovenste laag in een vat, zo als men in de keuken nu nog spreekt van een bodempje boter of vet = een laagje.
2. *'t Is boter tot de boom*, zie *boter* 5.
boon. 1. *Blauwe boon*, zie *blauw* 2.
2. *'t Is niet meer dan een boon in de brouwketel* = het heeft geen invloed op de zaak.
3. Als de bonen bloeien
De zotten groeien,
oud spreekwoord. In nieuwe vorm:
3a. *Hij is in de bonen en plukt erwten*, of eenvoudig:
3b. *Hij is lelijk in de bonen* = hij heeft het helemaal mis; hij is in de war. Volgens het oude volksgeloof brengt een bloeiende *boonakker* (van de grote of Roomse of Waalse of tuinbonen) iemand aan het malen. Deze opvatting vindt men reeds in het beroemde *Kruidboek* van Dodonaeus.
Misschien staat hiermee in verband:
4. *Iemand de boonakker opleiden* (Groningen) = iemand een stevige berisping of zelfs een pak slaag toedienen.
Ten Doornkaat Koolman geeft in zijn Oostfries Woordenboek een geheel andere verklaring:
boonakker = galgenveld, van 't Oudfriese *bona* = moordenaar.
5. *Honger maakt rauwe bonen zoet*; zie *honger* 2.
6. *De bonen groeien altijd naar de perse* (Gezelle) = alles schikt zich naar de omstandigheden.
De *perse* is de bonestaak.
7. *'t Is een rare snijboon* = een zonderling heer. Vergelijk *een heilig boontje*; misschien eenvoudig uiting van volkshumor.
8. *Een blaas met bonen*, zie *blaas*.
9. *Hij heeft betere bonen op zolder dan verschimmelde grauwe erwten* (Gron.) = hij heeft wel wat beters; hij wil bij ons niet blijven, want hij heeft ander gezelschap dat hem meer behaagt.
10. *Hij wil ook nog een boon in de pot doen* (Graafschap) = hij wil ook een woordje meespreken, maar 't is van geen belang, wat hij te zeggen heeft.
boontje. 1. *Hij is ook geen heilig boontje* = hij is ook niet zo braaf als hij zich toont. Stoett denkt hierbij aan *heilig bontje*, dat voorkomt in de *Spectator* van Justus van Effen. Een *bontje* was een Amsterdamse weesjongen, aldus naar de kleding. Een *heilig bontje* is natuurlijk dan een ironische uitdrukking. Maar misschien is *een heilig boontje* eenvoudig een uiting van volkshumor; zie *boon* 7; misschien heeft men ook gedacht aan:
2. *Boontje komt om zijn loontje* = ieder krijgt de straf, die hij verdiend heeft. Dit naar het sprookje. Boontje, strootje en kooltje vuur gingen samen op reis; ze kwamen voor een water. Strootje ging er over liggen; boontje kwam veilig aan de andere kant, maar kooltje vuur zakte in 't water, omdat strootje verbrandde. Boontje lachte, tot het barstte en kreeg dus loon naar werk. (Grimm, no 18.)
3. *Ieder moet zijn eigen boontjes doppen* = ieder moet voor zijn eigen zaken opkomen.
4. *Ik mag een boontje wezen, als 't niet waar is.* Boontje hier genoemd als iets dat maar heel gering is. Of staat het wellicht in verband met no. 2?
5. Boontjes van genuchten,

Veel blommen, weinig vruchten
(Gezelle) = een vrolijk leven moge veel plezier geven, het leidt niet tot een degelijk einde.
6. *Moet je nog boontjes?* Zie *peul* 1.
boord. 1. *Ik zal hem eens aan boord klampen*, zie *aanklampen*.
2. *Daar moet je mij niet mee aan boord komen* = daar moet je mij niet mee lastig vallen. Aan de zeevaart ontleend: *aan boord komen* = op zij komen van 't schip.
3. *Alles wel aan boord* = a. wij zijn allemaal gezond; b. de zaak gaat goed. Zeemanswoord.
4. Avondrood,
Mooi weer aan boord,
zie *avondrood*.
5. *Die aan boord is, moet meevaren* = wie meedoet aan een onderneming, kan zich niet terugtrekken, als het blijkt dat de zaak misloopt.
6. *Er is geen man over boord* = het ongeluk valt nog mee; 't kon veel erger zijn.
7. *Iets over boord werpen* = iets wegsmijten; iets afdanken, omdat men er geen gebruik meer van maakt.
Zo ook:
8. *Zijn zorgen over boord zetten.*
boot. 1. *Eerst in de boot, keur van riemen* = wie er 't eerste bij is, die mag kiezen.
2. *In 't (huwelijks)bootje stappen* = trouwen.
In de *Volksvermaken* van Ter Gouw, no. 543, vindt men dat bruid en bruidegom ter kerke gingen in een versierd bootje. 't Is ook zeer mogelijk, dat het gehuwde leven vergeleken wordt met de vaart van een schip. Aldus ook in een gedichtje van Staring.
bord. 1. *Hij heeft een bord voor de kop* = hij is buitengewoon brutaal; hij gaat overal maar op in.
Ontleend aan de veehouderij: een koe die niet in 't land wil blijven krijgt een plank (bord) voor de kop, zodat hij niet zien kan waar hij loopt en dus bang is in de sloot te raken. Vooral bij stieren. Vandaar 't Gron. gezegde: *hai het 'n bolbred veur*; de bol is de stier en een bred is een plank.
2. *'t Is van 't bovenste bordje* = 't is 't allerbeste, zo als Moeder 't porselein van de bovenste plank in de kast alleen des zondags gebruikt, als er gasten zijn.
3. *De bordjes zijn verhangen* = de toestand is veranderd; er zijn nieuwe heren gekomen.
Misschien met de gedachte aan het *uithangbord*. Zie *hek* 4.
borg. 1. Wilt gij zorg,
Stel u borg,
als men borg blijft voor een ander, zit men in zorg zo lang de schuld niet betaald is.
2. *Wei is borg voor karnemelk*, zie *karnemelk* 1.
3. *Wie borg blijft, geeft de sleutel van de geldkas*, want hij loopt gevaar, dat hij aangesproken wordt voor 't bedrag van zijn borgstelling.
borgen. 1. *Borgen brengt zorgen* = dadelijk betaald is de beste koop; wie op schuld koopt kan misschien later slechts met de grootste moeite betalen.
Oorspronkelijk: wie borgt zit in zorg, of hij zijn geld wel krijgt. Borgen = uitlenen; verkopen op krediet. Die borgt is dus de schuldeiser.
Bij Guido Gezelle:
1a. Borge blijft,
Zorge blijft.
Maar *borgen* is ook = borg zeggen voor iemand anders; voor diens schuld instaan. En ook in die zin is 't spreekwoord toepasselijk. Goedthals zei het zo: Die borghe bedydt, geeft den sluetel van synen goede. (Bedijen = worden. De borg geeft een ander de gelegenheid, om aan zijn geld en goed te komen.)
2. *Die niet kan borgen kan niet rijk worden* (Vlaams) = de winkelier moet wel borgen, d.i. op krediet verkopen, want anders verliest hij zijn klanten.
borst. 1. *Hij zet een hoge borst op* = hij toont zich trots.
2. *Ik zal mij er met de borst op toeleggen* = ik zal er mijn uiterste best op doen, wie ijverig zijn werk doet, zit er allicht voorovergebogen bij.
3. *Dat stuit mij tegen de borst* = dat keur ik af, want het is niet goed om zo te handelen.
bot I. 1. *Zijn hartstochten bot vieren* = zijn hartstochten vrij laten uitwoeden.
Het *bot* (met o als in pot) is het vliegertouw; *vieren* = loslaten. Dus letterlijk: het touw loslaten; ruimte geven aan de vlieger.
Volgens Kerdijk kan het ook een zeemansuitdrukking zijn; *bot* = de hoe-

veelheid kabel (tegenwoordig ketting), die een schip uit heeft, als 't voor anker ligt. Dan dus ook het touw losser maken.
2. *Iemand te veel bot geven* = hem te veel vrijheid laten.
bot II = stoot, slag. *Ze hebben bot gevangen* = ze hebben hun doel niet bereikt; ook: zij hebben niemand thuis getroffen. 't Oude werkwoord *botten* = stoten, slaan; dus letterlijk: ze hebben een slag gekregen.
In Vlaanderen dan ook: *enen bot krijgen*. Bij ons *bot vangen*, misschien door bijgedachte aan de vis *bot*. Die bijgedachte werkte nog verder door, zodat men ook hoort: een *botje* vangen. (De Vooys.)
bot III (de vis). *De bot is vergald*, zie *vergallen*.
bot IV (been). *Ik zal met jouw botten nog noten knuppelen*, ruwe uitdrukking: als jij al lang dood bent, dan ben ik nog flink en sterk.
De walnoten werden en worden nog vaak van de boom gehaald, door er met knuppels naar te werpen.
boter. 1. *Wie boter op zijn hoofd heeft, moet niet in de zon staan* = wie aan 't zelfde gebrek lijdt, wie 't zelfde heeft uitgehaald, moet dat aan een ander niet verwijten.
Voor de verklaring van dit spreekwoord heeft men gedacht aan het oude gebruik, dat men allerlei waren op zijn hoofd droeg in een platte bak, zo als ten plattelande de slagers ook nu nog wel doen. Zo kan men dus in letterlijke zin boter op zijn hoofd hebben.
Doch Dr. Walch vermoedt, dat we met een verbastering te doen hebben van een oudere uitdrukking, die o.a. voorkomt bij Vader Cats:
Wiens hoofd van boter is,
Die moet gedurig schromen,
Die moet niet aan het vuur
of voor den oven komen.
2. *'t Is boter aan de galg gesmeerd* = 't is volstrekt nutteloze moeite. Al smeert men de galg vol boter, het blijft hetzelfde lelijke ding.
Gessler houdt zich met het spreekwoord bezig in *Volkskunde* 1947, blz. 124. Hij verwijst naar de spreekwoordenschilderij van Brueghel, waar iemand bezig is, de galg te beschijten. Hij beschijt de galg = hij veracht de galg, heeft er geen vrees voor. 'Wie niet bang is voor 't juiste woord, weet nu hoe dit Vlaamsch spreekwoord luidt en wat het nu nog beteekent.' Dat is wat veel gezegd: de betekenis van *boter aan de galg* wordt er niet bevredigend door verklaard.
3. *Boter bij de vis!* = dadelijk betalen! Als men de vis wil stoven, moet men de boter bij de hand hebben.
4. *Hij braadt de boter er uit* = hij neemt het er zo goed van als 't maar even kan.
5. *'t Is boter tot de boom* = er is welvaart en overvloed; letterlijk = het vat is vol boter tot de bodem toe. Zo bij Vondel in de *Leeuwendalers*, aan het slot:
De koeien geven melck en room.
Het is al boter tot den bôom.
Men zingt al *Pais en Vre.*
In Groningen in dezelfde betekenis:
5a. *'t Is ro boter voor de spaan*, lett. 't is allemaal rode boter (de gele weideboter tegenover de witte stalboter), als men die met de spaan uit het vat schept.
Hetzelfde in de Kamper spreekwoorden:
Tis al roe botter voer die sponde. (Sponde = plank, in dit geval het plankje in het botervat.)
6. *Zij leefden samen, maar zonder boterbriefje* = zonder trouwakte; volkshumor. Een boterbriefje was een vergunning om in de Vastendagen boter (en vlees) te eten.
7. *'t Wil niet boteren* = 't gaat niet best, 't komt niet tot stand. Zo als het in letterlijke zin soms niet boteren wilde in de karn, d.i. als de boter zich niet afscheidde van de melk of als de melk haast geen boter bevatte.
8. *Dat is een stuk boter in de pap* = een meevaller, een onverwacht fortuintje.
9. *Hij is met zijn achterste in de boter gevallen* = hij heeft het buitengewoon goed getroffen; vooral: hij heeft een rijke vrouw getrouwd. Zie *neus* 2.
10. *Nu zal de boter geld kosten* = nu komt het er op aan; nu wordt 't beslist.
11. *De boer moet weten, wat de boter kost*, zie *boer* 10.
12. *Minnebrieven zijn met boter verzegeld*, lett. = het zegel houdt niet; ze gaan zo weer los. Dus: ze zijn heel lief, maar 't is lang niet zeker dat de liefde blijft.

Cats zegt het op rijm:
Brieven van lieven zijn met boter bezegeld,
Vrijerseed en minneklachten
Moet men niet als grillen achten,
d.i. moet men als niets anders beschouwen dan als grillen.
Uitgaande van dezelfde gedachte:
13. *Een eed met boter bezegeld*, een eed, die men al heel spoedig weer vergeten is.
14. *Ik zal je boter aan je gat smeren en zelf droog brood eten!* uitroep tegen iemand, die nooit tevree is.
boterham. *Een afgelikte boterham* = een meisje dat reeds met een ander verkering gehad heeft.
botje. *Wij zullen botje bij botje leggen* = wij zullen ieder ons aandeel bijdragen; we zullen samen betalen.
Een *botje* was in de Middeleeuwen een vierduitstuk, aldus genoemd naar de leeuw die er op stond met een helm op zijn kop, die op een *botje* geleek, d.i. op een vaatje. Zie *Nieuw Groninger Woordenboek*, op 't woord *munt*, blz. 591. Aldaar ook *butje* = 't kuipje waarin de zeelui hun kousen enz. bewaren.
botten. *Daaraan veeg ik mijn botten* (Vlaanderen) = dat lap ik aan mijn laars.
Botten = F. *bottes* = laarzen.
bout. 1. *Je kunt me de bout hachelen*, plat Hollands = je kunt naar de maan lopen. Van Dale heeft als verklaring: *bout* = uitwerpselen; *hachelen* is Bargoens = eten. In de Rotterdamse straattaal komt *bouten* voor = zijn gevoeg doen. 't Is dus wel een zeer platte verwensing.
2. *De bout op 't hoofd krijgen* = de schuld krijgen, de schade moeten dragen, moeten betalen. Wie een bout ijzer op zijn hoofd krijgt, ondervindt de gevolgen.
3. Men draait geen bouten
Uit alle houten.
Vlaams rijmpje. Zie *hout* 1.
4. *De bout vindt de kerf wel.* Op de schilderij van Brueghel vindt men de voorstelling van een schutter met een meisje achter zich, dat hem schijnt aan te moedigen. Prof. Dr. P. de Keyser heeft in *Volkskunde* van 1948, 57 betoogd, dat deze figuur het oude spreekwoord voorstelt:
De bout vindt de kerf wel. Dit spreekwoord komt nog voor bij Harrebomée, maar hij geeft er geen verklaring bij. In de *Proverbia communia* leest men:
Den bout vint die meese wel. De Keyser legt uit, dat dit nu verdwenen woord zoveel betekent als het merk, het teken, het doel, en dat het spreekwoord wil zeggen: geen meisje zo lelijk of ze vindt wel een man; alles komt terecht in de wereld.
In modern Nederlands zeggen beide spreekwoorden dus: de pijl vindt zijn doelwit wel.
boven. 1. *Moeilijkheden te boven komen* = overwinnen, zoals een zeeman met zijn schip een hoek of een kaap *te boven komt*, d.i. voorbijzeilt zonder ongeluk. (*Boven* is in zeemanstaal de windzijde.)
2. *De bovenhand krijgen* = baas worden. *Hand* is het oude woord voor macht. Zo ook in:
3. *Mans hand boven* = in het huisgezin moet de man het voor 't zeggen hebben.
4. *Hij voerde er de boventoon*, hij had er 't grootste gezag; hij gaf er de toon aan. In de muziek is de boventoon de toon die boven alle uit gehoord wordt.
5. *Hij komt er weer bovenop* = hij komt de moeilijkheden, de ziekte te boven. Net als iemand die in 't water gelegen heeft, weer op de wal komt. Maar misschien van *het rad van fortuin*; zie *rad* 5.
6. Van boven bont,
Van onder stront,
spottend gezegde als een meisje of een vrouw zich heel mooi kleedt, terwijl zij geen goed hemd aan 't lijf heeft. Ook algemeen van iets dat er uitwendig goed uitziet, maar dat heel erg tegenvalt, als men 't nader bekijkt.
Vlaams:
7. Van boven blinken,
Van onder stinken.
bovenkamer. 1. *Zijn bovenkamer staat te huur* = *'t is niet pluis in zijn bovenverdieping.* Lett. = zijn hoofd is leeg; hij is heel dom. Nog erger: hij is niet goed wijs.
Ook:
2. *'t Scheelt hem in de bovenkamer.*
bovenlast. *Hij heeft een zware bovenlast* = hij is dronken.
De *bovenlast* is de lading op het dek; bij een zware bovenlast ligt het schip wankel.
boycotten, d.i. niet meer voor iemand

willen werken, niets meer aan hem willen leveren. Genoemd naar kapitein James Boycott, die rentmeester was voor een Engelsman op een landgoed in Ierland en die in 1880 door de Ieren in de ban gedaan werd. Vandaar nu = iem. van alle verkeer uitsluiten, buiten de gemeenschap stellen.

braaf. *Een brave Hendrik* = een jongen, die al te braaf is of die zich als zodanig voordoet. De naam is afkomstig van de titel van een algemeen gelezen schoolboekje van Nicolaas Anslijn, 1777—1838.

braak. *Geen talent mag braak liggen* = alle krachten en gaven moeten gebruikt worden. Vóór de regelmatige bemesting der landerijen liet men om de zoveel jaren telkens akkers *braak* liggen; ze werden gebroken, d.i. geploegd, maar niet bezaaid, om daardoor weer tot nieuwe kracht te komen.

braam. *Die de bramen vreest, moet uit de bos blijven* (Vlaams) = die bang is voor gevaar of schade, moet geen zaak beginnen; die niet verliezen wil, mag niet spelen.

Bram. *'t Is een Bram* = een haantje-devoorste; ook iemand, die zich groot en voornaam voordoet; een pochhans. Bram = Abraham; net zo als men zegt: 't is een houten Klaas, een stijve Piet, een onnozele Hans, een brave Hendrik.

bramzeil. *De bramzeilen bijzetten* = zijn uiterste best doen.
't Bramzeil is het bovenste zeil, dat alleen bij heel mooi weer bijgezet wordt. Als dit zo is, dan gebruikt men dus alle zeilen.
't Woord is waarschijnlijk uit het Deens; lett. = pronkzeil; (Franck—Van Wijk).

brand I. 1. *Ze zaten lelijk in de brand* = in moeilijkheden, in schulden.
2. *Ik heb een brandbrief gekregen* = een brief, waaraan dadelijk voldaan moet worden. Men denkt aan een dreigbrief, dat het huis in brand zal worden gestoken. Stoett verwijst naar Kiliaen's woordenboek (16e eeuw): een brief, waarin om hulp gevraagd wordt wegens brandschade.
3. *Wilt ge brand vermijden, vaagt bijtijds uw schouw* (Vlaams) = neem vroeg genoeg de nodige voorbereidende maatregelen.

brand II = zwaard. *Zo helder als de brand.* Zo ook *brandschoon* = geheel gezuiverd. En fig. = *hij is niet helemaal brandschoon* = hij is een weinig dronken. Toen men de betekenis van *brand* niet meer voelde, ontstond ook een woord als *brandzout* = al te zout, gezegd van het eten, met bijgedachte aan het andere woord *brand.*

brandhout. 1. *'t Is brandhout voor de hel* = 't is een buitengewoon slecht mens, die zeker niet in de hemel zal komen.
2. *Hoe meer goed, hoe meer brandhout voor de hel.* Dit spreekwoord berust op de grote moeilijkheid, die een rijk man heeft om in de hemel te komen. Immers: Het is lichter dat een kemel ga door het oog van een naald, dan dat een rijke inga in het koninkrijk Gods. (*Matth.* XIX : 24.)

brandmerk. *Iemand brandmerken* = hem in 't openbaar beschuldigen van een oneerbare handeling en 't bewijs daarvan leveren.
Uit de lijfstraffelijke rechtspleging; een misdadiger kreeg een merk op zijn lichaam met een gloeiend ijzer; onterende straf, pas in 't midden der 19e eeuw afgeschaft. De ijzers zijn nog te zien, o. a. in de Gevangenpoort.
Zie ook *sisser.*

brandijzer. *Zijn geweten is met een brandijzer toegeschroeid* = hij is verhard in het kwaad; hij is onvatbaar voor een vermaning.
Bijbelse uitdrukking. Paulus schrijft over de geveinsdheid der leugensprekers, hebbende hun eigen geweten als met een brandijzer toegeschroeid. (1 *Timotheus* IV : 2.)

branie. *Hij is een branie* = iemand die er wezen durft; een opschepper. Uit het Maleise *brani* = dapper. (Veth, Uit *Oost en West*, 313.)

Bredero. *'t Kan verkeren, zei Bredero*, zie *verkeren.*

breed. 1. *Die 't breed heeft, laat het breed hangen* = wie het ruim heeft kan licht grote vertering maken. *En wie 't nog breder heeft, laat het slepen.*
2. *'t Is zo lang als 't breed is*, zie *lang* 1.

breeuwer. Zie *Bremer.*

Breeveertien. *Hij is de Breeveertien opgegaan* = hij is aan de zwier geraakt, hij leidt een loszinnig leven. De *Breeveertien* is de grote zandbank langs de Hollandse kust van Noordwijk tot Callants-

oog; daar staat 14 vaam water op.
breister. *De beste breister laat wel een steek vallen* = ook de knapste maakt fouten.
Bremen, zie *wijs* II, 3.
Bremer. *Mijn vader was geen Bremer,* d.i. ik laat mij 't werk niet uit de handen nemen. Dit wordt gewoonlijk verklaard als: *mijn vader was geen breeuwer*; een breeuwer immers stopt de naden van 't schip dicht met *werk*, d.i. geplozen touw; hij geeft dus in letterlijke zin 'werk' uit de handen. Doch volgens het *Ned. Wdb.* III, 1273, is *Bremer* in het spreekwoord ouder dan *breeuwer*.
Zo wordt het ook duidelijk, dat men in Groningen, waar men 't woord *breeuwen* niet kent (men zegt *braauwen*), wel zegt: mijn vader was geen Bremer.
bres. 1. *Voor iemand in de bres springen* = het voor hem opnemen. Uit het oude krijgswezen; een bres is een gat in de muur van de vesting, aangebracht door de belegeraar. Vandaar ook:
2. *Hij heeft bres geschoten* = het begin van zijn overwinning is er; hij zal nu verder wel slagen.
brief. 1. *Ik heb de oudste brieven* = mijn aanspraken zijn ouder dan die van anderen. Brief heeft hier nog de betekenis van document, bewijsstuk.
2. *Dat geef ik je op een briefje* = daarvoor sta ik je borg; dat is mijn stellige verzekering.
3. *Hij heeft niets in te brengen dan lege briefjes* = hij heeft niets te zeggen; hij is niet in tel.
Letterlijk: hij heeft geen volmacht, om te handelen.
bril I. *Iemand een bril op de neus zetten* = hem tot gehoorzaamheid, tot gedweeheid dwingen.
De *bril* is namelijk de neusknijper, waarmee men onhandelbare paarden bedwingt. Vergelijk *pen* 3.
bril II (om te zien). 1. *Hij zoekt naar zijn bril en hij heeft hem op zijn neus,* gezegde als iemand naar een ding zoekt, dat vlak bij is. Zie *paard* 22.
2. Wat helpen kaars en bril,
Als de uil niet zien en wil,
zie *zien* 3.
3. *Hij zoekt met de bril op naar 't wiegetouw,* gezegd van een oude man, die met een jonge vrouw getrouwd is.
broeder. 1. *Broeder Jonathan,* zie *Jonathan.*
2. *Hij is de rechte broeder niet*: hij doet zich gunstig voor, maar hij deugt toch niet. Bijbelse uitdrukking.
Petrus spreekt op het eind van zijn eerste zendbrief van 'Silvanus, die u een getrouw broeder is.' (1 Petrus V : 12.)
Maar misschien moet men denken aan de geschiedenis van Jakob en Ezau in Genesis XXVII, waar Jakob zich bij zijn vader Ezau voordoet, alsof hij de eerstgeborene was in plaats van Ezau.
3. *'t Is maar een zwakke broeder* = hij munt niet uit; hij is niet sterk, niet rijk.
Naar 1 Korinthe VIII : 11, waar Paulus vraagt: Zal de broeder, die zwak is, door uw kennis verloren gaan, om welke Christus gestorven is?
4. *Ben ik mijn broeders hoeder?* = is het mijn plicht, mijn broeder te beschermen? Uitdrukking gebezigd, wanneer iemand zich niets aantrekt van zijn verantwoordelijkheid voor het welzijn van zijn medemensen.
De vraag is uit *Genesis* IV : 9, namelijk van Kaïn na de moord op Abel; het is het antwoord op Gods vraag aan hem: Waar is Abel, uw broeder?
5. *Mannen broeders,* zie *man* 19.
broek. 1. *Zij heeft de broek aan* = zij is de baas in huis. Tot voor korte tijd droegen de vrouwen uit het volk geen onderbroeken. Vandaar, dat de broek zinnebeeld was van de macht van de man.
2. *Ik zal hem de broek opbinden* = gevoelig straffen; een pak slaag geven. Letterlijk: maken dat hem de broek netjes zit, dus = hem opknappen; met de bijgedachte aan: hem wat voor de broek geven, hem de broek afbinden.
3. *Dat zal je dun door de broek lopen!* = dat zal verkeerd voor je aflopen. Met de gedachte aan spijzen, die de ontlasting al te zeer bevorderen.
4. *Waar broeken zijn, betalen geen doeken* = op een feestje betalen de mannen; die moeten de vrouwen vrij houden.
5. *Iemand achter de broek zitten*: hem aandrijven, dat hij zijn best doet.
Met de bijgedachte, dat hij anders wat voor de broek krijgt.
6. *Komt een nieuwe broek aan het oude wambuis, dan scheuren de vetergaten uit* (Fries) = waarschuwing, als een oude man trouwt met een jonge vrouw.
broertje. 1. *Daar had hij een broertje aan*

dood = daar was hij verschrikkelijk bang voor; dat stond hem erg tegen.
Men denkt aan een ziekte, waar een broertje aan gestorven is.
2. *Dat is broertje of zusje* = daar is geen verschil tussen. Die lijken precies op elkaar.
brok. 1. *Is de brok groot, men moet er de mond naar zetten* (Vlaams), zie *mond* 32.
2. *Misgunde brokken smaken best* (Vlaams), zie *brood* 12.
3. *De kleinste brokskens zijn de zoetste* (Vlaams) = wie met weinig tevreden is, leeft gelukkig.
bron. *Uit zuivere bronnen vloeit zuiver water* (Vlaams) = wanneer men een onbedorven gemoed heeft, spreekt men geen gemene taal.
brood. 1. *Bij gebrek aan brood eet men korstjes van pasteien* = als men het noodzakelijke niet krijgen kan, moet men wel eens zijn toevlucht nemen tot iets, dat eigenlijk veel te duur is.
2. *Wiens brood men eet,*
diens woord men spreekt
= men praat naar de mond van diegene, van wie men afhankelijk is, bij wie men in dienst is.
3. *Ik zal hem dat op zijn brood geven* = ik zal hem dat voorhouden, al zal hij dat niet lekker vinden.
4. *Hij moest zoete broodjes bakken* = hij moest lief en aardig doen, ofschoon hij eerst heel anders was opgetreden. Het spreekwoord stelt het voor, alsof men eerst wat opgedist heeft, dat niet smaakte, maar dat men nu wat lekkers moet klaarmaken.
Ook: *smalle broodjes bakken.*
5. *De broodkorf hoger hangen* = 't rantsoen brood kleiner maken. Vroeger bewaarde men het brood veelal in een mand, die aan de zolder hing; dan konden de ratten en muizen... en de kinderen er niet bij.
6. *De broodkruimels steken hem* = hij is brooddronken, al te weelderig. Letterlijk: dartel tengevolge van te veel eten.
7. *Broodmager*, zie *mager* 1.
8. *Bij brood alleen kan de mens niet leven* = een mens heeft behoefte aan ontwikkeling, zedelijke verheffing en ontspanning. Ontleend aan Mattheus IV : 4. Aldaar: De mens zal bij brood alleen niet leven.
9. *Dat ging er in als gesneden brood* = a. dat werd met graagte genuttigd; b. daarnaar luisterde men gretig. Vgl. *God* 16.
10. *Vasten is geen brood sparen*, zie *sparen*.
11. *'t Beste brood ligt voor 't venster* = a. wat men verkopen wil, laat men van de beste kant zien; b. meisjes die zich mooi voordoen hebben ook wel minder aangename eigenschappen.
12. *Ongegund brood wordt veel gegeten* = menigeen kan niet zien, dat het een ander goed gaat, vooral als die ander zijn mededinger is.
In Onderdendam was een gevelsteen met een uil er op. De uil zegt:
Kat, gij moet het weten,
Ongegund brood wordt veel gegeten.
De buurman van 't zelfde vak liet nu een gevelsteen maken met de kat er op en liet die kat zeggen:
Uil, dat is een stuk
daar ik op let,
Ik krijg je nog wel
in de bek.
Nu staan beide gevelstenen in de gevel van 't zelfde huis, waardoor de bedoeling niet meer duidelijk is.
13. *Hij eet het brood van zijn bescheiden deel* = hij moet hard werken voor zijn dagelijks brood.
Bijbelse uitdrukking naar *Spreuken* XXX : 8. Aldaar het gebed:
Voed mij met het brood mijns bescheiden deels.
14. *Ons dagelijks brood* = het nodige van eten en drinken, de nooddruft.
Uit het Onze Vader: Geef ons heden ons dagelijks brood. (*Matth.* VI : 11.)
15. *Die geen wit brood en heeft, gedoe met bruin* (*Gezelle*) = wie 't beste niet krijgen kan, moet tevreden zijn met het mindere.
Gedoen = doen, zich behelpen met.
16. *'t Gaat om zijn laatste brood* = dat is (bij 't spel) zijn laatste inzet; dat is 't laatste, wat hij nog over heeft en waarmee hij zijn verlies hoopt terug te winnen.
17. *Brood etende profeten*, zie *profeet* 1.
18. *Hij doet het om den brode* = hij neemt zijn ambt waar, niet uit overtuiging, doch alleen omdat hij er van eten moet.
Bijbelse uitdrukking. De Hogepriester Eli werd bedreigd met de ondergang van zijn ganse geslacht, omdat hij de misda-

den van zijn zonen niet bestrafte. 'Al wie van uw huis zal overig zijn... zal zeggen: Neem mij toch aan tot enige priesterlijke bediening, dat ik een bete broods moge eten.' (I *Samuel* II : 36.)
Volgens Zeeman naar Joh. VI : 26. Daar zegt Jezus: 'gij zoekt Mij,... omdat gij van de broden gegeten hebt.'
19. *Hij heeft brood op de plank* = hij heeft een goede kostwinning; hij kan zich best redden.
Herinnering aan de tijd, toen men het brood bewaarde op een plank aan de zolder.
20. Bij Harrebomée: *zij heeft brood op de plank* = zij heeft grote borsten.
21. *Werp uw brood uit op het water* = geef met onbezorgde mildheid, ook al mocht niet alles van uw gave wel besteed worden.
Bijbels gezegde, uit *Prediker* XI : 1—2: 'Werp uw brood uit op het water; want gij zult het vinden na vele dagen. Geef een deel aan zeven, ja ook aan acht.'
22. *Het brood der dienstbaarheid eten* = als ondergeschikte afhankelijk zijn van zijn heer, vooral gezegd van een dienstbode.
Waarschijnlijk naar Ezra IX : 9. 'Want wij zijn knechten; doch in onze dienstbaarheid heeft ons onze God niet verlaten.'
23. *Kinderen houden 't brood uit de schimmel*, ze zorgen wel dat het op is, vóór het schimmelt; zie *kinderen* 6.
In Groningerland heten ze dan ook schertsend *schimmelmuiters*, d.i. schimmelweerders.
24. *Overal wordt brood gebakken* = op andere plaatsen is 't ook goed leven. Troost voor iemand, die naar een ander oord verhuizen moet.
25. *'t Is gesneden brood* = alles is netjes voor hem klaar gemaakt; hij hoeft er zelf niets meer aan te doen.
Zie ook no. 9.
26. *Wilt gij brood hebben, legt u op de oven niet te slapen* (Vlaams) = die niet werkt, zal niet eten.
27. *Beter een brood in de zak dan een pluim op de hoed* (Gezelle) = goed eten te kopen is beter dan het geld te verpronken aan mooie kleren.
28. *Zulk zorgt voor een brood, die genoeg heeft aan een kant* (Gezelle) = men zorgt veelal voor veel meer dan men nodig heeft. Zulk = menigeen.

brouwen. 1. *Daar wordt iets gebrouwen* = daar worden heimelijk plannen gesmeed; daar broedt men iets uit.
2. *'t Bier wordt voor de ganzen niet gebrouwen*, spreuk van de drinkers; zie *gans* 2.

brug. 1. *Hij moet over de brug komen* = betalen. Misschien naar aanleiding van tol op de brug.
Maar 't is ook mogelijk, dat rekeningen betaald werden op een brug. Zo nog te Boskoop. Van der Ven heeft in zijn *Zomerfilm* de betaaldag van 27—29 juni 1923 op 't doek gebracht. 's Morgens kwam er een zware geldkist, om op de brug over de Gouwe de rekeningen te kunnen betalen. Wie wat te vorderen heeft, wacht tot de schuldenaar *over de brug komt.* Ondanks de giro werd er toen over de f 100.000,— op de brug betaald.
3. *Hij heeft de brug gelegd* = hij heeft de mogelijkheid geschapen, om tot elkaar te komen; hij heeft de weg gebaand.
4. *Men moet geen hei roepen, eer men over de brug is*, zie *hei* 2.

Brugman. *Hij kan praten als Brugman.* Dit was Johannes Brugman, 1400—1473, minderbroeder, beroemd als volksredenaar.
Pater Brugman wordt afgebeeld in de Vaderlandse Geschiedenis van Dr. J. P. Arend. Deze minderbroeder kwam in 1462 in Amsterdam en bleef er tegen de wil der Overheid, die er niet mee ingenomen was, dat een vreemde monnik een nieuw klooster, dat der Observantie, wilde stichten. Zij lieten een 'verklaringe' (proces-verbaal) 'beleyden' door de provisor en deken van 'Amstellandt, Waterlandt ende den Zeevanck'; maar de 'onbeschaemde monnikken,' steunende op het 'gemene volk', nestelden zich toch in de stad.
Nog in 1680 verscheen er te Keulen een boekje in 12°, met de profetieën van Brugman in 47 vierregelige versjes, b.v.:
'Te Amsteldam een magnefijck
'Stadthuys sal men opbouwen,
'Met geldt en goet seer overrijck:
'Dat yder sal aenschouwen.'
Brugman stierf te Nijmegen. De uitgever wachtte met de mededeling van de profetieën, 'totdat ze genoegsaem ver-

vult waren,' zegt Le Long.
bruid. 1.
Als de bruid is in de schuit,
Dan zijn de beloften uit,
als men eenmaal getrouwd is, dan komt niet alles zo mooi uit als men wel gedacht heeft.
2. *Wie 't geluk heeft, gaat met de bruid naar bed,* zie *geluk* 2.
3. Een dode en een bruid
Moeten vlug de deur uit,
zie *dode*.
4. *Je kan wel dansen, al is 't niet met de bruid* = je moet niet te veel noten op je zang hebben; men moet niet altijd het beste begeren.
5. *'t Is een kranke bruid,* schertsend gezegd van iets, dat heel voorzichtig behandeld moet worden, vooral van een beschadigd meubel of van een gebarsten schotel. Misschien een bijbelse uitdrukking naar vers 8 van Hooglied v, waar de bruid zegt, dat zij krank is van liefde.
6. Die slaperig is
en gaperig is,
Wat doet hij bij de bruid?
Een vrijer, die kans wil hebben, moet flink en vlot zijn.
7. *De bruid heeft de kat goed gevoerd,* gezegde als 't mooi weer is op de bruiloftsdag. Zie *kat* 29.
8. *Als de bruid verpast is, wordt zij gewild* (Vlaams) = wat verkocht is, dat zou iedereen willen hebben.
Verpassen = verkopen.
9. *Een bruidsdaalder is maar een gulden waard* (Gron.) = als een meisje trouwt, hoort men altijd, dat ze veel geld heeft, maar dat valt nog al eens tegen.
bruiloft. 1. *Van bruiloft komt bruiloft* = op een bruiloft is er voor jongelui een schone gelegenheid om kennis met elkaar te maken.
In Friesland:
1a. *'t is een slechte bruiloft, waar maar één bruid is.*
2. *Menig bruiloftskleed is met zwarte baai gevoerd* (Gezelle), wie trouwen weten nog niet, welk leed hun misschien wacht.
bruin. *Dat kan de bruine niet trekken,* d.i. het bruine paard; uitdrukking om aan te duiden, dat iets te duur uitkomt.
brutaal. 1. *Hij is zo brutaal als de beul* (*van Haarlem*). De beul was immers zo vrijpostig, dat hij zijn slachtoffers stevig aanpakte. Zie *beul*.
2. *De brutalen hebben de halve wereld* = wie maar brutaal is, krijgt in de regel zijn zin, zijn deel, meer dan zijn deel. Ook: *Brutalen hebben de wereld half en in de andere helft delen ze ook nog mee.* Ze krijgen blijkbaar meer dan vroeger, want in de Kamper Verzameling heet het: Die onschamelen (de onbeschaamden) hebben 't derden deel van der werelt.
brij. 1. *Als 't brij regent, zijn mijn schotels omgekeerd* = ik tref het altijd ongelukkig.
2. *Dat is een stuk boter in de brij,* zie *boter* 8.
3. *De brij wordt niet zo heet gegeten, als hij gekookt wordt* = al zijn de eisen ook eerst heel hoog, er is over te praten; wat men in drift zegt, daar gaat wel wat af. In Friesland:
3a. *De brij is op het heetst, als hij opgeschept wordt.*
bui. 1. *Hij wacht de bui af* = hij ziet aankomen, dat het verwijten zal 'regenen' en hij verschuilt zich daartegen, zo goed hij kan.
2. *Hij is vóór de bui binnen* = hij heeft zijn geld veilig gesteld, net vóór de tegenslag komt.
buigen. *'t Moet buigen of barsten* = het zal gebeuren, wat er ook geschiedt.
buik. 1. *Van zijn buik een afgod maken* = al te veel houden van lekker eten en drinken en daar alles voor offeren.
Paulus spreekt van de vijanden des kruises van Christus, 'welker einde is het verderf, welker God is de buik, en welker heerlijkheid is in hun schande, dewelke aardse dingen bedenken.' (*Filippensen* III : 19.)
2. *Buikske vol, harteke rust* = als men maar eerst goed gegeten heeft, dan gevoelt men zich pleizierig en is men tevree.
In Vlaanderen:
3. *Op 'nen vollen buik staat een vrolijk hoofd.*
4. *Een volle buik peinst op geen lege* (Vlaams) = wie zelf voldaan is, bekommert zich al te weinig om een ander.
buiten.
Van buiten bestendig,
Knepen inwendig,
zie *stil* 1.
buitenbeentje. Vroeger naam van een onecht kind. Men vindt de verklaring in

Ned. Wdb. II, 1309. *Binnens beens spelen* betekende in de Middeleeuwen: gemeenschap hebben met een vrouw. Als het een andere vrouw was dan de eigen vrouw, dan heette 't kind een *buitenbeentje*.
bulken. *Hij bulkt van 't geld* = hij heeft heel veel geld. Wie te veel eet, bulkt er van, heeft oprispingen. Zo fig. van wie te veel geld bezit.
bullebak, d.i. een norse man, iemand die snauwt en grauwt. Het woord betekent letterlijk zoveel als een schrikaanjagend spook, een bietebauw die bullert, d.i. die akelig lawaai maakt. *Bullebak* is dus een klanknabootsend woord.
bullen. *Hij kent zijn bullen* = hij is goed thuis in zijn vak; hij weet wat hij weten moet.
Uit de kazerne. De soldaat noemt zijn bullen, alles waarmee hij inspectie moet maken.
burgemeester. 1. *Eens burgemeester, altijd burgemeester* = wie eenmaal een rang bekleed heeft, behoudt zijn waardigheid.
't Was volgens overlevering ook het woord van Jan de Lapper, die van nood in 't zeegevecht kapitein was geworden en die wel weer wou mee uitvaren, doch dan weer als kapitein. Wat dan ook geschied heet te zijn.
2. *Voor een keer kan men wel tegen de burgemeester teren* = kan men zich wel grote uitgaven veroorloven op een feest.
burger. *Een vergeten burger, een gerust leven* = men leeft veel gelukkiger, wanneer men niet in de grote wereld verkeert, wanneer niemand op je let. Wie hoog en voornaam zijn, staan bloot aan allerlei onwelwillende beoordelingen en aanvallen, aan haat en nijd.
bus. *Hij moest in de bus blazen* = betalen. Waarschijnlijk is de oorsprong te zoeken in het kluchtspel van *De Buskenblazer* uit de 14e eeuw. Daar is sprake van een man, die weer jong wil worden; een kwakzalver levert hem voor veel geld het middel: hij moet in een bus met zwart poeder blazen!
buskruit. *Hij heeft het buskruit niet uitgevonden* = hij is niet snugger.
De uitvinding van het buskruit door Barthold Schwarz werd altijd als een wonder van vernuft beschouwd.
buur. *Beter een goede buur dan een verre vriend*; zie *beter*.
2. *Al te goed is buurmans gek* = men maakt misbruik van iemands onverstandige goedheid. Zie *gat* II, 12.
3. *Buurmans leed troost* = 't is of men minder zijn verdriet gevoelt bij de wetenschap, dat ook een ander lijdt.
4. Als uw buurmans huisje brandt,
Ligt uw schade voor de hand,
men heeft er belang bij, dat het ook de buurman goed gaat.
5. Vrij je buurmanskind,
Dan weet je wat je vindt,
zie *koe* 3 en *dochter* 5.
6. *Als buurmans huis brandt, is het tijd dat je uitziet* = een schip op strand is een baken in zee.
bij. 1. *Daar de bij honing uit zuigt, zuigt de spin vergif uit* = 't hangt er maar van af, wie een zaak beoordeelt; de een prijst een handeling, die door een ander geheel verkeerd geoordeeld wordt.
2. Wie bijen houdt of duiven
Die kan het geld zien stuiven
(Achterhoek),
wie uit liefhebberij bijen houdt, legt er geld bij.
bijbel. 1. *De bijbel van 52 bladen* = een spel kaarten.
Schertsend gezegd, omdat het kaartspel bij veel vrome lieden juist niet heilig is.
2. *'t Gaat hem als een os, die in de bijbel kijkt*, zie *os* 4.
bijdehands, dat wordt gezegd van 't linkse paard in een span. De voerman heeft n.l. de teugels in de linkerhand. Het rechtse paard is het *vandehandse* paard.
bijdraaien. Hij zal wel weer bijdraaien = hij zal wel van zijn drift bekomen, hij zal wel bedaren. Zeemanswoord: een schip draait bij, als de zeilen zo gesteld worden dat het tot stilstand komt.
bijkans. 1. *Bijkans en sloeg nooit iemand dood* (Gezelle); zie *haast* II, 1 en 2.
Bij hem ook schertsend:
2. *'t Was bijkans gemist, zei Gijs, als hij naar de hond smeet en zijn stiefmoeder trof.*
bijl. 1. *Hij hakt er met de grote bijl op in* = hij gaat ruw te werk; hij geeft veel geld uit; hij voert een hoog woord.
2. *Hij legt het bijltje erbij neer* = hij legt zijn ambt neer; hij staakt zijn werk.
3. *Ik heb al zo lang met dat bijltje gehakt* = ik heb dat werk al zo vaak gedaan; ik ken de moeilijkheden al sedert lang.

4. *De bijl ligt alrede aan de wortel van de boom* = die man zal niet lang meer kunnen leven.
Bijbelse uitdrukking. Johannes de Doper sprak tot de Farizeeën en Sadduceeën:
'En ook is alrede de bijl aan de wortel der bomen gelegd; alle boom dan, die geen goede vrucht voortbrengt, wordt uitgehouwen en in het vuur geworpen.' (Matth. III : 10.)
5. *Hij is het bijltje kwijt* = hij staat bedremmeld en verlegen en weet niet wat te doen.
Deze uitdrukking is uit Eliza's geschiedenis afkomstig. De kinderen der profeten hakten hout: 'en het geschiedde, als een het timmerhout velde, dat het ijzer in het water viel (II Kon. VI : 5). Maar de profeet deed het ijzer weer boven zwemmen. (Laurillard.)
Vandaar ook:
6. *Men vindt in alle wateren geen bijl* = men kan niet altijd op een gelukkig toeval rekenen.
7. *Bijl en blok zijn behouden* (Fries), gezegde bij een ontijdige of zeer moeilijke bevalling, als het leven van de vrouw gered is.
Ontleend aan 't koekhakken, het vroeger zo algemene volksvermaak op kermissen en boeldagen. Zoveel als: de koek ligt in het zand, maar het blok en de bijl zijn er gelukkig nog.
bijleggen. *We moeten bijleggen* = a. wij moeten ons met minder vergenoegen dan we gedacht hadden; we moeten met weinig genoegen nemen; het wordt een schrale tijd; b. wij moeten bijdraaien; wij moeten toegeven, dat wij ongelijk hadden.
Evenals *bijdraaien* is *bijleggen* een zeemanswoord. Maar het is geheel iets anders, namelijk het reven van de zeilen en het aanbrassen van de raas, als men met een harde tegenwind te kampen had.
bijlichten. *Ik zal hem bijlichten!* = ik zal hem geducht de waarheid zeggen; ik zal hem een pak slaag geven.
Evenals *ik zal hem helpen*; een spottende, humoristische uitdrukking.
bijspijkeren. *Hij is weer aardig bijgespijkerd* = hij is weer opgeknapt; hij herstelt van zijn ziekte; hij haalt de schade weer in. Zoals men een losse plank in letterlijke zin bijspijkert.

C

Canossa. *Naar Canossa gaan* = zich moeten onderwerpen aan het gezag van de Kerk. Toen keizer Hendrik IV van Duitsland de strijd verloren had tegen paus Gregorius VII, trok hij om vergiffenis te verwerven naar Canossa (bij Modena in Italië), waar de Paus zich toen bevond. Deze liet hem, volgens het oude verhaal, de hele nacht door buiten staan; 1077.
Het gezegde is wederom zeer bekend geworden, doordat Bismarck, in zijn *Kulturkampf* met de R.K., in de Duitse Rijksdag uitriep (1872): *Wir gehen nicht nach Canossa.*
Deze woorden leest men ook op Bismarcks standbeeld op de Burgberg bij Harzberg. En toch... ook Bismarck had in later dagen de steun van het R.K. Centrum zeer nodig.
capriolen. *Capriolen maken* = allerlei grappige gebaren en bewegingen maken; kunsten vertonen. Van 't It. *capriola* = bokkesprong.
captie. *Zij maken altijd captie* = zij maken aanmerkingen, zij stribbelen tegen, zoeken uitvluchten.
L. *captio* = drogreden.
Carabas. *De markies van Carabas* = een voorname meneer, maar zonder geld. De Gelaarsde kat uit het sprookje van Moeder de Gans vertelt, dat kasteel en landgoed en nog veel meer behoren aan zijn meester, de Markies van Carabas, die in werkelijkheid niets bezit.
Stoett voegt er bij, dat in het Catalaans een kalebas *carabassa* heet. Dan zou de markies dus op zijn Hollands *Jan Kalebas* heten. Zie *Jan*.
Castor. *Zij zijn Castor en Pollux* = 't zijn onafscheidelijke vrienden.
Aldus genoemd naar de beide zonen van de Griekse god Zeus (Jupiter) en Leda.
't Caudijnse juk, zie *juk* 1.
cent.
Een cent met een gat
Vindt altijd wat,
oud volksgeloof dat een munt met een gat er in geluk aanbrengt.
Ook:
'n Cent met een gat

Wint altijd wat.
Cham. *Hij is van Chams geslacht* = hij spot met alles wat anderen heilig is. Volgens *Genesis* IX, 22 bespotte Cham zijn vader Noach, toen deze voor 't eerst van de wijn geproefd had en dronken geworden was.
Charon. *Hij is in Charons boot* = hij is dood.
Charon was de veerman van de Styx, de rivier die volgens de Griekse fabelleer vloeide rondom het dodenrijk. Hij zette de zielen over en ze konden nooit meer terug.
cherubijn.
Constantijntje,
't saligh kijntje,
Cherubijntje,
van om hoogh
d'Ydelheden, hier beneden,
Uytlacht met een lodderoogh.
Zo begint Vondels lijkdichtje op zijn zoontje. Cherubijntje = engeltje. Naar *cherubim* = engelen, o.a. in Genesis III, 24, waar van God gezegd wordt:
Hij dreef de mens uit (de hof van Eden) en stelde cherubim tegen het oosten des hofs van Eden.
commissie. *Lieg ik, dan lieg ik in commissie* = als 't niet waar is, wat ik vertel, ik weet niet beter; ik heb het zo van een ander.
In commissie, lett.: in opdracht.
contramine. *In de contramine zijn* = tegenwerken, wanneer iets verzocht wordt, net andersom doen dan men verwacht had; dwars zijn. Ook gezegd op de beurs van iemand, die speculeert op daling van de koersen.
De *contramine* is de tegenmijn, die men groef tegen de mijnen van de vijand, om hem in die onderaardse gangen zelf te kunnen aanvallen.
Corinthe. *Corinthen één, vers twee*, zie *Korinthe*.
Crethi, zie *Krethi*.
Croesus. *'t Is een Croesus* = een schatrijk man.
Croesus was de laatste koning van Lydië in Klein-Azië, bekend om zijn onmetelijke rijkdommen. Hij werd in 546 v. Chr. overwonnen door koning Cyrus van Perzië, waarbij hij al zijn schatten verloor.

D

daad. *Hij werd op heter daad betrapt*, vertaald uit het L. *in flagranti delicto*.
daalder. 1. *Moeder heeft een daalder gewisseld*, zie *moeder* 10.
2. *Een goed begin is een daalder waard*, zie *begin*.
3. *De eerste klap is een daalder waard*, zie *klap* 4.
4. *Een paard van een daalder*, zie *haan* 2 en *paard* 38.
5. *Hij zit op een daaldersplaats* = hij zit eerste rang; hij heeft de beste plaats.
dader. *De dader ligt op 't kerkhof* = men wordt nooit gewaar, wie 't gedaan heeft. Misschien een herinnering aan de tijd, dat het kerkhof een vrijplaats was; misschien wil 't zoveel zeggen als dat de dader al dood en begraven is.
dag. 1. *'t Is klaar als de dag*. Dag heeft hier de oude betekenis van het licht, het daglicht.
2. *Hij is nog kras op zijn oude dag*. In deze zegswijze komt dag voor als tijdperk, leeftijd.
3. *De jongste dag* = de dag des oordeels. *Jongste* = laatste.
4. *Hij is vóór dag en dauw van huis gegaan* = vóór 't krieken van de dag. De uitdrukking is een voorbeeld van voorletterrijm of stafrijm, evenals *met man en muis*; *kind noch kraai*; *stok en steen*.
5. *Dan had ik wel dagwerk!* = dan kwam er geen eind aan.
6. Een dag is nooit zo nat,
Of de zon schijnt altijd wat,
optimistisch spreekwoord: ook bij de grootste ellende is er nog wel wat, dat goed is. Bij Harrebomée:
Er is geen dag zoo kwaad,
Of de zon schijnt vroeg of laat.
7. Als de dagen lengen,
Begint de winter te strengen;
volksweerkunde.
8. *Men moet de dag niet vóór de avond prijzen* = men kan een werk pas beoordelen, als het gereed is.
9. *Hij heeft maar op één dag in de week wat te zeggen, maar hij weet niet op welke* = hij ligt bij zijn vrouw voor een oortje thuis.
10. *Elke dag heeft genoeg aan zijn eigen kwaad* = men moet zich nooit laten ter-

neerslaan door lasten en zorgen, die misschien in de toekomst zullen komen.
De spreuk is uit *Matth.* VI : 34.
Christus leert:
Zijt dan niet bezorgd tegen de morgen; want de morgen zal voor het zijne zorgen; elke dag heeft genoeg aan zijn zelfs kwaad. Vandaar ook het spreekwoord:
10a. *Men moet niet zorgen voor de dag van morgen.*
Daar heeft *zorgen* dus de betekenis van bezorgd zijn.
Geheel anders is het in:
10b. *Men moet ook zorgen voor de dag, die men niet beleeft*, d.i. men moet zorg dragen voor de toekomst, ook al is 't volstrekt niet zeker, dat men er dan nog zijn zal.
11. *In 't laatste der dagen zul je vreemde gezichten zien*, uitdrukking om aan te duiden, dat er iets gebeurt, waar men al zeer verbaasd over is.
Bijbelse uitdrukking. 'En het zal zijn *in de laatste dagen*, (zegt God), Ik zal uitstorten van Mijn geest op alle vlees; en uw zonen en uw dochters zullen profeteren, en uw jongelingen zullen gezichten zien, en uw ouden zullen dromen dromen.' (*Handelingen* II : 17.)
Vandaar ook, als er iets buitengewoons en avontuurlijks voorvalt.
11a. *Het loopt op het laatste der dagen*, schertsend gezegde, als de tijd van vertrek of de tijd voor een te verwachten gebeurtenis haast gekomen is.
Zinspeling op *Matth.* XXIV : 33, 'Wanneer gij al deze dingen zult zien, zo weet, dat het nabij is, voor de deur.'
Dit kan ook zijn naar de tweede Zendbrief van Petrus: 'dat in het laatste der dagen spotters zullen komen, die naar hun eigen begeerlijkheden zullen wandelen.' (II Petrus III : 3.)
12. *Tot op de huidige dag* = tot heden. Kan een bijbelse uitdrukking zijn. Ezechiël (II : 3) zegt van de kinderen Israëls: 'Zij en hun vaderen hebben overtreden tegen Mij tot op deze zelfde huidige dag.'
13. *Er hangen nog meer dagen in de lucht* = haast je niet; wat vandaag niet klaar komt, dat doen we morgen; ook:
13a. *morgen komt er weer een dag.*
14. *De dag is nog niet ten avond* = men weet niet, wat er vandaag nog gebeuren kan. Zie no. 8.
15. *Alle dagen een draadje is een hemdsmouw in 't jaar*, zie *draad* 6. In Vlaanderen:
Alle dagen een draadje gesponnen
Is op 't einde van 't jaar
een hemdsmouw gewonnen.
16. *'t Is alle dagen geen vastenavond*, zie *vastenavond* 1.
17. *Zij kunnen niet op één dag genoemd worden* = er is al te groot onderscheid; de een steekt hoog boven de ander uit.
18. *Die alle dagen viert, vraagt naar de Zondag niet* (Vlaams) = voor wie alle dagen een feest zijn, die heeft geen plezier als het werkelijk een feestdag is; wie verwend is, schept geen behagen in wat anderen bij uitzondering genieten.
19. *Eén kwade dag maakt de winter niet* = bij enige moeilijkheden troost men zich met de gedachte, dat het nog wel weer mee zal vallen. (Vlaams.)
20. *Menig ziet de dag beginnen, die hij niet en zal zien eindigen* (Gezelle) = men is nooit zeker, wanneer men sterven zal.
21. *De ene dag zit bij de andere* (Fries) = wij behoeven geen haast te maken.
22. *Komt dag, komt raad* (Gron.) = komt tijd, komt raad.
Ook. 23. *Dan is er dag en raad weer* = dan zullen we wel eens weer zien.
24. *Een dag is geen week lang!*, gezegde, als iemand wat op moet schieten.
daglicht. *Dat kan geen daglicht velen* = mag geen licht zien. Zie *licht* III, 6.
dak. 1. *Hij is onder dak* = geborgen; hij heeft een goede betrekking.
2. *Hij krijgt op zijn dak* = hij krijgt verwijten, scheldwoorden, straf. Naar de regen, die op 't dak neerklettert.
3. *Ik ga je politie op je dak sturen!* Ook hier *dak* voor *huis*. En vandaar = tot je last.
4. *Er is te veel dak op het huis* = er zijn personen bij, die 't niet moeten horen. Met de bijgedachte: er zit iem. op het dak, die meeluistert.
5. *Ze hebben een zilveren dak op het huis* = een hypotheek.
6. *'t Gaat van een leien dak* = 't loopt als gesmeerd, zoals de regen vlot afloopt van een dak van lei.
7. *Dat moet men van de daken prediken = alom verkondigen.*
Ontleend aan Mattheus X : 27, waar Jezus zegt tot de discipelen: 'Hetgeen gij hoort in het oor, predikt dat op de da-

ken.' De huizen in het Oosten hebben platte daken, vanwaar men tot het volk spreken kan.
8. *Iemand om een dakschaar sturen*, zie *dingen die er niet zijn*.
9. *De speelman zit op het dak*, zie *speelman*.
10. *Onder 't strooien dak zijn in 't lied de zoetste tonen* (Vlaams) = in nederige stand leeft men vaak het gelukkigst.
dalles. 1. *Ik kreeg een dalles* = niets. Uit het Hebreeuws; dallus = armoede. *Iemand uit de dalles helpen* = uit de nood.
Vandaar ook *een dalver* = een armoedzaaier, een schooier.
dam. 1. *Een goede dam leggen* = een stevige maaltijd gebruiken.
In letterlijke zin houdt een goede dam het water in bedwang; een flink maal eten bedwingt de honger.
2. Zie *schaap* 1.
3. *Waar de dam het laagst is, loopt het water 't eerst over* = wie weerloos of zwak is, moet het eerst de strijd opgeven.
Damokles, zie *draad* 7.
damp. *Iemand de dampen aandoen* = hem pesten, plagen. Misschien van *damp*, Gron. = *dempigheid*, kortademigheid, benauwdheid op de borst, gezegd van paarden. Met bijgedachte aan *damp* = benauwde lucht.
Dan. *Het is bekend van Dan tot Berseba* = het gerucht heeft zich verspreid door 't ganse land.
Naar Richteren XX, 1. 'Toen togen alle kinderen Israëls uit, als een enig man, van Dan af tot Ber-seba toe.'
Dan was een van de 12 zonen van Jakob; *Berseba* (de put des eeds) was de woonplaats van Abraham, ten Z.W. van Hebron, in 't uiterste Zuiden van Kanaän. 't Gebied van Dan lag heel in 't N. bij de bronnen van de Jordaan.
Danaïden. *Het vat der Danaïden vullen* = arbeid verrichten, die altijd door duurt en geheel vruchteloos is. Griekse Mythologie: de Danaïden waren de 50 dochters van Danaüs, die in de bruiloftsnacht haar bruidegoms op last van haar vader moesten vermoorden. Tot haar straf moesten zij in de Onderwereld een bodemloos vat vullen. Alleen Hypermnestra kwam het bevel van haar vader niet na.
dankbaarheid. *Dankbaarheid is een bloemke, dat in weinig hoven bloeit.* (Gezelle); zie *ondank*.
dans. 1. *Zij zijn de dans ontsprongen* = zij zijn nog net aan 't gevaar ontkomen. Misschien ontleend aan de Middeleeuwse dodendans, afgebeeld op de muren van kerkhoven en kerken, nog aanwezig te Bazel. Men ziet de dood, dansende aan het hoofd van een grote stoet, van de koning tot de armste burger. Niemand kan die dans ontspringen.
Zie *dood* 5.
2. *Iemand aan de dans helpen* = aan de gang helpen.
dansen. 1. *Men kan wel dansen, al is 't niet met de bruid*, zie *bruid* 4.
2. *Naar iemands pijpen dansen*, zie *pijpen* 1.
3. *'t Is licht dansen op een anders vloer* = uit andermans leer is goed riemen snijden. (Vlaams).
darm. *Een snijder heeft maar één darm*, zie *snijder*.
das. *Iemand de das omdoen* = iemands bestaan onmogelijk maken, hem de dood aan doen. De das is hier ironisch voor de strop.
David. 1. *'t Is een man als David* = een voortreffelijk man. Zie *man* 18.
2. *Vrienden als David en Jonathan* = vrienden, in leven en sterven aan elkaar verbonden.
Naar 1 Samuel XVIII : 3, 'Jonathan nu en David maakten een verbond, dewijl hij hem liefhad als zijn ziel.'
3. *De man uit de bijbel*, zie *man* 25.
4. *Toen David oud werd, maakte hij psalmen* = het gebeurt vaak dat iemand in zijn jeugd een losbandig leven leidt en op zijn oude dag vroom wordt.
deeg. *'t Is niet eerder deeg, voor het te ondeeg is* = de rusteloze mens vindt niet eerder rust dan wanneer hij in 't ongeluk is, dan wanneer de zaak hopeloos bedorven is. Vaak gezegd van heftige min, die tot een gedwongen huwelijk leidt.
deerlijk. *Deerlijk zien is goed gebedeld* (Gezelle) = wie wat te vragen heeft, moet een arme-zondaarsgezicht zetten. Deerlijk = droevig.
deken. 1. *Zij liggen onder één deken* = zij zijn het geheel met elkaar eens (vooral wanneer het geldt, een plan uit te voeren tot iemand anders nadeel, althans tot hun eigen voordeel).

2. Die slapen onder één deken
Hebben ook dezelfde streken,
a. man en vrouw nemen elkanders eigenschappen over;
b. slechte gezelschappen bederven goede zeden.
dekmantel. *Onder de dekmantel van vroomheid*, zie *mantel* 3.
denken 1.
Eerst gedacht en dan gedaan,
Is langs de weg der wijzen gaan,
(Vlaams.) Zie *doen* 7.
2. *Zonder denken spreken is zonder mikken schieten* (Gezelle).
Deo Volente, d.i. indien God wil, vaak afgekort tot D.V. De Latijnse vorm van Jakobus IV : 15. In de Nederlandse vertaling: Indien de Here wil, en wij leven zullen.
derde. 1. *De derde streng maakt de kabel*, zie *streng*.
2. De derde man
Brengt de spraak an,
zie *man* 9 en 10. Zie ook *drie*.
3. *Derde maal is schippersrecht*, zie *drie* 2.
4. *Wij zitten bij de derde deur* (Gron.) = 't geluk gaat ons voorbij; wij blijven altijd arm.
Op de grote Groninger boerderijen is 't verblijf van de dienstboden bij de derde deur.
dertien. 1. *Van zulke mannen gaan er dertien in een dozijn* = 't zijn personen van geen betekenis.
2. *Dertien is het ongeluksgetal*. Misschien ontstaan door de gedachte aan het laatste avondmaal van Christus. Van die dertien aanliggenden werd één de verrader en Christus zelf werd aan het kruis geslagen.
3. *Twaalf ambachten, dertien ongelukken*, zie *ambacht*.
4. *'t Gaat als een dertien* = 't gaat bijzonder goed en vlug.
Bij De Cock:
Hij loopt als een dertientje. Met de verklaring, dat een *dertientje* een Zweedse zilveren munt was uit de 18e eeuw, n.l. 1/4 Zeeuwse rijksdaalder, 13 stuivers. Zo 'n muntje ging vlug van hand tot hand. *Zweedse* zal een drukfout zijn voor *Zeeuwse*. En dan is 't nog de vraag: immers een duit of een stuiver gaan nog vlugger van de hand.
dertig. *Dertig, met God!* Tuinman deelt mee, dat men bij het tellen van geld, als men bij dertig komt, er bij voegt 'met God,' als voorbehoedmiddel tegen de invloed van de Boze, die immers Judas verleid heeft, om zijn Meester in handen te spelen van de Joodse overheid, (Matth. XXVI : 15 vermeldt, dat hij daarvoor dertig zilverlingen ontving.)
Ook de Prudens van Duyse komt dezelfde zegswijze voor.
deugd. 1. *De deugd in 't midden, zei de Duivel, en hij ging tussen twee kapucijnen* (v. d. Hulst); schertsend gezegde, als men met zijn drieën op pad is.
Volgens Laurillard een bijbelse uitdrukking naar 't verhaal in Matth. XXVII : 38. 'Toen werden met Hem twee moordenaars gekruisigd, een ter rechter- en een ter linkerzijde.'
De dichter Jeremias de Decker schreef:
Als Christus tusschen twee
deugnieten hing aan 't kruis,
Doen lag de deugd, of nooit,
in 't gulden midden t'huis.
Gewoonlijk luidt het gezegde enkel:
De deugd in 't midden!
2. *De deugd ziet hem uit de ogen als de beul de barmhartigheid*, niet bepaald een lofprijzing.
Ook bij Anna Folie.
3. *Deugd verheugt*, een deugdzaam mens voert een gerust en genoeglijk leven.
Ook bij Cats als een van zijn zinspreuken van twee woorden, zo als ook:
Morgen zorgen!
Vrouwen verouwen.
Kinderen hinderen.
Ook:
4. *Deugd baart vreugd.*
deuntje. *Ik zing geen twee deuntjes voor één cent* = ik heb geen zin, om hetzelfde nog eens te zeggen.
deur. 1. *Met de deur in huis vallen* = zonder voorbereiding over een zaak beginnen te spreken.
Een herinnering aan de tijd, dat in menig huis de buitendeur dadelijk toegang gaf tot de huiskamer. Wie zonder kloppen zo maar binnenliep, viel daar met de deur in huis.
2. *Voor de rode deur komen* = voor 't gerecht verschijnen; rood was in de M. E. de kleur van het gerecht.
In de poort van de kastelen was een rode deur. De Dom van Utrecht had rode deuren; daar werden de vonnissen aan-

geplakt en de bekendmakingen.
3. *Dat zet de deur open voor misbruiken* = geeft gelegenheid.
4. *Dat doet de deur dicht* = dat geeft de beslissing. Als 't gezelschap aanwezig is, sluit men de deur; dan komt er niemand meer in. (*Ned. Wdb.* III, 2464.)
Laurillard denkt aan de gelijkenis der wijze en dwaze maagden. De dwaze hadden geen olie in de lamp, 'Als zij nu heen gingen om te kopen, kwam de bruidegom; en die gereed waren, gingen met hem in tot de bruiloft, en de deur werd gesloten.' (Matth. XXV : 10.)
5. *Daar staat weer heel wat voor de deur* = er staat heel wat (onaangenaams) te wachten. Het is, of dit wil binnengelaten worden.
6. *Elk moet voor zijn eigen deur vegen*, zie *vegen* 2 en 3.
7. *Ik heb het voor de deuren van de hel moeten weghalen* = ik kon het (geld) alleen maar loskrijgen met groot geweld, met vloeken en dreigen.
8. *Hij kwam door een winderige deur binnen* = hij kreeg eerst een geweldig standje. Ook: hij kreeg een grauw en een snauw, toen hij binnen kwam.
9. *'t Staat achter de schuine deur* = 't goed is in de lommerd.
Wie zijn pand naar de bank van lening moet brengen, wil niet gezien worden en trekt de deur achter zich wat dicht.
10. *Met open deuren wandelen* (Zaanstreek) = open en bloot met een zaak voor den dag komen; open kaart spelen. Misschien verbastering van *met open deuren handelen.*
11. *De open deure roept de dief* (Gezelle) = gelegenheid maakt de dief.
12. *Ieder maakt het schoon voor zijn deur* (Vlaams): ieder schuift de schuld van zich af.
13. Die wil luisteren aan de deuren,
Moet het dikwijls diep betreuren,
Vlaamse rijmspreuk; zie *wand.*
14. Een open deur, een open mond,
Dat zeilt er menig in de grond,
Vlaams spreekwoord.
Als de deur voor ieder openstaat en men de gasten onthaalt en zelf flink meeëet, dan gaat het gezin allicht naar de kelder.
15. *Wordt de ene deur voor je gesloten, dan gaat de andere weer voor je open* (Fries) = als de een niet meer van je houdt, dan is er altijd weer een ander, waar je welkom bent.
16. *Hij klopt niet aan de deur, waar hij in wil* (Fries) = hij gaat niet rechtstreeks op zijn doel af.

deux aas. *'t Is volkje van deux aas* = 't Is eenvoudig volk, volk van geringe stand. En verder: van 't minste soort.
Deux aas = twee enen bij het dobbelspel, dus de laagste worp. Bekend was het rijmpje:
Deux aas heeft niet,
Six cinq geeft niet,
Quatre trois moet geven,
Daar deux aas en six cinq van leven,
d.i. de arme heeft niet; de rijke (vijf en zes op de dobbelstenen) heeft niet; dus moet het alles komen van de burgerstand, (drie, vier).
Het rijmpje was een kanttekening in een bijbel uit de 16e eeuw, die daarnaar de *Bijbel van Deux Aas* genoemd wordt.

diaken. *'t Is net, of ze van de diakens worden onderhouden* = ze komen maar heel armelijk voor den dag.

diamant. *Een grove-diamantslijper* = een straatslijper.
De keien heten hier schertsend grove diamanten.

dicht. 1. *Hij is zo dicht als een pot* = hij laat geen woord over de zaak los.
2. *Hij heeft de oren dicht aan het hoofd* = hij is zeer zuinig.
3. *Hoe dichter bij de kerk, hoe later er in* = die dicht bij wonen komen vaak later ter vergadering dan die van verre komen.
4. *Hoe dichter bij de Paus, hoe slechter Christen* = wie in de gelegenheid is om goed te doen, handelt wel eens heel slecht.

dief. 1. *Wie eens steelt, is altijd een dief* = wie eens wat verkeerds gedaan heeft, die houdt er altijd de naam van. Vlaams: 1a. *Eens dief, altijd mulder.*
2. *De gelegenheid maakt de dief* = als de omstandigheden er aanleiding toe geven, vervalt men licht tot het kwade.
3. *Elk is een dief in zijn nering* = elk zoekt zijn eigen voordeel (in zijn bedrijf).
4. *'t Is diefje en diefjesmaat* = ze zijn aan elkaar gewaagd; ze deugen geen van beiden.
5. *Men moet dieven met dieven vangen*; zie *vos* 3.
6. *Kleine dieven worden gehangen, maar*

de grote lopen vrij rond. Spreuk uit de Middeleeuwen en van later.
In Vlaanderen op rijm:
7. De kleine dieven hangt men op,
De grote vallen door het strop.
Of ook:
8. Kleine dieven zal men knopen,
Grote dieven laat men lopen.
En zelfs wel:
9. *Grote dieven hangen de kleine op.*
Zie ook *vis* 10.
In ieder geval worden (in Vlaanderen) de dieven niet gelijk behandeld:
10. *Kleine dieven hebben ijzeren, grote hebben gouden ketenen* = met geld wordt de gevangenschap licht.
11. *Komen als een dief in de nacht* = onverwacht en zonder dat men er zich tegen verzetten kan.
Naar de woorden van Jezus: 'Zo de heer des huizes geweten had, in welke nachtwake de dief komen zou, hij zou gewaakt hebben.' (*Matth.* XXIV : 43.)
12. *Die kwalijk neemt is een dief,* schertsend antwoord, als iemand zegt: neem me niet kwalijk.
Woordspeling tussen *iets kwalijk nemen* en *kwalijk,* d.i. verkeerd, *nemen,* gelijk een dief doet.
13. *'t Is moeilijk om stelen in 't huis, waar de baas zelf een dief is* (Vlaams) = 't moet al een doortrapte booswicht wezen, die het winnen zal van mensen die niet deugen.
14. Liever een dief aan de klink
Als een luistervink,
Vlaamse rijmspreuk: 't is nog beter dat er wat gestolen wordt, dan dat men aan deuren en vensters luistert, om kwaad te kunnen vertellen.
De klink is de klink van de deur.
15. *De dief en de leugenaar wonen onder één dak* (Vlaams) = die liegt is een bedrieger; een leugenaar wordt licht een dief.
16. *'t Zijn allemaal geen dieven daar de honden tegen blaffen* (Fries) = wees niet al te wantrouwig; menigeen is beter dan hij op 't eerste gezicht lijkt.
dienst. 1. *Aangeboden diensten zijn van onwaarde, zijn zelden aangenaam* = worden niet gewaardeerd, behagen niet.
2. *De ene dienst is de andere waard* = men bewijst graag een dienst aan iemand, die ons vroeger van dienst geweest is.
3. *In de lange dienst gaan* (Gron.) = trouwen.
dienstknecht. 1. *Een onnutte dienstknecht* = een man die niet geschikt is voor zijn werk. Uit de gelijkenis van de talenten. 'Werpt de onnutte dienstknecht uit in de buitenste duisternis' (*Matth.* XXV : 30).
2. *De dienstknecht is niet beter dan zijn heer* = een ondergeschikte moet zich dezelfde moeiten, lasten en ontberingen getroosten als zijn meester.
Bijbels. 'De discipel is niet boven de meester, noch de dienstknecht boven zijn heer.'
(*Matth.* X : 24). Jezus bedoelt met deze woorden, dat Zijn jongeren dezelfde vervolging te wachten hebben als Hij.
diep. *Hij heeft te diep in 't glas gekeken* = hij heeft te veel gedronken.
diets. *Iemand iets diets maken* = wijs maken. *'t Diet* was in 't Middelnederlands = volk. Vandaar *diets* = 1. wat het volk verstaat, wat duidelijk is, gelijk in deze uitdrukking wordt bedoeld.
2. Nederlands. Dit in 't *Wilhelmus*:
Wilhelmus van Nassauen ben ik,
Van Duytsen bloed.
Duyts was in de 16e eeuw de nevenvorm van Diets.
3. Zie *munt* 4.
dik. 1. *Maak je niet dik* (*,dun is de mode*)*!* = maak je niet driftig. Immers wie boos is, 'zwelt van gramschap'.
2. *Ze gingen voor hem door dik en dun* = zij deden alles voor hem, ook het onaangenaamste. Ontleend aan de kwajongens, die graag door de modderigste wegen en de grootste plassen gaan.
3. *'t Zijn dikke vrinden* = grote vrienden. In Groningen heeft dik nog altijd de betekenis van groot: een dikke hond, een dik karwei, een dikke boer, een dikke honderd = iets over de honderd. Ook: *'t is 'n dikke minne* = een heel slechte man.
4. *Hij zit er dik in* = hij is welgesteld. Ontleend aan: dik in de kleren zitten.
dil. *De dille vertienden,* lett. = tienden betalen van dil, een geneeskrachtige plant, die dus in geldswaarde haast niets opleverde.
Fig. Buitengewoon rechtvaardig zijn in geringe zaken, met de bijgedachte: in grote dingen het helemaal niet nauw nemen.

De dille wordt genoemd in Matth. XXIII : 23, waar Jezus tot de Schriftgeleerden en Farizeeën het verwijt richtte:
'gij vertient de munte en de dille en de komijn, en gij laat na het zwaarste der wet'...

Dina.
Was Dina thuis gebleven,
Dan was sij kuis gebleven,
waarschuwing aan de meisjes, om niet langs de straat te lopen.
Dina was de dochter van Jakob. Haar geschiedenis wordt verteld in Genesis XXXIV : 1 en 2. Toen Jakob in Kanaän kwam, ging Dina uit, om de dochteren van dat land te bezien. Sichem nu, de zoon van de landvorst, zag haar, en hij nam ze.

ding. 1. *Wat zullen wij dan tot deze dingen zeggen?* = wat moet ons oordeel zijn in dit moeilijk geval?
De vraag is van Paulus in zijn brief aan de Romeinen, VIII : 31.
2. *Alle goede dingen bestaan uit drie*; zie *drie* 1.
3. *Doen is een ding*; zie *doen* 4 en *kallen* 1.
4. *Beproeft alle dingen en behoudt het goede*, vermaning uit 1 Thessalonicensen V : 21.
5. *Alle dingen hebben twee handvatten* = iedere zaak kan uit verschillende standpunten bekeken worden.
6. *Gedane dingen (zaken) nemen geen keer.*
7. *Alle dingen zijn maar een weet* = als men de kunst eenmaal kent, is er geen kunst meer aan.
8. *Zij praatte van ronde dingetjes en zij had het over oliekoeken* = zij wist niet meer, wat ze zei; ze was van streek; ze was slaperig.
Bij Van Meurs:
9. *Ik ben van de wijs, zei Lijs, en zij riep krentedingetjes in plaats van oliekoeken.*
Dit ook bij Adagia, no. 27.
10. *Aan alle dingen komt een eind.*
In Vlaanderen:
De langste dag komt ook ten avond.
11. *In vijf dingen is jolijt*, zie *vijf.*
12. Lui, lekker en veul te meugen
Zijn drie dingen, die niet deugen.
Meugen = lusten, op kunnen.
13. *Weest in geen ding bezorgd* = vreest in geen enkel opzicht, vertrouwt op de goede afloop.
Bijbelse spreuk, naar Filippensen IV : 6. 'Weest in geen ding bezorgd; maar laat uw begeerten in alles, door bidden en smeken, met dankzegging bekend worden bij God.'
De uitdrukking *geen ding* is in 't algemene spraakgebruik opgenomen; zo b.v.: *'t loopt hem in geen ding mee*, d.i. in geen enkel opzicht. En: *ik trek mij er in geen ding wat van aan* = in geen enkele bijzonderheid.

dingen, die er niet zijn. Waar in gemeenschap gewerkt wordt, tracht men altijd een nieuweling, vooral een beginneling, voor de gek te houden. Zo stuurt men bij het dekken van een nieuw huis iemand die niet al te snugger is uit *om de dakschaar te halen.*
Een dak wordt niet afgeknipt; een dakschaar bestaat dus niet.
Zo sturen timmerlieden een jongmaatje uit om de *vierkante-gatenboor.*
In de keuken moet het nieuwe dagmeisje *de dichte gaatjespan* (vergiet) halen.
In de boerderij stuurt men 't jongste knechtje uit *om de hooischaar*; het hooi in de schuur wordt niet gelijk geknipt.
Bij 't slachten moet er iemand op uit om *'t rolpatroon* te halen; het model voor de rolpens. Ook is het wel om het *worstpatroon* te doen.
Naar de apotheek stuurt men een onnozele om *muggevet.*
En zelfs de kinderen trachten er een van de kameraadjes tussen te nemen; die moet in de snoepwinkel voor een cent *tisterniet* halen.
Bij de boer in de stal gaat het al net zo, als men maar iemand vinden kan, die er op uit gaat om de *groepdweil te halen*, net of de groep, de drekgoot achter de koeien, gedweild wordt.
In Groningerland heten de dakschaar en de hooischaar ook vaak *de randschaar.*
In Maastricht: *iemand om de glazen mortier sturen* (Jasper en Endepols).
In Groningen stuurt men hem ook uit om de *nestschaar*, om *kar-olie* en om *gaffelsmeer.*
Bij De Cock ook: de vierkante-gatenboor, de ovenschroef, de wormval, de steenschroef, de dichte gaatjespan.

Diogenes. 1. *De lantaren van Diogenes*, zie *lantaarn.* 2. Zie *Alexander.*

dispereren. *Dispereert niet* = geef de

moed niet op.
In zijn brief van 29 September 1618 schreef Jan Pieterszoon Coen aan heren Bewindhebberen der O.I. Compagnie: 'Dispereert niet, ontsiet uwe vyanden niet, daer en is ter werelt niet dat ons kan hinderen.'
De spreuk is aangebracht met het beeld van Coen in de Beurs van Amsterdam. Vaak leest men in afwijkende vorm: 'Ende desespereert niet.'
distel. 1.
Distels en doornen steken zeer,
Kwade tongen nog veel meer.
Zeer geschikt voor een gevelsteen. Zo in de Voorstraat van Dordrecht:
Distell en dornen steke seer,
Qua clappers tonge
noch veel meer.
Noch woude ick liever
door distele en dornen gaen
Als met qua Clappers Tongen
sin belaen.
Bij Guido Gezelle:
Distels en doornen steken zeer,
Maar kwa tongen
wel 1000 keers meer.
2. Die distels zaait,
die doornen maait,
Vlaams spreukje; alle ondeugd vindt op den duur zijn straf.
dit. 1. *Niemand zonder dit of dat* = zonder gebreken.
2. *Hij heeft te veel ditjes en datjes* = open aanmerkingen; ook: wensen en verlangens.
dobbel. *Hij heeft daar een harde dobbel mee* = het kost hem de grootste moeite. Ontleend aan wie in 't dobbelspel de grootste moeite heeft om 't nog te winnen.
Daarnaast is opgekomen:
een harde dobber hebben, in dezelfde betekenis, waarbij men waarschijnlijk gedacht heeft aan de dobber van een hengel, dus aan een moeilijke vangst.
De Vooys zegt van dergelijke dubbelvormen: Uit de een ontspringt de ander: men kan wel zoeken naar de oudste, maar behoeft niet te twisten over de 'ware' vorm. (Nw. Taalgids IX, 182.)
dochter. 1. *Die de dochter trouwen wil, moet met de moeder vrijen* = moet zich aangenaam maken bij de moeder.
2. *De een heeft zin in de moeder en de ander in de dochter*, zie *moeder* 11.
3. *Wat eer geschiedt mijn dochter!* zie *eer* 2.
4. *Met één dochter en kan men geen twee zwagers maken* (Gezelle), zie *rug* 5. Zwager = schoonzoon.
5. *Wie met buurmans dochter trouwt, weet wat hij krijgt* = zoek het niet in den vreemde. Zie *buur* 5.
6. *Die eerst de dochter en dan de moeder vraagt, krijgt het varken bij de oren* (Fries) = die handelt glad verkeerd.
dode. Een dode en een bruid
Moeten vlug de deur uit,
als een meisje eenmaal de bruid is, moet men het huwelijk niet uitstellen.
doek. 1. *Dat is maar een doekje voor 't bloeden* = een voorwendsel, om de ware bedoeling te verbergen. Letterlijk: dat is een doekje, dat men om de hand doet, om het te doen voorkomen dat men zich gewond heeft. Misschien is hierin ook de verklaring te vinden van
2. *Wij moeten er geen doekjes om winden* = wij moeten precies zeggen waar het op staat.
3. Zie *broek* 4.
4. *Dat is geen smaldoek* = dat is alles even royaal. Ook: die vrouw brengt heel wat mee ten huwelijk.
5. *Wij zullen dat eens uit de doeken doen* = duidelijk uitleggen.
doel. *Het doel heiligt de middelen* = als men maar een goed doel heeft, dan zijn ook slechte middelen te verdedigen. Deze stelling is herhaaldelijk aan de Jezuïeten toegeschreven, doch door deze Orde steeds geloochend.
Men beroept zich op een uitlating van de Jezuïetenpater Busenbaum in zijn geschrift over de zedeleer: *Cum finis est licitus, etiam media sunt licita* = wanneer het doel goed is, dan zijn alle middelen geoorloofd. (*Woordenschat*, 425.)
doen. 1. *Hij is in goeden doen*; ook: *hij kan het goed doen* = hij is welgesteld.
2. *Al doende leert men* = door ervaring leert men hoe men te werk moet gaan. In Vlaanderen voegt men er bij:
En al draaiende keert men.
3. *Daarmee wil ik niet van doen hebben* = niet te maken hebben, niet te doen hebben.
4. *Doen is een ding* = woorden betekenen niets, als men niet metterdaad bewijst dat men handelt volgens belofte.
5. *Doe wel en zie niet om*, zie *weldoen*.

6. Die wel doet,
Wel ontmoet,
een goede daad vindt toch altijd zijn beloning.
7. Eerst gedaan en dan bedacht,
Heeft menigeen verdriet gebracht,
d.i. bezint eer gij begint.
8. Tussen doen en zeggen
Lange mijlen leggen,
zie *doen is een ding*. *Leggen* voor *liggen*, om het rijm.
9. *Die 't doet moet het weten* = ieder moet de gevolgen dragen van zijn daden. Ook: *die 't doet moet het weten, zei de boer, en hij braadde boter op de tang.* In Groningen ook: *Die 't doet moet het weten, en die 't krijgt, kan het voelen.*
10. *Wij doen er zoveel bij* (Gron.) = wij stappen op; ook = we gaan naar bed. Lett. wij doen evenveel als de andere partij; wij maken een eind aan de zaak.
11. *Je moet maar doen wat je geleerd hebt* = je moet maar handelen, zoals je meent dat nodig is.
Volgens Laurillard en Zeeman kan deze uitdrukking afkomstig zijn van het verhaal, hoe de wachters moesten vertellen, dat de discipelen het lijk van Jezus weggenomen hadden uit het graf.
'En zij deden gelijk zij geleerd waren. En dit woord is verbreid geworden bij de Joden tot op de huidige dag.' (Matth. XXVIII : 15.)
Als deze opvatting juist is, dan is dus dit woord niet alleen onder de Joden verbreid geworden en gebleven.
12. *'t Ene moet men doen en het andere niet laten* = als men twee dingen te doen heeft, moet men 't beide volbrengen.
doerak. Scheldwoord voor een schavuit en vooral voor een gemeen wijf, een lichtekooi. Het woord is vooral van de kazerne uit verbreid, nadat de schippers het uit Rusland meegebracht hadden. Zie Franck-Van Wijk.
dofje. *Dat was een dofje* = een fortuintje, meevaller; lett. = slag. Vergelijk *bof*.
dokter. 1. *'t Zijn al geen dokters, die rode mutsen dragen* (Vlaams), zie *kok* 1.
2. *Als er geen dokters zijn, zijn er ook geen zieken* = gelegenheid maakt genegenheid.
3. Zie *gang* 2.
dom. 1. *Hij is te dom om voor de Duivel te dansen.* Een bekend volksverhaal zegt, hoe een vrouw haar man verloste, die zich aan de Duivel verkocht had. Hij mocht vrij zijn, als zij zich aan hem vertoonde, zonder dat hij haar herkende. Zij takelde zich toe met veren en danste voor hem heen en weer en hij wist niet, wat vogel hij voor zich zag. Zij was dus niet te dom, om voor de Duivel te dansen.
Maar ook denkt men wel aan de Middeleeuwse ommegangen, waarbij personen ronddansten, die duivels voorstelden. Aldus b.v. in *Woordenschat*. De uitdrukking zou dan dus moeten luiden: hij is te stom, om voor duivel te dansen.
2. *Hij houdt zich van den domme* = hij doet zich voor, of hij nergens van weet, of hij met de zaak niets te maken heeft. Ontstaan uit: hij houdt zich van de dommen, net alsof hij tot de dommen behoort.
3. *De domste boeren hebben de dikste aardappels* (Gron.): = geluk is meer dan wijsheid.
dominee. 1. *Daar gaat een dominee voorbij*, gezegde als in een luidruchtig gezelschap in eens allen zwijgen. Net of men bang was, dat de dominee een woord zou horen, dat niet behoorlijk was.
2. *Dominee, brand je bekje niet!* uitdrukking gebruikt als iemand op het punt staat van zijn koffie te drinken, als die nog veel te heet is.
In de volksverhalen wordt vaak schertsend over de dominee gesproken.
3. Die dominees wil eren
Moet er nimmer mee verkeren,
zie profeet 1 en 2.
4. Dominee, koster en hond
Verdienen de kost met de mond,
boerenopvatting; immers zij 'werken' niet. 'Dat is volk, dat van ons leeft,' hoort men wel in Groningerland.
5. De dominee is, evenals de pastoor en de koster, ook in spreekwoorden het onderwerp van goedmoedige vrolijkheid:
I. *Elk is een dief in zijn nering, zei de dominee, en hij stiet aan de zandloper.*
II. *Alweer een schelling naar de bliksem, zei de dominee, toen viel hem de bril van de preekstoel.*
III. *Als de storm zo aanhoudt, zijn we vóór middernacht in de hemel, zei de boer; daar beware ons God voor, zei de dominee.* (Harrebomée.)
IV. *Dominee mag de knollen gerust nemen, zei de boer; onze varkens lusten ze*

toch niet meer. (Harrebomée.)
6. *Als 't niet op de dominee drupt, dan drupt het op de koster* (Gron.) = een zaak is altijd voordelig voor een van beide partijen.
donder. 1. *Daar kun je donder op zeggen!* = daar kun je van op aan: dat gebeurt wel (of niet). Letterlijk: al vloek je ook, je krijgt je zin niet.
2. *Lig niet te donderjagen!* = te zaniken. Het volk houdt er van krachttermen te gebruiken; hier dus: *lig niet te donderen*; donderjagen is een willekeurige verlenging, om kracht bij te zetten. Zo ook:
3. *Ik geef er geen donder om* = ik trek mij 't niet aan, al vloekt men ook.
4. *Donderstenen vallen op de hoogste bomen* (Vlaams) = hoge bomen vatten veel wind.
De donderstenen zijn hagelstenen uit een donderbui.
dongen. Die niet dongt,
Die niet pongt.
(Groningen en Friesland.)
Dong is een oud woord voor mest en *pong* voor zak. Beide woorden zijn nog volop in gebruik.
De zin van dit boerenspreekwoord is: wie zijn land niet goed bemest, krijgt geen geld in zijn zak.
Don Juan. Een *Don Juan* is iemand, die aan alle meisjes en vrouwen het hof maakt en die ze tracht te verleiden. Het is de held uit Spaanse verhalen, algemeen bekend geworden door de opera van Mozart van 1787.
donker. *In 't donker zijn alle katjes grauw*, zie *kat* 3.
dood. 1. *Zo dood als een pier.* Men heeft gedacht aan een pier, die dood aan de hengelhaak hangt. Doch het zal een willekeurig woord zijn, want men zegt ook, zo dood als een mus of als een muis.
2. *Om de dood niet!* = volstrekt niet, al moest ik doodvallen. Krachtterm evenals *om de donder niet*; nog versterkt tot: *om de dooie dood niet!*
3. *Hij blijft dood op een duit* = hij is meer dan zuinig. Lett. hij zou liever doodgaan dan die duit betalen.
4. *'t Was daar de dood in de pot* = 't was er heel stil; 't was er meer dan vervelend; er zat geen bloei, geen leven, geen vreugde in. Naar II Kon. IV : 40. Daar is het verhaal van de profeet Elisa, die ten tijde van hongersnood moes liet gereed maken voor de zonen der profeten.
'En het geschiedde, als zij aten van dat moes, dat zij riepen en zeiden: Man Gods! de dood is in de pot. En zij konden het niet eten.'
5. *Hij ziet er uit als de dood van Ieperen* = hij is buitengewoon mager en bleek. Gewoonlijk denkt men daarbij aan *de Zwarte Dood* van 1348, een verschrikkelijke tijd van pest. Deze heerste echter volstrekt niet alleen in Ieperen. Stoett verwerpt dan ook deze verklaring; hij zoekt de oorsprong in een *dodendans*, die wellicht ook in Ieperen bestaan heeft en hij beroept zich op de zegswijze, die opgetekend is door Harrebomée: *hij ziet er uit als een geschilderde dood.* Algemeen bekend is ook: *hij is zo mager als de dood op 't ganzebord.*
In 1449 werd een Dodendans te Brugge opgevoerd. Er is een Dodendans van Holbein (1538, te Lyon, 'Imagines mortis'); of de Bazeler Dodendans van hem is, wordt ontkend door J. F. Moraaz te Brussel; (N. en Z.; 1893); het wordt beweerd door Carel van Mander in zijn Schilderboek (Holbein werd te Bazel geboren). Te Bazel treft men nog slechts 18 brokken fresco aan van de in 1805 omgetrokken muur van het Dominikanenkerkhof.
In de hal van het Stadhuis te Haarlem wordt de rij der graven gesloten door de dood:
'Ghy hollantsche graven hier al ghemeene,
ghy gravinnen, ghy voochden die sijt voorleden,
daer en isser ghebleeven thants uwer gheene,
maer sijt an mijnnen dans getreden.
In de geschilderde dansen slaat de dood op de trom of fluit, en danst.
De oudste zijn van Bazel, Lübeck en Bern, alle drie uit de 15de eeuw. De betekenis van 't F. danse macabre, macabée of macabrée ligt in 't duister. De waarschijnlijkste gissing is een afleiding van Ar. maqbara = graf.
Ook bij ons waren de dodendansen in de 15de eeuw bekend. In een gevel in de Nieuwe Sparenwouderstraat te Haarlem is een steen met een goedbewaarde dodendans uit de 16e eeuw, met het inschrift:
Paus.

Ick bidt voor U.
Keizer.
Ik vecht voor U.
Landman.
Ick voede U.
De dood.
Ick strijcke U algar gelijcke.
Wie kant maken dat niemen zal laken?
De Parijse drukker Philippe Pigouchet (1487) leverde 'heures', 'horae' of getijboeken met dodendansen als randversiering. Ook werden Nederlandse getijboeken gedrukt te Parijs, o.a. in 1505, 10, 22, 1509, 36; dat van 1509 heeft 66 afbeeldingen van de dodendans:
De vogelaer.
Hantvoghelen ic laten moet
Die doot nemt mi in synre hoet.
De canonick zegt:
Een ander laet ic mijn proven:
De doot voirt mi in sinen oven.
De hertoginne.
Het is edel of oeck buer,
Wi moeten al in ene scuer.
De cordelier; (Fransiskaan).
Ander luyt plig ic te leeren,
Nu compt de doot wil mi beheren.
(Stoett, 1892.)
Op al deze dodendansen zag men de dood, voorgesteld door een geraamte.
6. De een zijn dood
Is de ander zijn brood.
7. Blo Jan, Do Jan!
Wie in 't gevecht bang is voor de dood, wordt vaak het eerst door de kogel getroffen.
8. Hoe eerder dood,
hoe eerder begraven,
als men een onaangename taak moet verrichten, dan is het maar het beste die dadelijk aan te pakken.
9. *De dood wil een oorzaak hebben* = men wil altijd weten, hoe iets gekomen is. Reeds in de Kamper verzameling (9). Lett.: als iemand gestorven is, vraagt men altijd naar de oorzaak van de dood. Fig. Men geeft vaak een valse reden op, om de ware te verbergen.
10. *'t Zal wel dood bloeden* = 't zal allengs vergeten worden; 't heeft geen ernstige gevolgen.
Zoals het uitvloeien van bloed als vanzelf ongemerkt de dood ten gevolge heeft.
Zie ook *schaap* 13. Ook:
11. *Dat zal zijn eigen dood wel sterven*, lett. dat gaat vanzelf wel dood.
12. *Laat de doden de doden begraven* = wie geen hogere roeping heeft, moge zich met dergelijke aardse aangelegenheden belasten.
Jezus sprak tot de jongeling, die Hem volgen wilde, doch eerst nog zijn vader wenste te begraven: 'Volg Mij, en laat de doden hun doden begraven.' (*Matth.* VIII : 21, 22.) Zeeman zegt er van, dat Jezus bedoelt: laat de geestelijk doden voor de begrafenis hunner doden zorgen; wie Mijn volgeling wil zijn, mag die taak geen ogenblik terughouden.
13. *Die zich dood werkt, wordt onder de galg begraven*, schertsend gezegde van iemand, die geen zin heeft zich al te veel in te spannen.
De gehangenen werden vaak onder (bij) de galg begraven. En dat waren lui, die zich doodgewerkt hadden, die nl. door hun werk aan de galg gekomen waren.
14. *Voor de dood is geen kruid gewassen.* Vlaams en ook Fries:
15. *De dood heeft geen almanak* = hij komt, wanneer het zijn tijd is; hij ontziet ouden noch jongen. Ook:
16. *Pietje de dood maait altijd.*
17. *Wat dood is, bijt niet meer* (Vlaams) = wat gedaan is, is in orde; daar heb je geen last meer van. Ook:
18. *Dode honden bijten niet.*
19. *Hopedoden leven lang*, zie *hopen* 2.
20. *Hoe dichter bij de dood, hoe meer spektakel* (Gron.) = hoe dichter iemand bij zijn bankroet is, des te meer vertoning maakt hij vaak. Ook: *hoe meer gespartel.*
21. *Men kan met de doden niet huishouden*, verontschuldiging wanneer een weduwnaar of weduwe aan hertrouwen denkt.
22. *Dat schaap zal wel een zachte dood nemen* = die zaak loopt wel met een sisser af.
23. *Wat geeft een dooie kerel om een schop?* = men kan iemand wel zo zeer vernederen, dat hij nieuwe beledigingen niet meer voelt.
doodeter, iemand die niet meer werken kan en die men tot zijn dood de kost moet geven. Van zo iemand heet het in Groningerland, *dat men hem dood moet voeren.*
dood stroom. *'t Is daar dood stroom* = daar gaat niets om; er is geen leven in,

't is alles even saai.
Dood stroom is het water, dat stil staat op 't laagste punt van de ebbe, op het hoogste van de vloed.
doodverven. *Hij wordt met die betrekking gedoodverfd* = men noemt hem als degene die benoemd zal worden. De doodverf is in de schilderswereld de grondverf; als deze aangebracht is, ziet men reeds in ruwe trekken de voorstelling.
doodzonde. *Dat is geen doodzonde* = dat is niet zo erg. Een doodzonde is volgens de leer der R.K. kerk een zonde, die gebiecht moet worden en slechts in de biecht vergeven kan worden.
doodzwijgen. *Men kan alles doodzwijgen, maar niet doodkijven* = als men beproeft gelijk te krijgen door te antwoorden op kibbelarij, dan verliest men het, want de ander begint telkens weer; maar als men niet antwoordt, bloedt de zaak dood.
doof. 1. *Hij is zo doof als een kwartel.* Het boerenvolk houdt een kwartel voor doof; deze vogel, die in het koren huist, vliegt bij gevaar niet op, maar verbergt zich door zo dicht mogelijk op de grond te duiken, zodat het is of hij niets hoort.
2. *Hij is zo doof als een pot*; de pot heeft wel oren, maar hoort toch niet.
3. *Hij is Oostindisch doof* = hij houdt zich doof en geeft geen antwoord. Men heeft gedacht aan de handelwijze van inlanders, die niet zo gauw met een antwoord gereed zijn en die zich daarom voordoen, alsof zij de vraag niet gehoord hebben, zodat zij tijd winnen om na te denken.
4. *Aan dovemans deur kloppen* = geen antwoord krijgen, althans geen toestemmend antwoord. *'t Is verloren geklopt aan Doofmans deure* (Gezelle).
5. *Een dove* = een kopje zonder oor. Schertsend: een mens zonder oren is ook *een dove*. Vergelijk *Malchus*.
6. *Geen erger doven dan die niet horen willen.* Zie *zien* 3.
7. *Hij is doof aan dat oor* = als je daarover begint, bereik je niets bij hem. Lett., dan is het net of hij met dat ene oor niet horen kan.
8. *Dove Jaap*, zie *Jaap* 2 *en haan* 14.
doofpot. *Die zaak gaat de doofpot in* = er wordt niet meer over gehandeld; met opzet doet men, alsof een uitspraak niet nodig is. De doofpot is de pot voor de gloeiende kolen, die daarin uitdoven.
doopceel. *Iemands doopceel lichten* = nagaan wat hij alzo op zijn kerfstok heeft. De doopceel is het geboortebriefje, gelicht uit het doopregister, dat door de dominee of de priester wordt aangehouden; vóór de invoering van de burgerlijke stand in 1812 was er geen andere gelegenheid om na te gaan, waar en wanneer iemand geboren was. Als men zijn doopceel gelicht had, werd het mogelijk om gewaar te worden wat hij van zijn geboorte af had uitgevoerd.
doorgefourneerd. *'t Is een doorgefourneerde deugniet* = hij deugt over geen huid of haar; hij is verhard in het kwaad. *Een doorgefourneerd briefje* uit de Staatsloterij is een lot, waarvoor men betaald heeft voor alle klassen, zodat men tot het einde toe zijn kans heeft.
doorhalen. *Ze hebben hem lelijk doorgehaald* = hij kreeg een ernstige berisping. Ook = men vertelde allerlei kwaad van hem. Voluit: *door de hekel gehaald*; zie *hekel* 2.
doorkneed. *Hij is doorkneed in zijn vak* = hij verstaat het buitengewoon goed. Letterlijk is het deeg van de bakker doorkneed, als het zo lang gekneed is dat het aan alle eisen voldoet.
doorluchtig, d.i. letterlijk = *doorlichtig*, het licht doorlatend, zo helder als kristal; fig. = schitterend, stralend.
Zo gebruikte men dit woord als vertaling van 't Latijn *illustris* en werd *Zijn Doorluchtigheid* de titel van een kerkelijke hoogwaardigheidsbekleder en van een vorst.
doorn. 1. *Dat is hem een doorn in 't oog* = dat ergert hem bij uitstek, dat kan hij volstrekt niet verdragen.
Ontleend aan Numeri XXXIII : 55. Daar zegt de Heer door Mozes tot de kinderen Israëls, dat zij de inwoners van Kanaän moeten verdrijven, omdat 'die gij van hen zult laten overblijven tot doornen zullen zijn in uwe ogen.'
2. *Dat is hem een doorn in het vlees* = dat ergert hem zeer, dat doet hem pijn. In II Korinthen XII : 7 leest men:
Zo is mij gegeven een scherpe doorn in het vlees, namelijk een engel des Satans, dat hij mij met vuisten slaan zou.
3. *Geen roosje zonder doornen* = geen zaak is zo aangenaam, of er zit wel een lelijke kant aan.
4. *Doornen brengen geen rozen voort*

(Vlaams), zie *vijg* 2.

doorslag. *Dat geeft de doorslag* = daardoor komt men tot de beslissing. Ontleend aan de weegschaal; het tongetje slaat door naar de zwaarste zijde.

doortrapt. *'t Is een doortrapte schurk* = in ieder opzicht een schurk. Ontleend aan de bakkerij in de tijd dat de bakker zijn deeg met de voeten kneedde. In letterlijke zin was dus het deeg doortrapt, als het gereed was om in de oven te gaan, als het in alle opzichten door en door klaar was. Vergelijk *doorkneed.*

doos. 1. Zie *Pandora.*

2. *Een verhaal uit de oude doos* = uit de oude tijd, in oude vorm.

dop. 1. *Hij is pas uit de dop* = hij komt pas kijken. Ontleend aan het kuiken, dat juist uit het ei komt.

2. *Kijk uit je doppen!* = uit je ogen. Men denkt daarbij aan de oogkleppen van de paarden.

3. *De hoge dop* = de hoge hoed.

Dorcas. *Zij heeft gehandeld als Dorcas.* Te Joppe was een zekere discipelin, met name Tabitha, hetwelk, overgezet zijnde, is gezegd Dorcas. Deze was vol van goede werken en aalmoezen, die zij deed. (Handelingen IX : 36.) Vandaar is *Dorcas* de naam van een weldoenster. Tabitha is de Hebreeuwse naam.

dorp. 1. *'t Is een slecht dorp, waar 't nooit kermis is*, zie *kermis* 2.

2. *'t Kan beter van de stad dan van een dorp*, zie *stad.*

3. *De kerk midden in 't dorp laten*, zie *kerk* 1.

draad. 1. *Hij is de draad kwijt* = hij weet in zijn betoog niet meer, hoe hij vervolgen moet. Misschien ontleend aan het verhaal van Theseus; zie no. 8.

Maar het behoeft volstrekt niet een uitdrukking te zijn uit de Griekse fabelleer. Men kan evengoed denken aan de naaister, die de draad uit de naald kwijt is. En het is ook mogelijk, dat men te doen heeft met de draad van een weefsel, die men niet volgen kan, die men uit het oog verloren heeft. Of met de draad van een kluwen garen. Dit geldt ook voor:

2. *Als men de draad maar heeft, zal men 't kluwen wel vinden* = als men maar eerst een aanwijzing heeft, brengt men een moeilijke zaak wel tot oplossing.

3. *Dat kent hij op een draad* = dat weet hij bijzonder goed. Lett. hij kent de kleinste kleinigheden.

4. *Dat gaat tegen de draad in* = tegen de keer in, gezegd van iemand die in zijn eigenzinnigheid wat anders wil dan de anderen. Misschien oorspronkelijk = tegen de draad van een geweven stof in. Doch waarschijnlijk is draad hier de oneffenheid die ontstaat bij 't slijpen van een metalen voorwerp, vooral van de schaatsen. *Tegen de draad in* is 't heel moeilijk rijden; de draad moet er eerst af.

5. *Kom er maar eens mee voor de draad* = laat maar eens horen wat je denkt, voorstelt, bedoelt. Misschien is draad hier de meet, vanwaar de mededingers van een hardrijderij of hardloperij moeten afgaan.

6. *Alle dagen een draadje is een hemdsmouw in 't jaar* = als men alle dagen maar wat doet, komt men ten slotte toch klaar. Zie *dag* 15.

7. *Zijn leven hing aan een zijden draad* = 't minste dat er bij kwam zou hem het leven gekost hebben. Ontleend aan het verhaal van de tiran van Syracuse, Dionysius, die zoveel eer bewees aan Damocles, een van zijn gunstelingen, dat deze naast hem mocht zitten aan het feestmaal en zich zeer verheugde over die onderscheiding. Doch toen hij opzag, bemerkte hij dat vlak boven hem een scherp zwaard was opgehangen aan een zijden draad. Zinnebeeld van het zeer grote gevaar, dat iemand voortdurend bedreigt, wanneer hij voorspoedig en gelukkig is. 't Verhaal is te vinden bij Cicero; het betreft Dionysius de Oudere, 405—367.

8. *De draad van Ariadne* = het middel om uit grote moeilijkheden ongehinderd te voorschijn te komen; het middel om in een doolhof de weg te vinden.

Ariadne, dochter van koning Minos van Kreta, gaf aan haar minnaar Theseus van Athene een kluwen garen mee, toen hij in de Doolhof moest afdalen, om daar te vechten met de Minotaurus, een gruwelijk monster. Ook al overwon hij, dan zou hij in het grote Labyrinth toch nooit de uitgang weervinden; doch Ariadne redde hem met haar draad.

9. *Daar komt nog al draad op* = daar komen heel wat onkosten bij. Hier is draad zeker de oneffenheid, als gevolg van slijpen. Als 't geslepen voorwerp

wordt afgeleverd, kost het nog heel wat moeite, die draad te verwijderen.
10. *Dat loopt er door als een rode draad* = die gedachte keert in het betoog telkens terug.
Uit het Engels. Al het touwwerk voor de Britse marine, dat te Portsmouth werd geslagen, had in zijn midden een rode draad.
draai. 1. *Een draai om de oren* = een oorveeg; men denkt aan de draai van de hand.
2. *Hij is aan de draai geweest* = aan de zwier. *Draai* wordt vaak gebruikt, om in 't algemeen een handelwijze aan te duiden. Zo ook: *hij heeft zijn draai* = 't gaat hem naar de zin.
3. *Hij gaf er een draai aan* = hij gaf een andere voorstelling van de zaak, afwijkende van de waarheid. Draai = wending. Deze betekenis ook in: *hij nam zijn draai* = hij veranderde van houding, van beginsel; hij zwaaide om.
draak. *Daar moet je de draak niet mee steken* = dat moet je niet als gekheid, als scherts beschouwen.
Sint-Joris, d.i. Georgius, prins van Cappadocië in Klein-Azië, versloeg een verschrikkelijk monster, een draak, die des konings dochter als zijn buit opeiste. Zo werd hij in de Middeleeuwse kerk de ridder, die het heidendom bestreed. Men voerde hem mee in optochten en dan stak hij telkens met zijn lans naar een draak van linnen, met stro opgezet; dàt draaksteken was dus maar gekheid.
Een gevecht van St.-Joris met de draak wordt nog altijd om de zeven jaren vertoond te Bezel bij Zwalmen in Limburg.
dragonder. *Een dragonder van een wijf* = een forse, ruwe vrouw.
Dragonders waren de bereden soldaten, aldus genoemd omdat er oorspronkelijk een draak (L. *draco*) was afgebeeld in hun vaandel.
drank. *Gestolen drank is zoet*, ook: *gestolen wateren zijn zoet* = wat men zich stilzwijgend toeëigende heeft men vaak liever dan wat men eerlijk verdiend heeft.
Bijbels: *Spreuken* IX : 17, waar de zotte vrouw zegt tot de verstandeloze man, die zij verleiden wil:
De gestolen wateren zijn zoet, en het verborgen brood is liefelijk.
dreef. *Hij is echt op dreef* = hij is goed op gang; hij spreekt goed; hij schiet op met zijn werk; hij is opgewekt, monter. Stoett denkt hierbij aan *dreef* = weide, doch veel meer voor de hand ligt, dat *dreef* betekent *drijven* in de zin van voortgaan, handelen, aan de gang zijn.
drek. *Hoe meer men in de drek roert, hoe harder dat het stinkt*, zie *stront* 2.
drempel. *De drempel is glad* (Gron.) = a. er komen veel vrijers op de dochters af; b. in 't algemeen: er komen in dat huis veel bezoekers.
drie, het getal dat zulk een grote rol speelt in de volkstaal en van ouds in zeden en gebruiken. Vandaar tal van gezegden:
1. *alle goede dingen bestaan uit drie*;
2. *driemaal is scheepsrecht* = als men driemaal gewaarschuwd heeft, kan men zijn gang gaan; in 't algemeen een gezegde, wanneer een zaak gelukt, als men 't voor de derde keer beproeft. Ook als men zeggen wil, dat iets driemaal herhaald moet worden.
3. *dat geef ik je in drieën* = dat kun je in driemaal nog niet doen, nog niet raden;
4. *hij zet een gezicht als drie dagen slecht weer*;
5. zie *hamer* 1;
6. zie *derde*.
7. Schertsend, in de moderne tijd: een mens kan drie domme dingen doen: in de krant schrijven, huizen verhuren en borg zeggen.
8. En uit de Middeleeuwen:
Drie dinghen sijn, dat wet wel,
Die ons sijn altoes te fel:
Ene vliegh, ene vloie ende sduvels nijt,
Deze ligghen op ons talder tijt.
(Suringar, no. 19.)
Bij Guido Gezelle:
9. Met drie dingen is men in een huis verlegen:
de rook, een boos wijf en de regen.
En ook:
10. *Drie dingen zijn moeilijk tegen te houden: een meisje, dat wil trouwen*;
een paard, dat stormt;
een boer, die een vane draagt.
En dan nog:
11. *Drie dingen willen geslegen worden: een notelaar, een ezel en een boos wijf.*
In Vlaanderen:
12. *Hertrouwen, herbakken en herboteren zijn drie dingen, die niet en deugen.*

driedekker, een grote forse vrouw. Een driedekker was een oorlogsschip met drie dekken, 't grootste dat er voer.

dril. *Zij waren weer aardig aan de dril* = aan de zwier. Drillen is een oud woord voor zwaaien, rondlopen.

drinkbeker. 1. *Hij heeft de drinkbeker tot de bodem geledigd.*
In de Bijbel wordt op verschillende plaatsen het lot van de mens vergeleken met de bekers, waar hij uit drinkt. Zo in *Psalm* LXXV : 9. 'Want in des Heren hand is een beker, en de wijn is beroerd, vol van mengeling, en Hij schenkt daaruit.'
De uitdrukking wil dus zeggen: hij heeft alle leed gedragen, dat hem was opgelegd. In dezelfde gedachtengang:
2. *Laat deze drinkbeker voorbijgaan*, bede dat men gespaard moge blijven voor leed. Naar *Mattheus* XXVI : 39, waar men deze woorden van Jezus vindt, gesproken in Gethsémané:
Mijn Vader, indien het mogelijk is, laat deze drinkbeker aan Mij voorbijgaan! doch niet, gelijk Ik wil, maar gelijk Gij wilt.

drinken. 1.
Meer zijn er dood gedronken,
Als in de zee verzonken,
Vlaamse rijmspreuk; zie *glas* I 3.
2. *Zoet gedronken, zuur betaald* (Gezelle) = gezellig in de herberg te zitten komt heel duur uit; men verwoest er het huiselijk geluk door.
3. 't Is beter, dat het drinkt,
Als dat het stinkt,
rijmpje van de Groninger huisvrouwen: 't is beter dat het eten wat te zout is ingemaakt dan dat het bederft.
4. Wie niet drinkt, sterft;
Wie te veel drinkt, bederft;
't Is beter gedronken en bedorven
Dan niet gedronken en toch gestorven.
Verontschuldiging van de drinkers. (Vlaanderen.) Ook:
5. Koop ik huizen,
Dan heb ik steen;
Koop ik vlees,
Dan heb ik been;
Maar koop ik van het edel nat,
Dan heb ik wat.

droefheid. 1.
Grote droefheid staat verbaasd,
Kleine droefheid roept en raast
(Gezelle) = echte, diepe smart is nooit luidruchtig.
2. *De droefheid is een lange dood en de dood is een korte droefheid.* (Gezelle).

dromen, zie *droom.*

drommel. *'t Is of de drommel er mee speelt* = 't is onbegrijpelijk, dat het zo tegenloopt; 't is net, of de boel in de war gesmeten wordt. De *drommel* is de Duivel, maar 't is niet zulk een hard woord.

dronk. *Een dronk is een zit waard* = wie men een dronk aanbiedt, behoort niet dadelijk weg te gaan, doch moet er een poos gezellig bij gaan zitten.

dronken. 1. *Wat men dronken doet, moet men nuchteren bezuren*; ook:
2. *Wie dronken steelt, moet nuchteren hangen*. (Modderman, blz. 115.)
3. *Kinderen en dronken lui zeggen de waarheid* = weten niet wat zij zwijgen moeten. Ook, op rijm:
4. Dronken mans mond
Spreekt 's harten grond.
5. *Een dronkemans gebed doen*, schertsend: zijn geld natellen. Zoals een dronken man uitrekent, of hij nog een borrel betalen kan.
6. *Dronken lui en nuchtere kalveren doen zich niet zeer* (Gron.) Ook: *daar zorgt Onze Lieve Heer voor.*

droog. 1. *Hij is nog niet droog achter zijn oren* = hij komt pas kijken. Een pasgeboren kind heeft achter de oren nog eerst een vochtige huid.
2. *Hij zit op 't droge* = zijn geld is op. Een schip op 't droge zit vast op een zandbank. Ook:
3. *Hij zit als een vis op het droge.*
4. *Zij zaten nog op een droogje* = men had hun nog niets te drinken aangeboden. Schertsende wijziging van *op het droge.*

droogpruimer, d.i. een vervelende vent, een die in gezelschap niets weet bij te brengen. *Pruimen* = eten; dus letterlijk iemand, die eet zonder een hartige dronk.

Droogstoppel. *'t Is* een *Droogstoppel* = een saaie man waar geen aardigheid aan is. Droogstoppel is een figuur uit *Max Havelaar*. Hij is makelaar in koffie, gesteld op zijn fatsoen en op zijn geloof, hij is een nuchter man, die zich niet ophoudt met valse poëzie; hij zorgt voor zijn zaak en is op zijn manier braaf. Hij stelt het Nederlandse volk voor.

Bij Multatuli is hij volstrekt niet de vervelende man, doch de schijnvrome, die altijd op zijn eigen voordeel bedacht is; het portret is meesterlijk getekend als tegenstelling tot de onbaatzuchtigheid en verhevenheid van de held der geschiedenis.
De naam is een herinnering aan *Job* XIII : 25, waar Job spreekt tot God:
Zult Gij een gedreven blad verbrijzelen? en zult Gij een droge stoppel vervolgen?
droom. 1. Dromen zijn bedrog,
Zo was 't voor honderd jaar
En zo is 't nog.
Misschien naar *Prediker* V : 6. Daar vindt men: Gelijk in de veelheid der dromen ijdelheden zijn, alzo in vele woorden.
Bij Guido Gezelle:
2. Dromen is bedrog,
Droomt men te zijn een here,
Men is een schooier nog.
3. *Iemand uit de droom helpen* = hem duidelijk maken, dat hij zich vergist; hem vertellen, waar het op staat.
De uitdrukking kan licht een bijbels gezegde zijn. Zo legde Jozef de dromen uit van de schenker en de bakker. (Genesis XL : 12 e.v.)
druif. 1. *De druiven zijn zuur, zei de vos* = gezegde als iem. graag iets hebben wil, doch het niet krijgen kan, vooral wanneer hij dan zegt, dat hij er niet om geeft. Zo zei de vos in de fabel van Esopus, dat hij de druiven die te hoog hingen, niet hebben wou, omdat ze hem te zuur waren. Bij Gezelle: *De druiven zijn te groene.*
2. *Men leest geen druiven van doornen*; zie *vijg.*
druipen. *Hij is gedropen* = gezakt bij een examen. Door Sprenger van Eyk op gezag van de Duitser Riehm verklaard als een bijbelse uitdrukking, naar *Hebreeën* II : 1.
Daar zegt de schrijver van de leraren: 'Daarom moeten wij ons te meer houden aan hetgeen van ons gehoord is, opdat wij niet te eniger tijd doorvloeien.'
Doch druipen betekende in de oudere taal ook wel slap neerhangen, zoals blijkt uit het woord druipstaarten.
Dan zou dus druipen eenvoudig gelijk in betekenis zijn met ons woord zakken.
druipstaartend. *Hij ging druipstaartend heen* = hij ging beschaamd en verslagen weg. Ontleend aan de honden, die de staart laten hangen, wanneer ze bang wegsluipen.
druk. 1. *Hij heeft het zo druk als de kippen vóór Pasen.*
2. *Hij heeft het zo druk als een pruikemaker met één klant*, schertsend, als iemand haast niets te doen heeft.
drup. 1. *De gestadige drup holt de steen* = al maar volhouden, al gaat het ook nog zo zeer met kleine beetjes, doet het doel bereiken. Hoezeer de gestadige drup de steen diep uitholt, is te zien in de Haagse Gevangenpoort. Doch de spreuk was ook reeds bij de Romeinen gangbaar.
Bij Cats:
Het water holt een harden steen,
En dat maer door den tijt alleen.
2. *Hij lust graag een drupje (druppel)*, schertsend gezegde van iemand, die een liefhebber is van de drank.
druppel. 1. *'t Is een druppel in de emmer* = een zaak van geen betekenis.
Naar *Jesaja* XL : 15. Zie *stofje.*
2. *'t Is een druppel op een gloeiende plaat* = 't is geld, dat even gauw verteerd is, als het inkomt; 't is iets, dat niet baten kan.
3. *Zij gelijken op elkaar als twee druppels water.*
4. *De laatste druppel doet de emmer overlopen* = eindelijk is het genoeg; eindelijk breekt het geduld.
5. *De druppel holt de steen uit*; zie *drup*
drijven I. *Ze trachten de zaak drijvende te houden* = zij doen hun best, de zaak voor ondergang te bewaren.
Een schip dat lek is, wordt *drijvende gehouden* door te pompen.
drijven II (voortjagen). *Die een ander drijven wil, moet zelf lopen* = wie 't werkvolk te veel aanzet, heeft zelf ook geen rust.
dubbel. *Dubbel geeft wie dadelijk geeft.*
dubbeltje. 1. *Dat is een dubbeltje op zijn kant* = je weet niet, hoe dat aflopen zal; 't is te vrezen dat het niet goed gaat.
Zie ook: *een stuivertje kan raar rollen.*
2. *Hij loopt dubbeltjes te zoeken* = in gebogen houding, net of hij iets zoekt.
3. *Hij keert een dubbeltje driemaal om en gooit een gulden weg* (Fries), zie *zwavelstok.*
duif. 1. *Blauwe duiven, blauwe jongen* (Gron.) = de appel valt niet ver van de

stam.
2. *Een duifje zonder gal* = een meisje (vrouwtje), waar helemaal geen kwaad in zit. Volgens het volksgeloof heeft een duif geen gal, zodat het dier nooit nijdig wordt.
3. *Onder iemands duiven schieten* = zich bevoordelen met de middelen van iemand anders; hem zijn meisje afkapen; gaan strijken met de rechten, de voordelen, de vooruitzichten van een ander.
Duiven houden was oorspronkelijk een der heerlijke rechten; in later tijd was het het recht van een groot-grondbezitter, namelijk het houden van een hele zwerm in een duivemat of duiveslag of duifhuis.
4. *Hij denkt dat in Amerika de gebraden duiven hem in de mond vliegen* = dat het daar het land van belofte is; dat hij daar zonder werk aan de kost kan komen. Uit het verhaal van Luilekkerland; daar vliegen de duiven gebraden rond en men behoeft er zijn mond maar open te doen.
5. *Oprecht gelijk de duiven.* Bijbelse vergelijking. 'Zijt dan voorzichtig gelijk de slangen, en oprecht gelijk de duiven.' (*Matth.* x : 16.)
6. *Waar duiven zijn, vliegen duiven henen* (Vlaams) = soort zoekt soort.
duig. *Alle plannen vielen in duigen* = er komt niets van terecht. De duigen zijn de staven van een vat, die uit elkaar vallen, als de hoepels niet goed sluiten.
duiken. *Hij kan niet duiken of zwemmen* (Gron.) = hij is op; hij heeft geen kracht, geen geld meer.
duim. 1. *Iemand onder de duim houden* = onder bedwang. De duim is als de sterkste vinger het zinnebeeld van de macht. Deze uitdrukking weer figuurlijk: *hij heeft zijn Frans onder de duim* = hij is die taal meester.
2. *Hij mag op zijn duim fluiten* = hij krijgt er niets van, al doet hij ook zijn best. Lett.: al fluit hij nog zo mooi, niemand luistert er naar. Misschien van de vogelaar: al zijn fluiten lokt geen vogel.
3. *Dat kent hij op zijn duimpje* = dat weet hij van buiten. Letterlijk: hij kan het op zijn duim en vingers wel uittellen, wel uitleggen; hij heeft er geen boek bij nodig. Stoett rekent ook met de mogelijkheid, dat duim hier betekent de har van een deur, de ijzeren haak, waar de deur op draait. De deur draait op zijn duim; zo zou *op zijn duim* de betekenis hebben verkregen van geheel en al, grondig.
4. *Dat zuigt hij uit zijn duim* = dat verzint hij maar; daar is niets van waar. Men denkt daarbij aan een klein kind, dat op zijn duim zuigt, als het de zuigfles niet krijgen kan; dat is ook van geen waarde. Stoett verwijst naar het oude volksgeloof, dat men wijsheid kan erlangen door de vinger in de mond te steken; van dit geloof blijkt in verscheiden sagen.
(*Volkskunde* XXIII, 234.)
Tuinman zegt: ''t Is ontleent van de beeren, die, zoo men verhaalt, aan hunnen poot zuigen.'
5. *Iemand iets instampen met duim en vinger* = het hem met alle macht aan zijn verstand brengen, het inprenten. Zo stampt men een gevangen vogel het voedsel in de bek.
6. *Voor iemand duimen* = de duimen over elkaar of om elkaar heen bewegen. Als men daarbij aan iemand denkt, die niet aanwezig is, dan brengt hem dit volgens modern geloof geluk aan, b.v. als hij een examen moet afleggen of op een betrekking uitgaat.
7. Die drie duimen wast in weerdigheid,
Wast drie ellen in hoveerdigheid,
rijmspreuk bij Gezelle.
Menigeen, die een beetje vooruitkomt in de wereld, wordt onuitstaanbaar trots.
8. *Iemand de duimschroeven aanleggen* = hem dwingen de waarheid te zeggen met de hardste middelen. Ontleend aan de lijfstraffelijke rechtspleging, waarbij men de beschuldigde bekentenissen ontlokte, door zijn duimen plat te persen tussen twee platen, die tegen elkaar werden geschroefd. Deze schroeven zijn nog aanwezig, o.a. in de Haagse Gevangenpoort.
9. *Hij houdt de duim in de hand* = hij zorgt dat hij de zaak in de macht houdt. Ontleend aan 't gevecht van man tegen man. Zolang men de duim van zijn tegenstander in de hand heeft, is men hem de baas. Ook zegt men, met dezelfde betekenis:
10. *Hij houdt de duim op 't zundgat.*
't Zundgat bij de ouderwetse voorladers (geweer, pistool, kanon) was het gat in

de loop boven de lading. Dit gat werd met kruit gevuld, en met een brandende lont stak men het kruit aan, als men vuren wilde. Wie de hand (de duim) op 't zundgat hield, belette daardoor, dat er geschoten werd.
11. *Hij zal er duim en vingers naar likken* = hij zal er erg naar verlangen, (zonder het machtig te worden).
Zoals men duim en vingers likt, als het lekkers op is en men graag meer had.
duimkruid, d.i. geld, aldus naar de beweging die men maakt bij het tellen van geld.
duister. 1. In 't duisteren
Is 't goed fluisteren,
schertsend gezegde, als een minnend paar een donker hoekje opzocht. Zo in Groningen; ook bij Gallée voor Gelderland.
En allicht hoort men er bij: *Maar 't is slecht vlooien vangen.*
Schertsend ook:
2. *Nou wordt het mij helder, zei Duisterwinkel,* wanneer na een lang betoog een zaak nog volstrekt niet opgehelderd is.
duisternis. 1. zie *Egypte.* 2. *De werken der duisternis* = slechte, zondige daden, die het licht niet kunnen verdragen. Naar Romeinen XIII : 12. Daar zegt Paulus:
Laat ons dan afleggen de werken der duisternis, en aandoen de wapenen des lichts.
3. *De buitenste duisternis* = de allergrootste duisternis.
Bijbels woord. 'Werpt de onnutte dienstknecht uit in de buitenste duisternis.' (*Matth.* XXV : 30, aan het slot van de gelijkenis der talenten.)
Zie ook *gast* 1.
duit. 1. *Hij doet ook een duit in 't zakje* = hij wil er ook wat van zeggen; hij voegt er nog iets bij; hij praat ook al mee. Ontleend aan 't kerkezakje, waarmee de diaken rond gaat om geld voor de armen op te halen. De duit was gangbaar tot 1816; in Brabant en Vlaanderen en Holland gingen 8 duiten in een stuiver; vandaar nog heet een halve stuiver een vierduitstuk. Een Groninger stuiver had 6 duiten.
2. *Hij zou wel een duit in tweeën bijten* = hij is al heel zuinig.
3. *Ze gelijken elkaar op een duit* = zij gelijken sprekend op elkaar. Dit heeft oorspronkelijk niets met een duit te maken; het was *op ende uit* = geheel en al.
4. *Duitenplaterij* = gepraat over dingen van geen betekenis, terwijl er zeer grote zaken aan de orde zijn.
't Woord is gesmeed door Multatuli. Terwijl het van het uiterste belang was, om over de meest belangrijke Indische zaken te handelen, hield de minister van Koloniën de Tweede Kamer bezig met *duitenplaatjes,* de afbeeldingen van de nieuwe Indische duiten en andere munten.
5. *Een duitendief* = een gierigaard, vooral iem. die overal geld uit tracht te slaan. 't Is alsof hij duiten zou willen stelen. Ook:
6. *Hij is op de duiten als de Duivel op een ziel.*
duivekater. *Wat duivekater!* = drommels nog toe; te duivel! Basterdvloek, onder invloed van *duivekater,* oude naam voor een kerstbrood. Volgens Franck-Van Wijk is de oorsprong onbekend, maar er zijn tal van woorden, die een vloek verzachten. Als 't woord duivel te zwaar was, dan nam men een woord dat er op leek. Zo in plaats van *bliksem* ook *blikskater* en *donderkater, drommelkater, dekselkater.* Met een kater heeft dat niets uit te staan. 't Zelfde in *o jee, jeminee* in plaats van *Jezus.*
duivel.
De Duivel vergeet geen stoot
Tegen zijn bokkepoot
= nooit zal een slechte man vergeten, wie hem in enig ding heeft tegengewerkt.
2. zie *dom* 1.
3. *Zij is de Duivel te slim af* = zij is al heel slim; zij weet zelfs de Duivel te bedriegen.
4. *Hij had de duivel in,* ook *hij had de duivel in 't lijf* = hij was 'hels' boos.
Misschien naar *Johannes* VII : 20, waar de schare tot Jezus zegt: Gij hebt de Duivel.
5. *Daar kwam hij bij de Duivel te biecht* = daar vertelde hij zijn wens aan zijn tegenstander, zijn geheim aan iemand die hem tegenwerkt.
6. *Als men over de Duivel spreekt, dan ziet men zijn staart* = als men over iemand spreekt, komt hij er juist aan.
Volgens het volksgeloof moest men des Duivels naam niet noemen, want dan kwam hij je halen. Vandaar ook zoveel

andere namen voor de Duivel: Heintje Pik, De oude Knecht enz.

7. *duivelstoejager* iem. die voor allerlei karweitjes gebruikt wordt.

Gewoonlijk verklaard als iemand die de Duivel overal naar toe jaagt. Stoett voegt er bij: een toejager is een hond die het wild naar de jager drijft.

Een geheel andere uitleg is deze: een *duvel* is een pen, waarmee het houtwerk van kasten en deuren aan elkaar bevestigd wordt. Deze pennen worden vastgeslagen door een *duvelstoejager*.

Een derde verklaring is, dat men hier denken moet aan de ronselaars of zielverkopers, die met alle mogelijke middelen soldaten en matrozen aanwierven. Zij waren in des Duivels dienst toejagers.

8. *Ledigheid is des Duivels oorkussen*; zie *ledigheid* en *luiheid*.

9. *De Duivel schijt altijd op de grootste hoop*, gezegde als een rijke jonkman met een rijk meisje trouwt. In 't algemeen: wie rijk is, krijgt er altijd nog geld bij.

10. *De Duivel is oud*, zie *oud* 8.

11. *Hij is de Duivel van de kruikar gegleden* = hij is de Duivel te kwaad of te listig; hij is boosaardig en slim. Bij 't stallenschonen en dergelijke gemeenschappelijke werkjes haalde men grappen uit. Zo zette men een onnozele hals op een kruikar en zonder dat deze er erg in had, kwam hij in een sloot terecht. Maar wie slim genoeg was, liet zich nog op tijd van de kar glijden.

12. *Hij loert er op als de Duivel op een ziel* = hij is er buitengewoon begerig naar.

13. *Wie met de Duivel gescheept is, moet met hem over* = als men eenmaal begonnen is met een kwade zaak, kan men niet meer terug. Dan:

14. *vaart men met de Duivel in één schuitje*.

15. *Hij vloekt de Duivel uit de hel* = hij vloekt allerverschrikkelijkst.

16. *De Duivel is zo zwart niet als men hem schildert* = een gezegde, waarmee men uitdrukt, dat degene van wie veel kwaads verteld wordt, toch ook nog wel zijn goede eigenschappen heeft.

17. *Men moet de Duivel niet zwarter maken dan hij is* = men moet van een slecht mens het verkeerde niet erger voorstellen dan het is; men moet ook in hem het goede erkennen.

18. *'t Zal gebeuren, al zal de Duivel de kaars houden* = het moet volstrekt gebeuren.

Sint-Dominicus dwong de Duivel, de kaars vast te houden, toen die hem in de gedaante van een aap verscheen en hem trachtte af te trekken van zijn vrome overpeinzingen door allerlei grimassen. De aap spartelde tegen en schreeuwde, maar 't hielp hem niets; hij verbrandde er zijn voorste vinger bij.

19. *'t Is een arme duivel* = een man zonder geld. Maar vooral: iemand wie het altijd tegenloopt.

Uit de zeer talrijke volksverhalen, waarin de Duivel altijd slecht weg komt. B.v.: de Duivel maakt een akkoord met de boer; hij zal hebben wat onder de grond is en de boer wat boven de aarde groeit. De boer zaait tarwe. Nu zal het andersom gaan het volgende jaar; de boer poot aardappels.

20. *Hij zal van de Duivel dromen* = hij zal er van lusten; hij zal een geweldig pak slaag (een stevig standje) krijgen.

Lett. hij zal 't nog zo benauwd krijgen, dat hij droomt dat hij in des Duivels macht is.

21. *Wie de Duivel aan boord neemt, moet met hem varen* = als men zich eenmaal afgeeft met slechte mensen, raakt men ze niet meer kwijt. Vergelijk no. 13.

22. *Heeft de Duivel 't paard gegeten, dan neemt hij de toom ook nog* = als men eenmaal in de handen van slechte mensen valt, dan verliest men letterlijk alles.

23. *'t Is net, of de Duivel er los is* = 't is daar een ijselijk rumoer en wanorde. Naar Openbaring XX : 3, waar men leest, dat de Duivel duizend jaar wordt opgesloten, 'en daarna moet hij een kleine tijd ontbonden worden.'

24. *Hij is van de duivel bezeten* = a. hij is kwaadaardig; b. hij is woedend.

Bijbelse uitdrukking. Zo wordt in *Matth.* IV : 24 verhaald, dat men tot Jezus bracht 'allen, die kwalijk gesteld waren,... en van de duivel bezeten, en maanzieken en geraakten; en Hij genas ze'.

De bedoeling is hier, dat de boze geest zich van hen meester gemaakt had, n.l. dat zij krankzinnig waren.

25. *De duivel met Belzebub uitdrijven* = een kwaad verhelpen door een ander kwaad in te voeren.

Naar *Matth.* XII : 24. Jezus genas een man, die blind en stom was, waarop de Farizeeën zeiden: 'Deze werpt de duivelen niet uit, dan door Beëlzebul, de overste der duivelen.'
Beëlzebul was de afgod, die vereerd werd in de Filistijnse stad Ekron in Juda; de naam betekent: Heer der vliegen, vliegengod.
In het Nieuwe Testament is hij 'de overste der duivelen'.
26. *'t Is of de Duivel er mee speelt* = 't is onbegrijpelijk, dat het nu net zo slecht uitkomt, dat er nu net een ongeluk gebeurt, waardoor we niet op kunnen schieten.
Bij heksen en spoken en toverij dacht men, dat de Duivel de hand in het spel had; dus = 't is net of er getoverd wordt.
27. Rode baard,
Duivels aard,
zie *rood* 5. Volgens de overlevering had Judas een rode baard, maar 't kan zijn, dat die overlevering juist op dit spreekwoord berust.
28. *Hij heeft zijn ziel aan de Duivel verkocht* = hij heeft zich geheel aan het boze overgegeven.
Naar aanleiding van zeer veel oude volksverhalen, waarin de Duivel alle wensen van een man of vrouw vervult, mits hij hun ziel mag halen na zeven jaren.
29. *De Duivel heeft het vragen uitgevonden* = men moet niet van alles het hoe en het waarom willen weten. Ook, schertsend = hou nu maar op met je gevraag.
Het gezegde is een toespeling op Genesis III : 1, waar de eerste vraag in de Bijbel voorkomt. Aldaar:
'De slang zeide tot de vrouw: Is het ook, dat God gezegd heeft: Gijlieden zult niet eten van allen boom dezes hofs?'
30. *Een duivelskunstenaar* = iemand die allerlei kunsten kent, die heel handig is, die alles weet terecht te brengen.
Oorspronkelijk iemand, die zich overgegeven had aan de Duivel en die daarom toveren kon; bijbelse uitdrukking.
Zo vindt men het in *Leviticus* XIX : 31: 'Gij zult u niet keren tot de waarzeggers en tot de duivelskunstenaars: zoekt hen niet, u met hen verontreinigende: Ik ben de Here, uw God!'
31. *Hij grijnst als de Duivel tegen 't morgenrood* = hij zet een heel lelijk gezicht (bij een zaak, waar hij geen zin in heeft).
In de volksoverleveringen speelt de Duivel zijn rol in de nacht; zodra de haan kraait, is zijn rijk uit. Vandaar dat hij bij 't zien van 't morgenrood zich onbehagelijk gevoelt.
Bij Anna Folie:
Hij grijnst als een jongen Drommel tegen den dagenraad.
32. *Des Duivels prentenboek* = een spel *kaarten.*
33. *Hij weet van de Duivel geen kwaad* = hij doet of hij nergens van weet, of hij helemaal geen schuld heeft.
34. *Die de Duivel gelooft, heeft zijn meester gevonden* (Vlaams) = die zich overgeeft aan de inblazing van boze mensen, loopt in het ongeluk, want ze zijn hem altijd te slim af.
35. *Als de Duivel oud is, wordt hij eremijt* (Vlaams) = een oude deugniet doet zich voor als buitengewoon braaf.
36. *Des Duivels zak is nooit vol* (Vlaams) = de gierigheid wil het middelste met de beide enden.
37. *Voor de Duivel een kaars branden* = eer bewijzen aan een man met een boos karakter, uit vrees dat hij anders zich wreken zal; in ieder geval = diens boze daden vergoelijken uit eigenbelang.
Volgens het oude verhaal, dat een gelovige een kaars ontstak voor het beeld van Sint-Michaël, maar dat hij toch ook maar voor alle veiligheid een andere kaars aanstak voor de Duivel, die op de schilderij voorgesteld wordt als door Michaël neergeworpen. Zo hield hij de heilige te vriend en vereerde hij tegelijk de Duivel.
38. *Waar de Duivel een boodschap heeft, daar stuurt hij een oud wijf heen* = door 't gepraat en gestook van vrouwen is er al heel wat kwaad in de wereld gekomen.
39. *Die met de Duivel uit één schotel eten wil, moet een lange lepel hebben* (Fries) = die met slechte mensen zaken doet, moet voorbereid zijn op hun bedrog, als hij zeker wil zijn van dat, wat hem toekomt.
40. *Die de Duivel te vriend heeft, kan gemakkelijk in de hel komen* (Fries), schertsend gezegde, wanneer iemand slaagt in zijn plannen met de hulp van een man, die 't voor 't zeggen heeft.
41. *Dan wordt de Duivel je god* (Gron.), vreselijke bedreiging: als je dat doet,

dan zal ik je ongenadig straffen.
42. Een duivel op de plaat,
Een engel op de straat (Z.) = menige vrouw, die zich bij de mensen lief voordoet, is in huis een helleveeg. (De plaat is de haardplaat voor het oude open vuur.)
duizend. 1. *Het Duizendjarige Rijk* = een tijd van langdurige vrede en heerlijkheid. Bijb. uitdrukking, naar Openb. XX : 1, 2. Aldaar: Ik zag een engel afkomen uit de hemel; en hij greep de draak, de oude slang, welke is de duivel en Satanas, en bond hem duizend jaren.
2. *Acht is meer als duizend*, zie *acht*.
3. *Een uit duizend*, zie *een* 5.
Dulcinea. *Zij is zijn Dulcinea* = zijn (vereerde) beminde.
Dulcinea was de dame, ter ere van wie Don Quichotte al zijn heldendaden verrichtte, ofschoon zij alleen maar in zijn verbeelding bestond.
Duren. *Duren is een schone stad* = het lijkt wel heel mooi, maar 't moet nog blijken, of 't wel lang zo blijven zal. En omdat dit vaak de vraag is, voegt men er bij: *maar Kortrijk ligt er dicht bij*. Zie *Kleef*.
dut. *De dut is er op* = het meisje is 28 jaar (of ouder).
De *dut* is de *klop*. Zie daar.
duur. 1. *Beter duur dan niet te koop.*
2. *Hij ziet er uit als de dure tijd* = hij is erg mager en schraal en verdrietig.
dwaas. 1. Dwazen en gekken
Schrijven op deuren en hekken,
zie *gek* 17 en 18.
2. Veel dwazen
Sterven van volle glazen,
Vlaams spreukje. De drank is de oorzaak van een vroege en rampzalige dood.
3. Een dwaze verstaat, Als 't is te laat, wie niet op zijn tellen past, wordt eerst gewaar waar het om te doen is, wanneer de zaak is afgedaan.
4. Boffen en blazen,
Werk van dwazen,
spreukje bij Gezelle; een wijs man is geen opschepper.
Boffen = pochen; blazen = grootspreken.
dwalen. 1. *Dwalen is menselijk.* Vertaling van de L. spreuk: *Errare humanum est.*
2. *Beter ten halve gekeerd dan ten hele gedwaald* = zodra men merkt dat men op de verkeerde weg is, moet men terugkeren.
dwaling. *De laatste dwaling is erger dan de eerste* = wanneer men zich vergist, kan men het herstellen, maar erger is het, als men daarna tot de oude dwaling terugkeert. Bijbelse spreuk. De Opperpriesters en Farizeeën waren bevreesd, dat Jezus' discipelen het lijk zouden wegnemen uit het graf en dan zouden zeggen, dat Jezus uit de doden was opgestaan, gelijk Hij voorspeld had. En dan zou de laatste dwaling erger zijn dan de eerste. De eerste dwaling was namelijk die voorspelling. (*Matth.* XXVII : 64.)
dwang. 1. *Moeten is dwang*, zie *moeten* 1.
2. Een rijk van dwang
En duurt niet lang,
Vlaams rijmpje; strenge heren heersen niet lang.
dwarsbomen, d.i. iemand belemmeren in zijn werk, hem beletten zijn plan uit te voeren. Letterlijk: hem de weg versperren door er een boom dwars over te leggen.
dwarsdrijven, tegen de keer ingaan; niet met anderen meewerken, doch ze in hun arbeid bemoeilijken. Letterlijk gezegd van een schip dat dwars in de vaart ligt en dus zelf niet vooruitkomt en tevens anderen de doortocht belemmert.
dijk. 1. *Dat zet geen zoden aan de dijk* = dat helpt volstrekt onvoldoende.
2. *Iemand aan de dijk zetten* = iemand ontslaan zonder enige ondersteuning.
3. *Waar de dijk het laagst is, daar spoelt de vloed het eerst over heen* = de armste man lijdt de eerste last.

E

eb. 1.
's Werelds goed
Is eb en vloed,
d.i. dan eens tegenspoed en dan weer fortuin.
2. *Eb en vloed wachten op niemand*, zie *getij* 6.
Eben-Haëzer, naam van verschillende kerken en andere Christelijke stichtingen.
Toen Samuel de Filistijnen verslagen had, nam hij 'een steen en stelde die tus-

sen Mizpa en tussen Sen; en hij noemde diens naam Eben-Haëzer; en hij zeide: Tot hiertoe heeft ons de Here geholpen.' (I *Sam.* VII : 12.)
echec, het Franse woord voor schaakmat. *Echec lijden* is dus zoveel als schaakmat gezet worden; fig. = niet slagen, zijn plan moeten opgeven, afgewezen worden.
Eden. *Ze wonen daar in een Eden* = in een lustoord.
Eden is een andere naam voor het Paradijs, ofschoon blijkbaar in *Genesis* II : 8 onder Eden een landstreek wordt verstaan. 'Ook had de Here God een hof geplant in Eden, tegen het Oosten, en Hij stelde aldaar de mens, die Hij geformeerd had.'
Edom. *Op Edom zal ik mijn schoen werpen* = ik zal de vijand verslaan.
In Psalm LX : 10 de juichkreet over de overwinningen van koning David:
Moab is mijn waspot; op Edom zal ik mijn schoen werpen; juich over mij, o gij Palestina!
Edom = Ezau; de Edomieten woonden ten Z. van de Israëlieten en waren doorlopend met hen in strijd, zodat Edom ook in 't algemeen de vijand aanduidt. Door de psalmen van Datheen bleef de uitdrukking algemeen bekend, zo bekend zelfs dat Multatuli de spot dreef met de gebrekkige berijming.
Eems. *Van de Eems in de Dollard komen* (Gron.) = van de regen in de drup.
een. 1. *Beter een, die met mij gaat, dan twee die mij volgen* = beter één vogel in de hand dan tien in de lucht; ook: men moet het zekere vóór het onzekere nemen.
2. *Een kind, geen kind* = een enig kind is vaak uit huis en dan zijn de ouders toch alleen.
3. *Eén steen kan geen mosterd malen*, zie *steen* 1.
4. *De een vrijt met de moeder en de ander met de dochter*, zie *moeder* 11.
5. *Een uit duizend* = iemand, die uitsteekt boven alle anderen; iemand, zoals er op duizend maar één wordt gevonden. Naar de zwaarmoedige opvatting van *Prediker* VII : 28. Hij zegt:
'Een man uit duizend heb ik gevonden; maar een vrouw onder die allen heb ik niet gevonden.'
6. *Dat is er één zonder steen, zei de pruimedief, en hij at een slak op*, zie *zeispreuken* 6.
7. *De een moet je betalen en de ander moet je geld geven*; zie *geld* 7.
8. *Eén maal is geen maal* = als men iets maar één keer doet, dan heeft dat geen betekenis; zie *eenmaal.*
9. Eén verloren,
Twee verkoren (Gezelle).
Dit zegt de winkelier tot troost van zich zelf: als er één klant wegloopt, komen er twee nieuwe weer bij.
10. *Eén keer goed doen is beter dan tweemaal wat beloven* (Fries).
eend. 1. *Dat is een vreemde eend in de bijt* = hij behoort niet bij dat gezelschap, hij doet alleen voor deze gelegenheid mee.
2. *Elk schot is geen eendvogel*, zie *schot* 2.
eendarm. *Meester Eendarm*, zie *snijder.*
eendracht. 1. *Eendracht maakt macht*, de vertaling van de Latijnse spreuk *Concordia res parvae crescunt*, letterlijk: Door eendracht groeien de kleine dingen, gewoonlijk gevolgd door: *discordia maximae dilabuntur*, d.i. door tweedracht worden de grootste dingen bedorven; wij zeggen: *tweedracht verstrooit.*
Het was het devies van de Republiek der Verenigde Provinciën; de Latijnse spreuk ook op het Raadhuis van Appingedam.
En de Nederlandse of Franse spreuk staat op Belgische munten. (Frans: *l' union fait la force.*)
Op rijm:
2. Eendracht maakt macht,
Tweedracht breekt kracht.
eenmaal. *Eenmaal is geenmaal* = als men maar één keer iets doet, dan telt dat niet.
Gedachte, waarmee men zich zelf bedriegt.
eenvoud. *Eenvoud is het kenmerk van het ware*, vertaling van de Latijnse spreuk: *simplex sigillum veri*, het devies van professor Boerhaave.
eer. 1. Ere bewaard,
Kosten gespaard,
gezegde als men iemand heeft uitgenodigd voor zijn fatsoen en als die dan niet komt.
2. *Wat eer geschiedt mijn dochter, zij gaat met een huzaar naar bed!* spottend gezegde, als een meisje trouwt met een

man, die zich heel wat voor doet, maar die niets is.
3. *Ere wie ere toekomt!*
4. *Eer is teer* = men moet voorzichtig zijn en nooit iets zeggen, wat iemands eer te na komt; als de eer kreuk lijdt, is 't nooit meer goed te maken. De Vlaming zegt:
5. *Verloren eer keert moeilijk weer.*
6. *'s Lands wijs, 's lands eer*, zie *land* 9.
7. *Ere en bate zijn zelden bij malkaar* (Gezelle) = een eerlijk man wordt moeilijkrijk.
eerder. *Hoe eerder dood, hoe eerder begraven* = a. hoe eerder men iets aanpakt, des te eerder is het ook gedaan; b. wie al te jong van het leven geniet, die zal het niet lang volhouden; vroeg rijp, vroeg rot.
eerlijk. *Eerlijk duurt het langst* = bedrog komt altijd uit, daar komt men niet ver mee.
eerst. 1. *Die eerst komt, eerst maalt* = ieder moet op zijn beurt worden geholpen.
Uit het molenaarsbedrijf.
In ieder dorp is dit duidelijk: wie met zijn koren 't eerst aan de molen is, wordt het eerst geholpen. Maar in de steden kent men het molenaarsbedrijf niet meer en zo zal het spreekwoord gewijzigd zijn in:
2. *Die eerst komt, die eerst maant.*
Men heeft daarbij, om met Dr. de Vooys te spreken, aan een voortvarende schuldeiser gedacht.
3. *Vele eersten zullen de laatsten zijn*; zie *laat* 5.
4. Eerst gedaan en dan bedacht,
Heeft menigeen verdriet gebracht.
5. *Eerst het nodigste en dan het allernodigste* = doe dadelijk wat nodig is; wat het allernodigste heet, kan vaak nog wel even wachten.
6. *Die 't eerst in de boot is, heeft keur van riemen*; wie het eerst komt, heeft het het voordeligste.
7. *Eerste winst*, zie *gewin* 1.
eeuwigheid. *Dat duurt van eeuwigheid tot amen* = daar is geen eind aan; dat duurt verschrikkelijk lang en is nog vervelend bovendien.
Volksuitdrukking, met zinspeling op het slot van het Onze Vader:
Want U is het koninkrijk, en de kracht, en de heerlijkheid, in der eeuwigheid. Amen. (*Matth.* VI : 13.)
Ook: *van eeuwigheid tot zaligheid.*
effen. 1. *Effen is kwaad treffen* = 't is moeilijk iets geheel naar iemands zin te doen; ook: men kan het niet iedereen naar de zin maken.
2. *Effen rekeningen maken goede vrienden*, zie *rekening* 2.
eggen. *Ik kan met hem eggen en ploegen* = met hem opschieten.
Egypte. 1. *'t Is hier een Egyptische duisternis* = men kan geen hand voor ogen zien. Ontleend aan Exodus X : 21, waar de Heer tot Mozes zegt, dat hij zijn hand uit moet steken en dat er dan duisternis zal komen, die men tasten kan.
2. *Terugverlangen naar de vleespotten van Egypte* = naar vroegere welvaart, gelijk de Joden deden in de woestijn: Och, dat wij in Egypteland gestorven waren..., toen wij bij de vleespotten zaten! (Ex. XVI : 3.)
3. *Eten uit de pot van Egypte*; zie *pot* 1.
ei. 1. zie *beter* 2.
2. *Het ei wil wijzer zijn dan de kip* = het kind weet het beter dan vader of moeder.
3. *Het ei van Columbus* = een heel gemakkelijke zaak, als men maar eerst weet hoe 't moet. Ontleend aan 't verhaal van Colombus, tot wie men zei, dat de ontdekking van Amerika geen kunst was. Dat was het evenmin, antwoordde de grote man, als het een kunst is, een ei op zijn punt te zetten en toch kan niemand van u dat. Niemand kon het, maar toen sloeg Columbus een deuk in het ei, en het stond.
4. *Hij koos eieren voor zijn geld* = hij stelde zich tevreden met wat hij krijgen kon, omdat hij anders niets zou gekregen hebben.
Tot voor korte tijd betaalde men op 't platte land met eieren, daar het geld schaars was.
5. *Hij heeft het van eieren gemaakt* = hij heeft zijn werk slecht gedaan; hij heeft zijn taak niet afgemaakt; hij heeft het bedorven. Letterlijk: hij heeft de eieren gebroken.
6. *Met hem heb ik nog een eitje te pellen* = ik moet nog met hem afrekenen, d.i. ik moet hem eens onder handen nemen.
7. Zie *appel* 3.
8. *Dat is het eieren eten niet* = dat is de ware reden niet; daar loopt het niet

over. Misschien een herinnering aan Pasen, wanneer men vroeger zoveel eieren mocht eten als men op kon.
9. *Men moet om een ei geen pannekoek bederven* = als een zaak goed behandeld zal worden, moet men niet krenterig zijn met de noodzakelijke kosten.
10. *Hij blijft op de eieren zitten* = Hij wordt teleurgesteld in zijn verwachtingen. Net als een vogel, die maar op de eieren blijft zitten, als er geen jongen uit komen.
11. Zie *windei.*
12. *Kwaad ei, kwaad kuiken* = slechte ouders hebben slechte kinderen. Vlaams: *uit een kwaad ei kwam nooit goed kieken.*
13. Sla de eieren in de pan,
Dan komen er geen kwade kuikens van.
Zorg dadelijk in 't begin al, dat een kwade zaak niet kwaad kan aflopen.
14. *Hij is zo zalig als een ei,* zie *zalig* 3.
15. *Hij komt met het zout, als het ei op is* = hij komt met zijn hulp, met zijn raad, met zijn opmerking net, als het te laat is.
16. *Men kan een ei in zijn gat gaar braden* = hij is warmbloedig. Men zegt het ook van iemand, die zeer bang is.
Zo ook bij Anna Folie:
17. *Hij is zo benaauwd, men zou wel een ey in zijn naars braan.*
18. *Hij loopt net of hij op eieren gaat* = heel voorzichtig.
19. *Men moet niet al zijn eieren onder één kip leggen* = men moet niet zijn gehele vermogen in één zaak steken.
20. *Zij greep naar 't ei van de kip en ze liet het ei van de gans liggen* = zij nam een klein voordeel waar, maar als zij had opgelet, dan had zij een veel groter voordeel kunnen krijgen.
21. *Hij kan zijn ei niet kwijt raken* = hij wil wat zeggen, maar hij weet het niet uit te brengen.
Ontleend aan een kip, die moeilijk legt en eerst al maar heen en weer loopt.
22. *Een ei is een ei, zei de boer, maar hij greep naar 't dikste,* schertsend gezegde, als iemand zorgt, dat hij behoorlijk zijn deel krijgt (Gron.).
23. *Als dat ei breekt, wat zal dat stinken!* = als die vriendschap eens uit raakt, wat zullen zij elkaar dan veel te verwijten hebben! Men denkt daarbij aan een vuil ei, d.i. een bebroed ei, dat geweldig stinkt als het breekt.
24. *'t Is daar koek en ei* = zij zijn grote vrienden; ze zijn 't geheel met elkaar eens; zij onthalen elkaar met het beste, dat ze hebben.
25. *Hij is bang voor zijn eierkorf* = hij is heel voorzichtig, dat hij geen kou vat, dat hij zich niet bezeert of ziek wordt.
Met een eierkorf moet men voorzichtig omgaan; zo ook met eigen lichaam.
26. *Ongeleide eiers zijn onzekere kiekens* (Vl.) = eensklaps kunnen de zaken keren.
27. *Die eieren vergaren wilt, moet hem 't kakelen der hennen getroosten* (Vlaams), zie *varken* 17. In Groningen:
28. *Die eieren wil hebben, moet het kakelen van de hoenders kunnen verdragen.*
29. *Twaalf eieren, dertien kuikens!* = dat is een onverwacht fortuintje; hoe kan 't zo mooi uitkomen!
eigen. 1. *Eigen lof stinkt,* zie *lof.*
2. *Er is meer gelijk dan eigen.*
3. *Eigen schuld plaagt het meest.*
4. *Nu zijn we weer onder eigen volk, zei de boer, toen hij zijn vrouw naar 't kerkhof gebracht had,* schertsend gezegde, als er iemand uit het gezelschap weggaat.

7. Eind goed, al goed (z. *eind*)

eind. 1. *Eind goed, al goed* = als 't goed afloopt, zijn al de moeiten gauw vergeten.
2. *'t Einde kroont het werk*, vertaling van de Latijnse spreuk: *Finir coronat opus.*
3. *Hij trok aan 't kortste eind* = hij kwam het slechtste weg. Ontleend aan het gebruik, om bij een verdeling van goederen één strootje te trekken uit een bundel; die de langste halm trekt, heeft de keuze, heeft het gewonnen.
4. *'t Eind is er van weg* = het is heel erg. Letterlijk: 't is zonder einde.
5. *'t Eindje draagt de last* = de moeilijkheden komen pas, als men het einde van 't werk nadert.
6. *De einden aan elkaar knopen* = met moeite rondkomen. Met de gedachte aan twee einden touw, die nog net lang genoeg zijn, om ze aaneen te krijgen.
7. *Alle dingen hebben een einde* = aan alle vreugde en ook aan alle leed komt een einde. Schertsend: *alle dingen hebben een einde, maar een worst heeft er twee*. Zie ook *lofzang*.
8. *Dat was 't eind van 't lied* = daarmee liep het af; dat was de uitkomst.
9. *Men kent het einde van zijn vinger, maar niet het einde van zijn leven* (Vlaams) = men weet niet, wanneer men sterven zal.
10. *Op 't eind van de fuik vangt men de vis* (Fries) = met geduld komt alles terecht.
ekster. 1. *Hij kan het als een ekster 't huppelen* = hij is er zeer bedreven in.
2. *Wat van eksters komt, huppelt geerne* (Vlaams) = kinderen zijn als de ouders.
3. *Van eksters en kraaien wordt men beschetterd* (Vlaams) = door dwazen en bozen wordt men beschimpt; trek het je niet aan; een wijs man doet zo iets niet.
4. *Je zit daar beter dan in een eksternest, want dan zat je in de prikkels.* (Z.)
5. *Als men een ekster uitstuurt, krijgt men een bonte vogel weer in huis* = men moet niet iemand belasten met een taak, waarvoor hij niet berekend is.
el. *Als de el bij 't laken komt, valt het vaak niet mee* = als de zaak onderzocht wordt.
eldorado. *Amerika is ook geen eldorado* = ook geen land, waar men alles maar in overvloed heeft. Oorspronkelijk was Zuid-Amerika juist *el dorado* = het goudland, namelijk naar de mening der *Conquistadores*, de Spaanse gelukzoekers, die dachten dat in Peru het goud voor 't opscheppen lag. Ook Jurriaan dacht er nog zo over:
Van daar ging ik naar Mexico. —
— 't Ligt verder dan naar Bremen; —
Ik dacht: daar ligt het goud als stro,
'k Zal maar een zakvol nemen.
element. *Hij is recht in zijn element* = hij gevoelt zich behagelijk, 't gaat hem naar de zin. Volgens de oude Grieken waren er vier elementen: aarde, lucht, water en vuur, die zij voor de vier grondstoffen hielden. Zo is de lucht het element van de vogel en het water dat van de vissen.
elf. 1. *Hij kwam te elfder ure* = nog op 't laatste ogenblik. Ontleend aan *Mattheus* XX : 1-16, de gelijkenis van de arbeiders in de wijngaard. De eigenaar had aan de werklieden, die pas ter elfder ure begonnen waren (d.i. dus middags om vijf uur), hetzelfde loon gegeven als aan de anderen, die van 's morgens vroeg bezig waren.
2. *'t Gaat er op zijn elf-en-dertigst* = alles even langzaam, zonder zich in 't minst te haasten. Men dacht daarbij aan de Friese Staten, de afgevaardigden van de elf steden en de dertig grietenijen. Maar Stoett heeft aangetoond, dat de uitdrukking in 't begin der 17e eeuw betekende: zo als 't behoort, netjes. Zo in Bredero's *Moortje*, vers 702:
ic selje dat wel op sen elvendartichst klaeren.
Hij denkt aan de weverij; in Zuid-Nederland is een *elf-en-dertig* een fijne kam voor de linnenbereiding.
3. *Elf is het gekkennummer.* Hier is *elf* oorspronkelijk de *alf*, de luchtgeest, die de mensen plaagde. Het woord nam later de betekenis aan van een zot, een dwaas.
4. *'t Is daar altijd elf ogen* = ruzie, herrie, twist. Waarschijnlijk uit het oude dobbelspel van *onder de negen en boven de twaalf.* De nummers 10 en 11 wonnen; 11 was het hoogste en gaf aanleiding tot groot hoera-geroep. Daarbij de gedachte aan *elf* = dwaas. De spreuk is schertsend verlengd tot: *elf ogen en betrokken lucht.*
Elim. *Toen kwamen zij te Elim* = toen kwam er verpozing en rust.
Naar *Exodus* XV : 27. Na de tocht door

de zee kwam Israël in de woestijn, waar geen water was.
Doch 'toen kwamen zij te Elim, en daar waren twaalf waterfonteinen, en zeventig palmbomen; en zij legerden zich aldaar aan de wateren.'
Elim is nu de naam o.a. van het Christelijke vacantie-oord op Schiermonnikoog.

elk. 1. *Elk zorgt voor zich zelf en God voor ons allen,* spreuk der zelfzuchtigen. in Vlaanderen:
2. *Elkeen zoekt zijn zelven en zo gaat niemand verloren*
3. *Elk moet zijn eigen pakje ter markt dragen,* zie *pak* 1.
4. *Elk veegt voor zijn eigen deur,* zie *vegen* 2 en 3.
5. *Elk heeft genoeg in eigen tuin te wieden* = men moet geen aanmerking maken op de verkeerdheden van een ander, want men is zelf ook niet zonder zonde.
6. *Elk wat wils* = er is voor ieder wat bij dat hij prettig vindt.
7. *Elk zijn deel van de stokvis,* zie *stokvis.*
8. *Elk het zijne!* = geef ieder wat hem toekomt. In 't L. de bekende spreuk *suum cuique!*
9. *Elk kent zijn eigen zeer best* (Vlaams) = elk weet best, waar hem de schoen wringt.
10. *Elk zijn meug,* zie *meug* 1.
11. *Elk moet met zijn eigen huid naar de looier* (Fries), zie *pak* 1.
't Spreekwoord herinnert aan de tijd, dat de boer die een koe geslacht had, nog zelf met de huid naar de leerlooier ging.
12. *Elk huis heeft zijn kruis,* zie *huis* 3.
13. *Elk vist op zijn tij,* zie *getij* 1.

elleboog. *Hij heeft ze achter de elleboog* zie *mouw* 4.

elzehout. 1.
Rood haar en elzehout
Is op geen goede grond gebouwd.
Zie *rood* 4.
2. *Van elzehout geen eken spaanders* (Gezelle); van iemand met geringe vermogens kan men geen grote dingen verwachten. Vergelijk *meisje* 1.

Emmaus. *Emmausgangers* zijn vrienden, die men dikwijls te zamen ziet.
Naar Lukas XXIV : 13, 14, waar verhaald wordt, dat de discipelen niet konden geloven in Jezus' opstanding. 'Twee van hen gingen op dezelfde dag naar een vlek, dat zestig stadiën van Jeruzalem was, welks naam was Emmaüs; en zij spraken samen onder elkander van al de dingen, die er gebeurd waren.'
De Bijbel schrijft *Emmaüs,* doch het volk zegt *Emmaus.*

Enak. Een *Enakskind* = een reus, een grote, sterke man. Bij de intocht van de Joden in het Heilige Land zeiden de mannen van Kaleb:
Wij hebben ook daar de reuzen gezien, en de kinderen van Enak; ...en wij waren als sprinkhanen in onze ogen. (Numeri XIII : 33.)

engel. 1. *Een reddende engel* = een bevrijder; een helper in de uiterste nood.
Misschien een bijbelse uitdrukking naar het verhaal van de verlossing van Petrus uit de gevangenis.
'En ziet, een engel des Heren stond daar, en een licht scheen in de woning, en slaande de zijde van Petrus, wekte hij hem op, zeggende: Sta haastelijk op! En zijn ketenen vielen af van de handen.' (*Handelingen* XII : 7.)
2. *Hij is zo blij als een engel.* Uit Lukas XV : 10, waar Jezus zegt:
'Alzo is er blijdschap voor de engelen Gods over één zondaar, die zich bekeert.'
3. *'t Was, of er een engeltje in mijn mond piste,* gezegde wanneer iets heel lekker is.
4. *Al kwam er ook een engel uit de hemel* = al werd het mij nog zo mooi voorgesteld...
5. *Als een engel duivel wordt, is hij de booste van allen* (Vlaams) = als een braaf man boos wordt, dan is hij niet meer voor rede vatbaar.
6. Zie *duivel* 42.

enigheid. *Enigheid is armoe* = alleen leven is een droevig leven, waarbij men zich altijd behelpen moet.
Oordeel over 't leven van een vrijgezel.

enter. *Alles ligt daar enter over twenter* = hopeloos in de war. (Gron.).
Bij Sprenger van Eyk: *het is enter over de twenter.* Het is heel merkwaardig, dat er bij deze Hollandse schrijver zoveel Groninger uitdrukkingen voorkomen.
Een *enter* is een eenjarig, een *twenter* een tweejarig paard. Van Dale geeft als gewestelijk op: *enter over de twenter.*

e pluribus unum, d.i. uit velen één; Latijnse spreuk, aangenomen als devies der Verenigde Staten. Ook als naam van de buffetmaatschappij, die de spoorwegstations in bedrijf heeft.

ere. *Ere wie ere toekomt.* Spreuk op bijbelse grondslag, uit *Romeinen* XIII : 7. Paulus schrijft:

'Zo geeft dan een iegelijk wat gij schuldig zijt: schatting die gij de schatting, tol die gij de tol, vreze die gij de vreze, eer die gij de eer schuldig zijt.'

Zie verder *eer*.

eren. *De oude zal men eren*, zie *oud* 20.

erkennen. *Ieder moet zich zelf erkennen* (Gron.) = ieder moet voor zijn eigen recht opkomen; ieder moet maar zien, dat hij zijn deel krijgt.

Erkennen, oud woord in 't Nedersaksisch dialect = vonnissen, uitspraak doen.

es. *Alles is in de es* (Groningen) = in de puntjes. De es is de S, de haak waaraan de stukken spek en vlees worden opgehangen. Dus hetzelfde als: *'t is in de haak*. Toch kan het zijn, dat de uitdrukking ontleend is aan het vroeger zo algemene spel van de meisjes met bikkels. Een bikkel heeft vier kanten: *es*, stoof, keer en staander; de *es* naar de figuur die aldaar de bikkel vertoont.

De meisjes moesten de bikkels keren, terwijl zij een knikker opwierpen.

Bij de eerste opgooi moesten alle vier bikkels met de *es* naar boven staan.

Dan was alles in de es.

Het is ook mogelijk, dat de verklaring te zoeken is in de Latijnse uitdrukking *in esse* = in werkelijkheid, in wezen.

eten. 1. *Laat ons eten en drinken, want morgen sterven wij*, de leuze der lichtzinnigheid.

Waarschuwing van Paulus in 1 Korinthe XV : 32.

2. Hij eet, dat hij zweet,
En arbeidt, dat hij kou lijdt,
hij wil graag van 't beste eten, maar in werken heeft hij geen zin. Ook:

3. Wie eet, dat hij zweet,
En werkt, dat hij kou lijdt,
Die mag ze verwachten
De dagen en nachten,
Waarop hij van rouw krijt. (Z.)

4. *Hij eet als een dijker* = hij doet zich te goed aan een stevig maal.
Een dijker is een dijkwerker.

5. *Men eet om te leven, maar men leeft niet om te eten.*

6. Die weinig eet en weinig drinkt,
Die is het die zijn lusten dwingt,
rijmspreuk bij Gezelle; een matig man begaat geen buitensporigheden.

7. *Men moet eten wat men lust en lijden wat men kan* (Gron.) = men moet zich schikken naar de omstandigheden.

eureka! Griekse uitroep = ik heb (het) gevonden. Volgens overlevering de juichkreet van de Griekse wijsgeer en natuuronderzoeker Archimedes, toen hij de 'wet van Archimedes' ontdekte: een lichaam, in water gedompeld, verliest zoveel aan gewicht, als het verplaatste water weegt.

Eureka is ook de naam van de eerste aardappelmeelfabriek van W. A. Scholten te Fokshol bij Hogezand, toen hij met de allereenvoudigste middelen had uitgevonden van aardappels meel te maken, 1841. In 1897 koos zijn zoon J. E. Scholten dezelfde naam voor een bond van aardappelmeelfabrikanten.

Eva. *Eva's dochters* = de vrouwen, vooral met de bijgedachte aan nieuwsgierigheid en verleiding, zoals Eva nieuwsgierig was naar de verboden vrucht en gelijk zij Adam in verzoeking bracht, er mede van te eten.

evangelie. *Wat hij zegt is geen evangelie* = men kan er niet op aan. Naar Kolossenzen 1 : 5, waar sprake is van: het Woord der waarheid, namelijk des Evangelies.

Het evangelie is het verhaal van Jezus' verblijf en werk en woord op aarde; lett. = blijde boodschap.

evenknie, d.i. iemand, die tegen een ander op kan in zijn werk, in zijn kennis, in zijn kunst. Knie is in dit verband = geslacht; een evenknie is letterlijk degene, die tot dezelfde graad van bloedverwantschap behoort, b.v. twee broeders, twee neven, twee achterneven.

Evert. *Hij heeft luie Evert op zijn rug* = hij is liever lui dan moe. Schertsend gezegde.

excelsior! d.i. naar hoger. Leuze van de vooruitgang. Ook het devies van de Staat New-York.

ex tempore, (d.i. letterlijk = zonder dralen) = op staande voet, voor de vuist. Wordt gezegd van een gedicht of een muziekstuk, zonder voorbereiding gemaakt.

ex voto, d.i. volgens gelofte. Vandaar ook de naam van een geloftegift, een gift die men beloofd heeft, toen men in nood verkeerde.

ezel. 1.
Een ezel stoot zich in 't gemeen
Geen tweemaal aan dezelfde steen,
d.i. wie eenmaal een fout heeft begaan, past wel op dat hij niet voor de tweede maal in diezelfde misslag vervalt. De spreuk is uit het Latijn; in het Zuiden is de ezel meer gewaardeerd dan bij ons en als een voorzichtig dier bekend.
Het spreekwoord gaf aanleiding tot de schertsende opmerking, als iemand zich toch voor de tweede of derde maal vergist: *een bewijs, dat je geen ezel bent.*
2. *Hoe komt een ezel aan twee lange oren?* antwoord op de vraag, hoe dit of dat toch wel komt, wanneer men niet antwoorden wil of kan.
3. *Ik heb geen ezeltje-schijtgeld op stal* = ik kan maar niet willekeurig over geld beschikken. De uitdrukking is afkomstig uit de wereld der sprookjes.
4. *Hij staat daar als een ezel tussen twee oppers hooi* = hij weet niet, wat hij kiezen zal. Hier is de ezel het domme dier uit het verhaal, dat hij tussen twee hooischelven stond en niet wist, waarmee hij moest beginnen om zijn maaltijd te doen.
5. *Een ezelsbrug* = een hulpmiddel om gemakkelijk iets te onthouden of van buiten te leren. Het woord is de vertaling van 't Latijnse *pons asinorum.*
6. Weest altijd schouw
Voor 't achterst van een ezel
En 't voorste van de vrouw.
Voorstelling op de schilderij van de onbekende meester. Men moet voorzichtig zijn achter een ezel, omdat deze evenals een paard achteruit slaat.
De spreuk komt ook voor in de *Koddige Opschriften* van Jeroen Jeroense, d.i. H. Sweerts, 1629—'97, boekverkoper en dichter te Amsterdam; 1684.
7. *Men moet een schop van een ezel kunnen verdragen* = je moet je niets aan-

8. Als de ezel te wel is... (z. *ezel*)

trekken van een grove belediging, je moet er maar op letten, waar 't vandaan komt.
Vaak met de toevoeging: *het beest is niet wijzer.*
8. *De jongste ezel moet het pak dragen* = de jongste in het gezelschap moet het werk doen, dat er nodig is.
9. *Een ezel in een leeuwehuid* = een lafaard, die zich moedig tracht voor te doen, maar wie het niet gelukt iemand bang te maken.
Uit de fabels van Esopus; de ezel had zich een leeuwehuid omgehangen, maar hij verried zich door zijn stem.
10. *Een ezel geeft een dode leeuw een schop* = als een grote tegenstander verslagen is, dan moet men al heel klein en bekrompen en lomp zijn, om dan nog kwaad van hem te spreken.
11. *Ezel geboren moet ezel sterven* = die geen aanleg heeft, zal 't nooit ver brengen; men kan van een uil nu eenmaal geen valk maken.
12. *Als de ezel te wel is, gaat hij op 't ijs dansen en breekt zijn been* (Vlaams) = als iemand rijk wordt, doet hij dwaze dingen en loopt het nog vaak verkeerd af.
13. *Zo lang de ezel zakken draagt, heeft de mulder hem lief* (Vlaams) = men vleit iemand, zo lang er wat van hem te halen valt.
14. *Vreemde zorgen doden den ezel* (Vlaams) = men moet zijn eigen zaken behartigen; als men de ezel aan een vreemde overlaat, dan is er kans dat het beest geen eten krijgt.
15. *Geef de ezel haver, hij loopt naar de distels* (Vlaams), ieder is het best tevree met de dingen, waar hij van houdt, ook al zijn die in 't geheel niet naar de smaak van anderen. Ook:
16. *Geef de ezel klaver, hij loopt naar de biezen.*
17. *Een ezel gaat uit zijn tred niet* = een koppige ezel is niet te overtuigen, dat hij verkeerd handelt.
18. *Beter een ezel voor de ploeg dan twee peerden op stal* (Gezelle), zie *vogel* 2.
19. *Geen ezel en kan zijn eigen oren afbijten* (Gezelle) = aan het onmogelijke is niemand gehouden.
20. *Wie zich aan een ezel schuurt, krijgt haren* (Gron.) = a. men kan zich aan een vuile paal niet schoon wrijven; b. wie met pek omgaat, wordt licht besmet.
21. *Ezel geboren wordt nooit geen paard* = als er geen aanleg is, als iemand geen gaven heeft, dan zal hij 't nooit ver brengen. Zie no. 11.
22. *Van de bok op de ezel* (Gron.) = van de hak op de tak.

F

fakkel. *Een verachte fakkel* = iemand, wiens verdiensten niet worden erkend.
Naar Job XII : 5, waar van de rechtvaardige en oprechte gezegd wordt:
Hij is een verachte fakkel, naar de mening desgenen, die gerust is.
falie. 1. *Hij heeft wat op zijn falie gehad* = een pak slaag gekregen. De falie is de grote vrouwenregenmantel, de huik.
Zo zegt men ook:
2. *Iemand op zijn falie komen.*
falikant. *Dat kwam falikant uit* = die verwachting viel in duigen; die berekening klopte niet, dat mislukte. *Fali* is overgenomen uit het Franse faille = verkeerd, scheef, mislukt. In Groningen kent men ook het gezegde: *daar is geen falikant bij* = dat is alles best in orde, daar kun je op aan.
familie. *Familie van Adamswege*, zie *Adam* 1.
Farao. *'t Is als met de koeien van Farao, er is geen goed aan te doen.* Zinspeling op Genesis XLI : 1—4 en 17—21 en 26—31. De zeven vette koeien werden opgegeten door de zeven magere koeien en die magere koeien bleven even lelijk als zij waren.
Farizeeër. *'t Is een Farizeeër* = een schijnheilige.
Naar *Matth.* XV : 8. Daar zegt Jezus van de Farizeeën:
'Dit volk genaakt Mij met hun mond, en eert Mij met de lippen, maar hun hart houdt zich verre van Mij.'
(De Farizeeën vormden een Joodse partij ten tijde van Christus; zij hielden zich streng aan de letter van de Wet en de Overleveringen, tegenover de Sadduceeën, die alleen de Wet erkenden.)
fata morgana, d.i. luchtspiegeling; een gezichtsbedrog, waarbij men een landschap voor zich ziet, dat in werkelijk-

heid daar niet aanwezig is. Figuurlijk = een droombeeld; een luchtkasteel.
Lett. = *de fee Morgana*, de grote tovenares uit Middeleeuwse verhalen.
felix meritis, gelukkig door verdiensten
In 1788, in de Patriottentijd, werd te Amsterdam het genootschap *Felix Meritis* opgericht met een eigen gebouw aan de Keizersgracht, waar vergaderingen en voordrachten werden gehouden. De maatschappij heeft tot 1888 bestaan.
Feniks, zie *as* I 3. Zoals de *Feniks* (*Phoenix*) de wondervogel was, is in figuurlijke zin een Feniks een groot man, wiens naam en daden telkens weer met ontzag genoemd worden. Vondel is de Feniks van onze dichters.
fiasco. *Zijn plannen leden fiasco* = zijn geheel mislukt. *Fiasco* is het Italiaanse woord voor fles. In de Middeleeuwen moest een vrouw, die wegens schelden en kijven veroordeeld was, een steen dragen, die de vorm van een fles had. (Ts. XXXIX, 112.)
fiedel. *Hij danst, eer de fiedel gaat* (Gron.) = hij is veel te voorbarig.
Fiedel is een oud woord voor viool.
Filistijn. *Een tamme Filistijn* = een man die zijn kracht verloren heeft, die niet meer zo fel optreedt als te voren.
Bijbelse uitdrukking. De Filistijnen waren de gevreesde, krachtige vijanden van Israël. Zo leest men in Richteren X : 8, dat zij achttien jaren al de kinderen Israëls onderdrukten, die aan gene zijde der Jordaan waren.
Spottend heetten de schutters wel vaak tamme Filistijnen, omdat zij er niet bepaald krijgshaftig uitzagen.
fiolen. 1. *Hij laat fiolen zorgen* = hij trekt zich nergens wat van aan, hij leeft er maar op los, hij maakt goede sier. *Fiool* is een oud woord voor fles; dus letterlijk: hij zoekt zijn troost in de drank. Het woord komt voor in de Bijbel, o.a.: zeven gouden fiolen, vol van de toorn Gods (Openbaring 15 : 7). Vandaar:
2. *de fiolen van toorn over iemand uitstorten* = hem toornige verwijten doen.
In Groningen:
3. *Hij laat het in de fiolen lopen* = hij past niet op zijn zaken.
flank. *Hij valt nog al in de flank* = hij is gezien, men mag hem wel.
Flank = zijde, kant; men neemt hem dus van de goede zijde op.
flater. *Hij beging een flater* = hij maakte een domme fout.
Flater is een oud woord voor een lap. Daaruit ontwikkelde zich de betekenis van een slag, in dit geval een verkeerde slag.
flep. *Hij is lelijk aan de flep* = aan de drank. *Flep* is een oud woord voor drank.
fles. 1. *De zaak gaat op de fles* = gaat bankroet. Een stellige verklaring is niet gevonden; misschien is de uitdrukking een vertaling van *fiasco*; zie daar. Het *Ned. Wdb.* denkt aan een wijnvat, dat leeg is, omdat de inhoud *op flessen* afgetapt is.
Schertsend zegt men nu ook: *de zaak is op de flacon.*
2. Een *flessentrekker* = een oplichter. Waarschijnlijk is het woord afkomstig van de uitdrukking *bier of wijn op flessen trekken* = d.i. aftappen uit het vat, om de flessen te vullen, dus met de bijgedachte aan het vat, dat leeg achterblijft.
3. *Gebroken flessen maken meest lawijt* (Vlaams) = holle vaten bommen het meest. Zie *vat* 9.
fluit. *Met het fluitken gewonnen, met het trommelken verteerd* (Vlaams) = zo gewonnen, zo geronnen.
Winnen = verdienen.
fluiten. 1. *Laat hem maar fluiten* = stoor je niet aan zijn geroep; trek je niets van hem aan.
Misschien ontleend aan de gedachte, dat iemand zijn hond fluit, die daar niet naar luistert of dat de vogelaar met zijn gefluit de vogels in 't net tracht te krijgen.
Het is ook mogelijk, dat de uitdrukking ontleend is aan de ploegende boer, die fluit als hij bemerkt, dat het paard even stil staat, om zijn water te lozen. Zo kan 't gebeuren, dat het paard de boer laat fluiten. Zo ook bij Tuinman:
2. *'t Is vergeefs gefluit, als 't paard niet pissen wil.* En bij Cats:
't Is om niet gefleuyt, als 't peert niet pissen en wil.
3. *Hij gaat er mee fluiten* = hij gaat er mee vandoor. Hier is *fluiten* = een kleine boodschap doen, een betekenis die zich gemakkelijk ontwikkelde uit het *fluiten* in het vorige artikel. *Fluiten gaan* kon dus al heel licht in 't algemeen beduiden: zich verwijderen.

4. *Op zijn duim fluiten*, zie *duim* 2.
5. Fluitende meisjes
En loeiende koeien
Zijn zelden goeien,
vermaning van de meisjes, dat ze niet in gezelschap fluiten.
In de Graafschap:
Een meisje dat fluit
Moet het huis uit.
6. *Je kunt er naar fluiten* = je bent het kwijt. Zie no 1.

fnuiken. *Zijn macht is gefnuikt* = gebroken. Een vogel fnuiken = kortwieken.

fok. *De fok opzetten* = de bril opzetten. Zeemanswoord. De *fok* is 't voorste zeil op 't schip.

folio. *'t Is een gek in folio* = een heel grote gek. Genoemd naar *een boek in folio*, de grootste uitgave van een boek, waarbij het vel papier dubbel gevouwen wordt.

Fortuin. 1. *De fortuin is blind* = men weet nooit, wie het voorspoedig gaat in de wereld en wie het altijd tegenloopt. De Romeinse godin van het geluk, Fortuna, wordt voorgesteld met een blinddoek voor de ogen.
2. Fortuin liefst hem bezoekt,
die wacht en stille zit,
motto van Jacob van Lennep voor zijn roman *De Roos van Dekama.* Voluit:
Wat baat het of gij jaagt
en slooft en u verhit?
Fortuin liefst hem bezoekt,
die wacht en stille zit.

Frans. 1. *Daar is geen woord Frans bij* = dat is heel duidelijk gezegd, dat ging recht op de man af.
2. *'t Werk werd met de Franse slag afgemaakt* = haastig en dus niet degelijk. Zie *slag* 6.

Fransje. *'t Was een vrolijk Fransje* = een zieltje zonder zorg; een die er lustig op los leeft. Genoemd naar een Franse roman, die in de 17e eeuw in heel Europa bekend werd, n.l. *La vraye histoire comique de Francion* van Nicolas de Moulinet, sieur du Parc, pseudoniem van Charles Sorel de Sauvigny, 1597—1674. 't Boek verscheen in 1622, het is een schelmenroman.
Vertaald in 't Ned. als *'t Kluchtige Leven van vrolyke Fransje*, 1643; nieuwe druk 1669.

Fransman.
Doet gelijk de Fransman doet:
Traag in de zak en rap aan de hoed,
scherts bij Guido Gezelle: als men beleefd is, komt men door de wereld en houdt men zijn geld in de zak.

front. 1. *Front maken* = zich tegen de vijand keren, zijn aanval afwachten, hem zelf aanvallen; zich duidelijk tegenover iemand stellen. Het front van een leger is de voorzijde, die rechtstreeks tegen de vijand gericht is.
2. *Voor 't front komen* = duidelijk zeggen, waar 't op staat, in tegenwoordigheid van anderen; ook: worden opgeroepen voor 't gehele gezelschap, om gestraft of om beloond te worden, gelijk een soldaat gestraft of beloond wordt, als men hem uit het gelid roept en plaatst voor 't front van de troep.

fuik. *Hij is in de fuik gelopen* = in de val. Ook vaak gezegd van het huwelijk; nog altijd is 't gedicht van Vader Cats bekend: Het huwelijk voorgesteld in de gedaante van een fuik. Van iemand, die verloofd of getrouwd is, heet het schertsend: *hij is in de fuik*, hij kan niet meer terug, net zo min als een aal, die in de fuik 'gelopen' is.

fijn. *Van de fijnen en van motregen wordt men 't meest bedrogen*, mensen, die zich zo vroom voordoen, bedriegen je vaak zonder dat je 't eerst merkt, net als je dwarsdoornat wordt van stofregen, wat ook heel geleidelijk en ongemerkt gebeurt.
Onvriendelijke opmerking van mensen, die niet van de vroomheid houden.

G

gaan. 1. *Gaan doet komen* (Vlaams) = wie veel uitgaat, moet ook weer veel bezoek ontvangen.
2. *Men moet zacht gaan en verre zien* (Vlaams) = men moet voorzichtig handelen en bedenken, wat er komen kan.
Ook: 3. Zachtjes gaan en verre zien
Is de deugd van wijze lien.
4. Leert eerst gaan,
Eer gij op uw hoofd wilt staan
(Vlaams) = zorg, dat je eerst je werk goed kunt, vóórdat je daarin buitengewone kunsten vertoont.
5. *'t Zal wel gaan, als 't aan 't gaan is,*

zei de man, en 't kind had maar één been (Vlaams), gezegde wanneer iets stellig niet zal gelukken.
6. *Sedert dat het gaan is uitgevonden, is het lopen gedaan* (Vlaams), verontschuldiging van de luiaards, die niet opschieten. *Gaan* = bedaard lopen; *lopen* = hard lopen.
7. Al te kwalijk is 't gedaan,
Zo gij draagt die wel kan gaan.
Men moet niemand helpen, die zich zelf redden kan.
8. *Dat ging zoals het eenmaal ging, en toen ging het helemaal niet* (Fries), schertsend gezegde, wanneer iets mislukt.
gaffel. *Hij is van de gaffel in de greep gevallen* = hij heeft het nu nog veel slechter dan te voren. De gaffel is een houten vork met twee tanden, die b.v. gebruikt wordt om stro op te schudden; de greep is een ijzeren vork met drie of vier tanden.
gal. 1. *De gal loopt hem over* = hij wordt boos. De gal is de bittere vloeistof, die door de lever wordt afgescheiden. Reeds de Grieken schreven aan de gal een grote invloed toe op iemands aard en stemming. De gal bewerkte drift en wrok. Aan overvloed van gal was een bepaald temperament te wijten, naar 't Griekse woord voor gal het cholerisch temperament genoemd. Men dacht bij zo iemand, die driftig en opvliegend en licht boos is, dat hij te veel gal had, zodat deze overliep.
2. *Hij heeft zijn pen in gal gedoopt* = *hij schrijft zo bitter als gal* = hij zoekt de boosaardigste woorden uit.
3. *Hij heeft zijn gal uitgespuwd* = hij heeft in zijn drift alles gezegd wat maar lelijk was; hij heeft zijn moed gekoeld met smaad- en scheldwoorden.
galg. 1. *Hij is van de galg gevallen* = 't is een schelm. Lett. = hij ziet er zo gemeen uit, net alsof hij al aan de galg gehangen heeft en bij toeval weer los gekomen is. Ook: *hij is van de galg gedropen.*
2. *Hij groeit op voor galg en rad* = 't is een jonge schelm, die nog eens zijn leven zal eindigen aan de galg, zo hij al niet geradbraakt wordt.
Zie *radbraken* en *rad.*
3. *'t Galgemaal* = de laatste maaltijd, voor men vertrekt; 't afscheidsmaal.
In de oude tijd gaf men aan de veroordeelde, die de volgende morgen aan de galg gehangen zou worden, nog een laatste maaltijd, waarbij hij zelf kiezen mocht, wat hij wou eten. In de Gevangenpoort wijst men nog het vertrek aan, waar het galgemaal genuttigd werd.
4. *Zeven is een galgvol*, schertsend gezegde, als men met zeven man te zamen is. Herinnering aan de goeie, ouwe tijd, toen men galgen nodig had voor zeven man. Zie *zeven.*
5. *Die geboren is voor de galg, verzuipt niet* = ieder krijgt het lot, dat voor hem bestemd is. Zie *hangen.*
Bij Gezelle:
6. *Die aan de galge past en zal niet verdrinken.*
7. *Men moest hem ophangen aan de hoogste galg*, verwensing ontleend aan 't verhaal, dat men Haman hing aan een galg, die 50 ellen hoog was. Haman zelf had die galg laten maken voor Mordechai. (Esther VII : 9, 10.)
8. *Hij zou het doen, al stond er de galg op* = al stond er ook de zwaarste straf op, wanneer men hem betrapte. Dus: hij waagt er zelfs zijn leven aan.
9. *Iemand aan de galg helpen* = maken dat hij veroordeeld wordt, dat het heel slecht met hem afloopt.
Lett. = maken dat hij gehangen wordt.
10. *Een galgeaas, een galgebrok* = een gemene deugniet.
Lett. = een gehangene, die tot aas voor de vogels dient.
11. *Hij is voor de galg geboren* = 't is een onverbeterlijke deugniet.
12. *Galgehumor* = scherts, die men zich veroorlooft in de moeilijkste omstandigheden.
Naar aanleiding van de humor, die het volk in de mond legt van iemand die naar de galg gevoerd wordt.
B.v. Ik kan dat kittelen aan mijn hals niet verdragen, zei de man die al op de ladder stond tegen de beul.
Hangen heeft geen haast, zei de man, die naar de galg ging.
13. *Die zich doodwerkt, wordt onder de galg begraven*, zie *dood* 12.
14. *'t Is niet raadzaam van de galg te spreken, waar de weerd een dief is* (Vlaams) = wees voorzichtig in uw spreken. Vgl. *huis* 2.
15. *Beter onder de galge gebiecht als*

nooit (Gezelle) = berouw komt nooit te laat.
Gedacht is aan de ter dood veroordeelde, die pas bekent, als hij aan de voet van de galg staat.
16. *Ik wil hoger op, zei de jongen, en hij kwam aan de galg* (Gron.) = een waarschuwing: dat men vooruit wil komen in de wereld, dat is best, maar 't moet met eerlijke middelen gebeuren.
Gallio. *'t Is een Gallio* = een onverschillig man.
Gallio was de stadhouder der Romeinen in Achaje (Griekenland); hij trok zich niets aan van de geschillen onder de Joden. 'Maar al de Grieken namen Sosthenes, de overste der synagoge, en sloegen hem voor de rechterstoel; en Gallio trok zich geen van deze dingen aan.' (*Handelingen* XVIII : 17.)
Gamaliël. *Ik heb aan de voeten van Gamaliël gezeten* = ik heb een wijze leermeester gehad.
Naar de zelfverdediging van Paulus:
Ik ben een Joods man, en te Tarsen in Cilicië geboren, opgevoed in deze stad, aan de voeten van Gamaliël onderwezen naar de bescheidenste wijze der vaderlijke wet, zijnde een ijveraar Gods.' (*Handelingen* XXII : 3.)
gang. 1. *Een mens gaat maar één gang* = men kan maar één ding tegelijk goed doen.
2. *Jouw gang is geen doktersgang* = 't komt er niet op aan, of je nog een keer loopt. Vooral: 't kost geen geld, als je nog eens moeite doet.
gannef. *'t Is een lelijke gannef* = een gemene vent, een loeder.
Uit het Hebr. *gannab* = dief.
gans. 1. *Dat valt op een gansje* = dat is een fortuintje, dat schiet op. Wie op een gans komt op *'t ganzenbord* mag de geworpen ogen dubbel tellen.
2. *'t Bier is niet voor de ganzen gebrouwen*, schertsende aanmaning, om nog een glaasje te nemen.
3. Als de vos de passie preekt,
Boer, pas op je ganzen;
zie *vos* 2.
4. *De man een vogel en de boer een gans!* zie *boer* 9.

9. De ganzen krijgen de kost (z. *gans*)

5. *De ganzen krijgen de kost, maar ze moeten hem plukken* = er is brood voor ieder, maar men moet er voor werken.
6. *Hij preekt voor de ganzen* = hij verspilt zijn woorden; niemand luistert naar hem.
7. *Sprookjes van Moeder de Gans*, zie *sprookje*.
8. *Een vette gans bedruipt heur zelven* = een rijk man heeft niemand nodig. (Vlaams.)
9. *De ganzen geloven niet, dat de kiekens hooi eten* (Vlaams) = je kunt mij meer vertellen! wat je daar gezegd hebt, dat is niet te geloven.
10. *Men plukt en plukt de gans, zo lang hij veren heeft* (Gezelle) = zo lang er wat te halen is, heeft een man vrienden. Vergelijk *Johannes*.
11. *De ganzen, die eenmaal in 't koren geweest zijn, willen er altijd weer heen* (Fries) = waar men eenmaal de smaak van beet heeft, dat trekt altijd weer. Een danser wil dansen, een drinker moet drinken en een speler kan niet meer zonder de kaarten.
12. *Ik ben niet uit een gans-ei uitgebroed* (Fries) = a. ik ben van fatsoenlijke afkomst; b. ik ben niet zo slap en zwak, ook: niet zo dom, als waar je mij voor aanziet.
13. Een gans blaast wel, maar hij bijt niet.
Blaffende honden bijten niet.

ganzenbord. *Hij is van 't ganzenbord afgelopen* (Gron.) = hij is zo mager als de Dood op 't ganzenbord.

gapen. 1. *Men kan niet gapen tegen een oven* = tegen een grote schreeuwer legt men het af, als men hem met grote woorden wil antwoorden.
2. *Die te wijd gaapt, verstuikt de mond* = met te veel te willen lijdt men wel eens schade.
3. *Te heet gegaapt is te laat geblazen* (Vlaams), zie *mond* 16.

10. Een gans blaast wel (z. *gans*)

4. Gapen en bijt niet,
Dreigen en smijt niet,
spreuk bij Gezelle: voor dreigementen moet men niet uit de weg gaan.
Smijten = slaan.

gard. *De gard krijgen* = straf krijgen wegens slecht gedrag.
De gard behoorde bij de vroegere opvoeding der jeugd. Het was een bundeltje rijshout, waarmee geslagen werd; ook wel één stevige tak, de roede. Ook sloeg men met een riem en ook heel veel met de bullepees; die hing altijd gereed aan de knop van vaders stoel.
De uitdrukking is zeer bekend gebleven door 't Sint-Niklaasversje:
Vol verwachting klopt ons hart,
Wie de koek krijgt, wie de gard.

gareel. 1. *Iemand in 't gareel slaan* = iem. dwingen tot zijn dienst, zoals een paard in 't gareel geslagen wordt. 't Gareel is het toestel, dat het paard over de kop geworpen wordt en waaraan de strengen worden bevestigd, wanneer het de wagen trekken moet.
2. *Zij lopen in 't zelfde gareel* = zij leven samen, werken samen, hebben dezelfde opvatting. Letterlijk niet juist; ieder paard van een span draagt zijn eigen gareel. Juister: *ze lopen in één en hetzelfde span.*
3. *Iemand in het gareel houden* = zorgen dat hij geregeld bij zijn werk blijft; fig. zorgen, dat hij geen bokkesprongen maakt, niet aan de zwier raakt enz.

garen. 1. *Met hem is geen goed garen te spinnen* = met hem kan men niets beginnen, kan men niet werken, kan men 't niet eens worden.
Uit de tijd van 't spinnewiel. Van slecht vlas of van slechte wol kan men geen goed garen spinnen.
2. *Hij heeft er goed garen bij gesponnen* = hij heeft er groot voordeel van gehad. Zie ook *zijde.*
3. *De kat is in 't garen* = de zaak is in de war.
Zoals 't garen in de war raakt, als de kat in 't kluwen terecht komt.
4. *Elk moet haspelen volgens het garen, dat hij heeft* (Gezelle) = wie niet veel geld heeft, moet eenvoudig leven.
Bij het spinnen wordt het gewonnen garen op een haspel gewonden.
5. *'t Is 't zelfde garen, maar op een ander klosje* = 't lijkt anders, maar het is hetzelfde.

garnaal. 1. Garnaal is ook vis,
Als er anders niet is,
d.i. als men het goede niet krijgen kan, moet men zich met het slechte behelpen.
2. *Een geheugen als een garnaal* = een zeer slecht geheugen.
Een garnaal heeft een grote kop, maar die is bijna leeg. (*Woordenschat,* 326.)
Vandaar ook, als een kind eigenzinnig is:
3. *Een garnaal heeft óók een kop.*
4. *Daar zijn wij grote vissen weer, zei de garnaal tegen de bot, en ze zwommen samen door de zee,* schertsend gezegde van de mindere man, die in gezelschap is van een grote meneer. Ook wel eenvoudig: zie zo, laat ons nu maar samen verder gaan.

Garrelsweer. *De koster van Garrelsweer,* zie *van voren af aan.*

gast. 1. *Ongenode gasten worden achter de deur gezet,* d.i. buiten de deur van kamer of feestzaal, want ze zijn niet welkom.
Misschien, volgens Laurillard, een bijbelse uitdrukking. Hij verwijst naar de gelijkenis der genodigde gasten. Een koning had zijn zoon een bruiloft bereid; hij zag onder de aanzittenden iemand zonder bruiloftskleed, een ongenode gast.
'Toen zeide de koning tot de dienaars: Bindt zijn handen en voeten, neemt hem weg en werpt hem uit in de buitenste duisternis.' (*Matth.* XXII : 13.)
Harrebomée drijft de spot met deze uitleg. 't Spreekwoord luidt ook:
2. *Ongenode gasten zijn zelden welkom.*
3. *Zoals de waard is, vertrouwt hij zijn gasten,* zie *waard* 2.
4. *Gasten zijn lasten* = gasten, die te lang blijven, beginnen te vervelen. Ook:
5. Gasten en vis
Blijven maar drie dagen fris,
gasten moeten niet al te lang blijven.
In 't Fries:
6. *Lange gasten, stinkende gasten.*
7. Daar tegenover:
Een vrolijke gast
Is niemand tot last.

gasthuis. *'t Is nog vroeg in 't gasthuis,* soms met de bijvoeging: *de zieken slapen nog,* schertsende opmerking als men des morgens vroeg bij de hand is.

gat I. 1. *Hij zag er toch nog weer een gat*

in = hij wist nog uitkomst, hij redde zich nog weer uit de verlegenheid. Men stelt zich voor, dat men in 't donker zit opgesloten en dan een open plek bemerkt.
2. *Hij sloeg een gat in de lucht* = hij was zo verbaasd, dat hij met zijn armen zwaaide.
3. *Hij is voor één gat niet te vangen* = hij raakt niet in de val. Lett.: 't gaat hem als de wilde konijnen, die ook meer dan één uitgang hebben.
4. *Men wijst hem 't gat van de deur* = men verzoekt hem dadelijk het huis te verlaten. Ook:
5. *Men wijst hem het vierkante gat.*
6. *'t Is uit mijn gat en in mijn gat* (Gron.) = 't zijn zulke dikke vrienden, dat ze onophoudelijk bij elkaar in en uit lopen. *Gat* betekent dus ook hier deur.
Vandaar ook misschien
7. *Iemand in zijn gat kruipen* = hem op een walgelijke manier vleien; op een onderdanige manier alles doen of alles goedvinden, wat hij zegt.
Maar Tuinman heeft:
8. *Ymand in den aars kruipen.* En hij zegt: 'ik kan 't gebruik niet doen zeggen, met oorlof.'
9. *Hij sliep een gat in de dag* = 't was al lang licht, toen hij wakker werd. Er was dus al een heel stuk van de dag om.
10. *Dat gat is niet meer te stoppen* = die schuld is te groot, daar is geen betalen meer aan. Vergelijking met een gat in een vat, dat niet meer dicht is te krijgen.
Schertsend:
11. *'t Ene gat met het andere stoppen* = nieuwe schulden aangaan, om daarmee de oude af te doen.
12. *Dat heb ik in de gaten* = dat heb ik al lang begrepen; daar let ik op, daar voorzie ik wel in. Bedoeld is: *in 't oog*, maar in plaats van de ogen noemt men de gaten, de oogkassen.
Volgens Kerdijk zijn echter de gaten = *de kluisgaten*, de gaten aan weerskanten van de boeg van een schip, waardoor de ankertouwen lopen. Deze kluisgaten maken de indruk van ogen; vandaar ook het gezegde: *hou je kluisgaten open!*
13. *Weet jij een gat, hij weet een spijker* = hij heeft steeds zijn antwoord klaar; hij weet dadelijk een uitvlucht.
14. *Zij heeft een gat in de hand* = die vrouw kent de waarde van het geld niet.
15. *Hij zal dat gat niet boren* = hij zal dat werk niet klaar krijgen, dat plan niet uitvoeren, omdat het hem niet zal gelukken, of omdat hij er geen gelegenheid voor zal vinden.

gat II (achterste). 1. *Hij veegt zijn gat er aan af* = hij trekt zich van de zaak niets aan; hij behandelt het geval met minachting. Het volk houdt van ruwe en platte gezegden, zodat de uitdrukkingen met gat zeer talrijk zijn.
2. *Dat zit op zijn gat* = die onderneming zit vast; er is geen beweging meer in te krijgen.
Ontleend aan het paard, dat uit onmacht of uit onwil zich laat doorzakken op zijn achterste en niet verder te krijgen is.
3. *Iemand het gat likken* = hem op een misselijke wijze naar de mond praten.
4. *Hij heeft zijn gat er netjes ingedraaid*, letterlijk = hij heeft daar een mooi plaatsje weten te krijgen. Fig. Hij heeft een rijke weduwe getrouwd; hij heeft zich weten in te dringen in die familie en zo is hij met de dochter getrouwd; hij was zo handig, dat hij deelgenoot in de zaak geworden is, enz.
5. *Die zijn gat verbrandt, die moet op de blaren zitten* = wie een flater begaat, lijdt onder de gevolgen.
6. *Hij heeft het gat vol schulden.* In deze uitdrukking wordt met *gat* het gehele lichaam, de gehele persoon bedoeld. Zo veel meer: *hij heeft zijn gat weer volgezopen* = hij is dronken; zo ook: *dat bedenkt hij bij zijn gat op* = dat verzint hij, zonder dat er iets van waar is; *hij loopt zijn baas achter zijn gat*, enz.
7. *Hij nam zijn gat onder de arm*, schertsend of ruw = hij ging er hard van door, net zo als men op de vlucht nog gauw iets onder de arm neemt, dat men redden wil.
8. *Hij loopt zich het gat uit de haken*; zie *naad* 3.
9. *Iemand bij zijn gat ophalen* = hem belasteren zonder enige schijn van waarheid. Men bedenkt het zo maar, 't is net of men het *bij zijn eigen rug ophaalt*, gelijk men ook wel zegt.
10. *Hij gooit zijn gat tegen de kribbe*, zie *achterste* 1.
11. *Hij kijkt de paarden in het gat*, zie *paard* 33.
12. *Wie zijn gat uitleent, moet zelf door de ribben schijten* = al te goed is buur-

mans gek.
13. *Hij is met zijn gat in de boter gevallen*, zie *neus* 2.
14. *'t Mes is zo stomp, je kunt er met je gat op naar Keulen rijden.*
15. *Hij zit met zijn gat in de brandnetels* = hij bevindt zich in 'netelige' omstandigheden, vooral als men zegt: *hij zit met zijn blote gat in de brandnetels.* Zie *zeispreuken* 2.
16. *Een zittend gat kan veel bedenken* (Fries) = wetenschap en kunst vorderen rust.
17. *Die een dik gat heeft, moet ook een wijde broek hebben* = wie een groot bedrijf heeft, ook: wie een grote staat voert, heeft veel nodig.
18. *Jou gat en een daalder is een en dertig* (Gron.) = wat jij daar zegt, is ook niet veel zaaks.
Een daalder is 30 stuivers.
19. Vgl. ook *gat* I 7, 8.

gauw. 1. *Gauw is dood en langzaam leeft nog*, zie *hardloper*. Ook: *en lui leeft nog. Gauw* en *Lui* zijn ook in gebruik als voornamen. 't Kan dus zijn, dat men in dit geval met een woordspeling te doen heeft.
2. *Gauw en goed is de kunst van 't koken* = vlug wat doen is geen kunst; 't moet ook goed zijn.

gave. *Alle goede gaven komen van boven* = al het goede, dat wij genieten, hebben wij aan God te danken.
De spreuk wordt ook wel zeer oneerbiedig gebruikt, als er iets op je hoofd valt. 't Woord is uit *Jacobus* 1 : 17. 'Alle goede gave, en alle volmaakte gift is van boven, van de Vader der lichten afkomende.'

gebbetjes. *Gebbetjes maken* = grapjes maken, dwaze dingen uithalen.
Amsterdamse uitdrukking uit het Joods, evenals *gijntjes maken.*

gebed. 1.
Hij houdt van een kort gebed
En van een lang gevret.
Bij Van der Hulst en bij Modderman:
De boeren hebben dikwijls dorst,
Ze houden van een korte preek
En van een lange worst.
Zie *kort* 6.
2. *'t Is een gebed zonder einde* = een heel lang en vervelend betoog of verhaal.

gebeuren. *'t Zal mij nooit weer gebeuren, zei de jongen, dat mijn vader sterft en ik er niet bij ben*, schertsend gezegde, wanneer iemand verzekert, dat hem iets niet weer overkomen zal.

geblazen. *Dat is geblazen* = dat is weg, dat is verloren. Ontleend aan 't damspel: als een speler verzuimt met een damschijf te slaan, dan heeft de tegenpartij het recht die schijf te blazen, d.i. weg te nemen.

gebod. 1. *Zij staan onder de geboden* = zij zijn in ondertrouw. *Gebod* heeft hier de oude betekenis van afkondiging; een huwelijk moet eerst in het openbaar worden afgekondigd.
2. *Hij eet met de tien geboden* = met zijn vingers. Schertsende herinnering aan de Tien Geboden van Mozes.
3. *Hij geeft om God noch zijn gebod* = hij stoort zich nergens aan; hij leeft losbandig. Zie *God* 12.

geboren. 1. *Hij is daar geboren en getogen.* Getogen, lett. = opgetrokken, d.i. opgevoed; hij is daar groot geworden.
2. *Hij is in de kerk geboren* = hij laat altijd de deur open, als hij binnenkomt.

gebrand. *Daar is hij op gebrand* = daar stelt hij hoge prijs op, daar verlangt hij sterk naar.
Het verleden deelwoord *gebrand* heeft hier de betekenis van het tegenwoordig deelwoord *brandende.* Dit komt meer voor, b.v. *ze zijn op elkaar gebeten*, letterlijk = *bijtende.*

gebrek. 1. *Hij heeft de gebreken zijner deugden* = hij overdrijft zijn deugden, zodat ze in gebreken veranderen. Onderdanigheid wordt dan slaafse onderworpenheid, mildheid ontaardt in verkwisting, zuinigheid gaat over in gierigheid enz.
2. *Elke gek heeft zijn gebrek*, schertsend gezegde: aan ieder scheelt wel wat.
3. *Bij gebrek aan brood eet men korstjes van pasteien*, zie *brood* 1.

gebuur. 1. *Bemint uw gebuur, maar en doet uw haag niet uit* (Vlaams) = wees goeie vrienden met je buurman, maar blijf op je zelf. *Uitdoen* = rooien.
2. Goe geburen,
Sterke muren (Gezelle), wie goede buren heeft, leeft veilig en gerust.

gedachte. 1. *Gedachten zijn tolvrij* = men kan iemand niet verbieden, zijn eigen gedachten te hebben over een aangelegenheid, in tegenstelling van wat men schrijft of laat drukken; daar kan

men wel voor vervolgd worden; dat kan wel worden verboden.
Reeds bij de Romeinen.
2. *Hinken op twee gedachten* = weifelen tussen twee mogelijkheden; niet weten, wat de beste oplossing is.
Bijbels gezegde. De profeet Elia sprak tot het volk:
Hoe lang hinkt gij op twee gedachten? zo de Here God is, volgt Hem na, en zo het Baäl is, volgt hem na! (1 Kon. XVIII : 21.)
3. Elk zijn gedacht:
Die wint, die lacht,
Vlaams gezegde, als men zijn eigen zin wil volgen.
gedeeld. 1. *Gedeelde vreugde, dubbele vreugde; gedeelde smart, halve smart.*
2. *Gedeeld geheim, verloren geheim* (Vlaams).
geduld. 1. *Geduld overwint alles.* Maar niet ieder heeft er over te beschikken. Vandaar:
2. *Geduld is een goed kruid, maar het wast niet in alle hoven.*
En ook:
3. *Geduld is zulk een schone zaak.* Dit is een regel uit de kindergedichtjes van Hiëronymus van Alphen.
In 't Fries:
4. *Geduld is een pleister voor alle zere plekken.*
In Groningen:
5. *Geduld is lijdens troost.*
geest. 1. *De geest is gewillig, maar het vlees is zwak* = men heeft wel vaak de beste voornemens, maar men wijkt er van af, doordat men verleid wordt door het voordeel dat men in iets anders ziet of door zucht naar genot. De spreuk is overgenomen uit *Matth.* XXVI : 41.
2. *Gedienstige geesten* = de dienstboden; ook de helpers, die zich aanbieden voor enig werk. In *Hebreeën* 1 : 14 worden de engelen *gedienstige geesten* genoemd.
3. Hoe groter geest,
Hoe groter beest.
Men beweert, dat de grootste kunstenaars en geleerden vaak een heel slecht leven leiden.
4. *'t Is een gek, die zijn geest uitzegt*, zie *gek* 19.
5. *Een waarzeggende geest hebben*, veelal schertsend, als men iets gezegd heeft dat uitkomt.
Naar Handelingen XVI : 16, waar verhaald wordt van 'een zekere dienstmaagd, hebbende een waarzeggende geest, welke haar heren groot gewin toebracht met waarzeggen.'
gehaaid. *'t Is een gehaaide vent* = een handige kerel, een die van alle markten thuis is. Oorspronkelijk plat-Amsterdams voor *geheid*; dus letterlijk iemand die stevig en sterk is.
geheim. 1.
't Geheim van één
Weet God alleen;
't Geheim van twee
Wordt licht gemeen;
't Geheim van drie
Weet iedereen.
In Vlaanderen:
2. *Gedeeld geheim, verloren geheim.*
3. Zegt nooit een geheim,
noch uw geheime gedachten;
Die heden is uw vriend,
Kan morgen u verachten.
geheugen. *Hij heeft een geheugen als een garnaal* = hij kan niets onthouden. Ook: hij heeft een geheugen, hij kan niet onthouden van twaalf uur tot de middag. Of: hij heeft een geheugen als een zeef: alles loopt er door. Zie *garnaal* 2.
gein. *Geintjes maken* = grapjes maken, in betekenis hetzelfde als *gebbetjes* maken, doch afkomstig van een ander Joods woord, dat in Amsterdam burgerrecht verkreeg en vandaar over heel Nederland ging. Ook *gijntjes.*
gek. 1. *Eén gek kan meer vragen dan zeven wijzen beantwoorden kunnen.*
2. *Met iemand de gek scheren* = hem voor de gek houden.
De oude betekenis van *scheren* = delen. Vandaar misschien in dit geval: iemand een rol toedelen.
Er is ook een andere verklaring. Er was n.l. in 't Mnl. een woord *scerne* = spot, scherts, en *sceren* = spotten; *met iemand sceren* = hem voor de gek houden. Toen men dit niet meer begreep, voegde men *de gek* er aan toe.
3. *Iemand voor de gek houden* = hem bespottelijk maken. Misschien een herinnering aan de tijd, dat de vorsten er een hofnar op na hielden.
4. *De gek steken met iets of met iemand* = er een grapje van maken; hem bespotten. Waarschijnlijk ontstaan uit: de draak met iemand steken, met bijge-

dachte aan: de gek met iemand hebben.
5. *Iemand de gek aansteken* = hem voor de gek houden.
Stoett denkt hierbij aan *de gek* van een pomp, waaraan de zwengel bevestigd is, die de zuiger op en neer beweegt, ook wel de mik genoemd. De uitdrukking zou dan betekenen: met zijn hand een gek maken door de duim tegen de neus te zetten, zo als men doet als men iemand 'uitsliept.'
Doch veel meer voor de hand ligt, dat het gezegde een andere vorm is van *de gek steken met iemand*, temeer daar *de gek* veel voorkomt in de zin van gekheid, b.v. *ik dee het uit de gek.*
6. *Hij wil het met de gek beslaan* = hij wil een ernstig gesprek met een gekheid, met een schertsend woord beëindigen. Ook hier is *de gek* = een gekheid. Zie vorig artikel.
7. *Ze werken als gekken* = heel hard, met de allergrootste ijver. Zoals de gekken doen, als ze een of ander werk verrichten, waar ze aardigheid in vinden.
8. *De gekken krijgen de kaart* = de wijzen hebben vaak veel minder geluk bij hun werk dan de dwazen.
9. *Voor gek spelen* = zich voordoen als een grappenmaker, als een dwaas. Ontleend aan het toneel; oudtijds noemde men de speler van de grappige rol *de gek*.
10. Elke gek
Heeft zijn gebrek,
aan ieder scheelt wel wat. De gek is hier alleen aanwezig om het rijm.
11. *Alle gekheid op een stokje* (*en 't stokje in 't vuur*)! = nu geen gekheid meer, laat ons de zaak ernstig behandelen. Oorspronkelijk met de gedachte aan de hofnar, die altijd zijn stokje, zijn marot, in de hand had; 't is dus zoveel te zeggen als: berg nu je zotternij maar op je stokje, schei er mee uit.
Stoett daarentegen denkt, dat men eerst gezegd heeft: *alle jok op een stok*, gelijk er zoveel rijmpjes zijn in de omgangstaal en dat men later *gekheid* zei in plaats van *jok*. Zie om het rijm het vorig artikel.
Het *Ned. Wdb.* verwijst naar het stokje

11. Met iemand de gek scheren (z. *gek*)

(de marot) van de nar; 't is dan een vermaning aan die zot, om zijn gekheid nu vóór zich te houden.
In Groningen hoort men er bij: *en dan 't stokje in het vuur!*
12. *Al te goed is buurmans gek* = als men alles maar goedvindt, als men alles maar weggeeft, maakt een ander er misbruik van en die bespot je dan ook nog. Vlaams:
Al te goed
Is allemans bloed.
13. *Sint-Niklaas is wel goed, maar niet gek* = nu moet je niet het onderste uit de kan verlangen; nu is 't al mooi genoeg met wat er voor je gedaan is.
14. *Als de gekken ter markt komen, dan verdienen de kremers geld* = men moet van de dwaasheid der mensen gebruik maken.
15. *Dat is zoveel waard, als een gek er voor geven wil* = daar is geen vaste prijs van; dat hangt er maar van af, of er een liefhebber voor is, b.v. voor een schilderij of een oud meubelstuk.
16. Veel beloven en weinig geven
Doet de gekken in vreugde leven,
d.i. met beloften, die niet vervuld worden, paait men alleen de gekken, dat wil zeggen de onnozelen, die er nog geloof aan slaan.
17. Gekken en dwazen
Schrijven hun namen
Op deuren en glazen,
afkeurend oordeel over diegenen, die overal hun naam op zetten. Ook:
18. Dwazen en gekken
Schrijven op deuren en hekken.
19. *Een gek, die zijn ganse geest uitzegt!* d.i. men moet niet alles vertellen, wat men over een zaak denkt.
Naar *Spreuken* XXIX : 11. 'Een zot laat zijn ganse geest uit.'
20. *Een gek in folio*, zie *folio*.
21. Van een gek verweten
Is gauw vergeten,
zie *zot* 14.
22. *Als de mensen gek worden, komt het eerst in 't hoofd aan* (Gron.), schertsend gezegde, wanneer iemand dwaze dingen doet. Ook Fries.
23. *Eén gek maakt honderd* (Fries) = een dwaas wordt altijd nagevolgd, je ziet het aan de mode.
24. Geen mens zo gek,
Of hij heeft een goeie trek,
ieder heeft nog altijd wel wat goeds.
25. *'t Is geen gek die 't voordoet, maar die 't nadoet.*
geklonken. *Dat is dan geklonken* = dat zijn we dus eens; dat is zo geschikt, als wij overeengekomen zijn. Men denkt daarbij, dat men elkaar toegedronken en met de glazen geklonken heeft. Doch voor de hand ligt ook: 't Is met een klinknagel vastgeslagen. Men zegt ook: *'t is beklonken*. Zie daar.
gelaarsd. *Hij is gelaarsd en gespoord* = hij is reisvaardig.
Lett.: hij heeft de laarzen met de sporen al aan.
gelaat. *'t Gelaat is de spiegel der ziel* = in iemands gezicht kan men zijn karakter lezen.
gelag. 1. *Hij moet het gelag betalen* = hij blijft zitten met de kosten van wat anderen gedaan of meegedaan hebben; hij krijgt de straf er voor. 't Gelag is letterlijk de vertering in de herberg; oorspronkelijk het geld, dat men daarvoor samenlegde. Gelag is dus een afleiding van leggen, n.l. het gelegde (geld).
2. *'t Is een hard gelag* = het valt hard, dit te dragen of te doen. Hier is *gelag* een afleiding van *liggen*; lett. 't is een harde *(aan)gelegenheid*, dus een hard lot, een moeilijke toestand.
3. *'t Is net berekend gelag: 't hooi op en de koe dood!* = (schertsend) dat komt nu eens net heel mooi uit.
Hier is gedacht aan 't gelag, dat men in de herberg betalen moet.
4. *Hij kwam met de klompen in 't gelag*, zie *klomp* 2.
geld. 1. *Men moet nooit goed geld naar kwaad geld gooien* = men moet geen geld uitgeven voor een hopeloze zaak, waarin men reeds verlies geleden heeft. *Kwaad* geld kan oorspronkelijk betekend hebben geld, dat niet meer in omloop was of valse munt. Nu geld, waar men geen voordeel van hebben kan; verlies bij verkoop; schulden.
2. *Hij verdient geld als water* = in overvloed.
3. *Dat is geld in 't water smijten* = geld besteden aan een zaak, waar niets mee te verdienen is; zijn geld geheel nutteloos of op een dwaze manier uitgeven.
4. *'t Geld groeit mij ook niet op de rug* = ik moet het met werken verdienen; ik heb zoveel niet, dat ik het maar uitgeven

kan voor wat niet nodig is.
Bij Gezelle:
4a. *Men kan 't geld van de bomen niet schudden.*
5. *Geen geld, geen Zwitsers!* = zonder geld wordt niets afgeleverd, wordt er niet gewerkt. Die uitdrukking is gangbaar sedert 1521, toen koning Frans I van Frankrijk de stad Milaan verdedigde tegen Karel V. Toen hij zijn Zwitserse troepen niet kon betalen, antwoordde de aanvoerder: *Point d'argent, point de Suisses* en gingen ze er vandoor.
Er is ook een geheel andere verklaring. In 't Frans betekent *Suisse* niet alleen een Zwitser, maar ook een portier. Nu komt er in het blijspel *Les Plaideurs* (de advokaten) van Racine zulk een Suisse voor, die niemand tot zijn heer toelaat, die niet eerst geld gegeven heeft. Van hem kan dus ook zijn:
point d'argent, point de suisse = geen geld, dan is er ook geen portier.
De Nederlandse vertaling zou dan onjuist zijn.
6. *Tijd is geld* = tijd heeft waarde door de arbeid, die men er in kan doen. Vertaling van de Engelse spreuk *Time is money*.
7. *De een moet je geld geven en de ander moet je betalen* = 't is 't zelfde, of je van de kat of van de kater gebeten wordt.
8. *Geld regeert de wereld* = als men maar geld genoeg heeft, kan men alle zaken regelen naar zijn zin. Zo ook:
9. Het geld, dat stom is,
Maakt recht wat krom is
(En wijs, wie dom is).
Nog weer anders:
10. Heb je geld,
Dan kun je huizen bouwen;
Heb je 't niet,
Dan moet je stenen sjouwen.
11. *Geld is de ziel van de negotie* = met geld kan men (voordelig) handel drijven; zonder geld kan men geen zaken doen.
12. *Wie geld heeft, kan stoet kopen* (Gron.) = de rijke man kan zich veroorloven, waar hij zin in heeft. *Stoet* is wittebrood; de gewone kost bij boer en burger is het zwarte roggebrood.
13. *Die geld heeft, heeft het geweld* =

12. Geld regeert de wereld (z. *geld*)

heeft de macht, kan maar bestellen. Ook: *'t geld heeft geweld.*
13a. *Zij hebben 't geld niet, maar 't geld heeft hen* = zij zijn de slaaf van hun geldzucht, zodat ze van hun vele geld niet eens een behoorlijk gebruik durven maken.
13b. *De een kan meer met de zak dan de ander met het geld* = 't is zonderling in de wereld: wie haast niets bezit, werkt zich er vaak bovenop, en wie genoeg geld heeft, om in een zaak te steken, die zal soms niet slagen.
14. Geld, geweld en gunst
Breken recht, zegel en kunst.
15. *Voor geld kan men de Duivel laten dansen* = voor geld is menigeen tot alles bereid.
16. *'t Geld is rond* = men geeft het geld gemakkelijk uit. Ook: het is er voor, om uitgegeven te worden. Vandaar ook:
17. *Geld moet rollen.* De Vlaming zegt:
17a. *Geld heeft geen steert.*
18. *'t Geld is de zenuw van de oorlog* = zonder geld kan men geen oorlog voeren. In 't algemeen: zonder geld kan men geen zaken doen.
Spreuk van de Romeinen.
19. *Geld verzoet de arbeid.*
20. *Geld stinkt niet* = het komt er niet op aan, hoe men aan zijn geld gekomen is, als men 't maar heeft.
't Verhaal gaat, dat Vespasianus, keizer van Rome, belasting hief van de riolen; toen zijn zoon Titus als zijn oordeel uitsprak, dat men geen geld moest nemen van zulk een vuile zaak, antwoordde de vorst:
Geld stinkt niet!
In Friesland:
Als 't geld wat smerig is, dat hindert niet, het wordt toch niet onder de neus gehouden.
21. *Hij maakt van 't geld zijn afgod* = hij denkt aan niets dan aan zijn geld en aan de middelen, om nog meer te verwerven. Uit Efeze v : 5: 'Want dit weet gij, dat geen hoereerder, of onreine, of gierigaard, die een afgodendienaar is, erfenis heeft in het Koninkrijk van Christus en van God.'
22. *Geld zoekt geld* = een rijke vrijer gaat uit om een rijk meisje.
23. *Koperen geld, koperen zielmis* = arme mensen moeten zich met het geringste tevreden stellen.
Dit spreekwoord ook reeds in de *Proverbia seriosa*, in de Kamper verzameling en bij Cats.
24. *'t Is niet al geld, dat klinkt* (Vlaams), vergelijk *goud* 2.
25. Geld is de blom,
Die 't niet heeft, zucht er om,
Vlaamse rijmspreuk; zie no. 38. Een andere Vlaamse spreuk:
26. Hebt ge geld,
Ge zijt geteld,
doch
27. *Een man zonder geld is een lijk*, en
28. *Met het geld koopt men de schoonste krieken van de merkt*, en ook:
29. *'t Geld is een sleutel, die op alle sloten past*;
30. *'t Geld doet alle deuren open.*
31. *'t Geld brengt velen in de helle, maar blijft er zelf buiten* (Vlaams) = om het geld verricht menigeen slechte daden, maar 't geld blijft in de wereld.
32. *Geld is een goede dienaar, maar een slechte meester* = met geld kan men alle goeds doen, maar men moet niet de slaaf van zijn geld worden, want dan brengt het geld zijn bezitter tot allerlei slechte daden.
33. Geld verloren,
Iets verloren;
Eer verloren,
Meer verloren;
Ziel verloren,
Al verloren.
Vlaamse rijmspreuk.
34. Daar geld is,
Duivel is;
Daar geen geld is,
Duivel en zijn moere is,
Vlaams rijmpje. Waar geld is, geeft dit wel aanleiding tot twist; maar waar 't niet is, is 't nog veel erger.
35. *Geldeloos, vriendeloos* (Gezelle).
36. *Gereed geld dingt scherp* (Gron.) = men kan het goedkoopst terecht, wanneer men boter bij de vis heeft; wie contant betaalt kan de laagste prijs bedingen.
Vaak verbasterd tot: *Gereed geld denkt scherp.*
37. *Waar geld is, daar is de duivel, en waar geen geld is, daar is hij tweemaal* (Fries). Zie 34.
38. *De een heeft het (geld), de ander heeft het en de derde had het wel graag* (Fries) = om geld is het de hele wereld

te doen.
39. *'t Geld blijft in de wereld en wij moeten er uit*, verontschuldiging wanneer iemand het er eens goed van neemt.
40. Met oud geld en met oud brood
Slaat men grif de honger dood,
Friese rijmspreuk; als men nog geld en nog voorraad heeft, dan behoeft men geen zorg te hebben.
geleerd. 1.
Hoe geleerder,
Hoe verkeerder,
zie *geest* 3.
2. *Zijn grote geleerdheid brengt hem tot razernij* = hij heeft veel gestudeerd, maar in het practische leven handelt hij dwaas; dus:
3. *hoe geleerder, hoe gekker.*
Woorden van de Romeinse landvoogd Festus tot Paulus, die sprak van het gezicht dat hem verschenen was tot zijn bekering (*Handelingen* XXVI : 24). 'Gij raast, Paulus! de grote geleerdheid brengt u tot razernij.'
4. *Om geleerd te zijn, moet men ter schole gaan* (Vlaams) = ondervinding is de beste leermeesteres.
gelegenheid. 1. *Men moet de gelegenheid bij de haren grijpen* = van het gunstige ogenblik gebruik maken. Uit de Griekse mythologie: de godin Fortuna, de godin van het geluk en van het gunstige ogenblik, werd voorgesteld als een vrouw met lang haar van voren en met kort haar op de achterschedel. Als men dus niet op zijn tellen paste, dan was het onmogelijk haar te pakken; dan was de kans voorgoed voorbij.
2. Zie *dief* 2.
3. *Gelegenheid maakt genegenheid.* Volkswijsheid; als vrijer en vrijster maar gelegenheid vinden, om met elkaar te verkeren, dan komt de liefde vanzelf.
geloof. 1.
Twee geloven op één peul
Is één te veul,
= als man en vrouw niet naar dezelfde kerk gaan, komt er licht onenigheid. (*Peul* = peluw.)
Ook:
Twee geloven op één kussen,
Daar slaapt de Duvel tussen.
2. *Een goed geloof en een kurken ziel, dan kun je drijven* = hoe is het mogelijk, dat je zo iets gelooft! (Schertsend.)
3. *'t Geloof verzet bergen* = voor de gelovige is niets onmogelijk; als er maar vertrouwen is, dan brengt men het moeilijkste werk tot een goed einde.
Naar 1 Korinthe XIII : 2, waar Paulus schrijft:
al ware het, dat ik al het geloof had, zodat ik bergen verzette, en de liefde niet had, zo ware ik niets.
geloven. 1. *Hij moet er aan geloven* = hij moet het doen, al heeft hij er nog zo weinig zin in; vooral = hij moet sterven. Misschien is *geloven* hier een oud woord, dat betekende: de strijd opgeven, vermoeid zijn, een woord dat nu al lang niet meer bestaat. Nu heeft men het in verband gebracht met het andere woord *geloven*: hij moet geloven, dat het onvermijdelijk is.
2. *Die geloven haasten niet* = wie weet dat het goed afloopt, wacht rustig de uitslag af. Schertsend ook vaak het antwoord van iemand, wie men traagheid verwijt.
De spreuk is ontleend aan Jesaja XXVIII : 16.
3. *Die gauw gelooft, is gauw bedrogen* = men moet niet al te lichtgelovig zijn.
geluk. 1. *Zonder geluk vaart niemand wel* = al is men nog zo ijverig, nog zo knap, nog zo flink, er moet een beetje geluk bij komen, om in de wereld te slagen. Ook:
1a. *Een ons geluk is meer dan een pond verstand.* En Fries:
1b. *'t Is beter, dat het geluk de man zoekt dan de man het geluk.*
2. *Wie 't geluk heeft, gaat met de bruid naar bed* = uitdrukking, als iemand bijzonder fortuinlijk is.
3. *'t Is een geluksvogel* = 't gaat hem bijzonder voor de wind; hij treft het altijd goed. *Vogel* in dezelfde betekenis als in: *'t is een gladde vogel* en in *spotvogel.*
4. *Men heeft het geluk zo vast als een handvol vliegen*; zie *handvol* 2.
5. *'t Geluk komt in de slaap* = wanneer men het allerminst verwacht en er ook niets voor doet.
6. Geluk en glas
Breekt even ras.
7. In 't geluk veel broodvrienden,
In de armoe geen noodvrienden,
Vlaamse rijmspreuk. Zie *goed* II 8 en *vriend* 1.
8. *'t Geluk vliegt; die 't vangt, die heeft*

het (Vlaams). Ook:
9. *Die 't geluk vindt, die mag het oprapen* = wie gelukkig is, die valt alles ten deel. Maar:
10. Als 't geluk niet mededoet,
Dan helpt neerstigheid noch spoed.
11. *Geen geluk zonder druk* (Vlaams) = men verwerft zijn geluk niet zonder moeite.
12. Goe geluk is ongestade:
Heden winste, morgen schade.
(Gezelle.)
13. *Die geluk genoeg heeft, heeft geen verstand van doene* (Gezelle).
14. *Geluk en ongeluk wonen onder één dak* = ook in het gelukkigste gezin heeft men op zijn tijd zijn leed te dragen. (Fries.)
15. *Daar het geluk wezen wil, daar komt het, al staat men er met de rug naar toe* (Fries).
gelijk. 1. *Er is meer gelijk als eigen* = wat op het onze gelijkt is daarom het onze nog niet.
2. *De kous in 't gelijk breien* = tot overeenstemming geraken; iets geven, dat tegen iets anders opweegt, iets doen, waardoor men met een ander gelijk komt. Ontleend aan het breien.
3. *Gelijk bij gelijk!* d.i. als beide partijen overeenkomen in stand en vermogen, in aard en neiging, dan is er kans op een gelukkig huwelijk.
4. *Hij heeft het grootste gelijk van de vismarkt*, schertsend: 't is net als op de vismarkt: wie daar 't hardste schreeuwt, die krijgt gelijk.
gemak. 1.
Geen beter gemak
Dan eigen dak.
2. *Hij kwam er aan op zijn zeven gemakken* = hij haastte zich volstrekt niet.
gemoed.
Hoog van gemoed,
Leeg van goed,
Vlaamse rijmspreuk. Menigeen, die zich heel trots voordoet, is maar arm (laag) van goed.
gemoedereerd. 1. *Hij deed het heel gemoedereerd* = rustig.
Het woord schijnt te betekenen *met een gerust gemoed.* Doch het is in de plaats gekomen van *gemodereerd*, uit het F. *modérer* = matigen. En het heeft zich verder ontwikkeld tot: zonder zich aan iemand te storen, b.v. in:
2. *Ze gingen gemoedereerd hun gang.* En verder nog tot: net alsof het zo maar niets was; o.a. in:
3. *Ze hebben hem gemoedereerd doodgeslagen.*
gemunt. *Men heeft het op hem gemunt* = men zoekt hem te treffen, te beledigen, te bespotten.
Munten zal een nu verloren woord geweest zijn, dat zoveel betekende als denken.
gemutst. *Hij was niet goed gemutst*, ook: *de muts stond hem scheef* = hij had geen goeie bui.
Schertsend, alsof men aan de muts kan zien, of iemand in een slechte stemming verkeert.
genade. *Dat kon in zijn ogen geen genade vinden* = dat nam hij zeer ongunstig op; dat veroordeelde hij.
Bijbeltaal. 'Ruth, de Moabietische, zeide tot Naomi: laat mij toch in het veld gaan, en van de aren oplezen achter die, in wiens ogen ik genade zal vinden.' (*Ruth* II : 2).
genadeslag. *Iemand de genadeslag geven* = een eind maken aan iemands lijden; een maatregel nemen, waardoor zijn wrakke zaak ophoudt te bestaan.
Uit de lijfstraffelijke rechtspleging: als een veroordeelde geradbraakt was en men hem zijn armen en benen had gebroken, dan gaf de beul hem met een zware ijzeren staaf een dodelijke slag op het hart, waardoor hij uit zijn lijden verlost werd. De stang is nog alle dagen te zien in de Gevangenpoort te 's-Gravenhage.
Zie ook *radbraken.*
Ook in het ridderwezen is er sprake van een genadeslag. Die werd gegeven met een lange dolk, *misericordium* (genade, medelijden) geheten.
geneesmeester. *Geneesmeester, genees u zelf!* = wie anderen helpen wil, moet eerst zorgen, dat hij zelf geen hulp nodig heeft.
Ontleend aan *Lucas* IV : 23; zie *medicijnmeester* 2.
geniep. *In 't geniep iemand tegenwerken* = zonder het in 't openbaar te tonen, zonder dat de benadeelde het weet; op een valse, gemene manier.
In 't geniep is een overigens verloren gegaan woord met de betekenis van: in 't duister.

genoeg. 1. *Genoeg is meer dan veel* = wie zelf vindt dat hij genoeg heeft, die is tevreden en gelukkig; maar die veel heeft, is nog lang niet altijd voldaan.
In 't Fries:
2. *Er zijn veel, die te veel hebben, maar niemand, die genoeg heeft.*
En ook:
3. *Genoeg ligt op 't kerkhof* = een mens heeft eerst genoeg, als hij dood is.
genoegen.
Wie kan het voegen
Naar elks genoegen?
Men kan het nooit ieder naar de zin maken.
genucht. *Geen genuchten zonder zuchten* (Vlaams), zie *geluk* 11.
geradbraakt. *Hij was als geradbraakt* = in de hoogste mate vermoeid.
Zie *radbraken.*
gerechtigheid. 1. *Zij verheffen zich op hun eigen gerechtigheid* = zij menen, dat hun eigen begrippen en handelingen de ware zijn; ze zijn *eigengerechtigd.*
Bijbelse uitdrukking uit *Romeinen* 10 : 3, waar Paulus schrijft over de Joden: 'Want alzo zij de rechtvaardigheid Gods niet kennen, en hun eigen gerechtigheid zoeken op te richten, zo zijn zij der rechtvaardigheid Gods niet onderworpen.'
2. *Gerechtigheid verhoogt een volk* = beoefening der deugd strekt een volk tot roem. *Spreuken* XIV : 34.
gericht. *Dat kan niet bestaan in het gericht* = dat kan de toets der kritiek niet doorstaan, dat is niet rechtvaardig.
Bijbelse uitdrukking. 'De goddelozen zullen niet bestaan in het gericht, noch de zondaars in de vergadering der rechtvaardigen.' (Psalm I : 5.)
gerief. 1.
Die koopt wat zijn gerief is,
Moet verkopen, wat hem lief is,
je moet niet maar alles kopen wat je wel aanstaat, want daar word je arm bij.
2. *Goed gerief is de helft van 't werk* (Vlaams) = als men zich van goed gereedschap voorziet en alles van te voren goed inricht, dan valt de arbeid gemakkelijk.
geroepen. Zie *roepen* 1.
gerstebrood. *Hij heeft van de gerstebroden niet gegeten* = hij heeft geen goede gaven ontvangen gelijk de anderen, in 't bijzonder: hij is niet snugger. Bijbels. In *Joh.* VI vindt men het verhaal van de wonderbare spijziging: 5000 mannen, die aten van 5 gerstebroden en 2 visjes; vers 9—13.
gerucht. 1. *Hij is voor geen klein gerucht vervaard* = hij durft er wel op in; hij laat zich niet afschrikken. Gerucht is hier het strijdrumoer op 't slagveld. (*Ned. Wdb.* IV, 1691.)
2. *Veel gerucht maar weinig munt, zei de boer, en hij danste op een hoop mosselschelpen* (Vlaams) = veel geschreeuw en weinig wol.
Gerucht = geraas, geklank.
3. *Een oude wolf en verschiet in geen klein geruchte*, zie *wolf* 8.
gescheept. *Ergens mee gescheept zitten*, zie *opgescheept.*
geschenk. *Kleine geschenken onderhouden de vriendschap.*
Uit het Frans. Doch reeds in de *Proverbia communia:* Gheven ende weder gheven hout die vrientscap tsamen.
geschieden.
Wat gij niet wilt, dat u geschiedt,
Doe dat ook aan een ander niet.
Voorschrift van Jezus: 'Alle dingen dan, die gij wilt, dat u de mensen zouden doen, doet gij hun ook alzo; want dat is de wet en de profeten.' (*Matth.* VII : 12.)
Zie *ander* 2.
geschift. *Hij is geschift* = hij is niet goed wijs. Men denkt aan geschifte melk, die ook niet deugt.
geschil.
'tMeeste geschil en krakeel
Is om te weinig of te veel,
Vlaamse rijmspreuk: twist komt voort, omdat men denkt dat men zelf te weinig en dat een ander te veel krijgt.
geschoren. 1. *Geschoren zitten*, zie *scheren* 2.
2. *Daar was geschoren en ongeschoren* = het was een zeer gemengd gezelschap; daar zaten nette lui, maar ook heel anderen en vooral veel anderen.
Misschien letterlijk: mannen en vrouwen. Of ook: ouden en jongen.
geschreeuw. *Veel geschreeuw en weinig wol, zei de Duivel, en hij schoor een varken.* Zie *zeispreuken* 40.
geschut. *Hij werkt met grof geschut* = hij komt met grote woorden, dreigementen en vloeken, om zijn zin door te drijven; hij wendt krasse middelen aan.
Grof geschut = kanonnen van zwaar

kaliber.
geselen. *Zoo'n geseling, daar mag wel een brandmerk overheen.* (Fries), schertsend: na zulk zwaar werk komt een mens een borrel toe. Ook, en dan is 't wel helemaal een grapje: na zulk een stevige maaltijd zullen wij maar eens een pijp stoppen.
gesjeesd, zie *sjezen.*
gesjochten. *Hij is gesjochten* = zijn geld is op; hij bezit niets; hij zit aan de grond. Joods woord, dat letterlijk zoveel als geslacht betekent.
geslacht. *Een krom en verdraaid geslacht* = een geslacht zonder deugd.
Naar Deuteronomium XXXII : 5, in het Lied van Mozes. Maar daar staat: het is een verkeerd en verdraaid geslacht.
geslagen. *'t Zijn geslagen vijanden* = grote vijanden. *Geslagen* heeft hier de oude betekenis van *volslagen.*
gesternte. *Hij is onder een gelukkig gesternte geboren* = hij is altijd voorspoedig; alles gelukt hem. Naar de zeer oude gedachte, dat de stand der sterren bij iemands geboorte aanwees, hoe zijn levensloop zou zijn. Daarop berustte de oude sterrenwichelarij, de astrologie.
getapt. *Hij is er nog al getapt* = gezien. Studententaal: lekker bier wordt veel getapt.
getekend. *Wacht je voor de getekenden!* = men kan de mensen met een bochel of een ander lichaamsgebrek nooit vertrouwen. Een kwaadaardig gezegde, dat berust op het volksgeloof, dat een gebrekkig mens door God gestraft is. Dit geloof ook bij de discipelen van Jezus, die vroegen: wie heeft er gezondigd, deze, of zijn ouders, dat hij blind zou geboren worden? (Johannes IX : 2.)
De mismaakten heten getekenden naar aanleiding van het teken, dat God aan Kaïn stelde; (Genesis IV : 15).
getuige. *Eén getuige is geen getuige,* zo was het in het Romeinse recht en zo staat het in de Bijbel. 'Een enig getuige zal niet getuigen tegen een ziel, dat zij sterve' (Numeri XXXV : 30).
getij. 1. *Ieder vist op zijn getij* = ieder maakt van de omstandigheden gebruik, als die gunstig voor hem zijn. *Getij* is een Middelnederlands woord = gunstige tijd, het goede ogenblik. Toen deze betekenis verloren ging, dacht men aan *getij* = de getijden, eb en vloed; de vissers werpen hun netten uit, al naar het tij is.
2. *Als 't getij verloopt, moet men de bakens verzetten*: zie *tij* 1.
3. *'t Getij is gunstig* = 't gebeurt onder omstandigheden, die meewerken.
Zo vaart een schip binnen bij opkomende vloed en uit bij ebbe.
4. *Ze hebben 't getij laten verlopen* = het gunstige ogenblik ongebruikt voorbij laten gaan.
5. 't Getij gaat zijnen keer,
't En wacht naar Prins noch Heer,
uit de Scheeps-spreucken van Vader Cats, opschrift op de Lemmerse schutsluis.
Fig. Men moet op de goede gelegenheid wachten. Ook, zoals het spreekwoord van ouds luidt:
6. *'t Getij wacht naar niemand.* Met de overlevering, dat keizer Karel V bij zijn laatste reis naar Spanje te Vlissingen te lang wachtte met aan boord te gaan, en dat de schipper toen waarschuwde: *het tij wil niet wachten.*
7. *Getij* in de oude betekenis in het Vlaamse gezegde: *Daar zijn twee kwa getijen in 't jaar, zei boer Naassens*:
Pasen, als men moet zeggen,
Bamesse, als men moet leggen.
(Zeggen = biechten; leggen = de pacht betalen; Bamesse, St. Bavo's mis = 1 October.)
geur. 1. *Hij staat in de geur* = hij is gunstig bekend; hij is een graag geziene gast; ook met dezelfde gedachte: *hij staat in goede reuk.* Daarnaar gevormd:
2. *met iets geuren* = menen dat men mooi met iets is; soldaten 'geuren', als zij de muts scheef op hebben; officieren geuren met de lange sabel; deze lieden zijn *geurmakers* = dwaze pronkers. Van uit de kazerne zijn deze uitdrukkingen over het land gegaan.
3. *In geuren en kleuren,* zie *kleur* 3.
gevaar. *Wie zich in gevaar begeeft, komt er in om* = men moet zich niet vrijwillig en zonder noodzaak aan gevaar blootstellen.
De spreuk is uit *Jezus Sirach* III : 24.
gevel. *Een goede gevel versiert het huis,* schertsende opmerking van iemand, die een grote neus heeft.
geven. 1. *Wie wordt van geven rijk?* zo vraagt de zuinige man, die zich verbeeldt dat hij niets missen kan. 't Antwoord

van die er beter over denken:
2. *Geven armt niet*, zie *aalmoes*.
3. *Hij weet te geven en te nemen* = hij is geschikt in de omgang; hij geeft toe, dat een ander ook rechten heeft, maar hij staat toch ook op zijn eigen recht.
4. *Wie heeft, die zal gegeven worden* = wie rijk is, krijgt altijd nog meer. Zie *hebben* 3.
Jezus sprak dit woord (*Matth.* XIII : 12) over de verborgenheden van het koninkrijk der hemelen: 'wie heeft, die zal gegeven worden, en hij zal overvloediglijk hebben; maar wie niet heeft, van die zal genomen worden, ook dat hij heeft.'
5. *Eens gegeven blijft gegeven* = men moet niet terugvragen wat men gegeven heeft.
6. *Wie spoedig geeft, geeft dubbel.*
Spreuk, reeds bij de Romeinen.
7. Wie geeft wat hij heeft,
Is waard dat hij leeft,
d.i. als iemand geeft naar zijn vermogen, dan kan men niet meer van hem vragen. Ook schertsend, als men zijn gasten aanbiedt wat er in huis is en zich verontschuldigt, dat het niet overvloediger is.
8. *Een gegeven paard moet men niet in de bek zien*, zie *paard* 7.
9. Veel beloven en weinig geven
Doet de gekken in vreugde leven,
zie *gek* 16.
10. Dat ick wal gaf is mi geblefen,
Dat ick behielt heft mi begefen.
Spreuk op een balkje uit de Grote Kerk te Zutphen, bewaard in de Wijnhuistoren; 1620. Zie no. 16.
11. *Die de arme geeft, leent de Heer*, zie *arm* II 3.
12. *'t Is zaliger te geven dan te ontvangen*, zie *zalig* 1.
13. *Is geven een eer, houden is profijt* (Vlaams), de stelregel van wie niet goedgeefs is. Daartegen een ander Vlaams spreekwoord:
14. *'t Is beter te mogen geven als te mogen hebben*; zie no 12.
Hebben = ontvangen.
15. *Den armen gegeven is Gode geleend* (Vlaams), zie *arm* II 3. Vandaar ook:
16. *Al wat ge weggeeft, draagt ge mee.* Ja, een edelmoedige gave wordt gezegend:
17. Geeft ge met grepen,
Ge trekt met schepen.
Maar er is ook een spreekwoord, en niet alleen in Vlaanderen:
18. *Men moet geven, dat men gevende blijft* = men moet zich niet arm geven.
19. *Gevaert is dood, maar Hebbaert leeft nog* (Gezelle) = er zijn weinigen, die geven; 't is al om de heb te doen.
20. Van geven
Kan mijn kat niet leven,
Fries rijmpje. Als men 't hebben moet van giften en gaven, dan valt het niet mee. Ook:
21. *Van geven sterft de kat van de smid.*

gevlij. *Iemand in 't gevlij komen* = praten naar zijn mond; het hem naar de zin maken, zodat men welwillend ontvangen wordt. *Vlijen* is netjes schikken, b.v. turf vlijen, de schoven vlijen op de wagen en in de schuur. Vandaar *'t gevlij* = 't schikken en plooien.

gevoeg. *Zijn gevoeg doen* is oud-Nederlands voor aan zijn natuurlijke behoefte voldoen. Uilenspiegel zei tegen de koster, dat deze zijn gevoeg niet zou kunnen doen midden in de kerk. Lett. = doen wat iemand voegt, wat nodig is.

gewaad.
Geen schoner gewaad
Als een zedig gelaat (Vlaams).

geweer. *In 't geweer komen* = ten volle gewapend verschijnen. Deze uitdrukking kan natuurlijk niet komen van *'t geweer*, het schietwapen, dan zou men nooit in *'t geweer* kunnen zeggen. Het woord geweer had oudtijds de betekenis van wapen in 't algemeen. En een geweer heette aanvankelijk een *schietgeweer*; een sabel heet nog wel het *zijdgeweer.*

geweest. *Gewist is een mande en gewijmd is een wieg* (Vlaams), gezegde als iets *geweest* is, dus er nu niet meer is, dat men verloren of verspeeld heeft, dat men kwijt is en niet meer terugkrijgt.
Wisse en *wijm* zijn allebei zoveel als een twijg, een wilgen teen. Dus woordspeling tussen *geweest*, in Vlaanderen uitgesproken als *gewist* en *gewist* = van wissen gemaakt. *Gewijmd* = van *wijmen* gemaakt.

geweld. 1. *Met geweld kun je wel een viool kapot slaan tegen een eikeboom*, opmerking als iemand met geweld zijn doel bereiken wil, waar hij alleen maar met zachtheid en overleg toe komen kan.
2. *Die 't geld heeft, heeft het geweld*, zie *geld* 13. Geld geeft macht.

gewend. 1. *Zo gewend, zo gedaan:* men handelt graag naar gewoonte.

2. *Jong gewend, oud gedaan.*
geweten. 1. *Zijn geweten is met een brandijzer toegeschroeid* = hij is verhard, zijn zedelijk gevoel is verstompt, hij kent geen schaamte en geen berouw.
De uitdrukking is uit 1 *Timotheüs* IV : 2, waar sprake is van 'leugensprekers, hebbende hun eigen geweten als met een brandijzer toegeschroeid.'
2. *Een zuiver geweten is het beste oorkussen* (Fries) = wie een zuiver geweten heeft, slaapt gerust.
gewin. 1.
't Eerste gewin
Is kattegespin,
wat men eerst wint bij 't spel, gaat in de regel weer verloren; in ieder geval men kan er net zo veel op aan als op 't spinnen van de kat, dat ook geen draad oplevert. De uitdrukking is ook wel verbasterd tot: *Eerste winst is katjeswinst.*
2. Klein gewin
Brengt rijkdom in,
wie alle dagen wat overhoudt, al is de verdienste ook zo groot niet, die wordt gestadig aan rijker.
3. *Hoe meer gewin, hoe meer behoeften* (Fries) = hoe meer men verdient, hoe meer heeft men nodig (voor allerlei uitgaven, waar men vroeger niet aan denken zou).
gewogen, zie *wegen.*
gewoonte. 1. *Gewoonte is een tweede natuur* = als men aan iets gewoon is, dan is het alsof die handeling of die toestand voortkomt uit onze eigen aard. De uitdrukking kwam reeds voor bij de Grieken en Romeinen.
Om aan te duiden, dat het zeer moeilijk is, om een eenmaal aangenomen gewoonte weer vaarwel te zeggen, zegt men:
2. *Gewoonte is erger dan de derdendaagse koorts.*
Deze namelijk raakt men ook zo licht niet kwijt.
gewijsde. *Dat is in kracht van gewijsde* = dat blijft zoals het bepaald is; daar is niet meer aan te veranderen.
't Gewijsde = 't vonnis; letterlijk = hetgeen gewezen is, uitgesproken is; zie *wijzen.* Een vonnis gaat in kracht van gewijsde, als de tijd van beroep verstreken is.
gezegend. *In gezegende omstandigheden,* misschien een bijbelse uitdrukking, naar Lucas 1 : 28, waar de engel Gabriël zegt tot de maagd Maria: gij zijt gezegend onder de vrouwen.
gezel. *Een gezel in verdriet verlicht de pijn* (Vlaams).
gezelschap. 1. *Kwaad gezelschap doet dolen.* Bij Guido Gezelle:
Bij de manken leert men hinken,
Bij de vuilen leert men stinken.
Vader Cats had het ook al gezegd:
Bij een krepel leert men hincken,
By den vuylen leert men stincken;
Jonge lieden, wie gij zijt,
Quaet geselschap dient gemijt.
En wijders:
By wolven en uylen,
Daer leert men huylen.
Van gelycke:
Van het peck
Blijft een vleck.
D'ervarentheyt spreekt selve:
Die met honden gaet te bedt,
Deelt van hare vloyen met.
Bij ons ook: *kwade gezelschappen bederven goede zeden.*
In de vertaling van Erasmus:
Quade reden
Bederven goede zeden.
2. *Goed gezelschap maakt korte mijlen* = in goed gezelschap valt de weg niet lang.
gezicht I. 1. *Uit iemands gezicht gesneden zijn* = sprekend op iemand gelijken.
2. *Op je gezicht!* = dat doe ik nooit; platte uitdrukking = ik zou je nog liever op je gezicht slaan!
3. *Hij zet een gezicht als drie dagen slecht weer* = hij ziet al heel erg nors.
gezicht II (verschijning), zie *dag* 11.
gezond. 1. *Bij een gezonde waken,* zie *waken* 2.
2. Bitter in de mond
Maakt het hart gezond,
zie *bitter.*
gezondheid. *Gezondheid is de grootste schat.*
Gideon. *Een Gideonsbende* = een troep van de meest uitgelezen soldaten, klein in getal, doch onverschrokken.
Naar Richteren VII : 1—8. Daar vindt men het verhaal, dat de richter Gideon van de Here het gebod ontving, dat hij het overgrote deel van het Joodse leger moest terugzenden. 'En de Here zeide tot Gideon: Door deze drie honderd mannen zal Ik ulieden verlossen, en de

Midianieten in uw hand geven.'

gierig. 1. *Hij is zo gierig als de pest.* Dit is waarschijnlijk eenvoudig een krachtterm; immers zegt men ook: hij liegt, hij stinkt als de pest.

Stoett echter acht ook mogelijk, dat men werkelijk aan de pest gedacht heeft, die zovele slachtoffers eiste en er zo weinig teruggaf.

2. *Gierigheid is de wortel van alle kwaad.* Men kan het lezen in de brief van Paulus, 1 Timotheüs VI : 10.

3. *Gierigheid bedriegt de wijsheid,* zie *zuinig* 4.

gierigaard. Gezelle schrijft:

De gierigaards slachten de zwijns: zij deugen maar, als zij dood zijn.

Zij gelijken de varkens, bij hun leven doen ze niemand nut.

gild. *Hij is in 't grote gild* = hij is getrouwd.

De gilden waren in de M.E. de verenigingen van mannen, die hetzelfde vak uitoefenden: 't bakkers-, 't brouwers-, 't slagersgild enz. Gild is naar zijn oude betekenis zoveel als genootschap, gezelschap, vereniging.

Zie ook *proefstuk* bij *proef* 2.

gissen. *Gissen doet missen,* een van de talloze rijmspreekwoorden: wat men niet zeker weet, moet men niet voor waar vertellen.

gist. *Iemand gist in de schoenen strooien* = hem prijzen, zodat hij met zich zelf ingenomen wordt.

Dan gaat hij de hoogte in evenals een deeg, waar de bakker gist in gedaan heeft.

gister. 1. *Hij is ook niet van gister!* = hij is bij de pinken. Ontleend aan Job VIII : 9. Bildad sprak tot Job: Wij zijn van gisteren, en weten niet.

2. *Als je mij gister gewonnen had, dan had ik je vandaag gediend,* zie *winnen* II.

glad. 1. *'t Is een gladde vent* = hij is zo slim, dat hij zich overal uit weet te redden. Kan een bijbelse uitdrukking zijn, o.a. naar *Jeremia* V : 28. Daar wordt van de goddelozen gezegd:

'zij zijn vet, zij zijn glad, zelfs de daden der bozen gaan zij te boven.'

Bij uitbreiding ook:

2. *'t Is een gladde vogel.*

gladekker, d.i. 'een gladde vogel', een sluwe vent, die niet te vertrouwen is. Uit het Maleise *gladak* = slecht paard, ook een hond die in de dessa rondloopt; vandaar was de eerste betekenis: een gemene vent. Later kwam de betekenis van 't Nederlandse glad op de voorgrond, zoals men ook spreekt van een *gladjanus.*

glas I (om te drinken). 1. *Een glaasje op de valreep* = bij het afscheid. De valreep is de touwladder, waarbij men opklimt om aan boord te gaan.

2. *Hij heeft te diep in 't glas gekeken* = te veel gedronken.

3. *Er verdrinken meer in 't glas dan in de zee* = de drank is gevaarlijker dan de zee.

4. Ze dronken een glas,
Ze pisten een plas,
Ze lieten de zaak,
Zo als die was,

spotrijmpje op een vergadering, waarin veel gepraat wordt, doch waar men niet tot daden komt. In onze geschiedenis in het bijzonder toegepast op de Grote Vergadering van 1716—'17, over de militie, de gebreken in de Staatsorde en de financiën, in de Trèves-zaal, 9 maanden lang. Er kwam ook nog een ander versje op:

Zondag absent,
Maandag in 't logement,
Dinsdag present,
Woensdag compleet,
Donderdag niet gereed,
Vrijdag niets gedaan,
Zaterdag naar huis gegaan.

glas II (venster). 1. *Daar heb je 't smijten in de glazen* = daar begint het al, daar heb je 't gaande, daar komt de aanval.

Met de gedachte aan een opstootje, waarbij de ruiten ingesmeten worden.

Ook: *Daar heb je het gegooi in de glazen.*

2. *Zijn eigen glazen ingooien* = zich zelf grote schade berokkenen. Vroeger zei men: *met zijn eigen drieguldens zijn glazen insmijten.*

glazen. 1. *In een glazen huis wonen* = zich zo gedragen, dat iedereen kan weten wat men doet; open politiek voeren.

2. *Wie in een glazen huis woont, moet niet met stenen smijten* = wiens daden aan ieder bekend zijn, zodat ieder hem daarop aanvallen kan, moet niet zelf met een aanval beginnen.

glorie. *Hij is gek van glorie* = hij is al te zeer met zich zelf ingenomen. Bij Harrebomée: *Hij barst van glorie.*

glossen. *Glossen maken* = onvriende-

lijke opmerkingen maken, spotten.
Een *glosse*, oorspronkelijk in een Latijns geschrift, is een woord dat nadere verklaring behoeft. Later noemde men zulke verklaringen glossen; ze werden op de kant van 't stuk geschreven (gedrukt).

God. 1. *Leven als God in Frankrijk* = zich nergens aan storen, er maar op los leven. Men heeft wel eens gedacht aan de Franse Omwenteling, toen men de godsdienst verving door de dienst der Rede, doch de uitdrukking komt reeds vroeger voor.
Ook heeft men gedacht aan: *leven als een Schot in Frankrijk*; de Schotten dienden in het Engelse leger, dat in de 15e eeuw Frankrijk bezette, en 't waren niet allemaal brave jongens. Mr. J. W. F. X. de Rijk te Haarlem betoogt, dat de uitdrukking uit het Spaans is, n.l. een verbastering van: leven als de Goten in Frankrijk. (Nw. Taalgids XLIII.)
2. *Godbetert*, letterlijk = *God betere het*, dus oorspronkelijk een vrome wens in moeite en nood. Nu alleen een basterdvloek.
3. *Zo waarlijk helpe mij God almachtig*, de eedsformule. Afkorting van: God almachtig helpe mij, dat ik de waarheid zeg.
4. *Elk voor zich zelf en God voor ons allen*, leus van zelfzuchtigen. Anders gezegd:
4a. *Wij geloven wel aan één God, maar wij eten niet uit dezelfde schotel.*
In Groningen:
4b. *Wij geloven wel aan één God, maar niet aan één koop*, wanneer koper en verkoper het niet eens kunnen worden.
5. *God wreekt daar hij niet spreekt* = boze daden worden gestraft, ook al geschiedt dit niet door de aardse rechter; de hemelse gerechtigheid grijpt ten langen leste de boosdoener.
Bij Guido Gezelle:
God is een scherpe wrekere,
En is hij geen vele sprekere,
d.i. al spreekt hij niet veel.
Algemeen ook:
God is geen spreker,
Doch op Zijn tijd een wreker.
En Vlaams ook:
5a. *God borgt wel, maar en scheldt niet kwijt.*
6. *Hij laat Gods water over Gods akker lopen* = hij bekommert zich nergens om; hij maakt zich nooit bezorgd, hij steekt geen hand uit.
Lett.: hij laat het water maar over zijn land lopen; hij zorgt niet voor dijken of dammen.
Mogelijk een bijbelse uitdrukking naar *Psalm* 65 : 10. Maar daar staat: *De rivier Gods is vol waters.*
7. Wie op God vertrouwt,
Heeft zeker op geen zand gebouwd,
zie *zand* 4.
8. *Zo God voor ons is, wie zal tegen ons zijn?* Bijbelse uitdrukking, overgenomen uit Romeinen VIII : 31.
Vandaar ook:
9. *God zij met ons*, de spreuk als randschrift op de guldens en rijksdaalders.
10. *God met ons*, de naam van Jezus, volgens *Matth.* 1 : 23. 'Gij zult Zijn naam heten Emmanuël; hetwelk is, overgezet zijnde, God met ons.'
11. *Bij God is genade, maar bij hem niet*, gezegde wanneer iemand buitengewoon hardvochtig is.
Bijbelse uitdrukking. 'Barmhartig en genadig is de Here, lankmoedig en groot van goedertierenheid. (*Psalm* CIII : 8.)
12. *Hij stoort zich niet aan God en Zijn gebod* = hij leeft er maar op los.
Naar *Prediker* XII : 13. 'Vrees God, en houd Zijn geboden; want dit betaamt alle mensen.'
13. Aan Gods zegen
Is 't al gelegen.
14. Die God bewaart,
Is wel bewaard.
15. *Daar God een kerk sticht, bouwt de Duivel een kapel* = bij een kerk staat altijd een herberg.
16. *'t Valt er in als Gods woord in een ouderling* = a. dat mag hij graag horen; daar luistert hij met aandacht naar; b. 't smaakt hem best, vooral schertsend en oneerbiedig gezegd van iemand, die graag een borrel lust.
17. *'t Is God geklaagd* = 't is heel erg.
Misschien naar 1 Samuël VII : 2. De ark des Heren was twintig jaar te Kirjath-Jearim, 'en het ganse huis van Israël klaagde de Here achterna.'
18. *Help u zelf, zo helpt u God.*
Aanhef van een der bekendste Geuzenliederen:
Help u zelf, zo helpt u God
Uit der tirannen band en slot,

Benauwde Nederlanden!
19. Als 't God behaagt,
Beter benijd als beklaagd,
zie *benijd.*
20. *Dat is Gods vinger* = daarin openbaart zich de macht van God.
De spreuk is ontleend aan Exodus VIII : 19, waar men het verhaal vindt van de derde plaag, die van de luizen, die Egypteland teisterden. De Egyptische tovenaars stonden daar machteloos tegenover en zeiden: 'Dit is Gods vinger.'
21. *Men ziet er geen God of goed mens* = 't is daar in die plaats zo stil, dat men er niemand ontmoet.
Zeeman denkt hierbij aan de gelijkenis van de onrechtvaardige rechter, die besluit de arme weduwe te helpen, die het hem lastig maakt door haar aandringen: Hoewel ik God niet vreze en geen mens ontzie, nochtans omdat deze weduwe mij moeilijk valt, zo zal ik haar recht doen. (*Lukas* XVIII : 4, 5.)
22. *God geeft de ganzen de kost, maar ze moeten hem plukken* = voor ieder is er brood in de wereld, maar men moet er voor werken.
Vlaams:
22a. *God spijst de vogels, maar zij moeten er om vliegen.*
En ook:
22b. *God geeft iedere vogel zijn voedsel, maar Hij brengt het niet in zijn nest.*
23. *Dat zullen wij God en de molenaar laten scheiden* = dit is een twijfelgeval, waarin ik geen beslissing kan nemen, geen oordeel kan vellen.
Dat moet men aan God overlaten. De molenaar is er schertsend bijgehaald, die scheidt namelijk ook zoveel; immers het koren van zijn eerste klant, dat als meel te voorschijn komt, moet hij scheiden van dat van de volgende klant.
24. *Er is een God voor dronkaards en voor kinderen* = zij kunnen zich zelf niet regeren, lopen dikwijls het grootste gevaar en komen toch nog weer ongeschonden thuis.
25. *God laat het water wel aan, maar niet over de lippen komen* = als de nood het hoogst is, is de redding nabij.
26. *God is een goede werkman, maar Hij wilt dat men hem helpe* (Vlaams) = wie op Gods hulp vertrouwen wil, moet zelf ook zijn best doen.
27. Op God betrouwd
Is op de rots gebouwd,
Bijbelse spreuk. In *Matth.* VII : 24 zegt Jezus:
Een iegelijk dan, die deze Mijne woorden hoort en ze doet, die zal ik vergelijken bij een voorzichtig man, die zijn huis op een steenrots gebouwd heeft.
Tegenover de dwaze man, die zijn huis op 't zand gebouwd heeft (vers 26).
28. Doe uw best,
God doet de rest,
Vlaamse spreuk. Vergelijk no. 26. Zo ook:
29. God laat ons zinken,
Maar niet verdrinken.
En
30. *God slaat niet, of Hij zalft.*
31. *God schept de dag en wij gaan er door* (Vlaams), spreuk der onbezorgde mensen.
32. Die God erkent als hoogste goed
Verlangt op aard geen overvloed,
Vlaamse rijmspreuk; die is tevreden met hetgeen hij heeft.
33. *Men kan niet tegelijk God dienen en de Mammon*, zie *Mammon.*
34. *Wat God doet dat is wel gedaan.* Dit is de aanhef van *Gezang* 186, van het Nieuwe Gezangboek van de Nederl. Hervormde Kerk:
Wat God doet, dat is welgedaan,
Zijn wil is wijs en heilig.
'k Zal aan zijn hand vertrouwend gaan,
Die hand geleidt mij veilig;
In nood is mij
Zijn trouw nabij:
Ja, Hij, de Heer der heren,
Blijft eeuwig wijs regeren.
't Lied is een vertaling van de Duitse dichter Samuel Rodigast (1649—1708).
35. *Wat God samengevoegd heeft, zal de mens niet scheiden.*
Jezus over het huwelijk; *Matth.* XIX : 6.
36. *God geeft het dubbel weer, als men goed doet* (Fries).
37. *Gods troost en aardappels toe, dat is een schrale kost* (Fries), schertsend, als de maaltijd karig is.
goddeloos, zie *grondsop.*
godspenning. *De godspenning terugbrengen* = de verbintenis verbreken.
Bij 't huren van een dienstbode geeft men haar een *godspenning*, ten bewijze dat de overeenkomst gesloten is; ook *goospenning, handpenning.* Wanneer de dienstbode 't contract opzegt, moet de

godspenning teruggegeven worden.
't Woord *Godspenning* wijst er op, dat dit geld oorspronkelijk niet was voor de dienstbode, doch bestemd was voor een liefdadig doel.

goed I. 1. ***Al te goed is buurmans gek***, zie *buur* 2.
2. ***Sint-Niklaas is wel goed, maar niet gek*** = nu heb je je deel wel gehad, 't is onredelijk om nog meer te vragen of te verwachten.
3. ***Een goede buur is beter dan een verre vriend***, zie *beter* 7.
4. ***Goed rond, goed Zeeuws*** = een Zeeuw is rondborstig en eerlijk; hij is eenvoudig in zijn voorkomen, maar oprecht. 'Het welk de Seeuwen haar selven toeschrijven,' voegt Winschooten er bij.
5. ***Die goed doet, goed ontmoet*** = een weldaad vindt altijd zijn beloning.
6. ***Goede raad is duur*** = het is niet gemakkelijk, goede raad te geven aan iemand, die in verlegenheid zit.
7. ***Ook al goed, zei de schooier***, zie *schooier* 2.
8. ***Kan er iets goeds uit Nazareth komen?*** zie *Nazareth*.
9. ***Goed is wel, maar beter wint*** (Vlaams) = het betere is de vijand van het goede.

goed II (bezitting.) 1. *Gestolen goed gedijt niet*, zie *stelen* 3. Ook: *onrechtvaardig goed beklijft niet*.
2. *'t Is één moeders goed* = 't is allemaal hetzelfde; al die dingen lijken op elkaar, zoals de kinderen bij 't delen van moeders goed allemaal evenveel krijgen.
3. *Iets te goed hebben* = iets te vorderen hebben, nog geld te wachten hebben, dat dus tot iemands goed, tot zijn eigendom behoort. Zo ook figuurlijk: *houd mij dat ten goede* = reken dat tot mijn goed, tot mijn voordeel; reken het mij niet ten kwade.
4. *Zich te goed doen* = genieten van eten en drinken, bij uitbreiding ook: genieten van wat men graag heeft. Ook hier is *goed* weer = nut, voordeel, genoegen. Zoals men ook zegt: *dat maakt hij zich ten nutte* of *te nut*.
5. *Ver van je goed, dicht bij je schade* = men moet bij zijn zaak, bij zijn bedrijf blijven.
6. 's Werelds goed
Is eb en vloed,
zie *eb* en *wereld* 10.
7. Goed verloren,
Niets verloren;
Moed verloren,
Veel verloren;
Eer verloren,
Meer verloren;
Ziel verloren,
Al verloren.
Vergelijk *geld* 33.
8. *Goedrijk, bloedrijk* (Vlaams) = die rijk is, heeft veel vrienden.
Zie *man* 30.
9. *Die goed heeft, heeft twist* (Vlaams) de meeste ruzie komt voort uit het mijn en dijn.
10. Uw goed kan groeien
Door oude moeien,
Maar oude omen
Zijn dromen,
Vlaams rijmpje; zie *oom* 4.
11. *Goed gewonnen is ruste verloren* (Gezelle); hoe meer goed men verkrijgt, hoe meer zorg!

't goede. *Al het goede komt van boven*, schertsend gezegde wanneer er een stevige regenbui valt; ook wanneer er enig voorwerp van boven neerkomt.
Figuurlijk ook, wanneer allerlei goede dingen aan iemand ten deel vallen.
Voorbeeld van schertsend gebruik van een ernstig bedoelde bijbeltekst. Hier: 'Alle goede gave, en alle volmaakte gift is van boven, van de Vader der lichten afkomende' (*Jacobus* 1 : 17).

goedje. 1.
't Is om 't goedje,
Maar niet om 't bloedje,
gezegde wanneer iemand trouwt met een rijke vrouw, die overigens niet veel aantrekkelijks heeft.
In Groningen:
Trouw nooit een bloedje
Om 't goedje,
Want als 't goedje is verteerd,
Dan zit je met je bloedje
In de hoek van de heerd.
Hier is *bloedje* = sukkeltje.
2. *Mooi goedje! zei de Duivel en hij bekeek zijn jongen*, opmerking wanneer iemand al te zeer ingenomen is met zijn eigen kroost.

goedkoop. 1. *Goedkoop is duurkoop* = wie goedkope spullen aanschaft, moet al heel gauw geld uitgeven voor nieuwe.
In Vlaanderen:
2. *Goede koop, kwade koop, want onnutte waar is dure waar*; zie *waar* 4.

goesting. *Elk zijn goesting, zei 't zwijn, en 't rolde hem in 't slijk* (Vlaams) = *elk zijn meug, zei de boer.*
Zie ook *kikker* 4.
Goesting = smaak. *'t Rolde hem* = het rolde zich.
golf. *Geen golf komt hem te hoog* = hij gaat tegen de grootste moeilijkheden in, hij wijkt niet voor zwarigheden. Ook: hij wijkt voor niemand.
Goliath. 1. *'t Is een Goliath* = een heel grote, sterke man, een reus.
Naar het verhaal van de Filistijnse reus in 1 Samuel XVII. Zeer bekend, omdat hij gedood werd door de herdersknaap David met een steen uit zijn slinger.
Vandaar ook:
2. *Past het Goliath niet, dan past het David,* gezegde van Moeder, als een stuk kleren te klein wordt voor de grootste jongen en een kleinere het moet afdragen.
gooien. 1. *Hij doet er een gooi naar* = hij waagt een kans. Ontleend aan het dobbel- of kegelspel.
2. *Hij gaat zijn gooi* = zijn gang. Misschien van gooien, dat vroeger ook voorkwam in de betekenis van zich haasten.
3. *Hij gooit er met de muts naar,* zie *muts* 2 en 2a.
4. Zie *boeg* 2.
goot. *Zijn goot ligt op de afloop* = hij kan bij 't drinken flink meedoen en hij heeft er geen last van. Zo'n drinkebroer spoelt de borrels weg, alsof ze door een schuins liggende goot gaan.
Gordiaanse knoop. *De Gordiaanse knoop doorhakken* = een kloek besluit nemen. Zie *knoop* 2.
gordijn. *Schone gordijnen en geen lakens!* (Gron.), minachtende uitroep, als iem. zich heel mooi gekleed voordoet, terwijl hij geen hemd om 't lijf heeft.
gort. 1. *'t Is een gortenteller* = a. een overdreven zuinige man; b. iem. die zich met allerlei onnozele dingen bemoeit. Letterlijk: die de gortkorrels telt. (Gort was de voornaamste scheepskost.)
2. *Dan is de gort gaar!* = dan zul je het hebben; dan krijg je een geweldig standje.
3. *Van haver tot gort,* zie *haver.*
4. *Alles is in de gort* = in de war. Misschien ontstaan uit *gortig*; zie daar.
gortig. *Maak het niet te gortig* = overdrijf niet; ga niet over de schreef; hou je fatsoen.
Gortig wordt gezegd van varkensvlees, dat met vinnen behept is, gortachtige korrels die zeer schadelijk zijn voor de gezondheid.
goud. 1. *Geen goud zonder schuim!* = ook bij het allerbeste is wel wàt, dat niet deugt. 't Schuim van goud = de afval bij de zuivering.
2. *'t Is niet al goud wat er blinkt* = wat mooi lijkt, is daarom nog niet altijd degelijk, de schijn bedriegt zo vaak.
3. *Iemand in goud beslaan* = hem buitengewoon waarderen en vereren. Ontleend aan een relikwie, die in guod gevat op het altaar wordt geplaatst ter verering.
4. *Een wijs man weegt zijn woorden op een goudschaaltje* = hij bedenkt goed, wat hij zal zeggen en hij is zeer nauwkeurig in zijn uitdrukkingen.
Een goudschaaltje behoort bij een buitengewoon gevoelige balans. De uitdrukking is waarschijnlijk genomen uit het apokriefe bijbelboek van Jezus Sirach XXVIII : 29: 'Uw goud en uw zilver bindt tezamen, en maakt voor uw woorden een weegschale.'
5. *Dat is een goudmijn* = in die zaak wordt ontzaglijk veel geld verdiend.
6. *Gouden bergen beloven,* zie *berg* 2.
7. *Hij denkt dat er goud te graven is,* hij meent dat het om rijk worden te doen is.
8. *Die met geen goud te verzaden en is, wordt eindelings met eerde gepaaid* (Gezelle), zie *hemd* 7.
Paaien, lett. = betalen; hier = tevredenstellen.
9. *Appels lopen op gouden benen* = ze zijn er haast niet meer en dus zijn ze heel duur.
10. *Gouden appels op zilveren schalen,* zie *appel* 6.
11. *'t Gouden kalf,* zie *kalf* 4.
12. Er is geen goud zo rood,
Of 't moet weg voor brood,
Fries spreekwoord. Als de nood aan de man komt, geeft men ook zijn laatste geld voor brood uit.
13. *De morgenstond heeft goud in de mond,* zie *morgen* I, 1.
graag.
De een traag,
De ander graag,
zie *traag.*
graan. 1. *Een graantje pikken* = een

glaasje nemen. De sterke drank wordt immers uit graan gestookt. Met bijgedachte aan de kip, die een korreltje wegpikt.
2. *Veel graantjes maken een brood* (Vlaams), zie *kleintje* 1 en 2.
graat. 1. *Hij is niet zuiver op de graat* = hij is niet geheel te vertrouwen. Ontleend aan vis, die begint te bederven, wat men aan de graat kan zien. Daarnaar gevormd: *hij is rood op de graat* = hij heeft socialistische neigingen.
2. *Hij valt van de graat* = hij is buitengewoon mager, zo mager alsof al het vlees van de graat (de beenderen) gevallen is.
3. *Aan de kat komt een graatje toe*, zie *kat* 20.
4. *Hij vindt er geen graten in* = dat is voor hem geen zwarigheid.
Ontleend aan 't eten van vis, waaruit men de graten verwijderd heeft.
grabbel. *Hij gooit zijn fortuin te grabbel* = hij verkwist zijn vermogen; hij geeft zijn geld uit aan allerlei dingen, die geen waarde hebben.
Herinnering aan de oude gewoonte, om bij feestelijke gelegenheden geld onder 't volk te strooien, dat er om grabbelen moest.
Speelwagens uit de stad trokken in de zomertijd uit naar buiten; de inzittenden gooiden centen *te grabbel* (*op gribbelgrabbel*) voor de dorpsjeugd.
graf. 1. *Hij delft zijn eigen graf* = hij bewerkt zijn eigen ondergang.
2. *Er loopt iemand over mijn graf*, gezegde als men plotseling zonder aanwijsbare oorzaak midden in een gezelschap een rilling gevoelt, dus de uiting van een zeer onaangename gewaarwording.
3. *Een gepleisterd graf* = een man, die zich schoon voordoet, doch die een heel slecht karakter heeft; iemand, die zijn boos gemoed verbergt achter een schone schijn. Bijbelse uitdrukking. 'Wee u, gij Schriftgeleerden en Farizeeën, gij geveinsden! want gij zijt de witgepleisterde graven gelijk, die van buiten wel schoon schijnen, maar van binnen zijn ze vol doodsbeenderen en alle onreinigheid.
Alzo ook schijnt gij wel de mensen van buiten rechtvaardig, maar van binnen zijt gij vol geveinsdheid en ongerechtigheid.' (*Matth.* XXIII : 27, 28.)
gram. 1. *Van die gram is, wacht u een tijdje; van de zwijger wacht u uw leven* (Gezelle) = wie boos is, wordt wel gauw weer goed, maar iemand die nooit eens een woord zegt, die is ook nooit te vertrouwen.
Ook:
Zwicht de gramme een tijd en de zwijger al uw leven (Zwicht = ontwijk).
2. Geen beter werk voor gramme zinnen,
Dan stil te zijn en tijd te winnen,
rijmspreuk bij Gezelle: wie gekrenkt is, moet rustig zijn tijd afwachten.
gras. 1. *Hij liet er geen gras over groeien* = hij pakte de zaak dadelijk aan. Gras groeit op een graf en dan is de dode vergeten.
2. *Iemand het gras voor de voeten wegmaaien* = datgene in 't midden brengen wat de ander ook wou zeggen; in 't algemeen: iemand vóór zijn, die hetzelfde wilde doen.
3. *Te hooi en te gras*, zie *hooi* 2.
4. *Hij kan het gras horen groeien* = het is een buitengewoon eigenwijze vent.
Hij verbeeldt zich dat hij wat kan dat niemand kan.
5. *Hij loopt op zijn laatste gras* = het zal niet lang meer met hem duren.
Uit het boerenbedrijf. Een slachtbeest loopt in werkelijkheid op zijn laatste gras.
6. *In 't gras bijten* = sneuvelen.
grasduinen, d.i. zijn hart ophalen, bijv. in een bibliotheek met veel mooie of zeldzame boeken. Het woord is afkomstig van de oude uitdrukking: *in grasduinen gaan* = volop genieten. De grasduinen zijn die plekken in de weide, waar het gras het hoogst staat en het weligst gegroeid is. Het vee in de weide *gaat in grasduinen*, zoekt die plekken het eerst op.
grazen, in de uitdrukking: *iemand te grazen nemen* = hem er tussen nemen, hem voor de gek houden, hem laten betalen. Volgens Stoett is *grazen* = iem. onder 't gras stoppen in het hooiland.
greep, zie *gaffel*.
Griet. 1. *Een boze Griet* = een kwaad wijf. Grieten hebben de naam van kwaadaardig te zijn; zo loopt in Groningerland het rijmpje:
Grieten zijn deugenieten.

En op de Vrijdagmarkt te Gent staat nog altijd het reuzenkanon uit de 14e eeuw, dat *Dulle Griete* heet.
Misschien, zegt Stoett, moet men denken aan Sint-Margaretha en hij haalt daarbij een oude spreuk aan, die bij Prudens van Duyse staat:
De beste Griet die men vandt
Was die de duyvel op 't kussen band,
want dit wordt van deze heilige verhaald. Van dezelfde opvatting gaat het gezegde uit:
2. *Waar een Griet in huis is, heeft men geen hofhond nodig.*
En bij Tuinman ook reeds: [*vis.*
3. *Een Griet is kwaad vlees, maar goede*
Woordspeling met *griet*, een soort platvis uit de zee.
En bij Van Meurs:
4. Het is het lied van boze Griet:
Je zult, je moet, al wil je niet.
Bij *Adagia* een goede raad, no. 432:
5. Hebt gij een boze Griet,
Schiet nooit u door de kop,
Maar stop bedaard uw pijp
En lees het boek van Job.
Griet, ook in Vlaanderen berucht. Bij Goedthals ook reeds (1568):
Daer twee Grieten in één huys sijn, en behoeft gheenen bassenden hont. Dit ook bij Joos, blz. 142.
In 1644 werd op de Amsterdamse Schouwburg de *Klucht van de quae Grieten* gespeeld.
Bij Harrebomée:
Onze Griet
Is allemans verdriet,
Wijl ze niemand ontziet.
6. Zonder kwaadaardigheid bij Gezelle in het spreekwoord:
Elk prijst zijn Grietjen, al is het begromd = ieder is met het zijne ingenomen; elk meent zijn uil een valk te zijn.
Begromd = vuil, morsig.
gril. *Grillen! zei de snijder, en beet in de tafel*, schertsend gezegde, wanneer iem. zich gek aanstelt of maar aan zijn dwaze invallen toegeeft.
groen. 1. *Hij zat aan haar groene zijde* = ze zaten bijeen als een verliefd paar. Als het meisje behagen vindt in de vrijer, zegt ze allicht: *kom maar aan mijn groene zijde.* Groen was in de M.E. de kleur van de vreugde.
2. *'t Wordt mij groen en geel voor ogen* = alles duizelt mij; alles warrelt voor mijn ogen doorheen, zoveel zie ik tegelijk; nu begrijp ik er niets meer van.
Volgens *Woordenschat* naar de kleren van de nar op Driekoningenavond; aldaar ook het oude rijm:
Daar is geen zot zo eel,
Of hij draagt groen met geel.
grond. 1. *Zij zitten aan de grond* = zij kunnen niet verder; hun zaak zit vast; zij moeten de betaling staken.
Gezegd van een schip, dat *aan de grond zit*, dat gestrand is.
2. *Hij voelt grond* = hij voelt, dat hij genoeg gegeten heeft; hij kan niet meer op.
Op 't schip peilt men in gevaarlijk water, hoeveel vadem er nog staat. Zo lang men daarbij geen grond voelt, kan men rustig doorvaren.
3. *Een zaak in de grond boren* = te gronde richten, tot ondergang brengen.
Zoals men in de zeeslag een schip in de grond boort, d.i. doet zinken.
4. *Hij gaat te gronde* = hij gaat ten onder; hij verspeelt er alles mee.
Insgelijks ontleend aan een schip dat zinkt.
5. *Dat is een vakman van de koude grond* = die zijn vak niet of maar slecht verstaat. Uit de tuinderij. Groenten en vruchten van de koude grond zijn niet te vergelijken met die uit de broeikas.
grondsop. *Het grondsop is voor de goddelozen*, schertsend gezegde als iemand het laatste uit de fles krijgt. In Groningen: *'t overschot is voor de goddelozen.*
In Psalm 75 : 9 leest men: in des Heren hand is een beker, en de wijn is beroerd, vol van mengeling, en Hij schenkt daaruit; doch alle goddelozen der aarde zullen zijn droesem uitzuigende drinken.
groot. 1. *De groten moeten van de kleinen azen* (Vlaams) = de grote lui leven van de kleine.
2. 't Gaat om een grote
Of om een blote,
(Gron.) = hij zet alles op het spel; hij zal alles winnen of alles verliezen; 't is er op of er onder.
Ook: *'t is kreupel of koning.*
3. *De groten rijden te paard en de kleinen hangen tussen hemel en aarde* (Fries) = de grote dieven leven in weelde en eer, maar de kleine worden opgehangen.
grootje. *Dat gaat naar zijn grootje* = dat gaat naar de weerlicht; dat gaat verloren. Misschien met de bijgedachte: naar

grootje, die er ook niet meer is.
groten. 1. *Groten stelen en kleine stelen, maar de grote stelen het meest.* Zie *dief* 6.
2. Zie *kers.*
grijs. 1.
Men vindt veel grijzen,
Maar weinig wijzen,
Vlaamse rijmspreuk: al is een man oud, 't is daarom nog geen wijs man.
2. *Grijze haren groeien op geen zotte bollen* (Vlaams), zie *haar* 27. Aldaar ook:
3. Grijs haar,
Wijs haar.
gunnen. *Ongegund brood wordt veel gegeten* = de ene man kan niet verdragen, dat het de andere man van 't zelfde vak goed gaat. Zie *bedelaar* en *hond* 41.
gunst. 1.
't Gaat naar de gunst
En niet naar de kunst,
zie *kunst* 3.
2. *Gunst voedt kunst* (Vlaams): wiens werk gewaardeerd wordt, zal zich des te meer beijveren, om zijn werk nog te verbeteren.
3. *Gunst baart nijd* = als het iemand goed gaat in zijn zaak, dan worden zijn mededingers afgunstig. Zie *brood* 12 en *hond* 41 en *bedelaar.*
Gyges, zie *ring* 2.
gijntjes, zie *gein.*
gijpen. *Hij ligt op gijpen* = op 't uiterste. Zeemanswoord. *Gijpen* is het plotseling omslaan van het zeil van de ene zijde van de mast naar de andere kant. Daardoor gebeurt het bij kleine vaartuigen, dat ze kantelen en verloren gaan.

H

h. *Iemand de drie h's op de rug schrijven* = iemand wegsturen, die men graag kwijt zijn wil.
Naar de overlevering stuurde men zo iemand naar Oost-Indië met een aanbeveling, waar *drie h's* op stonden en die zouden betekenen: *h*oudt *h*em *h*ier, nl. in de Oost.
haag. 1. *Alle hagen schutten wind* = elke mededinger neemt een deel van de verdienste weg, vooral gezegd van winkels met dezelfde waar. Ook verbasterd tot: *alle havens schutten wind.*
2. *Achter de hage lopen* (Vlaams) = moedwillig de school verzuimen.
haai. 1. *Naar de haaien gaan* = verloren zijn; ook = sterven.
2. Zo ook: *dat is voor de haaien* = dat is voorgoed verloren, dat geld is weg.
3. *Er zijn haaien op de kust* = er zijn mededingers; pas op, dat je niets afgesnoept wordt!
haaibaai. *'t Is een haaibaai* = een drukke, snibbige vrouw; ook een die 't werk met geweld aanpakt.
Ook *heibei.* Klanknabootsend rijmwoord; heeft met een *haai* niets te maken.
haak. 1. *Hij heeft een rijke dochter aan de haak geslagen* = hij is met een rijk meisje verloofd of getrouwd. Men denkt aan de vis, die met de hengel gevangen wordt; zoals wel vaker is de beeldspraak niet zuiver; immers niet de vis, doch de worm wordt aan de haak geslagen.
2. *Dat is niet in de haak* = dat is niet zuiver, niet zoals 't behoort.
De haak is hier de winkelhaak van de timmerman; wat bij hem in de haak is, staat zuiver rechthoekig op elkaar.
Zie ook *es.*
3. *Haken en ogen* = moeilijkheden. Zoals een kledingstuk met haken en ogen gesloten wordt, denkt men aan zaken, die moeilijk los te krijgen, te ontwarren zijn.
haan. 1. *De haan kraait het hardste op zijn eigen mesthoop* = wie op zijn eigen grond staat, kan licht een groot woord voeren; wie in eigen omgeving is, kan zich het best verdedigen.
2. *Hij stapt als een stoterse haan* = hij loopt trots langs de weg.
Een stoter = $12^1/_2$ cent; de stoterse haan was voor de kinderen een prachtgeschenk op St. Niklaas; zulk een haan van speculaas werd voorgesteld met een fiere gang, steeds met één poot opgetrokken.
3. *Hij hangt de gebraden haan uit* = hij doet zich voor als een grote meneer, geeft ruim geld uit, is prachtig gekleed; 't is een opschepper.
Lett. = hij stelt zich aan als de gebraden haan. Oudtijds kwam bij oogstfeesten en bruiloften een gebraden haan in zijn geheel op tafel.
De Beer en Laurillard verwijzen naar de vroegere uithangborden van gaarkeu-

kens; daaruit is dan 't woord *uithangen* te verklaren (*Woordenschat.*)

4. *Zijn haan wil koning kraaien* = hij wil de baas zijn. Ontleend aan de vroegere hanegevechten.

5. *Daar kraait geen haan naar* = daar wordt niet meer over gesproken; dat komt nooit aan 't licht.

Zeer waarschijnlijk een heugenis aan het volksgeloof, dat de haan door zijn kraaien de moordenaar aanklaagde, als er geen menselijke getuigen waren. Tuinman vermoedde, dat het gezegde slaat op de verloochening van Jezus door Petrus, *Matth.* XXVI : 75; 'En terstond kraaide de haan.'

6. *De rode haan laten kraaien* = brand stichten.

Kluge heeft de uitdrukking verklaard uit de gewoonte van de brandstichters, die een haan met rood krijt tekenden op de gebouwen, die ze in brand zouden steken, als ze niet werden afgekocht. Winschooten daarentegen denkt, dat men onder de rode haan alleen maar 'een brandend lont' heeft te verstaan.

7. *Hij werd zo rood als een kalkoense haan* = hij werd meer dan driftig, hij werd woedend. Als de kalkoen kwaad wordt, dan lopen zijn kam en lellen plotseling rood aan.

8. *Hij is overal haantje de voorste* = de eerste bij een vechtpartij. Naar de haan, die ook dadelijk op zijn tegenstander aanvliegt.

9. *De haan is de baas, ...als de hen niet thuis is* = de man is het hoofd van 't gezin, maar de vrouw heeft het zeggen.

Reeds in de Kamper Verzameling (89):
Weel mit vrede wil leven, die late sijn wijf sijn overheer wesen.

En op rijm:
Tis den huyse groot verdriet,
Daer die Henne kreyt,
ende die Haene niet.

Zo ook bij Cats:
't Is in huis geheel verdraaid,
Daer 't haantje zwijgt
en 't hennetje kraait.

In Vlaanderen:
't Is verkeerd en gans verdraaid,
Waar 't haantje zwijgt
en 't kieken kraait.

10. *Hij schrijft hanepoten* = bijna onleesbaar schrift, vooral gezegd van iem. die nog ongeoefend is of die van koude of stijfheid in de vingers niet goed schrijven kan. Dan ziet het schrift er uit net als de sporen, die de haan nalaat, als hij over weke grond loopt.

11. *'t Is een haneveer* = iemand, die graag vecht. In oude tijd droegen de huursoldaten vaak een haneveer op de muts.

12. *Hij staat zo verlegen als een haan in 't stopgaren.* Als een haan in stopgaren (sajet) met zijn poten verward raakt, dan doet hij ook alle mogelijke moeite, om weer los te komen.

13. *Een goede haan is niet vet.* Bij De Brune op rijm:
Een magre haan en vette hin
Is 't bewijs van zoete min.

14. *Vroeger kraaiden de hanen, zei dove Jaap, nu doen ze lleen maar de bek open,* schertsende opmerking, als iemand klaagt over de tegenwoordige slechte tijd en de oude tijd prijst. Vergelijk *noot* 1, 2.

15. *De magere hanen kraaien 't hardst* (Vlaams) = wie arm is, voert vaak nog het hoogste woord.

16. *Daar dienen geen twee hanen op één mesthoop* (Vlaams) = geen twee masten (kapiteins) op één schip.

17. Velen die met 't haantje draaien
Al gelijk de winden waaien,
spreuk bij Gezelle.
't Haantje = de weerhaan.

18. *Een goede haan kraait nog wel eens weer* (Fries), troost voor een meisje dat onenigheid gehad heeft met haar beminde: als hij je werkelijk meent, dan komt hij wel weer.

19. *Een goede haan kraait tweemaal* = iemand, die iets van zich heeft laten horen, doet dat nog wel eens.

haar I. 1. *'t Scheelde geen haar* = 't was op een haar na mislukt.
Lett. 't scheelde nog niet de breedte van een haar.

2. *Krul haar, krulle zinnen* = wie een natuurlijke krul in zijn haar heeft is niet te vertrouwen, is onstandvastig.
Oud volksgeloof. Zie ook *kroes.*

Bij Guido Gezelle:
Daar het haar in krullen schiet,
Daar en woont de wijsheid niet.

Bij Amaat Joos:
Krulhaar,
Dul haar.

3. *De wilde haren zijn er nog niet uit* = hij handelt nog in jeugdige onbezonnenheid; hij is nog overmoedig en stoort

zich aan geen raad van ouderen; hij gaat er nog wel eens vandoor.
De wilde haren zijn de nestharen, 't eerste haar van een jong dier. Dus lett. = hij is nog heel jong; 't zal met de tijd wel over gaan of beteren.
Maar dit verklaart niet
3a. *Hij heeft een wild haar in de neus*, een gezegde met dezelfde betekenis.
4. *Zij zitten elkaar in 't haar* = zij hebben twist. Ontleend aan jongensvechtpartijen.
5. *Hij heeft pijn in 't haar* = hij is aan de zwier geweest en gevoelt zich nu allesbehalve lekker. Die pijn zit dus niet in, maar onder het haar.
6. *Dat sleept hij er met de haren bij* = dat brengt hij er mee in verband, ofschoon het er in 't minst niet mee te maken heeft. Zoals men in een vechtpartij iemand aan zijn haar voorttrekt,waarbij de patiënt zich dus zo hard mogelijk verzet.
7. *Niet een haar op zijn hoofd, dat er aan denkt* = ik denk er in 't geheel niet aan, ik wil er niets van weten.
't *Haar* genomen als het kleinste, 't allergeringste.
In de Kamper Verzameling:
Dat ick wuste, dat ick een hayr op myn hoeft hadde, dat derop dacht, ick woldet wttrecken.
Van dezelfde gedachte gaat uit:
7a. *Hij heeft geen goed haar aan zijn lijf* = er is letterlijk niets aan hem, dat deugt.
8. *Alles op haren en snaren zetten* = het alleruiterste doen, alle mogelijke middelen aanwenden, om iets gedaan te krijgen, om zijn zin door te drijven.
Men denkt aan de haren van een strijkstok en de snaren van de viool, doch Stoett acht waarschijnlijker dat *haren* barsten betekent en dat *snaren* er alleen om het rijm bijgevoegd is.
9 *'t Haar van de hond er op!* = een kwaal moet genezen worden met dezelfde middelen, die er de oorzaak van waren. Men legde vroeger 't haar van de hond op de wonde, die door een hondebeet was ontstaan.
Nu is 't vooral een gezegde, als iemand hoofdpijn heeft van een al te zware dronk; dan moet hij de katterigheid verdrijven door opnieuw te drinken. 'Dit is een zuipers spreekwoord,' zegt Tuinman.
10. *Ze zijn weer aan 't haarkloven* = zij houden zich op met beuzelarijen; zij pluizen de zaak weer uit tot in de nietigste kleinigheden. Lett. = zij willen een haar nog weer splijten.
11. *Hij heeft haar op de tanden* = hij durft van zich af te spreken, hij staat voor zijn taak, hij is sterk en onbevreesd. Gewoonlijk geeft men als verklaring, dat het een bewijs is van kracht en moed, als men goed in zijn haar zit. En dat zou men dan overgebracht hebben op het gebit.
Meer voor de hand ligt, dat *haar* hier een oud woord is voor scherpe, spitse oneffenheden, zoals die zich bijv. bij paarden op de kiezen vertonen. Zo kwam de gedachte aan een stevig gebit en verder tot de betekenis: van zich afbijten. Doordat men dit woord *haar* niet meer kende, dacht men aan 't andere *haar*.
In Groningen zegt men zelfs: *haar om de kiezen hebben* en de Duitse geleerde Kluge denkt aan een baard, die immers ook om de kiezen is, als teken van mannelijkheid. Verwant met *haar* = oneffenheid is misschien het werkwoord *haren*, b.v. *een zeis haren* = de oneffenheden wegnemen; de zeis scherpen.
12. *Lang haar en kort verstand*, kenmerk van de vrouwen (volgens de mannen met ervaring).
Dezelfde gedachte bij Agricola (203):
Lange kleyder,
Kurtzer synn.
En bij Tuinman:
Lange kleren, korte zinnen.
Bij Guido Gezelle:
Vrouwen dragen lange kleren, maar korte zin.
13. *Dat is hem niet naar 't haar* = dat staat hem helemaal niet aan.
Als men een kat over de rug strijkt, dan moet dit ook gebeuren *naar 't haar*, met het haar mee; anders vindt poes het niet aangenaam.
14. *Veel haarkens maken een borstel* (Gezelle) = veel kleintjes maken een grote.
15. *Zijn haren rezen te berge*, teken van geweldige schrik.
Bijbelse uitdrukking. 'Onder de gedachten van de gezichten des nachts, als diepe slaap valt op de mensen, kwam mij schrik en beving over en verschrikte de veelheid mijner beenderen; toen ging

voorbij mijn aangezicht een geest; hij deed het haar mijns vleses te berge rijzen.' (*Job* IV : 13—15.)
En zo ook in *Ezechiël* XXVII : 35. 'Alle inwoners der eilanden zijn over u ontzet, en hun koningen staan de haren te berge, zij zijn verbaasd van aangezicht.'
16. *Hij heeft er haar gelaten* = hij heeft er geld bij verspeeld.
Ontleend aan de vechtpartijen, waarbij men elkaar plukhaart.
Vandaar ook:
17. *Hij wil zijn haar weerhalen* = hij wil wraak nemen, hij wil vergelding, schadevergoeding.
18. *Geen haar op uw hoofd zal gekrenkt worden* = niet het geringste leed zal u worden aangedaán.
Bijbelse uitdrukking, Paulus, die naar Rome gevoerd werd, bemoedigde het volk aan boord van het schip in nood:
'Niemand van u zal een haar van het hoofd vallen.' (*Handelingen* XXVII : 34.)
Of ook naar I Kon. I : 52. Adonia wilde koning zijn in Israël; Salomo vergaf hem zijn optreden en zei:
'Indien hij een vroom man zal zijn, daar zal niet van zijn haar op de aarde vallen.'
19. *Dat heeft maar aan een haar gehangen* = 't scheelde niet veel, of 't was verkeerd afgelopen.
Zie *draad* 7 en *hoofd* 1.
20. *Ik moet er haar of pluimen (veren) van hebben* = ik moet weten, waar ik aan toe ben; ik moet hom of kuit hebben.
Jagersuitdrukking. Lett. = ik moet wàt van de buit hebben, zo geen haas, dan een patrijs.
21. *Zo dicht als 't haar op de hond* = heel dicht; b.v. *'t koren staat zo dicht als 't haar op de hond.*
22. *Hij draagt de muts op drie haartjes* = schuin op zijn hoofd, om een zwierige indruk te maken.
23. Rood haar en elzehout
Is op geen goede grond verbouwd,
zie *rood* 4.
Ook:
24. Rood haar met een spitse kin,
Daar steekt de duivel in.
25. *Elkander in 't haar zitten*, lett. = plukharen; fig. elkaar het leven lastig maken.
26. *Hij ziet op geen haar, als hij een hond scheert* (Fries) = hij neemt het niet zo nauw; hij is niet karig.
27. *Grijze haren groeien op geen zotte bollen* (Vlaams), d.i. *gekken grijzen niet*, want:
28. Grijs haar,
Wijs haar.
29. *'t Is kwaad kammen daar geen haar is* (Vlaams) = waar niets is, heeft de keizer zijn recht verloren.
30. *Als ik mijn haar verlies, draag ik een pruik* (Vlaams), antwoord van zorgeloze mensen op een waarschuwing, dat het verkeerd gaat.
31. Schoon haar en schone zingen,
Twee onstandvaste dingen. (Gezelle.)
32. *Om een haar versteekt men geen boterpot* (Gezelle), zie *ei* 9.
Versteken = anders steken; hier = opnieuw in de pot steken.
33. *Wie zelden kamt zijn haar, die wordt er grote pijn gewaar.*
haar II (oneffenheid). *Er zit haar aan de kling* (Gron.) = er zijn moeilijkheden gerezen. Haar is de oneffenheid aan de snede van een mes, zeis, zicht, sabel enz. Dus: de kling is stomp.
Omdat men 't woord kling niet meer kent, zegt men nu altijd: *er zit haar aan de klink.*
Vergelijk *haar* I, II en *draad* 9.
haard.
Eigen haard
Is goud waard.
een eigen huis te hebben gaat ver boven het wonen bij een vreemde.
Haarlem. 1. *Dat zit zo vast als Haarlem* = dat is niet los te krijgen.
Misschien een herinnering aan het langdurig beleg van 1572—'73.
2. *Hij is zo brutaal als de beul van Haarlem.* Zie *beul.*
Haarlem was van ouds de grote, voorname stad, toen Amsterdam nog in zijn opkomst was. Vandaar ook dat de boerenvrouw in Broek-in-Waterland tot Napoleon zei, die met zijn laarzen aan de boerderij wou binnen gaan:
3. *Zo kom je er niet in, al was je de burgemeester van Haarlem ook.*
Haarlemmerdijk. 1. *Maak nu geen Haarlemmerdijkjes* = geen herrie, geen drukte, geen tegenpraatjes. De bewoners van de Haarlemmerdijk in Amsterdam hadden daar blijkbaar de naam van; deze straat was vroeger een beruchte buurt

vanwege de lichte vrouwen, die er woonden. Ook was de taal daar niet bijzonder gekuist. Een herinnering daaraan, met gewijzigde betekenis in

2. *Hij spreekt Hooghaarlemmerdijks* = hij wil deftig praten, maar het lijkt er toch niet veel op.

In de *Klucht van Kees Louwen* van J. Z. Baron (1667) vindt men in één regel drie beruchte straten genoemd:

Hij is bekent bij luy van grooten staet,
Soo in 't Haegze Patmoes,
als d' Amsterdamse Haerlemmerdijck,
Of Antwerpze Leepel-straet.
(Verdenius, *Studies*, 59.)

haas. 1. *Hij heeft haas gevreten* = hij is een durfniet, hij is lafhartig. De haas is niet bepaald bekend als een moedig dier; volgens het oude volksgeloof werd men lafhartig, als men haas at.

2. *Een haas wil altijd weer naar de streek, waar hij geboren is*, d.i.

De liefde tot zijn land
is ieder aangeboren.

3. *Hij koos het hazepad* = hij nam de vlucht.

4. Waar men dit het minst verwacht,
Springt de haas vaak uit de gracht,
er gebeuren altijd dingen, waar men niet op had gerekend.

5. *Een hazeslaap* = een slaap, die zo licht is, dat men bij 't minste gedruis wakker wordt.

Men zegt, dat de hazen slapen met open ogen, omdat zij slechts zeer korte oogleden hebben.

6. *Veel honden zijn der hazen dood*, zie *hond* 14.

7. *Haas-op spelen* = het hazepad kiezen.

8. *Wie twee hazen jaagt, vangt geen enkele* = men moet geen twee dingen tegelijk doen; men moet niet te veel hooi op de vork nemen.

9. *De oude hazen kennen de stroppen* (Vlaams) = men zal een man van ondervinding en ervaring niet licht beetnemen. Ook:

10. *Een oude haas kent alle slopen* (paadjes).

11. *Die meest hazen schiet, eet er minst*

13. Wie zelden kamt zijn haar ..... (z. *haar*)

(Vlaams), zie *paard* 1.
12. *Hij is het haasje* = hij is er bij, het ongeluk treft hem.
13. *Een haas bespringt ook wel een leeuw, wanneer hij geeft zijn lesten geeuw.*
haast I. 1. *Haast u langzaam* = doe alles met bedachtzaam overleg, haast je, maar overhaast je niet. Want:
2. *Hoe meer haast, hoe minder spoed.*
Bij Guido Gezelle:
3. Met haast en kan geen goed geschieden, 't en zij gij wilt de peste vlieden.
In Friesland:
3a. *De grootste haast is de grootste vaart niet.*
4. *Met drie haasten* = al te haastig; in zeer grote haast.
Dit is overgenomen van de opschriften der brieven, op welke staat *cito, cito, cito.* (Tuinman.)
haast II (bijna). 1. *Haast is nog niet half* = als men haast iets gehad had, dan heeft men 't helemaal niet gekregen. Voluit:
Haast is nog niet half,
En een koe is nog geen kalf,
dit laatste natuurlijk schertsend.
Vlaams:
2. *Haast bolt altijd te kort. Bollen* = bollinge, het algemeen beminde spel, waarbij met bollen van hout geworpen wordt.
haastig. 1.
Haastige spoed
Is zelden goed.
Op zijn Vlaams:
2. *Wat haastig wordt, haastig ontwordt.*
En ook:
3. *Een haastige hond werpt blinde jongen.*
Of:
4. 't Is beter gebeid
Als kwade haastigheid.
5. *Zijt niet te haastig om verkens te maken, ge mocht den steert vergeten* (Vlaams), waarschuwing om niet te gauw te zijn in 't spreken.
haat.
Dat doet hij niet uit haat of nijd,
Maar om eigen profijt,
d.i. de ware reden van zijn handelen is

14. Een haas bespringt ook wel... (z. *haas*)

hoop op voordeel.

hachje. 1. *Hij heeft er het hachje bij ingeschoten* = hij is er bij om 't leven gekomen. *Hachje* is een oud woord = stuk, brok, homp, buit, bezit. In dit geval het beste bezit, dat men heeft, het leven.
2. *'t Is een hachje* = 't is een waaghals, een deugniet, een haantje-de-voorste. Mede een ontwikkeling van 't begrip *hachje* = stuk, brok. Vergelijk:
een stuk verdriet en een *galgebrok*, waar stuk en brok ook de gehele persoon beduiden.
3. *Hij is bang voor zijn hachje* = a. hij vreest voor zijn lichaam, b.v. dat hij een pak slaag krijgt of dwarsdoornat wordt; b. hij vreest voor zijn leven.
Ook hier is *hachje* = *stuk* geworden tot *het gehele lichaam* en verder tot *het leven.* Deze opvatting ook in:
4. *Zijn hachje wagen.*

hak I = hiel. 1. *Iemand de hakken laten zien* = er vlug van door gaan, zodat een ander je niet meer inhalen kan.
2. *Zij heeft niet veel om hakken*, letterlijk = zij is zo arm, dat ze geen goed kleed aan heeft. Fig. *De zaak heeft niet veel om hakken* = is van weinig betekenis.
3. *Iemand op de hak nemen* = iem. er tussen nemen, voor de gek houden, beetnemen. Lett. = iem. beentje lichten.
4. *Iemand op de hakken zitten* = hem scherp achtervolgen, zodat men vlak achter zijn hielen is.
5. *Zij is kort van hakken, ze valt licht achterover* = zij is licht van zeden.
Ook Bredero spreekt van *'t korthielde volk.*
6. *Hij heeft de hakken uitgestoken* = hij is gestorven; (plat).
7. *Hij trekt aan de hakken* = hij loopt zo hard hij kan.
8. *Men kan hem met geen polsstok aan de hakken komen* = men kan hem niet te spreken krijgen; fig. hij is zo hoog en voornaam, dat hij geen omgang wenst met zijn minderen.
De gedachte is, dat iemand voor je uitloopt op zulk een afstand, dat men hem zelfs met een polsstok niet bereiken kan.

hak II = haak. *Van de hak op de tak springen* = telkens overgaan van 't ene onderwerp op het andere; wispelturig zijn.
Hak = haakvormige tak; dus van de ene tak op de andere springen, gelijk de vogels doen.

hak III = het hakken. 1. *Iemand een hak zetten* = hem een poets bakken, hem iets ergs verwijten, hem benadelen. Lett. op iem. inhakken.
2. *Waar gehakt wordt, vallen spaanders* = als er slag geleverd wordt, vallen er doden; waar gewerkt wordt, daar heeft men ook afval: als men feest viert, dan kost het geld.

hakkenkruk. *'t Is een hakkenkruk* = een stumper in zijn vak; iem. die niet voort kan.
Hak = (hoekige) boomtak, fig. een onbedrevene. Een *kruk* is hetzelfde.

half. 1. *Beter ten halve gekeerd dan ten hele gedwaald* = wie ziet dat hij op de verkeerde weg is, moet zo spoedig mogelijk terugkeren; herstel je fout, vóórdat het erger wordt.
2. *Beter een half ei dan een lege dop*, zie *beter* 2.
3. *'t Is een halve gare* = hij is niet recht snik. Lett. een *halfgare*, net als een brood dat maar half gaar gebakken is.
4. *Ik vind het maar half en half goed.* Eenvoudig een versterking van *half goed.*
5. *Een halfbakken vrijer* = een vrijer die niet weet het aan te pakken; een die niet voor vol telt. Vergeleken bij brood, dat maar half gaar is.
6. *Een halfblanks heer* = iem. die zich als heer voor doet, maar die in waarheid niets bijzonders is. Herinnering aan de tijd, dat een blank een stuk van 6 duiten was, van welke duiten er 8 op een stuiver gingen.

halfje. *Halfjes en motregen dringen door* (Gron.) = als men telkens een half glaasje neemt, wordt men op de duur helemaal dronken.

halfzeven. 1. *Zijn hoed staat op halfzeven* = staat scheef; aldus naar de stand van de enige wijzer op de wijzerplaat van een dorpstoren. Zo ook:
2. *Hij is halfzeven* = hij is dronken, maar niet zo heel erg; hij hangt uit het lood.

Halle. *'t En is niet genoeg te zeggen: ik kom van Halle, men moet het vaantje mee hebben* (Gezelle) = men moet bewijzen wat men beweert.
Halle is de buitengewoon bezochte bedevaartplaats ten Z. van Brussel. Die daar ter bedevaart gaan, krijgen een

processievaantje mee naar huis.
Halleluja, zie *alleluja.*
hals. 1. *Zich iets op de hals halen* = zichzelf een last of schade toebrengen. De hals is hier de nek, die de last moet dragen.
2. *Hals over kop* = overhaast, zo spoedig mogelijk. Ontleend aan 't kopje buitelen, waarbij de kop beneden is. In Groningen = *kop over hals.*
3. *Om hals brengen* = om 't leven brengen, lett. iemand de hals doen verliezen.
4. *'t Is een hals* = een stumper, een goedbloed, een sukkel.
Hals is hier = lichaam, met de bijgedachte: een onnozele hals.
halster. 1. *Beter een blind paard dan een ledig halster* = beter wat dan niets.
2. *Hij heeft de kop door de halster,* zie *helster* 3.
Haman. *Sla Haman dood!* riepen de Joden op hun Purimfeest, ter gedachtenis aan Haman, die in de gunst stond van de koning van Perzië en die alle Joden in het land wilde verdelgen. Maar de koningin Esther, die een Jodin was, wist het gevaar te keren, en Haman werd opgehangen aan de galg van vijftig ellen hoog. (*Esther* VII : 10.)
De uitdrukking wordt gebezigd, als iemand zijn zucht tot wraak wenst te boeten.
hamer. 1. *'t Goed komt onder de hamer* = wordt in 't openbaar verkocht of verhuurd. De afslager zegt: eenmaal, andermaal, derdemaal en slaat dan met de hamer toe. Na die slag wordt geen bod meer aangenomen.
2. *Wat hamer!* = wat duivel! Uitroep, waarin het woord duivel een door andere krachtterm is vervangen, evenals b.v. in *wat donder!*
Dat men hierbij aan de hamer van de Germaanse dondergod Thor (Donar) moet denken, is al heel onwaarschijnlijk.
3. *Hij zit tussen hamer en aambeeld* = hij vangt de slagen op.
4. *Zilveren hamer breekt ijzeren deuren* (Gezelle) = met geld komt men overal binnen; er zijn zovelen, die zich laten omkopen.
Vergelijk *wal* II.
hand. 1. *Dat is een kolfje naar zijn hand,* zie *kolf.*
2. *Zijn handen jeuken hem* = hij kan haast niet nalaten, er op in te slaan.
3. *Mijn rechterhand jeukt* = teken dat ik geld te wachten heb; volksgeloof.
4. *Hij zat met de handen in het haar* = hij wist er geen raad meer mee.
5. *Dat zijn twee handen op één buik* = zij zijn het volmaakt eens met een plan, (dat een ander schade berokkent). Ze vormen zodanig één geheel, als wanneer iemand zijn beide handen gevouwen voor zijn buik houdt. (*Ned. Wdb.* V, 1755.)
6. *Veel handen maken licht werk.*
7. *Zij verweren zich met hand en tand* = met alle middelen, waarover zij kunnen beschikken. De tand zal er om het rijm bijgevoegd zijn.
8. *Hij leeft van de hand in de tand* = wat hij verdient moet hij dadelijk besteden, om aan eten te komen, zo arm is hij.
9. *Als de ene hand de andere wast, worden ze beide schoon* = als men samenwerkt, hebben beiden er voordeel van.
10. *Hij streek met de hand over het hart* = hij gaf zijn bezwaren tegen de wens van iemand anders op; hij willigde diens verlangen in. Wie zo iets doet, min of meer tegen zijn zin, strijkt allicht met de hand over de borst.
11. *De hand op de mond leggen* = zwijgen, in de zin van: niet verder vertellen, wat men vernomen heeft.
Ontleend aan Job XXI : 5. 'Ziet mij aan en wordt verbaasd en legt de hand op de mond.'
12. *Iemand de hand boven het hoofd houden* = hem beschermen, zijn fouten vergoelijken, maken dat hij vooruitkomt. 't Is alsof men met zijn hand de slagen afweert, die hem zouden kunnen treffen. Misschien ook van 't gebaar van vroeger: iemand bij terechtstelling begenadigen.
13. *De hand in eigen boezem steken,* zie *boezem.*
14. *Hij had de meerderheid op zijn hand,* hand heeft hier de betekenis van zijde.
15. *Goederen in de dode hand* = bezittingen van de kerk en van andere instellingen, die nooit vererven en waarvan dus geen erfenisbelasting betaald wordt, gelijk het geval is met de goederen van levende personen. Enkele jaren geleden is een zeer matige belasting ingevoerd op bepaalde goederen in de dode hand.
16. *'t Is hard, als men zijn hand op moet*

houden = als men om geldelijke ondersteuning moet vragen.
17. *Daar verdraai ik geen hand voor* = daar wil ik ook nog niet de geringste moeite voor doen.
18. *Dat is maar een handomdraai* = dat is maar een kleine moeite, dat is in een wip gedaan.
19. *Hij wast zijn handen in onschuld* = hij beweert dat hij geen schuld heeft; hij wil geen verantwoordelijkheid dragen.
Bijbelse uitdrukking. Als er een moord geschied was, moesten de oudsten der stad een jonge koe nemen en in het dal de nek doorhouwen.
'En alle oudsten derzelve stad, die naast aan de verslagene zijn, zullen hun handen wassen over deze jonge koe... En zij zullen betuigen en zeggen: onze handen hebben dit bloed niet vergoten. (Deuteronomium XXI : 6, 7.)
In Psalm XXVI : 6 leest men: 'Ik was mijn handen in onschuld.'
Het meest bekend is het verhaal van de stadhouder Pilatus, die Jezus wilde vrijlaten. Doch 'als nu Pilatus zag, dat hij niet vorderde, maar veel meer dat er oproer werd, nam hij water en wies de handen voor de schare, zeggende: Ik ben onschuldig aan het bloed dezes rechtvaardigen.' (*Matth.* XXVII : 24.)
Vandaar ook:
19a. *Hij wast er zijn handen van af* = hij wijst alle verantwoordelijkheid af.
20. *De hand op iets leggen* = er beslag op leggen, het zich toeëigenen, het in bezit nemen. Oud rechtsgebruik.
21. *De laatste hand aan iets leggen* = het werk afmaken, het geheel in orde brengen.
22. *De hand met iets lichten* = de voorschriften niet al te streng uitvoeren. Uitdrukking, aan de handel ontleend: de eerste betekenis was: iets verkopen beneden de marktprijs.
23. *Daar heeft hij een handje van* = dat gaat hem gemakkelijk af, dat kan hij vlug en goed. *Hand* betekent hier de wijze van doen, zoals ook nog in de uitdrukking *langzamerhand.*
24. *De winnende hand is mild*, zie *winnen* I, 1.
25. *Van hoger hand* = uitgaande van een hoger gezag, vooral van de Regering. *Hand* is hier = macht.
26. *Wat is er aan de hand?* = wat gebeurt er? Lett. = wat is er onder handen? waar is men mee bezig?
27. *Iemand iets aan de hand doen* = hem iets verschaffen, waarmee hij uit de moeilijkheden komt. Lett. iem. iets in handen geven.
28. *Ik heb nog wat achter de hand* = in voorraad, iets dat gebruikt kan worden bij voorkomende gelegenheid; vooral: ik heb nog wat geld, dat nu te pas komt. Letterlijk heeft men touw achter de *hand*, als men het inhaalt; het deel dat reeds ingehaald is, heeft men achter de hand.
29. *Bij de hand* = a. vlak bij. Vandaar b. in de buurt zijn, op zijn, te spreken zijn. *Om acht uur ben ik steeds bij de hand*; c. goed bij zijnde, vlot, vlug, behendig, scherp van begrip. Afgeleid van betekenis b; zo iemand is overal vlug bij.
Ook vaak met de oude 3e naamval *bij der hand.*
30. *Die jongen komt zijn vader al aardig in de hand* = begint al flink mee te werken. Ook:
30a. *Hij gaat hem al mooi aan de hand.*
31. *Dat is mij in de hand gevallen* = meegevallen, tot voordeel geweest, vooral als men het niet verwacht heeft. Vergelijk *uit de hand*, no. 43.
32. *Ze werken elkaar in de hand* = ze werken zo, dat ze elkaar voorthelpen.
33. *Iemand zetten naar zijn hand* = a. hem leren werken op de wijze, waarop men zelf werkt;
b. hem doen handelen in de geest, waarin men zelf handelt; hem doen werken naar de wil van iemand anders.
34. *Iets onder handen hebben* = met iets bezig zijn.
35. *Iemand onder handen nemen* = hem een pak slaag of een standje geven; hem de les lezen.
36. *Onder de hand verkopen* = niet in 't openbaar. Oude betekenis: in 't geheim.
37. *Onder de hand kan ik dit werk afmaken* = intussen, middelerwijl. Lett. = terwijl iets anders *onder handen is.*
38. *Daar is wat nieuws op handen* = aanstaande; te wachten binnen korte tijd. Lett. = terwijl men iets *onder handen heeft*, komt er al weer wat.
39. *Iemand op de handen dragen* = hem met buitengewone genegenheid en ver-

ering behandelen. Misschien eenvoudig: gelijk de moeder haar kind draagt. Mogelijk ook nog afkomstig uit de tijd, dat men een overwinnaar of een vorst op de handen in triomf ronddroeg, gelijk ook nu nog wel gebeurt. Wellicht echter ook ontleend aan Psalm XCI : 12, waar van de engelen gezegd wordt:
Zij zullen u op de handen dragen, opdat gij uw voet aan geen steen stoot.
40. *Iets doen op zijn eigen handje* = zonder dat het hem is opgedragen, op zijn eigen gezag.
De hand is hier weer het zinnebeeld van macht of gezag. Ook: *iets op zijn eigen houtje doen.*
41. *Ik heb hem in de hand* = hij doet wat ik hem zeg. Ook hier is hand = macht.
42. *Hand over hand toenemen* = geleidelijk toenemen, al door toenemen. Zoals men een touw inneemt door telkens de ene hand boven de andere te plaatsen.
43. *Dat valt mij geducht uit de hand* = dat valt mij erg tegen. Ook hier is *hand* het zinnebeeld van de macht.
44. *Van iemands hand vliegen* = gehoorzaam en met ijver doen, wat een ander begeert of gelast. Uitdrukking uit de tijd van de valkenjacht; de valk, losgelaten, vloog weg om zijn prooi te bemachtigen.
45. Handen in de schoot,
Dat geeft geen brood,
d.i. wie niet werkt, zal niet eten; *wie mee eten wil, moet ook mee dorsen.* Ook:
45a. *Handen stil, tanden stil.*
46. *Dat ligt voor de hand* = dat is op 't eerste gezicht te begrijpen; dat is zeer duidelijk.
Men denkt aan goederen, die ten verkoop op een tafel liggen. Zo ook:
47. *Je moet het voor de hand, voor der hand wegnemen* = je mag niet uitzoeken; je moet pakken wat voor de hand ligt in letterlijke zin.
48. *Maak eens een vuist, als je geen hand hebt*, zie *vuist* 3.
49. *De hand aan de ploeg slaan* = het werk aanvatten.
Bijbelse uitdrukking. 'Niemand, die zijn hand aan de ploeg slaat, en ziet naar hetgeen achter is, is bekwaam tot het Koninkrijk Gods.' (Lukas IX : 62.)
50. *De hand op het hart leggen* = zich zelf onderzoeken; nagaan, of men alles gedaan heeft naar plicht en behoren.
't Is of men de hand op de borst legt, om te vernemen of het hart rustig klopt.
51. *De handen uit de mouw steken* = het werk stevig aanpakken, hard werken voor de kost. Het omgekeerde is:
52. *Met de handen in de schoot zitten.*
53. *Zijn hand is tegen ieder* = hij heeft geen vrienden; hij heeft alleen maar vijanden.
Deze spreekwijze is ontleend aan *Genesis* XVI : 12, waar van Ismaël getuigd wordt: 'hij zal een woudezel van een mens zijn; zijn hand zal tegen allen zijn en de hand van allen tegen hem.'
54. *Schenken met de warme hand* = weggeven bij leven.
In tegenstelling met een schenking na de dood bij testament.
55. *Langzamerhand*, lett. met langzame hand, nu = op langzame wijze. Zo ook: *hij is in de beter hand* = 't gaat al op een betere wijze. En: *stormenderhand* = bij wijze van bestormen; *gewapenderhand* = op gewapende wijze.
56. *Hij heeft er de hand in gehad* = hij heeft er toe meegewerkt met raad of daad.
57. *Hand van de bank! 't vlees is verkocht!* = van een meisje dat verloofd is moet men afblijven.
Verkocht vlees moet men op de bank laten liggen.
58. *Steek je hand niet tussen de schors en de boom* = meng je niet in de twist tussen man en vrouw. Ook in het Frans en misschien daaruit overgenomen. Zie *man* 17.
59. *In de ene hand vuur, in de andere hand water dragen*, zie *water* 13.
60. *De kwade hand op iemand leggen* = iemand ziekte, ongeval of zelfs de dood berokkenen, door de hand op hem te leggen. Volgens het oude volksgeloof hadden sommigen dit bovennatuurlijke duivelse vermogen. Conscience heeft zulk een geval beschreven in zijn verhaal, dat ook *De Kwade Hand* heet.
61. *De hand van de vlijtige maakt rijk.*
Deze zegswijze is uit *Spreuken* X : 4. Daar staat: de hand der vlijtigen maakt rijk.
62. *Hij laat zich de handen vullen* = hij neemt geschenken aan; hij laat zich omkopen.
Misschien naar I Koningen XIII : 33. Daar leest men van koning Jerobeam, dat hij in zijn zonden volhardde. En ten

slotte:
'Wie wilde, diens hand vulde hij.'
Ook zegt men: *hij laat zich de handen smeren.*
63. *Hij is zwaar op de hand* = hij maakt velerlei bedenkingen, eer hij tot een besluit komt. Ook: hij is lang in zijn redeneringen.
64. *Doe wat uw hand vindt om te doen.* Naar Prediker IX : 10. 'Al wat uw hand vindt om te doen, doe dat met uw macht; want er is geen werk, noch verzinning, noch wetenschap, noch wijsheid in het graf, daar gij heengaat.'
65. *Daar wil ik mijn hand niet voor in 't vuur steken* = daar sta ik niet voor in. Herinnering aan 't oude godsgericht? Wie onschuldig was, diens hand kwam ongedeerd weer uit het vuur; zie *vuur* 11, 12.
66. *Ik heb het nieuws uit de eerste hand* = van de persoon zelf.
Handelsuitdrukking. Wat men uit de eerste hand koopt, dat is rechtstreeks uit de fabriek of van de groothandel, dus zonder de handen van een tussenpersoon.
67. *Hij mag zijn handen wel dichtknijpen* = hij mag wel blij zijn, dat het zo afloopt; hij mag tevreden zijn.
Lett. goed vasthouden, wat hij in zijn hand heeft.
68. Een neerstige hand
En sparende tand
Noden gasten,
Als anderen vasten,
Vlaamse rijmspreuk. Ook:
Met neerstige hand
En sparende tand
Koopt men renten in het land,
d.i. wie ijverig en zuinig is, die gaat vooruit.
Bij ons:
68a. Een naarstige hand,
En sparende tand,
Koopt anders land,
hard werken en zuinig leven brengt tot welvaart.
69. Vlug met de hand,
Vlug met de tand,
d.i. wie vlug is met zijn werk, die eet ook vlug. De Fransman drukt dezelfde gedachte anders uit:
Lent à manger, lent à tout, wie langzaam eet, doet alles langzaam.
70. *Hij heeft zijn handen zaligheid beloofd* = hij wil niet werken; hij brengt zijn tijd in ledigheid door.
71. Een mens zonder handen
Is een hond zonder tanden,
Vlaamse rijmspreuk. Een mens moet zijn handen kunnen gebruiken.
72. Tussen hand en tand
Wordt een ding wel te schand,
Vlaams spreekwoord. Nog op het allerlaatste ogenblik kan een zaak mislukken. Ook:
73. **Van de hand tot de mond**
Valt de pap op de grond.
74. *Leg uw hand op uw hoofd en zie wat er onder staat* (Vlaams) = wees niet hovaardig; bedenk dat je een zwak mens bent met gebreken, als wij allen.
75. Een trage hand
Krijgt leed en schand;
Een kloeke hand
Krijgt eer en land.
(Gezelle).
76. *Een huwelijk met de linker hand* = een morganatisch huwelijk, waarbij bepaald is dat de kinderen niet opvolgen in de waardigheid van de vader. Dit b.v. wanneer een koning trouwt met een vrouw uit het volk.
handel en wandel, d.i. iemands gehele doen en laten. Letterlijk: hoe hij handelt en hoe hij gaat.
hand- en spandiensten, *diensten* die men verplicht of gedwongen bewijst; ook die men verricht, om bij iem. in de gunst te komen. Letterlijk zijn het de diensten, waartoe men opgevorderd wordt voor 't verrichten van werk tot openbaar nut. Wie een paard heeft, verricht *spandiensten*; de overigen zijn verplicht, om *handdiensten* te bewijzen.
handjeplak. *Handjeplak spelen met iemand* = hem helpen, zodat men er zelf ook voordeel van heeft; meestal in het geniep; het met elkaar eens worden, waarbij men aan weerskanten wat verdient. Ontleend aan de veehandel; koper en verkoper slaan daarbij elkaar voortdurend in de hand, net zo lang tot ze het eens zijn.
handlichting, d.i. de wettelijke verklaring, waarbij een minderjarige de rechten verkrijgt van een meerderjarige.
Hand had ook de betekenis van *macht* of gezag. Handlichting = het opheffen van de macht (der ouders). Maar bij het volk leeft de gedachte, dat men *de hand*

licht met de wet.

handschoen. 1. *Iem. de handschoen toewerpen* = hem uitdagen tot een gevecht, tot strijd. Ontleend aan het ridderwezen: men daagde iemand uit, door hem de handschoen voor de voeten te werpen. Wie die handschoen opnam, gaf daardoor te kennen, dat hij de strijd aanvaardde. Vandaar:
2. *de handschoen voor iemand opnemen* = hem verdedigen.
3. *Met de handschoen trouwen* = trouwen met iemand, die niet aanwezig is, doch die een ander voor zich laat optreden als zijn gemachtigde. De uitdrukking herinnert aan de tijd, dat men iemand als zijn vertegenwoordiger aanwees, door hem zijn handschoen te zenden.
Tegenwoordig vat men de uitdrukking zo op, dat de gemachtigde bij het huwelijk aan de bruid de hand reikt met de handschoen aan.

handvat. *Alle dingen hebben twee handvatten* = men kan alles op verschillende wijze uitleggen. Bij Gezelle:
Alle dingen hebben twee handhaven, uitgenomen een pastoorshoed en een koekepanne; de een heeft er drie en de andere maar één.

handvol. 1.
Er is geen handvol,
Maar een landvol.
troost voor een afgewezen vrijer; 'scheenzalf' zegt Tuinman.
2. *Hij heeft het zo vast als een handvol vliegen* = hij is helemaal niet zeker van zijn zaak; 't kan hem nog best mislukken. B.v. *Men heeft het geluk zo vast als een handvol vliegen* = wie vandaag gelukkig is, die kan morgen wel een ramp treffen.

handwater. *Dat haalt er geen handwater bij = dat is lang zo goed niet.* Uitdrukking uit de Middeleeuwen, toen het gebruik was dat men aan de maaltijd aan de vorst of vorstin geknield *handwater* aanbood, d.i. het water om de handen te wassen; men had toen nog geen vorken, zodat men licht handwater nodig had. Dit werd aangeboden, niet door een bediende, maar door iemand van zeer hoge rang. Die het handwater aanreikte, kon dus met de vorst vergeleken worden. Vandaar onze uitdrukking, die dus letterlijk betekent: kan er niet mee vergeleken worden.
't Is stellig geen bijbelse uitdrukking. Toch wordt ook het oude gebruik in de bijbel vermeld. 'Hier is Elisa, die water op Elia's handen goot.' (II Kon. III : 11.)

hanebalken. 1. *Hij woont in de hanebalken* = op de hoogste verdieping.
De hanebalken in de boerderij zijn de balken in de kap van de schuur, dus heel boven, vlak onder de vorst.
Als men maar heel weinig te eten krijgt, dan heet het in Groningen:
2. *Daar kan wel een muis mee door de hanebalken.*

hangen. 1. *Die geboren is om te hangen, zal niet verdrinken* = als het eenmaal je lot is, dat je hangen moet, dan gebeurt het te eniger tijd ook; men kan niet zijn lot ontlopen.
2. *Hij is tussen hangen en wurgen* = hij verkeert in onzekerheid; in de grootste moeilijkheid, maar met het vooruitzicht bovendien, dat het slecht afloopt. Letterlijk: hij zal worden opgehangen of hij wordt gewurgd, wat er niet veel van verschilt.
3. *'t Is spel van hangen en verlangen* = hij verlangt er sterk naar; hij kan haast niet wachten, tot hij het krijgt.
Hangen is hier hetzelfde als *verlangen*; *hij hangt er naar* = hij hunkert er naar. Bij 't pandverbeuren moest de jongeling, die tot *hangen en verlangen* veroordeeld werd, aan 't gezelschap opbiechten, naar welk meisje dat verlangen uitging.
4. *Hangen heeft geen haast!* = haast je maar niet zo. Uit het volksverhaal: de mensen komen haastig toelopen, om getuige te zijn; maar de dief zei, dat het hangen helemaal geen haast had.
5. Mee gevangen,
Mee gehangen,
wie opgepakt wordt tegelijk met een troep dieven, wordt ook voor dief gerekend. Fig. Men wordt behandeld als het overige gezelschap, ook al beweert men, er niet bij te horen.
6. *De zaak is nog hangende* = is nog in behandeling, is althans nog niet afgedaan. De Cock denkt aan het oude gebruik, dat de stukken van een rechtszaak in een zak aan een spijker werden gehangen. Maar het *Ned. Woordenboek* zegt eenvoudig: hangende aan de instelling, waaraan de beslissing was opgedragen.

hangoren. *Eerst mensen en dan hangoren*, schertsende terechtwijzing aan kinderen, die voor willen gaan.
hangijzer. *Dat is een heet hangijzer* = dat is heel moeilijk om aan te pakken; een heel lastig en gevaarlijk geval.
Het hangijzer behoorde bij het open haardvuur; het was het ijzer, waarop de pan gezet werd, die door 't vuur werd verhit. Het hing aan de haal en deze weer aan de haalboom in de schoorsteen. Als 't nog heet was, was het niet met de blote hand aan te pakken.
Toen men het *hangijzer* niet meer kende, kwam ook de vorm op: *'t is een heet handijzer*.
Hans. 1. *De grote hanzen* = de rijke en vooral de voorname lui. Jan Adam Kegge sprak over *de adellijke hanzen*.
Hans is een willekeurige naam, zoals ook de jongens hun tamme kraai *Hans* noemen. En er is een jongensspel van *Hansje-mijn-knecht*, waarbij een de *Hans* is, die allerlei opdrachten te vervullen krijgt.
En een opschepper heet een *pochhans*. Als er niet te eten is, zoals 't behoort, is *schraalhans* keukenmeester.
2. *Hansje in de kelder* = het nog ongeboren kind. Men stelde een dronk in op het welvaren van *Hansje-in-de-kelder*; van *Maaiken in 't schapraaike*, als 't een meisje zou zijn.
3. *Wat Hansje niet leert, zal Hans niet weten* = men moet leren in zijn jeugd; dan kent men het op later leeftijd.
4. *Hans komt door zijn domheid voort* = menigeen komt met al zijn wijsheid niet vooruit in de wereld, terwijl het anderen goed gaat, die helemaal geen bijzondere kennis of gaven hebben.
In de *Proverbia communia*: Dwasen hebben voerdeel in allen landen.
Hans komt door zijn domheid voort is ook de titel van een zeer zeldzame roman, die in 1784 in 2 delen verscheen zonder naam van de schrijver.
hard. 1. *'t Ging hard tegen hard* = de een schold nog harder dan de ander. Ontleend aan de molenstenen.
2. *Hij is zo hard als een spijker* = hij is te zuinig om iets weg te geven.
3. *'t Zijn harde noten om te kraken* = 't is een zeer pijnlijke geschiedenis, maar 't moet gebeuren.
4. Harde stenen slijpen 't ijzer,
Harde stoten maken wijzer.
5. *Hoe harder het regent, hoe gauwer is 't gedaan*: strenge heren regeren niet lang.
6. Hard lopen moet men leren,
Zacht lopen komt van zelf.
Gezegde als jongelui wat hard van stal lopen; als zij ouder worden, bedaren ze wel.
harddraver. *'t Is een harddraver van luie Kees* = 't is een trage man; een luiaard. Willekeurige schertsende vorming.
hardloper. 1. *Hardlopers zijn doodlopers* = wie al te hard met zijn werk begint, houdt het niet vol; wie eerst wint, zal later weer van alles verliezen. Hetzelfde wordt uitgedrukt door:
2. *Hardlopers en zachtlopers komen in dezelfde herberg*, en ook door:
Gauw is dood en langzaam leeft nog.
haring. 1. *Ik moet er haring of kuit van hebben* = ik wil weten, waar ik aan toe ben, ik wil weten, wat ik krijg; ik moet weten, hoe de vork in de steel zit.
Winschooten zegt er van:
'Dit is een Vissers spreekwoord, die soo sij geen Haaring kunnen vangen, ten minste eenige geschoote kuit in haar Netten verneemen.'
De betekenis is diensvolgens geweest: ik moet het ene hebben òf het andere. Tegenwoordig denkt men aan haring, die gegeten wordt; men wil een stuk haring òf een stuk kuit, dus ook wel het een òf het ander, maar met de bedoeling dat men weten wil, hoe het met de zaak gesteld is. De spreuk is dus wel zeer van opvatting veranderd.
2. *Zijn haring braadt er niet* = men ziet hem er liever gaan dan komen. Letterlijk: men braadt er geen haring voor hem; men biedt hem geen eten aan.
3. Haring in 't land,
Dokter aan kant,
oud-vaderlands gezegde, als de eerste haring aan land kwam, 'om de heilzame uitwerking op de gezondheid,' vermeldt Sprenger van Eyk.
4. *Men moet geen haring roepen, voordat hij in 't net is* (Vlaams), zie *hei* 2 en *mossel* 2.
5. *Geen haring zo mager, of men braadt er vet uit* (Gezelle), zie *ambt* 2.
hark. 1. *'t Is een hark* = iem. die zich niet weet te gedragen; een lamme vent, die nooit met de overigen meedoet; een

dwarsdrijver. De hark beschouwd als een stijf stuk gereedschap.
2. *Ik wil zien hoe de hark in de steel zit*, zie *vork*.
Harlekijn, zie *Arlekijn*
Harleveen. *Op zijn Harleveens*, zie *Aarlanderveen*.
harnas. 1. *Het harnas voor iemand aantrekken* = het voor iemand opnemen. In de ridderwereld trok men het ijzeren harnas aan, als men ten strijde ging. Vandaar ook:
2. *iemand in het harnas jagen* = hem boos maken; letterlijk zo boos, dat hij zijn harnas aantrok, om te gaan vechten.
harp. *De harp aan de wilgen hangen*, zie *lier*.
hart. 1. *'t Hart zinkt hem in de schoenen* = hij verliest alle moed.
2. *Zijn hart opeten* = het haast niet meer kunnen uithouden van verdriet, van drift, van afgunst.
3. *Heb het hart eens!* = dat moest je eens wagen! dan ben je er bij! dan krijg je je straf. *Hart*, zinnebeeld van moed. Zo ook:
3a. *Hij heeft geen hart in 't lijf*.
4. *Iemand een hart onder de riem steken* = hem weer moed geven. Ontleend aan de oude soldatenuitrusting, waarbij een schuin over de borst lopende riem behoorde. Later dacht men aan de riem, die als een gordel gedragen wordt; om te verhinderen, dat de moed zakte, *stak men toen iemand een riem onder het hart*. Een geheel andere verklaring bij Kerdijk: roeiboten hadden vroeger geen dollen; de riemen draaiden in een holte in de bootswand. Sleet deze te veel uit, dan werd er een nieuw stuk (een *hart*) in gezet.
De juiste uitdrukking is ook naar deze uitleg: *een hart onder de riem steken*.
5. *Uit de overvloed des harten spreekt de mond* (*Matth*. XII : 34).
Gewoonlijk:
6. *Waar 't hart van vol is, loopt de mond van over*.
7. *Hij draagt het hart hoog* = hij is trots, 't is een hovaardig man. *Hart* = gemoed.
8. *Hij maakt van zijn hart geen moordkuil* = hij komt uit voor zijn gedachten en gevoelens; hij zegt ronduit zijn mening over iemand. Lett. = hij versmoort zijn gevoelens, zijn gemoed niet.
9. *Dat kon hij niet over zijn hart krijgen* = hij kon er niet toe komen om zo iets te doen; hij handelde uit medelijden. De letterlijke betekenis was: hij kon het niet eten, hij kon dat eten niet binnen krijgen. Vandaar fig. iets niet kunnen verdragen, er niet tegen kunnen.
10. *Hier kan hij zijn hart ophalen* = aan al zijn verlangens voldoen; volop genieten. Lett. zijn hart verheffen door diep te ademen, dus = zich verkwikken. Doch Stoett acht ook mogelijk, dat *ophalen* hier oppoetsen, opknappen betekent, dus zoveel als zijn hart verfrissen, verkwikken.
10a. *Dat moet zijn hart ophalen* (Gron.) = dat moet maar gaan, zoals het wil, ik kan er niet meer aan doen. Zie no. 10.
11. *Hij is er met hart en ziel bij* = hij doet met toewijding zijn best. In *Matth*. XXII : 37 vindt men: Gij zult liefhebben de Here, uw God, met geheel uw hart en met geheel uw ziel.
12. *Ze waren één hart en één ziel* = ze hadden elkander zielslief.
Bijbelse uitdrukking, naar aanleiding van de gemeenschap van goederen onder de eerste Christenen.
'En de menigte van degenen, die geloofden, was één hart en één ziel; en niemand zeide, dat iets van hetgeen hij had zijn eigen ware, maar alle dingen waren hun gemeen.' (*Handelingen* IV : 32.)
13. *Alle harten bij je eigen!* = Wat je zelf graag wilt, dat begeert een ander natuurlijk ook.
14. *Iemands hart stelen* = iem. geheel voor zich innemen; iemand tot zijn innigste vriend maken.
Dit kan een Bijbelse uitdrukking zijn. In II Sam. XV wordt verhaald, dat Absalom, de zoon van koning David, zich vriendelijk voordeed bij al het volk. 'Alzo stal Absalom het hart der mannen van Israël'. (II Sam. XV : 6.)
15. *Hij draagt het hart op de tong* = hij is openhartig; hij zegt wat hij denkt. *Hart* als zinnebeeld van gevoel.
Waarschijnlijk naar Jezus Sirach XXI : 29. 'Het hart der dwazen is in hun mond, maar de mond der wijzen is in hun hart.'
16. *Mijn hart draait er van om* = ik walg er van.
Bijbelse uitdrukking uit *Klaagliederen* I : 20, al is daar alleen maar sprake van ontroering. 'Mij is bange; mijn inge-

wand is beroerd; mijn hart heeft zich omgekeerd in het binnenste van mij; want ik ben zeer wederspannig geweest.' Ook: *'t hart draait mij om in het lijf.*
17. *Zijn hart uitstorten* = alles tot uiting brengen *wat men op het hart heeft.*
Bijbelse uitdrukking: 'In God is mijn heil en mijn eer; de rotssteen mijner sterkte, mijn toevlucht is in God. Vertrouw op Hem te aller tijd, o gij volk! stort ulieder hart uit voor Zijn aangezicht.' (Psalm LXII : 8, 9.)
18. *Hij heeft maar zo'n klein hart* = als hij zich bars voordoet, houdt hij dat toch niet vol, hij heeft heel gauw medelijden.
19. *In hart en nieren*, zie *nier* 3.
20. *Leven als een hart* = springlevend zijn; volop leven.
21. *Elk hart heeft zijn smart* = ieder heeft zijn eigen verdriet; ieder kent het best zijn eigen moeilijkheden.
22. *Zijn hart springt op van vreugde* = hij verheugt zich buitengewoon.
23. *Een verliefd hart is dorstig*, schertsend gezegde tegenover jongelui, die om drinken vragen.
24. *Dat doet je hart eer aan* = dat is een bewijs van je goed hart.
25. *Dat kan ik wel aan mijn hart voelen* = *mijn hart getuigt het mij wel* = mijn gevoel zegt het mij.
26. Die zijn eigen hert doorziet,
En spot met zijnen buurman niet,
Vlaamse rijmspreuk: wie weet hoe zwak, hoe verkeerd hij zelf is, zal de spot niet drijven met de gebreken van zijn naaste.
27. *Alle herten waren gezusters, waren alle beurzen gebroers* (Vlaams) = de mensen zouden als broer en zuster met elkaar omgaan, als 't niet om 't lieve geld was.
28. *Hoe hoger hart, hoe lager ziel* (Fries) = hoogmoed is 't kenmerk van een dwaas.
hartstikke. *Hij viel hartstikkedood* = morsdood. 't Ned. Wdb. onderstelt een oude uitdrukking: *bi hartsteke doot*, doch deze is niet aangetroffen.
Bij uitbreiding ook *hartstikke doof, donker, duister.*
hartzeer. *Hartzeer is meisjesverdriet*, schertsend gezegde in antwoord op de betuiging dat iemand hartzeer over de een of andere zaak heeft.
haspel. 1. *Dat sluit als een haspel in een zak* = dat past helemaal niet bij elkaar. Ook:
2. *dat past als een haspel op een moespot.* Zie *tang* 2.
haten. 1.
Laat haters haten
En praters praten,
stoor je niet aan de praatjes van de mensen; *beter benijd dan beklaagd*; zie *benijden.*
2. *Kwaad worden is menselijk, maar haten is duivels*, zie *kwaad.*
3. *Men kan niet alle meisjes haten om één*, antwoord van de jonge man, die ook nog wel eens naar een andere vrijster kijkt.
have en goed, d.i. al wat men bezit. *Have* was namelijk = het losse goed, de roerende goederen. Zo nog bij boerenboeldagen *de levende have* = het vee.
haven. 1. *Hij is in behouden haven* = hij is binnen, 't gevaar is achter de rug. Zeemanswoord.
Op 't wapen van Delfshaven staat de rijmspreuk:
De haven der behoudenis
Is daar, waar God in Sion is.
2. *Alle havens schutten wind*, zie *haag.*
3. *Daar is geen haven mee te bezeilen* = met hem is niet te praten, 't is een koppige dwarsdrijver. Zeemansgezegde. Zie *land* 3.
haver. 1. *Zij kennen elkaar van haver tot gort* = tot in de kleinste bijzonderheden. Men denkt aan haver, waar men gort van maakt, doch het gezegde heeft oorspronkelijk met haver niets uit te staan.
In de Middeleeuwen zei men: *van aver te aver*, d.i. van de ene voorvader op de ander, dus van vader op zoon. Toen dit woord *aver* verloren ging, maakte men er *haver* van en deed men vervolgens de gort er bij. Ook wel rijmend: *van haver tot klaver.*
2. *Late haver komt ook op*, spreuk van wie zich niet haasten: al is men niet zo vlug klaar, de zaak komt toch nog best in orde.
Boerenspreekwoord; letterlijk: laat gezaaide haver komt toch ook nog wel op tijd op.
3. *Paarden, die de haver verdienen, krijgen hem niet*, zie *paard* 1.
4. *Lange haver* = slagen met de zweep,

(in plaats van de echte haver, die 't paard verdient).
5. *Daar 't stil is, is 't goed haver zaaien,* zie *stil* 4.
haverklap. 1. *Dat gebeurde om de haverklap* = ieder ogenblik. Stoett acht het mogelijk dat haverklap haverkaf betekend heeft, maar hij verwijst ook naar 't Platduits en 't Achterhoeks, waar een *klap* een bosje stro is. In ieder geval zal de eerste betekenis geweest zijn: om een kleinigheid. Zo was er ook een uitdrukking:
2. *Ze kregen ruzie om een haverstro.*
haverstro. *Om een haverstro* = om een kleinigheid, om iets dat de moeite niet waard is.
hebben. 1. *Hebben is hebben en krijgen is de kunst* = zalig is de bezitter.
2. *Hij heeft al zijn hebben en houden verloren* = al zijn bezit. Letterlijk: wat men heeft verworven, om het voortdurend te bezitten.
3. *Wie heeft, zal gegeven worden* = een rijke krijgt altijd nog meer. Schertsende of spijtige toepassing van *Matth.* XIII : 12, waar Jezus deze woorden spreekt, zij het in andere zin, namelijk wie de kennis heeft van de verborgenheden van het Koninkrijk der hemelen, die zal in kennis vermeerderen.
4. *Als hadden komt, is hebben te laat* = wat voorbij is, kopen geen kremers. Zie *voorbij.*
5. *Die 't al hebben wil, krijgt niets* = die 't onderste uit de kan wil hebben, krijgt het lid op de neus.
hecht. *'t Hecht in handen houden,* zie *heft.*
heden. 1. *Heden mij, morgen dij* = wat mij vandaag gebeurt, weervaart jou morgen. Vertaling van de L. spreuk: hodie mihi, cras tibi. Bijzonder past dit op de dood, zegt Tuinman.
2. *Heden rood, morgen dood* =het geluk is wisselvallig en vaak kortstondig. Rood = blozend van gezondheid. In Vlaanderen:
3. Heden vol weerde,
Morgen in de eerde.
In Friesland:
4. Heden ben je nog als melk en bloed,
Morgen moet je weg van al je goed.
5. *Heden is heden, maar morgen is een onbegrijpelijke dag* (Fries) = laat nimmer iets tot morgen staan, wat nog voor heden kan gedaan. Vgl. *morgen* II, 3.
6. *Heden op 't kussen, morgen in de grond* (Fries) = onzeker zijn eer en ambt.
heelmeester. *Zachte heelmeesters maken stinkende wonden* = als men niet doortast, dan wordt de zaak erger in plaats van beter.
heer I. 1. *Zo heer zo knecht* = de bedienden gedragen zich naar 't voorbeeld van de meester; zij nemen zijn eigenschappen over.
2. *Met grote heren is 't kwaad kersen eten; ze gooien je met de stenen* = de kleine luiden moeten dulden, wat de heren goedvinden.
3. *Nieuwe heren, nieuwe wetten* = wie nieuw in een zaak, in een bedrijf optreedt, doet het anders dan zijn voorganger, bij een nieuw bestuur komen allicht veranderingen in de voorschriften.
4. *Strenge heren regeren niet lang* = wie te streng optreedt, kan 't niet volhouden; hij moet weldra inbinden. Ook: een fel invallende winter duurt niet lang.
5. *Niemand kan twee heren dienen* = men kan niet tegelijk twee partijen aanhangen. Naar Matth. VI : 24.
6. *Hij is het heertje* = hij gevoelt zich als een heer; hij heeft geld genoeg, om het er eens van te nemen; hij heeft het naar zijn zin.
7. *Hij loopt langs 's heren straten* = hij *zwerft rond.* Lett. = hij loopt langs de grote weg, die onder de bescherming van de vorst stond. 't Heeft dus met *heerstraat, heerweg* = legerweg niets te maken.
8. *Heren bevel is knechten order* (Gron.) = wat de baas zegt, moet de ondergeschikte uitvoeren.
9. Wat de heren wijzen
Moeten de gekken prijzen
= wat de grote lui doen, dat moet de mindere man goedvinden.
Reeds in de Kamper Verzameling (17): *Wat rijcke luyden doen, moet wel ghedaan sijn, wat sij seggen, moet wijsheyt sijn.*
10. Het tij gaat zijn keer,
Het past op prins noch heer,
zie *getij* 5 en 6.
11. *Beter een kleine heer dan een grote knecht,* zie *beter* 18.
12. Grote heren zal men groeten,
Maar zelden ontmoeten,
zie no. 2.

13. *'t Zal wat wezen, als het voor de heren komt* = bij onderzoek zal 't niet meevallen. De heren = de rechters; de overheid.
14. *Als wij allemaal heren willen zijn, wie zal dan het werk doen?* (Fries), d.i. standen moeten er zijn.
15. *Grote heren zitten aan die kant van de schotel, waar de dikste baars ligt* (Fries) = de groten zorgen wel, dat zij goed weg komen.
16. *Herenzonden boerenleed* (Fries) = wat de grote heren verkeerd doen, moet de kleine man bezuren.
Heer II. 1. *Indien de Heer wil en wij leven.* Bijbels gezegde. Jakobus IV : 15, 16 zegt: 'In plaats dat gij zoudt zeggen: Indien de Here wil, en wij leven zullen, zo zullen wij dit of dat doen! Maar nu roemt gij in uw hoogmoed; alle zodanige roem is boos.'
2. *Ontslapen in den Heer* = sterven in de verzekerdheid des geloofs.
Naar Openbaring XIV : 13. 'Zalig zijn de doden, die in den Here sterven.'
3. Vandaar ook schertsend: *Hij is in den Here* = hij is stomdronken; lett. = hij is bewusteloos door dronkenschap, dus = net of hij al gestorven is.
4. Zie *Onze Lieve Heer.*
5. *Ons Heer geeft kou naar kleren* (Vlaams), zie *kracht* 1.
Ook:
6. *Ons Heer slaat nooit met twee roeden tegelijk.*
7. *Ons Here is de beste boer* (Gezelle); 't is God die de wasdom geeft.
8. *Ons Heer moet van ieder soort zijn getal hebben* (Vlaams) = geef wat toe, als de mensen hard of onbillijk zijn; er zijn nu eenmaal zulke mensen en zij hebben zich zelf niet gemaakt.
9. *Wie de Heer liefheeft, die kastijdt Hij* = wie tegenspoed en rampen heeft, moet begrijpen dat God liefderijk is en dat alles tot zijn bestwil geschiedt.
De woorden zijn uit *Hebreeën*, XII : 6.
heer III. *Hij zag het heer eens over* = hij keek, hoeveel mensen bij hem waren; hij zag, welke volgelingen hij achter zich had. Ook: hij zag na, hoeveel geld (goed) hij had.
't Heer = het leger; vroeger vaak heir geschreven.
heet. 1. *Hij is er heet op* = hij houdt er veel van, hij verlangt er zeer naar. Lett.: hij brandt van verlangen.
2. *Dat komt heet van de naald* = dat is net klaar gekomen. Net of een pas genaaid stuk goed nog warm is van de bewerking. Maar Prof. de Vooys herinnert aan de uitdrukking *met de hete naald maken.* Dan is dus niet de stof heet, doch de naald. Het spreekwoord zou dan dus een vervorming zijn, gelijk men ook zegt:
2a. *dat komt heet van de rooster.*
3. *Zij is al te heet gebakerd* = driftig van natuur. Schertsend, alsof de wijze van bakeren invloed heeft op de aard van 't kind.
4. Zie *brij* 3.
heft. *Hij houdt het heft in handen* = hij zorgt dat hij de baas blijft. Wie het heft van 't mes in handen heeft, kan (brood) snijden zo als hij wil.
heg. 1. *Hij weet er heg noch steg* = hij is er geheel onbekend. De *steg* kan een voetpad zijn en ook een vonder over de sloot. De heg is er om 't rijm bijgevoegd. Zie ook *weg* 1, 8.
2. zie *haag.*
hei. 1. *'t Is te hei of te fij* = 't is te mooi of te lelijk; 't is van 't ene uiterste in het andere.
Hei! is een uitroep van blijdschap; *fij* = foei, uitroep van afkeer.
Ook *te hie of te fie.*
2. *Men moet geen hei roepen, eer men over de brug is* = men moet niet juichen, eer de moeilijkheden overwonnen zijn. Misschien letterlijk: eer het paard met de vracht over de brug is, moet men niet ho! roepen.
heibel. *Maak geen heibel!* = geen drukte, geen herrie. Van een Joods woord *hebel* = ijdelheid.
heiden. 1. *Nu zijn we aan de heidenen overgeleverd* = nu hangen wij af van mensen, die ons niet al te gemakkelijk zullen behandelen. Ook: nu zullen wij duur moeten betalen.
In *Matth.* XX : 19 leest men:
De overpriesteren en schriftgeleerden zullen Hem aan de heidenen overleveren, om Hem te bespotten en te geselen en te kruisigen.
2. *Delen als de heidens het spek* (Gron.) = ieder zijn deel geven zonder komplimenten, b.v. ieder wat te eten geven, zonder dat men borden bij de hand heeft. *Heidens* = Zigeuners.

heilig. 1. *Een heilig huisje* = een herberg, schertsend gezegde.
2. *Een heiligmaker* = een zoete koek met bittere amandelen, vroeger aangeboden bij een bruiloft.
Dit verklaart tevens het woord, want deze koek was de *hijlikmaker*, de huwelijksmaker.
3. *Het heilige der heiligen*, schertsend voor de mooie kamer in huis.
Zinspeling op dat gedeelte van het Joodse heiligdom, waarin alleen de hogepriester mocht komen en dat nog alleen op de Grote Verzoendag. 'Deze voorhang zal ulieden een scheiding maken tussen het heilige, en tussen het heilige der heiligen.' (*Exodus* XXVI : 33.)
4. *Geef het heilige niet aan de honden* = werp geen paarlen voor de zwijnen.
Bijbelse uitdrukking. Christus leerde op de berg en sprak daarbij:
'Geeft het heilige de honden niet, noch werpt uw paarlen voor de zwijnen.' Zie *parel*. (*Matth.* VII : 6.)
5. *'t Is heilig-avond* = 't is tijd om met werken op te houden. Verouderde uitdrukking, ontstaan in de tijd vóór de Hervorming. De heiligdagen begonnen met de avond; dan werd er dus al 's avonds te voren niet meer gewerkt.
heilige. 1. *Voor iedere heilige een kaars branden* = ere geven aan wie ere toekomt. Ook: niet kieskeurig zijn in zijn hulde.
Uit de gewoonte in de R.K. kerk, om een kaars te branden voor het beeld van een heilige.
2. *'t Is een wonderlijke heilige* = een zonderling.
3. *Ik zie liever een heilige, die seffens mirakelen doet* (Vlaams) = beter één vogel in de hand dan tien in de lucht.
Seffens = meteen. Schertsend: als men om de voorspraak van een heilige bidt, dan heeft men 't liefst dat het wonder dadelijk maar geschiedt.
heiligje. *Hij heeft een heiligje verdiend* = een plasdankje.
Letterlijk is een *heilige* een prent, gelijk men die aan schoolkinderen uitreikt, als ze braaf opgepast hebben. Zulk een prent droeg in de Middeleeuwen vaak de beeltenis van een heilige.
Hein. *Heintje Pik* = de Duivel. Hein is een willekeurige naam; het is Heintje die overal de mensen wegpikt. Stoett acht ook mogelijk, dat men aan de zwarte kleur van pik gedacht heeft. De Dood heet ook:
2. *Vriend Hein* of *Magere Hein*, het laatste natuurlijk naar zijn afbeelding als een geraamte.
heinde en ver, d.i. overal in de verte. Letterlijk = bij de hand en ver weg, doch tegenwoordig denkt men niet meer aan dichtbij.
hek. 1. *Het hek is van de dam* = er is geen toezicht; ieder kan nu doen wat hij wil. Een andere spreuk, waarbij evenzeer gedacht wordt aan het hek op de dam van een weide, luidt:
2. *Als 't hek van de dam is, lopen de schapen overal* = als er geen gezag is, gaat ieder zijn eigen gang.
3. *Hij laat te veel wind door de hekken waaien* = hij gebruikt de gelegenheid niet, hij verbeuzelt zijn tijd. De *hekken* zijn die van de molenwieken; als de molen stilstaat, zijn de zeilen niet gespannen en waait de wind voor niets door de hekken.
4. *Hij is bij 't hek* = hij is slim, vlot, bij de hand; hij is er dadelijk bij, om 't hek te sluiten of te openen, zal wel de oorsprong van 't gezegde zijn.
5. *De hekken zijn verhangen* = de omstandigheden zijn geheel veranderd; wie baas was, is 't nu niet meer. Zie *bord*.
hekel. 1. *Ik heb een hekel aan jou* = ik mag je volstrekt niet. De uitdrukking is misschien verwant met het Duitse woord *ekel* = afkeer, maar men denkt altijd aan hekel = het werktuig met de prikkels, waarmee men vlas of hennep *hekelt*. Stellig is daarvan afkomstig:
2. *iemand over de hekel halen* = hem scherpe verwijten maken, of ook wel: kwaad van hem spreken, waar hij meestal niet bij is.
heksluiter. *Hij is de heksluiter* = hij is de laatste, b.v. van een rij sprekers, van de verwachte gasten.
Oorspronkelijk waren de heksluiters de dragers van de lijkbaar, die 't hek van het kerkhof openden en weer dicht maakten. (C. C. v. d. Graft, *Dodenbezorging*, 57.)
hel. 1. *Hij ziet er uit, of hij de hel heeft aangeblazen* = hij heeft een hoogrood gezicht.
De hel, voorgesteld als een vuur. Zo spreekt Jezus van 'het eeuwige vuur'

(*Matth.* XVIII : 8).
Dezelfde gedachte in:
2. *'t Is brandhout voor de hel* = 't is een slechte man, van wie geen beterschap te wachten is.
Zie daarentegen *hels*.
3. *Ik heb het voor de poorten van de hel weg moeten halen* = ik heb het (geld) met de uiterste moeite, met dreigementen en vloeken, binnen gekregen. Zie *deur* 7.
4. *'t Is hier zo donker als de hel*, zie *hels*.

helder, zie *klaar* II en *koffiedik*.

helen. 1. *De heler is zo goed als de steler* = wie medeplichtig is verdient dezelfde straf als wie het feit bedrijft. Van *helen* = gestolen goed verbergen.
2. *Waren er geen helers, er waren geen stelers.*

helling. 1. *Er loopt een scheepje van de helling* = er wordt een kindje geboren. Op de scheepswerf laat men het nieuwgebouwde schip, zodra het gereed is, 'aflopen.'
2. *Op de helling nemen, zijn*, onder handen nemen voor herstel.

helm. *Hij is met de helm geboren* = hij kan (moet) toekomende of verborgen zaken zien; hij heeft het tweede gezicht; algemeen oud volksgeloof, dat nog niet geheel verdwenen is. De helm is het vlies om het hoofd van het ongeboren kind.

hels. *'t Is hels donker.* Volgens *Matth.* VIII : 12 is de plaats der veroordeelden donker als de nacht. 'De kinderen des koninkrijks zullen uitgeworpen worden in de buitenste duisternis; aldaar zal wening zijn, en knersing der tanden.'

helster. 1. *Hij heeft haar 't helster afgestreken* (Gron.) = hij heeft zijn meisje de bons gegeven.
't Helster, Ned. *halster*, is het touw dat de paarden losjes om de kop hebben, als zij op stal staan en dus niet behoeven te werken. Wordt zulk een paard in de wei gebracht, dan behoeft men slechts 't helster af te strijken en men laat het gaan. Bij Den Eerzamen (Goeree-Overflakkee): *iemand den helder afstrijken* = hem ontslaan.
In Groningen komt *helster* in verscheiden zegswijzen voor:
2. *Zij heeft hem het helster afgestreken* = zij heeft haar vrijer niet mee naar binnen genodigd.
3. *Hij heeft de kop door 't helster* = hij is er boven op; hij behoeft niet meer te werken, want hij is rijk genoeg. Bij Harrebomée: *door den halster*.
4. *Zij heeft hem 't helster aangedaan*, gezegde als een jonkman voor 't eerst met een meisje uitgaat; ook: *zij heeft hem behelsterd*.
5. *Hij heeft het helster aan* = hij moet dansen naar de pijpen van zijn vrouw.
6. *Die een paard uit de wei wil halen, slaat het beest niet eerst met het helster tegen de kop*, zie *paard* 2.
Zie ook *halster*.

hemd. 1. *Iemand tot op het hemd uitkleden* = a. hem van al zijn bezit beroven; b. alle kwaads van hem vertellen, wat men weet. In beide betekenissen: hem niets overlaten dan het hemd, dat hij aanheeft.
2. *Hij staat in zijn hemd* = hij is 't mikpunt van spot; men heeft hem beschaamd gemaakt; men laat hem aan zijn lot over. Letterlijk alweer: men heeft hem van zijn kleren beroofd, zodat hij zo goed als naakt staat.
3. *Men vroeg hem daar het hemd van 't lijf* = men moest ook de geringste bijzonderheden weten.
4. Nog erger is het, als men zegt: *men vroeg hem de voering uit het hemd*, want dan wil men zelfs vernemen van dingen, die niet eens bestaan.
5. *Het hemd is nader dan de rok* = men moet eerst voor zich zelf opkomen; men is zich zelf het naast.
6. *Kapitein Rondhemd*, d.i. moeder de vrouw, de baas van het huisgezin. Bij Tuinman: *Hij dient onder kapitein Rondhemd.*
7. *'t Laatste hemd heeft geen zakken.*
Op rijm:
Waarom veel geld en goed verwerven?
't Blijft alles achter bij het sterven.
8. *Al moet het hemd over de rok, de mode moet gevolgd worden*, zie *mode*.

hemdrok. *Iemand een rood hemdrok aantrekken*, nu niet meer bekende uitdrukking = hem geselen, totdat het bloed langs zijn lijf stroomt.

hemel. 1. *Hemel en aarde bewegen* = al het mogelijke doen, om medelijden op te wekken; ook: om zijn doel te bereiken.
Misschien naar Jesaja XIII : 13. 'Daarom zal ik de hemel beroeren, en de aarde zal bewogen worden van hare plaats.'

2. *Ze kampeerden onder de blote hemel* = in de open lucht. De *blote hemel* betekent oorspronkelijk de onbewolkte lucht bij daglicht.
3. *Hij was in de zevende hemel* = hij gevoelde zich uitermate gelukkig.
Volgens de Joodse voorstelling waren er meer hemelen; soms is er sprake van drie, dan weer van zeven. Dit begrip is overgenomen o.a. door de mystieken in de Middeleeuwen, de mannen en vrouwen van het schouwende leven; die zagen zich opgetrokken tot de zevende hemel, waar zij God zelf aanschouwden en met God geheel één werden.
De derde hemel wordt genoemd in II Korinthen XII : 2, waar Paulus verklaart: 'Ik ken een mens in Christus, voor veertien jaren, dat de zodanige opgetrokken is geweest tot in de derde hemel.'
4. *Dat schreit ten hemel* = dat is God geklaagd, dat is een afschrikwekkende daad. Bijbelse uitdrukking, b.v. naar Genesis IV : 10, waar de Here zegt tot Kaïn:
daar is een stem des bloeds van uw broeder, dat tot Mij roept van de aardbodem.
5. *Als de hemel valt, hebben wij allemaal een blauwe slaapmuts op*, schertsend antwoord, wanneer iemand telkens zegt: *als* dit of dat eens gebeurde...
Ook reeds in de *Proverbia communia*:
737. *Valt den hemel, so en blijft nerghent pot heel.*
6. *Iemand hemelhoog verheffen* = hem bovenmate prijzen.
Misschien een bijbelse uitdrukking naar *Matth.* XI : 23. 'En gij, Kapernaüm! die tot de hemel toe zijt verhoogd, gij zult tot de hel toe nedergestoten worden.'
Vergelijk *ophemelen*.
7. *Die naar de hemel spuwt, spuwt in zijn eigen aangezicht* (Vlaams) = het kwaad straft zich zelf. Ook:
8. *Die een steen naar de hemel werpt, krijgt hem zelf op het hoofd.*
9. *Men rijdt naar de hemel niet in een koets* (Vlaams), zie *kous* 1.
10. Is d'hemel heden grauw
Morgen is hij blauw
(Gezelle), na regen komt zonneschijn.
hen. 1. zie *haan* 9.
2. *Een wijze hen legt wel eens een ei in de netelen* (in de brandnetels) = 't beste paard struikelt wel eens.
3. *'t Is een Jan Hen* = een keukenpiet; letterlijk iemand die thuis op de hoenders past. Ook:
4. *'t Is een hennetaster.* Lett. hij moet nu en dan eens voelen, of de kip al haast weer een ei legt.
5. *Dat is de hen, die de eieren legt* = dat is de man, die er de kost verdient; dat is de persoon, waar 't op aan komt. Misschien naar 't uithangbord met een predikant: ik bid voor u; een advokaat: ik pleit voor u; een soldaat: ik vecht voor u. En dan de kip:
En of jij bidt of vecht of pleit,
Ik ben de hen, die d'eieren leit.
(*Uithangtekens*, 30.)
6. *De hennen, die meest kakelen, leggen de meeste eieren niet* (Vlaams) = die de meeste praatjes hebben, leveren vaak het beste werk niet.
7. *Het henneken is geerne, waar 't uitgebroed is* (Vlaams), zie *haas* 2.
8. *De zwarte hinnen leggen witte eiers, maar een vuile moeder kweekt zelden reine dochters* (Gezelle).
6. *Een hinne legt geerne, daar zij een nestei vindt* (Gezelle) = sparen doet garen; wie eenmaal aan 't sparen is, doet er graag telkens wat bij.
10. *Langzaam aan komt de hen wel op de eieren* = heb maar geduld, 't komt allemaal vanzelf terecht. (Gron.).
11. Als de hennen beginnen te kraaien,
Moet je ze de nek omdraaien,
d.i. men moet zorgen, dat vrouwen zich niet met mannenzaken bemoeien. (Hennen, die oud worden, beginnen te kraaien net als een haan.)
Hendrik. *Hij is een brave Hendrik*, zie *braaf*.
hengst, dient vaak als scheldwoord, b.v. een *boerenhengst* = een lompe boer; ook een *college-hengst* = iem. die trouw de colleges volgt; een *voshengst* = iem. die hard vost, d.i. studeert. Vandaar ook het woord *hengsten* = al zijn tijd en krachten wijden aan de studie.
hens. *Alle hens aan dek!* = ieder die kan moet helpen. Zeemansuitdrukking.
Hens is het Engelse woord *hands* = handen, hier bedoeld als de mannen.
Hercules. *Hercules op de kruisweg* = een man, die voor een zeer moeilijke beslissing staat, waar voor hem alles van afhangt.
Van de oud-Griekse heros Hercules

wordt verhaald, dat hij, in zijn jeugd door het land reizende, aan een tweesprong kwam. De ene weg leidde tot een rijk en gemakkelijk leven; de andere voerde tot moeiten en strijd. Zonder aarzelen koos Hercules het moeilijke pad.

herder. 1. *Als de herder dwaalt, dolen de schapen* = als de leiding niet deugt, dan weten de volgelingen niet wat zij doen of laten moeten.
In de Bijbel wordt de leidsman zeer dikwijls de herder genoemd, wat ook geen wonder is, daar in het Heilige Land het herdersbedrijf van zo grote betekenis was.
2. *Terwijl de herders twisten, rooft de wolf het schaap* (Gezelle) = tweedracht verstrooit.

Herodes. 1. *Herodes en Pilatus zijn verzoend*, gezegde wanneer twee heren het eens worden, die altijd fel tegenover elkaar hebben gestaan, doch die nu samenspannen in een onrechtvaardige zaak.
Herodes Antipas was de tetrarch, de viervorst van Galilea. Hij liet Johannes de Doper onthoofden. Pilatus zond Jezus naar hem toe, omdat deze uit Galilea was. Herodes kreeg van Jezus geen antwoord en toen liet hij Hem door zijn krijgslieden bespotten. 'En op dezelfde dag werden Pilatus en Herodes vrienden met elkander, want zij waren te voren in vijandschap de een tegen de ander. (Lukas XXIII : 12.) Vandaar ook:
2. *'t Zijn vrienden als Herodes en Pilatus* = zij zijn altijd vijanden geweest, maar nu spannen ze samen in een kwade zaak.

herrie. *Herrie maken* = kabaal schoppen, drukte maken. Misschien uit het E. woord *hurry* = haast, twist, ruzie.

hetzelfde. *Als twee hetzelfde doen, is het niet hetzelfde* = alles hangt van de omstandigheden af.

heug. *Iets doen tegen heug en meug* = met tegenzin. *Heug* is een oud woord voor geest, beraad, lust; *meug* = wat men graag mag, dus eveneens = lust, zin. Oorspronkelijk ziet *heug* op het geestelijke, *meug* op het stoffelijke, b.v. *iets tegen zijn meug opeten.*

heulen. *Met iemand heulen* = in 't ge-

15. Een hinne legt geerne (z. *hen*)

heim met hem samenspannen.
Franck-Van Wijk zegt: 'oorsprong onzeker. Wellicht van het *heulspel*, reeds Mnl. naam. Oorspr. 'samendoen (bij het spel)'. Tuinman herinnert aan 't oude woord *heul* = brug en aan het gebruik, dat vrijers en vrijsters, die samen in een voertuig over een brug reden, elhander omhelsden en kusten onder 't roepen van *heul! heul! Met elkander heulen* zou dan aanvankelijk zijn: 'heul en hulp aan malkanderen zoeken.'

heup. *Hij heeft het op zijn heupen* = hij is slecht gemutst; hij werkt met buitengewone inspanning; in 't algemeen: hij verkeert niet in zijn gewone doen. De uitdrukking is niet verklaard; misschien staat *heupen* hier eenvoudig voor het gehele lichaam, dus = hij heeft het op zijn lijf; hij doet ongewoon.

hiel. 1. *De hielen lichten* = er vlug (in 't geheim) vandoor gaan. Vandaar ook:
2. *iemand de hielen laten zien* = voor hem uit vluchten, alsmede
3. *iemand op de hielen zitten* = hem achtervolgen.
4. *Iemand de hielen likken* = hem vleien op een misselijke manier, als het ware achter hem knielen, uiting van een veel te ver gedreven nederigheid, ja van slaafsheid.

hier. *Tot hier toe en niet verder.* Bijbelse uitdrukking. De Here antwoordde Job uit een onweder en zeide:
'Wie heeft de zee met deuren toegesloten, toen zij uitbrak, en uit de baarmoeder voortkwam?... Toen Ik voor haar met Mijn besluit de aarde doorbrak, en zette grendel en deuren; en zeide: Tot hiertoe zult gij komen, en niet verder.' (*Job* XXXVIII : 8, 10, 11.)

hik. De hik en ik
Gingen over 't meer,
De hik bleef weg
En ik kwam weer,
oud rijmpje dat men driemaal vlug opzeggen moet, als men de hik heeft. Met oud volksgeloof, dat men de hik wegbrengen kan naar het water. Het meer dient hier dus niet voor 't rijm.

himphamp. *Dat past als een himphamp op een mosterdmolen* = dat past helemaal niet; dat hoort in 't geheel niet bij elkaar. Een himphamp is een lat met een klos hout er aan en dient om een lat in de wiek van de molen te drijven; hij heet ook ram en ook hekkentrekker. Een mosterdmolen heeft geen wieken en er komt dus geen himphamp aan te pas.

hinken. 1. *Hij hinkt op twee gedachten* = hij volgt twee verschillende gedachten, die niet te verenigen zijn; zodoende is geen van die beide gedachten zuiver en komt hij niet tot een goed besluit.
De profeet Elia sprak tot het volk: Hoe lang hinkt gij op twee gedachten? zo de Here God is, volgt Hem na, en zo het Baäl is, volgt hem na! (1 Koningen XVIII : 21.)
2. *Het hinkende paard komt achteraan* = straks komt de rekening; aan 't eind moet je de schade vergoeden.

hoed. 1. *Zijn hoed staat op drie haartjes* = hij ziet er met zijn nieuwe pak parmantig uit.
2. *Zijn hoed staat op halfzeven* = staat schuin. Zie *halfzeven*.
3. *Hij is onder een hoedje te vangen* = hij is stil en gedwee, hij heeft niets te koop. Net als een vermoeid, uitgeput vogeltje, dat men ook wel zo met een hoed bedekken kan.
4. Met de hoed in de hand
Komt men door het ganse land,
d.i. als men beleefd vraagt, wordt men overal terechtgeholpen. In Vlaanderen:
Doet gelijk de Fransman doet,
Traag in de zak, rap aan de hoed.
Vlaams ook:
5. Een zaak, die gij niet sparen moet,
Dat is de rand van uwen hoed.
En dan:
6. Traag aan de beurs
En rap aan de hoed
Kost weinig
En doet veel goed.
Bij Gezelle:
7. *Met een hoed te meer op een jaar onderhoudt men veel vriendschap.*
In Den Haag kan het er ook zonder, want daar hoort men:
8. Met een pet op je test
Kom je er ook best.
9. *Zij spelen onder één hoedje* = zij helpen elkaar zonder het te zeggen. Ook: *zij liggen onder één deken.*
10. *Hij heeft een nieuwe hoed verdiend* = hij is de maaksman geweest bij het huwelijk. Volgens oud gebruik in de boerenstand stuurde de vrijer een maaksman, om te horen of hij 'op mocht komen' en ook alvast, om eens te praten

over wat de bruid bij kon brengen en om te vertellen, wat hij zelf 'waard was'. Als de onderhandelingen slaagden, dan kreeg de 'voorvrijer' een nieuwe hoed. Bij Harrebomée ook: *hij heeft een fulpen broek* of *gele kousen* verdiend.
11. *Als 't hoeden regent, valt er op mijn hoofd nog niet één* (Gron.) = ik tref het ook altijd heel ongelukkig. Zie *brij* 1.
hoek. 1. *Hij kwam plotseling uit de hoek* = hij trad ineens op, hij deed een voorstel, hij gaf een gift, in één woord = hij vertoonde zich.
2. *Hij gaat het hoekje om* = hij zal stellig sterven. Uit: om de hoek van een huis, van een straat gaan, zodat men hem niet meer ziet.
Maar misschien is 't een zeemansuitdrukking. De *hoek* is een vooruitstekende landpunt. Vandaar: *hij is 't hoekje te boven, 't hoekje om* = hij heeft het gewonnen; fig. = hij is dood.
3. *Hij zit in 't hoekje waar de slagen vallen* = hij treft het wel erg ongelukkig; 't is telkens op hem gemunt.
4. *Hij weet niet uit welke hoek de wind waait* = hij is niet op de hoogte. Vooral: het is hem niet bekend, hoe men over zijn voorstellen denkt; hij weet niet vanwaar de tegenstand komt.
5. *Waait het uit die hoek?* = komt het daarbij toe? komt daar die gunst, die boosheid vandaan?
Zeemanswoord.
hoeksteen, d.i. de steen, waarop twee muren samenkomen; de voornaamste steen van de grondslag. Fig. de grondslag. Bijbelse uitdrukking, b.v. Jesaja XXVIII : 16. 'Ik leg een grondsteen in Zion, een beproefde steen, een kostelijke hoeksteen, die wel vast gegrondvest is.'
hoen. 1. *Een blind hoen vindt wel eens een korrel* = je weet nooit, hoe 't geluk iemand dient.
2. *Een wijs hoen legt wel een ei in de netels* = ook een knappe man kan wel een flater begaan. Zie *hen* 2.
3. *De hoenders in een andermans hof jagen*: met opzet zijn voordeel doen met de schade van een ander.
4. *Achterna kakelen hoenders*, zie *achterna*.
5. *Hij heeft het zo druk als de hoenders vóór Pasen*, zie *Pasen* 6.
6. Men vangt een hoen met tij-tij-ten,
Niet met gooien, noch met smijten
(Gezelle), zie *helster* 5, *paard* 2, en *vlieg* 6. Tij-tij, de lokroep voor de kippen.
hoenderdief. *Hij loert als een hoenderdief* = hij heeft de pet diep over de ogen en hij loert rond. Bij Harrebomée: hij sluipt weg als een hoenderdief.
hoenderhok. *De knuppel in 't hoenderhok smijten*, zie *knuppel* 2.
hoer. 1. *Jong een hoer, oud onder de preekstoel* = menigeen, die zich in zijn jeugd al zeer slecht gedragen heeft, geeft in zijn ouderdom grote ingetogenheid en vroomheid voor.
Bij Gezelle: *Toen de Duivel oud werd, werd hij eremijt.*
2. Ben je hoer of dief,
Heb je geld, ik heb je lief,
de levensregel van degenen, die ook met de slechte mensen graag omgaan, als er wat aan te verdienen is.
3. *Hij loopt bij hoeren en snoeren* = dit zegt men van iemand, die ergens geweest is, daar hij beter vandaan ware gebleven, zegt heel voorzichtig Ds. Tuinman, en zo is het nog.
Snoer = snaar, het oude woord voor schoondochter; in Groningen nu nog *snaarske* = schoonzuster. Het woord is dus in betekenis achteruit gegaan en afgedaald tot lichtekooi. In de bovenstaande uitdrukking is het bijgevoegd om het rijm.
hoesten. *Iemand wat hoesten* (Gron.) = niet doen wat hij van je begeert.
Herinnering aan 't oude volksgeloof, dat de Duivel des nachts omging, om de mensen kwaad te doen. Dit kon hij niet als men maar geluid gaf. De moedigsten begonnen in de donkere nacht op de weg te zingen of te fluiten. Die minder kordaat was, die hoestte de Duivel wat.
hof. 1. *Hij maakt haar het hof* = hij bewijst haar eer en hulde, om bij haar in de gunst te komen. Algemeen: hij dingt naar haar hand.
Vertaald uit het F. *faire la cour* = hulde bewijzen, nl. van een hoveling tegenover de koning.
2. *'t Is hier open hof* = ieder die zin heeft kan hier aan tafel gaan. Fig. 't Is hier gastvrij; wie hier binnen komt, wordt ruim onthaald.
3. Groot is 't hof,
Maar veul gaat er of,
Groninger spreekwoord: 't is een groot

bedrijf, een grote bedoening, een rijk huis, waar veel geld in komt, maar waar ook zeer grote uitgaven tegenover staan.

4. Elk wiede zijn hof
En ik de mijne,
Zo zal het onkruid
Haast verdwijnen.

Ieder moet eerst zijn eigen gebreken wegnemen. De spreuk is welkom als opschrift op een gevelsteen.

hokus-pokus. *Hokus-pokus maken* = allerlei onnodige drukte maken.
Volgens Franck-Van Wijk is *pocus* zoveel als 't L. woord voor beker en is de uitdrukking afkomstig van een goochelaar in Engeland in 1624, die met 2 bekers werkte. Dan is de onderstelling van Dr. van Druten ongegrond; deze denkt aan *hoc est corpus* = dit is mijn lichaam, de woorden gesproken bij het Heilig Avondmaal van Jezus, volgens de L. tekst, en in de R.K. kerk gebezigd bij de mis.

hol. 1. *Zich wagen in het hol van de leeuw* = zich aan het grootste gevaar bloot stellen, door zich in de macht van zijn vijand te begeven.
Uit de fabel van de vos en de leeuw.

2. Heeft hij maar één hol,
't Is een arme mol.

(Gezelle.) Zie *muis* 14.

holderdebolder, d.i. in verwarring en haast, met veel drukte en lawaai; hals over kop. Klanknabootsing.

Holland. 1. *Holland is in last*, gezegde wanneer iemand in nood verkeert en geen raad meer weet.
Misschien een herinnering aan het rampjaar 1672.

2. Holland, Bolland,
Zeeland, Geen land,
Ik hou het met de heikant,

Brabants spreekwoord. *Bol* = week, los.

3. *Dat is Holland op zijn smalst* = dat is al heel armzalig; dat is kleinzielig.
Holland-op-zijn-smalst was de naam van de duinstrook tussen het IJ en de Noordzee, waar nu IJmuiden ligt. Het Noordzeekanaal is er door gegraven en het IJ is drooggelegd (1872), zodat Holland daar nu niet meer zo smal is; de uitdrukking heeft nu alleen nog de figuurlijke zin.

Homerisch. *Een Homerisch gelach* = een daverend gelach, dat maar niet eindigen wil. Lett. = een lachen, gelijk het beschreven wordt door Homerus, de grote oud-Griekse dichter van de *Ilias* en van de *Odyssee*. 't Gelach der goden op de Olympus was het gevolg van het optreden van de kreupele Hephaistos (Vulcanus), de god van het vuur.
'Onuitblusselijk gelach' komt eens in de Ilias en 2 maal in de Odyssee voor; de uitdrukking 'Rire homérique' het eerst in 1780 in de 'Mémoires de la baronne d'Auberkirch.'

Homerus. *Ook Homerus slaapt wel eens* = zelfs de knapste kan zich vergissen.
De uitdrukking is van de Latijnse dichter Horatius, 65—8 v. Chr.

hommeles. *Er was hommeles* = twist, ruzie, drukte. Misschien uit: *het hommelt er* = men scheldt en kijft; lett. = het dondert daar.
Men heeft wel gedacht aan het drama *Homulus*, dat in 1556 in 't Ned. vertaald is. Dan zou de uitdrukking betekenen: 't gaat er toe als in *Homulus*. Doch dit is volgens Franck-Van Wijk niet voldoende gemotiveerd.
Homulus is een spel, 'daarin betoond werdt, wat loon dat de zonde geeft, namelijk de doodt, ende hoe den mensch van alle Creaturen verlaten werdt, alleen zijn deucht staat hem daarbij. Zeer genoeghlijk ende kortswijlick voor alle menschen ende seer nuttelyck om te weten.' In dit werkje ligt alles bespottelijk dooreen, zegt Sprenger van Eyk.

hond. 1. *Die zich voor hond verhuurt, moet de botten kluiven* = wie al te gedienstig is, wordt als een knecht behandeld. Bij Van der Hulst: *die voor hond scheep komt, moet benen kluiven.*

2. Als twee honden vechten om een been,
Dan loopt de derde er mee heen,

als twee partijen twisten, gaat vaak een derde met het voordeel weg. En van de beide partijen zelf:

2a. Twee honden aan één been
Komen zelden overeen.

3. *Hij is er bekend als de bonte hond* = staat er zeer ongunstig bekend. Misschien was *de bonte hond* een van de vele namen van de Duivel, die immers verschillende gedaanten aannam, om de mensen te verschrikken. Spokende honden komen veelvuldig voor in de oude volksverhalen. Sprenger van Eyk ver-

wijst naar *de bonte hond met zijn blauwe staart*, die voorkomt in de *Schetsen en Verhalen* van Drost, blz. 404.

4. *Blaffende honden bijten niet* = die veel schelden en razen of zelfs maar die een groot woord hebben, zetten niet door, als het er op aankomt.

5. *Ze vonden de hond in de pot* = er was geen eten meer, toen zij thuis kwamen. Lett. = de hond was al doende, de pot uit te likken.

Dit blijkt ook uit de Vlaamse vorm van het gezegde:

5a. *Die te laat aan 't eetmaal komt, vindt de hond in de hutsepot.*

6. *Een hondje van een hoedje* = een lief hoedje; damesuitdrukking, omdat ze een hondje ook voor iets liefs aanzien. (Stoett.)

7. *Er zijn meer hondjes, die Blom heten* = er zijn er wel meer, die net zo heten, die er net zo uitzien, en die met de zaak toch niets te maken hebben.

Merkwaardig gezegde, omdat Blom geen hondenaam is.

Op dezelfde wijze: *Er zijn meer Joden, die Piet heten.*

8. *Hij heeft er een hondje zien geselen* = hij komt daar volstrekt niet of althans niet graag. Hij heeft daar iets gezien, dat hem in 't geheel niet aanstond en nu vreest hij, dat hem hetzelfde te wachten staat.

9. *Komt men over de hond, komt men over de staart* = als men 't ergste achter de rug heeft, dan redt men zich ook wel met de mindere moeilijkheden. Harrebomée heeft aan de Hont of Wester-Schelde gedacht. Komt men over die brede vloed, dan komt men ook wel over de smallere wateren. Maar deze verklaring is niet aannemelijk, omdat men het spreekwoord ook veelvuldig in Duitsland gebruikt. Een andere uitleg, die afdoende is, heeft men echter nog niet gevonden.

Aldus Stoett. Hesseling heeft echter een aannemelijke oplossing gevonden en meegedeeld in zijn werk *Uit Byzantium en Hellas*, blz. 185.

Daar zegt hij, dat er stellig sprake is van een dier, doch juist niet van een hond.

16. Als twee honden vechten ... (z. *hond*)

Hij wijst op de Griekse vorm:
Iemand at een os op, maar bij de staart gaf hij het op.
In 't Nieuw-Grieks:
Hij heeft de gehele ezel opgegeten en bij de staart gaf hij het op.
In 't Frans:
Quand on a avalé un boeuf, il ne faut pas s'arrêter à la queue, d.i. als men een os verzwolgen heeft, moet men bij de staart niet ophouden.
De Russen zijn er al dichter bij:
De hond at hij op, maar in de staart stikte hij.
Op dezelfde wijze zullen ook wij aan onze hond gekomen zijn.

10. *Men moet geen slapende honden wakker maken* = men moet zijn vijand niet zelf de gelegenheid geven, om op te treden; men moet niet zelf beginnen met zich moeite op de hals te halen. In 't Frans noemt men niet de hond, maar de kat: *il ne faut pas réveiller le chat qui dort*.

11. *Met onwillige honden is 't kwaad hazen vangen* = met mensen die tegen hun zin meedoen bereikt men moeilijk het doel; personeel dat geen lust heeft in het werk verricht slecht zijn taak.

12. *Twee kwade honden bijten elkaar niet* = boze mensen zijn 't licht eens, als het tegen een derde gaat, die ze kunnen belagen.

13. *Hij is van 't hondje gebeten* = 't is een ingebeelde gek. De uitdrukking is door Tuinman verklaard: hij is gebeten door 't hondje, dat Laatdunken heet, hij is laatdunkend. En Tuinman vergeleek dit hondje met een dolle hond, waarvan de beet iemand gek maakt.
Stoett haalt verschillende schrijvers aan, die uitdrukkelijk dit 'hondje van laatdunkendheid' noemen. Maar De Vooys doet opmerken, dat dit laatdunken heel best aan 't spreekwoord kan zijn toegevoegd; als dit zo is, dan vervalt daarmee geheel de onderstelling van Tuinman.

14. *Veel honden zijn der hazen dood* = tegen de overmacht kan niemand op.

15. *'t Haar van de hond er op!* zie *haar* 9.

17. Met onwillige honden ... (z. *hond*)

16. *Wie een hond wil slaan, kan licht een stok vinden* = men vindt altijd wel een reden, als men iemand benadelen wil. Bij Gezelle:
16a. *Als men een hond wil kwijt geraken, legt men hem 't verwoed op*, d.i. beweert men dat hij dol is.
17. *Iemand uitschelden dat de honden er geen brood van lusten* = hem zo kleineren, dat zelfs een hond geen stuk brood meer van hem aanneemt.
18. *Kommandeer je hond en blaf zelf!* = jij hebt hier niets te zeggen; als je wat wilt moet je 't zelf doen.
19. *Hij heeft het hondegeloof, hij heeft het vlees liever dan de botten* = gezegde, als men vraagt, welk geloof iemand aanhangt; hij kiest het beste wat men hem aanbiedt.
20. *De hond keert terug tot zijn uitbraaksel* = hij valt weer terug in zijn oude kwaad.
Bijbelse uitdrukking voor wie eerst als Christen geleefd hebben en daarna in hun oude zonden terugvallen:
'hun is overkomen hetgeen met een waar spreekwoord gezegd wordt: de hond is wedergekeerd tot zijn eigen uitbraaksel.' (II *Petrus* II : 22.)
21. *Wie met honden omgaat, krijgt vlooien* = wie in slecht gezelschap verkeert, neemt slechte eigenschappen en gewoonten over. Zo ook:
21a. *Hoe ruiger hond, hoe meer vlooien* = hoe slechter gezelschap, des te onaangenamer gevolgen.
Fries:
21b. *Wie met honden naar bed gaat, staat met vlooien op.*
22. *Hij loert er op als een hond op een zieke koe* = hij verlangt naar de dood van zijn erflater. In 't algemeen ook: hij verlangt er erg naar.
23. *Een stomme hond*, een lelijk scheldwoord voor een aartsdomoor.
Naar *Jesaja* LVI : 10, waar gehandeld wordt over predikers, die de zonde niet bestraffen:
'Hun wachters zijn allen blind, zij weten niet; zij allen zijn stomme honden, zij kunnen niet bassen; zij zijn slaperig, zij liggen neder, zij hebben het sluimeren lief.' De oorspronkelijke betekenis is dus geheel anders dan die van het scheldwoord.
24. *Beter een levende hond dan een dode leeuw* = het leven gaat boven alles.
De spreuk is uit *Prediker* IX : 4-6. De Prediker zegt, zo lang er leven is, is er hoop, maar de doden weten niet met al, hun gedachtenis is vergeten en zij hebben geen deel meer in deze eeuw in alles, wat onder de zon geschiedt.
Daarom, al stond de hond in het Oosten volstrekt niet in ere, beter een levende hond dan de dode leeuw.
25. *Hij loopt weg als een hond met de staart tussen de poten* = hij druipt angstig af.
26. *Het is geen weer, om hond of kat buiten te jagen*, zie *weer* I, 3.
27. *Als oude honden blaffen, is het tijd om uit te zien* = als mannen van ervaring waarschuwen, moet men naar hun raad luisteren.
28. Een lopende hond
Vindt altijd wat voor de mond,
zie *kraai* 8. Bij Sprenger van Eyk:
Een liggende hond
Waait geen brood in de mond.
29. *'t Is net, of de hond het in zijn gat gehad heeft* = het goed ziet er verfrommeld uit.
Bij Harrebomée: *Het is, alsof het den hond in zijn gat gezeten heeft.*
30. *'t Moet al een ruige hond wezen, die twee nesten warm houden kan* = 't moet een rijke man zijn, die behalve zijn eigen gezin er nog een andere vrouw op na houdt.
31. *Dat kan hond noch kat verstaan* = dat is al zeer onduidelijk.
32. *Iemand afsnauwen, alsof men hem voor de honden gevonden heeft* = op een verschrikkelijke manier; hem behandelen, alsof hij alleen maar goed was als vreten voor de hond.
33. *Razende honden bijten malkander niet* (Vlaams), zie no. 4 en *wolf* 5.
34. *Oude honden leren moeilijk een pootje geven* (Vlaams), zie *oud* 12.
35. *Die bij de hond slaapt, betrapt van zijn vlooien* (Vlaams) = kwade gezelschappen bederven goede zeden. Zie 21.
36. *Als oude honden bassen, is het tijd om uit te zien* (Vlaams) = luister naar de raad van ervaren mensen. Zie 27.
37. *Jaag een hond weg, je krijgt een rekel weer* = alle verandering is geen verbetering.
38. *'t Is een slechte hond, die zijn brood pakken laat* (Vlaams) = men moet zich

de kaas niet van 't brood laten eten.

39. *Wie kan de hond het bassen beletten?* (Vlaams) = men kan een lasteraar (of ook iemand, die scheldt en raast) de mond niet stoppen.

40. *Twistzieke honden lopen met gescheurde oren* (Vlaams) = wie altijd ruzie zoekt, wordt op zijn beurt toegetakeld en moet de gevolgen dan maar dragen.

41. *'t Is de ene hond leed, dat de andere in de keuken gaat*, zie *bedelaar*. Ook in Vlaanderen.

42. *Men tergt geen hond in zijn eigen kot* (Vlaams) = men beledigt niet iemand in zijn eigen huis.

43. *Honden op de band vangen geen hazen* (Vlaams) = als men wil, dat iemand zijn best doet, moet men hem niet aan de band houden, doch vrijheid van beweging geven.

44. *Een hond is stout op zijn eigen dam* (Vlaams), zie *haan* 1. De dam is de ingang van het boerenheem. Ook:

44a. *De honden zijn tehuis het stoutst.*

45. *De ene hond verwijt de andere, dat hij vlooien heeft* (Gezelle); zie *pot* 2.

46. *Zwicht u van een hond, die niet en bast, en van een vrouw, die lichte krijst* (Gezelle) = pas op voor een hond, die nooit blaft, maar ook voor een vrouw, die al te gauw scheldt.

Zich zwichten van = zich hoeden voor.

47. *De kleine honden jagen de haas op, maar de grote pakken hem* (Fries) = de kleine man doet het werk en de grote man geniet er de voordelen van.

48. *Een kwaaie hond moet men wel een stuk brood geven, want anders bijt hij je* (Fries) = men moet wel wat doen, om gevaarlijke lui te vriend te houden.

49. *Men moet huilen met de honden, daar men mee in 't bos is*, zie *wolf* 3.

50. *Als hij niets meer kan, hangt de jager zijn hond op* (Fries) = ondank is 's werelds loon.

51. *Er zijn altijd veel honden om 't aas* (Gron.) = wanneer er wat te halen is, dan komen er altijd genoeg liefhebbers op los; zo lang men trakteert, heeft men overvloed van vrienden.

't Woord *aas* is niet meer in gewoon ge-

18. Als oude honden blaffen (z. *hond*)

bruik in Groningen; zo hoort men veelal: *er zijn altijd veel honden om de haas.*
52. *'t Ziet er uit, of de hond er jongen gehad heeft* (Gron.) = de hele boel ligt verward overhoop.
53. *Ik, zei de hond, voorop!* (Gron.), schertsend gezegde, als iemand zich zelf het eerst noemt.
54. Honden en mannen
Mogen uitspannen,
Maar katten en wijven
Moeten thuis blijven,
rijmspreukje bij Anna Folie. Zie *vrouw* 9.
55. *Zoek geen spek in een hondenest* = doe geen moeite, als je van te voren weet dat het tevergeefs is.
hondekeutel. *'t Glimt als een hondekeutel in donkeren*, schertsend gezegde, wanneer een ding, dat blinken moet, dof is.
honderd. 1. *Alles was daar in 't honderd* = in wanorde, in de war. *Honderd* duidt hier eenvoudig een groot getal aan; men kan er niet meer wijs uit worden.
2. *'t Is er een van: wat kost mij 't honderd?* = 't is een man van geen betekenis, van geen waarde; een man van niets.
3. *Honderd kosters, 99 gekken!* gezegde uit de tijd dat de koster ook schoolmeester was en toen er velen waren, die zich met schijngeleerdheid dwaas aanstelden. Over 100 Groninger kosters verscheen ± 1700 een boekje met 100 schimppichten, getiteld *Olipodrigo*, d.i. Mengelmoes. Wie de 'dichter' was, is niet bekend geworden, althans niet gebleven. 't Boek is nu opnieuw uitgegeven.
4. *Hij praat honderd uit* = hij praat al maar door.
Waarschijnlijk ontleend aan het kaartspel. Bij 't jassen moet men zien honderd-uit te spelen.
hondewacht. *Hij heeft de hondewacht* = hij heeft de moeilijkste en vooral de onaangenaamste taak.
Zeemanswoord. De *hondewacht* is de wacht van 's nachts twaalf tot vier uur.
honger. 1. *Honger is een scherp zwaard* = wie honger heeft kan men tot alles dwingen.
2. *Honger maakt rauwe bonen zoet* = wie honger heeft, eet wel graag wat hij anders niet zou lusten. Stoett deelt mee op gezag van Dr. D. C. Hesseling, dat rauwe bonen het voedsel waren van kluizenaars en streng vastende monniken.
Het spreekwoord luidt ook:
3. *Honger is de beste saus*, of:
3a. *Honger is de beste kok.*
Vlaams:
3b. *De honger jaagt de wolf uit het bos*; zie no. 1.
4. *Er is honger in het land*, gezegde wanneer men erg verlangt, dat er gegeten wordt.
Bijbelse uitdrukking, b.v. naar *Ruth* I :1: 'In de dagen, dat de richters richtten, zo geschiedde het, dat er honger in het land was.'
5. *Honger is de meester van de kunst.* Door honger gedreven leert een hond kunstjes.
honig. 1. *Iemand honig om de mond smeren* = hem vertellen wat hij graag hoort, hem vleien.
2. *Men vangt meer vliegen met honig dan met azijn* = met een lief en vleiend woord komt men verder dan met scheldwoorden en dreigementen. Zie *helster* 6.
3. *Geen werk zonder honig* = alle arbeid levert winst op. Zie *werk* I, 2 en 3. Daarnaast:
3a. *Geen honig zonder werk* = geen loon zonder moeite. Eveneens een zinspeling

19 Honger is de meester ... (z. *honger*)

op de dubbele betekenis van werk = a. arbeid; b. de honigraten.

4. *Die de honing wilt uithalen, moet het steken der bieën verdragen* (Vlaams), zie *varken* 17. 5. Zie *melk* 3.

Honny soit, voluit: *honny soit qui mal y pense* (F.) = schande zij hem, die er kwaad van denkt.

Devies van de hoogste Engelse ridderorde, de Orde van de Kouseband, ingesteld door koning Eduard III, toen hij de kouseband van een dame opraapte ter gelegenheid van een feestpartij, 1350.

Hont. *Komt men over de Hont...*, zie *hond* 9.

hoofd. 1. *Wat hangt ons boven 't hoofd?* = wat ongeluk hebben wij nog te wachten? Gewoonlijk denkt men hierbij aan *het zwaard van Damokles*; zie *draad* 7. Stoett verwerpt deze opvatting; uit oudere schrijvers blijkt, dat men vergelijkt met een onweersbui, die straks neer zal komen.

2. *Hij is mij boven 't hoofd gegroeid*, lett. = hij is groter geworden dan ik; fig. hij is machtiger, wijzer, knapper dan ik.

3. *Dat heb ik over 't hoofd gezien* = daar heb ik niet op gelet. Lett. = *iem. over 't hoofd zien* = over hem heen kijken, geen aandacht aan hem besteden.

4. *Iemand het hoofd bieden* = zich tegen iem. verzetten; zich gereed houden, om hem aan te vallen. Letterlijk doen dit een stier en een bok, die klaar staan om te stoten.

5. *Daar breek ik mijn hoofd niet mee* = dat vraagstuk zal ik niet trachten op te lossen; daar plaag ik mijn hersens niet mee.

6. *Hij heeft het hoofd in de schoot gelegd* = hij heeft zijn verzet, zijn tegenstand opgegeven. Oorspronkelijk: het hoofd in iemands schoot leggen, die dus met hem doen kon naar believen.

Waarschijnlijk een toespeling op de geschiedenis van Simson. Hij had zich vele malen weigerachtig getoond, om aan Delila, zijn vrouw, te vertellen, waarin het geheim van zijn kracht school. Eindelijk gaf hij toe; hij vertelde, dat dit geheim lag in zijn haarlokken: er was nooit een scheermes op zijn hoofd gekomen. 'Toen deed zij hem slapen op haar knieën, en riep een man, en liet hem de zeven haarlokken zijns hoofd afscheren... en zijn kracht week van hem.' (*Richteren* XVI : 19.)

Tuinman acht het ook mogelijk, dat men denken moet aan de eenhoorn, die zijn hoofd in de schoot van een maagd legt en aldus getemd wordt.

7. *Het hoofd opsteken* = beginnen met zich te verzetten, in opstand komen.

8. *Daar hebben ze het hoofd gestoten* = daar zijn ze afgewezen; daar kregen ze een weigering.

9. *Ze hebben hem voor 't hoofd gestoten* = onvriendelijk behandeld; ze hebben zijn verzoek op lompe wijze afgewezen.

10. *Het hoofd loopt mij om* = ik weet mij geen raad van drukte, van verdriet, van zorgen. Dan is het, alsof de gedachten al maar in een kring ronddraaien.

11. *Men moet niet met het hoofd tegen de muur lopen* = men moet niet het onmogelijke met geweld door willen zetten, want dat loopt toch op pijn en verdriet uit.

12. *Hij stond als voor het hoofd geslagen* = bedremmeld, net alsof hij een zware slag tegen het hoofd gekregen had.

13. *Zoveel hoofden, zoveel zinnen* = ieder had er zijn eigen mening. Waarschijnlijk de vertaling van het L. gezegde: *quot homines tot sententiae*.

14. *Hij heeft een hoofd, daar hij naar leeft* = hij volgt zijn eigen zin; hij is niet van zijn stuk te brengen.

15. *'t Hoofd boven water houden* = een zaak gaande houden ondanks grote geldelijke moeilijkheden; de moed niet opgeven.

Ontleend aan een drenkeling.

16. *De hoofden bij elkaar steken* = tot overleg komen.

17. *Ik wou mij wel voor 't hoofd slaan!* d.i. ik begrijp nog niet, hoe ik daartoe gekomen ben; hoe ik zo dom ben geweest.

18. *Die een hoofd van een pintje heeft, moet geen kan willen drinken* (Vlaams) = men moet maat houden; men moet geen dingen ondernemen, die men niet aan kan.

19. Steekt uw hoofd in alle gaten,
Wilt g'er neuze en oren laten

(Gezelle) = wie zich met een anders zaken bemoeit, komt er vaak niet ongeschonden af.

20. *Daar wil ik mijn hoofd onder zetten* = dat is de vaste waarheid.

Lett.: men mag mij 't hoofd afslaan, als 't niet waar is.
21. *Waar je niet bij bent, wordt je 't hoofd niet gewassen* = als men zelf niet op zijn zaken past, dan worden ze maar half of niet goed gedaan. Ook: als men niet aanwezig is geweest, dan heeft men ook geen last of schade.
In de eerste betekenis reeds in de Kamper Verzameling van 1550:
Waer een man selfs niet bij en is, daar wort hem thoeft qualick gewasschen.
22. Hoofd koel, voeten warm,
Smeer de darm,
Poort open,
En laat de dokter naar de
drommel lopen,
leefregel op rijm.
23. *'t Rookt hem boven 't hoofd* = hij liegt verschrikkelijk.
Aan kinderen maakte men wijs, dat het boven hun hoofd rookte, als zij de waarheid niet vertelden.
24. *Die 't grootste hoofd heeft, moet de grootste hoed hebben* (Vlaams) = die recht heeft op het meeste, moet ook het meeste hebben.
hoog. 1. *Hij zit daar hoog en droog* = hij is er veilig; hij heeft het er naar zijn zin. Lett. hij zit op hoge grond, hij heeft geen last van 't water (meer).
2. *Hij zweert bij hoog en laag* = hij roept God en de Duivel aan, om aan zijn woorden kracht bij te zetten. Misschien naar Matth. V : 34, 35, waar Jezus zegt: Zweert ganselijk niet, noch bij de hemel, ...noch bij de aarde.
3. *Wie hoog klimt, valt laag* = hoogmoed komt voor de val.
Die hoger klimt dan hem betaamt,
Valt lager dan hij heeft geraamd.
4. Als apen hoger klimmen willen,
Dan ziet men pas hun blote billen,
als iem. van lage komaf zich voornaam voordoet, dan blijkt dadelijk hoeveel er aan zijn opvoeding ontbreekt.
5. *Hij is hoog in zijn wapen*, zie *wapen*.
6. *Hoge bomen vangen veel wind*, zie *boom* 3.
hoogmoed. 1. *Hoogmoed komt voor de val* = wie trots is, zal licht nog tot armoede en schande komen.
Misschien uit Spreuken XVI : 18. 'Hovaardigheid is vóór de verbreking, en hoogheid des geestes vóór de val.'
Ook op rijm:
2. Die hoger klimt dan hem betaamt,
Valt dieper dan hij raamt.
En schertsend, als iemand na zijn bankroet nog rijk blijkt te zijn:
3. *Hoogmoed komt na de val.* En deze scherts berust op de juiste opvatting van het spreekwoord, dat immers zeggen wil: hoogmoed komt eerder dan de val.
4. Hoogmoed
Deed nooit iemand goed,
Vlaams spreukje. Zo ook:
5. *Hoogmoed en vrede is water en vuur.*
hoogte. 1. *Hij heeft de hoogte* = hij heeft nu genoeg (of al te veel) gedronken.
Zeemansuitdrukking; b.v. een schip is op de hoogte van Hoek-van-Holland. Zo is een dronken man ook zo ver als hij zijn moet; verder moet hij niet.
2. *Ik ben ervan op de hoogte* = ik weet ervan.
De hoogte is ook in deze uitdrukking de plaats, op dezelfde lijn als een andere bekende plaats; dus figuurlijk: dezelfde staat van wetenschap. Zo ook als men die wetenschap niet heeft:
3. *ik krijg er geen hoogte van.*
hoogvlieger. *Hij is geen hoogvlieger* = hij munt niet uit; hij is geen groot licht; hij is geen uitstekend kunstenaar.
Lett. = een soort duif.
hooi. 1. *Hij neemt te veel hooi op zijn vork* = hij pakt te veel zaken tegelijk aan; hij neemt meer op zich dan hij volbrengen kan.
2. *Dat gebeurt te hooi en te gras* = nu en dan eens, doch maar zelden.
In de Middeleeuwen hield men tweemaal per jaar rechtsdag, eens in 't voorjaar, dus *te gras* en eenmaal in de nazomer. Het hooi was toen later klaar dan tegenwoordig.
3. *Wij hoeven niet aan 't hooien* = er is zo'n razende haast niet bij.
Als 't gras in 't zwad ligt, moet men zo haastig mogelijk aan het zwelen, opdat het hooi droog binnen komt.
4. *Als 't niet op mijn hooi weert, dan weert het op mijn moesplanten*, spreuk van degenen, die overal nog weer het goede zien; die bij tegenspoed vertrouwen, dat het nog weer goed afloopt.
Als 't regent, dan is 't slecht weer voor 't hooi, maar dan groeit de kool des te beter. Zie *weren*. In Zeeland: *Rot mijn hooi, mijn kool groeit.*
5. *Het hooi moet het paard niet volgen* =

de vrijster moet niet achter de vrijer aanlopen, moet niet tonen dat zij al te begerig is. Bij Guido Gezelle:
6. *Als 't hooi achter 't peerd loopt, 't is dat het wil gegeten zijn.*
Bij De Cock:
Als 't hooi het paard volgt, dan wil 't gegeten zijn = als de vrijster de vrijer zoekt, dan is dat het bewijs dat ze graag trouwen wil.
In Vlaanderen ook:
6a. *Als 't hooi vanzelf naar de wagen gaat, dan zijn de vorken goedkoop.*
Zie *paard* 4.
7. *'t Hooi is op en de koe dood* = de man is gestorven, maar er is nu ook van zijn nalatenschap niets meer over.
8. *'t Zit door elkaar als gehakt hooi* = 't is zeer verward.
9. *Hooit als de zonne schijnt* (Vlaams) = smeed het ijzer, als het heet is.
10. *Waar oud hooi is, daar is ook oud geld* (Fries) = als men nog voorraad heeft van 't vorige jaar, is dat een bewijs dat de zaak er goed voorstaat.
hoop I. 1. *Dat krijg je op de hoop toe* = boven hetgeen je gekocht hebt.
2. Hoe meerder hoop,
Hoe beter koop,
Vlaams gezegde: als er genoeg aan de markt is, dalen de prijzen.
hoop II. (verwachting). 1. *De hoop des vaderlands* = de jeugd, het opgroeiend geslacht. Vertaling van L. *spes patriae.*
2. *Hoop doet leven* = in tegenspoed is 't goed te denken, dat het beteren zal. Maar ook:
3. *Van hoop alleen kan men niet leven* = er moet ook eens weer wat goeds komen, zal men het volhouden. Bij Gezelle:
4. *Die op hope leeft, sterft van honger.*
En ook:
5. Hoe meerder hoop,
Hoe erger koop,
d.i. hoe stelliger men op iets gerekend heeft, des te meer valt het tegen, als het niet uitkomt.
hoorn. Zie ook *horens.* 1. *De hoorn des overvloeds*, zinnebeeld van welvaart en weelde; een hoornvormig sieraad met bloemen gevuld.
Uit de Griekse fabelleer. Toen de jonge god Zeus op Kreta geboren was, werd hij gezoogd door een geit. Deze verloor een hoorn, en aan deze hoorn gaf Zeus het vermogen, om alles te verlenen wat men begeren mocht aan spijs en drank.
hopen. 1. *We zullen 't beste maar hopen. 't ergste komt gauw genoeg*; zie *beste* 4,
2. *Hopedoden leven lang* = de erfgenamen moeten (naar hun zin) vaak veel te lang wachten.
Bij Guido Gezelle:
Met naar de schoen van een dode te wachten, kan men lang blootsvoets lopen.
horen. 1. *Die niet horen wil, moet voelen* = als een kind niet luistert, dan krijgt het straf. In 't algemeen: wie zich niet stoort aan wijze raad, zal de gevolgen wel ondervinden.
2. *Horen en zien vergaat je hier* = het is hier zo'n lawaai, dat men er doof van wordt (en er geen oog op kan houden).
3. *Van horen zeggen liegt men 't meeste*, zie *zeggen* 3. Vlaams:
3a. *Horen zeggen is half gelogen.*
4. *Men moet al wat horen, zei Dove Jaap*, schertsend gezegde van iemand, die zich met dit grapje afmaakt van een verwijt.
5. *Hij stond, of hij 't in Keulen hoorde donderen*, zie *Keulen* 2.
6. Horen, zien en zwijgen
Doet dikwijls veel verkrijgen,
met scherp acht te geven en door geen ruchtbaarheid te geven aan wat men heeft opgemerkt komt men vooruit in de wereld. Bij Guido Gezelle:
6a. Horen, zien en zwijgen
Doet vrede en ruste krijgen.
7. Die kan horen, zien, verdragen,
Die leert alles zonder vragen,
Vlaamse rijmspreuk.
8. *Men moet altijd horen waar 't vandaan komt* = men dient in aanmerking te nemen, wie het is, die wat zegt.
horens. 1. *Hij steekt de horens op* = a. hij begint zich te verzetten; b. hij wordt hoogmoedig. Van de stier, die gaat stoten.
2. *Oude bokken hebben stijve horens;* zie *bok* 4.
3. *Zij heeft haar man horens opgezet* = zij houdt het met een andere man. De uitdrukking komt reeds voor in het oud-Grieks en in het Latijn en is daaruit wellicht overgegaan in de moderne talen; evenals bij ons komt het gezegde voor in het Italiaans, Frans, Engels en Duits.
In *Taal en Letteren* IV, blz. 177 en 203 wordt er over gehandeld. Aldaar de gedachte aan een kapoen, die men boven-

dien de sporen afsneed, welke men als horens in zijn kam drukte.
Delbrück spreekt in zijn *Grundfragen* van de hand, die men in de vorm van een horen aan zijn hoofd bracht en die dan de horen van een stier moest verbeelden. De bedrogen man is echter *de horendrager*.
4. *Hij heeft al wat op zijn horens* = hij is al tamelijk oud. Naar de gewoonte der boeren, om de leeftijd van de koeien aan te duiden door schrappen op de horens.
5. *Hij neemt te veel op zijn horens* = hij neemt te veel hooi op zijn vork; hij neemt meer werk op zich dan hij volbrengen kan.
'Dit is ontleent van de dulle stieren, die de honden of menschen met hunne hoorens onderscheppen en in de lucht werpen.' (Tuinman.)
6. *Men brandt er horens* = er is herrie in de hut; er is ruzie in 't gezin.
Misschien naar 't oude gebruik, dat men bij pest horens in brand stak, om door de onaangename reuk de smetstof krachteloos te maken. Die gewoonte ging voorbij, maar de uitdrukking bleef om aan te duiden, dat er iets lang niet in orde was.
horoscoop. *Iemands horoscoop trekken* = hem zijn lot voorspellen; *zijn planeet lezen*, zie daar.
De *horoscoop* is de berekening van het punt der ecliptica, dat boven de horizon rijst op het ogenblik van iemands geboorte, en van de stand van zon, maan en planeten. Daaruit voorspellen astrologen iemands toekomst; zij *trekken de horoscoop*, van hora = uur, en Gr. skopein = zien.
Hildebrand vertelt in *Na vijftig jaar*, blz. 163, dat in zijn jeugd de *horoscooptrekker* nog als een onschuldige wichelaar op de kermis verscheen; men kon toen voor een stuiver in een koperen kijker zijn toekomst zien. Bovendien kreeg men er nog een gedrukt blaadje bij met de toekomstige lotgevallen.
Zulke blaadjes, die *planeetjes* heten, worden nog tegenwoordig door marskramers rondgevent op het Groninger Hogeland.
horzel. *Horzels steken niet en hommels doden niet* (Fries) = wie de meeste praats heeft, komt het minst tot de daad.
Een horzel of bremster (Fries *brimse*) en een hommel maken wel veel drukte en gebrom, als zij vliegen, maar zij steken niet gelijk de bijen en de wespen.
hosanna. *Vandaag is het hosanna en morgen: kruist hem!* = de volksgunst is wuft. In Matth. XXI leest men, dat de schare Jezus juichend inhaalde te Jeruzalem, zeggende: Hosanna den Zone Davids!
Doch in Matth. XXVII : 22 vindt men, dat allen tot Pilatus zeiden:
Laat Hem gekruisigd worden!
hot. *Hij weet van hot noch haar*, lett. = van links noch rechts; hij heeft nergens verstand van. *Hot* = rechts; *haar* = links.
hou en trouw, d.i. getrouw in ieder opzicht (tegenover zijn vorst). *Hou* is een oud woord = genegen; in 't Duits *hold*. Ook *gehou*.
houden. *Houden wat ge hebt en pakken wat ge krijgen kunt is 't elfste gebod* (Vlaams).
houden van, d.i. liefhebben. Vermoedelijk ontstaan in de tijd van 't Leenstelsel, toen *houden van* betekende: in leen hebben. Zo hield een hertog zijn hertogdom van de keizer.
Houden van werd dus van *vazal zijn*: 1. dienen; 2. zich 't lot aantrekken van; 3. beminnen.
hout. 1. *Alle hout is geen timmerhout* = niet iedereen is voor een bepaalde taak geschikt. De spreuk is ook de titel van een toneelstukje voor kinderen, door Jan Ligthart. Daar betekent het: niet elke jongen komt in de maatschappij terecht.
2. *Hij is uit hetzelfde hout gesneden* = hij heeft dezelfde karaktereigenschappen.
3. *Dat snijdt geen hout* = dat helpt de zaak niet vooruit; dat doet niet ter zake. Letterlijk gezegd van een zaag.
4. *Hij heeft het op zijn eigen houtje gedaan* = op zijn eigen gezag, voor zijn eigen rekening. Zie ook *hand* 40.
Het *houtje* is de kerfstok; wie wat op rekening haalde, kreeg van de winkelier een kerf op zijn houtje en de winkelier hield op dezelfde wijze aantekening.
Maar Dr. H. J. Eymael kwam in het *Tijdschrift voor Ned. Taal en Letterkunde* (XXXIII, 198) tot een geheel andere uitleg. Hout was in de 17e eeuw een

gangbaar woord voor schip. Als een kapitein op een eigen schip voer, dan stond hij *op zijn eigen houtje* en handelde hij dus geheel op eigen gezag. Wat hij deed was voor zijn eigen verantwoording.
Nog weer een geheel andere verklaring is te vinden bij Herderschee, die verwijst naar *Hosea* IV : 12, toen Israël niet luisterde naar God, doch zijn hout, d.i. een afgodsbeeld, raadpleegde. Er staat:
'Mijn volk vraagt zijn hout, en zijn stok zal het hem bekend maken.'
Maar Herderschee zegt er zelf al bij, dat de spreekwijze misschien aan de kerfstok ontleend is.
5. *Van dik hout zaagt men planken* = men neemt het er goed van, men leeft op ruime voet. Ook: men geeft hem een flink pak slaag of een stevige dracht scheldwoorden.
6. *'t Groene hout* = de vromen, de rechtvaardigen, tegenover de goddelozen. Uit Lukas XXIII : 31. Toen Jezus weggevoerd werd ter kruisiging, sprak Hij:
'Want indien zij dit doen aan het groene hout, wat zal aan het dorre geschieden?'
Deze uitdrukking figuurlijk veel gebruikt: als men zo handelt tegen een rechtvaardige, wat zal men dan wel doen tegen anderen?
7. *Hij is van 't houtje* = hij is Rooms. Naar het kruishout.
8. *Zij moeten op een houtje bijten* = honger lijden.
9. *Krom hout brandt zowel als 't rechte, als 't bij het vuur komt* = als men 't beste gereedschap niet heeft, dan dient een ander stuk ook wel. Ook: als 't gezelschap niet zo fijn is als men 't wenst, dan gaat het toch ook wel met minder beschaafde lui.
houw I. *Hij heeft daar de volle houw* = het is daar overvloedig; hij heeft er alles volop.
Tuinman denkt aan 't oude woord *iemand houden* = hem in de kost hebben. Misschien echter van *houwen* = kappen; dus = hij mag daar zoveel hout kappen, als hij nodig heeft.
houw II. *Houw en trouw*, zie *hou*.
hovaardig. 1. *Hoveerdigheid is zottigheid, maar vuiligheid is geen heiligheid* (Vlaams) = trots te zijn op zijn mooie kleren is dwaasheid, maar daarom is 't nog geen deugd, als men slordig en vuil gekleed gaat.
2. Hoveerdij zonder goed
Is een lichaam zonder voet.
(Vlaams), trots te zijn en dan nog zonder geld en goed, dat is wel een heel grote zotheid.
hoveling.
Jong een hoveling,
Oud verschoveling,
d.i. zo lang men werken kan en dienst kan doen, wordt men geëerd, maar als men afgesloofd en afgeleefd is, dan wordt men verstoten en verlaten.
hozanna, zie *hosanna*.
huid. 1. *Met huid en haar* = geheel en al, lett. gelijk de kat de muis opvreet; fig. b.v. iemand met huid en haar toegedaan zijn.
2. *Iemand wat op zijn huid geven* = a. een pak slaag, b. een afstraffing geven. De huid genomen voor het gehele lichaam.
3. *Men moet de huid van de beer niet verkopen eer men hem geschoten heeft* = men moet wachten tot men het loon, de opbrengst, de buit binnen heeft, voordat men er over beschikt.
't Spreekwoord is afkomstig uit het verhaal van de jager, die zich al te vroeg verheugd had.
4. *Zij trachtten hun huid zo duur mogelijk te verkopen* = zij zagen in het gevecht, dat zij 't leven zouden verliezen, doch nu deden zij hun uiterste best, eerst nog zo velen van hun vijanden te doen sneuvelen, als immer mogelijk was. De *huid* hier genomen voor het lijf en het leven.
5. Hij komt niet om 't huidje,
Maar om het duitje. Zie *goedje* 1.
huidig. *Tot op de huidige dag*, zie *dag* 12.
huig. *Iemand de huig lichten* = hem zijn geld ontfutselen; in 't algemeen: hem tot zijn schade bedotten, bedriegen.
De huig lichten is letterlijk: de hangende huig weer doen krimpen, weer op zijn plaats brengen; dit deed men door een weinig zout of peper. Lichten = oplichten, weer omhoog brengen. Volgens het volksgeloof kon men de huig oplichten door te trekken aan een haar op het hoofd, maar het moest juist het middelste haar zijn. En het was de kunst, dit ene haartje te vinden.
huik. *De huik naar de wind hangen* = zich aansluiten bij de partij, waar men

't meeste voordeel van verwacht, en weer tot een andere partij overlopen, als 't blijkt dat men zich vergist heeft.
De huik was een lange mouwloze mantel.

huilen. 1. *Hij huilt met de wolven, waar hij mee in 't bos is* = hij praat mooi met de mensen, waar hij van afhangt, ook al denkt hij heel anders.
Lett. hij huilt net als de wolven, die dan denken, dat hij ook een wolf is en hem laten gaan.
2. *Als er twee ruilen, moet er één huilen*, zie *ruilen*.

huis. 1. *Er is geen huis met hem te houden* = men kan niet in vree met hem leven, men kan het hem niet naar de zin maken.
2. *In 't huis van de gehangene spreekt men niet over de strop* = a. men moet niet praten over dingen, die voor de ander buitengewoon onaangenaam zijn; b. men moet niet spreken over tekortkomingen, die men zelf ook heeft.
3. *Elk huis heeft zijn kruis* = geen enkel gezin, dat het verdriet niet kent.
4. *Hij raakt hoe langer hoe verder van huis* = hij bereikt zo nooit zijn doel; hij heeft het helemaal mis; hij gist geheel verkeerd.
5. *Men zou huizen op hem bouwen* = men zou denken, dat hij volledig te vertrouwen was. Ook lichamelijk: dat hij sterk en gezond was. 't Is dan, alsof men op vaste grond bouwt.
6. *'t Is er een huisje van hou-aan*, zie *zoet* 1.
7. *We zetten het huis op zolder*, schertsend als men onbekommerd uitgaat en het huis alleen laat.
Zoals men ook andere dingen veilig op zolder zet.
8. *Er zijn meer huizen dan kerken* = er is nog andere gelegenheid genoeg, als men hier of daar wordt afgewezen; men komt nog wel onder dak; er zijn nog wel meer meisjes (troost voor iemand met een blauwe scheen). Ook: er zijn meer heel gewone mensen dan uitblinkers.
9. 't Is in huis een groot verdriet,
Als 't hennetje kraait en 't haantje niet,
zie *haan* 9.
10. *Hij heeft zijn huis op zand gebouwd*, zie *zand* 4.
11. *Ver van huis, dicht bij zijn schade* = als men ver van zijn zaak woont, (als men die aan zijn lot overlaat), dan loopt het verkeerd.
12. *Hij gaat geen heilig huisje voorbij*, schertsend: hij legt aan in alle kroegen op zijn weg.
De heilige huisjes zijn de kapellen langs de weg, zoals men ze in katholieke streken veelvuldig aantreft. De gelovige houdt er stil en doet zijn gebed. Zo houdt de likkebroer zich op in de herberg.
13. Koop ik huizen, dan heb ik steen;
Koop ik vlees, dan heb ik been,
Doch koop ik van het edele nat,
Dan heb ik wat,
troost van de liefhebbers van een glaasje.
Ook:
Koop je huizen, je koopt stenen;
Koop je vlees, je koopt benen;
Koop je vis, je koopt graten;
Maar koop jenever voor je geld,
Dan kun je praten.
14. *Hij kan wel over een huis* (Gron.), *hij is over de huizen* (Harrebomée) = hij is uitgelaten; hij is blij; hij is 'in de wolken'. De gedachte is dus, dat hij hoog boven alle aardse zorgen verheven is.
15. *Wie in een glazen huis woont, moet niet met stenen smijten* = wie zelf niet zuiver is, moet anderen geen verwijten doen, want dan komen de verwijten weerom.
16. *Huizen zijn kruizen* = wie huizen verhuurt, heeft altijd last en ongemak.
17. *Wat het huis verliest, brengt het huis ook weerom* = wat men in huis kwijt is, komt vanzelf weer voor den dag.
18. *Die geerne zijn huis verkoopt, versiert zijn gevel* (Vlaams) = wie een huwbare dochter heeft, doet haar op het voordeligst uitkomen.
19. *Als elk voor zijn huis vaagt, dan zijn alle straten schoon* (Vlaams) = ieder moet zijn eigen zaken in orde houden.
20. *Klein huisken, kleine zorg* (Vlaams), zie *koe* 15.
21. *Als 't huis gebouwd is, breekt men de stelling af* (Vlaams) = ondank is 's werelds loon.
22. *'t Is in 't huisje* = de partijen staan gelijk; beide delen zijn evenveel waard; ik ben voldaan.
Ontleend aan de weegschaal; als de balans in evenwicht is, staat de wijzer in 'het huisje.'

huishouden. 1. *'t Is een huishouden van*

Jan Steen = 't is er alles even wanordelijk. Men denkt, dat het zo gesteld was ten huize van deze beroemde Delftse schilder. Doch het spreekwoord herinnert niet aan Jan Steens huisgezin, doch aan een van zijn schilderijen.
2. *'t Is een huishouden van Kea*, met dezelfde betekenis als dat van Jan Steen. Dit zou komen van de Maleise naam voor de Chinezen, *orang kea*. (Harrebomée I, 346a.)
3. *'t Is er het verkeerde huishouden*, zie *Jan* 13.
4. *Er behoort meer tot een huishouden dan het zoutvat*, d.i. wie trouwt moet wel bedenken, of hij zijn huis kan inrichten. Ook:
5. *Er behoort meer tot een huishouding dan vier benen onder één tafel.*
6. *Met veel houdt men huis, met weinig komt men toe* = als er overvloed is, dan leeft men er ruim van, maar als 't moet, redt men zich met het allernodigste ook.
huivetterij. *In een huivetterij komen meer kalfsvellen als ossehuiden* (Vlaams) = er sterven meer kinderen dan oude mensen. Huivetterij = huidevetterij, leerlooierij.
hulp. *Hij heeft zijn hulp in de poort* = hij vindt steun bij lieden van aanzien en macht.
Bijbelse uitdrukking. Job zegt, dat hij zijn hand niet tegen de wees bewogen heeft, omdat hij in de poort zijn hulp zag. (Job XXXI : 21.)
Bij het Joodse volk werd recht gesproken in de poort van de stad; daar vergaderden de oudsten en aanzienlijksten.
humeur. 1. *Hij is in zijn humeur* = hij is in zijn schik, hij heeft het naar zijn zin, hij is goed gestemd.
't Woord *humeur* betekent letterlijk vocht. De oude Grieken schreven het karakter van de mensen toe aan de vochtmenging in het lichaam. Wie een gelukkige vochtmenging had, was als vanzelf in zijn humeur. Bij verkorting ook:
2. *Hij is in zijn hum.*
hutje en (met) mutje, d.i. met pak en zak, met de hele rommel, met alles zo als het er ligt. *Ze namen hutje met mutje mee* = al wat er lag; ook: 't hele gezelschap.
Hutje of *hot* was een woord voor mand of korf; *mutje* zal er bijstaan voor 't rijm.
Harrebomée voegt er bij: *'t mandje met de brokken.*
2. *Hutje bij mutje leggen*, geld bijeenbrengen om gezamenlijk iets te doen.
huur. 1. *Zij gaat in de lange huur* = zij gaat trouwen.
2. *Koop breekt geen huur, zie koop* 3.
huwelijk.
1. Vóór het huwelijk went de bruid,
Na het huwelijk is het uit,
zo in Holland. In Groningen nòg erger:
Eerst lokkebrood,
Dan stokkebrood.
2. *Huwelijken worden in de hemel gesloten* = wie voor elkaar geschapen zijn, zullen elkander tòch krijgen, al zijn er nog zoveel hinderpalen.
Maar, voegt de Vlaming er bij:
3. Geen houwelijk
Of 't heeft iets berouwelijk.
4. Een huwelijk en een pacht,
Dat komt op eenen nacht,
(Gezelle). Het plan voor 't huwelijk is soms wondergauw gemaakt.
5. Zie *linkerhand* 5.

I

idioot. *Idioten blozen niet* (Gron.), gezegde wanneer iemand dingen doet, die niet zo behoren, maar waar hij zich niets van aantrekt.
ieder. 1. *Ieder is zichzelf het naast*, zie *elk* 1. In Vlaanderen:
2. *Ieder moet zijn koeien wachten.* (Wachten = hoeden.)
3. Als ieder op zijn eigen keek,
Eer hij van een ander spreekt,
Zou hij toch ook, naar mijn gedachten,
Een ander niet zo gauw verachten (Z.)
Zie verder *elk*.
Ier. *'t Was een wilde Ier* = een wildebras; een levendige meid.
De uitdrukking wordt toegeschreven aan de Ieren in het leger van Leicester, die onder William Stanley te Deventer in garnizoen lagen en er schandelijk huishielden. Maar ook de overige Ieren in 't Staatse leger stonden als woest bekend.
Arend van Buchell kenschetste de Ieren van Leicester in zijn dagboek als halfnaakt, in lange ruigharige mantels ge-

kleed, nog gewapend met pijl en boog of voorzien van een lederen schild en zwaard. Desgelijks Van Reyd in diens 'Nederlantsche Oorloghen':
'Sij ginghen half nakent, sonder hare schamelheyt anders dan met een kort linnen schortien te bedekken, alsoo dat se, ter aerden buckende, haest niets verborgen hielden; met onreynicheit in eten ende drincken waren sij meer beesten als menschen ghelijck; aten dikwijls rauw vleesch oft ijdel vleesch sonder broot. Discretie, beleeftheydt ende menschelijck medelijden waren soo verre van hun luyden, alsof se niet in de Christenheydt, maer in Brasilien opghevoet waren. Men konde gheene gemeenschap van tale oft redenen met hun plegen.'
inbinden. *Hij bindt wat in* = hij wordt handelbaarder. Zie *reef.*
inborst. *Zoete inborst, zachte tong* (Vlaams) = wie een goed karakter heeft, die is aan zijn taal te herkennen.
inhouten. *Hij is niet sterk van inhouten* = hij is zwak van gestel.
De inhouten zijn het houten geraamte van het schip, de spanten.
in optima forma. *De lijst werd in optima forma opgemaakt*, d.i. volkomen naar de eis, volledig. Lett. L. = in de beste vorm.
inpeperen. *Dat zal ik hem inpeperen* = betaald zetten; ik zal hem er stevig voor onder handen nemen, zodat hij 't niet weer doet. Lett. iemand met peper inwrijven, zodat hij de scherpte gevoelt. En dit weer uit het oudere: *vlees inpeperen* = het bewaren tegen bederf. En dat later aan iemand opdienen, die er van lusten moet. Net als *iets voor iemand opzouten.*
in petto. *Dat houd ik nog in petto* = dat houd ik nog eerst vóór mij, dat zul je te gelegener tijd wel zien.
Italiaans; *a*, of *in petto*, lett. = in de borst, d.w.z. in het hart, in gedachten.
inspannen. *Goed ingespannen is half gereden* (Vlaams), zie *zepen.*
instaan. *Voor iemand instaan* = voor hem borg zijn, zich voor hem aansprakelijk achten; hem vertrouwen.
Lett. = staan in iemands plaats.
inval. *De zoete inval*, zie *zoet* 1.
Isabella. *Isabellakleurig* = geelachtig wit, vuilgeel.
Volgens overlevering heeft Isabella, de dochter van koning Philips II en vorstin der Zuidelijke Nederlanden, bij 't begin van 't beleg van Oostende gezegd, dat ze geen nieuw hemd zou aantrekken, vóór de Spanjaarden de stad hadden ingenomen. Het beleg duurde van 1601 tot 1604.
Israëliet. *Een Israëliet zonder bedrog* = een rechtvaardig man, op wie men vertrouwen kan. Toen Nathanaël twijfelend vroeg: Kan uit Nazareth iets goeds zijn? zei Jezus van hem:
'Zie, waarlijk een Israëliet, in welke geen bedrog is.' (Joh. 1 : 48.) Want Nathanaël verwachtte de Messias, doch hij kon nog niet aannemen, dat Jezus die Messias was. De uitdrukking wordt in het dagelijks leven anders opgevat: op de Joden kun je veelal niet vertrouwen, maar dit is dan toch een gunstige uitzondering.
Issaschar. *'t Is net Issaschar tussen twee pakken*, gezegde als iemand komt aandragen met twee pakken tegelijk.
In Genesis XLIX : 14 en 15 spreekt Jakob de zegen uit over zijn zoon Issaschar: 'een sterk gebeende ezel, nederliggende tussen twee pakken. Toen hij de rust zag, dat zij goed was, en het land, dat het lustig was, zo boog hij zijn schouder om te dragen.'
Izébel. *Als Izébel een vasten uitroept, laat Naboth voor zijn wijngaard zorgen* = als de goddelozen vroom worden, moeten de eenvoudige lieden het ontgelden. In 1 *Koningen XXI* leest men, dat koning Achab wilde dat Naboth hem zijn wijngaard zou afstaan.
Toen deze weigerde, schreef de koningin Izébel een vasten uit en zij liet twee mannen, zonen Belials, tegen Naboth getuigen, dat hij God en de Koning gezegend had. En Naboth werd gestenigd en Achab nam zijn wijngaard in bezit.
izegrim. *'t Is een oude izegrim* = een norse kerel; een man die ieder afschrikt. *Isegrim* (lett. = de man met de ijzeren helm) is de naam van de wolf in 't verhaal *Van den Vos Reinaerde.*

J

ja. 1. *Ja en amen zeggen* = alles maar goed vinden wat een ander doet of zegt.

Zie *amen*.
2. Een *jabroer* = iemand, die overal *ja en amen* op zegt, omdat hij van nature al te meegaand is; vooral iemand in een vergadering, die zich nooit verzet tegen een bestuursvoorstel, die net stemt als de voorzitter wenst.
3. *Uw ja zij ja, uw neen zij neen* = men moet kunnen vertrouwen op hetgeen iemand verklaard of beloofd heeft.
Bijbels gezegde, naar II Korinthe I : 17, waar Paulus van zich zelf getuigt, dat zijn woord niet tegelijk *ja* en *neen* is, al heeft hij ook beloofd om naar Korinthe te komen en al moet hij dan ook zijn bezoek uitstellen (Zeeman.) Vaak op rijm:
Uw ja zij ja, uw neen zij neen,
Zo acht en mint u iedereen.
4. *Ja en neen is een lange strijd* (Vlaams) = 't kost heel veel tijd en moeite om partijen tot elkaar te brengen, die scherp tegenover elkaar staan.
Jaap. 1. *Men moet al wat horen, zei dove Jaap*, schertsend antwoord op een verwijt.
2. *Vroeger kraaiden de hanen nog, zei dove Jaap, en nu doen ze alleen maar de bek open*, zie *haan* 14 en *zeispreuken* 60.
jaar. 1. *Na jaar en dag* = na heel lange tijd. In de M.E. rekende men bij het gerecht bij *jaar en dag*, d.i. een jaar en één dag, omdat de eerste dag niet meetelde. In latere eeuwen werd dat één jaar en zes weken. Als bijvoorbeeld iemand jaar en dag in een stad gewoond had, kon men niet meer van hem vorderen dat hij naar het land terugkeerde.
2. *Vette en magere jaren* = voorspoedige en ongelukkige jaren. Alzo genoemd naar de zeven vruchtbare, gevolgd door de zeven onvruchtbare jaren, waarvan Genesis XLI verhaalt. Deze jaren waren in Farao's droom voorspeld in de gedaante van de zeven vette koeien, die door de zeven magere koeien werden opgegeten.
3. *Ze zijn met elkaar in één jaar* = zij kunnen goed met elkaar opschieten; 't zijn grote vrienden.
Kinderen van 't zelfde jaar gaan met elkaar naar school. In Twenthe: *ze hebben 't met elkaar in één week*.
4. Hoe hoger van jaren,
Hoe trager van baren,
als de vrouw bij 't huwelijk al wat oud is, komen er nog zo gauw geen kinderen.
5. *Een jaar is aan geen staak gebonden* (Vlaams) = de tijd gaat heen; een jaar is zo weer voorbij.
6. Binnen dertig, veertig jaar
Blijft van ons noch kop noch haar,
Vlaams rijmpje van de zorgelozen. Zie *leven* 7.
7. *Een slecht jaar en is geen slechte eeuwe* (Gezelle) = na een slechte tijd komt wel weer een betere.
8. *'t Ene jaar zit aan het andere vast* (Fries) = in 't verleden ligt het heden.
9. *Het jaar heeft veel dagen en nog meer maaltijden* (Fries) = er hoort wat toe, om elke dag behoorlijk wat eten te krijgen; wees zuinig.
jaarmarkt. *Geen jaarmarkt zonder ezel* (Vlaams) = in iedere kudde is wel een schurftig schaap; in elk gezelschap is er altijd wel een, die niet deugt.
Jaffa. *Hij ligt op Jaffa* = hij is dood en begraven. Jaffa, tegenwoordig Haifa, havenplaats van Palestina; vroeger als zeer ongezond bekend. Te Delft heeft men de begraafplaats *Jaffa* genoemd.
jagen I. 1. *Die een ander jaagt, moet zelf lopen* = die een ander voortdrijft, moet ook steeds zelf in de weer zijn.
Fries:
1a. *Wil je de bedelaar over drie sloten jagen, dan moet je zelf over twee springen.*
2. *'t Is geen weer, om hond of kat naar buiten te jagen*; zie *weer* 1, 3.
jagen II (de jacht beoefenen).
Die veel jagen en vinken,
Zal 't vlees in de kuip niet stinken,
wie veel uit zijn werk is om op jacht te gaan of naar de vinkebaan, zal niet zoveel verdienen, dat hij veel vlees thuis in de kuip heeft. In 't algemeen: wie uit zijn werk loopt, wordt of blijft arm.
jager. 1.
Jagers en vissers
Zijn missers,
Vlaams rijmpje. Zie *visser* 3.
2. *'t Zijn allemaal geen jagers, die op het horen blazen*, zie *kok*.
jakhals. *Een kale jakhals* = een arme man; iem. die niet mee kan doen in gezelschap, omdat hij 't gelag niet betalen kan. Misschien niet van het dier, doch van *jakken* = jagen, lopen, dus zoveel als een schooier.
Jakob. 1. *Een ladder Jakobs* = een middel tot gemeenschapsoefening met de Hemel (Van Dale).

Jakob droomde: 'een ladder was gesteld op de aarde, welker opperste aan de hemel raakte; en ziet, de engelen Gods klommen daarbij op en neder.' (*Genesis* XXVIII : 12.)
Daarnaar genoemd:
2. *Een jakobsladder* = een ketting zonder einde, waaraan bakken bevestigd zijn, die koren, slijk enz. onder opscheppen en boven leegstorten.
3. *Dat is de ware Jakob* = dit is de man die wij hebben moeten.
Naar aanleiding van het verhaal in Genesis XXVII, waar de oude Izak zijn zoon Jakob zegent in de mening, dat het Ezau, de eerstgeborene is.
Herderschee zegt, dat dit een Duitse uitdrukking is en dat men waarschijnlijk denken moet aan de verering van Jakob van Compostella.
4. *Bij Jakobs stem behoren geen Ezau's handen* = men moet niet zichzelf verraden; men moet zichzelf gelijk blijven, wanneer men wat onderneemt.
In Genesis XXVII vindt men het verhaal, dat de oude blinde Izaäk zijn zegen meende te geven aan Ezau, de eerstgeborene, doch dat Jakob zich voordeed, alsof hij Ezau was. Zijn moeder Rebekka trok Jakob Ezau's beste kleren aan; zij trok de vellen van de geitebokjes over zijn handen. Eerst twijfelde Izaäk desondanks, en zei: De stem is Jakobs stem; maar de handen zijn Ezau's handen.
Jan. 1. *Jan en Alleman* = iedereen. Eerst enkel *alleman*; later is *Jan* er bij gevoegd en sprak men van *Jan Alleman*; nog later ontstond de tegenwoordige vorm.
Bij de geschiedschrijver Emanuel van Meteren komt het verhaal voor, dat men in Vlissingen samenschoolde om de Spanjaarden te verdrijven, 1572. Toen vroeg men, waar Jan Alman was. En 't antwoord luidde: Jan Alman is om zijn wapen, *Jan en alle man.*
2. *Hij is boven Jan* = hij is er (weer) boven op; hij is de moeilijkheden te boven. Uit het kaartspel; bij 't jassen en pandoeren b.v. is *boven Jan zijn* meer dan vijftig punten hebben.
3. *'t Is een Janboel* = alles is er in wanorde. Letterlijk = 't is een rommel, die alleen bij een *Jan*, bij een stumper, kan voorkomen.
4. *Jan Gat* = een sufferd. Een Jan, d.i. een sul, 't woord nog versterkt door 't woord *gat* = achterste.
5. *Janhagel*, d.i. 't gemene volk in verachtelijke zin. Misschien = een *Jan*, een vent, die bij zijn verwensingen telkens uitriep: *de hagel sla hem*, en dergelijke uitingen, vroeger zeer algemeen.
6. *Jan Klaassen* = de hansworst. Jan Klaassen was volgens overlevering trompetter bij prins Willem II; na diens dood nam of kreeg hij zijn paspoort en vertoonde hij de poppekast te Amsterdam. Sedert heette de hoofdfiguur uit het spel naar de eerste vertoner.
7. *Jan Hen* = een Hannes, een sukkel, een onnozele man. Waarschijnlijk uit *Jan Hanne*, dat is *Jan Hans*, een dubbele scheldnaam. Later met de bijgedachte aan een hen.
8. *Een redenatie van Jan Kalebas* = een redenering zonder kop of staart.
Een kalebas is een heel grote vrucht, maar van zeer weinig waarde. Misschien was dus Jan Kalebas oorspronkelijk een leeghoofd, een grote kop zonder hersens, een dwaas. Daaruit ontwikkelde zich licht de betekenis: een man van niets.
9. *Ome Jan*, schertsende naam van de lommerd. Misschien omdat de klanten vertelden, dat ze een bezoek brachten aan hun oom Jan.
10. *Jan Rap en zijn maat* = het gespuis, het grauw. Misschien van *rap* = schurft. Maar in Groningen leeft de uitdrukking: *rap en roet*, d.i. letterlijk = allerlei onkruid; *rap* komt op zich zelf niet voor, maar *roet* = onkruid is in dagelijks gebruik. Fig. is *rap en roet* het allerminste volk.
11. *Jan Salie* = een sukkel; een man, waar niets bij zit; een die te lamlendig is om goed of kwaad te doen. Letterlijk: iemand die saliemelk drinkt, omdat hij geen bier of sterke drank verdragen kan.
Bekend is de klucht *Jan Saly* van W.D. Hooft, 1622. En nog bekender is *Jan Salie* uit Potgieters nationaal betoog van 1840: *Jan, Jannetje en hun jongste kind.* Dit 'jongste kind' is Jan Salie, die uitbesteed werd op een hofje, om van zijn lamlendigheid geen last meer te hebben.
12. *Jan Steen*, zie *huishouden* 1.
13. *Jan de Wasser* = de man, die thuis niets in te brengen heeft, die voor zijn

vrouw de was moet doen, vroeger algemeen bekend door een kinderprent, die "'t verkeerde huishouden' voorstelde.
14. *Wat Jantje is, zal Jan worden* (Vlaams) zie *jonk*.
15. *Hij slaat er onder als Malle Jan onder zijn hoenderen* (Gron.) = hij gaat onbesuisd te werk; hij brengt alles in wanorde. Ook bij Anna Folie.
16. *Hij heeft zich er afgemaakt met een Jantje van Leiden* = hij heeft er geen moeite voor gedaan; hij wou het met een praatje goedmaken.
Genoemd naar Jan Beukelsz. uit Leiden die de aanvoerder werd van de Wederdopers te Munster. Hij was een kleermaker, zijn tafel is nog te zien in de Leidse Lakenhal. Hij heeft bekend gestaan als een loze gast, die de mensen met een mooi praatje wist af te schepen.
17. *'t Is altijd Jantje Contrarie* = hij is altijd tegen de keer in; hij wil juist nooit, wat de anderen willen.
18. Blo Jan,
Do Jan,
oud-Hollandse spreuk uit de dagen van oorlog: 't zal altijd gebeuren, dat degene die bang is voor de dood, het eerst door een kogel getroffen wordt.
Daarnaast:
19. *Beter blo Jan dan Do Jan*, de spreuk van degenen, die liever helemaal niet in de oorlog gaan en die wel weten willen, dat zij daarvoor geen moed hebben. Ze zijn het eens met Jaapje van Delfzijl, die zei: Ik heb liever, dat ze zeggen: Japie loopt daar, dan dat ze zeggen: Japie ligt daar. Bij Van Meurs:
Beter blo Jan dan do Jan, zei de schutter, en hij kroop achter een hooiberg.
En bij Guido Gezelle: *Liever blo Jan dan do Jan, zei de vrijschutter, en hij zat bachten de schelf.*
(*Bachten* = achter.)
20. *Jongens van Jan de Witt* = stoere knapen. Men denkt natuurlijk aan Jan de Witt, doch deze was bij 't volk niet bemind. Zo kwam Dr. Kollewijn er toe, de uitdrukking af te leiden van *Jan de Weerd*, een ruitergeneraal in de Dertigjarige Oorlog, die van gemeen soldaat wegens zijn dapperheid opklom tot de hoogste rang, en een grote naam had, zodat hij in de volksoverleveringen ook nu nog voortleeft.
Hij heet echter dan altijd *Jan van Weert* en men vertelt, dat hij uit Weert afkomstig was. Dan zou de naam dus in zijn Franse vorm *Jean de Wet* moeten zijn overgenomen en dat is mogelijk, omdat hij ook in *Simplicissimus* genoemd wordt als Johan de Werd.
Volgens Kerdijk was Jan de Wit in de 18e eeuw de naam van een oorlogsschip met een flinke, maar losbandige bemanhing.
21. *Al mettertijd komt Jan in de broek en Griet in de rokken* = alles komt terecht, als je de tijd maar afwacht.
22. *Daar is ouwe Jan en jonge Jan* = daar is van allerlei volk. Ook wel: daar is allerlei oude rommel; daar ligt van allerlei goed door elkaar.
Januari.
1. Als in Januari de muggen zwermen,
Dan moogt ge in Meert uw oren wermen.
Vlaams weerrijmpje, evenals:
2. Januari zonder regen
Is de boerenstand een zegen.
jas. *Iemand een jas geven* = hem een teleurstelling bezorgen, maken dat hij slecht wegkomt, hem met een onvriendelijk woord aftroeven.
Misschien van *jas* in 't kaartspel, dus letterlijk = hem aftroeven.
jatten, d.i. Bargoens voor *stelen.* Van 't Joodse *jat* = hand.
jenever.
Jenever, wijn en brandewijn,
Dat is voor kinderen groot venijn,
en voor menig ander ook.
Jeremia. *'t Zijn weer allemaal klaagliederen van Jeremia* = hij doet niet anders dan klagen over zijn lot, tot vervelens toe. Naar de profeet Jeremia; in diens *Klaagliederen* treurt hij over het droevig lot van Jeruzalem en van de Joden.
Ook: *hij zingt weer een jeremiade.*
Jetje. *Hij geeft hem van Jetje* = hij slaat er stevig op.
Voorzanger en Polak, blz. 165.
Jetje, verbastering van 't Bargoense woord *jat* = hand.
Merkwaardig is de Amerikaanse uitdrukking *to give any one of Jesse* of *Jessy*, iem. van Jesse of Jessy geven = hem een standje of een pak slaag geven. (*Woordenschat.*)
jeugd. *De jeugd moet er uit, zei Besje, en zij sprong over een stro*, schertsend als iemand op zijn oude dag nog jolig is.

Ook: *de jeugd is er nog niet uit, zei Besje.*
jeuken. *Wat mij niet jeukt, dat krab ik niet* = andermans zaken gaan mij niet aan.
Job. 1. *Hij is zo arm als Job* = hij bezit niets meer. Het boek Job verhaalt, hoe deze rijk was en als een beproeving van God van al zijn grote bezittingen werd beroofd.
2. *Een Jobsbode* = iemand die kwaad nieuws moet overbrengen, die een **Jobstijding** brengt. Zoals er in het boek Job telkens boden aankomen, die hem een nieuw verlies aanzeggen.
3. *Hij heeft het verdragen met Jobsgeduld* = met de uiterste gelijkmoedigheid, alweer op de wijze zoals Job zijn zware verliezen droeg. (Job. I : 21.)
4. *Hij zat daar als Job op de mesthoop* = hij zit daar bedroefd, omdat hij het zo ellendig heeft.
In Job II : 8 staat van Job geschreven: hij zat neder in het midden der as.
5. *Jobsvrienden* = mensen die zich als vrienden voordoen, maar die, als het er op aankomt, toch de ware vrienden niet zijn. Zoals Elifaz en Bildad en Zofar tot Job kwamen, om hem te troosten in al zijn leed, doch hem geen troost konden geven, omdat zij kwamen met verwijten. Job wijst ze af: Gewisselijk, gij zijt leugenstoffeerders; gij allen zijt nietige medicijnmeesters. (Job XIII : 4.)
6. 't Is Job in 't elfde, Altijd hetzelfde, gezegde als iemand al weer van voren af aan begint over hetzelfde onderwerp, zoals Zofar doet in 't 11e hoofdstuk van *Job.*
7. *Hij kijkt, of hij Job vermoord heeft* = hij staat bedremmeld.
Johannes.
't Is Johannes, Johannes,
Zo lang er wijn in de kan is;
Als de wijn uit is,
Zeggen ze, dat Jan een guit is;
d.i. zo lang iemand mild wat geeft, dan wordt hij gevleid en geprezen, maar als zijn geld op is, lacht men hem uit als een domkop. (Vlaams.)
Dit rijmpje is een schertsende toespeling op de apostel Johannes, die zich vooral in zijn eerste zendbrief een man toont van grote mensenliefde.
John Bull, de bijnaam van het Engelse volk, voorgesteld in de gedaante van een stevige, welgedane, brutale kerel; lett. = Jan Stier. De naam is van een Engelsman afkomstig, namelijk van John Arbuthnot, de schrijver van het schotschrift *History of John Bull*, 1712. Arbuthnot (1675—1735) ontleende de naam waarschijnlijk aan John Bull, de hoforganist, die in 1605 de wijze van 't Engelse volkslied *God save the king* gecomponeerd had.
De naam werd echter pas algemeen gangbaar in 1805, toen George Colmans een toneelstuk schreef onder die titel.
Jonas. 1. *'t Lot valt altijd op Jonas*, zie *lot*.
2. *Jonassen*, het spel waarbij iemand omhoog wordt geworpen en weer wordt opgevangen of waarbij hij althans stevig heen en weer geslingerd wordt.
Naar 't slingeren van Jona's schip op zee.
'Er werd een grote storm in de zee, zodat het schip dacht te breken.' (*Jona* I : 4.)
Jonathan. *Broeder Jonathan*, de spotnaam van het Amerikaanse volk der Verenigde Staten.
Deze naam is afkomstig van Jonathan Trumbell, de gouverneur van de staat Connecticut; Washington sprak hem in 1775 aan als *Broeder Jonathan*. Misschien met de gedachte aan II Samuel I : 26 in Davids klaaglied:
Ik ben benauwd om uwentwil, mijn broeder Jonathan! gij waart mij zeer liefelijk.
jong. 1. *Jong geleerd, oud gedaan*, ook: 1a. *jong gewend, oud gedaan.* En ook:
Wat heeft geleerd de jonge man,
Dat hangt hem al zijn leven an.
2. Zo als de ouden zongen,
Piepen de jongen,
kinderen doen alles weer op dezelfde wijze, als ze 't van hun ouders geleerd hebben.
3. Wat jong is, speelt graag,
Wat oud is, neult graag,
de jeugd is levenslustig, maar oude mensen zitten stil in 't hoekje van de haard en praten zachtjes. (Gron.)
4. *Die jong rijdt, moet oud lopen*, waarschuwing om in zijn jonge jaren het zeil niet te hoog in top te voeren.
4a. Vlaams: *jong te peerd, oud te voet.*
5. *Toen ik jong was, hadden de ouden het voor 't zeggen, en nu ik oud ben, weten het de jongen*, schertsend, van een oude man, dat de wereld wel veranderd is en

dat nu de jongen het hoogste woord voeren.
6. De jongen zal men leren,
De ouden eren,
De wijzen vragen
En de zotten verdragen.
7. *De jongen kunnen, de ouden moeten sterven*; waarschuwing aan jongelui, die er zo vast op rekenen, dat ze nog een lang leven te goed hebben.
8. *Een jonge ledigganger, een oude bedelaar*. (Vlaams.)
9. Beter jong gestorven
Als oud bedorven,
Vlaams gezegde, als troost bij 't sterven van een kind.
10. Jong en oud,
Op 't eind wordt alles koud,
Vlaamse rijmspreuk: het einde van allen is de dood.
11. Jong nei de merke,
Âld nei de tsjerke,
Friese rijmspreuk. De merke = de markt. d.i. de kermis. Wie jong graag naar de kermis gaat, die wordt op zijn ouwe dag vroom en gaat naar de kerk. Zie *hoer* 1.
jongen. *'t Zijn jongens van Jan de Witt*, zie *Jan* 20.
jonk.
Zulk jonk,
Zulke tronk
(Vlaams) = gelijk het kind is, wordt later gewoonlijk de man.
't Jonk = 't kind; de tronk is de stam van de boom. Het spreekwoord luidt dan ook wel:
Zulke scheut, zulke tronk. Dat is juister, maar 't rijmt niet.
jonker.
1. Hoe kaler jonker,
Hoe groter pronker,
d.i. 't gebeurt vaak, dat een arme man zich groot en voornaam en rijk voordoet.
2. Zo iemand is *een kale jonker*. En dit is ook de naam van een hoog opschietende distel met een forse stengel zonder bladen.
De naam is bedacht door Heimans en Thijsse en heeft algemeen ingang gevonden.
Jood. 1. *Hij is aan de Joden overgeleverd* = hij is in de macht van boze, vooral van baatzuchtige mensen, waartegen hij zich niet verweren kan.
't Kan zijn, dat men hier de Joden in 't algemeen aanwrijft, meedogenloze schuldeisers te zijn. Ook is het mogelijk, dat het een bijbelse uitdrukking is. In Johannes XVIII : 36 antwoordt Jezus:
Indien Mijn koninkrijk van deze wereld ware, zo zouden Mijn dienaren gestreden hebben, opdat Ik den Joden niet ware overgeleverd.
2. *'t Is hier net een Jodenkerk* = ze spreken allemaal tegelijk; 't is een geroezemoes van stemmen.
In de synagoge bidt ieder, zoals het aan anderen voorkomt, op zijn eigen houtje, de een vlugger en luider dan de ander, maar allemaal tegelijk en hard op.
3. *Hij kwam er te pas als een varken in een Jodenhuis* = hij was er niet welkom; hij werd er uitgetrapt.
Gelijk bekend is het varken voor de Joden een onrein dier.
4. *Daar kan geen Jood uit wijs worden* = 't is een onleesbaar gekrabbel, een onverstaanbare taal.
De Jood wordt hier voorgesteld als de man, die slimmer is dan anderen.
5. *Twee joden weten wat een bril kost* = die twee zijn 't met elkaar eens (tegenover een derde); de een is de handlanger van de ander.
6. *Er zijn daar Joden en Jodengenoten* = er is een samenloop van allerlei volk.
Naar Handelingen II : 10. Aldaar worden de Joden en Jodengenoten genoemd onder degenen, die aanwezig waren bij de uitstorting van de Heilige Geest op de dag van 't Pinksterfeest. (De Jodengenoten hadden 't Joodse geloof aangenomen zonder besnijdenis. Zij hadden toegang tot de voorhof des Tempels.)
7. *Hij snijdt hem naar de Joodse wet* = hij laat hem veel te hoge prijs betalen; zijn rekening is veel te hoog; hij vilt hem.
De Joodse Wet van oog om oog en tand om tand was heel streng.
8. *Jodenpoerem*, zie *poerem*.
9. *Er zijn meer Joden, die Piet heten*; vgl. *hond* 7.
Joost. *Dat mag Joost weten!* = dat mag de drommel weten.
Joost is namelijk een van de vele namen voor de Duivel.
Volgens Veth, *Uit Oost en West*, 202, is er hier sprake van een Chinese duivel. Joost zou dan de verbastering zijn van een Chinees woord, dat een Boeddha-

beeld aanduidt.
Het *Ned. Wdb.* denkt er nog weer anders over: *Joost* is een Javaans woord *dejoos* en dat zou uit het Portugese *Deos*, komen, hetwelk God betekent; dus: *dat mag God weten!*
Jozef. 1. *Als de ware Jozef maar komt!* = de rechte vrijer, de man die naar het hart van 't meisje is. Ontleend aan de geschiedenis van de man van Maria, de moeder van Jezus. Oudtijds zei men dan ook:
Als de rechte Jozef komt, zal Maria volgen.
De overlevering zegt, dat die man de echtgenoot van Maria zou worden, wiens staf in zijn hand zou bloeien. Dit was het geval met Jozefs staf.
2. *'t Is een kuise Jozef* = hij zal geen vrouw verleiden. Ontleend aan de geschiedenis van Jozef en de vrouw van Potifar, die hem trachtte te bekoren; Genesis XXXIX : 7.
3. *'t Is Jozef de dromer* = 't is iemand, die niet weet wat hij zegt; die verhaaltjes opdist.
Toen Jozef uitgezonden werd door zijn vader naar zijn broeders te Sichem in het dal Hebron, zeiden zij, de een tot de ander, toen hij ze vond in Dothan:
Ziet, daar komt die meester-dromer aan. (Genesis XXXVII : 19.)
Jozef had immers in de droom gezien, dat de schoven van zijn broeders zich bogen voor de zijne en ook, dat de zon en de maan en elf sterren voor hem nederbogen. (Genesis XXXVII : 5—9.)
Judas. 1. *Een valse Judas* = een huichelaar, een verrader.
Naar de apostel, die Jezus met een kus aan de Joden overleverde. (Matth. XXVI : 14.)
Vandaar ook:
2. een *Judaskus* = een zoen, schijnbaar uit liefde gegeven, terwijl het hart vol van haat is.
3. *Hij is de Judas* = hij houdt de beurs; hij is de penningmeester.
Naar Johannes XII : 6, waar van Judas gezegd wordt dat hij de beurs had en

20. Gelijk de juffer is... (z. *juffer*)

droeg hetgeen gegeven werd.
4. *Judaspenning*, de sierbloem, waarvan het zaad een wit schijfje levert, dat op een zilveren munt gelijkt. Maar het is geld zonder waarde. Bijgedachte aan de 30 zilveren penningen, die Judas kreeg voor zijn verraad. (Matth. XXVI : 15.)
juffer. 1. *Scheef, dat juffert* = staat wel netjes.
2. *Naar school gaan, om het jufferen te leren* = op een kostschool zijn. om goede manieren op te doen.
3. *Hij trilt als een juffershondje* = hij is doodsbenauwd.
4. *Gelijk de juffer is, zo is haar hond.*
juk. 1. *Onder het juk doorgaan* = zich onderwerpen. Uit de Romeinse geschiedenis. De Romeinen verloren de slag bij Caudium en moesten toen doorgaan onder het Caudijnse juk: twee speren in de grond gestoken en van boven door een derde verbonden; teken van diepste vernedering.
2. *Het juk afrukken* = de slavernij verbreken, zich bevrijden. Bijbelse uitdrukking. Izak sprak tot zijn zoon Ezau, die door Jakob bedrogen was:
Als gij heersen zult, dan zult gij zijn juk van uw hals afrukken. (Genesis XXVII :40).
In de zin van slavernij komt *juk* herhaaldelijk in de bijbel voor.
3. *Zalig is hij die zijn juk in zijn jeugd draagt* = 't is goed voor een mens, dat hij in zijn jonge jaren de zwarigheden des levens leert kennen en overwinnen. Naar Klaagliederen III : 27, waar de tekst iets anders luidt:
Het is goed voor een man, dat hij het juk in zijn jeugd draagt.
In *Rapiarys:*
Salich es hi, die in siere joghet
Draghen leerde djoc der doghet,
d.i.:
Zalig is hij, die in zijn jeugd
Dragen leerde 't juk der deugd.
Jurrie. *Wat een stijve Jurrie!* = wat een stugge, onhandelbare vent!
Weer een voorbeeld van een willekeurige naam, evenals in: *een zuinige Pieter, een nieuwsgierig Aagje, een brave Hendrik.*
Kerdijk zegt, dat een *jurrie* een noodmast is, maar dan zou allicht de spreekwijze niet zo door 't gehele land gebruikt worden.
't Kan wel zijn, dat het omgekeerd is: die mast heet *jurrie*, omdat het een stijve paal is.
Jut. 1. *Hij staat als Jut voor 't landhek* = hij kijkt beteuterd.
Men heeft wel eens gedacht aan de Haagse moordenaar Jut, over wie in 1873 de kranten vol stonden. Doch het spreekwoord is veel en veel ouder. Jut zal een willekeurige naam zijn, zoals in Stijve Piet, Dove Klaas, Nieuwsgierig Aagje.
Wel is de moordenaar bedoeld, als men bezig is met een hamer te slaan op:
2. *De kop van Jut.*

K

kaai, zie *schip* 13.
kaak. *Iemand aan de kaak stellen* = iem. openlijk te schande maken.
Oorspronkelijk was de kaak een ton, waarop een veroordeelde tot spot van 't volk tentoongesteld werd. Men wil daarom wel, dat men zegt: *op de kaak stellen.* Maar in later tijd verstond men onder kaak de gerichtspaal, waaraan de misdadigers werden vastgebonden, zoals er b.v. nog een staat te Farmsum bij Delfzijl.
kaal. 1. *Het is van ouds bekend:*
hoe kaler,
hoe royaler.
Wie maar heel weinig geld heeft, doet zich vrijgevig voor, om de schijn te wekken, dat hij rijk en voornaam is. Ook:
2. Hoe kaler jonker,
Hoe groter pronker.
kaars. 1. *In de kaars vliegen* = zelf de oorzaak zijn, dat men voor zijn misdrijf gestraft wordt; ook enkel: gesnapt worden. Naar een vlieg of vlindertje, die al maar rondvliegen rondom een brandende kaars, tot ze de vleugels verzengen.
2. *Hij is niet helemaal kaarsschoon* = hij heeft te veel gedronken. Kaarsschoon = helemaal zuiver, wordt gezegd van wijn, die men tegen het licht van een kaars houdt en die dan geen spoor van troebelheid vertoont. (*Ned. Wdb.* VII, 700.)
3. *Zij is schoon bij de kaars* = bij lamplicht lijkt ze nog wat.

4. Wat baat kaars of bril,
Als de uil niet zien en wil?

5. *Zijn kaars brandt in de pijp* = 't is haast met hem gedaan.
's Mensen leven wordt vergeleken met een kaars, die haast ten einde gebrand is.

6. *De kaars brandt, alsof er een wever om het huis loopt* = de kaars brandt slecht. Bij Winschooten en bij Tuimnan: *alsof er een wever vrijde*. Winschooten gelooft, dat de uitdrukking slaat op de kleine lampjes van de wevers. Tuinman vraagt, of 't niet mogelijk is, dat wevers zelden vrijen, waar men kaarsen van vier in een pond brandt. Zij kunnen wel gelijk hebben. Een wever had maar een min beroep en hij had vaak ook zijn uiterlijk niet mee, zodat de naam van de wever de gedachte aan armzaligheid opriep.

7. *De kaars, die voorgaat, licht best* = goed voorgaan doet goed volgen.

8. Zie *Duivel* 37.

9. *Als met een kaars in 't open veld,*
zo is het met een mens gesteld.
Een mens leeft kortstondig.

kaart I. *Hij kent de kaart van het land* = hij weet er alles van; hij is op de hoogte van de verhouding tussen partijen.

kaart II (speelkaart). 1. *Dat is een doorgestoken kaart* = dat is een plan, dat men van tevoren heeft opgemaakt, zonder dat de belanghebbende er kennis van heeft. *De kaarten doorsteken* = ze mengen. Hier met de bijgedachte aan vals spel; de kaarten worden zodanig geschud, dat de man die het doet de goede kaarten krijgt.

2. *Iemand in de kaart kijken* = doorzien, wat iemands plannen zijn. Uit het kaartspel: als men iemands kaarten kan zien, dan weet men dadelijk, hoe men zelf spelen moet.

3. *Met open kaart spelen* = zijn plannen blootleggen; openhartig vertellen, wat men van de zaak denkt. Ook uit het kaartspel: als men zijn kaarten open op tafel legt, dan blijkt hoe men spelen kan. Ook:

4. *Zijn kaarten blootleggen.*

5. *Iemand in de kaart spelen* = iemand

21. Als met een kaars... (z. *kaars*)

(in 't geheim) bijstaan bij zijn plannen. Lett. bij 't kaarten zo spelen, dat een ander er voordeel van heeft.
6. *Alles op één kaart zetten* = zo handelen, dat zijn gehele fortuin maar van één zaak afhangt, b.v. door al zijn geld te wagen bij één onderneming. Zoals men bij het spel al zijn geld op één kaart kan zetten; verliest die kaart, dan is men met één slag alles kwijt.
7. *De kaart is vergeven* = 't spel is bedorven, gezegde als men iets niet meer winnen kan. Ontleend aan het kaartspel: de kaarten zijn verkeerd geschud, zijn oneerlijk verdeeld; letterlijk: zijn verkeerd gegeven.
8. Kaart, keurs en kan
Bederven menig man,
oud spreekwoord met voorletterrijm. Men moet zich hoeden voor het kaartspel, voor de vrouwen en voor de drank.
Vlaams:
9. Kaarten en kannen
Maken arme mannen.
kaas. 1. *Daar heeft hij geen kaas van gegeten* = daar weet hij niets of niet heel veel van.
2. *Hij laat zich de kaas niet van 't brood eten* = hij komt goed op voor zijn eigen zaak; 't is een flinke vent.
3. *Hij snijdt de kaas met hompen* = hij leeft er ruim van (op een andermans kosten). Fig. 't Is een opschepper.
4. *Die mijn kaas snijdt als een schuit, die moet het huis uit* = wie zijn fatsoen niet weet te houden, n.l. wie bij de maaltijd onbehoorlijk het beste neemt, die kan ik niet uitstaan.
5. *De beste kazen hebben vaak de meeste maden* (Fries) = hoe groter geest, hoe groter beest.
kaaskorst. *'t Is een harde man op een weke kaaskorst* = 't is een held, als je hem zo hoort, maar als het er op aan komt, staat hij er niet voor. Schertsende uitdrukking; lett. = 't is een man, die van zich af bijt, zo lang er niets aan de hand is, maar die alleen maar een zachte kaaskorst bijten kan.
kaatsen. 1. *Die kaatst moet de bal verwachten*, zie *bal* 3.
2. *Ze kaatsen elkaar de ballen toe*, zie *bal* 4.
kabaal. *Kabaal maken* = drukte maken, zich rumoerig verzetten.
De oorspronkelijke betekenis van kabaal ligt in het Joodse woord *kabbalah*, overlevering, legende. Vandaar = uitleg, verklaring; dan = geheime wetenschap. Vandaar weer = samenspanning. En dan nog verder de drukte, die er 't gevolg van is.
kabel. 1. *De derde streng maakt de kabel*, zie *streng* 1.
2. *Er kwam een kink in de kabel*, zie *kink*.
kabeljauw. *Hij gooit een spiering uit, om een kabeljauw te vangen*, zie *spiering*.
kachel I. *Hij heeft de kachel weer aangemaakt* = a. hij heeft door zijn stekelige woorden de twist weer doen uitbarsten; hij heeft de boel weer aan de gang gebracht; b. hij heeft er weer iemand tussen genomen.
kachel II. *Hij is kachel* = dronken. Misschien omdat een gloeiende kachel ook rood ziet.
kaf. 1. *Verstuiven als kaf voor de wind*, bijbelse uitdrukking.
'Hoe dikwijls geschiedt het, dat de lamp der goddelozen uitgeblust wordt, ... dat zij gelijk stro worden voor de wind, en gelijk kaf, dat de wervelwind wegsteelt.' (Job XXI : 17, 18.) Ook Ps. I : 4.
2. *Er was veel kaf onder het koren* = er was veel van onwaarde onder het goede. Almee een uitdrukking uit de Bijbel.
'De tarwe zal Hij in zijn schuur samenbrengen; maar het kaf zal Hij met onuitblusselijk vuur verbranden.' (Lukas III : 17.)
kaffer. *'t Is een kaffer* = een lompe lummel, een gemene vent. Natuurlijk denkt men daarbij aan de Kaffers van Zuid-Afrika. Maar 't woord schijnt uit het Bargoens te zijn; 't Joodse woord *kafar* = dorp; een *Kaffer* is dus lett. zo veel als een boer.
Kaïn. 1. *Het Kaïnsteken* = het uiterlijke merk van een misdadiger.
Naar Genesis IV : 15. 'De Here stelde een teken aan Kaïn, opdat hem niet versloeg al wie hem vond.'
2. *Zij leven als Kaïn en Abel* = zij leven als geslagen vijanden (ofschoon zij broeders zijn).
Insgelijks naar het verhaal in Genesis IV : 8, dat Kaïn tegen zijn broeder opstond en hem doodsloeg.
kak. 1. *Zij maakt te veel kak* = ophef, opschrik, drukte, vertoon. De letterlijke betekenis is die van wat minderwaar-

dig of zelfs verachtelijk is.
2. *Er is kak aan de knikker* = er is iets bij de zaak, dat niet deugt.
3. *Iemand te kakken zetten* = iem. in gezelschap beschaamd maken. Net als men een kind op de pot zet.
kalander. *De kalanders komen op geen lege graanzolders* (Vlaams) = die arm is, heeft geen vrienden. Zie *man* 30.
De kalander is de z.g. meelworm, de larve van de meeltor, die zich voedt met de inhoud van de graankorrels.
kalf. 1. *'t Is een kalf van een vent* = een flauwe goedzak, een goedige domkop.
2. *Als 't kalf verdronken is, dempt men de put* = als 't ongeluk gebeurd is, neemt men de maatregelen die men eerder had moeten aanwenden.
3. *'t Is een kalf Mozes* = een goedbloed. Uit Numeri XII : 3; 'de man Mozes was zeer zachtmoedig, meer dan alle mensen, die op de aardbodem waren.'
4. *Het gouden kalf aanbidden* = met al zijn vermogen trachten naar rijkdom, geld en goed beschouwen als 't allerhoogste; mensen die rijk zijn vereren.
Naar Exodus XXXII, waar men het verhaal vindt, dat Äāron uit de gouden versierselen der vrouwen en jongelieden een gegoten kalf maakte, terwijl Mozes op de berg was en 'vertoog van de berg af te komen.' De Joden offerden voor dit gouden kalf, totdat Mozes kwam, die het in het vuur verbrandde en het vermaalde tot het klein werd.
5. *'t Gemeste kalf slachten* = aan een gast het allerbeste voorzetten, wat er in huis is. Eveneens een bijbelse uitdrukking en wel uit de gelijkenis van de verloren zoon. De vader immers sprak bij diens terugkeer:
Brengt het gemeste kalf, en slacht het; en laat ons eten en vrolijk zijn. (Lukas XV : 23.)
6. *Kalven, een kalf maken* = braken. Dus: doen gelijk een koe die een kalf werpt.
7. *Het kalfsvel volgen* = soldaat worden. De trommel was namelijk met kalfsvel bespannen.
8. *Met Sint-Juttemis, als de kalveren op 't ijs dansen*, zie *Sint-Juttemis*.
9. Zie *armelui* 1.
10. *Met een andermans kalf ploegen* = de hulp van een ander gebruiken en toch doen, alsof men 't zonder hulp heeft volbracht. Simson had een raadsel opgegeven ter gelegenheid van zijn bruiloft met een Filistijnse vrouw. Deze verklaarde dat raadsel aan de kinderen van haar volk. En toen zei Simson: zo gij met mijn kalf niet hadt geploegd, gij zoudt mijn raadsel niet hebben uitgevonden. (Richteren XIV : 18.)
11. *Kalfsvlees halfvlees* = kalfsvlees is niet zeer voedzaam.
Dezelfde spreuk ook reeds in de *Proverbia communia*, 449.
12. *Die 't kalfken mest, en slacht het niet* (Vlaams), zie *paard* 1.
13. *Men blijft maar één jaar kalf, maar men blijft altijd ezel* (Gezelle) = een verstandig mens doet in zijn jeugd wel eens dwaze dingen, maar dat gaat voorbij; een domkop evenwel blijft zijn hele leven dom.
14. *'t Kalf moet uit zijn natuur dansen* (Gron.) = een mens moet niet gedwongen worden, zelfs niet tot een feest; als hij ook van de partij zijn zal, dan moet het zijn, dat hij zelf graag wil.
kalk. 1. *Kalk en steen metst wel* (Vlaams) = drinken en eten gaat heel goed samen. Ook Fries.
2. *De een roept om kalk en de ander om steen* = er is zo'n verwarring, dat men niet voort kan. Naar Genesis XI, waar men het verhaal vindt van de bouw van de toren van Babel, waarbij de spraken verward werden.
kallen. 1. *Kallen is mallen, doen is een ding* = praatjes vullen geen gaatjes.
Kallen is een oud woord voor praten; nog over in *raaskallen*.
2. Die veel kalt,
Hem veel ontvalt
(Vlaams). Zie *klappen* II, 1.
kam. 1. *Alles over één kam scheren* = allemaal precies gelijk behandelen. Een gezegde, aan de weverij ontleend; een stuk dat men weeft wordt zo breed als de kam aangeeft, die men gebruikt. Volgens een andere opvatting heeft men te denken aan een wolkam, die de draden gelijkmatig recht en fijn maakt.
Maar wie in de weverij en kammerij niet thuis is, maakt er soms van: *alles over één kant scheren*.
2. *Hij is zo veeg als een luis op de kam* = hij kan de dood niet meer ontkomen. Deze uitdrukking is ontleend aan de haarkam. (Veeg = de dood nabij.)

kamerdienaar. *Er is geen man groot voor zijn kamerdienaar* = dan toont zich ook een groot man heel gewoon in zijn dagelijkse omgang; hij eet en drinkt en slaapt net als een ander.
Spreuk vertaald uit het F. Multatuli zegt er van: 'n allergezochtst artikel op de markt van stopwoorden. (*Specialiteiten*, blz. 93, noot).
kamp. *Kamp geven* = het opgeven, zich overwonnen verklaren. Men zegt bij een hardrijderij of harddraverij, als beide partijen tegelijk de eindstreep halen: *'t is kamp*. Dus is *kamp geven* letterlijk = het niet gewonnen hebben.
Kampen. *Een Kamper stukje* = de een of andere dwaze handeling, die in Kampen gebeurd heet te zijn. Bv. de geschiedenis van *de Kamper steur:* het stadsbestuur zal een groot feestmaal aanbieden bij hoog bezoek. Maar dit komt niet en nu laat men de steur zo lang zwemmen in de IJsel. Om altijd te weten, waar hij is, krijgt het beest bellen aan zijn hals. En er zijn nog altijd burgers, die over de brugleuning hangen. Ze luisteren, of de steur er nog zwemt.
Het alleraardigste *Kamper stukje* is, dat de heer J. H. Kok uit Kampen een ernstig boek heeft geschreven over de *Kamper uien*, waarin hij betoogt dat al deze verhalen ingevoerd zijn en dat ze in Kampen nooit zijn gebeurd. Overigens een heel aardig boek, verschenen in 1936.
De schrijver geeft de schuld aan de Kamper burger Jan Jacob Fels (1816—1883), schilder, dichter, boekhandelaar, voordrager op de Nutsvergaderingen. Die gaf in 1844 en '46 twee boekjes uit van die voordrachten, *Kamper stukjes*, berijmd door een Kampenaar. Die stukjes waren uit een Duits volksboekje, *Das Lalebuch*, eerste druk 1597. Fels had met zijn voordrachten zo veel bijval dat hij ze in 't Nederlands uitgaf; te Kampen zouden die grappen zijn uitgehaald en niet in Lalenburg, welke roemruchte stad in Schildburg werd omgedoopt.
kan. 1. *Die 't onderste uit de kan wil hebben, krijgt het lid op de neus* = wie al te veeleisend is, komt wel eens heel slecht weg. In dit spreekwoord heeft *lid* nog de oude betekenis van deksel.
2. *'t Is in kannen en kruiken* = de zaak is af; alles is geregeld.
3. Kaart, keurs en kan
Bederven menig man,
zie *kaart* II, 8 en 9.
4. *Als de kanne vol is, loopt zij over* (Vlaams) = als iemand dronken is, wordt hij onpasselijk.
Kanaän. *De tale Kanaäns*, zie *taal* 2.
kaneelwater. 1. *Hij loopt van gist tot kaneelwater* = van 't kastje naar de muur; hij loopt rond en schiet niet op.
Kaneelwater is een vervorming van *kneewater*, water om het deeg te kneden. Dit is dus evenals gist nodig voor 't bakken van brood. Zo ook:
2. *Hij loopt om gist en kaneelwater* = hij loopt rond om kleinigheden.
kanon. *Hij is zo dronken als een kanon.* Letterlijk: hij is zo volgeladen als een kanon.
kant. 1. *Dat raakt kant noch wal* = dat lijkt er niet op, dat is er naast, dat is helemaal mis. Van de binnenschipperij; *kant en wal* zijn hetzelfde: de wal waar 't schip aan moet leggen.
2. *Dat laat ik over mijn kant gaan* = dat verantwoord ik niet, daar kom ik niet op terug, dat trek ik mij niet aan. Lett. = dat gaat langs mijn zijde heen; dat raakt mij niet. Daarom ook en juister:
2a. *Dat laat ik langs mijn kant gaan.*
3. *Hij kwam er door, maar 't was op 't kantje af* = het gelukte maar nauwelijks. Ontleend aan enige handeling, waarbij men net tot de rand komt, bijv. bij het slootje springen of als er iets wordt uitgemeten.
4. *Iem. van kant maken* = hem doden, uit de weg ruimen.
Letterlijk = hem op zij zetten.
5. *De boel is aan kant* = netjes in orde. Letterlijk: alles wat in de weg stond is opzij gezet, is opgeruimd.
6. *Langs de kantjes lopen* = niet veel uitvoeren.
Letterlijk niet in het werk opgaan, niet mee aanpakken, maar aan de kant blijven.
7. *'t Is kant en klaar* = 't is af, 't is geheel in orde gemaakt.
Het bvn. *kant* betekent letterlijk netjes, keurig, zindelijk; oorspronkelijk = de ruwe kanten zijn er af.
8. *Dat ging bij de kantjes langs* = dat kon er maar even mee door; 't ging heel voorzichtig, maar 't kwam nog net in

orde. Zie 3 en 6.

kantoor. *Hij was aan 't verkeerde kantoor* = daar moest hij niet wezen; hij sprak de verkeerde man aan.

kap. 1. *Kap en keuvel verliezen* = alles en nog wat. De *kap* is de mantel met kap van een monnik en de *keuvel* is van ouds hetzelfde.

2. *De kap op de tuin hangen* = uit het klooster lopen. De *tuin* is 't oude woord voor heg; de monnik die wegliep hing er zijn pij met kap op.

3. *Iemand de kap vullen* = hem met allerlei praatjes wat wijs maken.

Dus letterlijk: hem het hoofd vullen; de kap hier dus genomen voor het hoofd, dat er in zit.

Tuinman zegt: *hemzelf in den zotskovel brengen.*

kapel. *Er is zo slecht geen kapelleken, of 't is er eens 's jaars kermesse* (Gezelle), zie *kermis* 2.

In Vlaanderen staat er bij ieder gehucht wel een kapel en elk gehucht heeft eens in 't jaar zijn eigen kermis.

kaper. *Er zijn kapers op de kust* = er zijn mededingers, vooral: er zijn medevrijers. De *kaper* is de zeerover; *op de kust* = langs de kust; dus oorspronkelijk alleen = er is gevaar.

kapitein. 1. *Geen twee kapiteins op één schip*, zie *mast* 1.

2. *Kapitein Rondhemd*, zie *hemd* 6.

kapittel. 1. *Hij heeft een stem in 't kapittel* = hij heeft er ook in te zeggen.

't Kapittel is de vergadering van kanunniken, van de domheren, van de priesters van een domkerk.

2. *Iemand kapittelen* = hem zijn fouten en tekortkomingen voorhouden. Deze uitdrukking was letterlijk: iemand berispen in de vergadering van 't kloosterkapittel, d.i. van de gezamenlijke monniken.

kaplaken. *Daar zit kaplaken aan* = daar geniet hij voordelen van boven zijn loon. *Kaplaken* was namelijk letterlijk = laken voor een kap, dat is voor een mantel, gegeven aan de kapitein van een schip bij behouden vracht.

kapoeres. *Hij is kapoeres* = dood. *Kaporeth* of *kapoeres* zou de Joodse naam zijn van een kip, die wel vóór de Grote Verzoendag geslacht werd en waarop de zonden werden overgedragen. (Dozy, *Vreemde Oosterlingen* 47.)

kapot. *Iets kapot maken* = stuk maken. Uit het Frans: *être capot* = geen enkele slag halen bij het kaartspel. Fig. *Hij is kapot* = hij is nog al erg ziek.

kappen. *Veel herhaalde kapkens vellen grote bomen* (Vlaams) = de aanhouder wint.

kapriolen. *Kapriolen maken*, letterlijk: allerlei vreemde gebaren maken; fig. *kromme sprongen maken*; zie *sprong* 2. *Kapriool*, lett. = bokkesprong.

kapsones. *Maak nu geen kapsones* = maak geen drukte, praat niet tegen, schep niet op. Van een Hebreeuws woord, dat *hoogmoed* en verder *praatjes* betekent.

kapstok. *Een zaak aan de kapstok hangen* = voor onbepaalde tijd uitstellen.

kar. 1. *Zijn karretje rijdt op een zandweg* = 't gaat hem voorspoedig.

Uit de tijd, dat de wegen nog niet verhard waren; toen was een zandweg heel wat beter dan een kleiweg.

2. *Er was geen kar aan zijn achterste gebonden* = hij ging er zo vlug mogelijk van door; hij liep wat hij kon.

Ontleend aan 't paard, dat voor een kar gespannen is.

Bij Den Eerzamen voor Goeree:

De kar is niet aan zijn gat gebonden = hij behoeft de verantwoordelijkheid niet te dragen en kan er licht over redeneren.

3. Piepende kerre
Rijdt verre
(Gezelle), zie *wagen* 1, 1.

karnemelk. 1. *Karnemelk is koper en wei is borg*, schertsend gezegde, als bij een verkoping een bod gedaan wordt door iemand zonder geld en als hij dan als borg iemand opgeeft die ook niet betalen kan. Karnemelk heeft niet veel waarde en wei (hui) ook niet.

2. *Mijn bloed wordt karnemelk*, zie *bloed* 7.

kartouw. *Hij is zo dronken als een kartouw*, zie *kanon.*

kas I. *Hij staat in de kas bij zijn patroon* = hij staat er goed aangeschreven; hij is in de gunst.

Kas is hier = *kast.* Hij staat dus op een mooi plaatsje, zoals b.v. porselein of tin in de sierkast.

kas II. *Een kerel als Kas* = een flinke vent. Doch veelal schertsend gezegd van een klein of bang kereltje, dat zich nog

voordoet of het heel wat is.
Kas = *Karsten*, de volksnaam voor Christiaan; in dit gezegde een willekeurige naam.

kast. 1. *Iemand van 't kastje naar de muur sturen* = hem telkens weer naar een ander verwijzen, waar hij ook niet geholpen wordt.

2. *Iemand de kast uitvegen*, of in oudere vorm: *hem de kast uitkeren* = hem een geducht standje geven.
Letterlijk: de boel eens goed schoon maken.

kastanje. *De kastanjes uit het vuur halen* = het lastige of gevaarlijke werk doen voor iemand anders, die zich zelf aan alle moeite en gevaar weet te onttrekken.
Ontleend aan de fabel van de aap. Deze haalde kastanjes uit het vuur met de poot van een slapende hond.

kasteel.
Hebt gij kasteel of kluis,
Elk is meester in zijn huis.
Vlaamse rijmspreuk, d.i. of je een kasteel hebt of een hut, in zijn eigen huis kan ieder het inrichten, zoals hij wil.

kastijden. *De Heer kastijdt die Hij liefheeft*, troost voor diegenen die zwaar beproefd worden.
De spreuk is uit *Hebreeën* XII : 6.

kat. 1. *'t Muist wat van katten komt* = kinderen hebben de aard van hun ouders; die aard is aangeboren.

2. *Hij loopt er omheen als de kat om de hete brij* = hij wil wel graag, maar hij weet niet hoe de zaak aan te pakken.

3. *In 't donker zijn alle katjes grauw* = dan kan men niet onderscheiden wat men doet. Ook: dan lijken alle meisjes mooi.

4. *De kat uit de boom kijken* = rustig afwachten hoe de zaak afloopt en dan toepakken.
Zoals honden doen, wanneer zij een kat vervolgen, die in een boom klimt.

5. *Een kat in de zak kopen* = bedrogen uitkomen; lett. iets kopen zonder het gezien te hebben.
Ontleend aan 't volksverhaal, dat de Duivel een wisseldaalder geeft, als men hem op een kruisweg een kat geeft. Als de Duivel de zak opendoet, zit er wat anders in.

6. *De kat de bel aanbinden* = een onderneming wagen, waarbij groot gevaar is dat de waaghals gesnapt en gestraft wordt; in 't algemeen een zaak aanpakken; de eerste zijn bij een onderneming.
De fabel van de muizen verhaalt, dat zij besloten de kat een bel om de hals te hangen. Maar toen het zo ver was, had geen muis de moed het te doen.
De fabel komt voor bij La Fontaine, ook reeds in een 'Ysopet' der 14de eeuw. In Engeland vindt men haar in het gedicht 'The Vision of Piers the Plowman' van William Langland in 1370 van godsdienstige en staatkundige strekking, verwant met Wapene Martijn, een kreet tegen de maatschappelijke toestanden; verwant ook met 'Pilgrim's Progress' van *Bunyan* (zoon van een ketellapper, 1628, losbandig soldaat, 1655 baptist, 1659—1671 in de gevangenis daarvoor, † 1688). De Kat is bij Langland de koning (Eduard III); de ratten = de adel; de muizen = het volk. Verder komt de fabel voor bij de satirist John Skelton, Wolsey's tegenstander.
In 1482 besloten de Schotse edellieden, de gunstelingen van Jakobus III onschadelijk te maken; Lord Gray verhaalde de fabel en Archibald Douglas, Earl of Angus, verklaarde zich bereid, de kat de bel aan te binden, 'to bell the cat'; daarom heet hij 'Archibald Bell the Cat.' (A. S. Kok).

7. *De kat in 't donker knijpen* = in 't geheim wat doen dat het licht niet verdragen kan of dat men ten minste niet geweten wil hebben. Dat met *kat* hier een meisje wordt bedoeld, gelijk Stoett onderstelt, is wel zeer te betwijfelen.

8. *'t Is gelijk, of men van de kat of de kater gebeten wordt* = als men toch betalen moet, of in 't algemeen: als men toch de schade dragen moet, dan kan het niet schelen, wie dat veroorzaakt.

9. *Een kat, die in de benauwdheid zit, maakt rare sprongen* = wie in ongelegenheid verkeert doet vaak dingen, die men in 't geheel niet van hem verwachten zou.

10. Om der wille van de smeer.
Likt de kat de kandeleer.
d.i. men praat mooi met de mensen van wie men daardoor voordeel verwacht; men vleit rijkelui uit eigenbelang.
Immers, de kandelaar kan de kat niets schelen, maar wel het vet dat er van de kaars is afgelopen.

11. *Hij heeft de kat gestuurd* = hij werd verwacht, maar hij is niet gekomen.
12. *Men moet de kat niet bij 't spek zetten* = men moet iemand niet zelf in de gelegenheid stellen, om kwaad te doen; men moet hem niet in verleiding brengen. Ook: *men moet de kat niet aan de kaas laten komen.*
13. *Als men de kat op 't spek bindt, wil hij er niet van vreten* = men moet iem. de nodige vrijheid laten, hij moet volgens zijn eigen natuur te werk kunnen gaan, want anders laat hij na wat hij overigens heel graag zou doen. Vooral: men moet een vrijer (vrijster) niet al te sterk aanmoedigen. Zie *kalf* 14.
14. *De kat in de kelder metselen* = iem. laten op een plaats, waar hij kwaad gedaan heeft en nog weer kwaad doen zal.
Bij Tuinman leest men:
'Dat zegt men van een lapzalver, die een wonde of zweer boven toeheelt, terwijl het quaad onder ineet en verkankert.'
Bij hem heet het dan ook: *hij heeft de kat in de kelder gemeestert.* (De *meester* is de wondheler.)
15. *'t Is geen katje om zonder handschoenen aan te pakken* = zij weet best van zich af te slaan.
16. *Als de katten muizen, mauwen ze niet* = onder het eten wordt er nooit veel gepraat.
17. *'t Was het katje van de baan* = hij was altijd de aanvoerder bij kwajongensstreken; hij was de belhamel op straat.
Volgens Bilderdijk is het een 'allergemeenste uitdrukking, uit de laagste klassen van 't slechtste geboefte genomen. 't Betekent eigenlijk de juffrouw, om welke in een openbaar speelhuis gedanst wordt; de baan was de ruimte, waarbinnen dit dansen geschiedde.'
Doch Bilderdijk zegt wel eens meer wat, waar de lommerd geen geld op doet.
18. *'t Liep uit op katjesspel*, d.i. op ruzie, vaak nog gevolgd door handtastelijkheden. Zo loopt het spelen met de kat op krabben uit.

22. Een kat, die in de benauwdheid zit (z. *kat*)

19. *In katzwijm vallen* = bewusteloos worden voor een ogenblik en dadelijk weer bijkomen.
Zoals een kat, die een lelijke val doet, wel even blijft liggen, doch al heel gauw weer in orde is.
20. *De kat komt een graatje toe* = ieder van 't gezelschap moet er wat van hebben, ook al heeft hij nu juist niet zoveel meegewerkt.
21. *Hij speelt met hem als de kat met de muis* = hij geeft zijn slachtoffer telkens weer enige hoop op uitkomst, maar aan het eind is hij zonder genade.
22. *Als de kat van huis is, dansen de muizen om de meelton* = als het nodige toezicht ontbreekt, lokt men de ondergeschikten uit om uit de band te springen.
Bij Guido Gezelle:
Is de katte niet thuis,
Zo krevelt de muis.
23. *Men stuurt een kat naar Engeland en hij zegt miauw als hij weer thuiskomt* = als men iemand uitstuurt, die voor de taak niet berekend is, dan komt hij even wijs en onverrichterzake weerom: Van der Hulst denkt aan de reis van *Vader Cats* als gezant naar Engeland, die aldaar niets wist te bereiken. Doch dit zal een later bedachte woordspeling zijn.
24. *Een kat een kat noemen* = precies zeggen waar 't op staat, onverbloemde taal spreken.
Vertaling van een F. spreekwoord.
25. *Kan de kat ook appelbrij koken?* (Gron.); vraag als het over iemand loopt, die van een zeker werk niets terechtbrengt. Zo bij Van Meurs, over iemand, die geheel onkundig is:
26. *Hij weet er net zoveel van als een kat van 't wafelbakken.*
Zie ook *kraai* 7.
27. *Daar heb je de kat in 't garen!* = daar komen de moeilijkheden; nu loopt alles in de war. Vgl. *garen* 3 en *haan* 12.
28. Als onze kat zich wast,
Dan komt er wis een gast.
Oud volksgeloof.
29. *Zij heeft de kat niet gevoerd*, gezegde wanneer het op de trouwdag slecht weer is; teken dat het huwelijk niet gelukkig

23. Om der wille van de smeer (z. *kat*)

zal zijn.
De kat was het dier van Freia of Frigg, de oud-Germaanse godin van liefde en huwelijk. Wanneer de bruid verzuimde, de kat goed te verzorgen, dan was Freia (Holda) haar niet welgezind (A. de Cock.) Ook de man moet van de kat houden volgens een ander spreekwoord:
29a. *Die geen katten lijden mag, zal nooit een mooie vrouw krijgen.*
30. *De kat zal met zijn lege maag niet weglopen* = hij heeft stevig gegeten. Sprenger van Eyk dacht daarbij aan 't snoepen der katten bij de slacht, wanneer de ingewanden van het vee door voorafgaand vasten geledigd zijn.
31. *Een kat komt altijd weer op zijn poten terecht*, uitdrukking wanneer iets toch nog weer in orde komt, al zag het er eerst ook bedenkelijk uit.
32. *Hij kijkt als een kat in een vreemd pakhuis* = hij weet geen raad, hoe hij de zaak moet aanpakken.
33. *Wanneer de kat voor haar zelven muist, dan muist ze nauw* (Vlaams) = 't is het beste, dat wij zelf onze zaken doen.
34. Een slapende kat
En vangt geen rat.
(Vlaams). Een luiaard zal niet vooruitkomen in de wereld. Ook in 't algemeen: men moet op zijn tellen passen.
35. *Die met het katje speelt, wordt er af gekrabd* (Vlaams) = die 't gevaar zoekt, komt er in om.
Er af = er van, d.i. er door.
36. *Strelende katjes halen 't vlees uit de pot* (Vlaams) = wacht u voor vleiers.
37. *De beste katte kan wel eens een muize missen* (Gezelle), zie *breister*.
38. *De kat muist best, als zij jongen heeft* (Vlaams) = die kinderen heeft zorgt dat er flink wat verdiend wordt.
39. *De kat kon 't spek wel zien, maar niet krijgen* (Fries) = de druiven waren zuur.
40. *Daar is wat in, dat de kat niet lust* = het eten is nog te heet.
41. *'t Is net een kat als een andermans kat* = 't is niets buitengewoons.
42. *Van geven sterft de kat van de smid* (Fries) en ook:
42a. *Van geven kan mijn kat niet leven*, zie *geven* 20.
43. *Sparen, daar is de kat aan dood gegaan* (Gron.) = als men altijd maar alles zo zuinig mogelijk doen wil, dan is er geen aardigheid meer aan het leven; dus neem het er maar van.

kater. 1. *Een kater hebben* = de naweeën gevoelen van een roes. Gewoonlijk denkt men aan overneming uit het Duits, doch daar is geen voldoende reden voor. In 't Gronings is bijv. de uitdrukking: *hij kijkt zo gril als een kater* alle dagen gangbaar. Dat een dergelijke vergelijking ook in Holland bekend was, blijkt uit de regels die Stoett aanhaalt uit de *Poëzy* van J. Clyburg, 1727:
Ik drink my daaglyks maar eens vol
Van 't wyze en zoete Hengstewater,
Waar door ik zomwijl als een kater
Zie uyt myn ogen, dat 'k schier rol
Van boven neder als een tol.
Franck-Van Wijk acht het echter waarschijnlijk dat kater een vervorming is van *catarrh*, zodat men met volksetymologie te doen heeft. Omstreeks 1850 is het woord opgekomen in de Duitse studententaal.
2. *Hij moet er bij wezen, als er een kater gelubd wordt* = onverschillig wat er gebeurt, hij is van de partij.
3. *Hij stapt als een kater in de morgendauw* = hij loopt trots langs de weg.
Een kater, die in 't natte gras loopt, tilt de poten hoog op en loopt heel voorzichtig.

katjesspel. *Dat loopt op katjesspel uit*, zie *kat* 18.

katjewinst. zie *gewin* 1.

katoen. 1. *Hij hield zich katoen* = hij bleef rustig; hij deed net of hij niets hoorde, niets wist.
Uit het Hebreeuws: *qaton* = klein. (Dozy, *Vreemde Oosterlingen*, 52.)
Zo ook:
2. *Het is er dood katoen* = het is er stil; er is niets te doen.
3. *Iemand van katoen geven* = hem een pak slaag geven, ook: een geweldig standje schoppen.
Misschien omdat een baal katoen dik en los is; *van katoen geven* zou dus betekenen: een grote hoop geven.

kattebel. *Hij stuurde mij een kattebelletje* = een briefje van een paar regels. Voorbeeld van volksetymologie, van verklaring van een woord, dat men niet verstaat, door bekende woorden, al hebben die er niets mee te maken. In dit geval was het vreemde woord het It. *cartabello* = papiertje, schriftuur.

Kea. *Een huishouden van Kea*, zie *huis-*

houden 2.

keel. 1. *'t Hangt mij de keel uit* = het verveelt mij tot walgens toe.
Lett. = ik moet er van braken.
2. *'t Kind zette een grote keel op* = begon hard te schreeuwen.
Opzetten = open zetten.
3. *'t Blijft hem in de keel steken* = hij kan van ontroering niet spreken.
4. Lekker kele
Kost zo vele (Gezelle),
vergelijk *lekker*.
Bij ons kort en bondig:
5. *De keel kost veel.*
6. Van te luttel door de keel
Sterft er min als van te veel
(Gezelle) = van te weinig eten sterven er niet zo veel als van te veel eten.

keer. 1. *Ze gingen te keer* = zij raasden en tierden, zij maakten drukte en lawaai. Lett. = ze keerden zich tegen (iemand of iets), ze verzetten zich.
2. *Als men 99 keer goed doet, maar de honderdste niet, dan is men toch nog een slecht mens* (Fries) = al heeft men nog zoveel goed gedaan, dat wordt vergeten; maar de ene keer, dat men geen hulp bood, die wordt onthouden.
3. *Een keer is geen keer*, zie *eenmaal.*
4. *Gedane zaken nemen geen keer*, zie *zaak.*
5. *'t Getij gaat zijn keer*, zie *getij* 5.
Hier is 't duidelijk, dat keer zoveel betekent als gang. Zo is het ook in:
6. *Hij gaat tegen de keer in* = hij wil net andersom als al de anderen; hij gaat tegen de stroom in.
7. *Pas op voor de eerste keer, dan wil ik borg wezen voor de andere maal* (Fries) = wie de eerste maal niet zondigt, behoeft voor 't vervolg niet bevreesd te zijn.

keerzijde. *Dat is de keerzijde van de medaille* = dat is een minder mooie kant van de zaak. Zie *medaille*.

Kees. *Klaar is Kees!* = alles is in orde. Voorbeeld van het gebruik van een willekeurige mansnaam. Zo:
Men moet al wat horen, zie *Jaap* 1.
Wat Jantje niet leert, zal Jan niet weten.
Een stijve Jurrie.
Staan voor Piet Snot.
Een brave Hendrik.
Een nieuwsgierig Aagje.

keet. *'t Was er een geweldige keet* = 't was er wanordelijk; er was grote ruzie of herrie. Ook *keet maken, schoppen, trappen.* De keet is de loods van poldergasten, waar 't ook niet altijd netjes is.

kei. 1. *Iemand op de keien zetten* = hem uit zijn dienst ontslaan, brodeloos maken. De keien zijn die van de straat.
2. *Hij heeft een kei in zijn hoofd* = hij is aartsdom; hij is niet goed bij zijn verstand. Oudtijds:
3. *De kei leutert hem in 't hoofd* = daar is een keisteen in, die rammelt.
Vandaar ook:
4. *Hij moet van de kei gesneden worden.*
5. *'t Is een kei* = een baas. Lett. = een harde bal bij 't voetballen; vandaar: een geweldig schot; en dan: een meester.
6. *Men kan geen kei 't vel afdoen* (Vlaams) = pluk eens veren van een kikker!

keizer. 1. *Hij meent dat 's keizers kat zijn nicht is* = hij verbeeldt zich heel voornaam te zijn en wil ook nog, dat anderen dit erkennen.
2. *Geeft dan de keizer dat des keizers is (en Gode dat Gods is)* = 1. geef aan ieder wat hem toekomt; 1. verzet je niet tegen de gestelde machten, maar ontzie wat recht is. De spreuk is genomen uit Matth. XXII : 21.
3. *Waar niet is, heeft de keizer zijn recht verloren* = die niets bezit kan nu eenmaal niets betalen.
Van ouds: *verliest de heer zijn recht;* vandaar: zelfs de keizer, die nog hoger is.
4. *Twisten om des keizers baard* = ruzie maken over iets dat geen van beide partijen bezit of ooit krijgen zal; vandaar: over iets dat de moeite niet waard is. Ook: over iets, waarover in 't geheel geen twist nodig is.
Verklaring tot heden niet gevonden. Maar schertsend voegt men er bij:
wie 't wint mag hem halen.
5. *Hij is des keizers vriend niet* = hij staat niet in de gunst bij de heren.
Bijbelse uitdrukking. Pilatus wilde Jezus loslaten, 'maar de Joden riepen, zeggende: Indien gij Deze loslaat, zo zijt gij des Keizers vriend niet.' (*Joh.* XIX : 12.)
6. *Hij gaat, waar de keizer te voet gaat.*

kelder. *'t Schip gaat naar de kelder* = te gronde.

kemel. *De kemel doorzwelgen*, zie *mug* 2.

kemphaan. *Een kemphaan* is een vechtersbaas; fig. iemand die graag tegen een ander ingaat.

Genoemd naar de vogel van die naam; de hanen vechten tegen elkaar in de paartijd met hoog opgezette borst en veel kromme sprongen.

Kenau. *'t Is een Kenau van een wijf* = een vrouw, die er zijn mag.

Naar Kenau Simons Hasselaar, de kloekmoedige vrouw, die Haarlem verdedigde tegen de Spanjaarden, in het beleg van 1572—'73.

kennis. *Kennis is macht* = wie veel weet kan vooruitkomen in de wereld.

Uit het E.: *knowledge is power*, uit de E. vertaling van de *Meditationes sacrae* (Heilige Overdenkingen) van de wijsgeer Francis Bacon, 1561 —1626. Die vertaling verscheen in 1598.

keper. *Iets op de keper beschouwen* = iets zeer nauwkeurig nagaan.

De keper is de hoek, die de ketting of schering van een weefsel maakt met de inslag. Wanneer men een geweven stof beoordelen moet, dan ziet men na, hoe de draden van schering en inslag over elkaar heen lopen.

keren. 1. *Beter ten halve gekeerd dan ten hele gedwaald.*

Vergelijk:

Beter een kwaaie loop
Dan een kwaaie koop.

2. *Hij heeft zijn rokje gekeerd*, zie *rok* 1.

kerfstok. *Hij heeft heel wat op zijn kerfstok* = hij heeft nog al wat op zijn geweten.

De kerfstok was een houtje, waarop door een kerf werd aangetekend, hoeveel men schuldig was. Dit geschiedde b.v. nog heel lang bij broodbakkers; telkens als men een brood haalde, sneed men een kerf in de stok van de klant en in die van de bakker. De bakker kon dus niet 'op eigen houtje' meer kerven maken. Zie *hout* 4.

Veel op zijn kerfstok hebben was dus letterlijk = veel schuld hebben; nu alleen van misdrijven. Zie ook *lat* 1.

Reinier Telle, die rector te Zierikzee geweest is en in 1610 te Amsterdam kwam, trad op tegen de *predestinatie* in het bittere spotdicht *Der Contraremonstranten Kerfstock*. Hij laat de Contraremonstranten zeggen:

'Wij hebben een *goe kerref-stock*
'*Die nimmermeer wort yser*,
'Daerop wy moghen kerven
'Om niet, totdat wij sterven,
'Slaen andre vroech hant aende ploech,
Wij komen tijts ghenoech.'

In diezelfde gedachtengang het oude gezegde:

2. *Zijn kerfstok is van ijzer* = hij kan geen kwaad doen; alles wordt hem vergeven. Immers in een ijzeren kerfstok zou men geen kerven kunnen maken.

kerk. 1. *Men moet de kerk midden in 't dorp laten* = men moet niet overdrijven; 't moet zo geregeld worden, dat ieder tevree is.

2. *Vóór het zingen de kerk uitgaan* = niet wachten tot het einde, vaak met de bijgedachte: heengaan, als 't mooiste nog komen moet.

In de Hervormde kerk gaan sommigen naar huis, dadelijk na de preek; zij wachten dus het laatste gezang niet meer af.

3. *Alle wegen zijn geen kerkewegen* = men komt er ook langs een andere dan de gewone, grote weg; men moet zich wel eens erg behelpen, als men zijn doel bereiken wil. Ook: 't is geen wet van Meden en Perzen. De kerkewegen namelijk worden nooit verlegd.

4. *Hoe dichter bij de kerk, des te later er in* = wie dichtbij woont, komt nog al eens vaak, als de anderen er al zijn.

Vergelijk *Rome* 3.

5. *Ik kan geen twee kerken tegelijk bezingen* = ik kan maar één ding tegelijk doen.

6. *De kogel is door de kerk*, zie *kogel*.

7. *Er zijn meer huizen als kerken* = 't zijn niet allemaal uitblinkers; er zijn meer gewone dan rijke mensen.

8. *Hij gaat graag naar de kerk, daar men de heiligen met hoepels bindt*, schertsend: hij is een kroegloper. De met hoepels gebonden heiligen zijn de biervaten.

9. *Hij is in de kerk geboren* = hij laat altijd de deur achter zich open, als hij de kamer uitgaat.

Wie uit de kerk gaat, doet ook geen deur toe.

10. *Oude kerken hebben duistere glazen* (Vlaams) = oude mensen zien slecht.

11. In de kerk
Is altijd werk,

Vlaams spreukje: een mens heeft altijd aanleiding genoeg, om naar de kerk te gaan.

12. Die neerstig in de kerk is,
Ook neerstig op zijn werk is,

Vlaamse rijmspreuk: wie ijverig zijn godsdienstplichten vervult, voldoet ook bij zijn werk aan zijn plicht.
13. Bij kerk en kluis
Heeft de Duivel een huis,
Vlaams rijmpje; zie *God* 15.
14. *'t Kan beter van de kerk als van de kapelle* (Vlaams), zie *stad* 1 en *zak* 2.
kerkhof. 1. *De dader ligt op 't kerkhof*, zie *dader*.
2. *Grijze haren zijn kerkhofsbloemen.*
kermis. 1. *'t Is niet altijd kermis* = 't is alle dagen geen feest.
2. *'t Is een slecht dorp, waar 't nooit kermis is* = men moet in zijn huisgezin nu en dan eens een feestje hebben.
3. *Hij kwam van een koude kermis thuis* = hij werd in zijn onderneming zeer teleurgesteld.
4. *Een kermis is een bilslag waard* = voor een mooi feest moet men wat over hebben.
5. *'t Is niet overal kermis, waar 't vaantje uitsteekt* (Vlaams) = schijn bedriegt.
kern.
Die de kern wilt smaken,
Moet eerst de note kraken
(Vlaams) = geen loon zonder arbeid.
kersen. *Het is kwaad kersen eten met de groten, want zij gooien met de stenen* = omgang met grote heren is moeilijk, want ze laten je vaak onbetamelijkheden en grofheden ondergaan.
Kerstmis. 1. *Een groene Kerstmis, een witte Pasen.* Ook Kerstmis is een lotdag, d.i. een dag, die beslissend is voor het weer in de komende dagen, zoals Lichtmis en Sint-Margriet; bovendien houdt het volk van tegenstellingen.
Bij Dufour, blz. 166:
2. Vliegen op Kerstdag de muggen rond,
Dan dekt op Pasen het ijs de grond.
Bij Gezelle:
3. Te Kerstdage op strate,
Te Pase op de plate,
namelijk met de voeten op de vuurplaat.
kersvers. *kersvers* = zo pas, b.v. ze komen kersvers van de reis.
Men heeft daarbij aan *kers* gedacht; zelfs de taalgeleerde Weiland verklaart het woord als: *zo vers als kers*, n.l. als tuinkers of sterkers, de groente.
Kers = fris, opgewekt; 't is vermoedelijk hetzelfde woord als *kras*. Kersvers is dus lett. = kras en fris, geheel fris. Dit blijkt o.a. in Hooft's blijspel *Warenar*. Warenar, regel 815, heeft het over een dooshoofd,
Dat kars inne vars was,
inne gaef, inne goet.
ket. *Uit de ket zijn* = uitgelaten, buitengewoon dartel van vreugde.
Net als een hond, die van zijn ketting bevrijd is.
ketelaar. *Daar blijf je ketelaar van!* = daar krijg je niets van; dat is geen spek voor jouw bek.
Uitdrukking van 't oorlogsschip: een ketelaar is een matroos, die niet mee eten kan, als de anderen 'aan de bak' zitten; hij moet dus zijn aandeel eten uit zijn keteltje. Hij krijgt dus wèl wat, al is 't later en misschien minder goed.
ketter. *Iedere ketter heeft zijn letter*, zie *letter* 2.
keuken. 1. *Vette keuken, magere beurs* (Vlaams) = die al hun geld uitgeven voor lekker eten en drinken, hebben geen geld voor andere zaken. Bij Gezelle:
2. *Vette keuken, magere erfenisse.*
Keulen. 1. *Keulen en Aken zijn niet op één dag gebouwd* = een groot werk vordert zijn tijd.
2. *Hij kijkt, of hij het in Keulen hoort donderen* = hij is zeer verbaasd; vooral als men geheel onverwacht belangrijk nieuws verneemt.
Keulen was een stad, die naar de oude begrippen heel ver weg lag; dat men het in Keulen hoorde donderen was dus wel een heel groot mirakel. Die verre afstand gaf ook aanleiding tot:
3. *Dat mes is zo stomp, je kunt er wel met je gat op naar Keulen rijden.*
keur. 1. *Keur baart angst* = wie *kiezen* mag, is vaak met de keuze verlegen; weet niet, wat hij nemen zal.
In Groningen:
1a. *Die de keur heeft, heeft de kwel.*
2. *Ik wil om de keur niet van de balk vallen* = 't kan mij niet schelen, wat ik kies. Ook: het ene is al niet beter dan het andere.
De balk is de zoldering boven de stallen in de boerenschuur, de paardestalbalk of de koebalk.
Bij Prudens van Duyse: *om de keur niet van de trappen willen vallen.*
3. *Op keur* = zodat men bij aankoop *keur* heeft; op zicht. De uitdrukking is zeer gewoon in Groningen; de Gronin-

ger schrijver Ds. Koopmans van Boekeren schreef dan ook een bundel schetsen onder de titel *Schoenen op keur*.
4. Die keurboom zoekt,
Die vuilboom vindt.
wie al te kieskeurig is, krijgt aan 't eind het slechtste.
Keurboom is de denkbeeldige boom, die men uit wil kiezen; de vuilboom is de sporkenboom met zijn slechte geur en zijn nietswaardig hout.
5. *Te kust en te keur*, zie *kust* II.
kiek. *Kiek is geen mosterdzaad, maar de bloei is gelijk* (Gron.) = schijn bedriegt
Kiek is de Groninger naam van een onkruid in 't bouwland (de hederik, *sinapis arvensis*), waarvan de bloeiwijze geheel dezelfde is als die van 't mosterdzaad. Dus is *kiek* een onkruid zonder waarde, doch mosterdzaad is een kostbaar gewas.
kiekje. d.i. een fotografie. Misschien naar de Leidse fotograaf *Kiek*, misschien echter eenvoudig de volksuitspraak van *een kijkje*.
kiel.
Kielen, wielen,
Rand om 't land,
bij Sprenger van Eyk, de beknoptste omschrijving van Zeeland: schepen, wagens en ploegen voor de landbouw en dijken om het land.
kielwater. 1. *In iemands kielwater varen*, 2. *Blijf uit zijn kielwater* = volg hem niet, want dan zal het je slecht bekomen; hij deugt niet.
De zuigende kracht van het zog is zo groot, dat een boot of kleiner vaartuig tegen het grote schip botst en beschadigd wordt.
kies. *Dan doen de kiezen hem niet meer zeer* = als 't zover is, leeft hij al lang niet meer.
kiespijn, zie *boer* 7, *missen* 1.
kiezen. *Je moet kiezen of delen* = je moet tot een besluit komen; je moet of het ene doen of het andere (van twee onaangename zaken).
Van het oude gebruik, dat bij deling van goederen de ene partij de dingen op

24. Het is kwaad kersen eten (z. *kersen*)

twee stapels legde en de andere partij dan de keuze mocht doen. De eerste *deelde*, de tweede *koos*.
kif. *Dat is de kif!* = dat zeg je maar, omdat je afgunstig bent, dat is een uiting van nijd.
Kif zou het goed Nederlandse woord *gif* (= vergif, nijd) zijn, op zijn Joods uitgesproken. Ook *kift*.
kikker. 1. *Men kan van een kikker geen veren plukken* = wie niets heeft, kan niets geven; een arme man behoeft alleen maar bij te dragen naar zijn geringe vermogen.
2. *Hij is er af als een kikker van zijn staart* = hij is al zijn geld en goed kwijt,
3. *Hij is zo voornaam als een kikker op een kluit* = hij verbeeldt zich heel wat. maar hij betekent niets.
4. Zet een kikker op een stoel,
Hij springt weer in de modderpoel,
als een onbeschaafde, lompe man in ontwikkeld gezelschap komt, dan gaat hij toch liefst heel gauw weer terug naar zijns gelijken.
5. *Waar kikkers zijn, daar is ook water* (Fries) = waar rook is, is ook vuur.
kin. *Een kale kin is gauw geschoren* (Gezelle) = waar niets is te halen, daar is men gauw klaar.
kind. 1. *Kleine kinderen worden groot* = men moet jongelui niet meer als kind behandelen, als ze volwassen worden of zijn. Ook eenvoudig: hoe snel verloopt de tijd!
2. *Ze hebben kind noch kraai* = zij hebben geen kinderen. Van ouds *kint noch craet*, d.i. geen kind en geen kraaier, geen haan.
De haan was in oude tijden volgens het volksgeloof de huisgenoot, die bij doodslag door zijn gekraai de dader aanwees, als er geen getuigen waren.
Wie geen *kind* had, om voor hem op te komen en geen *haan*, om voor hem te getuigen, was wel helemaal alleen op de wereld.
Nu ook: *hij heeft kind noch kuiken*.
3. *Hij is 't kind van de rekening* = hij ondervindt alle nadelen; hij moet de kosten betalen.
Oorspronkelijk alleen: *hij is het kind* = hij moet het ontgelden. De *rekening* schijnt er later bijgevoegd.
4. *Het kind bij de naam moemen* = ronduit spreken; zeggen wat men van een zaak denkt, zonder een blad voor de mond te nemen.
5. *'t Kind met het badwater weggooien* = als men iets verwerpt, omdat het niet deugt, ook het goede dat er nog bij is niet waarderen.
6. Kinderen zijn een zegen des Heren,
Maar ze houden de noppen van de kleren.
't Eerste deel van de spreuk is uit Psalm CXXVII : 3, doch daar staat: *Kinderen zijn een erfdeel des Heren*. In de kanttekeningen van de Statenbijbel worden ze aldaar echter genoemd: een zegen, van den Here gegeven.
Het tweede deel van 't gezegde ook korter:
6a. *Kinderen hinderen*. Of in Groningen: *kinder zijn hinder*. Ook: *kinders zijn handenbinders*, gezegd, als ze nog klein zijn.
7. *Kinderen en dronken lui zeggen de waarheid*, immers ze weten niet wat ze zwijgen moeten. Ook: *uit de mond der kinderen hoort men de waarheid*.
8. *Een kinderhand is gauw gevuld* = kinderen zijn met zo weinig al blij.
9. *De kinderschoenen ontwassen zijn* = onder de grote mensen meetellen.
10. *Van kindsbeen af* = van jongs af. *Been* = benen, evenals in de uitdrukking: *op de been*.
11. *Lieve kinderen hebben veel namen* = wie in de gunst staat, wordt telkens en telkens weer in andere vorm geprezen. 'Dit is genomen van de malle moertjes omtrent haare malle kindertjes. Men moet op 't hooren dikwijls lachen. 't Is niet slechts *mijn kindje*, *mijn engeltje*, *mijn lammetje*; maar ook *mijn hondje*, *mijn schelmtje*, *mijn guitje*, en wat al niet? (Tuinman.)
12. *Als men een kind uitstuurt om een boodschap, krijgt men een kind weer thuis* = wie niet voor een werk berekend zijn, brengen er niets van terecht. Vlaams: *kinderen doen kinderwerken*. Zie *ekster* 5.
13. *Een kind des doods* = iemand, die ten dode is opgeschreven.
Bijbelse uitdrukking. Saul, de koning, had het plan David te doden en hij zei tot zijn zoon Jonathan: 'Schik heen, en haal hem tot mij, want hij is een kind des doods.'
(I Samuel XX : 31.)
14. *Het kind is de vader van de man* =

zoals het kind is, zo wordt het later als man. Vertaling van een regel van de E. dichter Wordsworth.
15. *Lieve kinderen mogen wel een potje breken*, die in de gunst zijn mogen wel iets bedrijven, wat men anderen kwalijk neemt.
16. *Een kind trapt zijn moeder jong op de schoot, maar oud soms op het hart* = als een kind volwassen is, doet het zijn ouders maar al te vaak groot verdriet. Anders gezegd:
16a. Kleine kinderen, kleine zorgen;
Grote kinderen, grote zorgen.
Vlaams:
16b. Kleine kinderen hoofdzeer,
Grote kinderen hartzeer.
17. Is 't niet goed voor 't kindje,
Dan is 't goed voor 't mintje,
schertsend gezegde, wanneer men ziet, dat de min (en natuurlijk in de regel de jonge moeder) een glaasje likeur snoept of iets anders, dat niet goed is voor 't kindje. Dat mag dan zo zijn, maar de min lust het graag. In 't algemeen, een gezegde, wanneer iemand wat lekkers krijgt.
18. Kinderen, die tegen groten kakken [willen,
Zakken door de brillen,
d.i. een burgermens moet niet mee willen doen met rijkelui, want dat houdt hij niet vol.
19. *Een kind in de boosheid* = iemand, eenvoudig van hart, die niet weet hoe boos de wereld wel is.
20. *De kinderen der duisternis* = de zedelozen, onrechtvaardigen, boosdoeners, in één woord: de lieden wier daden het licht niet mogen zien.
Tegenstelling tot 'de kinderen des lichts', waarvan sprake is in *Lukas* XVI : 8.
21. *Wie zijn kinderen liefheeft, die kastijdt ze* = wie wil, dat zijn kinderen goed opgroeien, moet niet bang zijn voor straf, als zij wat gedaan hebben dat niet deugt; met zachte behandeling wordt het kwaad erger.
Dezelfde gedachte uitgesproken in *Spreuken* XIII : 24. 'Die zijn roede inhoudt, haat zijn zoon; maar die hem liefheeft, zoekt hem vroeg met tuchtiging.'
22. *Elk kind brengt duizend gulden mee* = ouders vragen zich wel af bij de geboorte van een nieuwe spruit, waar 't eten vandaan moet komen. Maar 't blijkt altijd weer, waar kinderen zijn, daar is ook brood voor.
23. *Een kind met een waterhoofd* = een ding dat heel wat lijkt, een zaak die groot is opgezet, maar waar niets van komt; iets dat geen betekenis heeft, al schijnt het eerst heel belangrijk.
24. *Hij is er als kind in huis* = hij wordt er in alle opzichten goed behandeld.
25. *Een goed kind, dat naar zijn vader aardt*, schertsend gezegde, wanneer men ziet, dat het kind hetzelfde doet of op dezelfde manier handelt als zijn vader.
Vlaams: *'t is een goed jong, dat naar zijn ouder tiert.*
26. *Een kind van Ninive* = een onnozele hals. Bijbelse uitdrukking. Zie *Ninive*.
27. *'t Komt er niet op aan, hoe 't kind heet, als 't maar een naam heeft*, schertsende opmerking, als men niet dadelijk zeggen kan, hoe een ding heet.
Fig. Men geeft vaak een valse reden op, als men met de ware niet voor den dag komen wil.
28. *Verzuip je kinderen niet, wie weet, wat ze nog worden*, schertsend gezegde, dat men nooit weet, hoe een kind opgroeit; in 't algemeen: hoe het met een begonnen werk afloopt.
29. Kinderen, die willen,
Krijgen voor de billen,
zie *willen*.
30. *Kinderen zijn apen* (Vlaams) = ze volgen maar al te gaarne slechte voorbeelden na.
31. *Als de kinderen geld hebben, hebben de kramers de nering* (Vlaams), zie *gek* 14.
32. *'s Kinds willeken groeit in den bos* (Vlaams), zie no. 29.
33. *Schreiende kinderen, zingende moeders; zingende kinderen, schreiende moeders* = als kleine kinderen schreien, brengt Moeder ze tot rede en dan is het verdriet gauw geleden; maar als de kinderen groot zijn en zich aan vermaken overgeven, dan doen ze Moeder vaak verdriet.
34. Straft kindse fouten in uw kind,
Eer gij er mansgebrek in vindt,
Vlaamse spreuk; zie no. 21.
35. *Mijn kind, schoon kind!* (Vlaams.) Ieder is met het zijne ingenomen.
36. *Op een kind zonder hoofd weet men niet, waar zijn mutse zetten* (Vlaams) =

als iemand naar geen raad luisteren wil, is er niets mee te beginnen.
37. *Kindermond en kan niet liegen* (Gezelle, zie *mond* 18.
38. *Kindermaat en kalvermaat moet men weten* (Gron.) = ouderen moeten behoorlijk toezicht houden op de jongelui.
Lett. een kind weet evenmin als een kalf, hoeveel het mag eten. Fig. hoe ver het gaan kan; wat het mag doen.
39. *Als men kinderen hun zin geeft, zijn ze stil.* Vlaams: *Als de kinderen hun zin doen, krijsen ze niet.*
Gezegde, als een koppig mens niet af te brengen is van zijn voornemen; laat hem zijn gang maar gaan, dan is hij tevree.
40. *Kinderen worden kerels* = vóór men er om denkt, zijn de kinderen groot. Zie *kind* 1.
41. *Wat kan 't schelen, zei de baker, als 't kind maar gezond is* = let niet op een kleinigheid, als de zaak verder in orde is.
kink. *Er kwam een kink in de kabel* = er kwam een onverwachte moeilijkheid, een belemmering. De kink is de draai in het touw.
kip I. *Kip, ik heb je!* = daar heb ik je te pakken.
De uitdrukking heeft met een kip niets uit te staan. *Kippen* = grijpen, pakken, zoals men ook zegt: *iemand er uit kippen.*
kip II. *De kip met de gouden eieren slachten* = niet alleen de inkomsten gebruiken, maar ook de bron van die inkomsten uit te grote begerigheid aan zich trekken, zodat men voor 't vervolg in 't geheel geen inkomsten daarvan meer heeft. De uitdrukking is afkomstig van een sprookje:
Er was eens een vrouw, die een kip had, die elke dag een gouden ei legde. Uit begerigheid naar nòg meer, slachtte zij de wonderkip, om al het goud ineens te hebben.
2. *Zij was er als de kippen bij* = zij was er in een ommezien (om wat te halen, om haar deel te krijgen).
Zo als de kippen rennen naar het voer.
3. *De kinderen gaan met de kippen op stok* = gaan vroeg naar bed. Zodra de zon onder gaat, zoeken de kippen de stok op, waarop ze des nachts slapend zitten.
4. *Zij gevoelt zich zo lekker als kip = zo fris als een hoen* = zo behagelijk en gezond als 't maar wezen kan. Letterlijk zo behagelijk als een kip in het zand.
5. *Kippevel krijgen* = van kou, van afgrijzen, ook wel van schrik een onaangenaam gevoel in de huid waarnemen. De huid van de armen ziet er dan uit als het vel van een geplukte kip.
6. *Hij loopt daar als een kip zonder kop* = net of hij geen verstand heeft.
Naar de boerenmode om een kip te slachten. Men slaat het beest met de bijl de kop af en laat het dan los; dan loopt het slachtoffer nog een paar stappen, eer het omvalt.
7. *Zij kakelt als een kip, die 't ei niet kwijt kan* = zij praat al maar door. Vgl. *ei* 2, 20.
8. *Een blinde kip vindt wel eens een graankorrel* = een koe vangt wel een haas.
9. *Een kleine kip legt elke dag,*
een struisvogel eens per jaar.
kist. 1. Lege kisten
Maken twisten.
In Groningen:
2. Lege bakken, knorrige varkens.
kisten. *Laat je niet kisten!* = laat je niet voor de gek houden; laat niet toe, dat men de baas over je speelt; pas op je tellen. Kisten = in de doodkist leggen.
klaagliederen. *De klaagliederen van Jeremia*, zie *Jeremia.*
klaar I. *Klaar is Kees!* = alles is in orde.
Kees is hier, gelijk zo dikwijls met namen geschiedt, willekeurig gekozen. B.v. *'t Is gedaan met Kaatje*, *'t Is een Jantje Sekuur*, *'t Is een luie Evert, een brave Hendrik*, *Klaas Vaak*, enz. Zie *Kees.*
Men heeft ook wel gedacht aan: *Klaar is de kees*, d.i. de kaas.
klaar II. *Zo klaar als een klontje.* Volkomen duidelijk.
Klaas. 1. *Een houten Klaas* = een stijve jongen, die zich in gezelschap niet bewegen kan. *Klaas* is een willekeurige naam.
2. *Klaas Vaak* = het zandmannetje, dat de kinderen zand in de ogen strooit, zodat ze dicht vallen; het mannetje, dat de vaak meebrengt. Tuinman denkt, dat er Sint Niklaas mee bedoeld wordt, die 'met zijn paardje ter schoorsteen in komt.'
klad. 1. *Iemand een klad aanwrijven = hem bekladden* = iets lelijks van hem vertellen. *Klad* = smet, vlek.
2. *Dat brengt de klad er in* = dat be-

derft de zaak; daardoor gaat veel van de waarde verloren. Lett. dat maakt de zaak onzuiver, vuil, besmet.
kladden. *Grijp hem bij de kladden!* = bij de kleren, dus = pak hem, hou hem vast. *De kladden* lett. = lappen, lompen.
klager. 1. Klagers geen nood,
Pochers geen brood! Volkswijsheid.
2. *Waar geen klager is, is geen rechter* = nu niemand klaagt, behoef jij je niet te verdedigen.
Nog uit de oude tijd, toen men alleen op klacht vervolgd werd.
klap. 1. *De man die de klappen krijgt* = de man die boeten moet voor wat een ander gedaan heeft, die vrij uitgaat.
2. *Een klap krijgen* = een verlies lijden.
3. *Dat was de klap op de vuurpijl* = dat was een prachtig verrassend slot.
Zoals bij vuurwerk de vuurpijl de lucht in gaat en dan met een geweldige klap en met veel vonken uiteenspat.
4. *De eerste klap is een daalder waard* = wie van twee partijen 't eerst begint, heeft veel voor.
Ontleend aan de vechtpartij, waarbij klappen vallen.
klaplopen d.i. op andermans zak teren; aan de kost komen door ongevraagd bij een ander te gaan eten. De gewone verklaring is: lopen als de melaatsen vroeger, met *de klap*, *de lazarusklep*, om uit bedelen te gaan. Zie *Lazarus* 1. Stoett echter denkt aan: *op de klap lopen* = *op de pof lopen* = kopen zonder (dadelijk) te betalen, op krediet kopen, schulden maken. In deze zin is *klap*, evenals *pof*, = slag, klap. Zie *op de pof*.
klappen I. 1. *Hij kent het klappen van de zweep* = hij verstaat zijn vak; hij weet hoe hij de zaak aan moet pakken.
Ontleend aan 't voermansbedrijf.
2. *Ik kan mijn oren schudden, dat ze klappen* = ik heb geen schulden; ik kan vrij voor de dag komen; ik heb geen schuld.
Herinnering aan de goede oude tijd, toen een misdrijf, dat als schandelijk werd aangezien, vaak gestraft werd met het verlies van één of van beide oren.

25. Een kleine kip legt elke dag (z. *kip*)

Zo iemand kon niet meer met zijn oren klappen.
3. Zie *voerman.*
klappen II (praten). 1. *Die veel klapt, moet veel weten of veel liegen* (Vlaams) = wie veel praat, heeft veel te verantwoorden. Zie *kallen.*
2. *Waar klappen goed is, is zwijgen beter* (Vlaams), zie *zwijgen* 5 en 6.
klapscheet. *Iedere klapscheet was hij er weer* = ieder ogenblik, lett. = voor iedere kleinigheid. Het volk vermeit zich nu eenmaal met gezegden, waar een luchtje aan is. Een *klapscheet* of *knapscheet* is een *scheet die klapt.*
klapspaan. d.i. iemand die dadelijk alles wat hij weet aan anderen vertelt; een die alles verklikt. De *klapspaan* was de *lazarusklep*; zie *Lazarus* 1, 2.
klauw. *Aan de klauw kent men de leeuw* = men behoeft maar iets van een groot man te zien en men weet dadelijk, dat hij een groot man is.
Vertaling van een Latijns spreekwoord.
Kleef. 1. *Hij is van Kleef* = hij zit vast aan zijn geld. Schertsende woordspeling met het woord *kleven*: 't geld kleeft aan zijn vingers.
Dergelijke schertsende uitdrukkingen met plaatsnamen komen veel meer voor: *hij is naar Kuilenburg* = hij is dood; *Duren is een schone stad* = 't moet nog blijken, of hij 't volhoudt; *hij is van Grootebroek* = 't is een opschepper; *hij is van Kniephuizen* = hij is gierig.
't Spreekwoord ook op rijm:
2. Hij is familie van Kleef,
Hij heeft liever de heb dan de geef.
kleerscheuren, zie *kleren* 4.
klei. 1. *Er zit klei aan de polsstok* = het meisje heeft veel geld. Als men de polsstok diep in de grond steekt, dan blijft de modder er aan hangen. En als dat klei is, dan is het vruchtbare grond. Ook: *er zit klei aan de kloet.* De kloet is namelijk het verdikte ondereind van de polsstok.
2. Hoe zwaarder klei,
Hoe dikker ossen;
Hoe lichter land,
Hoe lozer lui
(Gron.), de mensen uit de veen- en zandstreken zeggen van 't volk op de kleigrond, dat ze lomp en dom zijn; maar op het lichte land (veen en zand zijn gemakkelijker te bewerken), daar woont volk, dat slimmer is, dat zich gemakkelijker beweegt.
klein. 1. Wie 't kleine niet eert
Is 't grote niet weerd.
2. *Ik zal hem wel klein krijgen* = hij zal zich moeten onderwerpen.
3. *Hij heeft zulk een klein hart* = hij heeft spoedig medelijden; hij doet zich misschien wel bars en wreed voor, maar als 't er op aan komt, helpt hij toch altijd weer.
4. Beter klein en kregel
Dan een grote vlegel,
antwoord van iemand, die tot zijn ergernis nog al eens moet horen, dat hij wat klein is uitgevallen.
5. *Klein maar rein,* gezegd van iets van geringe waarde, doch dat er goed uitziet, dat behagelijk is.
6. Die op 't kleine niet wilt passen,
Zal welhaast het groot verbrassen,
Vlaamse rijmspreuk; zie no. 1 en *stuiver* 4.
kleintje. 1.
Doe bij een kleintje dikwijls wat,
Dan wordt het nog een grote schat,
aanmoediging tot sparen, evenals
2. *Veel kleintjes maken een grote.*
Bij Gezelle:
2a. Met een kleintje legt men aan,
Om met een grootje voort te gaan.
Aanleggen = beginnen.
3. *Hij is voor geen kleintje vervaard,* misschien = *voor geen klein gerucht.* Zie *gerucht* 1.
klem. *Ze raken in de klem* = ze raken vast, ze komen in de knel.
De *klem* is de *knip* of *knijp* om bunsings, ratten enz. te vangen.
kleren. 1. *De kleren maken de man* = mooie kleren maken steeds een gunstige indruk.
Bij Gezelle ook:
De veren maken de vogel.
2. *Dat blijft niet in de koude kleren zitten* = dat treft mij diep.
3. *Dat raakt mijn koude kleren niet* = daar trek ik mij niets van aan; dat gaat geheel buiten mij om.
Lett. = 't is zo ver van mij af, dat het zelfs niet aan mijn bovenkleren komt.
4. *Hij is er zonder kleerscheuren afgekomen* = hij heeft er geen schade bij geleden.
5. *Lange kleren, korte zinnen,* zie *haar* I 12. Uit de tijd vóór de korte rokken.

kleur. 1. *Hij moet kleur bekennen* = hij moet zeggen, wat hij er van denkt; hij moet partij kiezen.
Ontleend aan 't kaartspel; hij moet opkomen in de kleur die gevraagd is.
2. *Ze hebben kleuren als boeien*; zie *boei.*
2a. Ook: *een kleur als een bellefleur. Bellefleur* = een hoogrode appel. En, wanneer iemand met een blanke huid blozende wangen heeft, vooral van een meisje of een vrouw:
2b. *Zij heeft een kleur als melk en bloed.*
3. *Iets in kleuren en geuren vertellen* = met vermelding van alle (mooie) bijzonderheden. Zoals bij bloemen de kleur en de geur dadelijk opvallen. Ook: *in kleuren en fleuren.*
klikspaan. een verklikker. Zie *klapspaan.*
klimmen. 1.
Die hoger klimt dan hem betaamt,
Valt lager dan hij heeft geraamd.
wie zich groter voordoet dan hij is, komt in zwaarder moeilijkheden dan hij voorzien heeft.
Vergelijk *begeren.*
2. Als apen hoger klimmen willen,
Dan ziet men juist hun naakte billen,
zie *aap* 8.
3. Hoge klemmers,
Diepe zwemmers,
Sterven zelden op hun bed,
Vlaamse spreuk. Wie 't gevaar bemint, komt er in om. Ook:
4. Hoge klemmers,
Diepe zwemmers,
Kinderen op 't ijs,
Zijn zelden wijs.
Bij Gezelle:
Hoge klemmers,
Verre zwemmers,
Zeerlopers op het ijs
Zijn al niet wijs.
Zeerlopers = hardlopers..
kling. *Over de kling jagen* = de overwonnen vijand ter dood brengen in het gevecht. De kling is het scherp van de sabel, de scherpte van het zwaard.
klink I. *Dat was van klink!* = dat was flink, ferm. Lett. = dat was een slag, die klonk. Maar die klank ontbreekt vaak in figuurlijke zin; b.v. *hij gaf die man een schop van klink.*
klink II. *Dat past als een klink op een kraaieest* = dat past in 't geheel niet bij elkaar. Zie *haspel* en *himphamp.*
Een klink behoort bij een deur en een kraaienest houdt er geen deuren op na.
klinken, zie *klok* 10.
klip. 1. *Tegen de klippen op* = zo hard als men kan, in uitdrukkingen als: liegen, eten, drinken, redeneren tegen de klippen op.
De verklaring is: zo hoog als de klippen, doch dat kon moeilijk een volksuitdrukking worden.
2. *Hij weet tussen de klippen door te zeilen* = hij weet door de moeilijkheden te geraken door handig overleg, door bekwaamheid bij zijn optreden. Ook: hij weet tussen de partijen door te gaan zonder hinder.
De klippen, rotsen in zee, zijn door het zeevolk bij ieder bekend.
klis. *Ze hangen aan elkaar als klissen* = ze laten elkaar niet los, ze zijn steeds bij elkaar, ze komen steeds voor elkander op. De klis is de vrucht van het kliskruid, die met zijn haakjes aan de kleren blijft hangen.
klok. 1. *Iets aan de grote klok hangen* = iets aan iedereen vertellen, het ruchtbaar maken.
In de toren hangt veelal meer dan één klok; de grote klok werd geluid bij brand en ander dringend gevaar; de zware klank dringt heel ver door.
2. *Hij heeft de klok horen luiden, maar hij weet niet, waar de klepel hangt* = hij weet er wel iets van, maar het rechte is hem toch niet bekend.
3. *Al wat de klok slaat* = er is alleen maar dàt, waarover gesproken wordt; b.v. *'t is tegenwoordig Engels, al wat de klok slaat* = Engels is in de hoogste mode. In deze uitdrukking is *de klok* het uurwerk, dat de uren slaat.
4. *Zo als het klokje thuis tikt, tikt het nergens* = de vertrouwelijkheid van het huis waar men opgegroeid is, vindt men in geen enkel ander huis ooit weer terug. Spreuk uit *Ghetto* van Heijermans. (De Vooys, Nw. Taalgids VI, 182.)
5. *Men kent de klok aan heuren galm* (Vlaams) = de woorden, die men spreekt, doen het hart kennen.
5. Kwade klok, kwade klepel,
Kwade pot, kwade lepel,
Vlaamse rijmspreuk: als de ouders niet deugen, dan zijn de kinderen ook slecht.
6. *Die maar één klok hoort, weet niet of 't voor 'nen dienst of voor 'nen dode is*

(Vlaams) = luister naar beide partijen. Ook:
6a. *Die maar één klok hoort, hoort maar één toon.*
7. *Er luidt nooit een klok, of er is een klepel* (Vlaams) = waar ieder over spreekt, daar is wel iets van waar. Ook:
8. *Waar een kloksken luidt, daar is een kapel.*
9. *Als de klok luidt, zit er een engel in de toren* (Gron.), schertsend gezegde, wanneer in 't dorp de avondklok geluid wordt; dat is immers het teken, dat de arbeid (op het veld) ten einde is.
10. *Dat klinkt als een klok*, dat is helder en klaar; dat is duidelijk; er is niets op aan te merken.
11. *Wie de klok luidt, kan niet in de processie gaan* = men kan geen twee dingen tegelijk doen.
klokspijs. *Dat gaat er in als klokspijs* = dat eet men heel graag, dat is een lekkernij. Klokspijs is het gesmolten metaal, waarvan een klok gegoten wordt. Zeer waarschijnlijk is deze gewone verklaring er geheel naast. De eenvoudige uitleg is: een spijs die klokt, die vlot, met klokkend geluid naar binnen gaat. Stoett vermeldt dan ook uit Spaan de 18e eeuwse vorm *slokspijs*: spijs die men binnenslokt. De uitspraak zou dan moeten zijn niet *klòkspijs*, doch met de o van op, pop, bok.
klomp. 1. *Nu breekt mijn klomp!* = dat had ik zeker niet verwacht; uitroep van verbazing.
2. *Hij kwam met de klompen in 't gelag* = hij maakte een ongelukkig figuur, vooral: doordat hij iets beproefde wat hem niet goed afging. *'t Gelag* is het gezelschap in de *gelagkamer*, dus bij een feestje. En daar moet men niet komen met de klompen aan.
3. *Op de klomp spelen* = uitvaren, razen en tieren.
Waarschijnlijk een schertsende vervorming van *op de poot spelen*; zie *poot* 2.
klontje. 1. *'t Is zo helder* (ook *klaar*) *als een klontje*. Naar de kandijklontjes, die men vroeger altijd bij de koffie gebruikte.
2. *Dat doe ik nog voor geen honderd pond klontjes*, schertsend als men iets volstrekt niet wil.
kloof. *Een grote klove* = een afstand waar men niet over kan.
Bijbelse uitdrukking, uit de gelijkenis van de rijke man en de arme Lazarus. De laatste stierf en werd gedragen in de schoot van Abraham; de rijke stierf ook en kwam in de pijn van de hel. Nu zag hij Abraham van verre en vroeg hem, Lazarus te zenden, om zijn tong te verkoelen. Maar Abraham zei:
'Tussen ons en ulieden is een grote klove gevestigd, zodat degenen, die van hier tot u willen overgaan, niet zouden kunnen, noch ook die daar zijn, vandaar tot ons overkomen.' (Lukas XVI : 26.)
klooster. 1.
Zij zou gaarne gaan
In 't klooster van Sint-Ariaan,
Daar twee paar schoenen
Voor 't bedde staan,
d.i. zij zou graag getrouwd zijn.
Schertsend gezegde. Waarom juist in 't klooster van de H. Adrianus? 't Komt zo in 't rijm te pas, zegt Prudens van Duyse. Maar 't is in Vlaanderen algemeen bekend. Zo in *Anne Marie*, een van de Brugse liederen van Lootens en Feys (1879):
Zij heeft haar dochter gaan besteden
In het order van Ariaan,
Daar voorwaar onbelaan
Vier schoenen voor 't bedde staan.
2. *Op de kloosters reizen* = op reis zijn intrek nemen bij vrienden en bekenden. In de Middeleeuwen toen er nog geen hotels waren, namen de kloosters veelal de reizigers om niet op.
3. *Hij komt in geen kerk of klooster* = men ziet hem nooit bij openbare gelegenheden. Voorbeeld van voorletterrijm.
klop. 1. *De klop is er op* = het meisje is 28 jaar. Aldus naar de achtentwintig, een gulden van 28 stuiver, die tot 1846 geldig was. Op deze munt was een merk aangebracht, dat *de klop* heette.
De achtentwintig maakte met de Zeeuwse rijksdaalder (van 52 stuiver) juist vier gulden.
2. *De klop op de deur* = de uitnodiging om binnengelaten te worden.
Bijbelse uitdrukking. 'Ik sta aan de deur, en Ik klop; indien iemand Mijn stem zal horen, en de deur opendoen, Ik zal tot hem inkomen, en Ik zal met hem avondmaal houden, en hij met Mij.' (*Openbaring* III : 20.)

kluisgaten, zie *gat* I, 12.
kluit. I. *Hij is uit de kluiten gegroeid* (*gewassen*) = hij is een stevige kerel geworden; hij is flink gegroeid. Zo als het koren opschiet tussen de kluiten van de akker. Vandaar ook:
2. *Hij komt mooi op de kluiten* = hij gaat aardig vooruit; hij komt er bovenop.
3. *Iemand met een kluitje in het riet sturen* = hem afschepen met een nietszeggend antwoord. Afgekort *k.i.r.*
Zeer waarschijnlijk afkomstig van de gewoonte, om een hond wat te laten ophalen, dat men weggeworpen heeft. Als men een kluitje in 't riet werpt, dan vindt hij het niet, en àls hij 't vindt, dan is het nog niets waard.
Klundert. *Hij kijkt naar de Klundert, of de Willemstad in brand staat* = hij is scheel. Volgens de overlevering is het gezegde ontstaan in 1793, toen Berneron, een der generaals van Dumouriez, de Willemstad vruchteloos belegerde. Hij schoot het stadje in brand en hij keek er naar. Maar hij was zo scheel, dat hij uitzag in de richting van de Klundert.
kluts. *Hij is de kluts kwijt* = hij is in de war; hij weet niet, wat hij verder doen moet.
De *kluts* = de slag.
kluwen. I. *'t Is een kluwentje, dat vanzelf afloopt* (Gron.) = de tijd zal 't leren.
2. *Dat kluwentje is nog niet afgelopen* (Gron.) = de tijd is nog niet gekomen.
2. *Als ik de draad maar eerst heb, dan zal ik de kluwen wel vinden* = als ik de zaak maar eerst op 't spoor ben, dan kom ik wel verder.
knecht. I. *Beter grote knecht dan kleine baas* = zelf baas wezen is wel mooi, maar geeft eindeloze zorgen, die men niet heeft als men voor een ander werkt. Menigeen keert dit spreekwoord om.
2. *Heren bevel is knechten order*, zie *heer* I, 8.
3. De *Oude Knecht*, een van de namen van de Duivel.
4. *Had je mij gister gehuurd, dan was ik vandaag je knecht*, zie *winnen* II.
5. Daar is geen knecht zo goed,
Die gij betrouwen moet,
Vlaams spreekwoord. Zie *oog* 7.
6. 's Avonds grote knechten,
's Morgens 't hoofd niet kunnen rechten,
(Vlaams), zo is de dronkaard; des avonds in de kroeg een groot woord, maar de volgende morgen ziek of suf. *Knecht* is hier dus zoveel als een flinke man, een baas.
kneep. I. *Daar zit hem de kneep* = daar ligt de moeilijkheid.
Kneep = het knijpen.
2. *Vat je de kneep?* = weet je wat het geheim is? begrijp je de list?
Ook alweer lett. = vat je, waar het knijpt?
3. Stil en bestendig.
Knepen inwendig,
zie *stil* I.
knevel. I. *Knevelen* = a. boeien; b. fig. iemand onrechtmatig laten betalen, hem afzetten; te zware belasting opleggen.
Knevel = boei.
2. *Een sterke knevel* = een sterke kerel.
Knevel = dwarshout, dikke stok, een stevig blok.
knie. *Hij heeft het onder de knie* = hij kent het door en door; hij is er baas over; hij heeft het in de macht.
''t Is genomen van de worstelaars,' zegt Tuinman.
Kniephuizen. *Hij is van Kniephuizen* = hij is gierig. Kniephuizen is een dorpje in Oost-Friesland. De uitdrukking is vooral in Groningen gangbaar, omdat een heer van Kniephuizen (Von Inn- und Knyphausen) trouwde met de rijke erfdochter Anna van Ewsum op Nienoord bij Midwolde in 't Westerkwartier. Na zijn dood trouwde zij met zijn neef. Beide Kniephuizens zijn in marmer vereeuwigd door Rombout Verhulst in de graftombe in de Midwolder kerk.
knikker. I. *Er is een vuiltje aan de knikker* = er is iets bij de zaak, dat niet deugt.
2. *'t Is niet om de knikker, maar om 't recht van 't spel* = 't is niet om het voordeel, doch de zaak moet volgens recht en billijkheid behandeld worden.
3. *Berg je knikkers op* = maak nu maar een eind aan je werk. Vooral in de uitdrukking: *De dood komt en zegt: berg je knikkers op!*
Ontleend aan 't knikkerspel.
knip. I. *Hij is geen knip voor de neus waard* = hij betekent niets.

Lett. hij is nog niet zoveel waard, dat ik met mijn duim knip. Een knip met de duim voor iemands gezicht is wel een teken van uiterste minachting.
2. *Hij zit in de knip* = hij is gevangen; hij kan zich er niet meer uit redden; hij zit vast.
Hier is *knip* het toestel om vogels, ratten, bunsings enz. te vangen. Zie *klem.*
knipnagels. Hij zit op *knipnagels* (Gron,) op hete kolen (Holl.).
De knipnagels zijn de nageltjes in de schoenzolen, die aan de binnenkant afgeknipt worden. Wanneer dit niet goed geschiedt, dan is het alles behalve prettig om op knipnagels te lopen.
De uitdrukking werd niet meer verstaan; vandaar dat men nu zegt, op knipnagels *zitten* = zo zitten, dat men liefst zo gauw mogelijk weg wil.
knippen. *Zo als 't geknipt is, moet het genaaid worden* = zo als men een zaak heeft opgezet, moet men het werk ook volbrengen.
knoest. *Voor een harde knoest moet een harde beitel zijn* = wie erg ongehoorzaam is, moet streng terecht gezet worden. Zie *kwast* 2 en 3.
knol. 1. *Iemand knollen voor citroenen verkopen* = iemand beetnemen, vooral door hem waardeloze dingen te laten aannemen als iets kostbaars.
2. *Hij is in zijn knollentuin* = hij heeft het recht naar zijn zin.
Misschien van een haas in 't knolleland.
3. *'t Is een knol van een vent* = een onnozele hals; een *knul,* dat hetzelfde woord is. Hier wordt de lompe domme man vergeleken met een dikke lompe knol.
4. Als het kindeke is geboren,
Hebben de knollen hun smaak verloren,
met Kerstmis smaken de knollen niet meer. In Drenthe:
5. Wie knollen wil eten,
Moet Sweler markt niet vergeten,
men moet zijn knolzaad gezaaid hebben met de markt van Zweelo in augustus; anders is het gewas te laat.
In Vlaanderen doch ook in Drenthe:
6. Die knollen wil eten
Moet Sint-Laurens niet vergeten.
De naamdag van de H. Laurens is 10 augustus.
knoop. 1. *Daar zit de knoop* = daar zit het op vast; daar ligt de moeilijkheid. Net als bij een knoop in het touw, die ontward moet worden.
Ook Bijbelse uitdrukking. De koning sprak tot Daniël:
Van u heb ik gehoord, dat gij uitleggingen kunt geven, en knopen ontbinden. (Dan. V : 16.)
2. *De knoop doorhakken* = aan alle gezeur en gezanik een eind maken door een afdoende beslissing. Met de bijgedachte, dat er door die beslissing toch geen oplossing komt aan de moeilijkheid, maar dat men zich aan die moeilijkheid niet meer stoort. Gordius was een boer, die koning werd van Phrygië in Klein-Azië. Volgens overlevering legde hij een knoop in de strengen van de wagen, waarmee hij als boer gereden had. Het orakel voorspelde, dat degene die deze *Gordiaanse knoop* los kon krijgen, heer van de ganse wereld zou worden. Alexander de Grote zag op zijn tocht tegen Azië de wagen met de knoop en hij hoorde van de orakelspreuk. Terstond nam hij zijn zwaard en hij hakte de knoop door.
3. *Hij legde er een knoop op* = hij bevestigde met een vloek wat hij gezegd had; vandaar: hij vloekte, in 't algemeen.
Letterlijk: met een knoop vastmaken.
4. *Hij heeft flink wat achter de knopen* = hij heeft stevig gegeten (gedronken).
Hier zijn *de knopen* die van jas of vest. Zo ook in:
5. *De knopen tellen* = onzeker zijn, welk besluit men nemen moet. Bij de eerste knoop zegt men ja, bij de tweede neen, enz. De laatste knoop geldt, en als 't niet past, dan begint men van voren af aan en zegt dan bij de eerste neen.
6. *Hij zoekt een knoop in een bies* = hij vindt zwarigheden, die niet bestaan.
Een bies heeft geen knopen. De uitdrukking komt reeds in het L. voor.
knuppel. 1. *Knuppel uit-de-zak spelen* = iem. op een pak slaag onthalen.
Naar aanleiding van het sprookje, waarin verteld wordt dat iemand een zak had met een knuppel er in. Hij behoefde maar te zeggen: *knuppel uit de zak!* of het was al zo.
2. *De knuppel in 't hoenderhok smijten* = de boel aan de gang brengen; drukte en lawaai maken, ook twist en ruzie veroorzaken bij anderen.
koe. 1. Zie *Farao.*

2. *Wat helpt het, dat de koe een emmer vol melk geeft, en hij schopt het weer om?* (Gron.) = overleg is meer dan 't halve werk.
3. *Koop je buurmans koe en trouw je buurmans dochter* = zoek niet in den vreemde, als het goede vlak bij is; als je in je eigen omgeving blijft, dan kun je zelf beoordelen wat goed is.
Op rijm:
Vrij je buurmans kind,
Dan weet je, wat je vindt.
4. Wie pleit om een koe,
Geeft liever een toe,
een mager vergelijk is veel beter dan een vet proces.
Of, zo als de Antwerpse verzameling van Goedthals van 1568 zegt:
Die gaet int ghescheet,
Gaet in syn leet.
(Ghescheet = scheiding; proces om scheiding te krijgen tussen partijen.)
Aldaar ook:
Processen syn quaey beesten, men cander niet af ten weynsche (naar wens; als men 't wenst).
5. *Er is geen koe zo zwart, of er zit wel een vlekje aan* = geen mens is volmaakt. Bij de boeren in 't N. van 't land is zwart een mooie kleur voor een koe.
6. *Men noemt geen koe blaar, of hij heeft wel een vlekje* = als er van iemand iets kwaads verteld wordt, is er toch altijd wel iets van aan. Een blaar is een witte vlek op de huid van een zwarte koe, en nog veel vaker een zwarte vlek op de overigens witte huid.
In Groningen: zwarte kring om de ogen van een witte koe. Dit spreekwoord is een van de gemene gezegden, maar desondanks of juist daarom is 't al oud. Vroeger heette het:
7. Men heet geen koe blaar,
Zij en hebbe plek of haar.
En reeds in de *Proverbia seriosa*:
Men heet geen koe col,
Sie heeft wat wits voer horen bol.
De kol is de witte plek op de kop.
8. *De koe bij de horens grijpen* = een lastige zaak flink aanpakken.
9. *Men kan nooit weten, hoe een koe een haas vangt* = als 't geluk dient, dan gebeuren de onmogelijkste dingen.
Er is een verhaal over een koe, die een haas ving die in zijn leger lag, door er op te trappen.
10. *Men moet geen ouwe koeien uit de sloot halen* = men moet niet aldoor weer beginnen over zaken, die al lang afgedaan zijn.
De gedachte is niet aan oude koeien, maar aan koeien die al lang verdronken zijn. Vlaams: *men moet geen oude peerden uit de gracht halen.*
11. *Hij beloofde koeien met gouden horens* = hij stelde allerlei schone dingen in het vooruitzicht, waar nooit iets van komen zal.
12. *De koe is vergeten, dat hij kalf geweest is* = ouders vergeten wat zij graag deden, toen zij zelf jong waren, en staan dit nu aan hun kinderen niet toe.
13. *Ze praatten wat over koetjes en kalfjes* = over alledaagse onderwerpen, dus ze behandelden geen zaken, geen ernstig geval. Zo als de boeren avondpraat houden over het vee.
Reeds in de *Spreuken* van Jezus Sirach, XXXVIII : 25 vindt men dat boerengesprek aangeduid als minderwaardig tegenover de wijsheid der schriftgeleerden.
14. *Hij is zo levendig als 't vogeltje, dat koe heet*, schertsend gezegde, als iemand loom en traag of lusteloos is.
15. Geen koeien,
Geen moeien,
boerenspreekwoord. Wie geen bezit heeft, heeft er ook geen zorgen over. Ook wel:
16. Veel koeien,
Veel moeien.
17. *Die de koe koopt, heeft het kalf toe* = wie een weduwe trouwt, heeft ook voor haar kind te zorgen.
18. *De koeien eten met vijf monden*, gezegde van de boer, als de koeien in de natte wei lopen en met de vier poten veel meer vertrappen dan ze opeten.
19. *Daar is geen koe bij overstuur* = dat is het ergste ongeluk niet.
20. *De een mag een koe stelen, een ander mag nog niet over het hek kijken* = wie in de gunst staat, mag alles doen, maar van anderen wordt het geringste kwalijk genomen.
21. *Hij is zo dom als 't achtereind van een koe*. Ook *van een varken*.
22. *Als één koe birst, dan steken de andere de staart omhoog* = als er een in 't gezelschap wat geks doet, dan doen ze het allemaal na.
Birzen, bissen doen de koeien, als ze met

de staart omhoog door 't land hollen; Vlaams *bijzen*.
23. *Die de koe toekomt, die vat hem bij de horens* = ieder moet voor zijn eigen zaken opkomen.
24. *Melkt de koe, maar en trekt ze de spenen niet af* (Gezelle), zie *schaap* 10.
25. *Een vette koe en denkt niet, dat een magere moet leven* (Gezelle), zie *varken* 22.
26. Zij bij de koeien
En hij bij de brij,
Dat is verkeerde boerderij,
Friese rijmspreuk. De man moet zorgen voor 't bedrijf en de vrouw voor de keuken.
27. *Vechtende koeien voegen zich tezamen als de wolf komt.*
koek. 1. *'t Was koek en ei tussen die twee* = zij waren 't geheel met elkaar eens; ze pasten net bij elkaar.
Lett. = zij onthaalden elkaar op de lekkerste dingen.
2. *De koek is op* = het feest is voorbij; wij hebben het aangename nu genoten.
3. *Iets voor zoete koek opeten* = iets onaangenaams verdragen (en nog doen, alsof men het prettig vindt); doen, alsof men iets als waarheid aanneemt; iets goedwillig geloven.
4. *'t Is een koekje van zijn eigen deeg* = hij wordt onthaald met hetgeen hij zelf heeft bereid of betaald.
5. *'t Is een koekje van 't zelfde deeg* = 't is een herhaling van hetgeen wij reeds gehoord hebben.
6. *Koek naar geld* (Vlaams), zie *waar* 1, 1.
koekoek. 1. *'t Is altijd koekoek eenzang* = 't is altijd weer hetzelfde verhaal.
2. *Zij hoort de koekoek niet meer roepen* = het volgende voorjaar leeft zij niet meer. De koekoek is te lande bij uitstek de vogel, die het nieuwe jaar inluidt.
3. *Dat dankt je de koekoek!* = dat wil ik wel geloven, dat zal wel waar zijn.
De koekoek = de Duivel. Misschien omdat de koekoek de vogel van Donar was; bij de invoering van het Christendom werd Donar voor de Duivel versleten.
4. *Loop naar de koekoek!* = loop naar de Duivel.
Over de koekoek als duivel handelt Baron Sloet in zijn boek over *De dieren in het Germaanse Volksgeloof*, blz. 198.
5. De koekoek en de sijs
Hebben niet dezelfde wijs,
d.i. ieder mens uit zich weer anders. Ook: iedere stand heeft zijn eigen manieren.
6. *Als de koekoek zwijgt, dan hoort men de leeuwerik* (Vlaams) = als de dwazen uitgepraat zijn, komt een verstandig man aan het woord.
koest. *Hij hield zich koest* = hij zei niets; hij deed niets; hij verzette zich niet.
Koest is uit het F. woord *couche!* = ga liggen! tegen honden gezegd.
koets. 1. *Uit de koets vallen* = ontnuchterd worden; alle illusie verliezen.
2. *Men wordt eerder overreden door een mestwagen dan door een koets* = opmerking als een onbehouwen, lompe man zijn onbetamelijke, ontevreden opmerkingen en aanmerkingen maakt op een wijze, zo als een fatsoenlijk man dat niet doen zou.
koffie. 1. *Dat is geen zuivere koffie* = die zaak deugt niet; 't is niet in orde.
2. *Dat was andere koffie* = dat was een andere taal; toen werd de zaak heel anders.
3. *Ze kwamen op de koffie* = zij bereikten hun doel niet; ze kregen hun deel niet; ze werden teleurgesteld; ze kwamen te laat. Letterlijk: ze kwamen, toen het eten al gedaan was. Ze kregen dus alleen nog maar een kop koffie, die immers bij de boeren altijd gereed staat (stond).
koffiedik. *Dat is zo helder als koffiedik*, heel onduidelijk.
kogel. *De kogel is door de kerk* = men kan niet meer terug; de beslissende daad is verricht.
De kerk was van ouds een heilige plaats, die steeds ontzien werd. Kwam het dus voor, dat ook op en in de kerk werd geschoten, dan was dit het zekerste bewijs, dat men voor niets terugdeinsde. En dan kon men ook niet anders meer dan doorvechten. Aldus Tuinman 1, 31.
kok. 1. *Het zijn niet allen koks, die lange messen dragen* = op het uiterlijk kan men niet afgaan.
2. *Veel koks verzouten de brij* = al te veel hulp is schadelijk; als velen zeggenschap hebben, gaat een zaak verkeerd; er moet één baas zijn.
3. Als de kok met de keukenmeid kijft,
Hoort men waar de boter blijft,

d.i. als twee medeplichtigen ruzie krijgen, verwijten ze elkaar hun oneerlijkheden.

4. *Een laffe kok en een hete kok mag men niet bestraffen* (Gron.). Als 't eten te warm opgediend wordt, koelt het wel af, en als 't nodig is, kun je er zelf zout bij doen.

koken. *Dat koken niet moest kosten, men zou altijd kermis houden* (Vlaams) = eten is een feest; jammer dat 't zo duur is.

koker. *Dat komt uit zijn koker* = dat verhaal, dat plan, die opvatting is van hem afkomstig.

De koker is de pijlkoker, die de boogschutters in het gevecht bij zich droegen.

kokkerd. *Wat een kokkerd is dat!* = een ding, dat heel groot is in zijn soort.

Kokkerd = *kokkernoot*, d.i. kokosnoot. (Dr. A. Kluyver, in *Tijdschrift* XI, 24.)

kolder. *Hij heeft de kolder in de kop* = hij heeft een dwaze bui; hij heeft een bevlieging van drift.

Kolder is een hersenziekte bij het paard met aanvallen van opwinding.

kolf. *Dat is een kolfje naar zijn hand* = dat is net wat voor hem.

Ontleend aan het *kolfspel*, dat in N.-Holland nog met grote voorliefde gespeeld wordt en dat vroeger zeer algemeen was. De kolf, de stok, waarmee de bal wordt voortgedreven, moet passen bij de hand.

2. *De kolf naar de bal werpen* = het spel gewonnen geven. Wanneer iemand bij 't kolven het spel verloren had, wierp hij soms de kolfstok de bal achterna.

3. *De beste kolver slaat wel eens mis* = de knapste maakt ook wel eens een fout.

kolfbaan. *Een weg als een kolfbaan* = een buitengewoon effen en harde weg.

In Groningen: *een weg als een deel*, d.i. als een dorsvloer.

komen. 1. *Ik kwam, ik zag, ik overwon*, schertsend gezegde, als iemand snel zijn doel bereikt.

Vertaling van L. *veni, vidi, vici*, woorden die aan J. Caesar worden toegeschreven na zijn overwinning bij Zela, 47 v. Chr.

26. Vechtende koeien (z. *koe*)

2. *Kom ik er vandaag niet, dan kom ik er morgen*, zie *vandaag*.

komkommer. *'t Is in de komkommertijd* = 't is in de slappe tijd; er worden geen zaken gedaan; er is (b.v. in de politiek) niets bijzonders aan de hand.

Letterlijk: 't is in Augustus, als de komkommers klaar zijn.

kompas. 1. *Op dat kompas kan men veilig zeilen* = op die mededeling is te vertrouwen; die leiding is deskundig.

2. *Hij heeft lelijke streken op zijn kompas*, zie *streek* 3.

komsa. *Een snoek van komsa* = een wondergrote snoek. Uit het F. *comme ça* = zo als dat, waarbij men een gebaar maakt om de grootte aan te duiden.

koning. 1. *De koning der verschrikking* = het schrikbeeld van de dood.

Bijbels woord. Bildad zegt van de goddeloze: 'Zijn vertrouwen zal uit zijn tent uitgerukt worden; zulks zal hem doen treden tot de koning der verschrikkingen.' (Job XVIII : 14.)

2. *Zijn haan moet koning kraaien*, zie *haan* 4.

3. *In 't land der blinden is éénoog koning*, zie *blind* 2.

4. *'t Is altijd beter tegen de Koning dan tegen de onderdaan te spreken*, of

4a. *'t Is beter de koning aan te spreken als zijn minister* (Vlaams) = als men iets te vragen of te bedisselen heeft, moet men bij de baas zelf wezen.

5. *Koningen hebben lange armen* = met grote heren is 't kwaad kersen eten.

6. *'s Konings goed is ook te verteren.* (Graafschap), waarschuwing om geen geld onnodig uit te geven.

konijn. 1. *Hij kan wel met de konijnen door de tralies eten* = hij is al heel mager.

Vergelijking met de konijnen, die ook zo'n smal, spits gezichtje hebben.

2. *Het is bij de konijnen af*, het is meer dan erg. Misschien met de gedachte aan de konijnen, die altijd honger hebben, ook al geeft men ze nog zoveel voer.

kooi I (bed). *Naar kooi gaan* = naar bed gaan. De kooi is de slaapplaats voor het scheepsvolk.

kooi II, 1. *Eerst het kooitje klaar en dan het vogeltje er in* = men moet eerst zorgen, dat men een vrouw kan onderhouden en pas dan aan trouwen denken. Ook:

2. *Men moet eerst een kooi hebben, eer men de vogel krijgt.*

3. *'t Is te laat de kooi gesloten, als 't vogelken gaan vliegen is* (Vlaams), zie *kalf* 2.

kook. *Hij is van de kook* = hij is van streek; ook: hij is niet recht gezond.

Van de kook wordt in letterlijke zin gezegd van de pot of ketel, die niet meer kookt.

kool I. 1. *De kool is 't sop niet waard*, zie *sop* 1.

2. *Iemand een kool stoven* = hem een poets bakken. Dus letterlijk: een kool voor hem gereedmaken, waar hij niet van houdt.

3. *De kool en de geit sparen* = beide partijen ontzien. Ontleend aan de fabel van de man, die over een rivier moest met een kool en een geit en een wolf, terwijl het bootje te klein was om ze alle drie tegelijk over te zetten. Hij bracht dus eerst de geit weg en kwam terug, om de kool en de wolf te halen. Zo kon de wolf niet bij de geit en de geit niet bij de kool komen.

4. *Kool verkopen* = onzin vertellen. Kool is niet het voedzaamste eten; vandaar = voedsel van weinig waarde; *fig.* = praatjes. Zie ook:

5. *apekool.*

6. *Hij is er gezien als een rotte kool bij de groenvrouw* = men is helemaal niet op hem gesteld.

kool II (vuur). 1. *Ze zaten op gloeiende kolen* = ze konden de uitslag haast niet afwachten; zij hoopten ieder ogenblik weg te kunnen gaan.

Misschien ontleend aan de pijniging, waarbij een verdachte met zijn naakte voeten op hete kolen gezet werd.

Vergelijk *knipnagels.*

2. *Vurige kolen op iemands hoofd stapelen* = weldaden bewijzen aan degenen, die u haten, zodat ze beschaamd worden en hun vijandschap berouwen.

In *Spreuken* XXV : 21 en 22 staat: 'Indien degene, die u haat, hongert, geef hem brood te eten, en zo hij dorstig is, geef hem water te drinken; want gij zult vurige kolen op zijn hoofd hopen.' De Statenbijbel geeft in een kanttekening de verklaring:

ghy sult hem daer toe dryven, dat hy de vyantschap, die hy tegens u heeft, haest van hem werpe; gelyck yemant die

gloeyende kolen op 't hoofd gelecht souden worden, deselve terstond soude afschudden.
Ds. Zeeman zegt: door edelmoedig betoon van barmhartigheid zult gij uw vijand van schaamte en leedwezen doen gloeien; die schaamte en dat leedwezen zullen hem dwingen tot verbetering.
3. *Iets met een zwarte kool tekenen* = iets voorstellen als geheel verkeerd, als afgrijselijk.
Zwart wekt de gedachte aan iets dat akelig en verkeerd is.
koop. 1. *Iemand een koopje leveren* = a. hem beetnemen, bedriegen; b. hem wat onaangenaams leveren.
Lett. = hem iets verkopen, dat niets waard is.
2. *Koop geven* = de strijd opgeven, toegeven. Lett. = tot de koop, d.i. tot de verkoop overgaan; het bod aanvaarden.
3. *Koop breekt geen huur* = als iemand een huis koopt, dan vervalt daardoor niet de huurovereenkomst, die de vorige eigenaar heeft aangegaan. Zo is het volgens het Burgerlijk Wetboek.
Doch 't spreekwoord zegt:
koop breekt huur,
d.i. als een meid trouwt, dan mag zij haar dienst verlaten, trouwen gaat voor.
4. *Beter een kwaaie loop dan een kwaaie koop*, zie *loop* 1.
koopman.
1. Koopmans goed
Is eb en vloed,
in de handel komen ook tegenslagen.
2. Een koopman,
Een loopman,
een goed koopman moet er op uit.
3. Heden koopman,
Morgen loopman,
Vlaamse rijmspreuk. Winst in de handel is onbestendig; wie vandaag een gezeten koopman is, is morgen misschien een venter.
4. *Koopmanskunst is boven* (Gron.) = men zorgt er wel voor, dat men zichzelf of zijn zaak van de beste kant laat zien.
Zo lang de jongelui nog verloofd zijn, ligt koopmanskant vóór.
Lett. wie iets te koop aanbiedt, legt het zo voor het winkelraam, dat de beste kant zichtbaar is.
kop I. 1. *Daar is geen kop en geen staart aan* = er is geen wijs uit te worden. Lett. = er is geen begin en geen einde aan.
2. *Over de kop gaan* = bankroet gaan. Lett. = niet kunnen staande blijven; buitelen.
3. *Op de kop tikken* = van de gelegenheid gebruik maken, om iets te kopen (tegen gunstige prijs), iets mee te nemen, zich iets toe te eigenen.
Letterlijk: er met de vinger boven op tikken, daarmee aanduidende dat men het hebben wil.
4. *Kop over hals*, zie *hals* 2.
5. *Op de kop krijgen* = a. een pak slaag krijgen; b. de nederlaag lijden.
6. *Hij houdt de kop er voor* = hij blijft bij zijn voornemen; hij houdt vol met zijn werk ondanks alle moeilijkheden.
Ontleend aan de stier in het land, die ook niet op zij gaat.
7. *De kop moet het gat verkopen*, minder nette uitdrukking, waarmee men zeggen wil, dat een meisje zonder fortuin aan de man komt, als ze heel mooi is.
8. *Zij hebben de koppen in één zak gestoken* = ze zijn het (heimelijk) eens geworden (tegenover een derde).
De verklaring vindt men in de oude vorm van 't spreekwoord, o.a. bij Tuinman, die spreekt van *koppen onder één kaproen*. De kaproen was 't oude woord voor kap of muts. Toen men dit woord niet meer kende, sprak men van *de hoofden in één zak*.
9. *Wat hij in zijn kop heeft, zit hem niet in zijn gat* = wat hij eenmaal in zijn hoofd heeft, daar is hij niet af te brengen; 't is een doordrijver.
Als hij 't in zijn gat had, is de gedachte, dan kon hij 't kwijt maar nu niet.
10. *Tussen kop en staart zit de beste vis* = men moet niet in uitersten vervallen; middelmaat baat.
11. Men ziet hem wel op de kop.
Maar niet in de krop,
Fries rijmpje. Men ziet wel, hoe het uiterlijk, maar niet, hoe het innerlijk met hem gesteld is. Vooral: menigeen heeft zijn geld besteed aan mooie kleren, die niet eens genoeg te eten heeft.
De krop = de maag.
12. *Een speld heeft ook een kop*, zie *speld* 3.
kop II (maat). 1. *Daar is een kop gort bij nodig, om dat uit te tellen* = om na te gaan, of iemand nog van de familie is, zou men al lang moeten tellen.
In Groningen: *daar heeft men een spint* (vijfkop) *erwten bij nodig*.

De gedachte is, dat men telkens een korrel op zij legt, om te onthouden in het hoeveelste lid de verwantschap wel is.
2. *Op de kop af* = juist het genoemde bedrag, niets meer en niets minder.
De Cock is van oordeel, dat hier ook de maat bedoeld is. Maar 't is ook mogelijk, dat *kop* hier oorspronkelijk *hoofd* is in de betekenis van man, later van elke afzonderlijke eenheid, b.v. op de kop af honderd gulden.
kopen. 1. *Kopen is een gat in de zak* (Vlaams) = wie te veel toegeeft aan zijn kooplust, raakt al gauw al zijn geld kwijt. Zo ook:
2. *Koopdagen zijn stroopdagen* (Gezelle) = op koopdagen (boeldagen) raakt men zijn geld kwijt; men wordt er gestroopt; men koopt te duur en ook wat men niet nodig heeft.
koper I. 1. *Daar zijn meer zotte kopers als zotte verkopers* (Vlaams) = die dingen koopt, die hij niet nodig heeft, is een zot; maar de verkoper doet er zijn voordeel mee. Zie *gek* 14.
2. *Goede waar wenkt de kopers* (Vlaams), zie *waar* 2 en 3.
koper II. *Koperen geld, koperen zielmis* = alle waar is naar zijn geld.
Tuinman zegt: 'In 't Pausdom zijn missen van verscheiden prijs... Die maar koperen geld brengt, zal geen misse in 't Musijk of Pontificaal krijgen.'
Koppermaandag, de Maandag na Driekoningen, nog lang de feestdag van de boekdrukkersgezellen. Misschien van *koppeldag*, de Maandag vastgekoppeld aan de Zondag; misschien ook omdat de feestvierders samenkoppelden. Misschien ook van een oud woord *kopperen* = drinken en pret maken. Vanouds was deze 'verloren Maandag' de dag van ommegangen en optochten en volksfeesten; het was de vierdag der gilden.
koren. 1. *Zijn koren groen eten* = de inkomsten al in 't voren verkwisten.
Lett. = het koren al verkopen en 't geld er voor opmaken, als het gewas nog groen op 't veld staat. In 't Frans: *manger son blé en herbe*, lett. = zijn koren opeten, als 't nog gras is.
2. *Dat is koren op zijn molen* = dat bevalt hem buitengewoon, dat komt hem juist van pas.
Zo als de molenaar op het koren gesteld is, dat zijn klanten hem brengen.
3. *Geen koren zonder kaf* = bij alle goeds is ook steeds wat, dat niet deugt. Bij Gezelle:
3a. Geen koren zonder kaf,
Geen brouwte zonder draf,
er wordt niet gebrouwen, of er blijft draf over.
4. *Het kaf van 't koren scheiden* = het verkeerde wegnemen en het goede behouden. Zie *kaf* 2.
5. *Om één mud koren te malen moet men geen molen bouwen*, zie *mud* 2.
korf. 1. *Een korf krijgen* = a. een blauwtje lopen; b. zakken bij een examen.
Op boerenboeldagen lieten de jongelui in Groningerland een strooien pop door een oude zeef of korf glijden, tot spot van de meisjes die haar vrijer hadden afgewezen of die geen vrijer bij dit landelijk feest hadden gekregen.
2. *De broodkorf hoger hangen*, zie *brood* 5.
Korinthe. *Het is Korinthe* 1 : 2, schertsend gezegde, als er maar weinig *krenten* in 't brood zitten.
Simpele woordspeling; heeft niets met de inhoud van 't bijbelvers te maken. De 1 en de 2 duiden alleen maar het kleine getal aan.
korreltje. *Iets aannemen met een korreltje zout* = wat er verteld wordt, niet al te letterlijk opvatten.
Vertaling van het L. *cum grano salis* = met een korrel zout, in de betekenis van: een beetje verstand.
korst.
Eet veel korsten,
Dat geeft dikke borsten,
volksgeloof, ook in 't land van Aalst, zegt De Cock. In Groningerland:
Van kappen en korsten
Krijg je dikke borsten.
De *kap* is de harde bovenkorst van 't roggebrood, die bovenkorst is gebogen, zegt De Cock, dus berust de borstvormende kracht op de sympathie van de vorm. Het spreekwoord ook in 't Drentse Woordenboek van Dr. J. Bergsma.
kort. 1. *Hij is kort aangebonden* = hij heeft niet veel geduld. Gezegde oorspronkelijk van een kwaadaardige hond.
2. *Iemand kort houden* = hem niet te veel vrijheid laten, niet te veel geld geven voor zijn uitgaven.
Ontleend aan de wijze, waarop de koetsier de paarden ment die licht op hol

slaan.
3. *Iemand te kort doen* = hem niet geven wat hem toekomt. Vandaar ook:
4. *zich te kort doen* = a. voor zich zelf niet nemen, waar men recht op heeft, zich zelf het nodige niet gunnen; b. zelfmoord plegen.
5. *Korte metten maken* = een zaak heel vlug afdoen. Lett. = de *metten*, de vroegdienst in de R.K. kerk, vlug beëindigen. Ook verbasterd tot: korte wetten maken.
6. *Hij houdt van een kort gebed en een lang gevret*, schertsend: het is naar zijn zin, als de preek kort is en als de maaltijd lang duurt. Zie *gebed* 1.
7. *Leugens hebben korte benen* = men komt niet ver met liegen; een leugen komt gauw uit. Vgl. ook *leugen* 2, 3.
8. Kort en dik
Heeft geen schik,
Maar lang en smal
Gaat overal,
meestal van vrouwen gezegd. Doch ook, daar de smaken verschillen:
Lang en smal
Heeft geen val.
9. *Hij wacht twee korten en twee langen* = hij wacht verschrikkelijk lang.
10. Kort en goed
Valt licht en zoet,
Vlaams gezegde: het beste is, de zaken vlug af te doen.
kost I. 1. *Zijn kost is gekocht* = zijn levensonderhoud is verzekerd; hij is verzekerd van een goed bestaan.
Lett. = hij heeft zich ingekocht in een hofje, in Groningen zegt men: in een gasthuis. Dan zegt men ook:
2. *Hij heeft de kost voor 't kauwen.*
3. Die al zijn kost verslindt
Omtrent het middagmaal,
Vindt, als het avond is,
Zijn keuken bijster schraal.
kost II (= de kosten). *De kost gaat voor de baat uit* = wie verdienen wil moet niet schromen voor de noodzakelijke uitgaven, die voorafgaan.
kosten I. 1. *Niet en kost, niet en deugt* (Gezelle) = als 't niet kost, d.i. als 't niet duur is, dan deugt het niet.
2. *De boer moet weten, wat de boter kost*, zie *boer* 10.
kosten II. *Wie een toren wil bouwen, moet vooraf de kosten berekenen* = wie een grote onderneming begint, moet goed nagaan, of hij het werk wel volbrengen kan. Naar Jezus' woord: Wie van u, willende een toren bouwen, zit niet eerst neder, en overrekent de kosten, of hij ook heeft hetgeen tot volmaking nodig is. (*Lukas* XIV : 28.)
koster. 1. *De koster van Garrelsweer*, zie *van voren af aan.*
2. *Als 't regent op de pastoor, dan drupt het op de koster*, zie *pastoor* 1.
3. *Honderd kosters, 99 gekken*, zie *schoolmeester.*
4. *Kosters koe mag op het kerkhof grazen*, gezegde wanneer iemand wat vóór heeft bij een ander.
Lett. 't Kerkhof is voor ieder gesloten, maar de koster laat er toch wel zijn koe lopen. Zo in 't algemeen: wie een ambt heeft, heeft wel eens een voordeeltje.
5. *Wat nu gezongen? zei de koster, en de kerke stond in brande* (Gezelle), schertsend gezegde, als men niet weet, wat men doen zal.
6. *Als de pastoor en de koster kijven, komt het al uit.* Zie *pastoor* 2 en *kok* 3.
kou. 1. *De kou is uit de lucht* = de zwarigheden zijn opgelost.
2. *Wat doe je in de kou?* = waarom begeef jij je ook (nodeloos) in moeilijkheden?
koud. 1. *Familie van de koude kant* = aangetrouwde familie. Lett. familie die ons koud laat, waarvoor wij ons niet warm maken.
2. *Dat raakt mijn kouwe kleren niet*, zie *kleren* 2 en 3.
3. *Van een koude kermis thuis komen* = slecht wegkomen, teleurgesteld worden. Koud geeft hier het begrip weer van iets, dat onbehagelijk is.
4. *Dat is een spreker van de koude grond* = een die 't niet kan, een die niets betekent.
Ontleend aan de vruchten van de koude grond, die niet op kunnen tegen het gewas in de broeikas.
kous. 1. *Hij wil met kousen en schoenen in de hemel komen* = hij wil zijn doel bereiken zonder zich in te spannen.
Misschien is dit een bijbelse uitdrukking naar aanleiding van Exodus III : 5. Mozes zag een brandend braambos; hij naderde en hoorde de stem van de Here:
Trek uw schoenen uit van uw voeten, want de plaats, waarop gij staat, is hei-

lig land.
2. *Hij is met de kous op de kop thuisgekomen* = zijn onderneming is mislukt; hij is afgewezen (en daarbij nog bespot).
Men heeft gedacht aan een arme berooide man, die geen muts of hoed meer overhield en die dus een kous op zijn hoofd zette. Mogelijk is ook, dat met kous de ijzeren ring in de strop van een takel bedoeld is; als die los schiet, dan kan men zo'n kous gevoelig op zijn hoofd krijgen (Zie Stoett.)
3. *Men kan met kousen en schoenen over hem heen lopen* = hij laat zich alles welgevallen.
4. *De kouse rekt naar 't been* (Gezelle) = men past zich aan bij de omstandigheden.
kousjer. *Die zaak is niet kousjer* = er zit een luchtje aan; 't deugt niet.
Het Joodse *kosjer* betekent rein, recht. Een dier, dat naar Joodse voorschriften geslacht was en waarvan het vlees nauwkeurig onderzocht was, werd *kosjer* verklaard.
kraag. 1. *Hij heeft een stuk in zijn kraag* = hij is dronken.
Kraag heeft hier de oude betekenis van hals. Zo stond er volgens overlevering op een beker, die nu in Groningen niet meer te vinden is:
Ik, jonker Sissenga
Van Groninga,
Dronk deze hanza
In één flenza
Door mijn kraga
In mijn maga.
Dezelfde betekenis ook in:
2. *Iemand de kraag volliegen.*
3. *Dat zal hem de kraag kosten* = dat kost hem zijn leven.
Oude bijgedachte aan de doodstraf door ophanging.
kraai. 1. *Een moord (een geheim) komt uit, al zouden de kraaien het uitbrengen.*
Oud volksgeloof.
Maar in *Prediker* X : 20 vindt men dezelfde gedachte:
Vloek de koning niet..., want het gevogelte des hemels zou de stem wegvoeren en het gevleugelde zou het woord te kennen geven.
2. *Eén bonte kraai maakt nog geen winter* = uit één geval mag men niet besluiten, dat het algemeen zo is; al is er een eersteling, 't is niet gezegd dat al het andere ook spoedig komt.
3. *Twee kraaien pikken elkaar de ogen niet uit* = twee schelmen doen elkaar geen kwaad, ze zijn het spoedig eens tegenover een derde.
4. *De tijden worden slecht, zei de kraai; toen werd de galg afgebroken* = ieder kijkt de wereld met zijn eigen ogen aan; men beoordeelt een zaak, naardat men er belang bij heeft.
5. *De kraaiemars blazen* = sterven. Platte uitdrukking, ontleend aan het droevige, klagende geluid, dat men in 't gekras hoort.
6. *'t Is nog geen avond, had de kraaivanger gezegd, toen had hij er al één* = men moet de moed er maar in houden.
7. *Hij weet er net zoveel van als de kraai van de Zaterdag* = hij heeft er niet het minste begrip van.
In Vlaanderen:
Hij weet er even zoveel van als 't kalf van de hoogmisse.
8. *Een vliegende kraai vindt altijd wat* = als men er maar op uit trekt, dan verdient men allicht de kost, dan heeft men kans op een voordeel; maar wie thuis blijft, wie geen moeite doet, heeft ook geen fortuin. Zie *hond* 28 en *kind* 2.
kraak. 1. *'t Is net kraakporselein* = zij heeft maar een heel zwak gestel.
Men denkt aan porselein, dat licht kraakt, maar misschien was het porselein, dat met kraken (ouderwetse schepen) werd aangevoerd.
2. *Alles is er kraakzindelijk* = buitengewoon netjes.
Lett. zo zindelijk als een nieuwe japon die nog kraakt.
kraam. 1. *In de kraam komen* = bevallen, van een kind verlost worden.
Vroeger geschiedde dit namelijk veelvuldig in een kraam, d.i. een met een gordijn afgeschoten ruimte in de kamer.
2. *Dat kwam in zijn kraam te pas* = dat paste hem net, daar deed hij zijn voordeel mee.
Dit is de kraam van de kermis; dus lett. = dat kan hij in zijn kraam geschikt verkopen.
3. *Daar kan men mee omgaan vóór de kramen* = dat ziet er best uit; dat kan het daglicht verdragen; dat is iets moois. Op de kermis is het helder verlicht voor de kramen; wie met een mooi meisje uit is, wandelt met haar graag in 't voll

licht voor de kramen langs.
kraan. *'t Is een kraan* = een knappe, flinke man; een die zijn zaken bekwaam afdoet.
Uit het F. *crâne* =schedel; in fig. zin een geleerde; daarnaar *een kranige vent.*
krabben. *Hij komt er, maar 't is krabben en bijten* = 't gaat met de uiterste moeite en dan nog maar zo zo.
Ontleend aan de kat, die in 't nauw zit en die zich met krabben en bijten los werkt.
2. *Hij krabt zich, waar 't hem niet jeukt* (Gron.) = hij draait om de zaak heen.
kracht. 1. *Kracht naar kruis* = een zwaar leed, maar ook het vermogen om het te dragen.
Het *kruis*, het zinnebeeld van het lijden, met de gedachte aan de kruisiging van Jezus.
2. *Er is geen kracht noch heerlijkheid aan* = 't is onbeduidend en geesteloos.
Uit het slot van het *Onze Vader*, Matth. VI : 13. 'Want U is het Koninkrijk, en de kracht, en de heerlijkheid, in der eeuwigheid.' Deze woorden ontbreken in *Lukas* XI : 4, en ook in de Roomse bijbel.
3. Waar de krachten niet bestaan,
Daar komt de hulp van boven aan,
Vlaamse rijmspreuk, zie *God* 7.
kraken. *Krakende wagens lopen het langst* = mensen die altijd klagen over ziekten en gebreken worden vaak heel oud.
kramer. *Elke kramer voor zijn kraamken!* (Vlaams) = ieder moet op zijn eigen zaken passen; ieder moet eerst voor zich zelf zorgen.
krank. *Altijd krank, maar nooit ziek*, gezegde wanneer het gaat over iemand die altijd klachten heeft over zijn gezondheid, doch die in werkelijkheid in 't geheel niet ziek is.
krats. *'t Kost een krats* = een heel gering bedrag.
Uit het D. *Kratz* = een kras, een streep.
kreeft. *De kreeftengang gaan* = achteruit gaan.
kregel.
Beter klein en kregel
Dan een grote vlegel. Zie *beter* 12.
kremer. 1. *Kremerlatijn* = onverstaanbare woorden.
De kremer is letterlijk de man met de kraam, ook kramer. De kremers waren ook de rondreizende kooplieden te platten lande, de venters met galanterieën en ook met medicijnen. En op de flesjes en doosjes stonden de Latijnse onbegrijpelijke namen.
2. *Wat voorbij is, kopen geen kremers*, zie *voorbij*. In *Rapiarys:*
Wat ghedaen es es gheschiet,
Menne macht wederhalen niet.
De man met de kraam op markt en kermis leeft nog in 't oude spreekwoord:
3. *Als de gekken ter markt komen, beuren de kremers geld*, d.i. een onverstandig man geeft zijn geld uit aan allerlei dingen, die hij niet nodig heeft; ook: hij betaalt de prijs, die men hem vraagt, ook als die veel te hoog is.
krent. *Jan Krent* = a. een man die op een halfje doodvalt, die *krenterig* is; b. een onbenullige man, die zich met kleinigheden bezig houdt.
Krent is het zinnebeeld van iets dat onbeduidend is.
Krethi. *Daar was Krethi en Plethi* = allerlei slecht volk; Jan Rap en zijn maat.
In II *Samuel* VIII vindt men de inrichting van het Staatsbestuur van koning David. 'Er was ook Benaja met de Krethi en Plethi.' (Vers 18.)
Dit waren de scherprechters en lopers, die de lijfwacht des konings vormden. *Krethi* = de mannen van Kreta.
kreupel. 1. *Kreupel wil altijd voordansen* = onwetenden en domkoppen plaatsen zich vaak vooraan.
Vader Cats heeft er een versje op, met als slot:
Wat men peep, of wat men song,
Krepel had den eersten sprong.
Bij Guido Gezelle:
2. *De grootste kreupelaars willen de grootste sprongen doen.*
3. *Kreupel of koning* (Gron.) = er op of er onder, alles of niets. Gezegde, wanneer men alles op het spel zet.
krib. 1. *Het paard moet tot de kribbe komen* = die belang heeft bij een zaak, moet er zelf achteraan gaan, moet zelf moeite doen:
De krib komt niet bij 't paard.
2. *'t Is een kribbebijter* = een lastige man; een norse, ontevreden vent.
Letterlijk is een *kribbebijter* een paard met de onaangename gewoonte, om stukken hout uit zijn krib te bijten.
kriek I. *Hij heeft het voor zijn kriek* (plat Hollands) = hij is dronken. Harrebomée zegt, dat kriek een verbloemde

naam is voor het achterste. Die 't voor de kriek heeft, heeft pijn aan zijn achterste en kan dus niet zitten.
Ook algemeen: hij is zwaar verkouden, ook figuurlijk: hij heeft de slag beet; hij is in last.
kriek II (kers). 1. *Geen krieken zonder stenen* (Vlaams) = ieder heeft zijn gebrek.
2. Groene krieken worden rood,
Kleine kinders worden groot (Gezelle).
krimpen. 1.
Krimpende winden
En uitgaande vrouwen
Zijn niet te vertrouwen.
De wind krimpt, als hij draait tegen de zon in, dus van 't Westen naar 't Zuiden; dan komt er slecht weer. 't Is dus mis, als de wind 'naar binnen gaat', net als met de vrouw, die te veel naar buiten gaat.
2. *Hij krimpt van de kou als een muis op sneeuw.*
kring. *Een kring om de maan*, zie *maan* 3.
kris. *Zweren bij kris en kras* = iets zo sterk mogelijk bevestigen.
Letterlijk: zweren onder aanroeping van Christus. Toen men dit niet meer begreep, is *kras* er aan toe gevoegd.
kriskras. *De lijnen lopen kriskras* = in alle richtingen door elkaar, *kris en kras*. *Kras* is de stam van 't werkwoord krassen; *kris* is er bijgevoegd om het voorletterrijm.
kroes. *Kroes haar, kroeze zinnen* = wie kroes haar heeft, is niet te vertrouwen; kroes haar is een teken van onbetrouwbaarheid, van losse zinnen.
Reeds in de Kamper vertaling (57): *Kruys hayr, kruyse sinnen*. En ook in de *Freske Findling*. Bij Van der Hulst: *Gekruld haar, gekrulde zinnen.*
Voluit:
Kroes haar, kroeze zinnen:
Kroes van buiten en kroes van binnen.
krokodil. *Hij schreide krokodilletranen* = hij schreide, maar in waarheid had hij geen medelijden.
Naar 't verhaal, dat de krokodil tranen in zijn ogen heeft, als hij iemand verslindt.
krom. 1. *Wie zal het kromme recht maken?* = het is niet mogelijk het verkeerde in de wereld weg te nemen; de gevolgen blijven altijd.
Naar *Prediker* I : 15. 'Het kromme kan niet recht gemaakt worden; en hetgeen ontbreekt, kan niet geteld worden.'
2. Het geld dat stom is
Maakt recht wat krom is,
zie *geld* 9.
3. *Krom liggen* = nauwelijks het nodige hebben om te leven, met de uiterste zuinigheid de eindjes aan elkaar knopen. Als iemands bed zo klein is, dat hij zich niet uitstrekken kan, moet hij krom liggen; hij moet zich dus behelpen.
4. Een goed pad krom
Loopt niet om,
de goede weg is de beste, al is hij niet de kortste; men is er dan toch altijd nog wel zo vlug.
kromhout. *'t Is moeilijk, kromhouten rechten* (Vlaams) = er is niet veel kans op, dat men een boze tot inkeer brengt.
kroon. 1. *Dat spant de kroon* = dat is het mooiste, het beste, het schitterendste. Middeleeuwse uitdrukking. De koning spande de kroon, d.i. hij bond de kroon vast op zijn hoofd. Ook de overwinnaar in een wedstrijd spande de kroon, maakte de laurierkrans pasklaar voor zijn hoofd.
2. *Iemand een kroon opzetten* = hem de hoogste eer bewijzen. De uitdrukking wordt echter veelal in omgekeerde ironische zin gebruikt, n.l. iemand zeer grote schande aandoen.
Zo zet een meisje dat moet bevallen haar ouders *een kroon op het hoofd.*
3. *De kroon zetten op een werk* = het werk ten einde brengen op een schitterende wijze; aan het voltooide werk nog datgene toevoegen, wat juist een heel mooi slot is. Men denke aan de kroon, die een vorst siert; zie *eind* 2. Maar mogelijk is ook de gedachte aan de kroonlijst van een huis, dus aan 't bovenste deel van een gebouw.
4. *Iemand naar de kroon steken* = met iemand wedijveren, hem bijna gelijk komen. Uitdrukking, aan het tournooi, het *steekspel*, ontleend. Daar stak men met lansen naar de kroon, d.i. naar een opgehangen krans.
5. *Iemand de kroon van 't hoofd nemen* = hem van zijn eer beroven (door laster), zijn goede naam bezwalken.
Kan een Bijbelse uitdrukking zijn. In *Job* XIX : 9 klaagt deze: 'de kroon mijns hoofds heeft Hij (God) weggenomen.' Misschien ook naar II Samuel I : 10,

waar de Amalekiet aan David vertelt, dat hij koning Saul gedood heeft. Hij zegt dan: 'ik nam de kroon, die op zijn hoofd was.'

6. Geen rijker kroon
Dan eigen schoon,
als men zich zelf kan redden en de hulp van geen ander nodig heeft, dan is dat het allerbeste.

7. *Daar en is geen krone, of 't staat een kruisken op* (Gezelle) = ook de grootste heren hebben hun zorg en hun leed.

krop. 1. *Dat stak hem in de krop* = dat zat er nog, dat kon hij niet vergeten, daar was hij nog kwaad om.
Vergelijking met *de krop* van een duif of andere vogel; hij kon het nog niet verteren; hij kon het niet *verkroppen.*

2. Volle krop
Dolle kop
(Vlaams). Wie zich volgedronken heeft aan bier of sterke drank, is veelal niet zo heel rustig en bedaard meer.

kruid. 1. *Daar is geen kruid voor gewassen* = daar is niets aan te verhelpen.

2. *Een kruidje-roer-mij-niet* = een onhandelbaar mens.
Naar het kruid, dat zo genoemd wordt, omdat men het niet aan kan raken, of het sluit dadelijk zijn blaadjes.

kruik. 1. *De kruik gaat zo lang te water, tot hij breekt* = als men wat doet, dat niet deugt of dat gevaarlijk is, dan kan het heel lang goed gaan, maar eindelijk loopt het mis.

2. *Het lijkt wel de kruik der weduwe* = 't is net, of de voorraad onuitputtelijk is. Naar het verhaal in I Kon. XVII. De weduwe van Zarfath nam Elia, de profeet, op, ofschoon ze niet meer had dan een handvol meel en maar heel weinig olie. Doch dit meel ging nooit op en er was olie genoeg, zo lang de hongersnood duurde.
(Sarepta of Zarfath lag bij Sidon.)

kruimel. *Kruimels is ook brood* = versmaad ook het kleine niet.
Reeds in de Kamper Verzameling van 1559:
Kroemkens maecken oock broodt.
Laurillard acht Bijbelse oorsprong mogelijk, namelijk uit *Markus* VII : 27 en 28. Daar zegt de vrouw, welker dochtertje een onreine geest had:

27. De kruik gaat zolang... (z. *kruik*)

'Ook de hondekens eten onder de tafel van de kruimkens der kinderen.'

kruis. 1. *Iemand het heilige kruis nageven* = blij zijn dat iemand weggaat en hopen, dat hij niet weerkomt.

De oorsprong van 't gezegde zal wel zijn, dat men een kruis sloeg, om te beletten dat een ongewenste gast (vooral de Duivel) terugkeerde.

2. *Kruis of munt werpen* = spel om geld, waarbij een geldstuk omhoog geworpen wordt; men wedt welke kant boven komt. Op zeer veel munten stond in de M.E. een kruis; aan de andere kant stond de waarde van de munt uitgedrukt. In plaats van 't kruis kwam veelal de beeltenis van de vorst, maar de term bleef behouden.

3. *Een man van zes kruisjes* = van 60 jaar. Een × duidt 10 jaren aan.

4. *Een mens krijgt kracht naar kruis* = zwaar leed, maar ook de kracht om het te dragen. Immers krijgt hij ook *kruis naar kracht*.

Genoemd naar 't lijden van Jezus aan het kruis.

5. *Elk huis heeft zijn kruis*, zie *huis* 3.

6. *Niemand wil het kruis dragen* = ieder tracht te ontkomen aan zijn leed.

7. *Die 't kruis heeft, zegent zijn zelven eerst* (Vlaams) = die in 't riet zit, kan pijpjes maken.

8. *Die één kruis ontloopt, ontmoet er twee* (Vlaams) = wie ramp en tegenspoed niet dragen kan, is dubbel ongelukkig.

9. *Men draagt het kruis niet atijd op zijn rug* (Vlaams) = men loopt met zijn lijden niet altijd te koop.

Een ezel draagt zijn kruis op de rug.

kruit. 1. *Hij heeft zijn kruit verschoten* = hij heeft zijn kracht verspild; hij heeft zijn geld uitgegeven.

2. *Hij heeft het kruit niet uitgevonden*, zie *buskruit*.

3. *Hou je kruit droog!* = zorg, dat je alles in orde hebt, als 't op handelen aankomt.

Uit de tijd, dat de soldaat nog zijn geweer moest laden met kruit en daar een kogel op. 't Kruit werd meegedragen in een kruithoorn. Als het nat werd, was het onbruikbaar.

kruiwagen. *Hij zit op de kruiwagen* = hij heeft een invloedrijke kennis, die hem wel aan een baantje helpt; *hij wordt er naar toe gekruid.*

kruk. *Die man is maar een kruk* = een sukkel. Lett. iemand met een kruk. Zie ook *hakkenkruk*.

krul. 1. *Een varken heeft wel een krul in zijn staart*, zie *varken* 9. Vlaams:

2. *Het krullen van de steert is 't fatsoen van de hond.*

krijg. *Hij kan de krijg niet volgen* = hij kan niet meekomen; het werk is hem te zwaar.

De krijg = de oorlog.

Krijn. *Krijn van Bavvelt*, zie *te pas*.

krijt I. 1. *Bij iemand in het krijt staan* = schulden bij hem hebben.

In de winkel werden die vaak met krijt aangetekend.

2. *De waard schreef met dubbel krijt* = maakte de rekening te hoog.

3. *Dat mag wel met een krijtje aan de balk*; zie *balk* 2.

krijt II (strijdperk). *Voor iemand in het krijt treden* = zijn zaak verdedigen; 't voor hem opnemen.

Ontleend aan het tournooi bij het oude ridderwezen.

krijten.

Hard gekreten,
Gauw vergeten;

't gebeurt wel dat bij een sterfgeval veel misbaar gemaakt wordt en dat juist dan de geliefde dode spoedig vergeten is.

kuieren. 1. *Laat hem maar kuieren* = hij is best in staat, om zijn eigen zaken te behartigen.

Lett. = hij kan wel alleen lopen.

2. *Er is daar een uit kuieren* = hij heeft ze alle zeven niet.

kuiken. 1. *'t Is een kuiken zonder kop*, zie *kip* II 6.

2. *Kwaad ei, kwaad kuiken*, zie *ei* 12.

3. Sla de eieren in de pan,
Dan komen er geen kwade kuikens van, zie *ei* 13.

4. *Twaalf eieren, dertien kuikens*, zie *twaalf* 4.

5. *'t Kuiken wil wijzer zijn dan de kip* = de jongeren hebben weer het grootste woord; weten het weer beter dan de ouden.

6. *Als 't één kieken drinkt, hebben ze allen dorst* = zie *koe* 22 en *schaap* 1. (Vlaams).

kuil. *Wie een kuil graaft voor een ander, valt er zelf in* = wie het ongeluk van een ander beoogt, raakt dikwijls zelf tot het-

zelfde ongeluk.
Bijbelse spreuk. 'Die een kuil graaft, zal er in vallen, en die een steen wentelt, op hem zal hij wederkeren.' (*Spreuken* XXVI : 27.)
kuipen, d.i. listige kunstgrepen gebruiken, bedriegen en knoeien, om zijn doel te bereiken.
Dr. Verwijs dacht aan: *in een kuip lokken*; een *kuip* zou dan zoveel zijn als een val, om dieren in te lokken, een woord verwant met *kiep* = mars.
Franck-Van Wijk zegt, dat de afleiding niet zeker is.
kuis. 1. *'t Is een kuise Jozef*, zie *Jozef* 2.
2. *'t Is een kuise Suzanna* = een eerbaar meisje. Naar een der Apokriefe boeken, nl. het 2e aanhangsel bij het boek Daniël. Suzanna, in het bad bespied en vals beschuldigd, doch gerechtvaardigd.
't kundige pad, zie *vragen* 2 en 3.
kunst. 1. *Kunst baart gunst* = een kunstenaar is gezien in de wereld; wie wat kan, wordt overal wèl ontvangen.
2. *'t Gaat met kunst- en vliegwerk* = 't komt terecht, maar er moeten kunstmiddelen bij gebruikt worden; 't gaat niet zo eenvoudig en gemakkelijk. Ontleend aan de schouwburg sedert de 17e eeuw. Met *kunstwerken* bootste men natuurverschijnselen na; met *vliegwerken* liet men goden en engelen vliegen. (Wijbrands, *Het Amsterdamsch Tooneel*, blz. 109.)
3. 't Gaat om de gunst
En niet om de kunst,
de betrekking wordt vergeven niet aan de bekwaamste, maar aan degene, die de beste kruiwagen heeft, die in de gunst staat.
4. *'t Is geen kunst om boer te worden, maar om boer te blijven* = als men geen orde op zijn zaken stelt en niet ijverig zijn best doet, dan gaat het bedrijf te gronde.
5. *Kunst wordt door arbeid verkregen.*
6. *De kunst gaat om brood* = een kunstenaar heeft geen rijk bestaan; hij moet al blij wezen, als hij brood heeft.
Men heeft gedacht, dat het gezegde afkomstig is van de Duitse dichter Lessing. In diens treurspel *Emilia Galotti* vraagt de prins aan Conti de schilder, hoe het met de kunst gesteld is, en deze antwoordt:
Die Kunst geht nach Brot. Doch in 't blijspel van *De gewaande Advokaat* van P. de la Croix van 1685 leest men ook reeds:
De konst, die loopt om brood.
(Woordenschat 192.)
kus. 1. *Een kus zonder baard is een ei zonder zout* = de vrijer moet wat ouder zijn dan de vrijster. Ook: men moet niet zo jong trouwen.
2. *Een Judaskus*, zie *Judas* 2.
3. Een kusje is maar stof,
Wie het niet hebben wil,
Die veegt het of,
schertsend, als een meisje van een zoen niet gediend is, en als zij 't wel goed vindt:
Een kus in eren
Kan niemand deren.
kussen. *Op 't kussen zitten* = aan 't bewind zijn; in 't stads- of landsbestuur zitten.
De regenten zaten op kussens met het wapen van de stad of van het gewest of van de generaliteit.
kust I. *Er zijn kapers op de kust*, Zie *kaper.*
kust II (keuze). *Te kust en te keur* = naar keuze (uit overvloed).
Beide woorden drukken hetzelfde uit.
kwaad. 1. *Het kwaad loont zijn meester* = wie kwaad doet wordt er voor gestraft, al duurt het dan vaak ook heel lang. Zie: *God* 5.
En reeds in *Esmoreit*, vers 997: *Quade werken comen te quaden loene.*
2. Kwaad worden is menselijk,
Kwaad blijven is duivels,
d.i. men moet kunnen vergeven; men mag geen wrok koesteren.
3. *Effen is kwaad treffen*, zie *effen.*
4. *Van twee kwaden moet men het beste kiezen*, d.i. het minst kwade.
5. Wie kwaad doet
Kwaad ontmoet; zie 1.
6. *Men mag geen kwaad met kwaad vergelden.*
Bijbels voorschrift: 'Vergeldt niemand kwaad voor kwaad' (Romeinen XII : 17).
7. *Kwade samensprekingen verderven goede zeden*, spreuk uit 1 *Korinthen* XV : 33.
8. Voor ingeworteld kwaad
Is weinig raad,
Vlaamse rijmspreuk.
9. Geen kwaad zo groot
Als een huis vol kinders

En geen brood. (Gezelle).
10. *Elke dag heeft genoeg aan zijn eigen kwaad* = maak je niet vooraf bekommerd over wat de dag van morgen brengt, de zorgen voor vandaag zijn al genoeg. Bijbelse uitdrukking: 'Elke dag heeft genoeg aan zijn zelfs kwaad' (*Matth.* VI : 34).
kwaadkop
Liever een kwaadkop
Dan een doedeldop
(Gron.), men doet beter met een kwaaie vrouw te trouwen dan met een doetje.
kwartel. *Hij is zo doof als een kwartel,* zie *doof* 1.
kwartier. 1. *Iemand kwartier geven,* uitdrukking uit het krijgsleven = hem gevangen nemen op het slagveld en laten leven. Bij 't bevel: *geen kwartier!* werden de krijgsgevangenen gedood.
Kwartier = onderdak. In de oude tijd gaf men aan gevangen genomen soldaten en vooral aan officieren onderdak, totdat ze door een — soms zeer hoge losprijs — weer vrijgekocht werden.
2. Ieder kwartier
Heeft zijn manier
= 's lands wijs, 's lands eer. (Vlaams.)
kwast. 1. *'t Is een rare kwast* = een vreemde gast, een zonderling heer, een zot.
Misschien = iemand, die rare kwasten en strikken draagt.
't Kan ook zijn, dat men denken moet aan een rare kwast in 't hout, een knoest. Nog vermooid tot *kwastelorum.* Kwast in de laatste betekenis in:
2. *Voor een harde kwast is een scherpe beitel nodig* = wie hardleers is, moet met strengheid tot zijn plicht gebracht worden; een verstokte zondaar komt met zachte middelen niet tot inkeer.
Bij Gezelle:
3. *Tot de kwa kwast hoort de kwa bijle.* Zie *knoest.*
Kwatta. *Aller ogen zijn gericht op kwatta,* schertsend gezegde wanneer in gezelschap iedereen je aankijkt.
Repen kwatta-chocolade werden in de oorlog van 1914—'18 heel veel gebruikt door de soldaten van 't gemobiliseerde leger. Zo ontstond deze nieuwe spreekwijze, die door 't hele land ging.
kwelling. *Kwelling des geestes* = al te sterke inspanning der geestelijke vermogens, zodat men suf wordt van 't denken..
Naar *Prediker* 1 : 14. 'Ik zag al de werken aan, die onder de zon geschieden; en ziet, het was al ijdelheid en kwelling des geestes.'
kwibus. *Wat een kwibus!* = wat een gek, wat een rare snoeshaan!
Ontleend aan het Latijn van het R.K. kerklied: *cum quibus* = met wie. De spraakmakende gemeente hoorde er *kom kwibus* in en vatte *kwibus* als een persoonsnaam op.
kwidam. *'t Is een vreemde kwidam* = een zonderlinge man.
Uit het kerklatijn: *homo quidam* = een zekere man. Opgevat als: de man Quidam.
kijven. 1. *Twee kijven, beide schuld!*
2. *Men kan een zaak niet dood kijven, maar wel dood zwijgen* = al twistende komt men niet tot een eind, maar als men zwijgt wordt een zaak vergeten.
3. *Uit kijf komt kijf* (Vlaams) = 't ene woord haalt het andere uit.

L

laadstok. *Hij heeft een laadstok doorgeslikt* = hij loopt rechtop.
De laadstok diende bij het oude voorlaadgeweer om de lading kruit stevig vast te stampen; het was een rechte staaf ijzer, die net in de geweerloop paste.
laag I. *Iemand de volle laag geven* = hem met alle macht aanvallen; hem alles en nog wat verwijten.
Een laag was een rij kanonnen aan de ene kant van een oorlogsschip.
laag II. 1. *Leeg gezeten is hoog gewarmd* (Vlaams) = een klein huis is een groot gemak; wie in eenvoud nederig leeft, die heeft het gelukkig en gezellig in zijn eigen kring.
2. *Die niet hoog klimt, zal niet leeg vallen* (Vlaams) = wie zich niet verhoogt, wordt niet vernederd. Zie *hoog* 3.
3. *Spijkers op laag water zoeken,* zie *spijker* 3.
laan. *Hij gaat de laan uit* = hij wordt uit zijn werk, uit zijn betrekking weggestuurd.
laars. 1. *Hij heeft een stuk in zijn laars* = hij is dronken. De laars was een grote kan

in de vorm van een laars; hij moest in één teug leeggedronken worden. Dit werd niet meer begrepen, zodat men in de war kwam met het gezegde: *hij heeft een stuk in zijn kraag*.
2. *Dat lapt hij aan zijn laars* = daar geeft hij niets om.
Lett. = dat plakt hij onder de zool van zijn laars, zodat het heel gauw weg is.
laat. 1. *Hij weet hoe laat het is* = hij weet, hoe de zaken staan.
Lett.: *hij weet wat de klok geslagen heeft.*
2. *Hoe later op de avond, hoe schoner volk*, zie *avond.*
3. *De laatste schuit moet ook vracht hebben*, gezegde als men iemand aanmaant tot vertrek en deze nog wel wat blijven wil.
4. *Late haver komt ook op* = maak maar zo'n haast niet, wij hebben de tijd nog.
5. *De laatsten zullen de eersten zijn* = wie eerst achteraf gezet wordt, komt vaak nog tot aanzien.
Uit de Bijbel. 'Vele eersten zullen de laatsten zijn, en vele laatsten de eersten.' (*Matth.* XIX : 30.)
6. *Wie 't laatst lacht, lacht het best* = men moet niet eerder zich verheugen, eer men zeker is van de goede uitkomst.
7. *Die dat het laatste verteld heeft, leeft nog* = dat weet je van een ander en nu vertel je het weer over, maar 't is de grote vraag, of 't ook waar is.
8. Die al te laat is opgestaan,
Moet heel de dag een drafje gaan.
9. *Hij is de laatste der Mohikanen* = de laatste van zijn geslacht. Schertsend: die 't laatst komt in een gezelschap.
De Laatste der Mohikanen is de titel van een beroemde Indianenroman van James Fenimore Cooper, 1799—1851.
10. *Dat heeft wat in eer de laatste man te bed komt* (Fries) = er is geen eind aan te krijgen.
laatdunkend, d.i. verwaand, opgeblazen, aanmatigend. Het woord is afkomstig van de oude uitdrukking: *hij laat zich heel wat dunken* = hij verbeeldt zich veel.
Zie *hond* 13.
laatje. *Aan 't laatje zitten* = een ambt bekleden waarbij men over de geldmiddelen beschikken kan; in de regering zitten.
't Laatje is de geldlade.
Laban. *'t Is tuig van Laban, vee van Laban* = 't is gemeen volk.
Laban is bij het volk bekend als de bedrieger. Jakob had hem zeven jaar gediend om zijn dochter Rachel, maar toen de tijd om was, gaf Laban hem zijn oudste dochter Lea. (*Genesis* XXIX : 25.)
Labyrinth. *Hij is in 't Labyrinth* = hij is in 't nauw gebracht, zodat hij geen uitkomst weet.
Het Labyrinth was de beroemde doolhof op het eiland Kreta volgens de oude Griekse overlevering. In die doolhof huisde het vreselijke monster, de Minotaurus. Wie er eenmaal in verdoolde, raakte er nooit weer uit. (Behalve Theseus, maar die had de draad van Ariadne; zie *draad* 8.)
Op 't Hogeland van Groningen zegt men van iemand, die ziek en sukkelachtig is, dat hij in 't Labyrinth is.
lach. *Na lach komt ach* (Vlaams) = 't geluk is onbestendig.
lachen. 1. *Lachen als een boer, die kiespijn heeft* = lachen, maar niet van harte.
2. *Wie 't laatst lacht, lacht het best*, zie *laat* 6.
3. Tussen lachen en spel
Zegt de zot zijn mening wel,
Vlaamse rijmspreuk: men zegt wel een scherp woord al lachend, d.i. onder een vriendelijk voorkomen. Vergelijk *mond* 26.
4. Het is voorwaar wel dwaas en mal,
Lat iemand stadig lachen zal
(Gezelle) = men moet niet altijd schertsen en pret maken, maar ook de ernst des levens verstaan.
Doch even goed:
't Ware wel zotheid,
Moest men altijd
Treurig zijn en nooit verblijd.
5. *Lachen moet je leren, schreien komt vanzelf.*
ladder. *Hij is door de ladder gebuild* (Gron.) = hij is onbeleefd, grof, lomp.
Ironisch ook: *hij is zo fijn, of hij door de ladder gebuild is* = hij speelt de fijne, maar 't gaat hem slecht af.
Meel wordt gebuild door een zeer fijne zeef; wat tussen de treden van een ladder door kan, is wel heel grof.
laden. *Goed geladen is half gereden* (Z.) = een goede voorbereiding is het halve werk.
lading, 1. zie *schip* 7
2. *Hij heeft de lading* = hij is dronken.

lagen. *Iemand lagen leggen* = iemand met list in 't geheim ten val trachten te brengen; hem met bedekte middelen zoeken te benadelen.
De *lage* is in 't Middelnederlands zo veel als een ligplaats, n.l. de plaats, waar men een valstrik legt voor het wild. Daaruit ontwikkelde zich licht de betekenis van de valstrik zelf.
lagerwal. *Hij is aan lagerwal geraakt* = hij is arm geworden; zijn zaken gaan verkeerd; hij gaat bankroet.
De *lager wal* is voor de zeeman de kust, waar de wind op staat; een schip aan lager wal loopt gevaar van te stranden.
lak. *'t Is allemaal lak* = 't is fopperij, 't is niet echt, 't heeft geen waarde.
Men denkt daarbij aan *lak* = vernis. Dus: 't is wel mooi versierd, 't is van buiten glad, maar innerlijk deugt het niet.
't Kan echter ook zijn, dat *lak* nog het oude woord is voor laf, flauw, slap. Een ander oud woord *lak* betekende gebrek, dat nog voorkomt in 't gezegde: *iemand een lak aanwrijven.*
laken. 1. *Ze krijgen van 't zelfde laken een pak* = zij worden net behandeld als de anderen.
2. *Zij delen daar de lakens uit* = zij zijn er de baas; zij regelen er de zaken.
Wie in huis de lakens uitdeelt, regeert over de linnenkast en over de hele huishouding.
3. *Waagt gij uw laken, zei de snijder, ik waag mijn schaar* (Vlaams), schertsend gezegde, als de een een kleinigheid aanbiedt voor een zaak en de ander verder alles voor zijn rekening moet nemen.
4. *Men kan het laken niet hebben en het geld houden* (Gezelle), zie *meel* 1.
lam. 1. *Hij werd als een lam ter slachtbank gebracht* = hij verzette zich niet, toen men hem terechtstelde.
Naar Jesaja LIII : 7. 'Hij deed Zijn mond niet open; als een lam werd hij ter slachting geleid, en als een schaap, dat stom is voor het aangezicht zijner scheerders, alzo deed Hij Zijn mond niet open.'
2. *Hij komt achteraan als 't derde lam* = hij krijgt minder dan de anderen; hij wordt afgestoten. Een schaap krijgt gewoonlijk twee lammeren, heeft ook maar twee tepels. Een derde lam loopt dus gevaar zijn deel niet te krijgen. Zo zegt men ook: *hij is er zoveel als de dertiende big*. Een zeug namelijk heeft twaalf tepels.
lamp. 1. *De lamp hangt scheef* = er is haast geen geld meer in huis, men moet dus heel zuinig aan doen.
Wanneer er maar weinig olie meer in de lamp was, dan werd deze scheef gezet of gehangen; dan kwam de pit nog wat beter in de olie.
2. *Naar de lamp ruiken*, gezegde wanneer het merkbaar is, dat op een redevoering of op een hoofdstuk uit een boek nog laat bij de lamp gewerkt is. Het was het verwijt van de Griekse redenaar Pytheas aan de redevoeringen van Demosthenes; (4de eeuw vóór Chr.).
En zo is het nog. Wat naar de lamp riekt, daar is zo op gestudeerd, dat alle frisheid er af is; het is misschien geleerd en degelijk, maar het spreekt niet meer tot het hart, het leeft niet.
3. *Hij is tegen de lamp gelopen* = hij is betrapt, zodat hij aan straf niet ontkomen kan.
De verklaring zal wel heel eenvoudig zijn, dat men bij haastig werk of bij stoeien licht aanloopt tegen een staande of hangende olie- of petroleumlamp. Stoett evenwel denkt aan 't bargoense woord *lamp* = politieagent. Dit woord is echter slechts aan weinigen bekend, en de uitdrukking is zeer algemeen. Prick van Wely verwijst bovendien naar overeenkomstige uitdrukkingen in 't E., F. en D., waaruit blijkt, dat men te denken heeft aan een gewone lamp (*Nw. Taalgids* IX, 140).
Wie tegen de lamp loopt, bezeert zich; zo kon zich licht ook de bijzondere betekenis ontwikkelen van: een geheime (venerische) ziekte oplopen.
land. 1. *'t Is daar ook niet het land van belofte* = het land van overvloed; de streek, waar men een ruim bestaan heeft.
Van Abraham wordt in *Hebreeën* XI : 9 gezegd, dat hij een inwoner geweest is in *het land der belofte*.
Ook:
2. *Een land van melk en honig*. Aldus in Exodus III : 8, waar God aan Mozes de opdracht geeft, het volk van Israël te verlossen. God wil het opvoeren 'naar een goed en ruim land, naar een land, vloeiende van melk en honig.'
En ook vaak:
2a. *Het beloofde land.*

2b. *Het Land van Belofte* of *het Beloofde Land*, Kanaän. 'Zo verscheen de Here aan Abram en zeide: Aan uw zaad zal Ik dit land geven.' (Genesis XII : 7.)
3. *Er is geen land met hem te bezeilen* = men kan niets met hem beginnen; er is geen accoord met hem te sluiten.
Een zeeman bezeilde land, als hij de gewenste haven bereikte. Zie *haven* 3.
4. *Hij heeft gedlucht het land* = hij is erg verdrietig.
Zeemansuitdrukking. De zeeman heeft geen aard op het land.
Vaak: *hij heeft het land als een stier*. Die loopt in het land en is ook vaak wat wrevelig van aard. Oorspronkelijk schertsende vergelijking; nu zonder bijgedachte.
5. *Ik heb het land aan hem* = ik mag hem niet, ik kan hem niet uitstaan.
Zeemansuitdrukking.
6. *Hij is goed te land gekomen, hij is goed aangeland* = hij is goed terecht gekomen; 't is hem goed gegaan.
De zeeman komt te land, als hij aan wal komt.
7. *In 't land der blinden is éénoog koning*, zie *blind* 2.
8. *Dat gaat over land en zand* = dat wordt alom bekend.
Het zand is er enkel om het rijm bijgevoegd.
9. *'s Lands wijs, 's lands eer* = men moet zich schikken naar de gebruiken en opvattingen van het land, waar men vertoeft. Vlaams:
9a. *Ieder land heeft zijn trant*.
10. *Iemand het land opjagen* = hem wrevelig maken, maken dat hij het land krijgt.
11. *Hij is nog in het land der levenden* = hij leeft nog.
Bijbelse uitdrukking naar *Psalm* CXVI : 9. 'Ik zal wandelen voor het aangezicht des Heren, in de landen der levenden.'
12. Wie in zijn land geen koren zaait,
Is zeker dat hij distels maait,
d.i. wie niet werkt, wordt arm. Ook: als men niet zorgt voor een goede opvoeding van zijn kinderen, zal men ondervinden dat ze slecht opgroeien.
13. *Licht land, loos volk*, dat zeggen de lui van de zware klei van het volk op zand en veengrond, die veel lichter te bewerken is. Zij oordelen, dat dit volk het leven niet zo ernstig opneemt en dat men er veel meer praatjes heeft.
't Antwoord is wel eens:
Zware klei, zware ossen, wat zoveel wil zeggen als: domme en lompe mensen.
Harrebomée zegt:
Hoe onvruchtbaarder bodem, hoe meer het verstand gescherpt wordt, om hem vruchtbaar te maken. Vandaar:
14. *Hoe lichter land, hoe lozer lui.*
Loos zou dan dus verstandig, snugger, scherpzinnig betekenen.
15. Landen verzanden,
Zanden verlanden,
d.i. niets is bestendig op aard. Wat nu land is, kan morgen overstroomd en in een zandvlakte veranderd zijn. En wat nu buitendijks ligt, wordt allicht eenmaal een polder.
16. *Komt gij in een vreemd land, steekt uw vinger in het zand, en riekt in wat land gij zijt* (Vlaams) = wees voorzichtig in uw spreken.
17. *'t Is een arm land, waar niets goeds en wast* (Vlaams), zie *kermis* 2. Ook:
18. *'t Is een slecht land, waar niemand voordeel heeft*.
19. In alle landen bijten de honden
En lasteren de monden,
rijmspreuk bij Gezelle; overal in de wereld staat men bloot aan vijandschap en laster.
20. *Hoe verder van zijn land, hoe dichter bij zijn schade* = een boer moet vlak bij zijn land wonen. Fig.: men moet zelf het oog op zijn zaken houden.
landdag. *'t Lijkt hier wel een Poolse landdag* = het gaat hier zeer verward en rumoerig toe.
De landdagen van het koninkrijk Polen waren berucht door hun twistende vergaderingen.
lang. 1. *'t Is zo lang als 't breed is* = dat komt op 't zelfde neer; 't is onverschillig of je het op de ene of op de andere wijze aanpakt.
Misschien naar Openbaring XXI : 16, waar van het heilige Jeruzalem wordt gezegd:
'En de stad lag vierkant, en haar lengte was zo groot als haar breedte.'
2. *Lang haar en kort verstand*, zie *haar* 12.
3. Lang gewacht en stil gezwegen,
Nooit gedacht en toch verkregen!
4. *Iets op de lange baan schuiven*, zie *baan* 6.

5. Lang en smal
Heeft geen val,
zie *kort* 8.

langs. *Hij zal er van langs krijgen* = hij krijgt een pak slaag. Letterlijk: langs zijn lichaam. Verder fig.: een geducht standje krijgen. Ook: hij zal erg worden belasterd, in ieder geval beoordeeld op onvriendelijke wijze. En dan: *de kleren krijgen er van langs* = hebben veel te lijden.

langzaam. 1. *Langzaam gaat zeker* = bedaard handelen doet het doel bereiken. Vgl. *haast* I, 1. Ook:
2. *Langzaam aan, dan breekt het lijntje niet*, zie *lijn* 2 en *traag* 2.

lans. 1. *Voor iemand een lans breken* = voor hem opkomen, hem verdedigen.
Uit de riddertijd: in het gevecht, doch vooral in het steekspel. Zo ook:
2. *Met iemand een lans breken* = met iemand strijden, vooral in een redetwist.

lantaarn. 1. *'t Is een lantaarn zonder licht* = een gewone man met een klein verstand. Ook: *grote lantaarn, klein licht.*
2. *Dat moet men met een lantaarntje zoeken* = zo iets voortreffelijks, zo iets bijzonders treft men niet vaak aan.
Uitdrukking uit het dagelijks leven. Maar 't gezegde kan ook aan *Zefanja* 1 : 12 ontleend zijn: *Ik zal Jeruzalem met lantaarnen doorzoeken.*
Ook wordt gedacht aan de Griekse wijsgeer Diogenes, die met een lantaarn in de straat liep, om mensen te zoeken.

Laodiceeër. *Een Laodiceeër* = iemand die niet koud en niet warm is, een lauwe.
In Openbaring III : 15, 16 heet het van de gemeente der Laodicensen in Klein-Azië:
Ik weet uwe werken, dat gij noch koud zijt, noch heet; och, of gij koud waart, of heet! Zo dan, omdat gij lauw zijt, en noch koud noch heet, Ik zal u uit Mijn mond spuwen.

lap. 1. *Lap om leer*, zie *leer* 2.
2. *Beter een lap dan een gat*, zie *beter* 11.
3. *Een nieuwe lap zetten op een oud kleed* = trachten iets ouds op te lappen, in plaats van het oude geheel door iets beters te vervangen.
Ontleend aan de gelijkenis van Jezus: 'Ook zet niemand een lap ongevold laken op een oud kleed; want deszelfs aangezette lap scheurt af van het kleed, en er wordt een ergere scheur.' (Matth. 9 : 16.)
4. *Iemand bij de lappen krijgen* = iemand vastgrijpen. De lappen zijn de kleren. Zo ook:
5. *Op zijn lappen krijgen* = een pak slaag krijgen.
6. *Hij had een gezicht van oude lappen* = hij had een behuild, ook een nors, ontevreden gezicht.
Lappen = vodden.
7. *Hij is weer op de lappen* = hij loopt er weer (na een ziekte).
De lappen = de schoenzolen.
8. *Hij liet het in de lap hangen* = hij droeg er geen zorg voor.
Verklaring niet gevonden.
9. *Nu gaat het voor 't lapje* = voor de wind. *'t Lapje*, schertsend voor het zeil.
10. *Hij is in de lappenmand* = hij ligt ziek te bed, maar erg is het niet, hij zal wel gauw weer opknappen. Zo als een of ander kledingstuk in de lappenmand weer opgelapt wordt.
11. *Iemand voor 't lapje houden* = iem. voor de gek houden.
Men heeft de verklaring gezocht in de betekenis van *lap* = sufferd, onnozele vent. Stoett denkt aan een lap, die slap neerhangt, zodat *lap* de betekenis kreeg van een slappe vent.
Beide uitleggingen voldoen niet. Er is ook een andere mogelijk. Als een stier in de wei niet te na bij de koeien mocht komen, dan deed men hem wel een zak of lap om het lijf en werd hij dus in letterlijke zin voor 't lapje gehouden.
Uit Zuid-Beveland wordt mij geschreven, 'dat men hier een kudde schapen houdt en dat de herder dan hetzelfde doet bij de rammen in de tijd, dat zij de ooien niet mogen bevruchten.'
Zie *zool* 4.
12. *De ene lap slaat de andere* (Gron.) = de lappen hangen erbij; de man ziet er haveloos uit. Ook Fries.
13. *Bij kleine lapjes leert men een hond leer eten* = men gewent aan een zaak, die onmogelijk schijnt, als men 't maar geleidelijk aan doet.
14. *Hij kreeg een standje, dat de lappen eraf vlogen* = een geweldig standje.
De oorspronkelijke zin is: ze sloegen elkaar, dat de lappen eraf vlogen.

lappen. *Dat moet je mij niet weer lappen!* = niet weer doen. *Lappen*, letterlijk = een lap op een kleed zetten.

lappenmand. *Hij is in de lappenmand*, zie *lap* 10.
Lappidoth. *'t Is maar een Lappidoth* = zijn vrouw is zo wakker en flink en hij is zo helemaal niets, hij heeft geen betekenis.
Zo wordt er van Debora verteld, dat zij een profetes was en dat zij Israël richtte, maar van haar man Lappidoth wordt in het geheel niets verteld. (*Richteren* IV: 4.)
larie. 1. *Dat is maar larie* = dat is dwaasheid, gekheid, opschepperij.
Mogelijk uit het kerkgezang naar de noten *la* en *re*. Dus letterlijk iets onverstaanbaars. Dit wordt bevestigd door de vorm *lariefarie* = *la re fa re*.
Maar er was ook een woord *larie* = klappei, praatgrage vrouw. Vandaar misschien:
2. *Allemaal lariekoek!* = zinloze praat, kletskoek.
last. 1. *Gemene last wordt lichtst gedragen* (Vlaams) = gedeelde smart is halve smart.
2. *Alle last licht, zei de schipper, en hij smeet zijn vrouw over boord*, schertsend: iedere kleinigheid helpt.
lat. 1. *Ze halen alles op de lat* = zij borgen; zij zullen later wel betalen. De *lat* is de schertsende naam van de *kerfstok*; zie daar en ook *hout* 4.
2. *Hij hangt aan de latten* = hij kan zijn schulden niet betalen; hij is zo arm geworden, dat de schuldeisers hem wel zullen aanpakken.
De latten zijn aangebracht aan de binnenkant van 't dak van de schuur. Maar dan? De verklaring is misschien te vinden in een uitdrukking in de *Groninger Bijdragen* van 1865, blz. 315, in 't Nederlands overgebracht: 'Ik geloof, dat die Jood er ook tegen hangt als de zwaluw aan de lat! 't Is een arme stakker.'
lauweren. *Op zijn lauweren rusten* = rust nemen na volbrachte arbeid; zich tevreden stellen met hetgeen men behaald of bereikt heeft.
Uit het krijgsleven. Een veldheer, die de overwinning behaald heeft, die lauweren geplukt heeft, *rust op zijn lauweren*, als hij zich dan uit de dienst terugtrekt.
lauw kans. *Hij heeft lauw kans* = hij heeft geen kans. *Lauw* is een Bargoens woord = niet. Vergelijk *lauwloene*.
lauwloene. *'t Was lauwloene* = 't was wat van niets; 't liep op niets uit, b.v. als iemand een blauwtje loopt.
Uit het Joodse *lau lonu* = niet aan ons, d.w.z. dat is onze zaak niet.
Lazarus. 1. *'t Is een Lazarus* = hij is met uitslag en boze zweren behept.
'Daar was een zeker bedelaar met name Lazarus, welke lag voor zijn poort, vol zweren.' (*Lukas* XVI : 20.)
In de M.E. was melaatsheid een algemeen voorkomende ellendige besmettelijke ziekte. Wie met deze *lazerij* was aangehaald, moest wonen in het *leprozenhuis*, in *het Zieke*, zoals men in Den Haag zei. Eenmaal in de week trokken zij er op uit, om aalmoezen op te halen. Dan moesten zij, opdat ieder zich hoeden kon voor aanraking, ratelen met de lazarusklep. Vandaar nog:
2. *Zijn mond gaat als een lazarusklep* = hij praat al maar door.
Wie melaats was, heette ook *belazerd*. Vandaar nog de ruwe vraag:
3. *Ben je belazerd?* = ben je niet wijs, wat mankeert je wel, hoe kom je er bij?
4. *Hij is lazarus* = smoordronken. Dit nu was Lazarus niet; deze lag voor de poort van de rijke man, vol zweren (Lukas XVI : 20); hij was dus melaats.
5. *Iemand op zijn lazerij komen* = hem een pak slaag geven. *Lazerij* = melaatsheid, vandaar *het zeer* in 't algemeen, het zere lichaam.
6. *Hij is zo arm als Lazarus*, zie no. 1.
ledigheid. *Ledigheid is des Duivels oorkussen* = wie niets te doen heeft, vervalt licht tot kwaad.
In *Rapiarys*:
Ledicheit es eene moeder der quaetheit ende eene stiefmoeder der doghet.
Bij Cats:
Ledicheyt voet alle quaet;
Wat te doen is beter raet.
leentjebuur. *Zij spelen altijd leentjebuur* = ze lopen altijd bij de buren, om wat te lenen; fig. zij vragen altijd wat van anderen te leen, vooral gereedschap.
Woordspeling met *lenen* en *Leentje*. Zo in Groningen:
Ze speulen Laindert en Börgert = ze lenen altijd en ze borgen hun winkelwaar. *Laindert* en *Börgert* zijn twee mansnamen.
Zo in Vlaanderen, als iemand niets geven en zelfs niet lenen wil:
Gevaart is dood en Lenaart is een been af.
leer. 1. zie *anderman*;

2. *leer om leer*; ook *lap om leer*, en ook als rijmpje:
Leer om leer,
Sla je mij, ik sla je weer,
iem. met gelijke munt betalen.
De verklaring is: 't ene stuk leer om het andere; een lap in plaats van een stuk leer.
3. *Van leer trekken* = a. beginnen te vechten (met de sabel). Immers *het leer* = de schee, waar de sabel uit getrokken wordt;
b. betalen, namelijk de leren beurs trekken. Uit de eerste betekenis ontwikkelde zich:
4. *Iemand van leer geven* = hem een pak slaag toedienen.
5. *Iemand op 't leer zitten* = hem achter de broek zitten; hem streng onder tucht houden.
leergeld. *Hij moest leergeld betalen* = hij ondervond schade, omdat hij het werk nog niet goed aan kon; ook: omdat hij in de handel nog onbedreven was.
leest (schoenmakersmodel).
1. *op één leest geschoeid zijn*;
2. *zijn maag op de leest zetten* = zich stevig zat eten.
3. *Schoenmaker blijf bij je leest*, zie *schoenmaker*.
leeuw. 1. *Een briesende leeuw* = iemand die van kwaadheid raast.
Bijbels gezegde. 'De duivel gaat om als een briesende leeuw, zoekende wie hij zou mogen verslinden.' (1 Petrus V : 8.) Zonderlinge vertaling, omdat men van een leeuw moeilijk zeggen kan, dat hij briest.
In de vertaling van Prof. Dr. A. M. Brouwer staat dan ook: een brullende leeuw.
2. *Hij ziet leeuwen op de weg* = hij heeft een voorwendsel gevonden, om zich aan zijn plicht of aan zijn werk te onttrekken. Naar *Spreuken* XXII : 13, waar men leest: 'De luiaard zegt: er is een leeuw buiten; ik mocht op het midden der straten gedood worden!'
leeuwedeel. *Hij zorgt wel dat hij het leeuwedeel krijgt* = hij eigent zich het grootste of het beste deel toe (door zijn macht of door list). De Griekse fabeldichter Aesopus (6e eeuw vóór Chr.) vertelt van de leeuw, die op de jacht ging met een koe, een geit en een schaap; een hert wordt gevangen in 't net van de geit, maar de leeuw geeft er niets van af: hij is de sterkste. Reeds in de 13e eeuw werden de *Esopische fabelen* verdietst door Calstaff en Noydekijn.
lef. *Heb het lef eens!* = waag dat eens, heb de moed eens om dat te doen; heb het hart eens! *Lef* is een Joods woord = hart.
legio, d.i. zeer veel.
Bijbels woord. Jezus vroeg aan de onreine geest, die in een bezetene huisde: 'Welk is uw naam?' En hij antwoordde, zeggende: 'Mijn naam is Legio; want wij zijn velen.'
Waarop die onreine geesten in de zwijnen voeren (omtrent 2000). En de bezetene, 'die het legioen gehad had , was nu wel bij zijn verstand. (Markus V : 9, 13 en 15.)
lei. 1. *We beginnen met een schone lei* = a. zonder schulden; b. nadat alle moeilijkheden zijn opgelost.
De lei is hier de lei in de winkel, waarop de schulden van de klant geschreven worden. Zo ook:
2. *Ze hebben nog heel wat aan de lei* = er staat nog vrij wat te betalen.
3. *'t Ging van een leien dakje*; zie *dak* 6.
leiband. *Hij loopt niet langer aan de leiband* = hij staat op eigen benen.
Kleine kinderen leren lopen aan de leiband.
Leiden. 1. *Dan is Leiden in last* = dan is het leed niet te overzien. Naar het befaamde beleg en de hongersnood van 1574. Zo ook:
2. *Nu is Leiden ontzet* = nu is de nood voorbij.
3. *Iemand van Leiden naar Delft geven* (Gron.) = een hevig standje of een flink pak slaag.
4. *Zich met een Jantje van Leiden van iets afmaken*. Zie *Jan* 16.
leidslieden. *Blinde leidslieden der blinden* = onwetenden, die andere onwetenden de weg moeten wijzen.
Het woord is van Jezus, die van de Farizeeën zei: 'Zij zijn blinde leidslieden der blinden. Indien nu de blinde de blinde leidt, zo zullen ze beiden in de gracht vallen.' (*Matth.* XV : 14.)
lekker. *Lekker is maar een vinger lang* = wat lekker, aangenaam, heerlijk is, dat duurt maar heel kort, is spoedig voorbij. Ook: wie zijn geld verdoet aan lekker eten, wordt spoedig arm.

Immers, in letterlijke zin proeft men het lekkere alleen maar, zo lang het in de mond is. In de tweede betekenis ook vaak: *Zuinig, zei besje, lekker is maar een vinger lang.*

lendenen. *De lendenen omgorden* = zich voorbereiden voor een moeilijke onderneming.

Herderschee wijst op de gewoonte der Oosterlingen, het opperkleed op te schorten en te bevestigen in de gordel, wanneer zij op reis gingen of aan 't werk moesten.

Jezus zei tot de discipelen: 'Laat uw lenden omgord zijn, en de kaarsen brandende'. (*Lukas* XII : 35.)

lengte. 1. *'t Moet uit de lengte of uit de breedte* = 't geld moet er komen, zo niet op de ene dan op de andere wijze.

Zo als een kledingstuk uit de lengte of uit de breedte van een lap stof moet geknipt worden.

2. *Tot in lengte van dagen* = nog zeer lange tijd; tot op hoge leeftijd.

Bijbelse uitdrukking, o.a. naar *Spreuken* III : 1 en 2. 'Mijn zoon! vergeet mijn wet niet; maar uw hart beware mijn geboden. Want langheid van dagen, en jaren van leven, en vrede zullen zij u vermeerderen.'

lepel. 1. *Ik ben 't zo zat, alsof ik 't met lepels gegeten heb* = het staat mij verschrikkelijk tegen.

Er zijn een aantal spreekwoorden en gezegden, waarin de *lepel* een rol speelt of de *pap*, die ontelbare eeuwen lang de lepelkost bij uitstek was; zie ook *brij.* De etensvork is nog maar enkele eeuwen in gebruik en komt dan ook in de spreuken en spreekwoorden maar weinig voor. Met lepel b.v.

2. *Hij heeft de lepel neergelegd* = hij is gestorven.

3. *Ieder kind dat komt brengt zijn lepel mee.* Dit is te vinden bij Guido Gezelle; zo ook:

3. Tussen lepel en mond
Valt veel pap op de grond,
menig ding mislukt nog op 't laatste ogenblik.

4. Algemeen:
De man brengt het in met schepels,
De vrouw geeft het uit met lepels,
d.i. zij verdeelt de verdienste van haar man over haar dagelijkse uitgaven. Maar ook:

4a. De vrouw geeft meer uit met de lepel,
Dan de man inbrengt met de schepel,
namelijk als de vrouw niet zuinig en overleggend is.

5. Bij Guido Gezelle:
Uit oude balken snijdt men nieuwe lepels.
En ook:

6. Een lepel vol daad
Is beter dan een schepel vol raad.

7. *De grootste lepel is aan zijn kant* (Gron.) = hij eigent zich het beste deel toe; hij ziet kans, het grootste stuk te nemen.

8. *Hij is geboren met een zilveren lepel in de mond* = hij was al rijk, toen hij nog in de wieg lag. (Fries.)

9. De lepel staat,
Als de klepel slaat
(Vlaams) = wie praat onder het eten krijgt zijn deel niet.

10. *Hij heeft de lepelziekte* = hij krijgt geen eten genoeg; hij eet met de konijnen door de tralies.

leren.

1. Leer, doe en spaar wat,
Dan kun je, heb je en ben je wat.

2. Oude beren
Dansen leren
Is zwepen vermallen,
zie *oud* 12.

3. *Jong geleerd, oud gedaan*, zie *jong* 1. Ook:

4. *Leer je wat, dan kun je wat.*

lering.

Leringen wekken,
Voorbeelden strekken;
als men iemand vermaant of goede raad geeft, dan werkt dat wel iets uit, doch veel beter is het, als men door de daad het goede voorbeeld geeft.

les. *Iemand de les lezen* = iemand streng berispen. De les = de voorschriften, die voor een kloostergemeenschap gelden.

lest. 1. *Lest best* = 't beste komt achteraan.

2. *Lest heugt best.*

letter. 1. *Dat mag wel met een rode letter in de almanak*, zie *rood* 1.

2. *Iedere ketter heeft zijn letter* = ieder beroept zich voor zijn afwijkende mening op de een of andere tekst of uitspraak.

Zo als de ketters zich op een bijbelplaats beriepen.

3. *De letter doodt, maar de geest maakt levend* = men moet zich niet aan de let-

ter van de wet of van de bijbel houden, doch men moet begrijpen, wat er met de voorschriften bedoeld is.
Paulus zegt (II *Korinthe* III : 5, 6): 'Onze bekwaamheid is uit God, die ons ook bekwaam gemaakt heeft om te zijn dienaars des Nieuwen Testaments, niet der letter, maar des Geestes; want de letter doodt, maar de Geest maakt levend.'
In *Woordenschat* wordt daarbij opgemerkt: uit het verband blijkt, dat de bedoeling (van deze bijbeltekst) is: de wet veroordeelt de zondige mens ter dood, de verlossing door Christus schenkt hem uit genade het leven.
Het spraakgebruik heeft dus aan deze tekst een andere uitleg gegeven.

leugen. 1. *Een leugen om bestwil* = een leugen om er iets goeds mee te bereiken. Vandaar: *Een leugen om bestwil is geen zonde.*
2. Al is de leugen nog zo snel,
De waarheid achterhaalt hem wel,
of ook:
3. *Leugens hebben korte benen* = een leugen komt (spoedig) aan het licht.
4. *Hij is niet van zijn eerste leugen gebarsten* = hij is niet bang voor een leugen.

leugenaar. 1. *Een leugenaar moet een goed geheugen hebben.* Anders raakt hij verward in zijn eigen leugens.
2. Zie *almanak.*
3. *Jonge leugenaars, oude dieven* (Vlaams) = wie jong liegt, raakt zo aan bedriegen gewend, dat hij eindigt met een dief te worden. Ook Fries.
4. *Leugenaars en kreupelaars achterhaalt men lichte* (Gezelle), zie *leugen* 2 en 3.

leuk. *Zich leuk houden* = doen alsof men met het geval niets te maken heeft. Men denkt daarbij aan *leuk* = geestig, aardig, dus men houdt zich zo, dat een ander denkt: dat is een leuke vent. Doch leuk heeft hier oorspronkelijk de betekenis van lauw; men houdt zich onverschillig, men wordt er niet heet en niet koud bij.

leus. *Hij deed het enkel voor de leus* = voor de schijn, voor zijn fatsoen.
Leus = wapenkreet. Dus: hij deed het, omdat hij nu eenmaal bij die partij behoorde, maar niet omdat hij het echt meende.

leven. 1. *Men moet leven en laten leven* = men moet voor zichzelf zorgen, maar men moet ook een ander billijk behandelen; men moet een ander het vel niet over de oren halen. Ook: men moet wat door de vingers kunnen zien.
2. *Zo lang er leven is, is er hoop* = er is altijd kans op beterschap, zo lang een zieke nog leeft.
3. *Leven als God in Frankrijk*, zie *God* 1.
4. *Leven als vrolijk Fransje*, zie *Fransje.*
5. *Zij is in het leven* = zij is een lichtekooi. *Leven* is in dit geval dus het ontuchtige leven.
6. *Er is geen leven in de brouwerij* = a. er is geen vrolijkheid in 't gezelschap; b. er gaat niets om in de zaak. Volgens overlevering was er niets te doen in de brouwerij van Jan Steen, de beroemde schilder, die zijn nering verzuimde. Toen zijn vrouw hem daarover hard viel, liet hij er eenden in rondvliegen en zei hij: zie je wel, dat er leven genoeg in is?
7. *Die 't langst leeft, krijgt het allemaal*, gezegde dat men het er maar van nemen moet, dat men maar toe moet tasten, dat men zijn leven moet genieten. Men moet zich niet bekommeren om wie na ons komen; die 't laatste leeft, is immers ons aller erfgenaam.
8. *Men leeft niet om te eten, maar men eet om te leven*, vermaning aan diegenen, die al te graag goed en veel eten.
9. *'t Was er een heidens leven* = een verschrikkelijk lawaai.
Misschien bijbels, b.v. naar Psalm II : 1: 'Waarom woeden de Heidenen?'
Hetzelfde begrip in:
9a. *Een leven van de andere wereld*, ook een bijbelse uitdrukking, maar ontleend aan Matth. XXIV : 31, waar Jezus spreekt over het laatste oordeel. 'En Hij zal zijn engelen uitzenden met een bazuin van groot geluid.' Vandaar ook:
9b. *Een leven als een oordeel.*
10. *Die dan leeft, die dan zorgt* = maak je geen zorgen vóór de tijd.
11. Het leven is zo sterk
Als pottebakkerswerk,
Vlaamse rijmspreuk: het menselijke leven is broos.
12. *Het leven is een droom*, naar *Job* XX : 8. Doch daar wordt van een goddeloze gezegd:
Hij zal wegvliegen als een droom, en niet gesproken van het menselijk leven in 't algemeen.
13. *Men leeft maar eenmaal in de wereld*,

en dat is net nu = neem het er maar van, je kunt het nu nog krijgen.

levensboom. *Zijn levensboom verdort* = het loopt met hem ten einde.

Vanouds werd bij de geboorte van een kind een boom gepoot; zijn groei was het zinnebeeld van 't leven van dat kind; het was zijn levensboom. Als die boom verdorde, dan was ook de dood van de man nabij.

levensdraad. *Zijn levensdraad is afgesneden* = hij is gestorven.

De levensdraad werd volgens de Griekse fabelleer gesponnen door een der drie Schikgodinnen, Clotho. Hij werd geleid door Lachesis en ten slotte afgesneden door Atropos. De Schikgodinnen waren de godinnen van het Noodlot; zij beschikten over 's mensen leven. Maar de opvatting, dat ieder van de drie een eigen taak had, dagtekent pas uit de Middeleeuwen.

lever. 1. *Lachen, dat de lever schudt* = zeer hartelijk lachen.

Volgens de opvatting der Romeinen kwam het lachen voort uit de kitteling van de milt; daarvoor is dan de lever in de plaats gekomen. Ook werd de lever beschouwd als de zetel van toorn en drift en vrijmoedigheid. Van daar:

2. *Hij spreekt vrij van de lever* = hij zegt flinkweg waar het op staat; hij komt krachtig voor zijn mening uit.

3. *Hij heeft nog wat op zijn lever* = hij wil nog wat zeggen; hij heeft iets op zijn hart; hij heeft iets dat hem hindert en dat hij zeggen wil, hij is zich bewust van schuld.

De lever is hier dus de plaats, waar men een druk gevoelt.

4. *'t Was, of hem een luis over de lever liep* = hij stoof op, hij werd driftig.

De lever als zetel van toorn.

5. *Hij heeft een droge lever* = hij houdt veel van een stevige dronk.

De lever als zetel van dorst.

6. *Iemand om de lever gaan* = hem vleien, het hem naar de zin maken; lett.: zijn lever aangenaam kittelen.

7. *'t Is een man met een witte lever*: dit wordt gezegd, als hij telkens weduwnaar wordt.

Volgens het oude volksgeloof is het de oorzaak van de dood van de vrouw, als de man een witte lever heeft.

8. *Hij heeft de lever gegeten* = hij wordt verdacht, de schuldige te zijn. Tuinman zegt: 'Dikwijls worden de gebraden levertjes van hoenderen enz. heimelijk opgesnoept.'

Op bruiloften was het de gewoonte, dat de bruid door een van de gasten met een gedicht werd toegesproken met zulk een levertje op de punt van zijn mes. Zulke levertjes golden als een versnapering bij uitstek, maar die dichtregelen waren vaak van een nu onbegrijpelijke vuilheid in de 'netste' kringen. (*Letterkundig Woordenboek.*) Bij Kramers-Bonte: *hij heeft van de lever gegeten* = hij heeft schulden gemaakt.

9. *'t Komt hem niet aan de lever* = het helpt hem niet, het baat niet; er moet meer gebeuren, eer het goed is

De lever dus voorgesteld als de plaats vanwaar nieuwe kracht moet uitgaan; de plaats waar de gezondheid van afhangt. Vandaar ook:

10. *Er zit geen beste lever in* = die man heeft geen goed karakter. In Groningen: *hij heeft een minne lever* = 't is een bedrieger.

11. *Hij loopt met warme lever en long* (Gron.), schertsend antwoord op de vraag, wat iemand doet; vooral als men geen antwoord kan of wil geven.

Levi. *Zij is van de stam van Levi* = zij is van lichte zeden. Schertsend gezegde: het L. woord *levis* = licht. Schertsend ook daarom, dat de stam Levi, een van de 12 zonen van Jakob, het priesterambt bediende.

levieten. *Iemand de levieten lezen* = hem streng berispen; hem precies voorschrijven, wat hij te doen heeft.

De Levieten = het boek *Leviticus*, met al de voorschriften, die God aan de kinderen Israëls gegeven heeft, door de hand van Mozes. (*Leviticus* XXVI : 46.)

lezen. 1. *Die jas kan lezen en schrijven* = kan bij alle gelegenheden dienen.

De uitdrukking herinnert aan de oude tijd, toen de kunst van lezen en schrijven nog iets heel bijzonders was.

2. *De levieten lezen*, zie *levieten.*

3. *De les lezen*, zie *les.*

lichaam. *Die zijn lichaam bewaart, bewaart geen rotte appel* = het is van 't grootste belang, acht te slaan op zijn gezondheid.

licht I. 1. *'t Huis is licht en dicht* = het is maar los in elkaar getimmerd, zodat het

nauwelijks dicht is. Zulk een huis is dus juist niet dicht. Prof. Verdam zegt dan ook, dat de oude vorm luidde: *licht en ondicht*. En hij geeft dit als een voorbeeld om aan te tonen, dat men bij de verklaring van een spreekwoord broodnodig de oudste vorm moet kennen (*Uit de Geschiedenis*, 166.)
2. *Te licht bevonden*, zie *wegen*.
licht II (helder). 1. *'t Huis stond in lichte laaie* = in lichte vlam.
2. *Ik heb het voor mijn lichte ogen gezien* = ik zag het duidelijk.
licht III. 1. *Iemands licht betimmeren* = maken dat iemand niet tot het aanzien komt dat hij verdient.
Lett. = een dichte schutting zetten voor iemands ramen, zodat hem het uitzicht benomen wordt, gelijk wel eens voorkomt onder niet al te vriendelijke buren. In dezelfde figuurlijke zin:
2. ***Iemand in het licht staan***, waarbij dan echter in 't bijzonder ook nog bedoeld wordt, dat men:
3. *het volle licht* op zich zelf laat vallen.
4. *Toen ging mij een licht op* = toen werd het mij duidelijk, toen begreep ik het geval. Misschien ook een bijbelse uitdrukking. In Ps. CXII : 4 leest men:
Den oprechten gaat het licht op in de duisternis.
5. *Hij gunt zijn buurman 't licht in de ogen niet* = hij haat hem zozeer, dat hij zou wensen dat zijn buurman blind werd.
In 't Fries:
hij gunt hem 't wit in 't oog niet.
6. *Dat mag geen licht zien* = dat moet geheim blijven, want het deugt niet; daarmee kan men niet in 't openbaar voor den dag komen.
Misschien onder invloed van *Matth*. X : 27. Daar zegt Jezus: 'Hetgeen Ik u zeg in de duisternis, zegt het in het licht; en hetgeen gij hoort in het oor, predikt dat van de daken.'
licht IV (kaars). 1. *Men moet zijn licht niet onder de korenmaat zetten* = als men wetenschap heeft, die anderen dienen kan, dan moet men die niet verborgen houden. In *Matth*. V : 15 vindt men (in de Bergrede):
'Noch steekt men een kaars aan, en zet die onder een korenmaat, maar op een kandelaar.'
De korenmaat was een bak, die in de huiskamer stond bij de oude Joden.
Ook luidt het gezegde:
2. *Laat uw licht schijnen voor de mensen*. Ontleend aan *Matth*. V : 16.
lichten. *Men moet weten te lichten en te zwaren* = men moet soms eens wat toegeven, als de omstandigheden er naar zijn; men moet niet alles even zwaar opnemen.
lichtmis, 1. d.i. een die losbandig leeft, een losbol. Naar *Maria Lichtmis*, de R.K. feestdag op 2 februari, de Reiniging van Maria, gevierd met veel brandende kaarsen in de kerk. Op die dag werden in de M.E. allerlei feesten gehouden, die aanleiding gaven tot grote losbandigheid.
De dag is in de volksweerkunde een lotdag, d.w.z. van het weer op zulk een dag hangt het weer in de volgende weken af. Zo heet het:
2. Lichtmis, helder en klaar.
Geeft een goed bijen jaar.
Hoe weinig men op zulke volksspreuken vertrouwen kan, blijkt uit het Vlaamse rijmpje (Dufour, 134):
Lichtmis donker, met regen en slijk,
Maakt de boeren rijk.
Ook:
Met Lichtmis triestig weer
Is goed voor boer en heer.
Anders:
Lichtmis donker,
De boer een jonker;
Lichtmis helder,
De boer in de kelder.
lid I. 1. *Hij heeft een ziekte onder de leden* = hij heeft een ziekte bij zich; hij gevoelt dat hij ziek zal worden.
De leden = het lichaam. Zo ook:
2. *'t Lag mij op de leden* = ik had er een voorgevoel van.
3. *'t Is geen ledebreken* = geen zwaar lichamelijk werk.
lid II (deksel). *Die 't onderste uit de kan wil hebben, krijgt het lid op de neus*; zie *kan* 1.
lied. 1. *Hij zingt het liedje van verlangen* = hij wil graag nog wat blijven; hij wil al maar uitstellen (als het iets betreft, dat hij niet graag doen mag.) Kinderen zingen het liedje van verlangen, als ze nog gaarne een uurtje op willen blijven. *Verlangen* = verlengen.
2. *Een kort lied is gauw gezongen* = (hef-

tige) smart duurt vaak niet lang.
3. *'t Was weer 't oude lied* = dezelfde onaangename, vervelende geschiedenis.
4. *Dat was 't eind van 't lied* = daar liep het op uit.
5. *Ik zing geen twee liedjes voor één cent* = ik wil dit werk niet nog eens doen; ik vertel dit niet voor de tweede keer. Zie *pastoor* 4.
6. Zie *klaaglied.*
7. *Gelijk 't lieken is, zo moet het gezongen worden* (Vlaams) = men moet van de nood een deugd maken.
8. *Men kan een goed liedeken niet te dikwijls zingen* (Vlaams) = men mag steeds herhalen, wat mooi en waar is.
Ook:
9. *Een schoon liedeken mag men drij keren zingen.*
10. *Er wordt nooit een liedje gezongen, of 't is een schakelken van waar* (Gezelle), zie *koe* 6.
lief. 1. *Nooit lelijk lief* = men vindt altijd mooi, waar men van houdt.
Lett. = de vrijer vindt zijn lief altijd mooi.
Gezelle zegt: *Nooit lelijk lief, nooit schone koolzak.* (Kool = steenkool.)
2. *Lieverkoekjes worden niet gebakken* = er wordt niet gevraagd, of je liever wat anders zou willen hebben of doen. Woordspeling met *liever* en met *liefkoek, lijfkoek* of *leefkoek*, een gebak, D. *Lebkuchen.* De Nederlandse naam van deze koek schijnt niet meer voor te komen.
liefde. 1. *Oude liefde roest niet* = wanneer men eenmaal iemand liefgehad heeft, komt het oude gevoel licht weer boven. Vooral gezegd, wanneer vroegere vrijerij hernieuwd wordt.
2. *Liefde is blind* = wie liefheeft ziet in de beminde geen gebrek.
Schertsend: *Liefde is blind, zei de vrouw, en ze zoende het nuchtere kalf.* (Gron.)
3. De eerste liefde is de beste,
De eerste vrouw gaat vóór de leste.
4. *De liefde is sterker dan de dood* = de liefde wordt zelfs door de dood niet overwonnen.
Misschien naar *Hooglied* VIII : 6. 'De

28. Liefde leert zingen (z. *liefde*)

liefde is sterk als de dood.'
5. *De liefde sticht* = Christelijke broederliefde bouwt de gemeente op.
In 1 *Korinthe* VIII : 1 zegt Paulus, naar aanleiding van de vraag, of men gebruik mag maken van wat aan de afgoden geofferd is: De kennis maakt opgeblazen, maar de liefde sticht.
6. *De liefde kan niet van één kant komen* = men moet bij enige onderneming alle beide wàt doen, niet één partij voor alles laten opdraaien.
7. *De liefde doet veel, het geld doet het al* (Vlaams) = het geld geeft de doorslag bij het huwelijk.
8. *De liefde tot zijn land is ieder aangeboren*, regel uit Vondels treurspel *Gijsbreght van Aemstel*, aan het slot, als alles verloren is en Gijsbrecht met de zijnen uit Amsterdam moet vluchten.
9. *Liefde leert zingen.*
liefhebben. *Die mij liefheeft, volgt mij*, schertsend gezegde als men iemand uitnodigt mee te gaan.
Misschien naar Johannes XII : 26. Maar daar staat als Jezus' woord: 'Zo iemand Mij dient, die volge Mij.'
liegen. 1. *Dat liegt er niet om* = dat is heel goed, gezegd als er een ding is, dat aan alle verwachtingen voldoet; dat is een grote, een dikke; ook: dat is raak, die slag komt goed aan.
Lett. = daar behoeft geen leugen bij verteld te worden; 't is zo al goed.
2. *Hij liegt dat hij zwart ziet* = 't is een verschrikkelijke leugenaar.
Oud volksgeloof, dat een leugenaar zwarte plekken in zijn gezicht krijgt.
Op dergelijk geloof berust ook:
3. *Hij liegt, dat de rook hem boven zijn hoofd staat.*
4. *Hij liegt, of het gedrukt staat*, lett. hij liegt zo, dat men het zou kunnen oplezen; hij liegt zonder te haperen.
5. *Waarom zou hij liegen? hij heeft al genoeg te doen, om de waarheid te zeggen!* spottend gezegde, als iemand weer bezig is, leugens op te dissen. Volkshumor.
6. *Die liegt bedriegt.*
7. *Vraag mij niet, dan lieg ik niet* =
a. het staat mij nog voor de geest, maar ik weet het niet zeker meer; b. verwacht op een onbescheiden vraag geen antwoord naar waarheid.
liek (gelijk).
Een liek man
Is een riek man
(Gron.) = wie zijn schulden betaalt, is rijk. Ook Fries.
lier. 1. *De lier aan de wilgen hangen* = de dichtkunst vaarwel zeggen.
Volgens Psalm 137 eisten de vijanden der Joden in Babel van hen vrolijke gezangen, maar de Joden gedachten aan Zion:
Aan de rivieren van Babel, daar zaten wij; ook weenden wij, als wij gedachten aan Zion; wij hebben onze harpen gehangen aan de wilgen.
Men heeft dus de harp vervangen door de lier, het andere muziekinstrument.
2. *'t Brandt als een lier* = buitengewoon fel.
Misschien is *de lier* in dit gezegde de lork of larix, een naaldboom met harsachtig hout.
Van deze uitdrukking ook:
3. *'t Gaat als een lier.* Volgens Van Dale kan het zijn, dat de *lier* in dit geval de kaapstander is, die dient om goederen in een schip te hijsen.
Lieveheer, zie *Onze Lieve Heer*.
lieve moeder. *Daar is geen lievemoederen aan* = smeken en bidden, vleien en mooipraten helpt niet.
Letterlijk: 't helpt niet, al smeekt men bij Onze Lieve Moeder (Maria).
lieverkoekjes. Zie *lief* 2.
van lieverlede, d.i. langzaam aan, geleidelijk. Afleiding onbekend. In de Middeleeuwen heette het: *met liever lade*; deze vorm is nog over in *van laiverloa* op 't Groninger Hogeland.
liggen. 1. *Dat ligt er toe* = dat is niet meer te veranderen; zo is het nu eenmaal. Misschien ontleend aan het dobbelspel.
2. *Zo als de boom valt, blijft hij liggen*, zie *boom* I 17.
likken. 1. *Iemand de hielen likken*, zie *hiel* 4.
2. *Dat is wat van lik-me-vestje* = dat is wat van geen betekenis; ook *dat is wat van lik-mijn-gat*.
Stoett acht dan ook waarschijnlijk, dat het vestje een verbastering is van 't Franse woord *fesse* = bil.
Lilliput. *Een Lilliputter*, ook verbasterd tot *lelieputter* = een dwerg.
Naar *Lilliput*, het denkbeeldige land in *Gullivers Reizen* van de Engelse schrijver Jonathan Swift; daar waren de bewo-

ners nog geen duim groot.

linker. *'t Is een linker* = een listige bedrieger.

Links heeft vanouds een kwade betekenis. Zo in Prediker X : 2. 'Het hart des wijzen is tot zijn rechter-, maar het hart eens zots is tot zijn linkerhand.'

linkerhand. 1. Zie *linker.*

2. *Wij wachten met de linkerhand,* schertsend gezegde, als men reeds aan tafel zit en eet, terwijl er nog iemand ontbreekt.

3. *Hij heeft twee linkerhanden* = hij is al heel onhandig.

4. *Laat de linkerhand niet weten, wat de rechter doet* = wie een ander helpt, die moet het zo doen, dat niemand het merkt. Bijbelse uitdrukking. 'Als gij aalmoes doet, zo laat uw linkerhand niet weten, wat uw rechter doet; opdat uw aalmoes in het verborgen zij.' (*Matth.* VI : 3 en 4.)

5. *Een huwelijk met de linkerhand,* een morganatisch huwelijk, nl. van een vorst met een vrouw van lagere rang, die niet alle rechten van een wettige vrouw krijgt.

links. 1. *Iemand links laten liggen* = zich niet om hem bekommeren, hem achteloos voorbijgaan.

Links is de verkeerde kant.

2. *Hij was ook niet links* = hij was heel gevat; hij wist zich best te redden.

Links = onhandig, dom.

linnen. *Hij praat door linnen en wollen heen* = hij redeneert al maar door, zonder te letten op wat een ander zegt.

lip. 1. *Hij liet de lip hangen* = hij pruilde; hij zette een droevig gezicht; het kind was er na aan toe om te gaan schreien.

In Groningen: *De lip hangt hem op het derde knoopsgat.*

2. *Hij beet zich op de lippen* = hij hield zich in; hij bedwong zijn woede, zijn drift. Ook: hij moest zich goed houden, om niet in lachen uit te barsten. Ook: *hij beet (zich) op zijn tanden.*

3. *Waar de lippen werken, daar rusten de handen* (Vlaams), zie *schaap* 12.

loef. *Iemand de loef afsteken* = hem overtreffen; hem voorbijkomen in een wedstrijd. *Loef* is in de zeemanstaal de zijde, waar de wind vandaan komt. Als twee schepen tegen elkaar op varen, dan steekt het schip aan de windkant het andere schip de loef af; dan heeft de wind op dat andere schip geen vat genoeg; dan heeft het eerste schip het voordeel van de wind en het andere blijft achter.

loer. *Iemand een loer draaien* = hem een poets bakken, hem gemeen bedriegen. Stoett acht *loer* = luur, lap of vod, dus een ding van weinig waarde, waaruit zich de betekenis van iets slechts, van een lelijke streek, ontwikkelde.

lof. 1. *Eigen lof stinkt* = men moet zich zelf niet prijzen, want dat staat heel lelijk. Reeds bij Suringar (no. 70):

Soe wye hem selven prijst alleyne,
Sijn ere is dan harde kleine.

En in Rapiarys:

Lof ende prijs in eighen mont
Wert onsuver talre stont.

Bij Guido Gezelle:

Eigen lof stinkt,
Vriendenlof hinkt,
Vreemdenlof blinkt.

In Vlaanderen ook:

2. Eigen lof
IJdel stof.

lofzang. *Alle lofzangen hebben een einde* = ook aan het mooiste komt een einde. Waarschijnlijk een Bijbelse spreuk, naar aanleiding van het onderschrift onder de tweede psalmbundel, in *Psalm* LXXII : 20. Daar staat:

De gebeden van David, de zoon van Isaï, hebben een einde.

(De psalmen zijn in 5 bundels verdeeld: I, 1—41; II, 42—72; III, 73—89; IV, 90—106; V, 107—150. Laurillard, blz. 99.)

lokkebrood.

Eerst lokkebrood,
Dan stokkebrood,

zie *huwelijk* 1.

lommerd. *Daar doet (geeft) de lommerd geen geld op* = dat is niets waard; dat is niet te vertrouwen.

De *lommerd* is de bank van lening; het woord is afgeleid van *Lombardije,* de bakermat van de geldhandel. Italiaanse kooplieden richtten ook bij ons hun wisselbanken en geldkantoren op. Zij schoten geld voor op onderpand en zo kreeg een pandjeshuis de naam van lomberd.

Lombardije zelf betekent het land der Longobarden, een van de Germaanse stammen, die naar Italië trokken.

lompen. *Laat je niet lompen!* = laat je niet foppen; zorg dat je aan je recht, aan je deel komt!

Lompen betekende stoten. [onraad.

lont. 1. *Ze roken lont* = zij vernamen De lont was een streng touw of werk, die aangestoken werd en bleef smeulen. Met zulk een brandende lont stak men in het gevecht het kruit aan, dat op het zundgat lag en waardoor dan het kruit binnen in het vuurwapen werd ontstoken. Zulk een brandende lont was te ruiken en wie dat rook, wist dat de vijand in de buurt en gereed was.

2. *Ze verloren meer aan de lont dan ze aan de oorlog verdienden* = de onkosten waren groter dan de winst bij een onderneming.

lood. 1. *Hij was uit het lood geslagen* = hij was de kluts kwijt, hij stond bedremmeld.

Het *lood* is het schietlood, waarmee de metselaar en de timmerman nagaan, of een muur of een kozijn enz. *in het lood staan*, d.w.z. zuiver *loodrecht* staan. Vandaar ook:

2. *Alles is in 't lood* = alles is zoals het wezen moet.

3. *Dat is lood om oud ijzer* = 't ene is niet beter dan het andere, maar geen van beide is wat waard. Vroeger zei men namelijk: *dat is oud lood om oud ijzer.*

4. *Hij ging er heen met lood in de schoenen* = met grote vrees hoe 't wel af zou lopen, zodat de gang hem zeer moeilijk viel. Ook: *met loden schoenen.*

5. *Hij moest het loodje leggen* = hij moest boeten, hij moest betalen.

't Loodje is het bewijs dat men betaald had, zo als dat vroeger gebruikelijk was in de schouwburg, bij de postwagen enz.

6. *De laatste loodjes wegen het zwaarst* = het eind van het werk valt het moeilijkst, kost de meeste inspanning.

Bij het wegen zijn het de laatste loodjes, die de doorslag geven.

7. *Hij heeft het lood in de bil* = zijn vonnis is geveld; hij heeft zijn straf te pakken.

Het lood is hier letterlijk de kogel van de jager of van de veldwachter, dus: hij is geraakt.

8. *Dat ligt onder 't loodje* = die zaak komt zo gauw niet aan de orde; dat wordt nog vooreerst niet afgedaan.

Lett. = dat stuk, die brief, dat verzoek ligt bij een stapel andere papieren en er ligt een zwaar voorwerp op, dat ze niet wegraken.

9. *Loden pijpen, samen delen!* = ieder moet zijn aandeel hebben van een fortuintje, van een vondst, een grote gift enz. Afkomstig van het nog al eens voorkomend gebruik dat bij afbraak van een huis arbeiders het lood uit pijpen en goten er uit breken en voor eigen rekening verkopen.

loog. *Hij is uit het loog geborsteld* = hij heeft een heel mooi pakje aan, dat keurig in orde is.

Letterlijk, dat met loog schoongemaakt is. Men begrijpt dit niet altijd, want men hoort ook: *hij is uit het loof geborsteld,* wat geen zin heeft.

loon. 1. *'t Loon verzoet de arbeid* = goed loon maakt ook zware arbeid licht.

2. *Hij kreeg loon naar werk* = hij kreeg zijn verdiende straf.

Misschien een Bijbelse uitdrukking naar II *Kronieken* XV : 7. 'Daarom weest gij sterk, en laat uw handen niet verslappen; want er is loon naar uw werk.'

3. *Loontje komt om zijn boontje*, voor: *Boontje komt om zijn loontje.* Zie *boontje* 2.

4. *De arbeider is zijn loon waard* = men moet nooit knibbelen op het loon.

5. *Hij heeft zijn loon weg*, zie *weg* II, 1.

6. *Geen loon, geen moed* (Vlaams) = geld verzoet de arbeid.

loop. 1. *Beter een kwaaie loop dan een kwaaie koop* = al heeft men ook veel moeite gedaan, het is beter dat die moeite vruchteloos blijft dan dat men tot een verkeerde handeling overgaat.

Bij Harrebomée:

Beter is 't teruggegaan
Dan een kwade sprong gedaan.

2. *Men moet geen paard in de loop beslaan*, zie *paard* 32.

loopgaren. *Loopgaren spinnen* = te veel langs de straat lopen; zie *loopvrouw.*

Zulk een vrouw verknoeit haar tijd, die zij gebruiken moet om garen te spinnen van wol.

In Groningen: *zij spint loopgaren en haspelt het met de hakken.*

loopje. *Een loopje met iemand nemen* = hem voor de gek houden, hem beetnemen. Lett. = hem meenemen, met hem aan de loop gaan.

loopvrouw. *Loopvrouwen en koopvrouwen zijn geen huisvrouwen.*

lopen. 1. *'t Lopen is voor de zotten niet gemaakt* (Vlaams) = 't is verstandig er

vandoor te gaan, als er gevaar dreigt; beter blo Jan dan do Jan.
2. *Loopt er niet in, er loopt ook niet uit* (Gron.) = baat het niet, dan schaadt het niet.
loper. *Veel lopers, maar geen kopers* = er komen wel veel vrijers op dat meisje af, maar 't wordt geen huwelijk.
lorem. *In de lorem zijn* = a. aan de zwier zijn; b. geheel verbijsterd zijn.
Bij Harrebomée: *hij is in dolorem.* Misschien onder invloed van *dol* uit *delirium.*
lot. 1. *Het lot valt altijd op Jonas* = sommige mensen treffen het altijd weer slecht. Gezegde, wanneer het iemand tegenloopt, die ook bij vorige gelegenheden ongelukkig geweest is.
Bijbelse uitdrukking. Toen Jonas in het schip op zee was, kwam er een grote storm. De zeelieden wierpen het lot, om te vernemen, om wiens wil hun het kwaad overkwam, 'en het lot viel op Jona.' (*Jona* 1 : 7.)
2. *Niemand kan zijn lot ontlopen* = wat er moet gebeuren, dat gebeurt.
Oud volksgeloof.
3. *Hij heeft een lot uit de loterij getrokken*, hij heeft een buitenkansje gehad.
Lotje. *Hij is van Lotje getikt* = hij is niet goed wijs.
Een afdoende verklaring is niet gevonden. Sommigen denken: hij is van lorretje, de papegaai, gepikt. Anderen hebben vermoed, dat *Lotje* een van de namen van de Duivel is.
Lovelace. *Hij handelt als Lovelace* = hij leeft zonder beginselen; 't is een verleider van meisjes.
Lovelace is een figuur uit *Clarisse Harlowe*, roman in brieven van de Engelse schrijver Richardson uit het midden der 18e eeuw. Deze roman werd beroemd en in vele talen overgezet; de werken van Richardson waren het model voor de romans van Wolff en Deken.
loven. 1. *Na veel loven en bieden* = na veel onderhandelen.
Loven = de prijs vragen voor zijn waar, lett. de waar prijzen. De verkoper looft, de koper biedt.
2. *Men moet de dag niet voor de avond loven* = men moet het werk niet vóór het einde prijzen; men moet niet juichen over de uitslag, zo lang die niet geheel zeker is.
lucht I. 1. *Zij schermen in de lucht* = zij praten maar al door, maar ze komen niet tot een besluit.
Lett. = zij schermen wel, maar ze raken niets.
2. *Hij kwam nu uit de lucht vallen* = hij kwam plotseling en geheel overwacht. Ook: *hij kwam als een steen uit de lucht vallen.*
3. *Een luchtje scheppen* = een eind gaan wandelen, om wat frisse lucht in te ademen. Vandaar:
4. *Om een luchtje gaan* = dood gaan, dus = uitgaan en niet terugkomen.
5. *Lucht geven aan* = uitdrukking geven aan (woede, verdriet, vreugde enz.)
Als men lucht geeft aan iemand, die het benauwd heeft, dan kan hij zich uiten.
6. *De lucht hangt nog vol dagen* = morgen komt er weer een dag.
lucht II (reuk). *Hij kreeg de lucht er van* = hij merkte iets, hij kreeg een vermoeden. *Lucht* = reuk. De uitdrukking komt van de jacht. De hond krijgt lucht van het wild.
2. *Ik kan hem niet luchten of zien* = ik kan hem niet uitstaan.
Lett. ik kan zijn *lucht*, zijn reuk, en zijn gezicht niet verdragen.
3. *Er zit een luchtje aan*, d.w.z. een slechte reuk.
luchtkasteel. *Luchtkastelen bouwen* = zich overgeven aan droombeelden, die nooit werkelijkheid worden; zich vleien met onvervulbare verwachtingen.
lui I.
1. Lui, lekker en veel te meugen,
Zijn drie dingen, die niet deugen.
Bij Guido Gezelle:
1a. Lui en lekker.
Geen ding gekker.
wie lui is en ook nog het lekkerste eten begeert, dat bestaat niet.
2. *Hij heeft luie Evert op de rug*, zie *Evert*. Ook:
3. *Hij is liever lui dan moe.*
4. *Een luie voerman spant liever uit dan in* = een luiaard ziet tegen het werk op.
Hij slaapt ook graag en lang. Vandaar:
5. *Een lui lijf en een warm bedde zijn goede vrienden* (Gezelle.)
lui II (lieden). 1. *Al ziet men de lui, men kent ze niet*, sommige lui doen zich heel mooi voor, maar ze vallen heel erg tegen, als men ze werkelijk leert kennen.
2. *Wijs bij de lui, mal om een hoekje*, zie *wijs* II, 7.

3. Stinkende luiden
Dragen de riekende kruiden,
spreuk bij Gezelle. Wie slecht is, tracht zich deugdzaam voor te doen; tracht zijn ondeugd te verbergen.

luiaard. 1.
Luiaards zweet
Is gauw gereed
(Vlaams) = de luiaard vreest het werk. Ook:

2. *Een luiaard klaagt de eerste van de warmte*. En nog:

3. *Een luiaard zou zijn benen breken, om geen twee keren te moeten gaan.*
Een ander Vlaams spreekwoord luidt:
Tegen den avond en den noen
Heeft de luiaard meest te doen;
ja, dan is er te eten.
Vergelijk *Westen* 2. De noen = de maaltijd.

luiden. 1. *Hij heeft de klok horen luiden, maar weet niet waar de klepel hangt*, zie *klok* 2.

2. *Men kan niet luiden en de ommegang doen* (Vlaams) = men kan niet tegelijk twee werken verrichten.
De ommegang is de processie, die uit gaat, terwijl de klok luidt.

luiheid. 1. *Luiheid is des Duivels oorkussen*, zie *ledigheid*.

2. Luiheid verarmt,
Arbeid verwarmt.
Vlaams spreukje. Ook:

3. *Armoede is luiheidsloon.*
En ook:

4. *De luiheid gaat zo traag, dat de armoede ze spoedig achterhaalt.*

Luik. *Hij kan Luik en Hamburg op*, spreekwoord opgenomen door Harrebomée. Men zal hem toegezonden hebben het Groninger gezegde:
Hai kin Loek en Hambörg op = hij kan ontzettend veel eten.
Hier is *Loek* echter niet Luik, doch Lubeck; de uitdrukking bevat de herinnering aan de grote macht en invloed der Hanzesteden. Ook in Oost-Friesland heet het nog altijd: *he kan Lük un Hamborg op.*

luilak, letterlijk iemand die *lui* en *lak* is, d.i. lui en slap. Zie *lak*.
Stoett (I, 528) vermeldt een historische verklaring. De nachtwacht Piet Lak zou zich in 1672 bij de nadering der Fransen te Amsterdam verslapen hebben; zo kreeg hij de bijnaam van *Luie Lak*. De familienaam Lak komt in N.-Holland nog voor.

Luilekkerland. 1. *Om in Luilekkerland te komen, moet men door de Rijstebrijberg eten*, zie *rijst*.

2. *'t Is hier geen Luilekkerland, waar de gebraden varkens met het mes in de rug lopen.*

luimen. *Op zijn luimen liggen* = op de loer liggen. Zo bij Staring in *Jaromir te Lochem* over de Duivel.
Heintje Pik lag op zijn luimen,
Om, met acht vingers en twee duimen,
De kans, hem vroeg of laat geboon,
Krachtdadig bij de vlecht te pakken,
En onzen driesten Muzenzoon
Een kool te bakken.
Luimen is een oud woord voor
loeren.

luis. 1. *Men kan een luis niet meer benemen dan het leven* = men kan van een kikker geen veren plukken.

2. *Men heeft meer last van de neten dan van de luizen* = kleine schuldeisers plagen je vaak meer dan de grote.
De neten zijn de eitjes van de luizen.

3. *Beter een luis in de pot dan helemaal geen vlees*, schertsend gezegde: beter wat dan niets, ook al is 't dan niet naar wens.

4. *Hongerige luizen bijten scherp* = wie in nood zit, stelt vaak al te hoge eisen; een arm mens probeert soms aan de kost te komen op een onoorbare wijze.
In de *Proverbia Communia* 206: *Die hongherige vloe bijt seer*, en ook:
396. *Hongherighe vlieghen biten sere.*

5. *Hij schiet op als een luis op een teerton* = hij vordert in 't geheel niet.

6. *Iemand een luis in de pels poten* = hem ongezien onnoemelijk veel last en schade bezorgen.

7. *Hij heeft daar een leven als een luis op een zeer hoofd* = (plat) hij krijgt daar alles wat hij nodig heeft en wat hij maar begeren kan.
Omgekeerd.

8. *Hij is zo veeg als een luis op de kam* = hij is in 't allergrootste gevaar; hij redt het niet meer.
Veeg = de dood nabij.

9. *Zet maar geen luizen op de roof, die komen er vanzelf wel in* (Fries) = vergroot het ongeluk niet (door verwijten en schelden); 't is zo al erg genoeg.
De roof is de korst op de wonde.

luisteraar.
Een luisteraar aan de wand
Hoort vaak zijn eigen schand,
men moet niet aan deuren en vensters luisteren, want dan is 't vaak, dat men het over jezelf heeft en... dat er niet veel vriendelijks van je verteld wordt.
luistervink, d.i. iemand die een gesprek afluistert, hetzij uit nieuwsgierigheid of om er zijn voordeel mee te doen.
Vink duidt een persoon aan met ongunstige betekenis; zo ook in *goudvink* (rijkaard) en *roervink* (oproermaker).
Lukas. *Dat is niet volgens Lukas* = dat is niet voldoende onderzocht, dat is niet geheel zeker, niet betrouwbaar. Ook: *Lukas schrijft daar niet van.*
Immers begint de evangelist Lukas zijn verhaal met de betuiging: 'hebbende alles van voren aan naarstiglijk onderzocht.' (Lukas I : 3.)
Ook hoort men: *Dat is niet volgens Jakobus.*
lukraak, d.i. op goed geluk, in 't wilde weg. B.v. *ze schoten lukraak.* Lett. = in de hoop dat het gelukken zou, iets te raken.
luns. 1. *Hij draagt liever de luns dan het rad* = hij maakte zich graag van 't zware werk af; hij kiest het gemakkelijkste. (Groningen en Friesland.)
De *luns* is de spie vóór het wagenwiel, waardoor dit wiel niet uit de as kan lopen. De luns is heel licht en het *rad* is zwaar.
2. *Smeren vóór de luns, dat het rad niet giert* = voor de vorm iem. een kleinigheid geven, opdat hij dan zijn mond houdt; hem trachten om te kopen.
Smeren vóór de luns helpt niet; dus: alleen voor de vorm iets doen. Het eigenlijke werk is de as zelf smeren, dus achter de luns. Gieren = piepen.
3. *Wie naar een gouden wagen zoekt, krijgt er wel een luns van,* zie *wagen* I, 4.
lurven. *Iemand bij de lurven krijgen* = iemand beetpakken.
't Is duidelijk, dat lurven hier lappen, vodden of kleren betekent, maar het woord is buiten dit gezegde nergens aangetroffen.
lust. 1. *'t Is een lust voor de ogen* = 't is heerlijk om aan te zien.
Uit *Genesis* III : 6, waar van de boom der kennis des goeds en des kwaads gezegd wordt, 'dat hij een lust was voor de ogen', Zie ook *vrucht* 3.
2. *Een mens zijn lust is een mens zijn leven.*
3. Lust en liefde tot een ding
Maakt de moeite zeer gering.
(Gezelle.)
lusten. *Kom maar op, ik lust je!* = ik durf je wel aan, ik wil wel eens met je vechten. Uit het Bargoens.
Luther. *Hij is Luthers* = zijn geld is op. Misschien een herinnering aan de eerste Lutherse predikers, die zonder geld door 't land trokken.
luur. *Iemand in de luren leggen* = hem bedotten, beetnemen.
Luur = luier. Dus: iem. behandelen als een zuigeling; in Gron. *iemand in 't pak steken.* Zie *pak* 2.
luwen. *Dat luwt! zei de vos, en hij kroop achter een rietstengel* = spottend gezegde, als iemand maatregelen neemt, die volstrekt niet helpen.
In Groningen: *en hij kroop achter een piont,* d.i. de halm van het buntgras.
Zie *zeispreuken* 54.
lij. *Hij ligt in de lij* = hij is in de neerlaag; zijn zaken gaan slecht.
Een *schip in de lij* vangt geen wind, doordat er een ander schip net voor ligt, 't kan dus niet voortkomen. *De lij* is de kant, waar de wind naar toe waait. Zie *loef.*
lijden. 1. *Na lijden verblijden* = na regen komt zonneschijn.
2. *Hij moest de lijdenskelk tot de bodem ledigen* = hij moest al het bittere leed dragen; niets bleef hem gespaard.
Bijbelse uitdrukking. Jezus vraagt aan de discipelen: Kunt gij de drinkbeker drinken, die Ik drinken zal? (*Matth.* XX : 22.)
Het lijden wordt voorgesteld als een bittere drinkbeker.
lijf. 1. *'t Heeft niets om 't lijf* = 't is van geen waarde, 't betekent niets.
In letterlijke zin heeft een arme niet veel (kleren) om 't lijf. Vergelijk *hak* I, 2.
2. *Aan mijn lijf geen polonaise!* vgl. *polonaise.*
3. *Het vege lijf redden,* zie *veeg* II, 2.
lijk. *Hij is uit de lijken geslagen* = hij is beteuterd; hij weet niet meer te doen; hij staat versteld.
De lijken zijn de touwen in de rand van een zeil, om 't scheuren te beletten. Als een zeil uit de lijken slaat, is het onklaar en gaat het stuk.

lijn. 1. *Ze trekken één lijn* = zij zijn het eens; zij werken samen voor hetzelfde doel. Misschien letterlijk: ze trekken aan hetzelfde touw (het schip voort).
2. *Langzaam aan, dan breekt het lijntje niet!* = bederf je werk niet door te grote haast.
Ook al van de lijn, waarmee het scheepjagerspaard het schip trekt. Als de lijn over een brug moet gaan, is er bij driftig trekken gevaar voor breken.
3. *Ze trekken de lijn* = ze voeren niet veel uit, zij zijn lui in hun werk; *'t zijn lijntrekkers.*
Waarschijnlijk een nieuwe uitdrukking, uit de kazerne. In de tijd van de kleine jaarlijkse lichtingen had men bij oefeningen in groter verband geen manschappen genoeg en werd een sectie voorgesteld door twee man, die een touw tussen zich in vasthouden moesten. Als dan de compagnie marcheren of zwenken moest, dan geschiedde dat met die lijntjes zonder inspanning. Die daarbij de lijn trokken hadden het al heel gemakkelijk; ze voerden niet veel uit.
Zo heb ik het gezien en mee moeten doen in 1891.
4. *Men heeft hem aan 't lijntje gehouden* = men heeft hem wel beloften gedaan, maar de vervulling daarvan al maar uitgesteld.
Men heeft hem dus als het ware telkens weer aan een touw meegetrokken.
5. *Men heeft hem met een zacht lijntje daartoe gebracht* = men heeft zo lang mooi met hem gepraat, dat men hem heeft overgehaald het te doen.
Zo als een paard met een zachte teugel de last voorttrekt. Ook:
6. *Met een zoet lijntje.*
7. *Men heeft hem aan 't lijntje gekregen* = men heeft hem overgehaald, men heeft hem in de macht gekregen.
Stoett acht het waarschijnlijk, dat *lijntje* in dat geval een touw is, waaraan b.v. een paard loopt. Meer voor de hand ligt echter, dat het een vissersuitdrukking is: het lijntje is het hengelsnoer, waaraan de gevangen vis spartelt.

M

maag. 1. *Dat lag hem zwaar in de maag* = daar had hij verdriet van, daar was hij erg verlegen mee, daar zag hij tegen op.
Lett.: dat kon hij moeilijk verteren.
2. Een volle maag
Studeert niet graag,
vertaling van een Latijnse spreuk.
3. *Hongerige magen hebben geen oren* (Vlaams) = wie honger heeft luistert niet naar rede.
Vertaling van een Frans spreekwoord.
Maaike. *Maaike in 't schapraaike*, zie *Hans* 2. *Schapraai* (nog in het Vlaams) = de provisiekast.
maal. 1. *Eén maal is geen maal*, zie *eenmaal.*
2. *De derde maal is schippersrecht*, zie *drie* 2.
maalstroom. *Zij nam deel aan een maalstroom van vermaken* = zij ging van het ene feest naar het andere.
Een maalstroom is een plek in zee, waar het draaiende water de schepen meesleurt.
maan. 1. *Als de maan vol is, schijnt hij overal* = wie rijk is, deelt licht wat uit; wie overvloed heeft, is mild.
2. *Hij heeft tegen de maan gepist* = hij is met de kous op de kop thuisgekomen. Een voorstelling er van is te zien op de schilderij van de onbekende meester, zowel als op die van Brueghel. Stoett zegt, dat men daarbij moet denken aan een man, wie de urine in 't gezicht valt.
3. Een kring om de maan,
Dat kan nog gaan;
Een kring om de zon,
Daar schreien vrouw en kinderen om.
Een van de talrijke weersvoorspellingen. 't Volk is bang voor een kring om de zon; die betekent storm op zee. Zo ook, wanneer de maan 'in de rug ligt'; vandaar:
4. *Liggende maan, staande matrozen.*
5. *De maan willen grijpen* = het onmogelijke willen.
6. *'t Is nooit volle mane van de eerste dag* (Gezelle); alle dingen moeten hun tijd hebben.
maandag. 1. *Maandag houden* = niet werken op een werkdag, vooral na een

feestdag.
Herinnering aan de tijd, dat timmerlui en andere ambachtslieden op maandag aan de zwier waren en pas dinsdag op hun werk kwamen.
2. *Hij is hier pas een blauwe Maandag*; zie *blauw* 3.
3. *Zij is op een ongelukkige Maandag in de wereld gekomen* (Fries) = het loopt haar alles tegen.
Volgens het volksgeloof waren er drie ongelukkige maandagen in 't jaar.
Zo ook in 't Westerkwartier van Groningen. Men wist niet, welke maandagen dat waren en daarom begon men op een maandag niet met een werk van enig belang. De boer, die een stuk land wilde ploegen, legde al vast 's zaterdags een paar voren om. Zie *Gron. Wdb.*
maarschalk. *Elke soldaat heeft zijn maarschalksstaf in zijn ransel* = er is gelegenheid voor ieder, om zich van de laagste rang tot de hoogste op te werken, als hij maar zijn plicht vervullen wil.
Het spreekwoord is van Napoleon.
Maart. 1. Maart
Roert zijn staart.
namelijk als de Maartse buien komen.
Vlaams: De maand Meert
Heeft venijn in de steert. Ook:
Nooit Meert zo goed,
Of hij sneeuwde wel vol 'nen hoed.
In Groningen:
Maart heeft een krul in de staart.
2. Een droge Maart,
Een natte April,
Dan doet de landman
Wat hij wil.
Ook:
3. Een droge Maart
Is goud waard,
Als 't in April
Maar regenen wil.
4. *Maartgras komt niet licht onder de zeis* (Fries) = wat te vroeg komt, houdt geen stand, doet geen nut. Wonderkinderen leven niet lang.
Zo ook met het gras in maart, dat eerst heel voordelig lijkt, maar dat door de koude April weer teniet gaat.
maat. 1. *Met welke maat gij meet, zal u wedergemeten worden* = zo als je zelf handelt, zo word je ook weer behandeld: het kwaad, dat je aan een ander doet, zal je worden vergolden. (Matth. VII : 2.)
2. *Met twee maten meten* = de een anders behandelen dan de ander, ofschoon ze in dezelfde omstandigheden verkeren. Waarschijnlijk een bijbelse spreuk. 'Gij zult in uw huis geen tweeërlei efa hebben, een grote en een kleine,' zegt Deuteronomium XXV : 14.
(De *efa* was een maat.)
3. *De maat is vol* = nu is het genoeg; nu kan er niets meer bij. Is het nog erger, is er al te veel (kwaad), dan heet het:
4. *De maat loopt over.*
5. *Alles met mate, zei de snijder, en hij sloeg zijn vrouw met de elstok*, schertsend gezegde, als er iemand is, die wenst dat er *met mate* gehandeld moet worden.
6. *Hij is lelijk te mate gekomen* = 't is ongelukkig afgelopen; hij heeft een ernstig ongeluk gehad.
7. *Er blijft te veel aan de maat en de strijkstok hangen* = er gaat te veel af van onkosten voor tussenpersonen; ook: er komen onkosten op, die men niet nagaan kan; er wordt geld verduisterd.
Boerenuitdrukking. De maat is het vat, waarin 't koren gemeten wordt; het halfmudsvat. De strijkstok is de strekel, waarmee die maat glad gestreken wordt. In werkelijkheid een gladde, ronde staaf, waar niets aan hangen blijft.
mad. 1. *Iemand over 't mad vallen, op 't mad vallen* = hem overvallen, verrassen; plotseling komen, terwijl iemand nog bezig is.
Mad is een afleiding van maaien: de strook die men in één keer afmaait; het *zwad.* Dus: iemand inhalen onder 't maaien.
In Groningen is 't woord *mad* nog dagelijks gangbaar; daar is een mad een halve bunder, lett. zoveel als een man in een dag maaien kan. Maarten Douwes Teenstra schreef in zijn landbouwalmanak van 1850, blz. 120:
Honderdtwintig tree
En twintig zwad
Is hier te lande een maaiers mad.
Het woord *mad* leeft ook nog in spreekwijzen in Groningerland: meer
2. *Hij kan zijn mad wel maaien* = a. hij staat voor zijn werk; b. hij kan stevig eten;
3. *Hij is uit het mad geslagen* = lett.: hij is door een andere maaier ingehaald. Fig. = hij is uit het veld geslagen.
4. *Hij heeft het mad af* = hij is op, van

vermoeidheid of van ouderdom.
Magdalena. *'t Is een boetvaardige Magdalena.* In Lukas VII, 36—50 wordt verhaald van de vrouw, die in het huis van een Farizeeër Jezus' voeten nat maakte met tranen en afdroogde met het haar van haar hoofd. Deze vrouw was een zondares. Laurillard zegt er bij, dat men ten onrechte denkt dat het Maria Magdalena was. Herderschee bevestigt dit. In hoofdstuk VIII : 2, vlak daarna, vindt men nl. een mededeling over Maria van Magdala, dat van haar zeven duivelen uitgegaan waren. Over haar boetvaardigheid wordt in de Bijbel niets vermeld.
mager. 1. *Hij is zo mager als brood, hij is broodmager* = buitengewoon mager.
Lett. = zo mager als brood (zonder boter).
2. *Magerman is er kok* = Schraalhans is daar keukenmeester.
maken. *Iemand kunnen maken en breken* = hem aan kunnen, veel sterker zijn dan hij.
maker. *Geen mens is zijn eigen maker*: waarschuwing om nooit een mismaakte te bespotten of te verachten.
mal. *Oud mal gaat bovenal.*
Malchus. *'t Is een Malchus* = een lobbes, 'om de lijdelijke toestand', waarin Malchus in het bijbelverhaal voorkomt (Laurillard).
Het verhaal is te vinden in Johannes XVIII : 10. 'Simon Petrus dan, hebbende een zwaard, trok het uit, en sloeg des Hogepriesters dienstknecht, en hieuw zijn rechteroor af. En de naam van de dienstknecht was Malchus.'
In studententaal is de malchus zeker slaapkamermeubel met één oor. (Woordenschat.) Veel meer algemeen is de naam *Malchus* voor een kopje, waarvan het oor is afgebroken.
malen I. *Die eerst komt, eerst maalt*, zie *eerst* 1.
malen II. (zeuren). *Als 't op is, is 't malen gedaan*, zie *op* 1.
maling. 1. *Iemand in de maling nemen* = hem voor de gek houden, hem tot spot doen strekken.
Waarschijnlijk een afleiding van *malen* = draaien. Hem rond laten draaien.
2. *Hij zit in de maling* = in moeilijkheid; hij is in de war.
Zelfde afleiding.
3. *Ik heb er maling aan* = dat doe ik niet; daar trek ik mij niets van aan.
Allicht betekent *maling* ook hier zoveel als een *draai.*
Mammon. *De Mammon dienen* = alles doen voor 't geld.
Mammon was volgens het Bijbels Woordenboek in Syrië en Phoenicië de Geldgod, zo als Pluto bij de Grieken. De uitdrukking is Bijbels. '*Gij kunt niet God dienen en de Mammon,*' leest men in Matth. VI : 24.
man. 1. *Mans hand boven!* = de man heeft het gezag, de vrouw moet gehoorzamen. Een bijbelse uitdrukking voor 't zelfde begrip luidt:
2. *De man is het hoofd.* In *Efezen* V : 23 staat namelijk: *de man is het hoofd der vrouw.*
De volkshumor heeft zich van de spreuk meester gemaakt:
3. De man is het hoofd,
De vrouw is de nek.
Immers doet de nek het hoofd draaien.
4. *Een man een man, een woord een woord* = een man moet een man van eer zijn en het woord dat hij gesproken heeft, is een woord van eer.
Spreekwoord uit de tijd, toen men nog niet de afspraken op schrift stelde.
5. *'t Schip is vergaan met man en muis* = al wat er op was.
De muis is er bijgevoegd voor de alliteratie (voorletterrijm).
Zo ook: *kind noch kraai, bed en bulster, bont en blauw, huis en hof.*
6. *Man en paard noemen* = de naam noemen van wie men iets vernomen heeft; een zaak in bijzonderheden vertellen.
7. *Ze werkten er aan met man en macht* = zo hard ze konden; ook: met de hulp van iedereen.
Men denkt daarbij aan het woord *macht, uit alle macht.* Maar de uitdrukking luidde in de M.E. *met man en maag* = met alle leenmannen en magen = verwanten. De uitdrukking is ook verbasterd tot:
8. *man en maagd.* Ze riepen man en maagd te hulp.
9. *De derde man brengt de spraak an* = als de derde man komt, wordt het vaak gezellig.
Maar 't kan ook andersom zijn; vandaar:
10. De derde man

Brengt de spraak
Of de stilte an.

11. *Mannetjes maken* = gekheid maken, grimassen maken, veel te koop hebben.
Gezegd van hazen of beren, die rechtop zitten op de achterste poten en dan de voorpoten bewegen.
Bij Tuinman: *Maakt geen mannetjes, dan komen er ook geen wijfjes.* 'Dit zegt men, om Ymand van ongelaten wangedrag af te maanen.'

12. *Anderhalve man en een paardekop* = heel weinig mensen (op een vergadering enz.) Uit het volksboek van Tijl Uilenspiegel. De kleine Tijl, alleen thuis, is aan 't knikkeren; een ruiter steekt zijn hoofd over de onderdeur, terwijl het paard ook naar binnen kijkt. Hij vraagt: is er niemand thuis. Jawel zegt Uilenspiegel: anderhalve man en een paardekop; ik ben er helemaal, jij bent er half en de kop van je paard is er ook.
(Het vermakelijk leven van Thijl Uylenspiegel; uitgave Janssens te Antwerpen; blz. 11).

13. *Hij is de rechte man op de rechte plaats* = hij past daar precies.
Vertaling van het E. gezegde: *The right man on the right place.*
Onderwerp van *Multatuli's Specialiteiten*, die met deze *scie* (gemeenplaats) de spot drijft. Het was in zijn dagen een algemeen gebruikte frase, in de mode gekomen na een rede van het parlementslid Layard in het E. Lagerhuis in 1855.

14. *'t Is een harde man op een zachte kaaskorst*, schertsend of spottend: hij heeft een groot woord, zolang zijn tegenstander er nog niet bij is; 't is een man, die alles aandurft... met woorden, maar die er niet voor staat, als het er op aankomt.

15. *De man een vogel, de boer een gans*, zie *boer* 9.

16. Mans moer
Is de duivel over de vloer,
men moet nooit zijn vrouw aandoen, dat haar schoonmoeder komt inwonen; dan wil de man 't altijd weer hebben, zo als zijn moeder 't vroeger deed.

17. *Als man en vrouw te zamen kijven,*
Moet men op een afstand blijven.

18. *'t Is een man als David* = hij is flink en knap van lijf en leden.
Naar I Samuel XVI : 18. Daar zegt een van de jongelingen tot koning Saul: 'Ik heb gezien een zoon van Isaï, de Bethlehemiet, die spelen kan, en hij is een dapper held, en een krijgsman, en verstandig in zaken, en een schoon man, en de Here is met hem.'
Schertsend wordt er vaak bijgevoegd: *had hij maar een harp!* Dan wil men er mee zeggen: 't is een beste man en hij wil ook wel graag helpen, maar hij heeft de middelen niet.

19. *Mannen broeders*, aanspraak tot vrienden en bekenden, wanneer er een besluit genomen moet worden. Zo begint het oude socialistenlied op de wijze der Marseillaise:
Op, mannen broeders, saam verenigd...
Bijbelse uitdrukking. Zo sprak Abraham tot Lot:
'Laat toch geen twisting zijn tussen mij en tussen u..., want wij zijn mannen broeders.' (Genesis XIII : 8.)
Zo ook in 't Nieuwe Testament, b.v. 'Gij, mannen broeders, het is mij geoorloofd vrij tot u te spreken.' (Petrus tot het volk op de Pinksterdag; *Handelingen* II : 29.)
Paulus begint er zijn zelfverdediging mee: 'Mannen broeders en vaders, hoort mijn verantwoording, die ik tegenwoordig tot u doen zal.' (*Handelingen* XXII : 1.)

20. *Een man uit duizend* = een voortreffelijk man, zoals men er uit duizend maar één vindt.
Dit laatste is de bedoeling in *Prediker* VII : 28. 'Eén man uit duizend heb ik gevonden; maar een vrouw onder die allen heb ik niet gevonden.'

21. *Mannen van naam* = aanzienlijken, mannen van hoge rang, verdienstelijke personen.
Bijbels woord, naar Genesis VI : 4. 'In die dagen waren er reuzen op de aarde, en ook daarna, als Gods zonen tot de dochteren der mensen ingegaan waren, en zich kinderen gewonnen hadden: deze zijn de geweldigen, die van ouds geweest zijn, mannen van name.'

22. *Naar dat de man is, is zijn kracht* = men kan van iemand niet meer vorderen dan wat hij in staat is te verrichten; een zwakke man kan niet op tegen een sterke. Bijbelse uitdrukking. Na Gideons overwinning op de Midianieten

beval hij zijn zoon Jether, de vorsten Zebah en Tsalmuna te doorsteken. Doch Jether was nog maar een kind en hij trok zijn zwaard niet uit. Toen zeiden de beide koningen tot Gideon: 'Sta gij op, en val op ons aan; want naar dat de man is, zo is zijn macht.'
(*Richteren* VIII : 21.)
23. *Een oud man en een oud paard*, zie *oud* 2.
24. Een man met een baard,
Daar is een vrouw bij bewaard,
zie *baard* 1.
25. *Toen de man uit de bijbel zijn volk telde, verloor hij*, waarschuwing wanneer iemand bij het spel zijn winst natelt.
Schertsende ontlening aan II Samuel XXIV, waarin men het verhaal vindt dat koning David een volkstelling gelastte en dat hij daarvoor gestraft werd. Er kwam pest in het land en er stierven zeventigduizend mannen.
26. 't Is een wijze man,
Die maat ramen kan,
wie maat houdt in alle dingen handelt verstandig. Zie ook *wijs* II, 11.
27. *Een gewaarschuwd man geldt voor twee.*
28. *Een warm man is een vast man*, oude leefregel: kleed je dik, dan blijf je gezond.
29. *Hij heeft zijn man in hem gevonden* = in hem heeft hij iemand gevonden, die hem staat; die evenveel 'mans' is als hij. Een man dus, die tegen hem opgewassen is.
30. Een man in goede staat
Heeft overal veel vrinden,
Maar als het kwalijk gaat,
Dan zijn er geen te vinden,
Vlaamse rijmspreuk; zie *goed* II, 8 en *vriend* 1.
31. Nooit man zo kwaad,
Of hij deed iemand baat,
Vlaamse wijsheid.
32. Mans en honden
Gaan hun ronden,
Katten en wijven
Moeten thuis blijven,
rijmpje van Guido Gezelle; zie *vrouw* 9.

manchetten. *Iemand de manchetten aan doen* = de handboeien.
Nieuwe uiting van galgenhumor.

mand. 1. *Door de mand vallen* = moeten bekennen, dat men van een zaak iets weet; zijn ontkenning niet kunnen staande houden.
In *De Volksvermaken* van Jan ter Gouw leest men van een oude straf: een veroordeelde werd in een mand boven 't water gehangen, zonder eten of drinken, maar met een mes bij zich. Als hij 't niet langer vol kon houden, sneed hij het touw door en plompte in het water. Deze man viel dus niet door de mand. Veel meer voor de hand ligt dan ook de verklaring, gegeven bij *korf*. Daar gleed de stropop door de mand.
2. *Hij melkt niet in een mandje* = hij is oud en wijs genoeg. Bij Tuinman vindt men:
3. *Hij gaat met de mand om melk* = hij brengt niet veel thuis.

mandegoed.
1. Mandegoed
Schandegoed.
Mande is een gewestelijk woord voor gemeenschap; zo b.v. in Groningen. *In de mande doen* = handelen voor gemeenschappelijke rekening. Zo is *mandegoed* = gemeenschappelijk bezit, en dit geeft vaak aanleiding tot twist en tweedracht.
2. *Tabak en vrouwen is mannegoed*, schertsende woordspeling; tabak is *mandegoed*: de tabakspot gaat rond voor ieder, die er in gezelschap gebruik van maken wil en de vrouw is *mannegoed.*

manen. 1. *De scherpste maners zijn de slechtste betalers* = wie veel van een ander eist, doet vaak zelf zijn plicht niet.
2. *Die 't eerst komt, eerst maant*, zie *eerst* 2.

mank. 1. *Ze gaan aan 't zelfde euvel mank* = zij hebben dezelfde gebreken. Wie mank gaat is kreupel.
2. *Met manken leert men kreupel gaan* = slechte gezelschappen bederven goede zeden. (Vlaams.)
3. *Elk moet zien, waar zijn merrie mank gaat* (Gezelle), zie *merrie.*

mannetjesputter, d.i. een stevige vent; een die nergens bang voor is.
Een *putter* is een man, die best een borrel verdragen kan. Allicht met de bijgedachte aan de putter, de distelvink in de kooi, die men leerde zijn eigen drinkwater te putten.

mans. 1. *Hij is mans genoeg* = hij is best in staat, zijn werk, zijn woord, zijn plicht te doen. Lett.: hij is daartoe mans genoeg, heeft genoeg manskracht.

Zo ook:
2. *Hij is heel wat mans* = hij kan heel wat aan.
Mansvelder, d.i. een sterke, ruwe kerel, ook wel een Kenau, een stevige vrouw, die haar man staat.
Naar graaf Peter Ernst van Mansfeld (1580—1626), wiens soldaten berucht waren om hun daden van geweld. Hij stond in 't begin van de 30-jarige Oorlog nog wel in Hollandse dienst; hij bezette Oost-Friesland en zijn gevloekte nagedachtenis leeft in Groningerland nog voort.
Maar het Ned. Wdb. verwijst ook naar *mansvel* = een kwaad wijf, welk woord bij De Bo voorkomt.
Mansvel zou dan zoveel zijn als manspersoon.
mantel. 1. *Iemand de mantel uitvegen* = hem flink de waarheid zeggen.
Schertsende uitdrukking; men noemt het kledingstuk en bedoelt de man.
2. *Iets bedekken met de mantel der liefde* = een vergrijp, een zonde van een ander niet ruchtbaar maken.
Paulus schrijft in 1 Korinthen XIII : 7, dat de liefde alle dingen bedekt.
Maar men heeft ook gedacht aan Genesis IX : 23, het verhaal van Noach, die dronken werd. 'Toen namen Sem en Japhet een kleed... en bedekten de naaktheid huns vaders.'
3. *Onder de mantel van godsvrucht* = onder voorwendsel van godsvrucht.
De mantel bedekt de andere kleren en alles wat men verder bij zich heeft. Zo dient hier de vroomheid om te bedekken wat men van minder vrome dingen voor heeft. Daarom ook:
4. *Onder de dekmantel.*
5. *De mantel zijns meesters is op hem gevallen, de profetenmantel is op hem gevallen* = hij volgt zijn meester op, om diens taak en roeping over te nemen en voort te zetten.
Bijbelse uitdrukking. De profeet Elia wierp zijn mantel op Elisa en deze stond op, en volgde Elia na, en diende hem. (1 *Koningen* XIX : 19—21.)
6. Onder mantel en kleed
Zit er veel, dat men niet weet,
rijmspreuk bij Gezelle: men loopt niet met zijn verdriet, met zijn armoe, met zijn geheime gedachten te koop.
7. *Hij hangt de mantel op beide schouders* (Fries) = hij houdt het met beide partijen.
Manus. *'t Is een Manusje van alles* = hij is geschikt voor alle karweitjes; hij weet overal raad op; hij speelt alles klaar.
Manus zal een willekeurige naam zijn, op dezelfde wijze als een *Pietje Sekuur*, een *Jan Ongeluk*, een *brave Hendrik.*
mare. *Kwade maren komen tijds genoeg* (Gezelle) = slechte tijdingen komen altijd vroeg genoeg.
markt. 1. *Hij is van alle markten thuis* = hij weet overal raad op; hij verstaat alles; hij is overal geschikt voor. Ook: men kan hem niet bedriegen.
Lett. = hij is van alle markten thuis gekomen; hij is overal geweest. Deze gedachte heeft zich ook in andere zin ontwikkeld, namelijk dat hij onverrichter zake weergekeerd is, dat hij nergens kon slagen. Vandaar:
2. *Hij is van alle markten thuisgekomen* = hij deugt nergens voor; men kan hem nergens gebruiken.
3. *Bij 't scheiden van de markt leert men de kooplui kennen* = eerst bij de afloop van een zaak weet men, wat men aan de mensen heeft, als het er op aankomt, verneemt men pas, welk karakter de mensen hebben.
Zo als men, wanneer de markt opgebroken wordt, gewaar wordt, hoe de koopman is, of hij nog graag verkopen wil, of hij nu bereid is de gevraagde prijs te verlagen.
4. *Men is wijzer na als vóór de markt* (Vlaams) = door ondervinding wordt men wijs.
5. *Geen markten zonder ezels* (Gezelle) = men vindt overal domkoppen.
6. *Ieder moet zijn eigen pakje ter markt dragen*, zie *pak* 1.
mars. *Hij heeft niet veel in zijn mars* = hij weet niet veel; hij betekent maar heel weinig.
De mars is de korf, die de *marskramer* op zijn rug draagt.
martelaar. *Er zijn martelaars en profeten* = niet ieder blinkt uit, maar daarom kan men wel nuttig werkzaam zijn. Troost voor degenen, die niet vooruit komen in de wereld. Ook: *er zijn martelaars en apostelen.* De profeten en de apostelen vervulden een verheven taak, waartoe niet ieder geroepen is. Maar de martelaars, die voor het geloof gemar-

teld zijn, hebben even goed bijgedragen tot de opkomst van de kerk.
Martha. *'t Is een bedrijvige Martha* = 't is een altijd bezige vrouw, die graag wat voor een ander doet.
'Martha was zeer bezig met veel dienens.' (Lukas X : 40.)
Men spreekt ook van de *dienende Martha* en vooral van een *zorgvuldige Martha.*
masker. *Zij hebben het masker afgeworpen* = zij vertonen zich nu in hun ware aard; nu blijken hun bedoelingen. Lett. = zij hebben hun vermomming afgelegd.
mast. 1. *Geen twee masten op één schip!* = één moet het te zeggen hebben.
2. *Hij zit voor de mast* = a. hij kan het eten niet op, dat op zijn bord ligt; b. hij kan niet meer; hij heeft geen kracht meer (voor een bepaald werk).
Dit gezegde heeft met een mast niets te maken. 't Is een verbastering van: *hij zit vermast* = machteloos, letterlijk = vol, overladen (van 't oude woord *mast* = spijs). Dit is de verklaring van Dr. Nauta in *Taal en Letteren* VI, 238, overgenomen in 't *Ned. Wdb.* IX, 293.
3. *De mast over boord zeilen* = over de kop gaan tengevolge van een te weelderige levenswijs.
Zeemansuitdrukking. Wie met volle zeilen vaart bij stormachtig weer, loopt gevaar dat de mast breekt en over boord gaat.
mat I, zie *mad.*
mat II, zie *matten.*
matador. *'t Is matador* = 't is een baas, een uitblinker.
Matador is een Spaans woord, lett. = de doder. 't Is namelijk de man, die in het stierengevecht de stier de dodelijke steek toebrengt.
matje. *Iemand op het matje roepen*, ter verantwoording roepen.
matschudding. *Maak nu geen matschudding!* = hou je kalm, maak geen ruzie.
Matschudding = afval van 't graan in een schip, die als 't schip gelost is op een mat bijeen wordt geveegd; die mat wordt geschud, gewand, om er nog het goede koren uit te halen. Dat geeft nog heel wat drukte en levert toch niet veel op.
matten. *Zijn matten oprollen*, zie *biezen* 1.
mazen. *Hij is door de mazen van 't net gekropen* = hij is de vervolging ontkomen (door list, op een handige wijze); hij is met moeite aan 't grote gevaar ontsnapt.
Zo als een vis of een vogel nog weer op 't uiterste ogenblik zich weet los te werken.
medaille. *Elke medaille heeft een keerzijde* = ook de mooiste zaak is niet aan alle kanten mooi.
medelijden. *Medelijden is geen zalf* (Vlaams) = medelijden is wel goed, maar het helpt niet.
Meden. *Een wet van Meden en Perzen*, zie *wet* 1.
medicijnmeester. 1. *Die gezond zijn hebben de medicijnmeester niet van node*, tekst uit Matth. IX : 12.
2. *Medicijnmeester! genees uzelven*, uit Lukas IV : 23.
Een woord, waarmee men iemand afwijst, die anderen wil voorlichten of helpen, terwijl hij zelf voorlichting of hulp nodig heeft (Laurillard).
meel. 1. *Hij wil blazen en het meel in de mond houden* = hij wil wel delen in de voordelen, maar hij wil niet meedoen in de noodzakelijke uitgaven; hij wil dubbel voordeel hebben.
2. *Als de kat van huis is, dansen de muizen om de meelton* = als er geen toezicht is, maken de kinderen (de dienstboden) van de gelegenheid gebruik (om te snoepen).
3. *Mindert het meelvat, het verken meerdert* (Gezelle), zie *hooi* 4.
meer. 1. *'t Meer is nooit vol* = wie al maar door geld bijeenschraapt, heeft nog nooit genoeg. Mooie woordspeling tussen *een meer* en dat men *altijd maar meer* wil hebben.
In Groningen ook: *'t Meer komt men nooit over.*
2. Zie *hik.*
meerderman. *Als meerderman komt, moet minderman wijken* = 't gaat altijd naar de bevelen van wie de baas is. Ook: een arme man kan nooit op tegen een rijke.
meester. 1. *Zachte meesters maken stinkende wonden* = als men niet doorpakt, dan wordt het kwaad steeds erger en ten slotte ongeneeslijk.
De meester, oude naam van de dokter.
2. *Er is altijd meester boven meester* = de een kan 't nog weer beter dan de an-

der. *Meester* = wie een baas is in zijn vak; in 't algemeen: een knappe man. Ook: *Er is altijd baas boven baas.*
3. *Zulke meester, zulke knecht* (Vlaams), evenals:
4. *Goede meesters maken goede knechten.*
5. *Nieuwe meesters, nieuwe wetten*, zie *heer* 1, 3.
6. *Aan 's mensens zolen hangt de beste mest* (Vlaams) = het oog van de heer maakt de paarden vet. Beide zijn boerenspreekwoorden. Als de boer zelf op zijn land komt, dan is alles het best in orde; dat helpt meer dan goede mest.
7. Twee meesters in den huize,
Twee katten voor één muize,
Twee honden aan één been
Komen zelden overeen,
Vlaamse rijmspreuk: één moet er baas zijn.
8. *Er wordt geen meester geboren* (Fries) = oefening maakt de meester.
9. *Aan het werk kent men de meester.*

meet. *Wij zullen van meet af beginnen* = van 't begin af; van voren af aan. De *meet* is de streep, die men op de grond trekt. Van die meet af begint het spel bij 't knikkeren, notenschieten enz. Beginnen ook de wedstrijden in hardlopen enz.

meeuw.
Meeuwen op 't land,
Onweer aan 't strand;
ze heten dan ook onweersvogels.

mei.
1. In Mei
Legt ieder vogeltje zijn ei,
Behalve de kwartel en de griet,
Die leggen in de meimaand niet.
Bij Guido Gezelle:
Met den eersten van de Mei
Hebben de vogels een nest of een ei.
2. Mei koel en nat
Koren in 't vat;
op zijn Vlaams:
Mei koel en wak,
Veel koren in de zak.
En ook:
Een koude Mei,
Een gouden Mei.

meid. 1. *Een meid en een aardappel kies je zelf*, schertsend antwoord, als iemand aan een vrijer een meisje bijzonder aanbeveelt.
2. De meid en de kat
Hebben altijd wat;
De knecht en de hond
Wachten tot het komt,
schertsend gezegde. Meid en kat zorgen zelf wel, dat zij wat krijgen, als zij honger hebben, maar voor de knecht en de hond moeten anderen zorgen.

meisje. 1. *'t Mooiste meisje kan niet meer geven dan ze heeft* = geen mens is in alle opzichten volmaakt.
2. Meisjes die minnen
Lopen zonder zinnen,
Vlaamse rijmspreuk: een verliefd meisje ziet alleen maar het goede in haar beminde; wat er aan hem scheelt merkt zij niet en ze neemt het niet aan, als het haar gezegd wordt.
3. *Meiskes waken en hinnen uit het koren jagen, dat zou de Duivel zelve verdrieten* (Gezelle) = al passen de ouders nog zo streng op, een meisje weet toch haar beminde wel te vinden. De kippen lopen tòch weer in het koren en de meisjes zijn tòch van hun liefste niet af te houden.
4. *De zaken gaan voor het meisje.*

melk. 1. *De koe trekt de melk op*, gezegde als iemand zijn verzekering, zijn belofte niet nakomt, 't beloofde geld niet geeft enz. Ook wel: *hij trekt de melk op.* In letterlijke zin zegt men, dat de koe de melk optrekt, als men bij 't melken niets krijgt. Dat kan gebeuren, doordat de melker 't vak niet verstaat; ook wel door een zere speen. En natuurlijk ook, als de tijd van kalven nadert.
2. *Hij heeft niet veel in de melk te brokken* = a. hij heeft haast geen geld, hij is maar arm; b. hij heeft heel weinig in te brengen.
Lett. = hij heeft niet veel, om van de melk een stevige pap te maken.
3. *Een land, overvloeiende van melk en honig* = een rijk land, waar 't goed wonen is. Vgl. *land* 2.
4. *Als 't melk regent, zijn mijn schotels omgekeerd* = ik tref het altijd even ongelukkig.
5. *Hij had een melkkoe* = hij had iem. die hem altijd weer aan geld hielp.

menen. 1. *Je kon wel menen, dat je neus een metworst was*, antwoord als iemand zegt, dat hij dit of dat meent, doch 't niet stellig weet. Zie *snot* 2. Dan zegt men in Vlaanderen:
2. *Menen is verre van Waregem*, met een zinspeling op de namen van twee plaatsen in West-Vlaanderen. Wat je meent is

daarom nog lang geen waarheid.
In Groningen:
3. *Menen ligt op Drenthe*. Er is daar wel geen plaats van die naam, maar 't is ook ver genoeg weg. En daar ook, minder netjes:
4. *Menen heeft het oude wijf bedrogen, zij meende haar achterste te krabben en ze krabde op de bedsplank*.
5. *Je kunt wel menen, dat je neus koek is en alle dagen een el groeit* (Fries).
mene tekel. *Mene, mene, tekel, upharsin* = geteld, gewogen, te licht bevonden. Dit was het schrift, dat getekend werd 'tegenover de kandelaar, op de kalk van de wand van het koninklijk paleis.' (Daniël v : 5.)
Mennisten. 1. *Een mennistenbruiloft* = het ledigen van de beerputten. Dit geschiedde in alle stilte in de nacht en men vergeleek het met de bruiloft van Mennisten, die in vroeger tijden niet luidruchtig gevierd werd. Men sprak misschien van een bruiloft, omdat er een oud woord *bruid* bestond = ier of gier, vloeibare mest, drek.
2. *Een mennistenleugen* = een waarheid die de hoorder van de wijs brengt en die dus in wezen een leugen is.
De overtuigde Mennisten hielden zich aan het gebod: Uw ja zij ja; ze waren afkerig van zweren en liegen. Als dus een Doopsgezinde de waarheid sprak, die een ander op een dwaalspoor leidde, viel dat bij hem des te meer op.
Volgens overlevering zat de stichter van de Mennonietenbroederschap, Menno Simons, in een wagen die aangehouden werd door de mannen van de Inquisitie. Die vroegen, of Menno daar in was. En deze antwoordde zelf:
Ze zeggen, dat hij hier niet is.
Stoett vertelt, dat dit antwoord gegeven werd door een andere Doopsgezinde leraar, Hans Busschaert geheten.
3. *Een mennistenzusje* = a. een meisje, dat zich heel stemmig en netjes voordoet;
b. een net en sierlijk plantje, gebruikt voor de randen van bloemperken; saxifraga, de steenbreek, ook *mennistennetheid* geheten. Een andere naam is schildersverdriet, omdat de fijne bloempjes zo moeilijk te tekenen zijn. In Groningen koppenschoteltjes.
mens. 1. *'t Is moeilijk, de oude mens af te leggen*: 't gaat niet gemakkelijk, als men zijn zedelijk leven verbeteren wil; af te laten van een zonde is haast onmogelijk.
Ontleend aan de Bijbel: 'Gij zoudt afleggen de oude mens, die verdorven wordt door de begeerlijkheden der verleiding ... en de nieuwe mens aandoen, die naar God geschapen is in ware rechtvaardigheid en heiligheid.'
(Efeze iv : 22—24.) Zie *Adam* 5.
1a. Schertsend: *wij moeten de oude mens afleggen* = 't is weer tijd voor de wekelijkse verschoning.
Zo ook:
1b. *Hij doet zijn oude mens goed* = hij zit smakelijk te eten.
Volgens Sprenger van Eyk is zulk een scherts 'verwerpelijk', doch daar stoort de spraakmakende gemeente zich in het allerminst niet aan.
2. *Een mens zijn zin is een mens zijn leven* = men moet het iemand naar de zin maken; als iemand het naar zijn zin heeft, dan leeft hij pas echt. Ook:
2a. *'s Mensen zin is zijn hemelrijk*.
3. *Geen lozer goed als mensen*; *je kunt er apen mee vangen*, gezegde als iemand een slimme streek heeft uitgehaald.
4. *De inwendige mens versterken* = wat eten en drinken.
Schertsend, naar Efeze iii : 16, waar Paulus het heeft over de geestelijke mens. Hij hoopt, dat God 'u geve, naar de rijkdom Zijner heerlijkheid, met kracht versterkt te worden door Zijn geest in de inwendige mens; opdat Christus door het geloof in uw harten wone, en gij in de liefde geworteld en gegrond zijt.'
5. De mens wikt.
Maar God beschikt,
men maakt zijn plannen op, maar of ze kunnen worden uitgevoerd hangt af van hogere macht.
Bijbelse uitdrukking. 'Het hart des mensen overdenkt zijn weg; maar de Here stiert zijn gang.' (*Spreuken* xvi : 9.)
6. *Een mens is geen aardappel* = een mens heeft zijn wensen en verlangens, zijn deugden en gebreken.
Vooral: men wil wel eens een verzetje. Ook: niemand is ongevoelig voor de bekoorlijkheden van het vrouwelijk geslacht. Een der weinige spreuken, waarin de aardappel voorkomt; deze is nog te

nieuw. Dit gezegde toch reeds bij Modderman, blz. 61. (1852.)
7. *Zij doen het, om van de mensen gezien te worden* = zij bejagen eer; zij willen naam maken.
Uit de Bijbel. 'Hebt acht, dat gij uw aalmoes niet doet voor de mensen, om van hen gezien te worden.' (*Matth.* VI : 1.)
8. *'t Is niet goed, dat de mens alleen zij*, schertsend gezegde tegen jongelui, om hun het huwelijk aan te raden.
De woorden zijn uit *Genesis* II : 18, Gods besluit om aan Adam Eva te geven 'tot een hulpe.'
9. *De mens zal bij brood alleen niet leven* = hij heeft hogere dan alleen stoffelijke behoeften; hij heeft ook voedsel voor de geest nodig.
De spreuk is uit *Matth.* IV : 4.
10. *Een mens gaat maar één gang* = men moet geen twee zaken tegelijk behartigen; men kan maar een ding tegelijk goed doen.
11. *'t Zijn mensen van gelijke beweging als wij*, zie *beweging*.
12. *De mensen vertellen veel op een zomerse dag* (Vlaams) = geloof niet alles, dat je hoort zeggen.
Op een zomerse dag, Vlaamse humor: een zomerdag is lang.
13. *De mensen maken de almanak, maar God maakt het weer* (Vlaams), zie no. 5.
Naar de weerberichten in de almanak; die voorspellingen komen niet altijd uit. Ook *Fries*.
14. Een mens verliest zijn goed,
Maar nooit zijn bloed.
(Gezelle.) Men kan arm worden, maar niet van aard veranderen. Zie *vos* 1.
15. *We zijn allemaal mensen, als we naakt zijn*, d.i. als wij naakt in de kist liggen (Fries) = er is geen reden voor ijdelheid en trots; al het aardse gaat voorbij; in waarheid is de een niet meer dan de ander. Dan blijkt de nietigheid van de mens. Zo is er nog een ander Fries gezegde:
16. *Wat is de mens, als hij naakt is?*
17. *Een mens is zijn eigen maker niet* = spot nooit met een anders lichaamsgebreken.
mensdom. *'t Mensdom valt als bladeren af* = het menselijk leven is vluchtig en gaat spoedig voorbij.
Regel uit het 160ste Evangelische Gezang:
Uren, dagen, maanden, jaren.
En dit weer naar Jesaja LXIV : 6, waar staat:
wij allen vallen af als een blad.
menselijkerwijze. *Menselijkerwijze gesproken* = zoals wij mensen denken. Met de bijgedachte: misschien denken en spreken wij verkeerd en is het niet volgens Gods wil.
De uitdrukking kan zijn naar *Romeinen* III : 5. Daar schrijft Paulus:
'Is God onrechtvaardig, als Hij toorn over ons brengt? (ik spreek naar de mens.)'
Merenberg. *Hij moet naar Merenberg* = hij is gek; hij handelt dwaas.
Merenberg, d.i. Meer-en-Berg, het grote krankzinnigengesticht bij Santpoort.
merg. 1. *Dat gaat door merg en been* = dat treft je diep in 't hart.
Letterlijk = zoiets dringt door tot in 't gebeente, ja zelfs tot het merg daar binnen in.
2. *Hij heeft merg in de botten* = hij is heel sterk.
Het merg, beschouwd als de zetel van kracht. Dit ook in:
3. *Merg en pit* = het allerbeste, het sterkste deel.
merrie. *Elk moet zien, waar zijn merrie mank gaat* (Gezelle) = ieder moet nagaan wat er aan scheelt, als een zaak verkeerd gaat.
mert. *Hij had er mert aan* = hij trok zich er niets van aan, hij bekommerde zich nergens om.
Merde is 't Franse woord voor schijt, drek.
mes. 1. *Iemand het mes op de keel zetten* = iem. met het uiterste geweld dwingen tot iets, dat hij anders niet doen zou.
Misschien onder invloed van *Spreuken* XXIII : 2, waar gewaarschuwd wordt, de keel in bedwang te houden, als men met een heerser eet:
'Als gij aangezeten zult zijn, om met een heerser te eten, zo zult gij scherpelijk letten op degene, die voor uw aangezicht is.
En zet een mes aan uw keel, indien gij een gulzig mens zijt.'
2. *Onder 't mes zitten* = een examen afleggen; in 't algemeen: in angst verkeren. Letterlijk = geschoren worden.
3. *Hij zat met het mes in de buik* = hij verkeerde in moeilijke omstandigheden;

hij was in ongelegenheid en zag geen kans, er uit te komen.
Waarschijnlijk met de gedachte aan een moordenaar, die iemand het mes in het lijf heeft gestoken en niet weer naar hem omziet. Mogelijk is het ook een bijbelse uitdrukking. In Richteren III : 15—26 leest men, hoe Ehud, de richter, Eglon vermoordde, de koning der Moabieten: 'Ehud nam het zwaard van zijn rechterheup en stak het in zijn (Eglons) buik; dat ook het hecht achter het lemmet inging, en het vet om het lemmet toesloot (want hij trok het zwaard niet uit zijn buik.)'
4. *Zijn mes snijdt aan twee kanten* = hij verdient geld op twee wijzen; hij behaalt winst van twee partijen.
5. *Ik heb nog heel wat voor 't mes* = ik moet nog heel wat werk doen; ook: ik heb heel goede vooruitzichten.
Letterlijk: nog heel wat (vlees, brood) voor zich hebben, waarvan men maar afsnijden kan.
6. *'t Mes bij iemand leggen* = bij iemand te gast zijn.
Oudtijds nam men altijd zijn mes mee, als men uit eten ging.
Den Eerzamen vermeldt de uitdrukking voor Goeree. Ook in 't Oldambt is 't gezegde gebruikelijk.
Het oude gebruik gaf aanleiding tot een nu vergeten spreekwoord, dat bij Goedhals voorkomt:
Die sonder mes ter tafelen gaet,
Verliest menich beet waer hy staet.
mestkar. *Men wordt eerder door een mestkar overreden dan door een koets*, antwoord bij een ruwe belediging, waarmee men te kennen geeft dat die komt van een man zonder fatsoen en beschaving.
meten. *Door meten tot weten*, het beginsel van het moderne natuuronderzoek.
Methusalem. *Zo oud als Methusalem* = heel oud. Naar Genesis V : 27, waar men leest dat Methúsalach, de zoon van Henoch, de leeftijd van 969 jaar bereikte. De oudste mens volgens de Bijbel.
metselaar. *Een goede metser verwerpt geen steen* (Vlaams) = die zuinig is, gooit niets weg wat nog dienen kan.
metten. 1. *Korte metten maken*, zie *kort* 5.
2. *Iemand de metten lezen* = hem de les lezen, hem scherpe verwijten maken.
Lett. = hem de tekst voorlezen van de *metten*, de eerste dienst van de dag in de R.K. kerk, die vroeger vaak reeds om drie uur in de morgen aanving; L. *horae matutinae* = de morgenuren.
mettertijd. 1. *Mettertijd komt Jan in de broek en Griet in de rokken* = op zijn tijd komt alles terecht. Vlaams:
2. *Mettertijd komt de hen op haar eieren*. Zie *tijd* 16.
metworst. 1. *Met een metworst naar een zijde spek gooien* = een spiering uitwerpen, om een kabeljauw te vangen.
De zijden spek hingen oudtijds aan de *wiem*, aan een plaats aan de zolder van de woonkamer te drogen. Wie er met een worst naar gooide, zou de kans hebben dat het dikke stuk spek los raakte en naar beneden kwam.
2. *Hij praat als een metworst, die het vet ontlopen is* = wat hij zegt, is niet degelijk, heeft geen zin, is niets waard.
Als het vet uit de metworst loopt, dan is er ook niet zoveel meer aan.
3. *Men kan hem met een metworst de hals uitsnijden* = hij is een sukkel, 't is Joris Goedbloed. (Gron.)
Voor die bewerking is een heel scherp mes nodig, maar bij zo iemand kan men het wel met een worst doen. Hij heet zelf ook wel *Geert Bloedworst*.
4. *Een lange metworst is wel te korten* (Gron.) = zelfs het grootste kapitaal gaat op, als men aldoor maar uitgeeft.
meug. 1. *Ieder zijn meug!* = de een vindt het mooi, lekker, gezellig; de ander heeft er geen aardigheid aan. Ook: laat ieder vrij om te doen, wat hij graag wil. *Meug* = wat men graag *mag*; dus = zin, smaak, lust.
In Groningen, schertsend:
2. *Elk zijn meug, zei de boer, en hij braadde boter op de tang*. Zie *zeispreuken* 3.
Elders:
3. *Ieder zijn meug, zei de boer, en hij at vijgen*, zie *zeispreuken* 4 en *boer* 12.
Ook in Vlaanderen maakt men er gekheid mee:
4. *Elk zijn meug, zei de man, en hij at de pap van zijn kind uit.*
meugen.
Van elkaar meugen ze niet,
Bij elkaar deugen ze niet.
Meugen = mogen, houden van. Dus: ze

houden er niet van, dat ze van elkaar verwijderd leven, werken; doch zodra ze bij elkaar zijn, hebben ze onenigheid.

Midas. *Hij draagt Midas-oren* = 't is een onbevoegde kunstrechter.

Midas, koning van Phrygië in Klein-Azië, verkreeg van god Bacchus de gunst, dat alles in goud veranderde, wat hij maar aanraakte. Maar hij vroeg dadelijk, van deze gunst verlost te worden, omdat ook zijn spijs en drank in goud veranderde.

In de wedstrijd tussen Apollo, de god der kunsten, en Pan, de wilde bosgod, wie van beiden het mooist muziek kon maken, wees Midas de prijs toe aan Pan. Toen kreeg hij van Apollo een paar ezelsoren.

middelmaat. 1. *De gulden middelmaat* = de middelmaat, die voorkeur verdient boven uitersten. Vertaling van een L. uitdrukking bij Horatius.

Dezelfde gedachte in onze spreuk:
2. Middelmaat baat,
Overdaad schaadt.

In Rapiarys:
Mate es tallen spele goet:
Scuwe overdranc ende overate;
maat is in alle dingen goed; onthoudt u van te veel drinken en te veel eten.

Aldaar ook:
Hout die middel ende die mate,
Dat es die sekerste strate.

En bij Hooft (Achilles en Polyxena, 1015):
De hoochste eycke ziet men breecken,
Die in de bosschen staet;
Tgheweer uyt Jovis handt ghestreecken
De hoochste bergen slaet...
Best dueren matelycke dingen.

middelste. 1. *Hij wil graag het middelste met de beide einden* = hij is bang, dat hij niet alles krijgt.

Volkshumor, evenals
2. *'t Middelste is baas over de beide einden* = dat meisje is wat al te warmbloedig.

midden. 1. *Dat laat ik in het midden* = daar spreek ik mij niet over uit.
Vertaling van een L. uitdrukking.

29. Ga tot de mieren (z. *mier*)

2. *De deugd in 't midden!* schertsend gezegde, als men met zijn drieën loopt.
middenschot. *Hij heeft geen middenschot in zijn lijf* = 't is een man van uitersten.
mier. *Ga tot de mieren, gij luiaard!* aansporing tot werken aan iemand, die traag van aard is.
Uit *Spreuken* VI : 6-8. 'Ga tot de mier, gij luiaard; zie hare wegen en word wijs. Dewelke, geen overste, ambtman noch heerser hebbende, haar brood bereidt in de zomer, haar spijs vergadert in de oogst.'
mieter. *Er is geen mieter van overgebleven* = ook nog 't kleinste stukje niet.
Stoett denkt aan *mieter* = kaasmijt, dus aan iets zeer gerings. Anderen aan *mieter* = mijt, de allerkleinste munt in de Middeleeuwen, waarvan 6 op een duit gingen. Beide verklaringen zijn op zichzelf al aanvechtbaar, omdat het M.E. woord *miet, mite* luidde en niet mieter; de eerste uitleg is bovendien niet te aanvaarden om de betekenis.
Meer voor de hand ligt de opvatting, dat *mieter* de afkorting is van *Sodomieter*. De bewoners van Sodom stonden in een zeer slecht blaadje. In Genesis XIII : 13 leest men:
De mannen van Sodom waren boos, en grote zondaars tegen den Here.
Duidelijker nog is Genesis XIX : 5, waar met zoveel woorden staat, dat de zonde van Sodom een tegennatuurlijke zonde was. Zo werd *Sodomieter* een lelijk scheldwoord en zo werd *mieter* te pas gebracht in allerlei krachttermen. Vandaar ook: *ik geef er geen mieter om*; *'t kan mij geen mieter schelen*; ik laat mij niet *be(sode)mieteren*; *wat kan het mij mieteren!* enz.
Zo is *mieter* stellig een afkorting van *sodemieter* in:
2. *Iemand op zijn mieter komen* = hem een pak slaag geven.
Mietje. *Laten wij elkaar geen Mietje noemen* = laten wij elkaar niets wijsmaken, laten wij de dingen noemen, zo als ze zijn.
Mietje, vleinaam voor Maria. Dus: laat ons niet lief doen, maar zeggen waar 't op staat.
mikmak. *Ze krijgen mikmak* = onenigheid, moeite. Ook: *ik wil van die hele mikmak niets weten* = van die rommel.
Uit het F. *micmac.*
milt. *Dat kittelt de milt* = dat wekt de lachlust op.
De milt was bij de Ouden de zetel van 't gelach en bron der vreugd, zegt Bilderdijk.
min.
1. 't Zij waar gij minne of munte sluit,
Ze wil, ze zal, ze moet er uit
(Gezelle = liefde en geld kan men niet opsluiten; de liefde vindt wel een weg en het geld moet rollen.
2. Vroeg en zult gij 't vier niet blussen,
Speelt er minne of munte tussen
(Gezelle) = als er liefde of geld in het spel is, dan gaat het niet gemakkelijk een einde aan de zaak te maken.
minder. *Kijk naar je minderen en niet altijd naar je meerderen* = er zijn altijd nog wel mensen, die 't minder hebben dan jij.
mines. *Mines maken* = a. zijn gezicht vertrekken; b. bewegingen maken, alsof men iets doen wil. *Hij maakte mines om te vertrekken.*
Uit het F. *mines* = gelaatstrekken.
minnebrief. *Minnebrieven zijn met boter verzegeld* = als men ze leest, is het allemaal heerlijkheid, doch of die heerlijkheid blijven zal, dat is geheel onzeker.
minnedrank. *Zij heeft een minnedrankje ingenomen* = zij is smoorlijk verliefd.
't Gezegde berust op het oude volksgeloof, dat een toverdrank iemand verliefd maakte. Dodoens (Dodonaeus) noemt in zijn beroemd *Cruydt-boeck* een aantal planten, die in zulk een drank dienst moeten doen. Het bekendste voorbeeld van de minnedrank vindt men in het Middeleeuwse verhaal van *Tristan en Isolde.*
mirakel. 1. *Hij lag voor mirakel* = bewusteloos.
Lett. net of er een mirakel gebeurd was. Of dat het mirakel gebeurt, als hij weer opstaat, net of hij uit de doden herrijst.
2. *'t Is een lelijk mirakel* = een lelijk mens.
Lett. = wonderlijk figuur.
3. *'t Grootste mirakel duurt maar drie dagen*, zie *praatje* 3.
mispel. *Zo rot als een mispel* = door en door verrot.
Lett. = zo rot, als een mispel moet zijn; die is pas lekker, wanneer hij verrot is. Vroeger was de mispel algemeen bekend en werd hij in heel veel tuinen ge-

kweekt.
misschien.
Misschien, bijkans en bijnaar
Zijn nooit geen waar,
spreuk bij Gezelle. Wat misschien gebeurt, dat gebeurt vaak niet en haast is nog niet half.
Bijnaar, Vlaams voor bijna. 't Is geen waar = 't is niet waar.
missen. 1. *We kunnen hem missen als kiespijn* = wij moeten niets van hem hebben; hij moet er niet bij zijn.
2. *Die mist mist niet, maar die niet mist, die mist*, schertsende woordspeling met *misten* = (be)mesten en *missen* = mis zijn.
3. *Die zegt, dat hij niet missen kan, is bezig met te missen* (Vlaams).
misslag. *De misslagen van de geneesheren worden met aarde, de gebreken der rijken met geld gedekt* (Gezelle).
mist.
Mist
Heeft vorst in de kist,
na mist komt vriezend weer.
Moab. *'t Is een Moab* = een loeder, een treiteraar.
Moab was een zoon van Lot; hij werd de stamvader der Moabieten, die doorlopend vijandig stonden tegenover Israël. Het begon reeds tijdens de tocht uit Egypte naar Kanaän. Daarna onderdrukte Eglon, de koning van de Moabieten, het volk van Israël 18 jaar lang.
mode. 1. *De mode moet gevolgd worden, al zal het hemd over de rok* = vrouwen getroosten zich de gekste dingen, als 't maar mode is.
2. Modepoppen,
Zotte koppen.
(Vlaams), meisjes die vóór alles letten op kleren naar de laatste mode, zijn de verstandigste niet.
moed. 1. *De moed zinkt hem in de schoenen* = hij laat de moed zinken.
2. *Zijn moed aan iemand koelen* = zich op iemand wreken en daardoor zijn wrok tot bedaren brengen.
Moed = gemoed.
3. *Hij heeft een moed als een paard van een daalder*, schertsend: hij stapt er dapper op los.
Misschien is oorspronkelijk een paard van speculaas bedoeld; zie *haan* 2.
4. *In arren moede*,
lett. in een boos gemoed, Middelnederlandse vorm, tot heden bewaard = in drift. Een woord, in arren moede gesproken.
5. Hoog van moed,
Klein van goed,
Een zwaard in de hand,
Dat is 't wapen van Gelderland.
6. *Goede moed is half teergeld* (Vlaams) = als men een werk met lust aanvat, dan wordt het flink en vlug gedaan.
Lett. Met goede moed op reis te gaan is net zo veel waard als het halve reisgeld.
moeder. 1. *Dat hebben ze met de moedermelk ingezogen* = dat hebben ze geleerd, begrepen van kindsbeen af.
Volgens de oude opvatting had de moedermelk overwegende invloed op het karakter van het kind.
2. *Moedernaakt* = splinternaakt, letterlijk zo naakt als een kind van de moeder komt.
3. *Hij was moederziel alleen* = geheel alleen.
Uit het Middelnederlandse *hi was moeder ene* = gescheiden van zijn moeder.
Versterkt tot *al moeder ene* en dit verbasterd tot *moeder al ene*, moeder alleen. De ziel is er later bijgevoegd ter versterking.
4. *Daar helpt geen lievemoederen aan* = mooie praatjes, vleierij en liefdoen helpen niet. Zie *lieve moeder*.
Lett. 't helpt niet, of je al zegt van lieve moeder.
5. *Die met de dochter trouwen wil, moet vrijen met de moeder*; zie *dochter*.
6. Al is een moeder nog zo arm,
Zij dekt toch warm,
er gaat nooit en nergens iets boven de liefde en de zorg van een moeder.
7. *Zo moeder, zo dochter*, zie *moertje*.
8. *Bij moeders pappot blijven*, zie *pappot*.
9. *Vlugge moeders, trage dochters!* Waarschuwing, dat Moeder haar dochters 't werk niet uit de handen moet nemen.
Ook: *knappe moeders, slordige dochters.*
10. *'t Is vetpot, Moeder heeft een daalder gewisseld!*
Schertsend, als moeder eens flink opdist.
11. *De een vrijt met de moeder en de ander met de dochter* = over de smaak valt niet te twisten.
12. *Als de kinderen klein zijn, trappen ze moeder op de schoot, maar als ze groot*

zijn, trappen ze wel op het hart. Bij Vondel:

Och, d'ouders teelen 't kint en maecken
['t groot met smart:
Het kleene treet op 't kleet; de groote
[trêen op 't hart.

13. *Pak maar aan, 't is je moeder niet!* gezegde, als iemand al te voorzichtig te werk gaat.

14. *Een sprookje van Moeder de Gans,* zie *sprookje.*

15. 't Zotste dat men vindt
Is een moeder met haar kind,
een moeder is vaak al te mal met haar kindje; een moeder zoekt honderd lieve namen uit voor de kleine.

16. *Moeders boosheid is een sneeuwvlok in April* (Fries.)

17. *'t Is één moeders goed* = 't ene is niet beter dan het andere.

moei, zie *oom* 5.

moer.

1. Mans moer
Is de duivel over de vloer,
zie *man* 16.

2. zie *moeder* 7.

3. *Hij heeft een goede moer in de korf* = een beste huisvrouw.
Naar de moeder, de koningin in de bijenkorf.

4. *'t Is muis als moer, staarten en oren hebben ze allemaal,* zie *muis* 5.

moertje. *Mal moertje, mal kindje* = een dwaze moeder bederft haar kinderen; *zo moeder zo dochter.*
Bijbels spreekwoord. 'Zie, een ieder, die spreekwoorden gebruikt, zal van u een spreekwoord gebruiken, zeggende: *Zo de moeder is, is haar dochter.* (*Ezechiël* XVI : 44.)

moes. 1. *Moes is ook eten* (Gron.) = kruimpjes zijn óók brood.
Moes = boerenkool. Uit het spreekwoord blijkt, dat moes niet voor 't beste gerecht wordt gehouden. Maar er zijn er ook, die er anders over denken, blijkens het spreekwoord:

2. *Ik mag niet graag zonder moes in de kelder wezen* = ik heb graag wat voorraad van het meest nodige.
Hier wordt gedacht aan ingemaakte boerenkool, die in de kelder wordt bewaard.

moesjanker. *Daar staat hij weer te moesjanken,* gezegd van een vrijer die voor 't huis van zijn aangebedene heen en weer loopt, in de hoop dat men hem de deur opent of dat zijn beminde naar buiten komt.
Tuinman schrijft *mozejanker* en *moosjanker* en acht het mogelijk, dat het woord gevormd is met *mozegat,* d.i. het gootgat, zo als dat vroeger in de huizen ten plattelande was, om het spoelwater weg te laten lopen. Dus: een vrijer die voor 't gootgat staat te janken.

moeten. 1. *Moeten is dwang,* is allicht het antwoord, als men tot iemand zegt, dat hij dit of dat doen moet. En dan voor 't rijm:
Moeten is dwang,
Schreien is kindergezang.

2. *'t Was een moetje* = zij waren gedwongen te trouwen.

mof, nu scheldnaam voor een Duitser; vroeger in Holland ook voor de inwoners van andere gewesten.
Van 't Duitse woord *Muff* = onbehouwen lompe vent. Men vond de vreemdelingen ook onbespraakt; vandaar: *zwijgen als een mof.*

mogelijk. *Mogelijk is misselijk* = wat mogelijk waar is, komt lang niet altijd uit.

mogen. 1. *Bij elkaar deugen ze niet en van elkaar meugen ze niet,* ze kunnen niet met elkaar opschieten en toch willen ze altijd weer samengaan.
Mogen = zin hebben, lust hebben. Zo ook in:

2. Wat de vrouw graag mag,
Eet de man elke dag.

Mokum. *Mokum* = Amsterdam.
Mokum is 't Joodse woord voor stad.

molen. 1. *De molen is door de vang* = er is geen houden meer aan; de zaak is hopeloos.
De vang is de klem, waarmee de draaiende as wordt vastgezet; is de molen door de vang, dan heeft men hem niet meer in de macht; dan is hij niet meer tot stilstand te brengen en gebeuren er ongelukken.

2. *Hij heeft een klap van de molen beet* = hij is niet goed bij zijn verstand.
Lett.: 't is of hij door een slag van de molenwiek zijn verstand heeft verloren. Ook:

3. *Hij loopt met molentjes.* Dit is echter een vergelijking met een kind, dat met een molentje loopt als speeltuig. Met bijgedachte aan de *klap van de molen.*

4. *Om één schepel graan kan men geen molen bouwen* = een oud man moet niet meer aan trouwen denken. Vgl. *mud* 2.
5. *Alle molens vangen wind*, zie *haag* 1.
6. *Daar is meer omgegaan dan de molen in het woud* = er is meer gebeurd dan men denken zou, zegt Sprenger van Eyk. In ieder geval: er is heel wat gebeurd. Zo bij Asselijn in het bekende blijspel van *Jan Klaasz.*; als deze zonder speulman bruiloft gehouden heeft, dan zegt buurmans Marretje:

Daer is te nacht tot jouwend al vry wat [om egaen,
Mier als de meulen in 't woud.

Woordspeling: *omgaan* = gebeuren en de molen in 't woud (buiten) gaat ook om.
7. *De meulen draait niet met wind, die voorbij is* (Gezelle) zie *voorbij* 2. In Groningen: *molens malen met geen wind, die voorbij is.* Zie *hek* 3.

molenaar. *Men vindt geen molenaarshane, of hij at gestolen koren* (Gezelle) = elk is een dief in zijn nering.

mond. 1. *Hij stond met de mond vol tanden* = hij stond zo verlegen, dat hij niets zeggen kon.
Misschien: zijn tanden waren er wel, maar zijn tong had hij verloren.
2. *Iemand de mond snoeren* = hem beletten, iets van een zaak te vertellen; hem tot zwijgen dwingen, hetzij door bedreiging, hetzij door omkopen. Lett. = de mond met een snoer dichtbinden. In Matth. XXII : 34 leest men, dat Jezus de Sadduceeën *de mond gestopt had.* Ook dit hoort men nog.
3. *Hij hield zijn mond* = hij zei niets. *Houden* = bewaken, bedwingen. 't Kan ook een afkorting zijn van: hij hield zijn mond dicht.
4. *Hij zette een grote mond op*: hij praatte tegen met geweld; hij begon te schreeuwen.
Lett. = hij zette zijn mond wijd open. Ditzelfde begrip heeft zich anders ontwikkeld in:
5. *Hij had een grote mond* = hij gaf een brutaal antwoord.

30. Om één schepel graan ... (z. *molen*)

6. *Iemand iets in de mond geven* = zo tot hem spreken, dat hij wel nagaan kan, welk antwoord men van hem verwacht. Ook: *ik gaf hem de pap in de mond.*
7. *Hij spreekt met twee monden* = hij is zo onoprecht, dat hij bij de een wat anders zegt dan bij de ander, en dat om beiden te behagen.
8. *Hij is niet op zijn mondje gevallen* = hij weet wel wat hij zeggen moet; hij kan zijn woord wel doen; hij bijt van zich af. Misschien een bijbelse uitdrukking. In Leviticus IX : 24 staat, dat een vuur uit ging van het aangezicht des Heren, toen Aäron zijn priesterlijke dienst aanving. 'Als het ganse volk dit zag, zo juichten zij, en vielen op hun aangezichten.' D.w.z. zij bogen neer, tot het aangezicht de grond raakte als teken van diep ontzag.
9. *Iemand naar de mond praten* = praten, zoals hij 't graag hoort, dus praten alsof het uit zijn eigen mond komt.
10. *'t Is maar mondjesmaat* = er is maar nauwelijks genoeg, vooral gezegd als er geen eten overblijft. 't Is net naar de maat van de mond.
11. Bitter in de mond
Maakt het hart gezond;
het volk denkt dat er in bittere medicijn de meeste kracht zit.
12. *De koeien eten met vijf monden*, namelijk als zij in een drassige wei lopen. Dan vertrappen ze 't gras met de vier poten meer dan ze eten met de bek.
13. *Waar de mond van vol is, loopt het hart van over*; zie *hart* 6.
14. *Hij is bang, dat zijn mond eerder af is dan zijn gat* = hij groet niet; hij zegt niets in gezelschap.
15. *De mond maakt, dat het achterste slaag krijgt* = een grote mond is dikwijls aanleiding, dat men schade lijdt.
Spreekwoord, ontleend aan het huisgezin: kinderen, die brutaal zijn met de mond, krijgen een pak voor de broek.
16. *Beter hard geblazen dan de mond gebrand* = al doet men wat te veel moeite, dat is altijd beter dan dat er een ongeluk gebeurt.
17. *Hij praat zijn mond voorbij* = hij verpraat zich; hij zegt wat, dat hij voor zich moest houden.
18. *Uit de mond der zuigelingen zal men de waarheid horen* = kinderen spreken de waarheid; zij hebben er nog geen besef van, dat men sommige dingen verzwijgen moet; zij zeggen in hun argeloosheid wat ze weten. Naar Matth. XXI : 16 een Bijbelse spreuk. Toen Jezus Zijn intocht deed in Jeruzalem, riepen de kinderen hosanna.
De Farizeeën namen dat kwalijk, maar Jezus antwoordde:
'Hebt gij nooit gelezen: Uit de mond der jonge kinderen en der zogelingen hebt Gij U lof toebereid?'
De woorden van Jezus zijn met geringe wijziging te vinden in Psalm VIII : 3.
19. Een dronken mond
Spreekt 's harten grond,
een dronken man vertelt alles wat hem op het hart ligt. Zie *kind* 7.
Vlaams:
19a. Zatte monden
Spreken nuchtere gronden.
20. *Veeg je mond maar af en zeg, dat je gegeten hebt* = hou je groot, als er niets of niet genoeg te eten valt; doe dan, alsof je niets meer nodig hebt. Zo ook figuurlijk; laat niet blijken, dat je bij afwijzing teleurgesteld bent.
't Gezegde is afkomstig van *Spreuken* XXX : 20, maar daar is de zin geheel anders. 'Alzo is de weg ener overspelige vrouw; zij eet en wist haar mond en zegt: ik heb geen ongerechtigheid gewrocht.' Zij veegt dus haar mond af, juist omdat zij goed gegeten heeft en zich verder over niets bekommert.
Volgens Harrebomée betekent het spreekwoord, dat men van een onbeschaamde tegenspreker genoeg gehoord heeft en zijn verdere redenen niet wenst te horen.
21. *Dat is mond tergen, mondje tergen* = dat is buitengewoon lekker, maar er is zo weinig van, dat men het net even proeven kan en dan is 't al op.
22. Wat men spaart uit de mond,
Dat is voor kat of hond,
zie *sparen* 2.
23. *Ik heb zo'n kinderachtige smaak in de mond*, schertsend gezegde van iemand, die trek heeft aan een borrel. De vergelijking is met een kind, dat dorst heeft.
24. *Hij praat met zijn mond, daar een ander mee eet*, schertsende opmerking, als iemand wat vertelt dat niets tot de zaak doet.
25. *Vuile monden, vuile gronden* (Vlaams) = vuile taal komt voort uit een bedor-

ven karakter.
Ook omgekeerd:
25a. Een zuivere mond
Heeft zuivere grond.
26. Lachende mondekens,
Bijtende hondekens,
Vlaamse rijmspreuk:
al lachende kan men wel scherp zijn mening zeggen.
27. De mond brengt dikwijls uit
Wat het herte besluit,
Vlaams rijmpje: menigeen kan zijn geheim niet voor zich houden.
28. *Mondeken toe, beurzeken toe!* (Vlaams) = let wel op tot wie je spreekt en aan wie je geld toevertrouwt.
29. *Men kan de mensen de mond niet stoppen* = men kan de mensen het praten niet beletten; een roddelpraatje gaat altijd verder.
30 *Hij heeft zijn mond bij zich* = wat hij niet weet, moet hij maar vragen.
31. *Men moet zijn mond naar alle spijzen en zijn handen naar alle werken zetten* (Vlaams) = men moet zich schikken naar de omstandigheden. Ook:
32. *Is de brok groot, men moet er de mond naar zetten.*
33. *De morgenstond heeft goud in de mond*, zie *morgen* I, 1.
monnik. 1. *Gelijke monniken, gelijke kappen!* = ieder krijgt hier hetzelfde recht, het zelfde aandeel.
2. *'t Is monnikenwerk* = werk, dat veel moeite vordert en dat toch niets waard is, dat men in ieder geval veel voordeliger en beter anders kan doen.
De monniken hielden zich bezig met het afschrijven en verluchten van boeken. Dit werd na de uitvinding van de boekdrukkunst in fig. zin *monnikenwerk*.
3. *Men kent de monnik niet aan zijn pij* (Vlaams) = schijn bedriegt.
mooi. 1. *Die mooi wezen wil, moet pijn lijden* = die naar de mode gekleed wil gaan, moet er last en zo nodig pijn voor over hebben.
2. *Ze spelen mooi weer van mijn geld* = zij maken goede sier op mijn kosten.
Lett.: dan is het mooi weer voor hen.
3. *Altijd mooi is nooit mooi* = wie altijd zijn zondagse pak aan heeft, heeft er geen aardigheid meer aan.
4. *Hij is daar de mooie man* = hij weet zich daar mooi voor te doen, door vrijgevig te zijn, door vleierij, door flink mee te werken enz.
Mook. *Loop naar de Mokerheide* = een verwensing, met dezelfde betekenis als: loop naar de *Duivel.*
Men denkt aan de Slag op de Mokerheide van 1574, waar het leger van Lodewijk en Hendrik van Nassau in de pan gehakt werd door de Spanjaarden en waar de beide aanvoerders sneuvelden. Doch vanouds was de Mokerhei de vergaderplaats der heksen. Zo ook bij Niermeyer, *Het booze Wezen*, blz. 103; 1840.
moor. 1. *Ieder moet weten, hoe zijn moor ruist: koffie of suikerij* (Vlaams) = men moet de tering naar de nering zetten.
De moor is de koffieketel; gaat het goed, dan gaat er echte koffie in; is armoe troef, dan behelpt men zich met cichorei.
2. *Gij zwarterik! zei de moor tegen de ketel*, (Gezelle), zie *pot* 2.
moord. 1. *Ze schreeuwden moord en brand* = zij maakten een geweldige drukte, vooral uit angst.
Oorspronkelijk was 't net andersom. *Moord en brand schreeuwen* betekende: luidkeels dreigen met moord en brand.
2. *Hij weet van de moord* = hij is van de zaak op de hoogte. De *moord* als voorbeeld van een vreselijk geval.
3. *Hij maakt van zijn hart geen moordkuil*, zie *hart* 8.
4. *Steek de moord!* = krijg een ongeluk! Ruwe uitdrukking; letterlijk = *de moord steke* = de moord, de dood moge je treffen.
mop. *'t Was maar een mop* = een grap. *Mop* was de naam van een baksteen; zo komt het woord nog in Groningen voor. Vandaar: een ding van geen waarde; verder = een grap, een scherts. Ook = een luimig verhaal. Zo gaf Wildeboer een boekje uit met humoristische Nanuts-bijdragen onder de titel *Moppen en Mopjes.*
mores. *Ik zal hem mores leren* = ik zal hem zeggen, wat hij te doen en te laten heeft; ik zal hem op zijn nummer zetten. *Mores* (L.) = zeden; goede manieren.
morgen I.
1. De morgenstond
Heeft goud in de mond,
d.i. het werk vlot het best in de vroege morgen. Dus = de morgenuren zijn

voordelig; de mond zou er dus maar om het rijm bij gevoegd zijn.
Maar wel merkwaardig is, dat dezelfde spreuk gehoord wordt in het Deens en Zweeds en dat in de Skandinavische overleveringen de godin van de dageraad goud in de mond draagt: goudstukken of gouden ringen vallen uit de mond en goud of zilver uit het haar.
In *Nw. Taalgids* VI, 202, onderstelt E. Slijper, dat er een L. spreuk bestaan heeft: *Aurora habet aurum in ore*, d.i. Aurora heeft goud in de mond, welke spreuk dan de verklaring van de naam *Aurora* zou zijn. De spreuk luidt in Vlaanderen ook:
1a. *Morgenwerk, gulden werk*. En ook:
1b. *De morgen doet het werk*, of:
1c. Die verslaapt zijn morgenwerk,
Bedorven is zijn dagwerk.
2. *Een droevige morgen, een blijde dag* = wat slecht begint, loopt heel vaak nog weer goed af. Vlaams: *Een zieke morgen maakt een gezonde dag*.
In Groningen: *Donkere morgens, mooie dagen*.
3. *Zijn morgenreden en zijn avondreden komen niet overeen*, zie *avondreden*.
morgen II (de volgende dag). 1. *Morgen brengen!* = dat kun je begrijpen; dat gebeurt nooit!
2. *Morgen komt er weer een dag* = a. nu is 't voor vandaag genoeg (met werk, met feestvieren); b. bedenk je nog maar eerst goed, doe niets overhaast.
Omgekeerd:
3. Laat nimmer iets tot morgen staan,
Wat nog voor heden kan gedaan.
Of: *Stel niet uit tot morgen, wat je heden doen kunt*.
4. Wilt niet zorgen
Voor de dag van morgen,
d.i. doe heden je werk en laat dat genoeg zijn; bekommer je niet van te voren om de dag van morgen; die dan leeft, die dan zorgt.
Vlaams:
4a. De dag van morgen
Zal voor zijn zelven zorgen.
5. *Dat duurt zo lang als morgen de he e dag* = daar komt geen eind aan.
Zie ook *heden* 1—6.
morgenman. *Morgenman bidt om geen herberg*. Wie 's morgens op tijd weggaat, die heeft vóór de avond zijn zaken beredderd.
morgenreden, zie *avondreden*.
morgenrood.
Morgenrood
Brengt water in de sloot,
zie *avondrood*.
morgenstond, zie *morgen* I, 1.
Moriaan. 1. *Dat is de Moriaan geschuurd* = dat is werk voor niets, dat is vergeefse arbeid.
Al schuurt men een Moor ook nog zo, blank wordt hij toch niet.
Misschien naar Jeremia XIII : 23, 'Zal ook een Moorman zijn huid veranderen?'
Maar misschien ook naar aanleiding van een volksprent, waarop men een meisje zag, bezig met een grote spons een Moor schoon te wassen.
In Vlaanderen:
2. *Moren wast men niet* = men behoeft geen moeite te doen, de Moriaan te schuren; men kan een boos mens toch niet tot inkeer brengen. Zie *kromhout*.
Morpheus. *In Morpheus' armen liggen* = rustig slapen.
Volgens de Griekse mythologie was Morpheus de god der dromen; hij was de zoon van Hypnos, de god van de slaap.
mossel. 1. *De mosselen doen de vis afslaan* (Vlaams) = als er genoeg wordt aangevoerd op de markt, ook al is de waar niet zo goed, dan dalen de prijzen ook van de betere artikelen.
2. *Men moet geen mosselen roepen, eer dat zij aan de kaai zijn* (Vlaams), zie *hei* 2.
mosterd. 1. *Dat is mosterd na de maaltijd* = dat helpt nu niet meer; die hulp komt te laat.
2. *Iemand door de mosterd halen* = hem scherpe verwijten doen. Als je scherpe mosterd eet, springen je de tranen in de ogen.
3. *Dat ruikt naar de mosterd*, zie *mutsaard*.
4. *Hij weet, waar Abram de mosterd haalt*, zie *Abraham* 2.
mot I. *Mot hebben* = ruzie hebben; in 't algemeen: moeilijkheden hebben met anderen. In Groningen is *mot* in deze zin nog altijd heel gewoon; zo ook het werkwoord *motten* = mopperen, twist zoeken. En *motterd* = ontevreden, norse, twistzieke man.
mot II (zeug). *'t Staat hem zo handig als*

de mot het haspelen = hij is er al zeer onhandig mee.
Gewestelijk; o.a. in Groningen.
mot III. *Iets in 't mot hebben* = iets hebben begrepen; het op iets begrepen hebben; iets in 't vizier hebben.
Ook *in de mot hebben.* Een verklaring is nog niet gevonden, doch als *mot* mouw betekent, gelijk De Cock zegt, dan kan de betekenis dezelfde zijn in oorsprong als *iets achter de mouw hebben*; zie *mouw* 4.
motregen, zie *stofregen.*
mouw. 1. *De handen uit de mouwen steken* = het werk flink aanpakken en stevig doorwerken.
2. *Dat schudt hij zo maar uit de mouw* = a. dat heeft hij in een ogenblik klaar; b. dat vertelt hij, net of 't waar is; dat bedenkt hij maar.
Uit de tijd van de wijde mouwen, waaruit de goochelaars allerlei voorwerpen ineens voor den dag haalden, tot zelfs een aap. Vandaar ook:
3. *Toen kwam de aap uit de mouw.* Zie *aap* 4.
Verder op dezelfde wijze:
4. *Hij heeft ze achter de mouw* = hij is schijnheilig, *hij heeft ze achter de elleboog.* Misschien in 't bijzonder: hij heeft een mes of enig ander wapen *achter*, d.i. *in* de mouw; hij is dus niet te vertrouwen.
5. *Ik weet er geen mouw aan te passen* = ik weet niet, hoe ik er mee aan moet; ik kan het niet in orde krijgen; ik weet geen oplossing.
Kleermakersuitdrukking uit de tijd der losse mouwen.
6. *Iemand iets op de mouw spelden* = misbruik maken van iemands lichtgelovigheid; hem een leugen voor waarheid laten aannemen; hem wat wijsmaken.
Ontleend aan de oude gewoonte, dat men kinderen een koek of een ander geschenk op de arm speldt of bindt, als ze jarig zijn. Nog altijd kan men in Groningerland de vraag horen: *waarmee ben je gebonden?* = wat heb je voor je jaardag gehad?
7. *'t Is een opgemaakte mouw* = 't is een voorwendsel, een schijnreden.
Uit de tijd, dat men nog losse mouwen droeg, die voor een feestelijke gelegenheid mooi opgemaakt werden en die de echte mouw bedekten.
Mozes. 1. *Een kalf Mozes*, zie *kalf* 3.
2. *Hij heeft Mozes en de profeten* = hij is rijk, hij heeft geld.
Moos (Jodenduits) = steen of pit; verder de naam van een geldstuk. Toen men de oorsprong van de uitdrukking niet meer kende, dacht men aan Lukas XVI : 29 uit de gelijkenis van de rijke man en de arme Lazarus. De rijke man in de hel vroeg aan Vader Abraham, dat deze Lazarus zou zenden naar zijn broers, om ze te waarschuwen, opdat ook zij niet zouden komen in de plaats der pijniging. Waarop Abraham antwoordde:
Zij hebben Mozes en de profeten, bedoelende dat zij alles hebben wat hun nodig is. Kortheidshalve ook:
3. *Zij hebben Mozes* = ze zijn rijk.
4. *Mozes en Aäron* = het wereldlijk en het kerkelijk gezag.
Volgens *Exodus* XX : 2—17 bracht Mozes de Tien Geboden tot het volk; hij was de burgerlijke wetgever. Aäron, zijn broeder, was de eerste hogepriester (Exodus XXVIII : 1.)
Vandaar ook:
Mozes zal Aäron niet met het volk laten begaan = de wereldlijke macht zal wel zorgen, dat de kerk in staatszaken geen baas wordt.
mud. 1. *'t Was er zo vol als mud* = propvol. Men denkt: zo vol als een mud koren. Maar 't kan ook zijn dat *mud* = mot, turfmolm. En in *'t Ned. Wdb.* wordt gewezen op *mudde* = modder, slijk.
2. *Wie maar één mud koren te malen heeft, moet geen molen bouwen* = men moet voor een kleinigheid geen grote omslag maken. In 't bijzonder: een oude man moet geen huwelijk meer aangaan. In die zin ook bij Cats in de beschrijving van zijn eigen leven, toen men hem aanried dat hij, weduwnaar, nog een tweede vrouw zou nemen. Zie *bak* 4.
mug. 1. *Van een mug een olifant maken* = van een kleinigheid een grote ophef maken. Ontleend aan het Grieks.
2. *De mug uitzijgen en de kemel doorzwelgen* = vitten als het kleine dingen geldt, maar niets zeggen als er grote dingen verkeerd zijn.
Jezus riep wee over de Schriftgeleerden en Farizeeën en noemde ze 'blinde leidslieden, die de mug uitzijgt en de kemel

doorzwelgt.' (Matth. XXIII : 24.)
Uitzijgen: = reinigen door een vloeistof door een doek te laten lopen, zoals de oude Joden gewoon waren met de wijn te doen. Zij verwijderden aldus de muggen. Dit ook, dat zij zich niet zouden verontreinigen door het drinken van bloed.
Een vitter, die de mug uitzijgt, heet dan ook een *muggezifter*.
3. *De mug vliegt net zo lang om de kaars, totdat hij zijn vleugels zengt*, zie *vlieg* 5.
Bij Vader Cats:
De mugh, die om de keerse sweeft,
't Is wonder soo die lange leeft.
Zo ook in Vlaanderen.

muis. 1. *Zo stil als een muis.*
Misschien uit het Latijn.
2. *Dat muisje heeft een staartje* = die zaak heeft nog een zeer onaangenaam gevolg, dat zal nog slecht eindigen.
3. *'t Muist, wat van katten komt*, zie *kat* 1.
4. *Hij heeft muizenesten in zijn hoofd* = hij heeft zorg; hij peinst over moeilijkheden; hij maakt het zich zelf moeilijk over kleinigheden.
Men dacht aan *muizenissen*, een oud Ned. woord = gepeinzen. Doch deze onderstelling is weerlegd in *Noord en Zuid* XIX, blz.62. De uitdrukking komt immers ook in 't Frans en Duits voor. Men spreekt daar en ook bij ons van muizen, hommels, muggen, krekels of spinnen in 't hoofd hebben. Dit zijn de vormen, waarin boze geesten zich voordoen. In plaats van *muizen* sprak het volk later van *muizenesten*.
5. *'t Is muis als moer, een staart hebben ze allemaal* (Gron., Twente) = ze zijn allemaal gelijk; ze zijn aan elkaar gewaagd. Lett. = de jonge muis is al net als de oude.
6. *Als de muis genoeg heeft, dan is 't meel bitter* = als men lang genoeg feest gevierd heeft, dan krijgt men er een tegenzin in.
7. *Hij speelt er mee als de kat met de*

31. 't Muist, wat... (z. *muis*)

muis, zie *kat* 21.
8. *De muizen dansen om de meelton, als de kat van huis is*, zie *kat* 22.
9. *Een muizenmaaltijd houden* = eten zonder er bij te drinken.
10. *Hij maakt van een muis een olifant* = hij maakt veel te veel drukte om een nietigheid; hij stelt een geringe zaak voor als van veel belang. Zie ook *mug* 1.
11. *De muizen vallen er dood voor de broodkast* = het is daar verschrikkelijk arm.
De oude vorm, nog b.v. in Groningen alle dagen gangbaar:
De muizen vallen dood voor de spinde.
12. *'t Is in de muizevreugd* = 't is er een huishouden zonder orde of regel; men overlegt niet goed.
Lett. 't is er, net of de kat van huis is en de muizen om de meelton dansen.
13. *Ik heb er een muisje van horen piepen* = ik heb het bij geruchte vernomen.
14. *'t Is een slechte muis, die maar één hol heeft* = als er iets mislukt, dan moet je 't op een andere manier proberen. (Vlaams.) Ook Fries.
muizenissen. *Hij heeft muizenissen in 't hoofd*, zie *muis* 4.
munt. 1. *Daar sloeg hij munt uit* = daar deed hij zijn voordeel mee.
Lett.: dat wist hij in geld om te zetten.
2. *Dat nam hij voor goede munt aan* = dat vatte hij in ernst op; dat nam hij als waarheid aan.
3. *Iemand met gelijke munt betalen* = iemand zijn gedrag betaald zetten op dezelfde wijze als hij ons heeft behandeld.
4. *Klinkende munte is overal verstaanbaar Diets* (Gezelle) = met geld komt men overal terecht.
Diets = Nederlands.
mus. *Hij maakte zich blij met een dode mus* = hij denkt dat hij wat bereikt heeft en het komt op niets uit. Net zo als een jongen, die denkt dat de gevangen mus nog leeft.
muts. 1. *De muts staat hem verkeerd*, ook: *hij is slecht gemutst* = hij is uit zijn humeur, hij is verdrietig.
Uit de wijze, waarop iemand zijn muts op heeft, meent men op te maken, hoe hij gestemd is.
2. *Hij gooide er met de muts naar* = hij sloeg er in den blinde een slag naar; hij deed er een gooi naar; hij raadde er naar. Misschien ontleend aan een jongensspel. Vandaar ook:
2a. *Er is geen smijten met de muts naar* = er is geen slag naar te slaan; men kan dat niet betalen, ook: niet raden; het is onmogelijk dat klaar te krijgen.
Hibben geeft in *Oost-Friesland wie es denkt und spricht* deze verklaring:
een boer, die een kat of een hond wil wegjagen, gooit er met zijn slaapmuts naar. Dit maakt ook duidelijk, waarom er wel sprake is van de muts en niet van pet of hoed.
3. *Dat zit zo vast als een muts met zeven keelbanden* = dat zit heel vast; dat is volstrekt zeker.
mutsaard. 1. *Dat ruikt naar de mutsaard* = dat is ketterij.
De *mutsaard* was de brandstapel, waarop de ketters werden verbrand. Bij verbastering ook: *dat ruikt naar de mosterd.* Deze uitdrukking heeft ook de betekenis gekregen van: dat is heel duur.
2. Zie *Abraham* 2.
muur. 1. *De muren hebben oren* = wees voorzichtig met je mededelingen, want men zou je kunnen beluisteren. Zie ook *raaf* 2.
2. *Met het hoofd tegen de muur lopen* = zich verzetten tegen een volstrekte overmacht; iets willen doorzetten, waarvan men vooraf kan zeggen dat het onmogelijk is, en daarvan de pijnlijke gevolgen ondervinden.
3. Een *muurbloem* = (spottend) een meisje dat op een bal niet of weinig gevraagd wordt en dus aan de muur blijft zitten.
mijl. 1. *Dat is de mijl op zeven* = dat is een grote omweg.
Door Stoett verklaard als 'de mijl niet op vier maar op zeven vierde deelen' nemen, daarbij verwijst hij o.a. naar de Groninger uitdrukking: *'t uur op vief vörl lopen* = 't uur op vijf vierendeel lopen.
Stoett verwerpt de gewone uitleg, dat er een slingerweg liep tussen de Noord-Limburgse dorpen Meiel en Sevenum,
1. omdat de uitdrukking reeds voorkomt bij Hooft;
2. omdat men in Zuid-Nederland zegt: *den weg op zeven gaan.*
2. Lange mijlen leggen
Tussen doen en zeggen,
zie *doen* 8.

3. *'t Gaat met een zevenmijlsvaart* = heel vlug, zeven mijlen in een uur. Herinnering aan de zevenmijlslaarzen uit het sprookje van klein Duimpje. Vandaar ook:
4. *Hij gaat er met zevenmijlslaarzen over heen* = a. hij doet het heel vlug af. b. hij stapt heen over alle bezwaren.
mijn I. 1. *Hij weet geen onderscheid tussen mijn en dijn* = hij is een dief.
2. Zonder mijn en dijn
Zou de wereld hemel zijn,
Vlaamse rijmspreuk. Twist en tweedracht komen voort uit hebzucht.
mijn II. *De mijn is verkeerd gesprongen* = het fijn opgezette plan is geheel mislukt.
Uit de oude krijgskunde, toen men bij het beleg van een stad mijnen groef onder de stelling van de vijand en die in de lucht deed vliegen.

N

naad. 1. *Hij kan zijn naadje wel naaien* = hij doet zijn werk wel goed, (al maakt hij er ook geen drukte bij); hij let wel op zijn voordeel.
2. *Hij zit in de naad* = hij zit in angst.
De *naad* is de bilnaad. Er zijn verscheiden uitdrukkingen, die van dezelfde gedachte uitgaan:
hij zit in zijn zak geknepen; hij zit in zijn stinkerd; hij knijpt hem.
3. *Hij loopt zich uit de naad*; hetzelfde begrip als in no. 2. In Groningen: *hij loopt zich het gat uit de haken*; dit betekent eveneens = hij loopt zo hard hij maar kan.
4. *Hij wil het naadje van de kous weten* = de geringste bijzonderheden, 't fijne van de zaak.
naadgaren. *Iemand in 't naadgaren komen* = hem dwars zitten; hem scherp narijden. Zal betekenen: hem zo scherp nagaan, dat men zelfs 't garen van de naden van zijn zakken napluist.
naaien. 1. *De naaier, die geen knoop in de draad legt, verliest een steek* (Vlaams) = haastige spoed is zelden goed.
2. *Hij kreeg het net zo genaaid, als hij 't geknipt had* = hij kon zijn plan helemaal uitvoeren.
naald. 1. *Dat komt heet van de naald*, zie *heet* 2.
2. *Zij naait met een gloeiende naald* = zo hard als zij maar kan, net of de naald daar heet van wordt. Ook: *met een gloeiende naald en een zengende draad.*
3. *Hij wist alles van naald tot draad* = van 't begin tot het einde in alle bijzonderheden.
4. *'t Is te vinden als een naald in een voer hooi* = het is onmogelijk te vinden. Vgl. *speld* 5.
5. *De naald in 't spek steken* = 1. eindigen met werken. Schippersuitdrukking, afkomstig van het gebruik bij het naaien van zeilen; 2. zijn bedrijf aan kant doen.
6. *Waar de naald gaat, volgt de draad* (Vlaams) = men moet doen, wat de meester gebiedt; men moet hem volgen.
naam. 1. *Een goede naam is beter dan olie* = is 't kostbaarste wat er bestaat. 'Beter is een goede naam dan goede olie.' (Prediker VII : 1.)
2. *Die de naam heeft van vroeg opstaan, kan gerust lang te bed blijven* = wie bij ieder voor braaf doorgaat, kan licht een slecht ding doen; men gelooft het van hem toch niet; wie eenmaal de naam heeft, dat hij goed is, wordt nog geprezen, als hij kwaad doet.
3. De namen van gekken en dwazen
Prijken op hekken en glazen,
d.i. 't zijn onontwikkelde lui, die hun naam krassen in een boom of schrijven op een muur of een bewasemde ruit.
4. *Zich een naam maken* = bekend worden door zijn goede daden, door uitstekende eigenschappen.
Als dit een bijbelse uitdrukking is, dan is de betekenis gewijzigd.
Men leest in Genesis XI : 4 van de mensen na de Zondvloed:
Laat ons voor ons een stad bouwen, en een toren, welks opperste in de hemel zij, en laat ons een naam voor ons maken, opdat wij niet misschien over de ganse aarde verstrooid worden.
Nabal. *Hij handelt als Nabal:* hij doet al heel onverstandig.
Nabal was een rijke man; hij had 3000 schapen en duizend geiten (1 *Samuel* XXV : 2). Toch weigerde hij aan David brood, water en vlees. Deze nu wilde met zijn 600 mannen Nabal doden, doch Nabals vrouw Abigáil kwam uit met brood en wijn en vlees, en zij sprak tot

David:
Mijn heer stelle toch zijn hart niet aan deze Belials man, aan Nabal; want, gelijk zijn naam is, alzo is hij; zijn naam is Nabal, een dwaasheid is bij hem. (1 *Sam.* XXV : 25.)

nabootsen, d.i. nadoen, namaken.
Van een woord *bootse*, dat verloren is gegaan en dat vorm, model, lijst betekende.

Naboth. *Hij is een kind van Naboth: vroeg groot en laat wijs.*
Naboth had een wijngaard, die de begeerte opwekte van Achab, koning van Israël. Op raad van koningin Izebel werd Naboth gedood. (1 *Kon.* XXI.) Van een kind van Naboth vindt men in de Bijbel niets vermeld.
Volgens Harrebomée is *een kind van Naboth* een stijfkop, maar Leendertsz zegt: een man met een groot lichaam en een klein verstand. En in de *Navorscher* heet het:
vroeg groot en toch zot, (XII, 280 en 314).
Zeeman gist, dat de spraakmakende gemeente Naboth verwisseld heeft met *Nabal*, van wie verhaald wordt, dat hij een man was, hard en boos van daden. (1 Samuel XXV : 3.) Bovendien was hij een dwaas (vers 25).

nacht. 1. *Bij nacht zijn alle katjes grauw*, zie *kat* 3.
2. *Hij kwam met de nachtschuit* = hij kwam heel laat. Ook: hij kwam met zijn mededeling, toen de zaak al bekend was.
3. *Wie 's nachts vist, moet overdag netten drogen* = wie tot laat in de nacht feest viert, wil graag lang uitslapen.
4. *Over één nacht ijs gaan* = veel te vroeg met een (gevaarlijk) werk beginnen; zich met een taak belasten, zonder eerst te zien of alles wel gereed en veilig is.
5. *De nacht brengt raad* = als men zich beslapen heeft, kan men rustig overzien wat er dient te gebeuren.
Vlaams:
6. *De nacht is een goede raadsman.*

nachtkaars. *Dat gaat uit als een nachtkaars* = dat eindigt heel geleidelijk; dat wordt al langzamerhand minder. Vooral gezegd van iets, dat eerst heel krachtig

32. De naaier, die... (z. *naaien*)

en flink en mooi was.

nachtmerrie, 't benauwde gevoel dat een slapende overvalt, alsof er iemand op zijn borst gaat liggen, die hem dooddrukken wil. De oude vorm *nachtmare* heeft niets te maken met een merrie; *mare* = spook, boze geest, kwelgeest, is nog in Vlaams België gangbaar.
Wij hebben dus met een geval van volksetymologie te doen.
In de volksoverleveringen leeft de nachtmerrie voort, evenals ook de middelen bekend zijn, om deze kwelgeest te verjagen: de schoenen voor 't bed zetten met de tenen naar buiten, enz.

nachtschuit. *Hij komt met de nachtschuit.* Zie *nacht* 2.

nagel I. *Hij heeft geen nagel om zijn gat te krabben* = hij is zo arm als Job.

nagel II (spijker). 1. *Dat is een nagel aan zijn doodkist* = dat doet hem zoveel verdriet, dat zijn dood er door verhaast wordt.
2. *Daar moet een drieduims nagel in* (Fries) = na die leugen moet er een verteld worden, die nog veel grover is.

Nahum. *'t Is Nahum twee, vers vier*, bespotting van de schutterij, opgeheven bij de Militiëwet van 1901.
De profeet Nahum voorspelt de ondergang van Ninive door de Babyloniërs:
De wagens razen door de wijken; zij lopen ginds en weder op de straten; hun gedaanten zijn als der fakkelen; zij lopen door elkander henen als de bliksemen.

nakaarten. *Men moet nooit nakaarten* = als het spel verloren is, moet men er niet meer over zeuren; men moet berusten in onherroepelijk verlies.
Nakaarten is letterlijk: de kaarten nog eens weer op tafel leggen, zo als het spel geweest is, en dan nagaan hoe 't gelopen is en... hoe het had kunnen lopen, als men anders gespeeld had.

nar. *Men moet geen nar op eieren zetten.* (Cats)

nat. 1. *Nat houden en pappen*, zie *pappen*.
2. *Hij is nog nat achter de oren*, zie *droog* 1.
3. *Hij lust zijn natje en zijn droogje wel* =

33. Men moet geen nar... (z. *nar*)

hij heeft steeds trek aan goed eten en dranken.
4. *Hij voelde nattigheid* = hij bemerkte, dat de zaak misliep.
5. Een dag is nooit zo nat,
Of de zon schijnt altijd wat,
zie *dag* 6.

Nathanaël. *Hij is een Nathanaël* = een oprecht mens.
Naar *Johannes* I : 48. 'Jezus zag Nathanaël tot Zich komen, en zeide van hem: Zie, waarlijk *een Israëliet, in welke geen bedrog is.*' Zie *Israëliet.*

natie. *Uit alle natiën en tongen* = uit alle volken.
Uitdrukking, die op verscheiden plaatsen in de Bijbel voorkomt, o.a. in Daniël III : 4, waar gezegd wordt, dat alle volken, natiën en tongen het gouden beeld moesten aanbidden, dat koning Nebukadnezar had opgericht.

natuur. *De natuur gaat boven de leer* = al heeft men honderd maal geleerd dat iets niet goed is, als men in de verleiding komt, doet men het toch. In het Latijn had men de spreuk:
naturam expellas furca, tamen usque recurret = drijf de natuur uit met een vork, toch komt zij terug.

Nazareth. I. *Kan uit Nazareth iets goeds komen?* = wat is er te verwachten van iemand, die uit zo'n afgelegen oord komt? Ook: van iemand uit een ruwe, onbeschaafde omgeving.
Naar aanleiding van de vraag van Nathanaël:
Kan uit Nazareth iets goeds zijn? (*Johannes* I : 47.)
Nazareth was een plaats van weinig betekenis, maar het was de woonplaats van Jozef en Maria. 'Jezus kwam van Nazareth, gelegen in Galilea, en werd van Johannes gedoopt in de Jordaan' (*Markus* I : 9).
2. *'t Is daar een echt Nazareth* = een akelige, achterlijke, in ieder geval een zeer onaanzienlijke woonplaats.

neef.
't Is neef, neef,
Zo lang als ik leef,
Vlaamse spreuk. Zo lang als er wat van iemand te halen is, speelt men mooi weer met hem.

neer. *Hij is in de neer* = het is hem tegengelopen, hij zit in 't ongeluk, in de klem.
De neer = een tegenstroom op zee, langs de kust.

neet. *Men heeft meer last van de neten dan van de luizen*, zie *luis* 2.

negenoog. *'t Is een rechte negenoog* = 't is iemand, die overal aanmerking op maakt, die een onvriendelijk, kwaadaardig karakter heeft.
Lett.: 't is iemand, die zoveel ziet, alsof hij negen ogen had. Met de bijgedachte aan negenoog = zeer grote steenpuist, die ook lastig en pijnlijk is.
Reeds in de Kamper Verzameling:
Hij is heel neghen oocht; tis een recht hayrcloever (haarklover).

negerij, een onaanzienlijk dorp; uit het Maleise woord *negari* = stad, woonoord. Is dus geen afleiding van *neger.* (Veth, *Uit Oost en West*, 5).

nek. I. *Iemand met de nek aanzien* = hem verachtend behandelen; hem niet waard achten, dat men hem aankijkt.
Dezelfde gedachten ook in
2. *Iemand de nek toekeren* = hem de rug toedraaien. Ook figuurlijk: *De fortuin keerde hem de nek toe* = liet hem in de steek.
3. *Iemand in de nek zien* = hem te veel geld afvragen bij een verkoop; in 't algemeen: hem bedriegen, letterlijk zo dat men hem daarbij niet in 't gezicht durft zien.
4. *Iemand de nekslag geven* = hem te gronde richten. Lett. = hem doden, zo als men b.v. een konijn doodslaat.

nering.
I. Nering zonder verstand
Is schade voor de hand,
als iemand een zaak opzet, zonder er verstand van te hebben, ligt het voor de hand, dat het mis loopt.
Zie *arbeid* 6 en *ijver.*
2. *De tering naar de nering zetten*, zie *tering.*
3. *De nering is een tere juffer* (Fries) = de winkelier moet zijn klanten ontzien; hij moet heel voorzichtig zijn in zijn spreken, opdat hij niemand aanstoot geeft.

Nessus. *Een Nessuskleed* = een zeer nauwsluitend kleed.
Nessus was volgens de Griekse fabelleer een centaurus. Hij wilde Dejanira, de vrouw van Herkules schaken, doch hij werd door Herkules gedood met een vergiftige pijl. Stervend schonk hij aan

Dejanira zijn vergiftigd kleed als een talisman, waarmee zij steeds de liefde van Herkules kon herwinnen. Toen nu deze verliefd werd op Iole, gaf zij hem het kleed, om het aan te trekken. Maar het vergiftigde kleed kleefde aan zijn lichaam en veroorzaakte zoveel pijn, dat Herkules de dood in de vlammen zocht.

nest. 1. *Hij zit in de nesten* = in verlegenheid, in verwarring.
Nest = warboel.
2. *'t Is een akelig nest* = een nuf van een meisje; een ondeugend, ongezeggelijk kind.
Stoett denkt hierbij aan *nest* = jonge visjes, die als eendevoer dienen. Doch dit is bezwaarlijk aan te nemen, ook al doordat dit woord slechts plaatselijk bekend is. In Groningen b.v., waar men dit *nest* niet kent, spreekt men even goed van *'n nust van 'n wicht*. Ook van *'n naarnust*, een meisje dat altijd *naart*, d.i. klaagt.
Veel meer voor de hand ligt de volgende verklaring.
Een oud en slecht huis heet *een oud nest*. Nest kreeg aldus een ongunstige betekenis en zo kon men ook komen tot *een nest van een meid* = een akelig meisje.
3. *Hij bevuilt zijn eigen nest* = hij spreekt kwaad van zijn eigen familie.
In de *Proverbia communia: 677. Tes een vuyl voghel die sinen nest ontreynt.*
4. *Die 't nestje weet, die heeft het niet, maar die het rooft, die heeft het* = 't is niet voldoende, dat men van een zaak op de hoogte is, men moet op 't goede ogenblik doorpakken. Vooral gezegd van een vrijer, die bij de vrijster zijn slag weet te slaan, die door flink optreden zijn doel bereikt.
5. *Velen vliegen uit den nest, eer dat zij slagpennen hebben* (Vlaams): menig kind wil te vroeg groot zijn.

nestel. *Iemand de nestel knopen* = hem door toverij onmachtig maken, door een knoop te leggen in zijn nestel (veter). Dit moest geschieden onder het trouwen, zegt Cats. Over dit bijgeloof handelt Alfons de Cock uitvoerig in zijn *Spreekwoorden op Volksgeloof berustend*, blz. 192.

Nestor. *Hij was de Nestor van de vergadering* = de oudste en eerbiedwaardigste. Nestor was de oudste van de Grieken in de Trojaanse oorlog en tevens de wijste man vóór Troje.

net I. 1. *Zij visten achter het net* = hun kans was verkeken, omdat een ander hun vóór geweest was.
Lett. vissen in water, waar juist een zegen (treknet, sleepnet) door gehaald is.
2. *Bij nacht vissen en overdag netten drogen*, gezegde als iemand des avonds en des nachts aan de zwier geweest is en overdag uitslaapt.
Zoals de vissers na de inspanning van het werk tijd hebben, om op hun gemak uit te rusten, terwijl ze hun netten drogen.

net II (schoon).
Net bij kuis
En vet bij vuil,
Valke bij valke
En uil bij uil,
rijmpje bij Gezelle; soort zoekt soort.

neus. 1. *Hij zei het bij zijn neus langs* = schijnbaar zonder enige bijbedoeling, zo terloops weg, terwijl hij toch wel degelijk iets bijzonders op het oog had.
Lett. = zonder iemand in 't bijzonder aan te zien, zonder rechts of links te kijken.
2. *Hij is met zijn neus in de boter gevallen* = hij is onverwacht heel voordelig weggekomen; in 't bijzonder: hij heeft een vrouw met veel geld getrouwd. Ook: *hij is met zijn gat, met zijn achterste, in de boter gevallen.*
3. *Ze hebben hem bij de neus gehad* = ze hebben hem beetgenomen, bedrogen.
Lett.: ze hebben hem bij de neus hier of daar naar toe gebracht, zo als men een onhandelbaar paard, een stier of een beer leidt met een ring door de neus.
4. *Hij ziet niet verder dan zijn neus lang is* = zijn gezichtskring is zeer beperkt; hij heeft geen doorzicht; hij overziet de gevolgen niet.
5. *Dat is hem door de neus geboord* = daar had hij recht op, maar men onthoudt het hem.
Lett.: ze hebben hem een gat door de neus geboord, om hem in de macht te hebben. Zie no. 3.
6. *Iemand iets onder de neus wrijven* = hem wat zeggen, dat hij niet graag horen wil; hem zijn verkeerde gedrag scherp voorhouden.
Lett.: iem. iets onder de neus wrijven, dat niet zeer welriekend is, gelijk men

bij jonge honden of katten doet, die nog niet zindelijk zijn.
7. *Hij heeft een snee in de neus* = hij is dronken. Uit: *een snee in 't oor*; zie *snee*.
8. *Hij keek op zijn neus* = hij was bedremmeld, teleurgesteld.
Lett. = hij keek met terneergeslagen blikken.
9. *Hij kreeg het in de neus = hij kreeg er de lucht van* = hij kreeg argwaan; hij begon iets te vermoeden; hij kwam er achter, dat er iets aan de hand was.
Ontleend aan de jachthond, die de reuk van 't wild in de neus krijgt.
10. *Daar trok hij de neus voor op* = dat was hem te min; dat wekte zijn minachting.
Lett.: dat had zo'n akelige reuk, dat hij de neus samentrok.
11. *Dat moet je hem niet aan de neus hangen* = dat moet je hem niet vertellen; dat geheim kun je hem niet toevertrouwen.
Lett.: je moet het niet zo dicht bij zijn neus brengen, dat hij er de lucht van krijgt. Vlaams:
11a. *Allemans neus is geen kapstok.*
12. *Hij steekt overal zijn neus in* = hij is zo nieuwsgierig, dat hij overal naar verneemt; hij bemoeit zich met zaken, die hem niet aangaan.
Lett.: hij komt er met zijn neus zo dicht boven, als hij maar kan.
13. *Hij kreeg een lange neus*, hij werd beschaamd gemaakt, hij ging met schande weg.
Waarschijnlijk omdat men zo iemand bespot door de hand met de vingers uitgespreid voor de neus te houden. De bespotter heeft dus feitelijk de lange neus.
14. *Dat gebeurde tussen neus en lippen* = terloops, alsof het zonder opzet geschiedt, in het voorbijgaan, tussen andere belangrijker dingen door.
Letterlijk is spijs of drank tussen neus en lippen op het ogenblik, dat men de mond er voor open doet.
15. *'t Is een wassen neus* = dat kan men uitleggen naar verkiezing; 't is zonder betekenis; 't is maar voor de leus.
Immers vertoont iemand met een neus van was zijn ware gezicht niet; ook kan men zulk een neus vervormen, gelijk men wil.
16. *Wie zijn neus schendt, schendt zijn aangezicht* = men moet geen kwaad spreken van zijn eigen familie, want dan deelt men zelf in de schande.
17. *Dit is het neusje van de zalm* = het allerbeste deel, het fijnste, het lekkerste.
18. *Hij staat er bij, net of zijn neus bloedt* = net of hij van de hele moord niet af weet; hij houdt zich van den domme.
19. *Iemand een bril op de neus zetten*, zie *bril* 1. Ook: *hem een praam op de neus zetten.*
20. Een spitse neus, een spitse kin,
Daar zit Sinjeur de Duivel in,
oud volksgeloof. Vergelijk *rood haar* en *krul haar*; zie *haar* 2 en *rood* 5.
21. *Je kon wel menen, dat je neus een metworst was*, zie *menen* en *snot* 2.
22. *De neuzen tellen* = zien met hoeveel man men is.
Ontleend aan het spotverhaal van Hans Hannekemaaier, die ook telde, hoeveel er waren en die niet eerder tot het goede getal kwam dan nadat ze allemaal hun neus in de sneeuw afgedrukt hadden. Toen kwam het uit en eerder niet, omdat hij vergat zich zelf mee te tellen. Behoort ook tot de *Kamper uien*; zie daar.
23. *Hij maakt veel van zijn neus* = hij is eigenwijs en trots; m.a.w.:
24. *hij steekt de neus in de wind.*
25. Tussen neus en lippen
Kan een goede kans ontglippen,
d.i. nog op 't laatste ogenblik, als men meent dat alles al goed afgelopen is.
Tussen neus en lippen, letterlijk: als men zijn eten op de vork of in de lepel al voor de mond heeft.
26. *Die niet besnot is, en moet zijn neus niet vagen* (Vlaams) = wie de schoen niet past, behoeft hem ook niet aan te trekken. *Moeten* = behoeven.
27. Steekt uw hoofd in alle gaten,
Wilt g'er neuze en oren laten.
Rijm bij Gezelle; zie *hoofd* 26.
neuswijs. *Hij is neuswijs* = eigenwijs, waanwijs.
Tuinman acht mogelijk, dat het woord ontleend is aan de brakken, welker neus een scherpe reuk heeft, maar hijzelf denkt, dat de uitdrukking aan 't Latijn ontleend is.
Doch waarschijnlijk betekent het woord eenvoudig: hij is zo (eigen)wijs, dat hij overal zijn neus in steekt.
neutje. *Een neutje kraken* = een borrel drinken. *Neutje* = notedop vol.
Nicodemus. *'t Is een Nicodemus* = hij

durft niet voor zijn mening uit te komen. Van Nicodemus is sprake in Johannes III : 1, 2; hij was uit de Farizeeën. 'Deze kwam des nachts tot Jezus, en zeide tot Hem: Rabbi, wij weten, dat Gij zijt een leraar, van God gekomen.' Maar deze zelfde Nicodemus bracht, toen Jezus van 't kruis genomen was, een mengsel van mirre en aloë.

niemand. 1. *Niemand genoemd, niemand gelasterd* = als men geen namen noemt, maakt men geen openbaar schandaal, maar wie de schoen past, kan hem aantrekken.

2. *Niemand kan twee heren dienen*, zie *heer* I, 5.

3. *Niemand heeft zich zelf gemaakt* = men kan 't niet helpen, dat men fouten en gebreken heeft. Zie *mens* 17.

4. *Niemand is een profeet in zijn eigen vaderland, zie profeet* 2.

5. *Niemand moet zijn kinderen verzuipen; men weet nooit, wat er nog uit groeien kan*, opmerking als het gesprek loopt over iemand, die het heel ver brengt in de wereld (en vooral, als men er bij vertelt, dat hij als jongen helemaal niets bijzonders was).

6. *Niemand mag zijn eigen rechter wezen.*

7. *Niemand kan twee heren dienen.* (Mattheüs VI : 24.)

nier.

1. Een nier
Is een arm dier,
Hij zit midden in 't vet
En eet niet met,

volksrijmpje; de nier ligt in de buikholte tegen de laag vet aan, maar aan de nier zelf hecht zich geen vet. Bij Tuinman:

Een nier is een arm dier,
't Ligt in 't vet
En is er niet van te bet.

2. *De nieren proeven* = iemands innigste gedachten onderzoeken. Bijbelse uitdrukking, o.a. in Psalm VII : 10. 'Bevestig de rechtvaardige, Gij, Die harten en nieren beproeft, o, rechtvaardige God!' Vandaar ook:

3. *In hart en nieren* = met zijn ganse hart. B.v. Hij is een vaderlander in hart en nieren.

niet. 1. Als niet

34. Wie zijn neus schendt... (z. *neus*)

Komt tot iet,
Is 't allemans verdriet;
als iemand die niets betekent, rijk (voornaam) wordt, dan is hij vaak onuitstaanbaar van verwaandheid. Ook:
2. Als niet komt tot iet,
Kent iet zich zelven niet.
Bij Suringar (no. 16):
Alse een aerm mensche wert rijc,
Soe ne es niemen soe onverdraechelijc.
niets. 1. *Wie niets is en zich ook niets verbeeldt, die is tweemaal niets* = een mens, al is hij nog zo gering, moet toch altijd iets hebben, waar hij zelf mee ingenomen is; men moet zich zelf niet wegwerpen.
2. *Niets is goed in de ogen*, antwoord als men moet horen, dat men niets krijgt. Volgens Uittien moet het zijn: *niks is goed voor de ogen.* Woordspeling met *nix alba*, d.i. witte sneeuw, een oogzalf. (*Eigen Volk* VII, 71.)
3. *Waar niets is, heeft de keizer zijn recht verloren*, zie *keizer* 3.
Vlaams:
4. *Waar niets is, verliest de baljuw zijn boet.*
5. *Voor niets komt de zon op*, (Z.), antwoord als men geen zin heeft om iets voor niets te doen.
6. *Niets wezen en niets lijken, dat is tweemaal niets*, schertsend als men zijn mooiste pak aantrekt.
nieuw. 1. *Nieuwe heren, nieuwe wetten*, zie *heer* 1, 3. In Groningen:
Nieuwe boer, nieuw werk!
2. *Nieuwe bezems vegen schoon*, zie *bezem.*
In Vlaanderen:
3. Nieuwe meskens snijden wel,
Nieuwe knechten werken wel,
Nieuwe meiden dienen wel.
nieuws. 1. *Er is geen nieuws onder de zon* = 'Hetgeen er geweest is, hetzelve zal er zijn, en hetgeen er gedaan is, hetzelve zal er gedaan worden; zodat er niets nieuws is onder de zon.' (Prediker I : 9.)
2. *Altijd wat nieuws en zelden wat goeds.* Waarschijnlijk naar Job I : 14—19, waar telkens een bode aankomt met slechte tijding: de runderen genomen door de Sabeeërs, de schapen vernield door het vuur Gods, de kamelen geroofd door de Chaldeeën, de zonen en dochteren van Job gedood door de grote wind; bij al dit nieuws was niets goeds.
3. *'t Grootste nieuws duurt maar drie dagen*, zie *praatje* 3 en *mirakel* 3.
4. *Slecht nieuws komt altijd te vroeg.*
niezen. 1. *Het is beniesd*, zie daar.
2. *Niesvrienden zijn er genoeg, die God zegen 't u zeggen* (Gezelle) = Als 't alleen met woorden goed te maken was, dan had men in nood wel genoeg vrienden. In Vlaanderen zegt men God zegen u!, wanneer iemand in gezelschap niest. Zulk een vriend komt niet verder dan deze goede wens.
Nikodemus, zie *Nicodemus.*
Nimrod. *'t Is een Nimrod*, d.i. een hartstochtelijk jager. Naar Nimrod uit Genesis X : 9, van wie gezegd wordt: Hij was een geweldig jager voor 't aangezicht des Heren, d.i. zo geweldig dat de Here hem wel moest opmerken. Een jager op wilde dieren was een weldoener, zegt Herderschee.
Ninive. *Een kind van Ninive* = een weetniet, een domkop.
Immers leest men in Jona IV : 11, dat er in die grote stad 'veel meer dan honderd en twintigduizend mensen zijn, die geen onderscheid weten tussen hun rechterhand en hun linkerhand.'
(Ninive was de hoofdstad van de Assyriërs; Jona, de profeet, werd door de Here uitgezonden, om tegen die stad te prediken.)
nippertje. *'t Was nog net op het nippertje* = nog op 't allerlaatste ogenblik.
Afleiding van *nijpen* = knijpen. Dus = *toen het er kneep.*
Noach. *Hij is nog met Noach in de ark geweest* = hij is wel heel erg ouderwets.
nocht (Fries: vermaak).
Nocht en wille
Kin folle tille,
d.i. als het met genoegen en met zin gaat, kan men veel tillen, d.i. kan men veel tot stand brengen.
nodig. *'t Komt maar op het nodige aan* = denk om het heil van je ziel, dat is van meer belang dan dat het je op aarde wel gaat.
Naar het woord van Jezus: Martha, Martha! gij bekommert en ontrust u over vele dingen; maar één ding is nodig; doch Maria heeft het goede deel uitgekozen, hetwelk van haar niet zal weggenomen worden. (Lukas X : 41, 42.)
noemen. 1. *Niemand genoemd, niemand geblameerd* = men kan wel zeggen, waar 't op staat, al noemt men geen na-

men, om niemand in 't gezelschap te kwetsen. 't Helpt toch wel: wie de schoen past, trekt hem aan. Zie *niemand* 1.
2. *Laten wij elkaar geen Mietje noemen*, zie *Mietje*.
nolens volens, d.i. met of tegen iemands zin; goedschiks, anders maar kwaadschiks. De Latijnse uitdrukking betekent letterlijk *niet willende (of wel) willende*.
nood. 1. *In tijd van nood eet men korstjes van pasteien* = in geval van nood moet men wel eens zijn toevlucht nemen tot dingen, die anders veel te duur zijn.
De korstjes van de pasteien zijn het allerfijnste van 't gebak.
2. *Nood leert bidden* = in tijd van nood moet men wel om hulp vragen, waar men 't anders niet doen zou. Ook letterlijk opgevat: wie in nood verkeert, wendt zich tot het gebed, ook al zou hij zich anders daartoe niet gedrongen gevoelen.
3. Klagers geen nood,
Pochers geen brood.
4. *In de nood leert men zijn vrienden kennen* = dan blijkt pas wie bereid zijn tot hulp. Zie *man* 30.
5. *Nood breekt wet* = als men in nood zit, doet men wel dingen die niet door de beugel kunnen.
6. *Als de nood aan de man komt* = als de nood dringt; als het om lijf en leven gaat. *De man* = het lijf en leven van de man.
7. *Als de nood op 't hoogst is, is de redding nabij.*
8. *Van de nood een deugd maken* = zich gedragen, zoals men wel moet, als men in moeilijkheden verkeert; als men in nood is, vindt men dingen goed, die men anders af zou keuren.
9. *Dat heb ik niet van node* = niet nodig. *Van node* is een oud woord = nodig.
10. Vrienden in de nood,
Honderd in een lood,
zie *vriend* 1. In *Rapiarys*:
Ter nauwer noot mach men den vrient bekinnen = in erge nood kan men gewaar worden, wie je vriend is.
11. *Nood zoekt list.*
12. *In de nood mag een iegelijk dopen* (Vlaams) = nood breekt wet.
13. *Nood is een bitter kruid* (Gezelle) = wie in nood zit, moet zich veel laten welgevallen, dat hem niet lust.

Noorderstof. Noorderstof
Komt mooi weer of,
stofregen bij Noordewind voorspelt drie dagen goed weer. (*Of* = af.)
noorderzon. *Ze zijn met de noorderzon vertrokken* = er stil van door gegaan (met achterlating van veel schulden). Lett. = bij nacht vertrokken. De Zuiderzon is de middag; dus bij tegenstelling is de Noorderzon de tijd van de nacht.
noot I. 1. *'t Zijn harde noten om te kraken* = 't is een moeilijk werk; 't is een pijn, die haast niet uit te staan is; 't is onaangenaam om het te zeggen.
2. *Wat zijn de noten tegenwoordig hard, zei de oude aap.* Zie *zeispreuken* 47.
3. *'t Zijn goede noten, als ze gekraakt zijn* = 't was heel zwaar werk, maar 't is gelukkig goed afgelopen. Vooral gezegd van een bevalling.
noot II (in de muziek). *Hij heeft veel noten op zijn zang* = hij stelt heel wat voorwaarden, waaraan voldaan moet worden; hij heeft veel praats. Lett. = hij heeft een zangstuk met veel noten, een stuk dat veel kunst van zingen vereist.
nop. 1. *Hij is in zijn nopjes* = hij heeft het naar zijn zin; hij is in zijn schik; hij is blij.
Lett. = hij heeft de kleren aan, waar de nopjes nog op zitten; hij is in zijn zondags pak.
2. Zie *kind* 6.
nuchter. 1. *Daar blijf je nuchter van* = daar krijg je niets van.
Wie *nuchter* is, heeft nog niets gegeten op die dag. Wie dus niets krijgt, blijft nuchter.
2. *Wat men dronken doet, moet men nuchter boeten.*
3. Die nuchter weet te veinzen,
Zegt dronken zijn gepeinzen,
als men nuchter is, weet men wat men zeggen of zwijgen moet, maar een dronken man flapt er alles uit.
In 2 en 3 is nuchter = nog geen sterke drank gebruikt hebben.
nul. 1. *Hij is een nul in 't cijfer* = hij heeft niets te zeggen; hij wordt niet geacht. Juister zou zijn: een nul vóór 't cijfer.
2. *Dat is iets van 't jaar nul* = dat is niets waard.
Lett. = dat is van vóór onze jaartelling.
3. *Hij kreeg nul op 't request* = zijn verzoek werd afgewezen.

4. *Dat is van nul en gener waarde* = dat is niets waard.
nummer. 1. *Iemand op zijn nummer zetten* = hem terechtwijzen, hem bestraffen wegens zijn aanmatigende houding.
Lett. = bij militaire oefeningen een soldaat zijn plaats aanwijzen in het gelid. Daarom ook: *hem op zijn voorman zetten, hem op zijn plaats zetten.*
2. *Nummer honderd* = het geheim gemak. In hotels stond er *no. 100* op de deur.
3. *Nummer één* = de dood.
Dat is 't voornaamste, waar het in de eerste plaats op aan komt. Zo zegt men: *hij is bang voor nummer één.* Ook: *Nummer één is er mee gemoeid* = 't kan wel zijn, dat hij het er niet levend afbrengt.
nijdas, een nijdige vent, een die nergens aardigheid aan heeft, een die altijd snauwt.
Volgens Stoett vermoedelijk voor een *eidas* = hagedis; welk diertje in 't volksgeloof voor vergiftig wordt gehouden. Zo denkt men o.a. in Groningerland.
Misschien is het woord een willekeurige vorming van 't woord *nijd*, zo als men in 't Duits het woord *Frechdachs* kent, d.i. letterlijk = een brutale das.

O

och. *och! och!* jammerklacht. Wie 't niet zo erg inziet, antwoordt:
Og was de koning van Bazan.
Toen de Israëlieten bij hun intocht in Kanaän de Amorieten verslagen hadden, was de beurt aan Og, de koning van Basan. (Numeri XXI : 33.)
Bazan was de N.O. landstreek van Kanaän, ten O. van de Jordaan, ten Z. van Damascus. Van koning Og wordt in Deuteronomium III : 11 verteld, dat hij de laatst overgebleven reus was; zijn ijzeren bedstede was nog te zien, negen ellen lang en vier ellen breed.
Maar God gaf hem in Mozes' hand 'en zij sloegen hem, en zijn zonen, en al zijn volk.'
oefening. 1. *Oefening maakt de meester*, of ook:
2. *Door oefening wordt de kunst verkregen.* En: 3. *Oefening baart kunst.*
4. *Oefening kweekt kennis.* Dit is ook de naam van een bekend letterkundig genootschap in Den Haag.
olie. 1. *Dat was olie in 't vuur* = dat wakkerde de hartstochten aan, in plaats van ze tot bedaren te brengen; dat wekte nieuwe driften op.
Vertaling van een Latijnse uitdrukking.
2. *Er is geen olie meer in de lamp* = zijn levenskracht is op, zijn geld is op.
3. *Hij is in de olie* = hij is dronken. Lett. = hij glimt.
4. *Hij is oliedom* = zeer dom.
Misschien een vergelijking met dikke olie, die langzaam uit de fles vloeit.
5. *Dat is olie op de golven* = dat brengt de opgewonden gemoederen tot kalmte. Olie geeft aan de golven een gladde oppervlakte, zodat de wind er geen of minder vat op heeft.
6. *Olie drijft boven* (Vlaams) = de waarheid komt aan 't licht. Zie *waarheid* 3, 5 en 6.
oliekruik. *De oliekruik der weduwe* = een nooit uitdrogende bron.
Naar 1 *Kon.* XVII : 14. De profeet Elia sprak tot de weduwe te Zarfath (bij Sidon): Het meel van de kruik zal niet verteerd worden, en de olie der fles zal niet ontbreken, tot op de dag, dat de Here regen op de aardbodem geven zal.
olievat. *Uit een olievat zal men geen wijn tappen* (Vlaams) = verwacht geen goed van boze mensen. Zie ook *vat* 2.
olim. *In de dagen van olim* = zeer lang geleden.
Olim (L.) = vroeger. Vaak wordt aan het gezegde toegevoegd: *toen de dieren nog spreken konden.*
olla podrida, d.i. verrotte pot (Spaans), *pot pourri* (Frans) = mengsel van vlees en groenten. Vandaar fig. = mengelmoes, ratjetoe, verzameling van dingen die niet bij elkaar passen, die niet deugen.
Ook verbasterd tot *olipodrigo.* Zo luidt o.a. de titel van een spotschrift op honderd kosters in Groningerland, ± 1696; opnieuw uitgegeven in 1932. Ook van die honderd kosters is er nauwelijks een, waar wat goeds van gezegd wordt.
olijf. *De duif komt met de olijftak des vredes*, in deftige stijl zoveel te zeggen als: de oorlog is gedaan.
Bijbelse uitdrukking, ontleend aan *Ge-*

nesis VIII : 8—12. Noach liet na de zondvloed een duif uit, 'en ziet, een afgebroken olijftak was in haar bek; zo merkte Noach, dat de wateren van boven de aarde gelicht waren.'
De olijftak is het zinnebeeld van de vrede, zo bij de Israëlieten, zo ook bij de oude Grieken.
om. *Hij heeft hem om* = hij is dronken. Volgens Harrebomée een verkorting: *hij heeft de kraag om.*
omgaan. 1. *Waar men mee omgaat, daar wordt men mee geacht.* Vergelijk *pek* 1 en *hangen* 5.
2. *Vannacht is er meer omgegaan dan de molen in het woud,* zie *molen* 6.
om koud. *Hij is om koud* = hij is dood, althans ten dode opgeschreven.
Men heeft gedacht aan het Deense woord *omkuld* = onderste boven. Doch misschien is het een geval van contaminatie, d.i. een verwarring van twee verschillende uitdrukkingen:
hij is om hals gebracht en hij is koud.
Vergelijk *oom* 2.
ommelands. *Een ommelandse reis doen* = een grote omweg maken.
Heeft waarschijnlijk geen verband met de Groninger Ommelanden. De ommelandse reis was de reis om het land heen, nl. om Denemarken heen; de schippers moesten om Kaap Skagen heen en dan weer terug naar 't Zuiden varen, om de Oostzee te bereiken.
omstaan. *Hij moest nog omstaan leren* = hij moet nog ondervinden, hoe het is, als men zich schikken moet naar de bevelen van anderen; als men naar een anders pijpen dansen moet. Vooral, als men tot heden naar zijn eigen zin heeft kunnen leven.
Misschien uit de kazerne; de recruten moeten leren omstaan. Mogelijk ook eenvoudig: hij moet anders gaan staan, hij moet plaats maken en dus wat op zij gaan. Vandaar: hij moet zich schikken.
onbedachtzaamheid.
Eén uur van onbedachtzaamheid
Kan maken, dat men jaren schreit,
zie *uur* 1.
onbekend. *Onbekend maakt onbemind* = wat men niet kent, waardeert men niet; wie men niet kent, wordt niet hartelijk ontvangen.
onbekookt. *Dat is een onbekookt plan* = dat is niet goed overwogen, niet doordacht. Lett. = niet voldoende gekookt; niet gaar.
onbetuigd. *Zij lieten zich niet onbetuigd* = zij deden flink mee bij de maaltijd; zij gaven een behoorlijke bijdrage; zij hielpen naar vermogen mee.
Lett. = zij gaven getuigenis. Bijbelse uitdrukking. In *Handelingen* XIV : 17 getuigen Paulus en Barnabas van God, dat 'Hij Zichzelven niet onbetuigd gelaten heeft, goed doende van de hemel, ons regen en vruchtbare tijden gevende, vervullende onze harten met spijze en vrolijkheid.'
onbewimpeld, zie *wimpel* 3.
ondank. *Ondank is 's werelds loon* = goede daden worden vaak vergolden met ondank.
onderrok. *Eén onderrok trekt meer dan twee paarden* (Gron.), de aantrekkingskracht van het vrouwelijk geslacht is wel heel groot.
onderspit. *Het onderspit delven* = het slechtste deel krijgen; tot de verliezende partij behoren.
Lett. delft bij 't graven van een sloot of kanaal die arbeider het onderste spit, die de grond moet wegspitten uit de bodem en moet overgeven aan een andere arbeider, die hoger staat. Hij doet het zwaarste werk.
Volgens Verdam is echter *het onderspit* de onderste laag in een mijn.
In *De Nw. Taalgids* XIII, 41, zegt J. J. le Roux dat men in Zuid-Afrika het woord *onderspit* gebruikt bij 't ontginnen van nieuwe grond. 't Onderspit, heet het aldaar, is de onderste streek grond, die losgemaakt moet worden, tegenover het *bovenspit.*
Le Roux vermoedt, dat het woord uit Holland is overgebracht en zo zal het ook wel zijn. 't Werk is hier net zo, maar 't woord *onderspit* is verloren gegaan, behalve dan in deze ene uitdrukking.
onderste, zie *kan* 1.
ondervinding. 1. *De ondervinding is de beste leermeesteres.* Vertaling van een Latijnse spreuk. Ook:
2. *Door ondervinding wordt men wijs.*
onderzoeken. *Onderzoekt alle dingen en behoudt het goede,* zie *ding* 4.
ongebonden. *Ongebonden best,* lof van het vrijgezellenleven.
Schertsend zegt de Vlaming:
Ongebonden is best, zei 't schaap, en 't

zat aan de hooitas.

ongeluk. 1. *Een ongeluk komt zelden alleen.* Vertaling van een Latijns spreekwoord.

2. *Een ongeluk zit in een klein hoekje* = geringe oorzaken brengen soms grote rampen mee.

3. *Geen ongeluk zo groot, of er is een geluk bij.*

4. *'t Is een ongeluksvogel* = alles loopt hem tegen.

De oorspronkelijke betekenis was: een vogel, die ongeluk voorspelt. Bij de oude Romeinen letten de auguren of auspices, d.i. de vogelwaarnemers, op de vlucht der vogels, om de toekomst te voorspellen. Zij stonden met het gezicht naar 't Zuiden; de vogels die uit het Oosten kwamen waren de ongeluksvogels. Bij ons gelden de kraaien en eksters als zodanig; oudtijds in 't bijzonder de raven, maar die kent men al lang niet meer.

5. *Men moet een ongeluk geen bode zenden* (Vlaams) = neen, want het komt uit zichzelf gauw genoeg; men moet zich er niet vrijwillig aan blootstellen. (*Moet* = behoeft.) Ook zegt de Vlaming:

6. *De ongelukken slapen en rusten niet.* Ook wel:

7. *'t Een ongeluk roept 't ander*; zie no. 1. En de Fries:

8. *'t Ene ongeluk kan niet op het andere wachten.*

9. *Ongelukken varen mee* (Fries) = men is nooit zeker, dat ons geen ongeluk overkomt.

ongelukkig. *Ongelukkig in het spel, gelukkig in de liefde*, troost voor de verliezers bij 't kaartspel.

ongenood. 1. *Ongenode gasten zet men achter de deur*, zie *gast* 1. Vlaams:

2. *Die ongenood komt, moet onbedankt weggaan.*

ongevraagd. *Ongevraagd ongeweigerd* = als men geen verlof vraagt om iets te doen, kan het ook niet geweigerd worden.

ongewoonte. *Ongewoonte maakt blaren* = werk dat men niet gewoon is, is vermoeiend en pijnlijk.

Wie niet gewend is met gereedschap om te gaan, krijgt blaren in zijn handen.

ongezien. *Ongezien kan geschien* = wat nog nooit gezien (gebeurd) is, dat is toch mogelijk; men weet nooit wat er komen kan.

ongezouten. *Iemand ongezouten de waarheid zeggen* = hem op een ruwe wijze op zijn tekortkomingen wijzen.

Lett. = zonder *een korreltje zout*, zonder enige geestigheid, onbeschoft, zonder verschoning.

onkruid. 1. *Onkruid vergaat niet* = slechte mensen leven het langst. Ook schertsend, als iemand van een zware ziekte herstelt. Vertaling van een Latijnse spreuk.

2. *Onkruid onder de tarwe* = het verkeerde tussen het goede.

Uit een van de gelijkenissen van Jezus. Een mens zaaide goed zaad in zijn akker. 'En als de mensen sliepen, kwam zijn vijand, en zaaide onkruid midden in de tarwe.' (Matth. XIII : 24, 25.) *Onkruid onder de Tarwe*, titel van een zeer fel geschrift van Dr. Joh. van Vloten tegen Multatuli.

onmogelijk. *Aan het onmogelijke is niemand gehouden*, vertaling van een F. spreuk.

onnozel. *'t Gaat altijd over de onnozelste*, schertsend antwoord van degene, die in gezelschap tot mikpunt moet dienen.

onrecht. 1. *Eens onrecht, altijd onrecht* = onrecht blijft onrecht, ook al is het lang geleden. Bij Heije:

Geen onrecht, dat ooit recht zal zijn,
Hoe oud of 't ook van datum waar.

2. *Beter onrecht lijden dan onrecht doen.*

onrechtvaardig. 1. *Onrechtvaardig verkregen goed gedijt niet.*

Bij Gezelle:

2. *Onrechtveerdig goed hoopt wel, maar 't en knoopt niet*, d.i. het vermeerdert wel je bezit, maar 't vormt nooit een goed geheel. Ook:

3. *Vastgevrozen grond en onrechtveerdige handel hebben altijd een vuil einde.*

onrust. *Zij is niet gerust, eer ze in de onrust is*, schertsend gezegde van een meisje dat heel graag trouwen wil.

ons. 1. *Een ons geluk is meer dan een pond wijsheid* = zonder geluk vaart niemand wel.

2. *'t Leven is een ons vreugde en een pond verdriet.*

ontslapen. *Ontslapen in de Heer*, zie *Heer* II, 2.

ontzag. *Overal moet er ontzag zijn, zei de koster, en hij geselde de beelden* (Guido Gezelle), schertsend gezegde, als men

opmerkt dat er één de baas moet zijn.
onverlaat. *'t Was een onverlaat* = een fielt, een gemene wrede booswicht.
't Woord is volgens Franck-Van Wijk ontstaan uit het oude woord *een onverlaten boef*, d.i. een boef, die men niet vergeven kan. Verder was er een oud woord *onvlaat* = vuiligheid; nog in 't Duits als *Unflat* gangbaar. Dit woord betekende ook zoveel als vuilik, gemene vent. Geen wonder, dat deze beide begrippen door elkaar gelopen zijn.
onweer. *'t Is een onweersvogel* = hij reist bij slecht weer; hij komt nog op bezoek, als men al haast naar bed wil.
De onweersvogels zijn de meeuwen, die men op het land ziet bij slecht weer, dus onder ongunstige omstandigheden.
Onze Lieve Heer. 1. *Daar steekt onze Lieve Heer een arm uit* = daar is een herberg. Dr. H. L. Bezoen oppert de onderstelling, dat het gezegde afkomstig is van herbergen, die 't Hemeltje of 't Hemelrijk heten.
2. *Onze Lieve Heer heeft rare kostgangers*, schertsend: er zijn toch zonderlinge mensen in de wereld!
3. Zie *Heer* II.
4. *Onze Lieve Heer slaapt niet* = boze daden worden toch ten lange leste gestraft. Ook:
5. *Onze Lieve Heer straft niet op heter daad.*
6. *Als Onze Lieve Heer hem voor arm worden bewaart, zal hij zich zelf wel voor rijk worden bewaren* (Fries), gezegde over iemand, die zijn goed er doorbrengt.
Onze-Vader. *'t Is een Roomse Onze-Vader, de kracht en de heerlijkheid is er uit*, gezegde wanneer iets niet meer in zijn fleur is. Het *Onze Vader*, zoals het staat in *Matth.* VI, eindigt met de woorden: 'Want Uw is het Koninkrijk, en de kracht, en de heerlijkheid.' In 't R.K. gebed worden deze woorden niet gezegd. Zie *kracht* 2.
oog. 1. *Oog om oog en tand om tand* = voorschrift van de Joodse wet, te vinden in vers 23 en 24 van *Exodus* XXI.
'...indien er een dodelijk verderf zal zijn, zo zult gij geven ziel voor ziel, oog voor oog, tand voor tand, hand voor hand, voet voor voet.'
Doch Jezus zei:
'Gij hebt gehoord, dat gezegd is: Oog om oog en tand om tand. Maar ik zeg u, dat gij de boze niet wederstaat...' (*Matth.* V : 38, 39.)
2. *Hij ziet de splinter in een anders oog en de balk in zijn eigen oog ziet hij niet* = hij merkt alle kleinigheden, die niet geheel in orde zijn, bij iemand anders, maar hij is zich niet bewust van zijn eigen, veel grotere zonden.
Bijbelse uitdrukking:
'Wat ziet gij de splinter die in het oog uws broeders is, maar de balk die in uw oog is, merkt gij niet?' (*Matth.* VII : 3.)
3. *'t Oog wil ook wat hebben* = een zaak moet niet alleen goed en degelijk zijn, maar moet er ook mooi uitzien.
4. *Een oog in 't zeil houden* = een wakend oog houden; op zijn zaken letten, vooral: toezien, wanneer een ander daarbij aan het werk is.
Zeemansuitdrukking. Lett.: = op het zeil letten.
5. *'t Oog was groter dan de maag* = hij heeft meer eten op zijn bord genomen dan hij op kan.
6. *Hij moet toch even zijn ogen verklaren* = hij moet toch nog even zijn beminde zien.
Lett. = zijn ogen verhelderen, zijn ogen doen schitteren, als men iets ziet dat een genot is voor het oog.
7. *'t Oog van de meester maakt de paarden vet* = de baas zelf moet toezicht houden op zijn bedrijf; zo niet, dan wordt het door de dienstboden, door 't personeel, verwaarloosd. Ook:
7a. Het oge van de heer,
dat maakt de paarden vet.
Het oge van de vrouw,
dat houdt de kamers net.
In Groningen:
7b. *'t Oog van de boer doet meer dan zijn beide handen.*
8. *Iemand naar de ogen zien* = zijn best doen om iemands wensen te raden en daarnaar te handelen, hetzij uit liefde, hetzij uit vrees, hetzij uit onderdanigheid.
Men ziet aan iemands ogen allicht, hoe hij 't graag hebben wil.
9. *Vreemde ogen dwingen* = kinderen en dienstbaren nemen van een vreemde aan, wat ze in eigen huis niet zouden willen; ze gehoorzamen een vreemde lichter dan eigen vader en moeder.
10. *Onder vier ogen* = zonder dat er een

derde bij is.
11. *'t Gevaar onder de ogen zien* = er niet tegen opzien, het gevaar onderzoeken en bestrijden.
Lett. = *iemand onder de ogen zien* = hem in zijn gezicht kijken. 'Ontleent van kampioenen,' zegt Tuinman.
12. *Daar stak zij buurvrouw de ogen mee uit* = dat was iets moois, waarmee zij pronkte, zodat buurvrouw afgunstig werd. Lett. = het zo laten schitteren, dat men er niet van zien kan.
13. *Uit het oog, uit het hart* = wat (wie) men niet meer ziet, raakt uit de gedachten.
14. *Wat het oog niet ziet, deert het hart niet* = wat men niet weet, dat hindert, ergert niet.
Fries en Duits:
Wat ik niet weet,
Maakt mij niet heet.
15. *Het boze oog*, heeft het vermogen anderen kwaad te berokkenen. Algemeen verbreid volksgeloof, in 't bijzonder in de Zuidelijke landen, doch ook bij ons. In de volksverhalen vindt men, hoe b.v. kinderen behekst worden, *als er een paar boze ogen over gaan.*
Over het *Boze Oog* een uitgebreid werk van Seligmann.
Bij ons is er verder van over:
15a. *Hij heeft geen goed oog op ons* en
15b. *Een kwaad oog op iemand hebben.*
16. *'t Is door 't oog van een naald gekropen* = 't is als door een wonder nog net goed gegaan.
Bijbelse uitdrukking, naar 't woord van Jezus:
'Het is lichter dat een kemel ga door het oog van een naald, dan dat een rijke inga in het Koninkrijk Gods.' (*Matth.* XIX : 24.)
Volgens het *Bijbels Woordenboek* moet men hierbij denken aan 't lange oog van de grote naald der kameeldrijvers, waarmee zij het tuig herstellen.
Een andere verklaring is, dat *het oog van een naald* de Oosterse naam is van het poortje voor voetgangers naast de grote poort voor wagens en kamelen.
17. *Het oog van de schaar is te groot*; *de kleermaker haalt te veel laken door 't oog van de schaar* = de kleermaker eigent zich te veel toe van de hem toevertrouwde stof; in 't algemeen: die man is oneerlijk in zijn bedrijf.
18. *Iemand liefhebben als de appel zijner ogen* = als het dierbaarste wat men bezit. Uit de Bijbel. In *Deuteronomium* XXXII : 10 wordt van Jakob gezegd, dat God hem '*bewaarde als zijn oogappel.*'
19. *Die verkoopt heeft maar één oog nodig, maar die koopt heeft er honderd van node.*
20. *Het oog sluiten voor iemands tekortkomingen* = ze niet willen zien; er geen aanmerking op maken.
21. *Twee ogen zien meer dan een*, gezegde als men tezamen een zaak nog eens goed nagaat. Dus lett.: twee paar ogen.
22. *Zijn ogen de kost geven* = maken dat de ogen flink wat krijgen, namelijk: goed toekijken.
23. *Iemand de ogen openen* = hem doen zien, hoe de zaak in elkaar zit, vooral: hem opmerkzaam maken op dreigend gevaar, op vijanden of valse vrienden; hem zijn eigen belang doen kennen.
24. *Ik kan hem met geen goede ogen aanzien* = als ik hem zie, word ik boos; dan kan ik niet vergeten wat hij gedaan heeft.
25. *Ik kan het niet met droge ogen aanzien* = 't is om te schreien; 't is zeer droevig.
26. *Ik waag er een oog aan*, schertsend: ik moet dat toch even zien. Net of er straf op 't kijken staat of dat het gezicht op 't bedoelde voorwerp te staan komt op 't verlies van een oog.
27. *Men moet geen schele ogen maken* = men moet allen gelijk behandelen.
Letterlijk: men moet aan de een geen mooier ding geven dan aan de ander, want al zal die ander er niet openlijk naar kijken, hij ziet er toch *met een scheel oog* naar.
28. *Hij werpt hoge ogen* = zijn kansen staan goed.
Ontleend aan het dobbelspel.
29. *Het oog ziet altijd van zich af* = men ziet altijd de fouten en tekortkomingen van een ander en men let niet op zijn eigen gebreken.
30. *Ge moet uw ogen of uw beurs open doen* (Vlaams) = je moet opletten bij het kopen.
31. *Al wat door de oog van de naalde kan, is voor de kleermaker* (Vlaams) = wat men zich toeëigenen kan in zijn bedrijf, dat is binnen.
't Zijn maar onrechtveerdigen, die dit

zeggen, voegt Joos er bij.
De uitdrukking is een verbastering van *het oog van de schaar*; zie no. 17.
32. *Een zeer oog kan 't licht niet verdragen* (Vlaams), zie *paard* 16.
33. *Hij schreit met het ene oog en lacht met het andere* = hij doet zich bedroefd voor, maar het zit er zo diep niet.
34. *'t Is elf ogen*, zie *elf* 4.
35. *Niets is goed in de ogen*, schertsend antwoord, als iemand zegt dat hij *niets* geven wil. Zie *niets* 2.
In de ogen behoort *niets* aanwezig te zijn.
oogappel. *Iemand liefhebben als zijn oogappel*, zie *oog* 18.
ooi.
Een jonghe oye, een ouden ram,
Dat viel wel binnen jaars een lam.
(*Cats, Spiegel van den voorleden en tegenwoordigen tijt.*)
Nu heet het:
Een jonge ooi en een oude ram,
Dat geeft ieder jaar een lam.
Bij Goedthals:
Een iongh meysken ende ouden smul
Dats alle iare eene wieghe vul.
In diezelfde verzameling ook:
Een oudt man ende jonck wyf,
Is eeuwelick een ghekyf.
ooilam. *Dat is zijn ooilam* = zijn kostbaarste, niet te vervangen goed.
Naar II *Samuel* XII : 3. Aldaar:
...de arme had gans niet dan een enig klein ooilam, dat hij gekocht had, en had het gevoed, dat het groot geworden was bij hem en bij zijn kinderen tegelijk: het at van zijn bete en dronk van zijn beker en sliep in zijn schoot, en het was hem als een dochter.
De enige gelijkenis in het gehele Oude Testament.
oom. 1. *Een hoge ome* = een voornaam heer, vooral een officier van hoge rang.
2. *Oom Kool* = een man, die men niet noemen wil of kan, vooral in scherts: *Daar lag Oom Kool* = daar viel hij.
Misschien door de schippers meegebracht uit Denemarken.
In 't Deens zegt men: *den er omkuld* = die is ondersteboven.
Kool = Nikolaas. Een willekeurige naam, evenals:
3. *Ome Jan* = de lommerd; zie *Jan* 9.
4. *Omen zijn dromen* = op de erfenis van een oom valt nooit vast te rekenen; oom kan nog best eens trouwen. Bij oude tantes is er veel minder gevaar. Vandaar bij Tuinman:
5. Oude moeyen
Doen 't goed groeyen,
Oude oomen
Zijn maar droomen.
Doch dit zegt Cats ook al:
Uw goet kan groeyen
Door oude moeyen;
Maer oude oomen
En sijn maer droomen.
6. *Eerst oom en dan oomkens kinderen* (Vlaams) = ieder is zichzelf het naast.
oor. 1. *'t Ging 't ene oor in en het andere weer uit* = hij hoorde het wel, maar hij was 't ook zo weer vergeten; hij lette er nauwelijks op.
2. *De kinderen eten moeder de oren van 't hoofd* = zij eten zoveel, dat Moeder er haast niet voor zorgen kan.
3. *De spreker had het oor van de vergadering* = men luisterde met grote aandacht en met ingenomenheid.
4. *Iemand iets in 't oor bijten* = hem op een bitse wijze iets in 't geheugen prenten.
5. *Iets in 't oor knopen* = er goed naar luisteren, zodat men het volstrekt niet vergeten kan.
Lett.: er een knoop op leggen, als in een zakdoek.
6. *Ik kan mijn oren schudden, dat ze klappen* = ik heb geen daad van oneer verricht; ik ben niet gemeen.
In de goede, oude tijd werd een oneervolle daad vaak geboet met het verlies van één oor of van beide oren. Zie *klappen* 2.
7. *Hij laat zijn oren hangen* = hij is moedeloos; hij geeft de strijd op.
Letterlijk gezegd van een paard of een hond. Ook reeds in het Latijn.
8. *Ik zal hem de oren wassen* = ik zal hem scherp zeggen, wat hij verkeerd gedaan heeft of wat hij alsnog te doen heeft.
9. *Zijn oren tuiten* = er wordt over hem gesproken in zijn afwezigheid.
Een volksgeloof, ook reeds bij de Romeinen. Als 't rechteroor tuit, dan is 't dat men geprezen wordt; maar tuiten in 't linkeroor betekent blaam.
De uitdrukking komt ook in de Bijbel voor, b.v. in I Samuel III : 11. Daar zegt de Here tot Samuel:

'Zie, Ik doe een ding in Israël, dat al wie het horen zal, die zullen zijn beide oren klinken.'
10. *Ik laat mij geen oren aannaaien* = ik laat mij zo iets niet wijsmaken.
Tuinman zegt: "t Is ontleent van de gemaakte ezelsooren, die gehecht worden aan de mutzen van zulke, die men tot schande als ezels wil tentoonstellen: gelijk in kinderscholen tot straffe van botterikken wel plagt te geschieden.'
11. *Hij heeft ze achter de oren* = hij gaat met bedekte streken te werk; zijn boosheid vertoont zich niet voor 't oog.
12. *Hij steekt de oren op* = hij wordt opmerkzaam en begint te luisteren naar hetgeen er verteld wordt.
Naar de paarden, die de oren 'spitsen', als er wat is, dat zij opmerken en niet vertrouwen. Vandaar ook in dezelfde betekenis:
12a. *Hij spitst de oren.*
13. *Hij is nog niet droog achter de oren*, zie *droog* 1.
14. *Zij heeft het wiegstro nog achter de oren*, zie *wieg* 5.
15. *Iemand bij de oren trekken* = hem een stevig standje geven.
16. Zie *ringeloren.*
17. *Hij heeft een snee in 't oor*, zie *snee.*
18. *Die oren heeft om te horen, die hore* = aansporing om met opmerkzaamheid te luisteren.
De spreuk is te vinden in *Matth.* XI : 15.
oordeel. *Een leven als een oordeel*, zie *leven* 9b en *wereld* 4.
oordelen. *Oordeelt niet, opdat gij niet geoordeeld wordt.* Dit is de tekst van *Matth.* VII : 1, en daarop volgt:
'want met welk oordeel gij oordeelt, zult gij geoordeeld worden; en met welke mate gij meet, zal u wedergemeten worden.'
oorlog. 1. *'t Is zijn schuld niet, dat de oorlog zo lang duurt* (schertsend) = hij is niet al te snugger.
2. *Wat hij aan de oorlog verdient, verliest hij aan de lont* = wat hij met zijn werk verdient, gaat aan onkosten weer weg. *De lont* was een eindje brandend touw, waarmee men 't kruit aanstak, dat op het zundgat lag; daardoor werd de lading in brand gestoken. De lont was dus een ding van zeer geringe waarde.
oortje. 1. *Hij kijkt, alsof hij zijn laatste oortje versnoept heeft* = hij ziet er zeer verlegen uit.
Oortje, gewone spelling voor *oordje*, was een kwart stuiver (= 2 duiten). (Oord is letterlijk = $^1/_4$ deel.)
2. *Hij ligt voor een oortje thuis* = hij heeft niets in te brengen; de vrouw is hem de baas.
Lett. = hij betaalt maar een oortje kostgeld.
3. *Men zou hem zijn laatste oortje te bewaren geven* = hij ziet er uit, of hij geheel betrouwbaar en zorgvuldig is.
4. *Die voor 't oortje geboren is, en zal tot de stuiver niet geraken* = die arm is, blijft het gewoonlijk. (Vlaams).
5. *Een oortje gespaard is een oortje gewonnen* (Vlaams) = sparen doet garen. Ook:
6. Hier een oortje,
daar een blank,
Het jaar is lank,
het komt bij kleintjes, maar elke dag een draadje is een hemdsmouw in het lange jaar.
Een blank was een muntje van 3 oortjes of 6 duiten.
oorvijg. *Iemand een oorvijg geven*, misschien uit *oorveeg*, *een veeg om de oren*, gelijk men ook zegt.

35. Oost West... (z. *Oost*)

oorworm. *Hij zet een gezicht als een oorworm* = een verdrietig, doch vooral een ontevreden gezicht.

oorzaak. 1. *Kleine oorzaken hebben vaak grote gevolgen.*

2. *De dood wil een oorzaak hebben*; zie *dood* 9.

Oost.

1. Oost, West,
Thuis best,
er gaat niets boven zijn eigen thuis. Maar ook schertsend:
Oost, West,
Thuis is 't ook niet alles.
Of: *Thuis is het ook zo lekker niet.*

2. *Hij weet van Oost* = a. hij is in 't geheim; b. hij is snugger.
Als een zeilschip uit vrees voor storm te ver Westelijk had aangehouden en weer naar het Oosten voer, moest de kapitein 'van Oost' weten; hij moest namelijk nagaan, hoe ver hij gaan moest. (J. Steendam in *De Zee*, 1922, 620.)

Oostenwind. 1. *Dat is hem niet met de Oostenwind aangewaaid* = daar heeft hij hard voor gestudeerd, voor gewerkt.
De gure Oostenwind brengt niets goeds mee.

2. Oostenwind,
Koningskind,
want hij staat pas laat op.
Maar op 't Groninger Hogeland loopt de spreuk:
Noordenwind
Is een koningskind,
en voegt men er bij: hij staat vroeg op en gaat vroeg naar bed.

Oost-Indië. *Hij is Oostindisch doof*, zie *doof* 3.

ootje. *Iemand in 't ootje nemen* = beetnemen, voor de gek houden.
't *Ootje* is een kleine o, dus een kring. Dus lett. = iemand in de kring nemen en dan bespotten.
Maar men denkt ook wel aan het *ootje* bij het knikkerspel, de o, de kring op de grond, waarin de knikkers staan, die het mikpunt van de spelers zijn.

op. 1. *Als 't op is, is 't malen gedaan* = wanneer er niet meer is, is het zeuren gedaan; waar niet (meer) is, heeft de keizer zijn recht verloren. Ook:

2. *Als 't op is, is 't kopen gedaan.*
Nog anders:

3. Op en zat,
Wel meer gelust,
Niet meer gehad,
als het eten op is, moet men maar doen, alsof men verzadigd is. In 't algemeen: als er niet meer is, dan schikt men zich.

opbreken. *Dat zal hem zuur opbreken* = dat zal hem slecht bekomen.
Van spijzen, die met een zure smaak weer uit de maag opkomen.

opdirken. *Nu zullen wij de kinderen eens opdirken* = mooi aankleden, opsmukken, optuigen.
Schippersuitdrukking. De *dirk* is een touw, waarmee men de giek ophaalt. Wanneer een schip feestelijk opgetuigd wordt, worden een aantal vlaggetjes aan de dirk bevestigd.

opdoeken. *We zullen de zaak maar opdoeken* = opheffen; niet meer voortzetten.
Lett.: *zeilen opdoeken* = samenvouwen, oprollen en vastbinden; dus = de zeilen wegnemen.

opdoen. *Goed opgedaan is half verkocht* = mooi uitgestald lokken de waren kopers. Fig: Als een meisje zich mooi voordoet, komt er licht een vrijer.

opdokken. *Hij moet opdokken* = betalen. *Dokken* is een oud woord = slaan, stoten; vandaar = geld geven.

opdraaien. *Hij draait er voor op* = hij moet er voor boeten; de onaangename gevolgen komen voor zijn rekening; hij blijft met de moeilijkheid zitten.
Een zeemansuitdrukking. *Een schip draait op voor 't anker*, als het blijft liggen, nadat het anker is uitgeworpen. Ook: *een schip draait op voor een zandbank* = het kan niet verder vanwege die bank.

open. 1. *Een open deur intrappen* = geheel overbodig werk doen; een mening verkondigen, waar ieder het van te voren al mee eens is.

2. *Open hof houden*, zie *hof* 2.

3. *Hij deed het uit een open reden* = zonder dat er reden voor was, althans zonder reden op te geven; uit zichzelf. 't Is dus net, of de gelegenheid om een reden op te geven open bleef.

4. *Hij streed met open vizier* = zodat iedereen wist wie hij was en wat hij bedoelde.
Gezegd van een ridder, die streed met opgeslagen helmklep, zodat men zien kon met wie men te doen had.
Vandaar: hij streed ridderlijk.

op en top. *'t Is op en top een heer* = volmaakt, helemaal.
Uit *op ende op, op end op* = geheel en al.

opgaan. *Opgaan naar het bedehuis* = ter kerke gaan.
Bijbels woord, o.a. in II Kon. XIX : 14. 'Als nu Hizkia de brieven (van de koning van Assyrië) uit der boden hand ontvangen, en die gelezen had, ging hij op in het huis des Heren.'
Laurillard tekent er bij aan, dat de tempel der Israëlieten op een berg gelegen was.

opgeld. *Zijn mening deed opgeld* = maakte opgang, werd algemeen aangehangen.
Opgeld = het geld dat men bij 't wisselen van geld meer ontvangt dan de nominale waarde.

opgescheept. *Wij zaten er mee opgescheept* = wij hadden er alle last van en wij konden het toch niet kwijt; wij waren er mee verlegen.
Juister was de vroegere vorm: *met iets gescheept zijn*, letterlijk het ingeladen hebben in zijn schip. De vorm opgescheept ontstond allicht door de bijgedachte: geladen *op* het schip.

ophakken. *Hij mag graag ophakken* = pochen, snoeven, een groot woord voeren, opsnijden. Volgens het Ned. Wdb. XI, 772 is het woord gevormd naar analogie van *opsnijden*; zie daar.

ophangen. Zie *oud* 13.

ophef. *Veel ophef van iemand maken* = hem in de hoogte steken; hem roemen en prijzen.
Borchardt denkt aan het plechtig opheffen der wapens vóór het tournooi. Volgens het *Ned. Wdb.* is het een uitdrukking, ontleend aan de schermkunst (XI, 809).

ophemelen. *Iemand ophemelen* = hem de hoogste lof toezwaaien.
Men heeft wel gedacht aan: iem. *hemelhoog* verheffen, doch het woord heeft met de hemel niets te maken. Het is een oud-Nederlands woord met de betekenis van beredderen, schoonmaken, netjes maken; in de vorm *ophemelen* nog in gewoon gebruik in Groningen.

opkammen. *Iemand opkammen* = iem. prijzen, ofschoon hij het niet (in die mate) verdient.
Lett. = 't haar zodanig kammen, dat het nog wat lijkt. Zie *afkammen.*

opnemen. *Het voor iemand opnemen* = zijn partij kiezen.
Uit het ridderwezen; lett. = de wapens opnemen voor iemand.

oppikken. *Iemand oppikken* = iemand onderweg in een voertuig meenemen; in 't algemeen: hem onderweg aanhalen.
Zeemansuitdrukking. *Oppikken* = een sloep aan boord nemen (Kerdijk).

opscheppen. 1. *Hij schept op* = hij prijst zichzelf; hij spreekt met grote woorden; hij overdrijft.
Afkorting van: *hij schept op met de grote pollepel.*
Lett. = hij onthaalt zijn gasten goed; hij dient flink wat op. Vandaar: hij doet zich voor als een grote heer; hij pocht. Nog altijd heet een vrouw, die graag een goede gastvrouw is: *Moeder schep-op.*
2. *Hij schept de boel op* = hij maakt drukte; hij brengt alles in rep en roer.
Lett. = hij maakt de schuur schoon; hij schept alles wat er nog ligt bijeen; hij houdt schoonmaak.

opsnijden. *Hij mag graag opsnijden* = snoeven, grootspreken, zich groot voordoen, de heer uithangen.
Lett. = (grote stukken) brood, vlees enz. voorsnijden; royaal opdissen.
Vroeger ook, b.v. nog in de *Camera Obscura*: *een gedicht opsnijden* = met veel drukte, met luider stem voordragen.

opspelen. *Hij speelde danig op* = hij raasde en tierde; hij voer uit, omdat hij zo driftig was.
Lett. = hij begon te spelen (op een instrument). Vandaar: hij maakte drukte.

opstaan. *Opstaan is plaats vergaan* = wie opstaat is zijn plaats kwijt.

optakelen. *Wat ziet zij er opgetakeld uit!* = zij heeft zich al te zwierig, te opzichtig, met al te veel (en lelijke) sieraden behangen. (Een schip optakelen = de takelage, het want, het tuig aanbrengen.)

opzitten I. *Hij moet daar opzitten en pootjes geven* = hij heeft daar niets te koop, hij is er de onderdanige dienaar.
Lett. = als een hondje, dat gedresseerd wordt om op zijn achterste poten te zitten.

opzitten II (te paard of in de wagen stijgen). *Zit op, die mee wil!* = maak je klaar, als je nog mee wilt doen; haast je, want het is tijd.

Lett. de aanmaning van de voerman, die op vertrek staat.

Oremus. *'t Is er weer oremus* = herrie, drukte, ruzie, twist.

Oremus (L.) = laten wij bidden; de aanhef van verschillende gebeden in de R.K. kerk.

orgel. *'t Orgel hoor je wel spelen, maar de orgeltrapper zie je niet* (Gron.) = wie 't gedaan heeft, zit achter de schermen.

ork. *'t Is een ork* = een onhandelbaar kind; een boosaardige norse man.

Een *ork* is de zwaardvis. 'Een overgroot en fel zeemonster,' zegt Tuinman, 'die zelfs de walvissen beoorlogt en ombrengt.'

ort. *Ort wordt voer* (Gron.) = wat men nu versmaadt, het is heel best mogelijk dat men er later grote behoefte aan heeft en er dankbaar van zal genieten.

Ort is al wat de koeien op stal van hun vreten overlaten, dat ze dus niet meer als *voer* gebruiken.

Dit Groninger spreekwoord is blijkens Tuinman vroeger algemeen geweest. Hij vermeldt:

't Geen men heden ort, is morgen goed voeder. Zijn verklaring is minder juist. Hij zegt: wat de beesten nu niet eten, verstrekt men hun morgen voor goed voeder. Dit is niet zo: het ort wordt weggeveegd. De bedoeling is: er kan nog wel een tijd komen, dat men zo arm wordt, dat men heel blij zou zijn als men het nu versmade ort zou kunnen krijgen om het te eten.

Den Eerzamen vermeldt voor Charlois in deze zelfde betekenis: *Wat oort is, zal weer voer worden.* Misschien heeft hij dit aldaar van een Groninger gehoord. Doch het spreekwoord komt ook reeds voor in de Kamper Verzameling van 1550 in de tegenwoordige betekenis: *Tis nu orte, tsal nog wel voeder worden.*

os. 1. *Van de os op de ezel springen* = van de hak op de tak, van 't ene onderwerp op het andere. Ook: van het ene ambacht overgaan tot het andere, (dat slechter is); in 't algemeen = achteruit gaan. In deze zin kwam de spreuk reeds voor bij de Grieken en Romeinen. Dan zou dus de onderstelling niet opgaan, dat de uitdrukking oorspronkelijk luidde:

van de ors op de ezel,

waarin *ors* het oude woord voor *ros* (paard) is.

2. *Hij krijgt de sleutel van de ossewei* = hij is ongetrouwd, maar hij wordt nu al dertig jaar.

Dus, hij komt bij de ossen in de wei; hij krijgt geen vrouw meer.

3. *De dorsende os zult gij niet muilbanden* = men moet degenen, die voor u werken, goed behandelen; de arbeider is zijn loon waard.

Bijbelse uitdrukking. 'Een os zult gij niet muilbanden, als hij dorst.' (*Deuteronomium* XXV : 4. Onder het dorsen moet de os gelegenheid hebben, van de korenhalmen te eten.)

4. *Hij is zo wijs als een os, die in de bijbel keek* = hij doet net of hij knap is, maar hij verstaat niets van de zaak.

oud.

1. Oude mannen en jonge wijven,
Dat geeft veel kinderen en veel kijven,
oude volkswijsheid. Zie *ooi.*

2. Een oude vrouw en een oude koe,
Die vallen toe,
Maar een oude man en een oud paard
Zijn niets meer waard.

Andere volkswijsheid. Toevallen, gewestelijk = meevallen.

In Guido Gezelle's *Duikalmanak* van 1899:

Een oud wijf en een oude koe
Steekt iedereen een handje toe,
Maar een oud man en een oud peerd
En is nievers en van niemand gegeerd.

3. Oud mal
Boven al!

Nogmaals heel oude volkswijsheid.

4. Zo als de ouden zongen,
Piepen de jongen,
de kinderen hebben dezelfde opvattingen, dezelfde gebruiken, dezelfde wijze van praten als de ouders.

Vanouds: *pijpen* de jongen, d.i. fluiten. Nu men deze betekenis van *piepen* niet meer kent, denkt men aan de jonge vogels in 't nest: de ouden zingen, de jongen brengen 't nog niet verder dan wat piepen.

5. *Oude bokken hebben stijve horens* = oude mannen zijn vaak onverzettelijk.

6. *Men moet geen oude boom verpoten* = men moet oude mensen niet meer in een andere omgeving brengen.

7. *Men moet geen oude schoenen weggooien, eer men nieuwe heeft*. Zie *schoen* 8.

8. *De Duivel is oud!* antwoord, als men iemand als een oude man begroet of behandeld, die nog niet oud wezen wil.
9. *Zo oud als Methusalem*, zie *M*. Verder:
10. *Zo oud als de weg naar Rome*; in Holland ook:
als de weg naar Kralingen.
Vroeger alleen: *zo oud als de weg.*
11. *Jong geleerd, oud gedaan*; als men oud is, leert men geen nieuwe dingen meer. Vandaar ook:
12. *Oude beren dansen leren is zwepen verknoeien.*
13. *Die niet oud wil worden, moet zich jong ophangen* = bespot nooit een oud mens, ieder van ons krijgt met de ouderdom zijn gebreken.
14. Wat oud is, knort graag;
Wat jong is, speelt graag,
d.i. ouden en jongen hebben niet dezelfde gewoonten en behoeften; oud en jong past niet bij elkaar.
15. *Oud van dagen* = bejaard. In Zaandam heet het gemeentelijk verzorgingshuis voor oude mannen en vrouwen 'Tehuis voor Ouden van Dagen'.
De uitdrukking is bijbels. In Job XXXII : 4 leest men: 'Elihu had gewacht op Job in het spreken (en op zijn drie vrienden), omdat zij ouder van dagen waren dan hij.'
16. Oud en stijf
En nog geen wijf,
zo plaagt men een vrijgezel, die al wat op jaren komt.
17. *Oude lieden moeten het met de tanden houden* (Vlaams) = zij moeten goed kunnen eten.
18. 't Is van den ouden man,
Dat men wijsheid leren kan
(Vlaams), oude lieden spreken bij ervaring en ondervinding.
19. Eert wat *oud* is,
Warmt wat koud is,
Laat wat snood is,
Helpt waar nood is,
Vliegt waar spoed is,
Blijft waar 't goed is.
Vlaamse levensregel. Er is nog een andere ook:
20. Den oude zal men eren,
Den jonge zal men leren,
Den wijze zal men vragen,
Den zot zal men verdragen.
21. *Ieder wordt graag oud, maar niemand wil 't graag wezen* = de ouderdom moest niet met gebreken komen.
22. *De oudste moet de wijste wezen.*

ouder I. *Van ouder tot ouder* = van geslacht op geslacht.
Ouder is 't oude woord voor mensenleeftijd, geslacht.

ouder II. 1. *Eén ouder kan beter tien kinderen grootbrengen, dan dat tien kinderen voor één ouder zorgen.*
2. Al is de ouder nog zo arm,
Hij dekt toch warm.

ouderdom. 1. *De ouderdom komt met gebreken.*
2. *Door de ouderdom wordt de wolf grijs* = op de oude dag wordt een deugniet braaf. (Vlaams.)

oven I. *Tegen een oven kan men niet gapen* = tegen iemand, die zulk een grote mond op weet te zetten, kan men niet opschreeuwen. In 't algemeen: tegen iemand, die zoveel sterker is, kan men het niet opnemen.
't Spreekwoord luidde vanouds: hij moet wijd gapen, die tegen de oven gaapt.

oven II (kachel). *Men zoekt niemand achter de oven, of men heeft er zelf gezeten* (Gezelle) = wie weet, hoe men een bedrieger ontmaskeren moet, die heeft zelf ook hetzelfde bedrog gepleegd.

overdaad.
Overdaad schaadt,
Middelmaat baat.

overduvelen. *Iemand overduvelen* = hem van zijn stuk brengen, hem verlegen maken.
Lett. hem stil maken, door te vloeken en duivel te zeggen.
Duvel voor duivel, òf uit het dialect, òf omdat het netter staat.

overgang. *Dat was maar een overgang, zei de vos, en toen trokken ze hem het vel over de oren*, schertsend gezegde, wanneer iemand iets (heel ergs) overkomt, dat alweer afgelopen is; troost je maar, 't ergste is gauw genoeg voorbij.

overhand. *De overhand hebben* = de baas zijn. *Hand*, 't oude woord voor macht.

overhoop. 1. *Zij lagen overhoop* = zij hadden onenigheid.
Letterlijk = *over een hoop, op een hoop*, in de war.
2. *Iemand overhoop schieten* = neerschieten. Lett. = zodat hij op een hoop

te liggen komt. Vermoedelijk aanvankelijk alleen bij meer dan één voorwerp of persoon: *ze vielen overhoop.*

overleg. 1. *Overleg is 't halve werk* = als men iets doet zonder overleg, dan kost het dubbel tijd en moeite, àls 't al klaar komt. Vlaams:

2. *Het werk wel overleid is half voltrokken.* In Groningen, schertsend, als iets verkeerd wordt aangepakt:

3. *Goed overleg is 't halve werk,* zei 't wijf, en zij kocht nieuwe kousen, om de oude er mee te lappen.

overschot. *'t Overschot is voor de goddelozen,* zie *grondsop.*

overvloed. *Uit de overvloed des harten spreekt de mond,* zie *hart* 5.

P

p, zie *pee.*

paal. 1. *Paal en perk stellen* = verhinderen, dat iets kwaads verder gaat; een ondeugd beteugelen.

Paal en perk betekenen beide grens. Voorbeeld van alliteratie of voorletterrijm.

De Cock denkt aan het strijdperk bij een tournooi, dat door paalwerk van het toegestroomde volk vrij gehouden werd.

2. *Men mag geen oude palen verzetten* = uitdrukking van iemand, die bij het oude zweert en die van nieuwe dingen dus niets hebben moet. Lett. = Men moet zijn erf niet onrechtvaardig ten koste van anderen vergroten; men moet de oude grenzen eerbiedigen.

Bijbels, uit *Spreuken* XXII : 28. 'Zet de oude palen niet terug, die uw vaderen gemaakt hebben.'

3. *Dat staat als een paal boven water* = dat staat heel vast; dat is zeker.

Ontleend aan de ducdalf in de haven.

4. *Men kan zich niet aan een vuile paal schoon wrijven* = als men door een gemene vent uitgescholden of belasterd wordt, moet men zich niet tegenover hem verantwoorden.

Het vee in de weide wrijft zich aan de paal, die de boer daarin tot dat doel gezet heeft.

paap. *Hij stond als een bepiste paap* = hij stond geheel beschaamd; hij wist geen woord tot zijn verdediging.

Paap, oud woord voor priester of monnik.

paar.

Er is geen paar,
Of 't lijkt mekaar,

soort zoekt soort. Ook: man en vrouw hebben altijd sommige gebreken met elkaar gemeen; zij hebben dezelfde eigenaardigheden.

paard. 1. *Paarden die de haver verdienen krijgen hem niet* = verdienste wordt vaak niet beloond.

2. *Die een paard uit de wei wil halen, moet het beest niet eerst met het halster tegen de kop slaan* (Gron.) = als men iemand over wil halen, moet men hem niet eerst bang maken. *Met honig vangt men meer vliegen dan met azijn.*

Zie *helster* 6.

Bij Harrebomée:

Wie den hengst krijgen wil, slaat hem niet met den toom voor den kop.

3. Een peert, een sweert, een lieve vrou
Leent niemand uyt als met berou.
(Cats.)

4. *Het paard moet tot de kribbe komen* = wie belang heeft bij een zaak, moet er zelf op uit gaan.

De kribbe is de voederbak, ook de ruif in de stal, waar de boer de haver, het hooi enz. voor de paarden in werpt.

Het spreekwoord wordt vooral gebruikt, om te zeggen: de vrijer behoort moeite te doen, om kans te hebben bij zijn meisje. Als het meisje toont, dat zij al te verlangend is, dan heet het:

4a. *De kribbe loopt naar 't paard.*

En in Vlaanderen:

4b. *Als 't hooi het paard volgt, dan wilt het geëten zijn,* of ook:

Als 't hooi vanzelf naar de wagen gaat, dan zijn de vorken goedkoop.

5. *Iemand over 't paard tillen* = hem te veel prijzen.

Dat deugt niet; zo is 't ook als men iemand in letterlijke zin over 't paard tilt; dan valt hij er aan de andere kant weer af.

6. *De paarden achter de wagen spannen* = een zaak geheel verkeerd aanpakken.

7. *Men moet een gegeven paard niet in de bek zien* = als men een geschenk krijgt, dan moet men niet zoeken of er hier of

daar wat aan scheelt.
Aan de bek van het paard, namelijk aan zijn gebit, zien de kenners hoe oud het is.
8. *'t Hinkend paard komt achteraan* = de rekening komt later, in 't algemeen: na blijdschap volgt vaak iets, dat minder aangenaam is.
Vanouds: *de hinkende bode komt achteraan*, nl. de bode, die slechte tijding brengt, haast zich niet.
Later sprak men van het hinkende paard; misschien met de gedachte aan het paard van die hinkende bode. Misschien ook: de vlugge paarden zijn vlug over, maar een kreupel paard komt achteraan.
9. *De beste paarden moeten op stal gezocht worden* = meisjes, die langs de straat lopen of die al te veel uitgaan, zijn de beste niet; de vrijers zoeken bij voorkeur een meisje, dat haar genoegen rustig thuis vindt.
Zo als de paardenkopers weten, dat de boeren de beste paarden niet naar de markt brengen, doch op stal verkopen.
In Vlaanderen:
't Goed peerd wordt op stal bezocht
En thuis verkocht,
en daarbij:
't Slecht peerd wordt ter merkt gebrocht
En voor half geld verkocht.
10. *Het beste paard struikelt wel eens* = ook de beste, de knapste maakt wel eens een fout.
11. *Wat was hij op zijn paardje!* = a. wat werd hij driftig; b. wat zat hij op zijn praatstoel.
Uit de riddertijd; lett. = hij sprong dadelijk te paard, gereed voor het gevecht.
12. *Hij heeft paardevlees gegeten* = hij is onrustig, woelig van natuur.
Het paard is namelijk een dier, dat licht schrikt en gauw zenuwachtig wordt. Volgens het volksgeloof krijgt men de aard van het dier, welks vlees men eet. Zie *haas* 1.

36. Het beste paard (z. *paard*)

13. *Ze hebben het Trojaanse paard ingehaald* = ze hebben met de beste bedoeling een maatregel genomen, die tot hun ongeluk leidde; ze hebben zichzelf een ramp op de hals gehaald.
Op het einde van de lange Trojaanse Oorlog ried Sinon de Grieken aan, een groot houten paard te bouwen en daarin een aantal mannen te verbergen. De Trojanen waren van oordeel, dat dit wonderpaard hun stad Troje onneembaar zou maken, zodra het binnen de muren was. Zo haalden zij het in, toen de Grieken afgetrokken schenen. Het werd hun ondergang. De soldaten kropen uit het paard, openden de poort en lieten het leger binnen.
14. Wie soeckt peert of wijf
[sonder gebreecken,
Die magh het werck wel laten steecken.
(Cats.)
15. Die pleit om een paard
Behoudt de staart,
zie *koe* 4, en: *Bezint, eer gij begint.*
16. *Een schurftig paard vreest de roskam* = wie wat op zijn geweten heeft is bang voor het onderzoek.
17. Zie *oog* 7.
18. *'t Is vergeefs dat men fluit, als het paard niet pissen wil* = met onwillige honden is 't kwaad hazen vangen.
Zie *fluiten* 1.
19. *Jong te paard, oud te voet* = wie in zijn jonge jaren verkwistend is, moet op zijn oude dag zuinig zijn.
20. *Iemand te paard helpen* = hem in 't zadel helpen.
21. *'t Komt te paard en 't gaat te voet* = ziekte en ongeluk komen vaak heel plotseling, maar 't duurt lang, eer men hersteld is.
22. *Hij zoekt naar zijn paard en hij zit er op* = hij zoekt naar iets, dat vlakbij is.
23. *Een blind paard kan er geen schade doen* = daar in huis is letterlijk niets meer.
24. *Dat paard zal mij niet weer slaan* = voortaan zal ik wel beter oppassen.
25. Zie *veulen* 1.
26. *Ik heb geen paardje-schijtgeld op stal* = ik heb ook maar niet zoveel geld, dat ik alles doen kan.
Uit het sprookje.
27. Zie *apostel* 3.
28. *Een paardemiddel* = een zeer sterk werkend geneesmiddel.
29. Zie *oud* 2.
30. *Hij heeft een geweten, waar een koets met vier paarden in rondrijden kan* = hij is niet bijzonder nauwgezet.
31. *'t Paard in de wieg* was een uithangbord van voormalige bordelen. Oorsprong onbekend. Maar wel zegt men schertsend, als het om een kleinigheid gaat: *een paard in de wieg!*
32. *Men kan geen paard al lopende beslaan* = als men een werk goed doen wil, moet men er behoorlijk tijd voor nemen.
33. *Hij moet de paarden in 't gat kijken* = hij moet bij de boer werken, zodat hij steeds achter de paarden moet zijn bij 't ploegen en eggen of op de boerenwagen.
34. *Een oud paard hoort graag het klappen van de zweep* = men hoort nog heel graag vertellen over het werk, dat men vroeger zelf ook gedaan heeft.
Een zonderling spreekwoord, een paard houdt nu juist niet van de zweep. Het is dan ook verbasterd; de oude vorm luidde: een ouwe *wagenaer* hoort gaeren 't clappen van de swiep.
En zó is 't spreekwoord ook nog gangbaar: *een oude voerman hoort gaarne 't klappen van de zweep.* (Dr. Verdam.)
35. *Een dood paard aan een boom binden* = overdreven voorzichtig zijn.
36. *'t Is een paard uit de Openbaring* = een oude knol.
Naar *Openbaring* VI : 8. 'Ik zag en ziet, een vaal paard, en die daarop zat, zijn naam was de dood; en de hel volgde hem na.'
37. *Een gehuurd paard en eigen sporen maken korte mijlen* = men is licht geneigd, een anders eigendom te misbruiken.
Zijn eigen paard ontziet men; een gehuurd paard wordt er aan gewaagd, zodat men dan vlug over de weg gaat.
38. *Hij loopt als een paard van een daalder* = fier, moedig, trots.
Waarschijnlijk is dit *daalderse paard* een groot paard van speculaas, om St. Niklaas ten geschenke gegeven. Zie *haan* 2.
39. *'t Is een duur paardje om te strooien* = die vrouw houdt al te veel van pracht en pronk, zij is duur te onderhouden.
Naar 't paard op stal, dat zijn strooisel moet hebben.
40. *'t Beste paard van stal* = de beste die er bij is. Zo ook schertsend, als iemand bij ongeluk wordt overgeslagen aan ta-

fel: *'t beste paard van stal wordt weer vergeten!*
41. *Hij gaat achteruit, zo hard als een paard lopen kan.*
42. *Op de magerste peerden bijten de dazen* (Vlaams) = arme mensen moeten vaak nog het meest betalen, zij lijden de zwaarste last.
(Dazen zijn horzels, die de paarden steken.)
43. *Een oud paard jaagt men aan de dijk* (Vlaams) = 't gebeurt maar al te vaak, dat men de ouden niet in ere houdt.
44. *Peerden vallen ook, al hebben zij vier poten* (Vlaams), zie no. 10. Ook Fries.
45. *Waar 't peerd gebonden is, moet het eten* (Vlaams) = waar men werkt, daar moet men ook zijn eten krijgen.
46. *Een peerd dat wilt stormen, een boer die een vaan draagt, en een meisken dat wilt trouwen, en zijn niet tegen te houen* (Vlaams). Stormen = op hol gaan; de vaan is de processievaan.
47. *Als 't één peerd steekt en 't ander trekt, dan blijft de wagen staan* (Vlaams) = tweedracht breekt kracht.
Steken = blijven staan; weigeren verder te gaan.
48. Vandaag een peerd en morgen een koe,
En overmorgen ondank toe,
Vlaamse rijmspreuk. De hebzuchtige eist elke dag wat van je bezit, en als hij het heeft, beloont hij je met ondank.
49. *Witte peerden eisen veel stro* (Gezelle) = verwende vrouwen kosten veel aan onderhoud. Zie no. 39. Ook Fries.
50. *Men kan een paard wel in 't water trekken, maar niet dwingen dat het drinkt* = het kalf moet uit zijn natuur dansen; als men de kat op het spek bindt, wil hij niet vreten.
51. *Oude peerden zijn ook geern gekamd* (Z.) = oude mensen moet men niet veronachtzamen.
52. *Een paard, dat voor de tweede keer de sprong niet neemt, neemt hem ook voor de derde keer niet* (Graafschap) = wie al tweemaal geen beslissing kan nemen, komt er nooit meer toe.
53. *Ongelijke paarden trekken kwalijk.* (Cats)
pacht. *Hij heeft de wijsheid in pacht* =

37. Ongelijke paarden... (z. *paard*)

hij weet het alleen; hij is verwaand.
Pacht = huur.
pad I. 1. *Men kan een pad wel net zo lang trappen, dat hij kwaakt* = men kan ook de geduldigste zo lang sarren, dat hij zich verweert.
Reeds in de Kamper Verzameling:
men tredet die Padde wel soe lange, dat sy van sich spijet.
2. *Padden broeden geen zangvogels uit* (Fries) = men kan geen druiven lezen van distelen.
pad II (weg). 1. *Het pad warm houden* = aldoor langs dezelfde weg gaan.
Zo als men gereedschap warm houdt, dat men veel gebruikt.
2. *Naar 't kundige pad vragen*, zie *vragen* 2 en 3.
3. Een goed pad krom
Loopt nooit om,
men moet altijd de goede weg volgen, al is die ook wat langer dan een binnenweg.
4. *Het levenspad* = de loop van het leven, vergeleken bij een weg, die men gaan moet. Zo in het richterraadsel:
Wanneer een man hier in de stad
Geld en goed genoeg bezat,
Met heil en zegen *op zijn pad*,
En 't hemelrijk hierna gewis,
'k Weet toch nog iets, dat beter is.
(Volgens overlevering kwam een terdoodveroordeelde vrij, als hij een raadsel wist op te geven, dat de rechters niet oplossen konden.)
paf. *Hij stond paf* = ontsteld van plotselinge verbazing.
Paf = klanknabootsing van een geweerschot. Daardoor waarschijnlijk = verdoofd en versuft door de knal van een schot.
pak. 1. *Ieder moet zijn eigen pakje ter markt dragen* = ieder heeft te zorgen voor zijn eigen taak. Ook in godsdienstige zin: ieder is verantwoordelijk voor zijn eigen daden. *'t Pak* = de last, die men draagt: Bijbels: 'Een iegelijk zal zijn eigen pak dragen (*Galaten* VI : 5).'
2. *Iemand in 't pak steken* = hem in de luren leggen. *'t Pak* is: de gezamenlijke luiers en dekentjes, waarin men vroeger een zuigeling wikkelde, zodat het kind zich niet bewegen kon. Zie *luur*.
3. *Ze zijn met pak en zak vertrokken* = met alles wat ze mee konden nemen.
4. *Bij de pakken neerzitten* = wat men doen moet, nalaten, hetzij uit moedeloosheid of uit traagheid.
Bijbelse uitdrukking. Jakob vergaderde zijn zonen voor zijn dood en sprak hun toe, ieder op zijn beurt:
'Issaschar is een sterk gebeende ezel, nederliggende tussen twee pakken. Toen hij de rust zag, dat zij goed was, en het land, dat het lustig was, zo boog hij zijn schouder om te dragen, en was dienende onder cijns.' (Genesis XLIX : 14 en 15.)
5. *Een pak van 't zelfde laken*, zie *laken* 1.
6. *Dat is een pak van mijn hart* = dat neemt mijn vrees, mijn zorg weg.
7. Klein pakske
Groot gemakske
(Gezelle). Zie *koe* 15.
8. Omgekeerd:
Een pakje wordt een zakje = ook een lichte last wordt drukkend op den duur.
pal. *Hij staat pal* = hij is onverzettelijk. Oorspronkelijk: *hij staat te pal*; de pal is de pen, de haak, waarmee men een wiel kan vastzetten.
palm. 1. *Hij droeg de palm weg* = hij behaalde de overwinning.
Bij de Romeinen werd de overwinnaar met palmen gekroond, nl. met de palmbladen.
2. *Onder de palmen wandelen* = in Indië verblijven. *Palmen* = palmbomen.
3. *Palmzondag* = de Zondag vóór Pasen. Toen Jezus Jeruzalem binnen reed, gezeten op een ezelin, werd hij met hosanna begroet, 'en de meeste scharen spreidden hun klederen op de weg, en anderen hieuwen takken van de bomen, en spreidden ze op de weg.' (Matth. XXI : 8.)
Deze takken worden de palmen genoemd.
Pampus. 1. *Hij lag voor Pampus* = a. hij was bezwijmd; b. hij was stomdronken, zodat hij niet meer staan kon.
Pampus is de zandbank voor Amsterdam; de oude zeilschepen moesten daar blijven liggen, tot de vloed opkwam. Zij konden dus niet verder.
2. *Hij zit op Pampus* = hij is in grote moeilijkheden gekomen.
pan I. 1. *Een leger in de pan hakken* = tot de laatste man doden.
Letterlijk van spijzen gezegd, die stuk gehakt worden, eer ze in de pan gaan.
2. *'t Was er een pan* = een rommel, een 'bende', een verwarde boel; fig. een luid-

ruchtig, onordelijk gezelschap.
Misschien is de uitdrukking ontstaan, doordat men dacht aan *in de pan hakken*.
3. *Zij heeft het zo druk als de pan op vastenavond*, spreekwoord uit de tijd, toen ook in streken benoorden de Maas op vastenavond werd gebakken en gebraden.
4. *'t Is een blikken pannetje, zo koud en zo weer heet* = 't is iemand, die gauw driftig wordt, maar die zijn drift ook heel gauw weer vergeten is.
pan II (dakpan). *'t Huis heeft zilveren pannen* = er ligt hypotheek op. Zie *dak* 5.
pandoer. *Dat is opgelegd pandoer* = dat is volkomen duidelijk; daar is niet tegen te spreken, die zaak is gewonnen.
Ontleend aan het kaartspel. Wanneer bij het pandoeren iemand zulke goede kaarten heeft, dat er niet tegen te spelen is, legt hij ze open op tafel en dan moet zijn tegenpartij zich zonder verder te spelen gewonnen geven.
Pandora. *De doos van Pandora* = de oorzaak van bitter verdriet.
Pandora was volgens de Griekse mythologie de vrouw, door Hephaistos (Vulcanus) gevormd uit aarde en water en door Zeus (Jupiter) naar de aarde gezonden, om onheil te brengen, nadat Prometheus het vuur uit de hemel gestolen had om de mensen gelukkig te maken. Zij kreeg een doos mee, waarin alle rampen waren opgesloten, met strikt verbod die ooit te openen. Maar haar nieuwsgierigheid was te groot. Zo kwamen alle ziekten en zorgen op aarde; alleen de hoop bleef achter in de doos. Bij 't grootste verdriet blijft de hoop leven.
panisch. *Een panische schrik* = een schrik zo erg als maar mogelijk is.
Van de Griekse herdersgod *Pan*, die bij zijn plotseling verschijnen de herders en vooral de herderinnen een dodelijke schrik op 't lijf joeg. Plutarchus schrijft echter dat de Pans en Satyrs zelf verschrikt de vlucht namen. (*Isis en Osiris*, hst. 14.)
pannekoek. 1. *Als 't pannekoeken regent, zijn mijn schotels omgekeerd* (Gron.) = als *'t hoeden regent, zal er nooit eens één op mijn hoofd vallen*.
2. *Men moet geen pannekoek bederven om een ei* = men moet het grote geheel niet laten mislukken om een kleinigheid.
pantoffel. 1. *Hij zit onder de pantoffel* = zijn vrouw heeft in huis alles te zeggen, en: 2. *hij is een pantoffelheld*.
pap. 1. *Men gaf hem de pap in de mond*; zie *mond* 6.
2. *Dat is hem met de paplepel ingegeven* = dat is hem van de prilste jeugd af voorgehouden.
3. Zie *brij* 3.
4. *Hij moet de pap koelen* = hij moet de straf ondergaan voor wat alle anderen mee misdreven hebben; hij moet voor allemaal betalen.
5. *'t Is te laat geroerd, als de pap aangebrand is* (Vlaams), zie *kalf* 2.
6. *Die zijn pap stort, kan die niet allemaal weer oprapen* (Vlaams) = er is schade, die men aanricht en die men nooit weer herstellen kan.
papier. *'t Papier is geduldig* = men kan erop schrijven wat men wil, het papier spreekt niet tegen.
paplepel, zie *pap* 2.
pappen. *'t Is pappen en nathouden* = de zaak wordt niet flink aangepakt, zodat men aan de gang kan blijven. Net als een dokter, die een gezwel met pappen behandelt en niet uitsnijdt.
Pappenheimers. *Ik ken mijn Pappenheimers* = ik weet, hoe mijn volk, mijn aanhangers, mijn volgelingen er over denken.
Ontleend aan *Wallensteins Tod*, drama van Schiller. De aanvoerder Wallenstein zei, toen het regiment van graaf Pappenheim hem trouw bleef:
Daran erkenn' ich meine Pappenheimer.
pappot. *Bij moeders pappot blijven* = thuis blijven hangen, als men allang de wereld in moest zijn.
paradijs. 1. *'t Is hier een paradijs* = een mooi en aangenaam oord.
Bedoeld is de Hof van Eden, die beschreven wordt in Genesis II : 8—15, 'De Here God had alle geboomte uit het aardrijk doen spruiten, begeerlijk voor het gezicht, en goed tot spijze.'
Merkwaardig is, dat de kanonieke bijbel het woord paradijs in deze betekenis niet heeft; wel wordt in het Nieuwe Testament het paradijs genoemd, maar daar is het een plaats, die niet tot deze aarde behoort. (Laurillard.)
2. *In paradijskostuum* = naakt; 'zij werden gewaar, dat zij naakt waren', zo heet het in Genesis III : 7, na de zondeval.

3. *Men vindt nievers geen paradijs, of 't zit een slange in* (Gezelle) = het is nergens volmaakt in de wereld.
pardoes. *Hij viel pardoes dood* = op het zelfde ogenblik.
(Vermoedelijk een klanknabootsend woord, gezegd bij 't horen van een slag.)
parel. 1. *Paarlen voor de zwijnen werpen* = iets dat heel mooi is geven aan iemand, die er niets voor voelt; een goed ding schenken aan iemand, die niet het minste begrip heeft van de waarde ervan. 'Geeft het heilige de honden niet, noch werpt uw parelen voor de zwijnen, opdat zij niet te eniger tijd dezelve met hun voeten vertreden en zich omkerende u verscheuren.' (*Matth.* VII : 6.)
2. Geen parel dient bij nacht gekocht,
Geen vrijster bij de kaars gezocht.
(Cats.)
Op zijn Vlaams zegt men het zo:
3. *Die 's avonds een perel meent gevonden te hebben, heeft 's anderdaags een vuile maai. Maai* = made.
parket. *Hij zat in een moeilijk parket* = in moeilijke omstandigheden, zodat hij er zich zelf niet uithelpen kon.
Parket = omheinde, ingesloten ruimte.
parlesanten, d.i. vloeken en zweren. Multatuli verklaart het woord uit het Spaanse *para los santos* = bij (alle) heiligen. (*Specialiteiten*, 3e druk, blz. 20, noot.)
part. *Ik heb er part noch deel aan* = ik heb er niet de geringste schuld aan.
Part en *deel* is hetzelfde; dus wederom een voorbeeld van een begrip, uitgedrukt door twee gelijk betekenende woorden.
parten. *Zijn goed vertrouwen speelde hem parten* = bedroog hem.
Part is een verloren woord, dat streek of list betekende; *parten spelen* is dus = een poets bakken. Het woord is niet verwant met *part* = deel. (Franck-Van Wijk, 490.)
pas. 1. *Dat kwam te pas* = dat kwam gelegen.
Pas is afkomstig van 't Latijnse *passus* = schrede. Vandaar = maat, toestand. *Te pas*, lett. = in goede toestand; op 't goede ogenblik. Dit laatste ook in:
2. *Hij kwam juist van pas.*
3. *Dat geeft geen pas* = dat past niet.

38. Geen parel dient ... (z. *parel*)

Pas, in dit geval een afleiding van het werkwoord passen.
4. *Op dat pas* = op dat ogenblik.
Pas = schrede; 't begrip van plaats heeft zich hier ontwikkeld tot een tijdsaanduiding.
5. *Hij staat in de pas* = in de gunst.
Misschien ontstaan uit: *met iemand in de pas lopen.*
6. *Iemand de pas afsnijden* = hem zijn voortgang onmogelijk maken.
Pas = schrede, stap, het *passeren.*
Pasen. 1. *Hij is op zijn Paasbest* = hij heeft zijn mooiste kleren aan.
Vanouds kreeg men een nieuw pak om Pasen en was ook verder alles in de
2. *Paaspronk.*
3. *Als Pasen en Pinkster op één dag komen* = nooit. Ook wel:
4. *Als Pasen op Zaterdag komt.*
5. *Vijgen na Pasen*, zie *vijg.*
6. *Hij heeft het zo druk als de kippen vóór Pasen* = hij heeft het buitengewoon druk. Om Pasen worden alom veel eieren gegeten en hebben de kippen dus heel druk werk.
7. *Men spreekt zo lang van Pasen, totdat het komt* (Vlaams) = als men maar lang genoeg over een zaak praat, dan heeft men nog alle kans dat er wat van komt.
paspoort. 1. *Hij kreeg zijn paspoort* = hij werd weggestuurd.
Kazernetaal: een soldaat, die uit dienst ging, kreeg een goed of een slecht paspoort mee. Het slechte stond op rood papier. Vandaar:
2. *Hij ging met een rood paspoort de laan uit* = hij werd weggejaagd wegens wangedrag.
Het woord *paspoort* zelf is uit het F. *passeport* afkomstig.
passen.
Met passen en meten
Wordt de tijd versleten,
men moet niet al te veel overleggen, eer men aan 't werk tijgt; kordaat aanpakken is beter. Doch zonder goed overleg gaat het toch niet; vandaar de tweede helft van 't spreekwoord:
Maar wie 't niet doet,
Die maakt zijn werk niet goed.
pastoor. 1. *Wanneer het regent op de pastoor, dan drupt het op de koster* = als het de patroon goed gaat, dan hebben de arbeiders het allicht ook goed.
2. *Als de pastoor en de koster kijven, komt het al uit* (Vlaams), zie *kok* 3.
3. *De pastoor zegent zijn zelven eerst* (Vlaams) = ieder zorgt eerst voor zich zelf.
4. *De pastoor doet geen twee missen voor één geld* (Vlaams), zie *lied* 5.
pater. *'t Is een pater-goedleven* = hij houdt van een smulpartij en hij ziet er welgedaan uit; 't is een smulpaap.
De monniken hadden in de M.E. de naam, dat zij heel veel hielden van goed eten en drinken. Zo zegt Maerlant in *Der kerken Claghe* (1290), dat ze riepen
Om diere spise van goeden smake
Ende waer men coept den besten wijn.
patersvaatje. *'t Is uit het patersvaatje* = 't is van de beste wijn. 'Dewijl de paters van het beste plegen voorzien te wezen,' zegt Tuinman.
patiëntie. *Patiëntie is een goed kruid*, zie *geduld* 2.
patjakker. *'t Is een vuile patjakker* = smeerlap; ruw scheldwoord.
Volgens een gissing van Prof. H. Kern een verbastering van 't Maleise *badjang* = zeerover. (Stoett II, 143.) Volgens Ned. Wdb. van Sp. *pagador* = slechte betaler.
Patmos. *Zij zaten op Patmos* = zij vertoefden in ballingschap.
Naar *Openbaring* 1 : 9. 'Ik, Johannes, ... was op het eiland, genaamd Patmos, om het Woord Gods en om het getuigenis van Jezus Christus.'
Patmos is een rotseiland in de Egeïsche Zee op de kust van Klein-Azië, bij Efeze.
Paulus. 1. *Hij gaat er op af als Paulus op de Korinthiërs* = hij doet moedig zijn best, om de zaak te doen slagen.
Waarschijnlijk naar de brief van Paulus: 'Ik schrijf het u afwezende aan degenen, die te voren gezondigd hebben, en aan al de anderen, dat, zo ik wederom kom, ik hen niet zal sparen.'
(II Kor. XIII : 2.)
2. *Hij is van een Saulus een Paulus geworden* = die hij eerst vervolgd heeft, die worden door hem verdedigd.
Saulus, uit Tarsus in Klein-Azië, was een Joods schriftgeleerde en Christenvervolger. Door een vizioen op weg naar Damaskus werd hij bekeerd, in het jaar 32. (Handelingen IX.) Hij werd nu de grote heidenapostel en hij noemde zich voortaan *Paulus*, d.i. de kleine, de geringe. Hij deed drie reizen door Klein-

Azië en Griekenland. In 't jaar 67 werd hij te Rome onthoofd.
3. *Hij heeft genomen wat Paulus van de Korinthen nam* = hij heeft niets genomen; hij heeft zijn eigen voordeel niet gezocht. Uit II Korinthe XI : 8 en 9 blijkt, dat Paulus niet op kosten van de gemeente te Korinthe leefde:
'Als ik bij u tegenwoordig was en gebrek had, ben ik niemand lastig gevallen. Ik heb mij zelven in alles gehouden zonder u te bezwaren, en zal mij nog alzo houden.'
paus. *Hoe dichter bij de Paus, hoe slechter Christen* = dicht bij de kerk wonen juist de braafste mensen niet.
't Spreekwoord is bekend uit de tijd vóór de Hervorming.
pauw.
Weest geen pauw in uw gewaad,
Geen papegaai in uwen praat,
Geen ooievaar, wanneer gij eet,
Geen gans, als gij daar henen treedt,
Vlaamse rijmspreuk.
pech. *Ze hebben pech gehad* = ze kregen een ongeluk, een tegenslag.
Pech = pek, pik, is een Duitse studentenuitdrukking, in de algemene Duitse taal overgegaan en door de Nederlanders getrouwelijk gevolgd. *Pech hebben* = vastkleven als aan pik.
pee. 1. *Alles was in de pee* = volkomen in orde. De *pee* is de letter *p* als afkorting van: *in de puntjes.*
Volgens *Woordenschat* betekent het: *in de Pandekten*, d.i. de voornaamste wetten in 't *Corpus juris.*
En volgens het Ned. Wdb. kan het ook zijn: *in de paraaf*, nl. de paraaf bij een akte, verleden voor een notaris.
't Kan ook zijn: *in de perfectie.*
2. *Hij had de pee in* = hij had het land. De *p* is hier de afkorting van *de pest.*
peer. 1. *Hij zit met de gebakken peren* = men laat hem in de steek; hij zit nu met de onaangename gevolgen.
Ironische uitdrukking.
2. *'t Zijn goede peren, als ze geplukt zijn*, zie *noot* 1, 3.
3. *'t Zijn peren uit mijn eigen tuin* (Multatuli) = 't zijn gedachten of uitingen,

39. Een rijpe peer (z. *peer*)

die ik zelf vroeger heb verkondigd en die mij nu worden voorgehouden, alsof ze van de spreker zelf komen.
4. *Een rijpe peer valt dikwijls in de drek* (Vlaams) = een vrouw die al te graag een man wil hebben komt vaak bedrogen uit.
5. *Als de peer rijp is, valt zij* (Vlaams) a. alle dingen gebeuren op hun tijd; te zijner tijd komt de straf voor de ondeugd;
b. als het meisje huwbaar is, dan trouwt zij, om maar een man te hebben. Vandaar:
6. *De rijpste peren eten de slekken*; zie no. 4. (Gezelle.)
7. *Zoete peren en jonge vrouwen kunnen niet duren* (Fries) = blijven niet lang zo als ze zijn.
pees. *Hij heeft twee pezen op zijn boog* = als zijn ene poging mislukt, dan kan hij 't nog op een andere wijze beproeven.
De pees is het touw, waarmee de boog gespannen is. Zie *pijl* I.
Pegasus. *De Pegasus bestijgen* = aan 't dichten gaan; een vers maken.
Pegasus was volgens de Griekse mythologie het gevleugelde paard, getemd met de gouden teugel van Minerva; men stelde zich voor, dat de dichters zich op Pegasus in het luchtruim verhieven.
Pegasus deed met zijn hoefslag uit de rots de bron Hippokrene (Hengstebron) ontstaan, waaruit de Muzen en de dichters bezieling dronken.
peil. I. *Daar is geen peil op te trekken* = daar kan men niet op aan; er is geen staat op te maken.
Zeemansuitdrukking. *Het peil* is het vaste punt aan de kust, waarop men zich richt, als men de plaats bepalen wil, waar het schip zich op zee bevindt.
2. *Zijn kennis op peil houden* = zorgen, dat de kennis niet vermindert.
peilen. I. *Peilen wat op 's harten grond ligt* = onderzoeken, hoe het met het gemoed gesteld is.
Peilen = onderzoeken, hoe diep het water is. Vandaar ook:
2. *een peilloos verdriet* = een verdriet zo groot dat het *niet te peilen is.*
peiling. *Dat had ik in de peiling* = dat merkte ik, althans dat dacht ik.
In de peiling nemen is letterlijk hetzelfde als *peil trekken op*, zie daar. De zeeman neemt b.v. een vuurtoren *in de peiling*; gaat van die toren uit bij zijn plaatsbepaling.
pek. I. *Wie met pek omgaat, wordt licht besmet* = wie met slechte mensen verkeert, neemt allicht wat van hun slechte eigenschappen over.
De spreuk komt ook reeds voor bij Jezus Sirach XIII : I. 'Die peck aenroert, wort daermede besmet: ende die met den hoovaerdigen gemeenschap heeft, wort hem gelijck.'
'In liedekens ghestelt' door Jan Fruytiers, 1565:
Die 't peck hier sal aenraken,
Sal hem daer besmetten van,
Want hy sal altijd leeren
Hovaerdicheyt ende gewelt;
Van rijcke wilt bekeeren,
Soo wordt ghy niet in last ghestelt.
Dan heeft Fruytiers 'de bequaemste sententie' uit Jezus Sirach nog aan 't slot afzonderlijk laten drukken. Daar zegt hij:
Die tpeck aenraect, besmet hem daer-[mede;
Schuwt der gheweldigher en rijker [gheselschap,
Wilt u voeghen by Uws ghelijken.
(In de uitgave van Scheurleer P 5.)
Bij Suringar (no. 68):
Soe wye dat in den pecke roeret,
Onreynicheit hi daer afvoeret.
En bij Cats:
Van het peck
Blijft een vleck.
Bij Amaat Joos:
Handelt gij pek,
Ge krijgt een vlek.
2. Zie *pech.*
3. Zie *pik* II.
pekel. I. *Hij zat in de pekel* = in verlegenheid, in benauwdheid.
Tuinman schrijft bij
2. *Iemand in de pekel laten* = hem niet bijstaan ter redding, maar hem in de zwarigheid laten steken:
ontleend aan vlees, dat in de pekel gelegd is om bewaard te worden, maar daarin verderft, als men het er op zijn tijd niet weer uitneemt.
De eerste uitdrukking zou dus door de tweede verklaard worden.
pekelzonde = kleine zonde, die men iemand niet al te zwaar moet aanrekenen.
Misschien lett. = oude zonde, die men als het ware in de pekel bewaard heeft,

tot de tijd voor de straf is gekomen. Zo bij Franck-Van Wijk.
Tuinman dacht aan een verbastering van 't L. woord *peccatillum* = kleine zonde.
Pella. *Ze zijn in Pella* = ze zijn aan de vervolging ontkomen; ze zijn in veiligheid. Pella was een plaats over de Jordaan. Wie daarheen vluchtte bij de verwoesting van Jeruzalem, was vrij. Zij namelijk, die zich vrijwillig in de Romeinse macht begaven, werden niet meer vervolgd. Pella is een naam, die niet in de Bijbel voorkomt.
pen. 1. *Hij heeft een welversneden pen* = hij schrijft goed, nl. een goede stijl.
Herinnering aan de ganzepennen, die gedurig versneden moesten worden.
2. *Een pennelikker* = een kantoorklerk. Bij Potgieter een bekende prozaschets: *'t Was maar een pennelikker.*
3. *Iemand de pen op de neus zetten* = iemand dwingen tot een verklaring.
De *pen* is in dit geval de knijper, waarmee men onwillige paarden bedwingt.
4. *Dat is met geen pen te beschrijven* = dat gaat alle beschrijving te boven, namelijk: zo erg is het.
penarie. *Hij zit in de penarie* = in zorg, in benauwdheid, in geldgebrek.
Verbastering van L. *penuria* = gebrek.
penning. 1. *Het penningske der weduwe* = een geringe gift, die echter buitengewoon gewaardeerd moet worden als afkomstig van iemand, die zelf arm is.
Bijbels woord: 'Hij zag ook een zekere arme weduwe twee kleine penningen daarin werpen.
En Hij zeide: Waarlijk, Ik zeg u, dat deze arme weduwe meer dan allen heeft ingeworpen;
Want die allen hebben van hun overvloed geworpen tot de gaven Gods; maar deze heeft van haar gebrek al de leeftocht, die zij had, daarin geworpen.' (Luk. XXI, 2-4.)
2. *'t Is een penningzestien* = een gierigaard. Oorspronkelijk = een woekeraar, iemand die te hoge rente of winst neemt. Vroeger rekende men voor de rente niet met percenten, doch men zei: 't geld is uitgezet tegen de penning zestien, d.i. van elke zestien penningen moest de schuldenaar één penning rente betalen. Dit kwam dus neer op $6^1/_4$%, en dit was bij de oude omstandigheden ongehoord hoog.
3. *Hij is op de penning* = hij is zuinig. Lett. = hij is op de penning, op geld gesteld.
4. *Hij heeft van de dertig penningen niet gehad* = hij is niet snugger.
Eigenaardige toepassing van Matth. XXVI : 15, waar men leest dat men aan Judas dertig zilveren penningen toelegde.
5. *Des pennings reden klinken best* = met geld komt men overal terecht (Vlaams).
peper. 1. *'t Was peperduur* = buitengewoon duur.
Uitdrukking uit de dagen, dat peper een bijna onbetaalbare specerij was.
2. Peper helpt de man te paard
En de vrouwen onder d'aard.
perzik. *Die perzik smaakt naar meer* = dat bevalt zo goed, dat wij er nog wel eens van willen genieten.
Uit de *Kleine Gedigten voor kinderen* door Hieronymus van Alphen, 1778:
Die perzik gaf mijn vader mij,
Omdat ik vlijtig leer.
Nu eet ik vergenoegd en blij.
Die perzik smaakt naar meer.
per se. *Ik wil dat per se niet* = volstrekt niet.
L. *per se*, lett. = door zich zelf, d.i. uit de aard der zaak, van zelf uit de zaak voortvloeiende.
pest. 1. *Daaraan heb ik de pest gezien* = daaraan heb ik vreselijk het land.
Herinnering aan de oude tijd, toen de pest nog zo vaak verschrikkelijk woedde.
2. *De pest in hebben*, zie *pee* 2.
3. *Iemand de pest injagen* = maken dat iemand het land heeft; hem treiteren; ook:
4. *Iemand pesten.*
pet. 1. *Dat gaat hem boven zijn pet* = dat kan hij niet begrijpen.
2. *Jan Pet* = de man die een pet draagt, het gewone volk.
petto. *In petto*; zie daar.
peul. 1. *Moet je nog peultjes?* spottende uitdrukking, als men iets bijzonder ongelofelijks hoort vertellen, vooral als men 't er helemaal niet mee eens is.
2. *Dat is geen peulschilletje* = geen kleinigheid.
Pharao, zie *Farao.*
Phoenix, zie *Feniks* en *as* 1, 3.

piano. *'t Ging piano aan* = heel bedaard, langzaam. It. *piano* = zacht.
piek. *Hij schuurde zijn piek* = hij ging er vandoor; hij nam de vlucht.
Vanouds gezegd van een soldaat, die zijn piek schuurde als voorwendsel, om uit te kunnen gaan.
piepen. 1. *'t Is gepiept* = in orde.
Piepen, in 't Bargoens = klaar maken.
2. *Piepjong* = heel jong.
Lett. gezegd van kuikens, die nog piepen.
3. *Hij zit in de piepzak* = in de benauwdheid.
In 't *Ned. Wdb.* XII, 1554, wordt gedacht aan *pijpzak* = doedelzak, omdat deze bij 't bespelen samengedrukt wordt.
Mogelijk is ook, dat men denken moet aan 't verhaal van *Grote en Kleine Klaas.* Kleine Klaas trapte op de paardehuid, die hij zou verkopen; dat was dan de zak, waar een tovenaar in zat en die zak piepte, als hij er op trapte.
Pier. *Hij is weer de kwaaie Pier* = hij heeft het weer gedaan; hij krijgt weer de schuld. Wellicht naar de Lange of Grote Pier, de zeerover in dienst van Karel van Gelder tegen de Hollanders.
Tuinman denkt aan de apostel Petrus van Matth. XXVI : 51, die het oor van Malchus afsloeg, toen Jezus gegrepen werd in Gethsémané.
Doch 't meest voor de hand ligt, dat *Pier* eenvoudig een willekeurige naam is.
pieren. *Laat je niet pieren!* = laat je niet voor de gek houden.
Pier is een oud woord voor strik of val.
Piet. 1. *'t Is een stijve Piet* = een man, die zich in gezelschap niet weet te bewegen. Ontleend aan een klucht van W. D. Hooft (1594—1658), regent van de Amsterdamse schouwburg.
2. *Een Pietlut* = een sukkel, een kleingeestig man. *Piet* is een willekeurige naam; *lut* = klein; dus een Piet, die zich met luttele dingen bemoeit.
Mogelijk is ook invloed van het woord *putlut*; zie daar.
3. *Hij stond als Piet Snot* = verlegen.
Willekeurige naam *Piet* voor een *snotjongen.*
4. *'t Is een hele Piet.* Weer een voorbeeld van een willekeurig gekozen naam. Zo ook:
5. *Pietje Chagrijn*, een man die alles van de zwarte kant beziet, die altijd even sikkeneurig is.
pik I. *De pik op iemand hebben* = het telkens op iemand gemunt hebben, iem. telkens onaangename opmerkingen maken, hem uitkiezen voor 't onaangenaamste werk. Lett. = hem keer op keer pikken. Misschien onder invloed van 't F. *pique* = wrok hoort men ook: *een piek op iemand hebben.*
pik II (pek). 1. zie *pek.*
2. *Pikbroek* = matroos.
pikken. *Er moet altijd één gepikte vogel wezen* (Z.) = in gezelschap heeft men het altijd op één gemunt. Zie *pik* I.
pil. 1. *Dat was een bittere pil om te slikken* = dat was een onaangenaam, lastig, pijnlijk karwei.
2. *De pil vergulden* = het onaangename, pijnlijke, dat men iemand moet aandoen, verzachten door een goed woord of door een gunstbewijs. Ook: *hem een vergulde pil geven.*
pilaarbijter, d.i. iemand die zich uitermate vroom voordoet.
Lett. = iemand, die in de kerk bij een pilaar zit en daar vroom tegen op ziet, b.v. naar 't beeld van een heilige.
pink. *Hij is bij de pinken* = bij de hand, wakker, flink. Oorsprong onbekend.
pint. 1. *Niets zo duur als het eerste pintje*, Vlaams spreekwoord, waar de geheelonthouders 't mee eens zijn: op 't eerste pintje volgt veelal een hele stroom bier, die ook betaald moet worden.
2. *Die maar een pinte en mag, die moet geen kanne drinken* (Gezelle) = men moet zijn maat kennen.
3. *Een pinte in één teugske en een sulferken in vieren* (Gezelle), zie *zwavelstok.* Die een pint bier in eens uitdrinken en een zwavelstokje in vieren splijten, zijn wel zuinig op een dwaze manier. (Sulfer = zwavel, een sulferke = een zwavelstok.)
pis. 1. *De roe ligt in de pis*, zie *roe* 2.
2. *Een pisboodschapje maken* = een boodschap doen voor de leus, om wat anders gewaar te worden of om wat anders te vertellen dan men voorgeeft, waarom men komt.
Letterlijk: zich even verwijderen.
pisang. 1. *'t Is een leuke pisang* = een aardige baas.
Misschien uit het F. *paysan* = boer. In de F.D. oorlog van 1870 en '71 zouden

de Duitse soldaten uit het F. woord *paysan* dan *pisang* gemaakt hebben. Maar... de vraag is, of die Duitse soldaten toen alzo bekend waren met pisangs. Zie Stoett II, 185.
2. *Dat is de ware pisang* = de echte persoon, de man waarover het gaat; ook de echte zaak.
Eveneens nieuw; waarschijnlijk schertsend opgekomen uitdrukking.
pispot. *Ze wassen er in de pispot en ze drogen er op de haalboom* = 't is er een vuile, onordelijke boel.
De *haalboom* was in die tijd van de open haardvuren een stevige dwarsboom in de schoorsteen. Daar was *de haal* aan bevestigd, het toestel waaraan de pot en de ketel boven het vuur hingen. Die haal kon korter of langer worden gesteld.
Het spreekt vanzelf, dat de haalboom altijd vol roet zat.
pissebed. *Pissebed wegjagen en kakkebed weerkrijgen* = van kwaad tot erger vervallen.
pissen. 1. *Pissen gaat vóór dansen* = het nodigste gaat voor; zelfs het alleraangenaamste moet wachten, als de omstandigheden het eisen.
2. *Wat helpt fluiten, als 't paard niet pissen wil?* Zie *fluiten* 1 en 2.
3. *Zij pissen in één potje* = zij maken gemene zaak; ze zijn 't geheel met elkaar eens.
pit. *Hij leunt op de pit* = hij speelt op de souffleur, gezegd van een toneelspeler, die zijn rol niet kent. De *pit* is de lamp in het hokje van de souffleur; de *gaspit*.
Vandaar fig. = klaplopen. Stoett vermeldt ook in de toneeltaal: voorschot vragen, omdat men dan terecht kwam in 't donkere kantoortje van de Amsterdamse Stadsschouwburg, waar altijd een lamp brandde.
plaat. 1. *Dat valt op een gloeiende plaat* = dat is geld, dat heel erg te pas komt, maar dat ook zo weer op is, waar veel meer van nodig zou zijn.
Lett. = *'t viel als een druppel op een gloeiende plaat.*
2. *De plaat poetsen* = er vandoor gaan. De uitdrukking is afkomstig van de soldaat, die zijn borstplaat of de plaat achter de kolf van zijn geweer poetste; dan was hij gereed om uit te gaan. Vgl. *piek.*
Ook heeft men gedacht aan de meid, die de haardplaat poetste; dit was 't laatste werk in huis, toen men nog het vuur had in de open haard; daarna kon ze uitgaan. Van deze haardplaat de vergelijking:
3. *Zo zwart als een plaat.*
plaats. *Iemand op zijn plaats zetten*, zie *nummer*.
plak. *Onder de plak zitten* = niets te zeggen hebben.
Uit de oude schoolwereld, toen de meester nog regeerde met de *plak*, waarmee hij de kinderen zeer pijnlijk in de hand sloeg.
planeet. 1. *Iemand zijn planeet lezen* = hem de toekomst voorspellen.
De *planeet* is hier niet een dwaalster, doch de geboortester, de ster die schitterde bij iemands geboorte en die volgens de sterrenwichelaars invloed oefende op iemands levenslot. Het *lezen* van de planeet was het naslaan van de astrologische boeken, waarin de geheimen beschreven waren, die in verband stonden met die planeet.
Zie *horoskoop*.
Uit dezelfde gedachtengang:
2. *Onder een ongelukkige planeet geboren zijn* = een ongelukkig lot hebben, zodat het iemand steeds tegenloopt.
plank. 1. *Hij sloeg de plank mis* = hij giste verkeerd; zijn mening bleek onjuist. Wellicht ontstaan door contaminatie van twee uitdrukkingen:
hij sloeg de bal mis, en *hij was de plank mis*, n.l. de loopplank naar 't schip of de plank in 't kegelspel.
2. *Dat is van de bovenste plank* = van 't allerbeste. Zie *bord* 2.
3. *Hij kan zien door een plank, waar geen gat in is* = hij is al zeer eigenwijs; hij verbeeldt zich, dat hij kan wat een ander niet kan.
4. *Van dik hout zaagt men planken*, zie *hout* 5.
plasdank. *Daar verdiende hij een plasdankje mee* = hij kreeg een dankje voor zijn vleierij; voor zijn aangeboden diensten.
Kiliaen, in 't oudste Nederlandse woordenboek, 16e eeuw, schrijft *playsdanck*. Vandaar de gedachte, dat het woord betekent: een dank verkregen door iemand te behagen (*plays* by 't Franse plaire 'behagen', waarvan ook *pleizier*).
Nu is een plasdankje vaak zoveel als een heel koel bedankje, terwijl men een be-

loning verwacht.

plat. *Hij krijgt twee platten en een dunne* = hij krijgt helemaal niets.
Verklaring onbekend. Harrebomée zegt: *twee plakken en een dunne*; hij denkt aan *plak*, het oude woord voor duit, en dan zou een penning de dunne zijn.
Maar ik heb nooit anders gehoord dan *twee platten*.

Platonisch. *Platonische liefde* = liefde zonder zinnelijkheid, een verbond der zielen. Genoemd naar de Griekse wijsgeer Plato, 427—347. Hij leerde dat er een zuiver geestelijke wereld bestaat, het rijk der algemene begrippen of ideeen, waarvan de stoffelijke wereld een afschaduwing is.

plechtanker. 1. *Eerbied voor de wet is het plechtanker van de vrije staat* = de toeverlaat, het laatste en beste redmiddel.
Het *plechtanker* van een schip is in letterlijke zin het zware anker, dat in de uiterste nood het schip nog moet houden. (*Plecht* = vóór- of achterdek, vanwaar men dit anker neerlaat.)
2. *Hij ligt voor zijn plechtanker* = *voor zijn laatste anker* = hij is er slecht aan toe, maar mogelijk redt hij het nog. Zie *anker* 3.

pleite. *Hij is pleite* = hij is bankroet. Ook: hij is er vandoor.
Dit laatste is de grondbetekenis: Hebreeuws *peleito* = vlucht.

pleiten. 1. *Pleiten is als varkensslachten* (Fries) = het kan mee, maar ook erg tegenvallen.
2. *Wie pleit om een koe*, zie *koe* 4.

ploeg. 1. *De hand aan de ploeg slaan*, zie *hand* 49.
2. Zie *eggen*.

plompverloren. *Dat zei hij plompverloren* = zo maar, zonder reden, zonder er bij te denken, in 't wilde weg.
Plomp = ruw weg; *verloren* = in 't wilde, in de war.
't Kan ook zijn: verloren als iets, dat met een plomp in 't water valt.

pluim. 1. *Hij kreeg een pluimpje* = een eervolle onderscheiding, een woord van lof. Lett. *Men stak hem een pluim, een veer op de hoed*, nl. als sieraad. Wie tot ridder geslagen was, mocht een pluim op zijn helm dragen.
2. *Pluimstrijken* = iemand vleien, hem naar de mond praten.
Lett. = de *pluimpjes*, de pluizen van zijn kleren strijken; hem oppoetsen. Wellicht ook lett. = iemand aaien met een pluim, strelen met een veer, dus hem zacht en lief behandelen. Misschien een bijbels woord; in ieder geval een woord, bekend gebleven door I *Thessalonicensen* II : 5.
Daar schrijft Paulus: 'wij hebben nooit met pluimstrijkende woorden omgegaan, noch met enig bedeksel van gierigheid.'
3. *Beter één pluimken in de hand als een vogelken dat vliegt* (Vlaams), zie *vogel* 2.

pluis. *Het is daar niet pluis* = niet zuiver; er scheelt wat aan.
Men heeft gedacht aan *pluizen* = *pluisteren*, de *pluizen* wegnemen, schoonmaken, in orde maken.
In 't Fries bestaat nog 't woord *pluus* = zuiver. B.v. in *pluusluden* = het klokluiden van 21 December tot Nieuwjaar, waardoor de lucht gezuiverd werd van de boze geesten.

Pniël. *Pniël* (aangezicht Gods), de naam door Jakob gegeven aan de plaats, waar hij met God geworsteld had; *Genesis* XXXII : 30, 'want zeide hij: ik heb God gezien van aangezicht tot aangezicht.'
Pniël, nu = plaats van nood, waar men redding heeft gevonden.

pocher.
Pochers geen brood,
Klagers geen nood!
In Vlaanderen:
Geeft den stoffer een brood,
De klager heeft geen nood.

poedel. *Hij maakt een poedel* = hij begaat een misslag; zijn poging mislukt geheel.
Uit het kegelspel, waar men van *poedel* spreekt, als men de kegels niet raakt.
Waarom is niet duidelijk.

poeha. *Poeha maken* = drukte maken van een zaak, die 't niet waard is; onnodig spektakel maken.
Vanouds bohay; misschien uit de beide uitroepen *boe*! en *ha!*

poen I. *'t Is een poen* = een lummel, een lompe, brutale kerel, een opschepper.
Misschien Bargoens.

poen II (geld).
Om de poen
Is 't al te doen.
Oorsprong onbekend. Stoett acht het waarschijnlijk de afleiding van 't He-

breeuwse *melech ponem* = koningsgezicht, namelijk de beeldenaar op een munt.

poep. *Je komt van de poep in de pis* (Graafschap) = van de regen in de drup.

poerem. *Maak niet zoveel poerem*; ook: *maak geen jodenpoerem* = geen drukte, geen opschepperij.

Poerem is waarschijnlijk het meervoud van het Hebreeuwse *pur*, gesproken *poer* = het lot, zo als beschreven staat in Esther III : 7. 'In de eerste maand wierp men het Pur, dat is, het lot, voor Hamans aangezicht.' Het lot moest namelijk bepalen, wanneer de slachting der Joden plaats zou hebben. Het boze lot werd door Esther van de Joden afgewend en die maakten 'een dag der maaltijden en der vreugde' (*Esther* IX : 17.).

Zulk een vrolijk feest ter gedachtenis wordt nog alle jaren op de 14e en de 15e Adar, d.i. in Maart, door de Joden gevierd, het Purimfeest.

poes. 1. *Dat is voor de poes* = dat is onherroepelijk verloren, zo als de muis, als de kat hem in de klauwen heeft.

2. *Dat is niet voor de poes* = dat betekent heel wat; dat is niet eenvoudig, niet gemakkelijk. Lett. = dat is geen hapje, dat men voor de poes klaar zet; dat is te goed voor de poes.

3. *Zij was poesmooi* = zij had haar beste spullen aan.

Naar de kat, die zich schoon wast.

4. Als zich de poes zo wast,
Dan komt er wis een gast,
oud volksgeloof.

poespas. *Dat is poespas* = a. ratjetoe; dooreengemengde spijzen; b. rommel; c. drukte.

't Woord heeft noch met *poes*, noch met *pas* te maken. Het bestaat uit twee klanken, die het mengelmoes moeten aanduiden, zo als blijkt uit het Groninger woord *koeskas* met dezelfde betekenis.

poets. *Iemand een poets bakken* = hem een loer draaien, hem een kool stoven. *Poets* = *bootse*, oud woord voor bult, knop, ding van weinig waarde. Vandaar = grap, gekheid.

pof. *Iets op de pof kopen*, zonder dadelijk te betalen. Pof = slag. Stoett neemt als oorspronkelijke betekenis aan: op goed geluk kopen, zoals men ook zegt: ergens een slag naar slaan. En van dit woord pof ook *poffen* = 1. op krediet kopen; 2. iem. krediet verlenen.

polonaise. *Aan mijn lijf geen polonaise!* = ik moet er niets van hebben; ik bedank er feestelijk voor.

Men denkt, dat dit nieuwe gezegde een schertsende opmerking is, waarbij men aan de Poolse dans denkt, die algemeen bekend is. De uitdrukking is echter ontleend aan een nu weer vergeten *polonaise*, nl. een japon met lange schoot.

pols. *Iemand de pols voelen* = hem *polsen* = onderzoeken, hoe het staat met zijn kennis, met zijn bedoelingen, met zijn plannen.

Naar de dokter, die een zieke de pols voelt.

polsen. *Iemand polsen* = zijn kennis, zijn bedoeling, zijn plan onderzoeken.

't Woord kan een afleiding zijn van *pols*; zie daar. Maar 't kan ook zijn: de diepte van een water onderzoeken met de polsstok.

polsstok, 1. zie *springen;* 2. zie *klei;* 3. *hak* 8.

Polykrates. *De ring van Polykrates* = het zinnebeeld van het wankele der fortuin.

Polykrates, van 535—522 tyran van 't Griekse eiland Samos, rijk en voorspoedig in al zijn ondernemingen. In zijn overmoed wierp hij zijn ring in de zee, het kostbaarste wat hij bezat. Zo min als hij die ring ooit zou weerzien, zo min zou hem kwaad overkomen.

Maar hij zag zijn ring terug; die was in de maag van een vis geraakt. En het ongeluk bleef niet uit: hij werd ter dood gebracht door de Perzische satraap Orontes.

Deze zelfde overlevering staat ook op naam van het Vrouwtje van Stavoren.

pompen. *Pompen of verzuipen* = zijn alleruiterste best doen, omdat men anders te gronde gaat.

Ontleend aan een lek schip.

pond. 1. *Acht pond* = acht dagen provoost. Kazernetaal. Iedere dag had de gevangen soldaat recht op een pond brood.

2. *Hij krijgt het volle pond* = hij krijgt alles wat hem toekomt; men zal hem niet tekort doen.

3. *Met een pond verdriet kunt ge geen ons schuld betalen* (Gezelle); berouw komt steeds te laat.

pontificaal. *In pontificaal* = in de mooiste kleren; in ambtsgewaad; in 't staatsiekleed. Lett. in het kleed van de *pontifex*, de Romeinse opperpriester.

Pontius. *Iemand van Pontius naar Pilatus sturen* = iemand heen en weer laten lopen, zonder dat hij zijn doel kan bereiken; hem van 't kastje naar de muur sturen.

De uitdrukking is niet nauwkeurig; immers Pontius en Pilatus zijn dezelfde persoon. In Lucas XXIII : 7 staat, dat Pilatus Jezus zond naar Herodes, die ook zelf in die dagen binnen Jeruzalem was. En in vers 11: 'Herodes met zijn krijgslieden, Hem veracht en bespot hebbende, deed Hem een blinkend kleed aan en zond Hem weder tot Pilatus.'

poolshoogte. *Poolshoogte nemen* = nagaan, hoe het met een zaak gesteld is. Zeemansuitdrukking: de poolster wijst aan, op welke breedte zich het schip bevindt. De poolshoogte komt overeen met de breedtegraad.

poort. *De poorten van de hel*, zie *hel* 3.

poot. 1. *Wij moeten poot-aan spelen* = wij moeten werken, zo hard wij kunnen. Lett. wij moeten *de poot* aan 't werk slaan.

2. *Op de (zijn) poot spelen* = razen, schelden, iem. voor alles en nog wat uitmaken. Oorsprong onbekend. Men denkt wel aan *poot* = hand, en dan schertsend: iem. een slag met de hand geven; fig. iem. uitmaken. In Groningen met dezelfde betekenis: *op de klomp spelen.*

3. *Hij stond op zijn achterste poten* = hij wou er in zijn drift niets van weten; hij verzette zich driftig.

Van een paard, dat steigert.

4. *Dat staat op poten* = dat geschrift, die brief is goed en zakelijk gesteld.

5. *Dat komt op zijn poten terecht* = dat loopt nog weer goed af.

Van een kat, die bij een val altijd op zijn poten neerkomt.

6. *Hij ging er op hoge poten op af* = hij ging er heen met een groot gevoel van eigenwaarde; hij ging er op af, om iem. eens goed de waarheid te zeggen.

Dan lijkt het net, alsof iemand hoog op zijn benen staat.

7. *Met hangende pootjes* = nederig; gedwongen om toe te geven.

Van een hond, die opzitten moet.

8. *Het pootje hebben* = lijden aan *podraga*, d.i. voetjicht.

9. *Hij wil vijf poten aan een schaap hebben* = hij is met zijn redelijk aandeel niet tevree.

pop. 1. *Daar heb je de poppen aan het dansen!* = nu is de ruzie aan de gang. Naar het spel van Jan Klaassen, het poppenspel.

2. *Een pop* = een gulden. Waarschijnlijk naar het borstbeeld.

3. *Een pop op straat, een slons in huis* (Vlaams) = een modepop is wel eens een slordige huisvrouw.

positief. *Hij was goed bij zijn positieven* = hij wist goed, wat hij deed.

Uit: hij wist *positief* (stellig) wat hij deed. Stoett echter wijst op het F. woord *positif* = bewijsmiddel bij een proces.

pot. 1. *Ze eten uit de pot van Egypte* = zij eten mee met het huisgezin; ze behoeven voor hun eten niet te betalen.

De kinderen Israëls zeiden tot Mozes en Aäron: Och, dat wij in Egypteland gestorven waren door de hand des Heren, toen wij bij de vleespotten zaten, toen wij tot verzadiging brood aten! (Exodus XVI : 3.)

2. *De pot verwijt de ketel, dat hij zwart is* = de een verwijt de ander een ding, waaraan hij zelf ook schuldig is.

3. *Er is geen pot zo scheef, of er past wel een deksel op* = ook het lelijkste meisje krijgt nog wel een man. In Groningen:

3a. *Scheve pot, schillig deksel.*

4. *Kleine potjes hebben ook oren* = men moet geen dingen vertellen, waar kinderen bij zijn, die er nog niets van moeten weten.

Kleine potjes hebben oren;
Kunnen ze niet zien.
Ze kunnen toch wel horen.

5. *Hij kan er een potje breken* = hij mag daar wel wat doen, wat men van een ander niet goed zou vinden. Zie *kind* 15.

6. *In de kleinste potjes zit de beste zalf*, troost voor iemand die maar klein van stuk is. Men wil er mee zeggen, dat zo iemand toch wel heel geestig, heel verstandig, heel flink en bekwaam kan zijn.

7. *'t Is een raar poteten* = een wonderlijke snaak.

Poteten = stamppot.

8. *'t Is één pot nat* = 't is net zo (een) en 't is niet veel bijzonders.

9. *Hij is zo dicht als een pot* = hij laat niets uit; bij hem is een geheim veilig bewaard.
10. *Daar staat een pot te vuur* = daar wordt wat kwaads gebrouwen. Of in 't algemeen: daar wordt wat bijzonders voorbereid.
11. *'t Is de geschiedenis van de aarden pot en van de ijzeren pot* = als een arme man en een rijke man geschil hebben, dan verliest de arme.
Zo als bij 't botsen van een metalen pot tegen een stenen pot, de stenen pot in scherven ligt.
12. *'t Is potjeslatijn* = 't is onverstaanbare geleerdheid.
Zo was ook het Latijn op de zalfpotjes van de marskramer voor de boeren en burgers onbegrijpelijk. Zie *kremer*.
13. *Als de pot kookt, dan bloeit de vriendschap* = die zijn gasten onthaalt, heeft veel vrienden. (Vlaams.) Zie *Johannes*.
14. Wordt ge begrimd,
't Is van 'nen zwarten pot;
Wordt ge beschimpt,
't Is van 'nen dwazen zot,
Vlaamse rijmspreuk. Een zwarte pot maakt iemand vuil en zo wordt men door een zot beschimpt; trek het je niet aan, hij kan niet anders, hij is niet wijzer.
Begrimmen = vuil maken.
15. *Die de pot breekt, betaalt de scherven* (Vlaams), die de schade aanricht, moet betalen.
16. *Die aan alle potjes en pannetjes likt, krijgt splinters in de tong* (Fries) = wie op ieder en een wat aan te merken heeft, die krijgt op den duur zijn trekken thuis.
17. *De pot gaat te vuur* = schik maar mee aan, er kan nog wel iemand bij aan tafel.
18. *Hij heeft de pot verteerd* = hij heeft het geld opgemaakt, (maar zijn doel niet bereikt).
De pot is hier de kas van een vereniging.
19. *Zo vol als een potje met peren.*
Men heeft wel aan *pieren* gedacht in plaats van *peren*.
20. *Daar staat een potje op 't vuur* = daar staat nog iets te wachten, daar is men doende; vooral ook: daar is vrij zeker wat te erven.
potdeksel. *Hij moet voor potdeksel dienen* = hij zal trouwen met het meisje, dat van een ander zwanger is; *hij moet de pot dekken.*
praaien. *Iemand praaien* = hem aanspreken, als men hem tegenkomt.
Zeemansuitdrukking. Wanneer men op zee een ander schip ontmoet, vraagt men door de roeper naar 't bevind van zaken; dan praait men dat andere schip.
praam (neusknijper). *Iemand een praam op de neus zetten*, zie *bril* 1. In Goeree: *hem een prange op de neus zetten* (Den Eerzamen).
praat. *Van praat komt praat* = als men eenmaal wat losgelaten heeft, dan vertelt een ander het weer verder en wordt het ruchtbaar.
praatje. 1. *Praatjes vullen geen gaatjes* = *doen is een ding.*
2. *'t Is een praatje voor de vaak* = 't is een praat zonder betekenis. Lett. om te maken, dat men niet in slaap valt.
3. Geen praatje zo groot,
't Bloedt in acht dagen dood,
troost voor iemand, van wie allerlei verteld wordt, dat minder aangenaam voor hem is. Na een week praten de mensen weer over wat anders. In Groningen gaat het nog gauwer, daar luidt het spreekwoord:
't Grootste mirakel duurt maar drie dagen. Ook bij Van Meurs:
4. *Een stadspraatje duurt maar drie dagen.*
praatstoel. *Hij zit op zijn praatstoel* = hij zit echt op zijn gemak honderd uit te vertellen.
pracht.
Grote pracht,
Weinig macht,
Vlaamse rijmspreuk. Wie zich groot en voornaam voordoet is veeltijds kaal en berooid. Zie ook *gemoed*.
praten. 1. *Zij kan praten en breien* = zij kan twee dingen tegelijk doen; zij is flink en bijdehand. In Holland op rijm:
Praten en breien,
Zeggen de meisjes van Leien.
3. *Praten en vult de buik niet* (Gezelle), zie *praatje* 1.
prater. *'t Moet al een prater wezen, die een zwijger overtreft.* Zie *spreken* 2.
pree. *Dat heeft de pree* = dat gaat voor, dat is de beste. *Pree*, afkomstig van *preferentie* = voorkeur.
preek, zie *gebed*.
priem. *Zij houdt de priemen vast en laat de kom vallen* (Fries) = zij zorgt voor de kleinigheden, maar niet voor de din-

gen, waar het op aan komt. *Priemen* = breinaalden.

prik I. 1. *Dat gaat boven mijn prik* = a. 't is mij te duur; b. daar is mijn verstand te klein voor.
Lett. dat gaat hoger dan ik prikken kan. Bij Boekenoogen komt *prik* voor als oude naam voor aandeel in de hoofdelijke omslag; hij deelt mee, dat dit aangeduid werd door een prik in een kerfstok. Uit dit begrip ontwikkelde zich de betekenis van prijs, die men besteden wil. Vandaar: 't gaat boven mijn prik. Walch zegt, dat een *prik* een kleine Middeleeuwse munt was.
2. *Dat weet hij op een prik* = hij weet het haarfijn. Lett. = zo dat het nauwkeurig is tot op de breedte van een prik. Of, als Walch gelijk heeft, dan weet hij het op een kleinigheid na.

prik II (vis). *Men moet de prikken levend houden* = zorgen, dat de zaken voortgang hebben. De prikken dienen als aas bij de vangst van kabeljauw.

prikje. *'t Kost maar een prikje* = een kleinigheid.
Prikje = *sprikje*, houtje, takje; dus een kleinigheid. Misschien ook een munt; zie *prik* I, 1.

prins. 1. *Hij heeft de prins gesproken* = hij heeft te veel gedronken.
Misschien uit de tijd van de grote landjuwelen, de rederijkersfeesten; aan het hoofd van een kamer stond een *prins*. Misschien ook van de gildefeesten.
't Kan ook zijn, dat men gedacht heeft aan de inhaling van een vorst of prins. Ook heeft men wel vermoed, dat met de prins het uithangbord van een herberg bedoeld is.
2. *Hij weet van de prins geen kwaad* = hij weet van de hele zaak niets af; hij is argeloos.
Misschien nog uit de tijd van de Prins van Oranje, van wie men geen kwaad wou weten. Volgens Tuinman had Broer Kornelis, een R.K. prediker, op de preekstoel zijn gal uitgebraakt tegen de Prins; maar uit vrees veranderde hij plotseling van toon en zei hij: ik ben blij, omdat ik van de Prins geen kwaad gezegd heb.
3. *Vest op prinsen geen vertrouwen* = men moet zijn toevlucht niet nemen tot mensen, ook tot de allerhoogsten niet; men kan alleen op God vertrouwen.
Bijbelse spreuk. 'Vertrouwt niet op prinsen, op des mensen kind, bij hetwelk geen heil is.' (*Psalm* CXLVI : 3.)
4. *Hij is met de Prins over de Maas geweest* = hij heeft al heel wat meegemaakt en hij heeft zich door alle moeilijkheden heengeslagen.
De Prins van Oranje trok in 1568 op naar Nederland met een in Duitsland geworven legertje. De grote moeilijkheid daarbij was, om over de Maas te komen, daar Alva de brug bij Maastricht bezet hield. Toch gelukte de overtocht; het leger trok bij Stokkem bij lage waterstand door de Maas, tot grote verbazing van Alva.

proberen. *Proberen is 't naaste recht* = men kan het beproeven; dat is 't eerste wat men doen kan.

proces.
Processen, duister en lank,
Zijn der advokaten spijs en drank
(Vlaams), zie *advokaat* en *koe* 4. Die wint, houdt nog een hemd; die verliest, is naakt. Zie ook *stijfkop*.

Procrustes. *Dat is een Procrustesbed* = daar maakt men de zaken met geweld pasklaar. Procrustes was een rover op de landengte van Korinthe, die de reizigers op een bed legde en de kleinen uitrekte en de groten kleiner maakte.

proef. 1. *Iemand op de proef stellen* = onderzoeken, hoe 't met hem gesteld is, wat zijn eerlijkheid en goede trouw, zijn ijver en vlijt, zijn deugd, in één woord zijn karakter betreft.
Lett. gezegd van het onderzoek van 't gehalte van edele metalen.
2. *Zijn proefstuk leveren* = bewijzen, dat men bekwaam is.
Uit de gildentijd: de gezel werd pas meester door 't leveren van een proefstuk.
3. *De proef op de som nemen* = nagaan of iets wel goed uitkomt. Uit de school.

profeet. 1. *'t Is een broodetende profeet* = een profeet die de toekomst niet kent.
Ontleend aan de hatelijkheid van Amazia tegen Amos:
Gij Ziener, vlied in het land Juda, en eet aldaar brood en profeteer aldaar (Amos VII : 12).
Misschien wil de uitdrukking echter alleen maar zeggen, dat men van een echte profeet geen gewone menselijke dingen kan verdragen als het eten van brood. In overeenstemming daarmee:

2. *Een profeet wordt in zijn eigen land niet geëerd* = men erkent wel de verdiensten van een vreemde, doch wil vaak van eigen verdienstelijke mannen niet veel weten.
De uitdrukking is bijbels; in Lukas IV : 24 zegt Jezus, dat geen profeet aangenaam is in zijn vaderland.
Zie ook *dominee* 3.
3. Zie *Mozes* 2.
4. *Profetenmantel*, zie *mantel* 5.
profijt.
Men bemerkt op dezen tijd,
Dat elk is uit op zijn profijt,
Vlaamse rijmspreuk. Ieder heeft altijd zijn eigen belang in het oog.
pronk. *Iemand te pronk stellen* = hem in 't openbaar zijn fouten verwijten en hem aldus blootstellen aan het minder gunstig oordeel van 't publiek.
Ontleend aan de oude gewoonte, dat iemand veroordeeld werd, aan een schandpaal, aan de kaak, te kijk gezet te worden.
Zie *kaak* en *schandpaal*.
pronker. Grote pronker,
Kale jonker
(Vlaams), zie *pracht*.
prop. 1. *Iemand weer op de proppen helpen* = hem op de been helpen.
Prop is namelijk een oud woord = stut, vandaag fig. = been. Zo ook:
2. *Kom er maar mee op de proppen* = kom er mee voor den dag; wat heb je te vertellen? En:
3. *Kom maar op de proppen* = kom te voorschijn; kom maar bij ons in 't gezelschap.
pruik. 1. *Hij heeft de pruik weer op*, zie *bok* 2.
Aan de wijze, waarop men zijn pruik droeg, meende men op te merken, hoe iemands humeur was.
Letterlijk: *hij heeft de pruik scheef op* = hij is uit zijn humeur.
2. *De Pruikentijd* = het verre verleden. Bv. Dat is nog iets uit de Pruikentijd. De Pruikentijd is de tijd vóór de Grote Franse Omwenteling; toen was de pruik bij de deftige dames en heren algemeen in de mode.
pruikenmaker. *Hij heeft het zo druk als een pruikenmaker met één klant*, schertsend gezegde, als iemand heel veel drukte maakt, terwijl hij maar weinig te doen heeft. Ook: hij is altijd in de weer, maar hij brengt niets tot stand.
pruim. 1. *Een pruimemondje* zegt men dat iemand trekt, als hij gemaakt spreekt, als hij (of zij) te deftig is, om gewoon te praten. *Dan is 't net, of men pruim wil zeggen.*
2. *De rijpste pruimen zijn geschud* = 't meeste van de oogst is binnen; 't voornaamste van de opbrengst is al in veiligheid; wat er overblijft, is maar nalezing, net zo als de rijpste pruimen het eerst vallen, als men aan de boom schudt. Ook: a. de grote vriendschap begint te verkoelen; b. de krachten beginnen te verminderen; c. er is niet veel meer te halen.
3. *Zij kan wel op een pruimesteen draaien* = zij loopt met heel kleine pasjes; 't is een nuf.
4. *Zeg eens pruim en hou de mond dicht* = men moet het onmogelijke niet eisen.
prijzen. 1. *Die wilt geprezen worden, moet sterven* (Vlaams) = zo lang men leeft, wordt men niet geprezen; maar als men maar eerst dood is, dan hindert een woord van lof niet meer.
2. *Ik zal je prijzen in alle kerken, daar geen volk in is*, schertsend, wanneer iemand een prijsje verdient.
3. Men can 't soo niet maecken,
Of d'een sal 't prysen, d'ander 't laecken.
puf. *Daar heb ik geen puf in* = geen lust in. Van *puffen* = blazen; wie puf heeft, zet een hoge borst op, toont zich flink, pakt een zaak stevig aan.
puik. *'t Was allemaal puik* = van 't beste. Misschien van *puyck*, de naam van 't beste laken. Maar 't kan ook wel zijn, dat dit laken juist die naam had, omdat het 'puik' was.
puisje. *Een puisje vangen* = deurtje schellen. Misschien, zegt Stoett, van *puis* = *poes*, dus voorgeven, dat men een poes gevangen heeft. Een poes werd gevangen en aan het schellekoord opgehangen (II, 561).
puit. 1. *Smijt ge 'nen puit buiten, ge krijgt een padde in de plaats* (Vlaams), zie *hond* 37 en *pissebed*.
Puit is het Vlaamse woord voor kikker.
2. *Men kan geen puit vlaan, daar 't vel af is* (Gezelle) = zie *luis* 1 en *keizer* 3. *Vlaan* = villen.
punt. 1. *Je kunt er een punt aan zuigen* = je kunt beproeven, er een reden voor op

te geven; misschien kun jij je er nog uit redden.
De *punt* is dan het goede einde van 't verhaal; men heeft wel aan het Franse woord *pointe* gedacht = de geestigheid, waar het op aankomt. En dan is verder de uitdrukking gevormd onder invloed van: *iets uit zijn duim zuigen.*
2. *Hij zet de puntjes op de i* = hij is heel nauwkeurig in zijn redenering; hij geeft voorschriften tot in bijzonderheden; hij zegt precies, waar 't op aankomt.
3. *Alles was er in de puntjes* = keurig in orde, tot in de kleinigheden.
4. *Hij stond op het punt, om ja te zeggen* = hij was er bijna aan toe.
Punt = tijdstip, ogenblik.
5. *Als puntje bij paaltje komt* = als het er op aankomt; als het ogenblik van handelen gekomen is.
Lett. = als het puntje op het paaltje (de letter i) gezet wordt.
put. 1. *Hij zit weer in de put* = a. hij is neerslachtig; b. hij is in verlegenheid; zijn geld is op.
Van 't ganzenbord: wie in de put zit, moet wachten tot hij verlost wordt.
2. *Wie voor een ander een put graaft, valt er zelf in*, zie *kuil.*
puthaak. *Zij zijn over de puthaak getrouwd* = zij leven samen zonder getrouwd te zijn. De put bevindt zich bij de woningen op het land buitenshuis, dus in de vrije natuur. De betekenis kan dus zijn: ze zijn samen gaan leven zonder enige andere plechtigheid dan dat ze over de puthaak stapten. Dit is de steel met haak, waaraan men een emmer water uit de put ophaalt.
Waling Dijkstra vertelt, dat onder polderjongens gebruik is, dat bruid en bruidegom werkelijk over de puthaak stappen bij die gelegenheid en dat dan een paar oudere poldergasten daarbij de haak vasthouden.
Dit zal dan zijn, omdat eenmaal die uitdrukking bestaat en men de zaak aldus zinnebeeldig voorstelt.
putlut. *Wat een putlut!* = wat een kouwe drukte, wat een kleingeestigheid.
'Morenland, en Put, en Lud, en al de gemengde hoop, en Cub, en de kinderen van het land des verbonds zullen vallen door het zwaard.' (Ezechiël XXX : 5.)
De voorlezing van dit bijbelvers maakt de indruk van iets druks en geeft toch niet veel voor de hoorder. (Laurillard, 22.)
Harrebomée achtte het gezegde ontleend aan de zeekapitein *Pieter Lut.*
pijl. 1. *Hij heeft meer pijlen op zijn boog*, zie *boog* 2 en *pees.* Ook:
1a. *Hij heeft meer pijlen in zijn koker.*
2. *Hij heeft al zijn pijlen verschoten*, zie *kruit* 1.
3. *Hij vliegt als een pijl uit de boog* = zo hard hij maar lopen kan.
pijn. *'t Is de pijn niet waard* = het is de moeite niet waard. In dat gezegde is er geen sprake van *pijn*, doch van 't Middelnederlandse *pine*, L. *pena*, F. *peine* = moeite.
pijnappel. *'t Scheelt hem in de pijnappel* = hij is niet goed wijs. De pijnappel is de torenspits met bolvormige versiering. Uit het Frans: *pinacle* = top.
pijnbank. *Iemand op de pijnbank leggen* = hem het leven lastig maken, b.v. door vragen, die hij niet graag beantwoorden wil of door hem in onzekerheid te laten, wat zijn verder lot zal zijn.
pijp I. *Hij zal een lelijke pijp roken* = hij zal straf, moeite, onaangenaamheid ondervinden.
pijp II (buis). 1. *Eén valse pijp bederft het ganse orgelspel* (Vlaams) = één onwillige, één verkeerde in 't gezelschap maakt, dat het werk, de gezelligheid, de vreugde bedorven wordt.
2. *Wie in 't riet zit, kan pijpjes maken.*
Pijpjes = fluitjes. *Wie in 't veen zit, ziet op geen turfje.* Ook: *Van een andermans leer is 't goed riemen snijden.*
3. *Hij houdt zijn pijpen in de zak* = hij wacht zijn beurt af, om zich te laten gelden. De *pijpen* zijn de fluiten van de *pijpzak*, een ouderwets muziekinstrument, nu lang vergeten, zodat men nu denkt, dat men de fluit in de zak houdt, er niet mee voor den dag komt.
pijpen. 1. *Naar iemands pijpen dansen* = handelen naar de wens van een ander. Lett. = dansen naar *het pijpen* (het fluiten) van een ander.
Volgens Laurillard misschien een bijbelse uitdrukking, naar aanleiding van de kinderkens op de markt, die hun gezellen toeroepen: 'Wij hebben u op de fluit gespeeld en gij hebt niet gedanst.' (Matth. XI : 17.)
2. *Elke pijper heeft zijn deuntje* (Gron.) = ieder zegt het op zijn eigen manier;

ook = elk praat zijn schoonste, om zich te verontschuldigen.
3. Zo als de ouden zongen
Piepen de jongen,
zie *oud* 4.

Pyrrhus. *Een Pyrrhus-overwinning behalen* = deze keer nog overwinnen, maar met de zekerheid dat men het de eerstvolgende maal zal verliezen.
Pyrrhus was koning van Epirus in Griekenland. Hij versloeg in 279 v. Chr. de Romeinen bij Asculum, doch hij verloor daarbij zoveel volk, dat hij 't onderspit moest delven, zodra de Romeinen met een nieuw leger terugkwamen.

Q

quintessens. *Dat is de quintessens* = de ware betekenis, de echte bedoeling, de hoofdzaak. De *quinta essentia* (de vijfde stof) was volgens de oud-Griekse wijsgeren het vijfde element, namelijk de ether. Zie *element*.

qui vive. *Wees op je qui-vive!* = op je hoede.
Qui vive is de uitroep van de Franse schildwacht, als hij onraad bespeurt; lett. = is daar iemand die leeft? In 't D. enkel: *werda?* = wie daar?

R

raad. 1. *Goede raad is duur* = 't is moeilijk raad te krijgen, die ter zake dient.
2. Snelle raad
Doet zelden baat,
Vlaamse spreuk. Wie al te gauw klaar is met zijn oordeel, die is geen goede raadsman.
3. *Liever één goede raad als veel zakken raads* = als men in moeilijkheden verkeert, heeft men niets aan de raad van Jan en alleman; dan komt het op de raad van één wijs man aan, want
4. *Veel raad weinig baat*, en
5. *Allemans raad is allemans zot* (Vlaams) = die naar de raad van iedereen luistert is wel heel dwaas.
Maar ook:
6. Die niet hoort naar goede raad,
Beklaagt het hem te laat.
Doch:
7. Raad na daad
Komt te laat.
8. Die niets doet zonder raad
Klaagt nimmer na de daad,
Vlaamse rijmspreuk. Die niet handelt dan nadat hij verstandige mensen geraadpleegd heeft, in 't algemeen: die handelt na grondige voorbereiding, schikt zich er in, als hij toch niet slaagt in zijn onderneming.
9. Wijze raad
Is halve daad
(Vlaams), wie de raad van een wijs man volgt, is al half geholpen.

raaf. 1. *Dat is een witte raaf* = dat is een heel grote zeldzaamheid.
Ontleend aan 't Latijn: *corvus albus* = witte kraai; ook *rara avis* = zeldzame vogel.
2. *Al zouden de raven het uitbrengen* = gezegde waarmee men te kennen geeft, dat een geheim, vooral een misdrijf, toch aan het licht komt.
Reeds bij de Romeinen kwam de raaf voor als de aanbrenger van geheimen.
Bij de Germanen brachten twee raven Hugin en Munin (gedachte en herinnering) alles wat ze zagen over aan Odin, de hoofdgod (Wodan).
Laurillard acht het ook mogelijk, dat men te denken heeft aan *Prediker* x : 20, al is daar de opvatting dat men voorzichtig moet zijn met zijn woorden:
'Vloek de koning niet, zelfs in uw gedachten, en vloek de rijke niet, zelfs in het binnenste uwer slaapkamer; want het gevogelte des hemels zou de stem wegvoeren, en het gevleugelde zou het woord te kennen geven.'
3. *De raven zullen je geen brood brengen* = je moet werken, om de kost te verdienen.
Toespeling op de profeet Elia, die tot koning Achab ging, om hem grote droogte te voorspellen en die zelf door God gezonden werd naar de beek Krith bij de Jordaan:
'En de raven brachten hem des morgens brood en vlees, des gelijks brood en vlees des avonds.' (1 *Kon.* XVII : 6.)
4. *Ze stelen als raven.* De raven hadden de naam, dat ze alles wegkaapten wat

blinkend was.
5. *Kweekt een rave en zij pekt uw ogen uit* (Gezelle) = ondank is 's werelds loon.
raap.
1. Eerst een raap
En dan een schâap,
En dan een koe,
Zo gaat het naar de galg toe,
een dief leert bij kleintjes stelen.
2. *Nu zijn de rapen gaar* = 't is zo ver, kom maar op!
Nu is 't genoeg, de maat is vol, laat ons het nu maar eens uitvechten!
3. *Rapen is een edel kruid*, zie *rapen*.
raband, schipperswoord voor een kort eindje bindtouw.
Vandaar: *geen raband* = geen zier, geen kruimel. B.v. Ik heb er geen raband van gekregen.
Rachel. *'t Was maar een Racheltjesbruiloft* = 't was een feestje, dat niets te betekenen had; het was een pover onthaal.
Laban gaf eerst zijn oudste dochter Lea aan Jakob tot vrouw. En hij verzamelde alle mannen dier plaats, en maakte een maaltijd (Genesis XXIX : 22).
Maar het was Jakob om Rachel, de jongste te doen, en die kreeg hij ook, maar er staat enkel: Toen gaf hij hem Rachel, zijn dochter, hem tot een vrouw (vers 28). Maar daar is geen sprake van een feestmaal.
rad. 1. *Iemand een rad voor de ogen draaien* = iem. wat wijs maken; iemand beletten de ware toedracht van een zaak te onderkennen.
Lett. = maken dat het net is, alsof er een rad voor zijn ogen draait, zodat hij niets meer kan onderscheiden.
2. *Hij is daar 't vijfde rad aan de wagen* = hij hindert anderen, die het werk doen. Op zijn minst: hij is er bij, maar hij kan beter gemist worden.
3. *Hij groeit op voor galg en rad*; zie *galg* 2.
4. *'t Slechtste rad maakt het meeste geraas* = de dommen voeren het hoogste woord.
5. *Zo draait het rad van avontuur* = zo wisselen de omstandigheden; wie rijk is, kan arm worden en omgekeerd; de fortuin is grillig.
De Romeinse godin Fortuna, de godin van het lot, werd afgebeeld als staande op een bol: wat onder ligt, kan boven komen. Zo is het ook met een wentelend rad.
6. *Die geen raden hebben wil, kan geen wagen krijgen* = wie niet naar raad wil luisteren, die zal 't niet ver brengen (Gron.).
Woordspeling met *raden* = wielen en *raden* = raad geven.
In de *Proverbia communia* twee spreekwoorden met dezelfde zin:
a. *Die men ghesegghen can, die mach men raden*, en
b. *Die men raden mach, mach men helpen* = kan men helpen.
7. *Hij draait het rad* = hij is de *raddraaier*; zie daar.
8. *Dat is een rad uit de wagen* (Gron.) = een streep door de rekening.
radbraken. *Een taal radbraken* = slecht spreken; ook veel fouten maken bij zijn spreken.
De uitdrukking herinnert aan de oude lijfstraffelijke rechtspleging, waarbij de veroordeelde op een balk werd gebonden en de beul hem armen en benen stuk sloeg. Zie *genadeslag*. In de Gevangenpoort is die zware balk nog aanwezig, met daaraan bevestigde zijbalken voor de armen en benen. Maar vanouds sloeg men de ledematen stuk niet met een stang, doch door er met een zwaar rad op te stampen. Daarna werd het lichaam door de spaken van een rad gevlochten (Frederiks, *Strafrecht* I, 385.)
Op het rad werden veroordeelden gebonden, om door de vogels gegeten te worden. Levende veroordeelden werden *geradbraakt* met een rad, zoals dat nog in de 5-hoekige toren van Neurenberg te zien is, met een ijzeren rand in de vorm van een mes. Dit zware rad werd over veroordeelden gerold, waardoor hij tussen klampen ingeperst werd en gekorven.
Vandaar: 2. *Ik voel mij geradbraakt*, ik ben uiterst vermoeid.
raddraaier. *Hij is de raddraaier* = hij is de voornaamste bewerker van 't oproer; hij is de aanstoker.
Lett. degene die in de lijnbaan het rad draait.
raden. 1. *Raad mij goed, maar raad mij niet af* = gezegde, als iem. om raad vraagt, die toch wel weet wat hij doen zal.
2. *Die niet te raden is, is niet te helpen* =

die naar geen goede raad luisteren wil, moet zelf de gevolgen maar dragen. Ook:
3. *Die geen raden hebben wil, die kan geen wagen krijgen.* Zie *rad* 6.
rak. *Dat was een rak in de wind* = dat was een moeilijk werk, dat was moeilijker dan men gedacht had, dat was tegenspoed. Een *rak* is een recht eind van een kanaal of rivier. Dus lett. = een eind, waar het schip *in de wind*, d.i. tegen de wind zeilt.
rakker. *'t Is een eerste rakker* = een die nergens toe deugt, een schelm; ook = een echte kwajongen.
Lett. = de knecht van de beul; ook sprak men van *de schout en zijn rakkers*. Niet van *rekken*, gelijk men wel heeft gedacht, doch van *rakken* = schoonmaken. De rakker moest de vuile boel opruimen. Het woord *rakken* is o.a. in Groningen nog springlevend. Ook spreekt men daar nog altijd van *rakkersraif*, d.i. slecht gereedschap, letterlijk: rakkersgereedschap. Ook een gescheurd of beschadigd kopje heet zo; aan de rakkers zette men geen heel kop en schoteltje voor.
rapen. 1. *Rapen is een edel kruid*, woordspeling met *rapen* = knollen en met *rapen* = overal geld uit slaan, zich verrijken, schrapen.
Bij Tuinman op rijm:
2. Rapen is een edel kruid,
Al de wereld is om rapen uit.
rat. 1. *Een oude rat in de val*, zie *rot*.
2. *De ratten verlaten het zinkende schip* = nu het met de zaak verkeerd loopt, zoekt men een goed heenkomen.
Volgens het volksgeloof weten de ratten van te voren, dat een schip naar de grond zal gaan en zien ze zo spoedig mogelijk weg te komen.
3. *Een kale rat* = een man zonder geld, vooral iemand die zijn geld heeft opgemaakt.
Jonge ratten zijn helemaal kaal, maar ook oude ratten verliezen wel hun haar.
rats. *Hij zit in de rats* = hij zit in de benauwdheid.
Rats = *ratjetoe*, F. *ratatouille* = stamppot van aardappels met groente; kazernetaal. Men denkt aan iets, dat nat en dun is; zo ook: *in de soep zitten*.
ravenaas. *'t Is een ravenaas* = een doortrapt gemene vent.
't Gezegde is bezig te verouderen, nu er geen raven en geen galgen meer in 't land zijn. 't Lijk van de gehangene was aas voor de raven.
recht I. 1. *Zij leven recht en slecht*, zie *slecht*.
2. *Recht door zee gaan* = eerlijk te werk gaan; niet met streken omgaan. Zeemanswoord.
recht II. 1. *'t Hoogste recht is 't hoogste onrecht* = als men de wet letterlijk toepast, komt men soms tot grote onrechtvaardigheid.
Vertaling van een L. spreuk.
In 't Fries heet het:
2. *Streng recht is geen recht.*
rechter. 1. *Er zijn nog rechters in Berlijn* = de rechter zal rechtvaardig oordelen. Volgens overlevering was dit het antwoord van de molenaar van Sanssouci bij Potsdam, toen koning Frederik de Grote van Pruisen zich van zijn molen wilde meester maken.
2. *Waar geen klager is, is geen rechter*, zie *klager* 2.
rechterhand. *De rechterhand mag niet weten wat de linkerhand doet* = als men een goede daad verricht, moet men dit niet doen om van de mensen gezien te worden.
Matth. VI : 3 zegt: als gij aalmoes doet, zo laat uw linkerhand niet weten, wat uw rechter doet, opdat uw aalmoes in het verborgen zij.
rechtvaardig. *Wees niet al te rechtvaardig* = wees een beetje toegevend; beoordeel de zaken niet met strengheid, doch neem de billlijkheid in acht; sta niet te zeer op je recht.
Bijbelse uitdrukking. 'Er is een rechtvaardige, die in zijn gerechtigheid omkomt; daarentegen is er een goddeloze, die in zijn boosheid zijn dagen verlengt. Wees niet al te rechtvaardig, noch houd u zelven al te wijs.' (*Prediker* VII : 15, 16.)
rederijker.
Rederijkers,
Kannekijkers!
Vanouds hadden de rederijkers de naam, dat er in hun bijeenkomsten stevig gedronken werd.
reef. 1. *Men moet wel eens een reefje inbinden*, ook enkel: *men moet wel eens inbinden* = men moet toegeven naar omstandigheden.
Zo als een schipper een rif in 't zeil moet

leggen bij te sterke wind.
Zo ook:
2. *Een reef in 't zeil leggen* = zijn uitgaven verminderen; niet meer zulk een hoge staat voeren.
regen. 1. *Na regen komt zonneschijn* = na tijden van nood komen weer betere dagen.
2. *Hij kwam van de regen in de drup* = hij had het slecht, maar nu kreeg hij 't nog veel erger.
Misschien is *drup* hier de drup van de dakgoot.
3. *Als 't op de een regent, drupt het op de ander* = wanneer het iemand goed gaat, dan heeft ook menig ander er voordeel van. Om aan te duiden, dat bij voorspoed ieder er zijn deel aan heeft:
4. *Als het regent, regent het op alle daken.* Zie ook *pastoor.*
5. *Als 't regent en de zon schijnt, is 't kermis in de hel,* schertsende volksuitdrukking; dan is 't zeker slecht weer om te werken of om uit te gaan, maar er is toch een vrolijke tint bij.
6. *Hoe harder dat het regent, hoe gauwer is 't gedaan* = strenge heren regeren niet lang. Ook: als alle tegenslagen tegelijk komen, dan duurt de ellende nooit zo lang.
7. *Hij is vóór de regen thuis* = hij is vóór de bui binnen; hij heeft zich nog vóór het gevaar in veiligheid gesteld.
8. *Regen uit het Noordoosten en 't kijven van oude wijven houdt drie dagen aan.* (Fries.)
Rehabeam. *Een Rehabeamsraad* = een vergadering van onvoorzichtige lieden zonder ondervinding.
Toen Rehabeam, Salomo's zoon, koning in zijn plaats werd, luisterde hij niet naar de raad der oudsten; 'hij hield raad met de jongelingen, die met hem opgewassen waren.' Zij rieden hem aan, tot het volk te zeggen:
'mijn vader heeft u met geselen gekastijd, maar ik zal u met schorpioenen kastijden' (1 *Kon.* XII : 8—11.)
Rehoboth, de naam van een evangelisatiegebouw. Naar *Genesis* XXVI : 22. Daar vindt men het verhaal, dat Izaks herders twistten met de herders van Gerar over de waterputten. 'En hij brak op vandaar en groef een andere put, en zij twistten over die niet; daarom noemde hij deszelfs naam Rehoboth (=ruimte), en zeide: Want nu heeft ons de Here ruimte gemaakt, en wij zijn gewassen in dit land.'
reilen. *Zo als het reilt en zeilt* = zo als de toestand is; met al zijn toebehoren; met alle lusten en lasten.
Verbastering van: *zo als het rijdt en zeilt,* gezegd van een schip. *Rijden* = voor anker liggen en bij harde wind heen en weer gaan. 't Woord *reilen* komt dan ook verder niet voor; 't is om 't rijm gevormd.
rein. *De reinen is alles rein* = er is niets zondig in zich zelf; 't hangt er maar van af, met welke bedoeling men iets zegt of doet.
Titus 1 : 15. 'Alle dingen zijn wel rein de reinen, maar de bevlekten en ongelovigen is geen ding rein, maar beide hun verstand en geweten zijn bevlekt.'
reis. *Hij is van een malle reis thuisgekomen* = a. hij heeft een schrobbering ontvangen;
b. hij heeft erge schade geleden bij zijn pogen.
rekel. 1. *Jaag een hond weg, je krijgt een rekel weer,* zie *hond* 37.
De rekel is de mannetjeshond, de reu. Fig. een kwaaie rakker, een lummel.
2. *Twaalf boeren en een hond zijn dertien rekels,* zie *boer* 13.
3. Zie *bandrekel.*
rekening. 1. *Korte rekening, lange vriendschap* = vlug betalen wat men schuldig is, dan blijft men goede vrienden. Ook:
2. *Effen rekeningen maken goede vrienden.*
3. *Onder in de zak vindt men de rekening,* zie *zak* 7.
remedie. *'t Is een remedie tegen de liefde,* gezegd van een lelijke of kijfzuchtige vrouw.
Wie aan de liefde 'lijdt', is bij 't zien of horen van zulk een vrouw spoedig genezen.
rentenier.
Een rentenier
Is een arm dier,
wie van zijn rente moet leven, moet alles duur betalen. Vooral een boerenspreekwoord. Zolang de boer in zijn bedrijf is, heeft hij het ruim; hij heeft zijn eigen spek en vlees, zijn eieren en zijn groente en al wat er nodig is. Maar zodra hij gaat rentenieren, moet hij alles kopen.

rep. *Alles was in rep en roer* = in beroering, in beweging.
Reppen en *roeren* betekenen beide bewegen.
reuk. *Dat staat in een slechte reuk* = dat heeft een kwade naam; dat is al heel ongunstig bekend.
Letterlijk: er gaat een onaangename lucht van uit; het stinkt.
rib. *Dat is een rib uit mijn lijf* = dat kost mij haast meer dan ik betalen kan.
ribbemoos, d.i. een stevige, sterke, onverschillige kerel.
Ter verklaring beroept Stoett zich op Günther; *Rebmosche* is in de Duitse dieventaal zoveel als een zwaar breekijzer; letterlijk *Rabbi Mozes.*
ridder. 1. *'t Is een ridder van de droevige figuur* = een man, die een armzalige indruk maakt; een die niets kan.
De naam komt van Sancho Pansa, de schildknaap van de ridder Don Quichot; Sancho noemde hem zo, toen men zijn heer had toegetakeld.
2. *Hij stond daar als ridder geslagen* = Misschien nog uit de Middeleeuwen; wie tot ridder geslagen werd, zag in eerbied op tot zijn heer, die hem die eer aandeed. Maar meer voor de hand ligt de gedachte aan de lijfstraffelijke rechtspleging, waarbij iemand veroordeeld werd tot het brandmerk. Hij kreeg dan ook een wapen, al was het maar het stadswapen van het brandijzer. Hij was dus 'tot ridder geslagen' en van zo'n ridder is het begrijpelijk, dat hij er niet opgewekt en kwiek uitzag.
3. *Hij was een ridder zonder vrees of blaam* = hij was een man, die moedig voor het recht opkwam, en op wie zelf niets te zeggen viel. De historische *Ridder zonder vrees of blaam* was de Franse ridder de Bayard (1474—1524).
4. *'t Zijn niet al ridders, die sporen dragen* (Gezelle), zie *kok* 1.
5, *Arme ridders* = wentelteefjes; brood, geweekt in melk met ei, gebakken en opgediend met suiker en kaneel.
riem I. 1. zie *anderman* 1.
2. Zie *hart* 4.
3. *Zij moeten de riem toehalen* = zij moeten zuiniger leven. Ook: ze krijgen bij deze gelegenheid niet genoeg te eten.
riem II (roeispaan). 1. *Men moet roeien met de riemen, die men heeft* = men moet zich behelpen, zo als men het best kan.
2. *Iemand op zijn eigen riemen laten drijven* = hem aan 't werk laten (gaan), zonder hem bijstand te verlenen.
riet. 1. *Die in 't riet zit, kan pijpjes maken* = wie in de gelegenheid is, maakt er gebruik van. De *pijpjes* zijn hier de fluitjes.
2. *Een zaak in 't riet sturen* = in de war laten lopen.
Letterlijk gezegd van een vaartuig, dat in het riet van de oever terecht komt.
3. *Iemand met een kluitje in 't riet sturen,* zie *kluit* 3.
4. *Men mag het gekrookte riet niet breken* = wijs de schuldige niet af, zo lang er nog maar de geringste hoop is, dat hij zich beteren zal.
Jezus getuigt van God:
'Het gekrookte riet zal Hij niet verbreken, en het rokende lemmet zal hij niet uitblussen.' (*Matth.* XII : 20.)
Het lemmet is de vlaswiek, de vlaspit.
rif, plooi in 't zeil; zie *reef.*
ring. 1. *Hij zag er uit, of hij door een ringetje gehaald was* = hij was heel netjes gekleed. De vergelijking is met een doekje, dat men sierlijk door een ringetje trekt.
2. *De ring van Gyges* = een onzichtbaarmakende ring, die in het bezit was van koning Gyges van Lydië in Klein-Azië (686—656).
3. *De ring van Polykrates,* zie *P.*
ringeloren. *Iemand ringeloren* = hem op een hardvochtige manier dwingen om te doen en om zich te gedragen, zo als men dat hebben wil.
Vanouds: hem de oren ringelen, d.i. een ring door zijn oor steken, zodat hij wel doen moet, wat men van hem begeert. De vergelijking is met een stier of een beer, die op zulk een wijze in bedwang gehouden wordt.
roe. 1. *De roe is van 't gat* = er is nu geen gevaar meer voor straf.
Uit de lijfstraffelijke rechtspleging. De roe is de gesel.
In de *Proverbia communia* (± 1480) vindt men de spreuk:
Menich maeckt een roe tot sijns selfs eers.
En bij Harrebomée: *Het is vergeten, zoo ras de roede van de bil is.*
De roe werd ook in huis gebruikt, als de stoute kinderen gestraft moesten worden. Daarop kunnen deze spreekwoorden even goed betrekking hebben. En zeker is dit het geval met:

2. *De roe ligt in de pis* = pas op, anders krijg je ongemakkelijk straf. De roe werd in de schoorsteen bewaard en hij hing ook wel altijd gereed aan vaders knopstoel. En wie wilde, dat die roe goed doorknijpen zou, legde hem eerst een tijdlang in de pis. Vlaams:
2a. *Als de roe van de rug is, is 't geselen gedaan* = de kastijdingen zijn gauw vergeten.
3. *De roede kussen* = zich dankbaar betonen na de straf, hetzij omdat men de straf rechtvaardig vindt, hetzij uit karakterloosheid.
roeien. 1. *Men moet roeien met de riemen, die men heeft*; zie *riem* II. 1.
2. *Tegen de stroom is 't kwaad roeien* = tegen de hinderende omstandigheden kan men moeilijk op; tegen de openbare mening kan men zich haast niet verzetten.
3. *Hij roeit de ene kant op en ziet de andere kant uit* (Fries), zie *smijten* 2.
roek. *Roeken broeden geen duiven uit* (Fries) = blauwe duiven, blauwe jongen.
roem. *Eigen roem stinkt*, zie *lof*.
roepen. 1. *Velen zijn geroepen, maar weinigen zijn uitverkoren* = er zijn wel velen, die naar iets hogers streven, doch de meesten bereiken hun doel niet. Naar Matth. XXII : 14, uit de gelijkenis van de koning, die de gasten ter bruiloft nodigde, die niet kwamen.
2. *De stem van de roepende in de woestijn* = een stem, die niet verhoord wordt, waar niemand naar luistert.
De oorspronkelijke opvatting is juist, dat er wel naar geluisterd moet worden. De uitdrukking komt voor in *Jesaja* LX : 3, overgenomen in *Matth.* III : 3. 'Een stem des roependen in de woestijn: Bereidt de weg des Heren; maakt recht in de wildernis een baan voor onze God!'
roer. 1. *Hij zat aan het roer* = hij was de bestuurder; hij had de leiding van de regering. Scheepspraat.
2. *Het roer der vloot* = de leider. In 't grafschrift van Michiel de Ruyter:
Het roer der vloot en de arm,
daar Godt door stree;
Door hem herleeft de vrijheid
en de vree. (Gerardt Brandt.)
3. *Te roer staan* = het bestuur mee uitoefenen.
Uit de *Scheepspraet* van Huygens:
'k Hebb' te langh om Noord en Zuyen
Bij den baes te roer estaen,
'k Hebb' te veul gesnor van buyen
Over deuse muts sien gaen.
4. *Hou je roer recht!* uitroep tegen een dronken man, die langs de straat 'laveert'. In 't algemeen:
4a. *Zijn roer recht houden* = zijn zaken goed besturen; eerlijk te werk gaan.
5. *'t Roer aan de scheg hangen* = zijn zaken geheel verkeerd besturen.
De *scheg* is een toestel aan de achtersteven van een zeilschip; het dient, om het schip niet te laten afdrijven en is geheel ongeschikt, om er het roer aan op te hangen.
6. *'t Roer omgooien* = van gedrag veranderen, als men ziet dat het verkeerd loopt. Als een schipper het roer omgooit, dan geeft hij aan het schip een andere koers.
7. *Die hem aan 't roer houdt, zal varen* (Vlaams) = die niet wankelt gaat vast op zijn doel af.
Hem = zich.
roervink, d.i. de belhamel, de oproermaker, de stokebrand.
De *roervink* is de lokvink, die in de barbaarse vinkebaan met de poten vastgezet wordt en die gedwongen wordt om te fladderen, dus *om zich te roeren*, zodra men een vlucht vinken ziet, die daar dan op af vliegen.
roes. *Bij de roes verkopen* = iets verkopen zo als het er ligt, ongeteld, ongemeten, ongewogen. *Roes* = rommel; dus: de hele rommel ineens.
roet. 1. *Roet in 't eten gooien* = iemands zaak bederven.
2. *Die roet handelt, maakt zijn vingers vet* (Vlaams) = die met pek omgaat, wordt licht besmet.
Handelen = behandelen, omgaan met.
rok. 1. *Hij heeft zijn rokje gekeerd* = hij is tot de andere partij overgelopen.
Misschien een herinnering aan de tijd, dat men aan 't kleed kon zien, tot welke partij men behoorde.
2. *Hij heeft een rokje uitgetrokken* = hij is sterk vermagerd; letterlijk: hij is zoveel dunner geworden.
3. *Het hemd is nader dan de rok* = men helpt zich zelf en zijn bloedverwanten het eerst.
4. *Een mens moet werken voor de brok en voor de rok* = d.i. voor de kost en de

kleren.

roken. 1. *Hij liegt, dat het rookt boven zijn hoofd*, oud volksgeloof, ook reeds bij de Romeinen.

2. *Daar kan de schoorsteen niet van roken*, zie *schoorsteen*.

rol. 1. *De rollen zijn omgekeerd* = de toestand is geheel veranderd, wie eerst baas was, is nu knecht, enz.

Van het toneel. Die eerst een heldenrol had, speelt nu de rol van de dienaar.

2. *Hij is aan de rol* = aan de zwier.

Letterlijk: hij rolt over de grond.

3. *Een rolberoerte krijgen* = van zichzelf vallen. Gebruikt in een vrome wens. Lett. = een beroerte, waarbij men over de grond rolt.

4. *'t Gaat op rolletjes* = 't gaat gemakkelijk en goed.

Roland. *Hij gaat te keer als de razende Roland* = hij gaat wild en woest te werk; hij raast en tiert.

Uit het gedicht van de Razende Roland (*Orlando furioso*) van de Italiaanse dichter Ariosto 1515; in 't Nederlands vertaald sedert 1649. Roland was de dapperste van de twaalf genoten van Karel de Grote; zijn beminde, Angelica, werd hem ontrouw, en dit maakte Roland krankzinnig, zodat hij alles vernielde.

Rome. 1. *Hij is in Rome geweest en hij heeft de Paus niet gezien* = hij heeft de gelegenheid gehad, maar hij heeft er geen gebruik van weten te maken.

2. *Alle wegen leiden naar Rome* = alle middelen brengen ons nader tot het doel. Uit de Middeleeuwen, toen men uit elke richting toch altijd weer te Rome terecht kwam. Zo ook uit de M.E.:

3. *Hoe dichter bij Rome, hoe slechter Christen* = de mensen, die 't dichtst bij de kerk wonen, zijn niet altijd de braafste.

rond. *Goed rond, goed Zeeuws* = een Zeeuw behoort ferm voor de waarheid uit te komen.

Rondhemd. *Kapitein Rondhemd*, zie *hemd* 6.

rood. 1. *Dat mag wel met een rode letter in de almanak* = dat is iets heel bijzonders. In de almanak werden de feestdagen aangeduid met een rode letter.

2. *Hij is rood op de graat*, zie *graat* 1.

3. Heden rood,
Morgen dood.

Rood = blozend, fris en gezond. Ook:
Heden groot, morgen dood.

4. Rood haar en elzenhout
Is op geen goede grond verbouwd,

d.i. rood haar deugt net zo min als elzenhout. Bij De Cock:

5. Rode baard,
Duivels aard.

Het is een oud volksgeloof, dat roodharigen niet te vertrouwen zijn.

6. *Voor de rode deur komen*, zie *deur* 2.

rook. 1. *Waar rook is, is ook vuur*, zie *zeispreuken* 45. Ook:

2. *Geen rook zonder vuur*, dat is: er is gewoonlijk wel wàt waar van 't geen er verteld wordt.

3. *De rook slaat er uit* = wat zit jij daar te liegen!

Volgens volksgeloof staat er rook boven het hoofd van een leugenaar.

4. *Onder de rook van de stad* = vlak bij de stad.

5. *Rook, stank en een kwaad wijf drijven de man uit zijn huis.*

6. *Die zich uit de rook houdt, zal zich niet branden* (Fries), tegenover:
wie 't gevaar zoekt, komt er in om.

room. 1. *De room is er af* = 't meeste voordeel is weg; de verdienste is niet groot meer. Lett. gezegd van afgeroomde melk.

2. *Die roomwafels beloofd hebben, menen dat ze al vele doen, als ze een keer koeken bakken* (Gezelle); beloven is licht, maar doen is een ding.

roos. 1. *Geen roos zonder doorn* = geen geluk zonder dat er iets onaangenaams bij komt.

2. *Op rozen gaan* = voorspoed en geluk genieten.

Lett. = lopen op een met rozen bestrooid pad, zo als bruid en bruidegom doen op hun trouwdag.

3. *Slapen als een roos* = gezond en vast slapen.

Lett. = als een kind, met rozen op de wangen.

Maar men heeft ook wel gedacht, dat de uitdrukking een verbastering is van *slapen als in rozen.* Zo zegt Vader Cats van een vroom en braaf man:

Een mensch alsoo gestelt,
die slaept in sachte rozen,
Omdat hij Godt alleen
als trooster heeft gekozen.

4. *Ik vertel het je onder de roos* = in het geheim.

Vertaling van 't L. *sub rosa.* In de feestzaal der Romeinen prijkte een geschilderde roos aan de zolder, als zinnebeeld der stilzwijgendheid. Dit zinnebeeld herinnert aan 't verhaal, dat de genius van het zwijgen, Harpocrates, van Cupido een roos kreeg als loon voor z'n stilzwijgendheid; hij hield de liefdesgeschiedenissen van de godin Venus vóór zich. De Rozekruisers vergaderden met een roos als zinnebeeld. Alles wat behandeld werd, was *sub rosa.*

5. *'t Is niet altijd rozengeur en maneschijn* = 't is niet altijd zuiver geluk en voorspoed.

6. *De tijd baart rozen* = als men maar lang genoeg wacht, dan loopt het nog wel weer goed af.

7. *Wie de roos wil plukken, moet de doornen niet ontzien* = wie het aangename van een zaak deelachtig wil worden, moet zich de moeilijkheden getroosten, die zich daarbij voordoen; geen honig zonder werk.

8. De roze is gauw vergaan,
Maar de doornen blijven staan
(Gezelle) = de roes der vreugde duurt maar kort, doch lang duurt het verdriet over een verkeerde daad, onbedacht gedaan in een vrolijk uur.

rooster. *Heet van de rooster* = pas gereed en dadelijk gebruikt.
Zo als men vis of vlees opdient, onmiddellijk nadat het gebraden is.

rosbeier, d.i. a. een statiepaard; b. schertsend een oude knol; c. een stevige, wilde meid.
Genoemd naar het beroemde *Ros Beyaert*, het grote paard waar de vier Heemskinderen op reden; zeer bekend bij het volk, omdat de afbeelding er van veelvuldig voorkwam op de uithangborden. Ook werd het Ros Beyaert veel vertoond in de ommegangen der Middeleeuwen; zo nog alle jaren in Dendermonde. Tijdens die optocht wordt er geschoten. Dit verklaart het liedje:
't Ros Beyaert is verheven,
Hij heeft hem in 't vier begeven,
En 't Ros Beyaert is een peerd
Met 'nen strik om sinen steert.

Rosinante, schertsend = een ros, een edel paard.
Naar *Rosinante*, de knol van Don Quichotte, vol spatten en andere gebreken.

rosmolen. *Hij loopt in de rosmolen* = hij is zonder ophouden altijd bezig met zijn dagelijks werk.
Ook: *hij loopt in de tredmolen*
Een rosmolen wordt door een ros (een paard) in beweging gebracht; zo bij een draaimolen, een karnmolen, een klein fabriekje.
Het paard loopt de ganse dag in de rondte.

rot. *De oude rot liep in de val* = deze slimme ervaren man werd toch nog beetgenomen. Veelal met de bijgedachte, dat hij zelf op bedriegen uit was.

Rothschild. *Het lijkt Rothschild wel* = hij doet zich verbazend rijk voor.
Maier Amschel Rothschild, 1743—1812, stichtte zijn beroemd geworden bank te Frankfort a. M. Met later grote kantoren te Wenen, Parijs en Londen; de geldschieter der koningen en de koning der geldschieters.

rots. *Op rotsen ploegen* = moeilijk werk doen, dat bovendien niets oplevert.
Bijbelse uitdrukking. 'Zullen ook paarden rennen op een steenrots? zal men ook daarop met runderen ploegen?' (*Amos* VI : 12.)

rouw. *Klein is de rouwe, valt de oude koe dood* (Gezelle) = bij de dood van oude mensen kan de droefheid niet zo groot zijn.

rouwkleed. *Ik hebbe 't rouwkleed niet op de kiste elegd, mor 't trouwkleed ook niet* (Graafschap), woorden in de mond gelegd van de rouwende weduwe, die nog wel eens weer trouwen zal.

Rubicon. *De Rubicon overtrekken* = de beslissende stap doen, zodat men niet meer terug kan.
Naar Julius Caesar, die in 49 v. Chr. uit Gallië terugkomende, de rivier de Rubicon overtrok; dit was de grens van zijn gebied; aan de overzijde lag het gebied van de Stad Rome, waar geen veldheer met een leger binnentreden mocht. Zie ook *teerling*. ('t Riviertje heet nu Uso; vlak ten N. van San Marino en Rimini; mondt uit in de Adriatische zee in Midden-Italië.)

rug. 1. *Hij heeft een brede rug* = hij wordt van alles beschuldigd, maar hij trekt zich er niets van aan, hij kan er tegen.

2. *Ruggespraak houden* = eerst overleg plegen met iemand anders, eer men zijn besluit meedeelt. In de Vaderlandse ge-

schiedenis: eerst overleggen met de vroedschap der steden, vóór men zijn stem uitbracht in de Staten-Generaal. Uitdrukkelijk is nu voorgeschreven, dat de leden der Kamer stemmen *zonder ruggespraak*. Lett. = eerst spreken met iem. achter de rug.
3. *Zijn rug jeukt* = hij legt het op een pak slaag toe.
Als hij afgerost wordt, dan is het wel met het jeuken gedaan, hij kan haast zo lang niet wachten.
4. *Iets bij zijn rug ophalen*, zie *gat* II, 9.
5. *Hij wil twee ruggen uit één varken snijden* = hij wil meer voordeel van een zaak dan er bij mogelijkheid in zit; hij is al te begerig.
6. *'t Geluk heeft hem de rug toegekeerd* = alles loopt hem tegen; hij heeft geen kans meer.
't Geluk, voorgesteld als de godin Fortuna.
7. *Iemand de rug meten*, d.i. de maat nemen met een stok = hem een flink pak slaag geven.
ruilen. Als twee ruilen
Moet er één huilen,
een ruil is altijd voor één van de partijen onvoordelig.
ruimschoots. *Er is ruimschoots genoeg* = er is in overvloed.
Zeemanswoord. *Ruimschoots* = met ruime schoot, d.i. met languitgevierde schoot, waarbij dus het zeil breed uitstaat. De schoot is het touw, waarmee men het zeil sterker of minder sterk kan aanhalen.
ruimte. 1. *In de ruimte is het goed te wezen* = als men alles ruim heeft, is 't leven aangenaam.
2. *Dat is geklets (gezwam) in de ruimte*, gepraat zonder degelijke ondergrond.
ruit. 1. Grote ruiten,
Zonder duiten,
Vlaams rijmpje; zie *rijk* 6.
ruiter. 1. *Hij is ruiter te voet* = hij heeft zijn geld, zijn goede betrekking verloren. Men denkt aan een ruiter, die geen paard meer heeft. Maar in de M.E. was *ruiter* een woord uit het Middellatijnse *ruptarius* = rotgezel, dus zoveel als soldaat, en toen had men zowel ruiters te voet als ruiters te paard. In dezelfde betekenis:
2. *Hij is zandruiter.*
Hier is de gedachte aan een ruiter in de nieuwe betekenis, die uit het zadel geworpen is en in het zand is terecht gekomen. Misschien nog uit het ridderwezen.
rundergebraad. *Hij zocht een rundergebraad en hij bleef zitten met een halsknook* (Gron.) = hij heeft net zo lang gezocht naar 't allerbeste, dat er op den duur niets meer te krijgen was dan 't allerslechtste. Vooral gezegd van een vrijer, die het mooiste (rijkste) meisje niet goed genoeg acht en die ten slotte blijft hangen aan een vrijster van veel minder allooi. Zie *keur* 4.
rust. *Rust roest* = wie zich te veel aan 't werk onttrekt, is weldra niet meer tot goed werk in staat.
Waarschijnlijk van ijzeren gereedschap, dat roest als 't niet gebruikt wordt.
Spreuk op het Agnetapark te Delft.
rijden. 1. *Hij kan rijden en omzien* = hij is bij de hand; hij kan twee dingen tegelijk; hij kan heel wat aan en hij is er toch altijd voorzichtig bij:
Voermansuitdrukking.
2. *Rijden en rossen* = wild en onvoorzichtig rijden.
Rossen is een afleiding van *ros* = paard, zegt Franck-v. Wijk. Doch misschien is *rossen* een oud woord, dat zoveel betekent als schokkend voorwaarts gaan, dus = draven.
3. *Zo als het rijdt en vaart* = met alles wat er bij behoort. In Groningen, waar de uitdrukking zeer gangbaar is, denkt men aan de verkoop van een paard, zo als dit de ruiter draagt en zo als het de wagen trekt, met een wagen rijden heet er *varen*. Doch de uitdrukking zal dezelfde zijn als: *zo als het reilt en zeilt*; zie *reilen*.
rijk.
1. Konden de rijken 't ontkopen
En de armen 't ontlopen,
Er stierven geen mensen meer.
2. *Wie wordt van geven rijk?* zie *geven.*
3. *Rijken en armen ontmoeten elkaar* = rijken en armen hebben elkander nodig. *Spreuken* XXII : 2, met de toevoeging: 'De Here heeft hen allen gemaakt.'
4. Rijk en gemeen
Behaagt iedereen,
Maar arm en groot
Is allemans dood.
Dit Vlaamse spreekwoord wil zeggen, dat iemand die rijk wordt en toch gemeenzaam omgaat met het volk bij

iedereen bemind is. Doch als een arm man voornaam wordt en zich groot voordoet, dan is er niemand die van zulke trots gediend is.
5. *Allengskens rijk en zalig* (Vlaams) = het is heerlijk, als men ziet dat men gestadig vooruitgaat.
6. *Rijk huis is niet altijd rijkmans huis* (Vlaams) = wie in een voornaam huis woont, heeft soms geen geld om zijn schulden te voldoen; schijn bedriegt.
rijkdom. 1. *Rijkdom en een dubbeltje kennen elkaar*, d.i.
Doe bij een kleintje dikwijls wat,
Zo wordt het nog een grote schat.
2. *Een klein gewin brengt rijkdom in.*
rijkelui.
1. *Rijkelui's dochters en armelui's kalveren komen 't eerst aan de man*, volkswijsheid.
Een rijke erfdochter is spoedig getrouwd; een arme man moet vaak zijn kalf jong verkopen, om aan wat geld te komen.
2. *Een rijkelui's wens* = twee kinderen, en dan vooral een jongen en een meisje.
3. *Rijkelui's ziekte en armelui's pannekoeken ruikt men van verre*, zie *armelui* 2. Bij Guido Gezelle:
Rijkmans ziekte en armmans gebraad
Lopen gauw op straat.
rijp.
1. Vroeg rijp, vroeg rot,
Vroeg wijs, vroeg zot.
die te vroeg van alles op de hoogte is, is heel vaak spoedig bedorven.
2. *De rijpste pruimen zijn geschud*, zie *pruim* 2.
rijs. *Buig het rijsje, als 't nog jong is* = de ouders moeten het kind leren luisteren naar hun wil, als 't nog jong is; later lukt het niet meer.
Bij Cats: *Jonck rijs is te buygen, maer geen oude boomen.* Hij voegt er bij, dat het spreekwoord genomen is uit de Arabische spreuken, vertaald door Prof. D. Erpenius. Bij Tuinman: *Men poogt vergeefs, een ouden stam te buigen naar zijn zin.*
rijst. *Men moet eerst door de rijstebrijberg* = eerst moet er nog een zeer groot werk gedaan worden, een haast onmogelijk

40. Buig het rijsje, als... (z. *rijs*)

werk. Uit het verhaal van Luilekkerland, waar 't heel mooi is, maar waar men niet komen kan, of men moet eerst door een berg van rijstebrij eten.

S

s. *Alles is in de s*, zie *es*.
sabbat. *Een sabbatsreis* = een kort reisje. Lett. zover als men op sabbat gaan mocht, zo als in Exodus XVI : 29 te lezen staat: 'een ieder blijve in zijn plaats.'
In *Handelingen* I : 12 leest men van de Olijfberg, 'welke is bij Jeruzalem, liggende vandaar een sabbatsreize.'
Gewoonlijk wordt aangenomen, dat men niet verder mocht gaan op sabbat dan ruim een kwartier.
Sadduceeër. *Een Sadduceeër* = een lichtzinnig, ongelovig man.
De Sadduceeërs waren ten tijde van Jezus de mannen, meest uit aanzienlijke geslachten, die de oude Joodse vormen, o.a. de besnijdenis, minachtten; zij geloofden niet aan engelen en geesten en niet aan de onsterfelijkheid der ziel. Zo worden ze voorgesteld als mensen, die zich overgaven aan zingenot en ondeugden.
In Handelingen XXIII : 8 leest men:
De Sadduceeën zeggen, dat er geen opstanding is, noch engel, noch geest.
sakkerloot, de uitroep. De verklaring is onzeker, leest men bij Franck-van Wijk. Men heeft wel gedacht aan het L. *sacra lotio* = heilige doop, zo als *sakkerdeju* uit het F. *sacre Dieu*, lett. = heilige God, en *sakkerdekriek* = Sacre Christ.
Salomo. 1. *Zo wijs als Salomo*, naar de wijze koning van Israël, 1 *Koningen* IV : 29.
'God gaf Salomo wijsheid en zeer veel verstand, en een wijd begrip des harten, gelijk zand dat aan de oever der zee is.'
Schertsend maakt men er van:
2. *Hij is zo wijs als Salomo's kat*; *die viel van wijsheid van de trappen.*
Dit wordt gezegd van iemand, die in zijn eigenwijsheid stomme dingen doet.
3. *Een Salomo's oordeel* = een oordeel, waarvoor veel scherpzinnigheid nodig is, om tot de kern van de zaak door te dringen.
Naar het verhaal in I Kon. III : 16—28; waar wij lezen hoe koning Salomo het levende kind toewees aan de rechte moeder; deze wilde niet, dat het levende kind in tweeën gehakt zou worden; dus was zij de ware moeder.
Samaritaan. *Een barmhartige Samaritaan* = een mens die bereid is tot liefderijke hulp. Een man viel op de weg van Jeruzalem naar Jericho onder moordenaars; een priester en een Leviet kwamen hem voorbij en lieten hem liggen. 'Maar een zeker Samaritaan, reizende, kwam omtrent hem, en hem ziende, werd hij met innerlijke ontferming bewogen, en hij, tot hem gaande, verbond zijn wonden, gietende daarin olie en wijn.' (*Lukas* X : 33, 34.)
samenspreking, zie *kwaad* 7.
Sant.
Nooit sant
Verheven in zijn land.
Vlaams rijmpje; zie *profeet* 2.
Een *sant* is een heilige.
santenkraam. *De hele santenkraam* = de hele rommel.
Letterlijk = de kraam met beeldjes van *santen* = heiligen.
sappelen. *Lig niet te sappelen*; ook: *maak je niet te sappel* = maak je niet ongerust, zeur niet.
Joodse uitdrukking.
Sara. *Zij is een Sara* = zij is al op vergevorderde leeftijd en is nog moeder geworden.
In Genesis XVIII : 10—14 is het verhaal te vinden, waarin de Here belooft, dat Sara een zoon zal hebben, ofschoon Abraham en Sara oud en wel bedaagd waren.
Sarepta, de naam die men wel geeft aan een vereniging tot ondersteuning van weduwen. *Sarepta* was de naam van een stad bij Sidon (Lukas IV : 26). Dezelfde stad heet Zarfath in 1 Koningen XVII : 9. Daar vindt men 's Heren gebod tot de profeet Elia:
'Maak u op, ga heen naar Zarfath, dat bij Sidon is, en woon aldaar; zie, Ik heb daar een weduwvrouw geboden, dat zij u onderhoude.'
sas. *In zijn sas zijn* = het echt naar zijn zin hebben.
Misschien is *sas* hier = sluis.
Saul. 1. *Hoe komt Saul onder de profeten?* = hoe is het mogelijk dat *die* man

zich in dàt gezelschap bevindt, waar hij helemaal niet bij past?
Nadat Samuel Saul tot koning van Israël gezalfd had, liet hij hem gaan. Toen ontmoette Saul 'een hoop profeten, van de hoogte afkomende, en voor hun aangezichten luiten, en trommelen, en pijpen, en harpen', en Saul 'profeteerde in het midden van hen.' En zo zei het volk: 'Is Saul ook onder de profeten?' (I *Samuel* X : 11.)
2. *Saul ging uit om een ezel en hij vond een koninkrijk*, gezegde wanneer iemand iets vindt of bereikt van veel groter waarde dan waar het hem om te doen was.
Naar het verhaal in I *Samuel* IX en X. De ezelinnen van Kis, de vader van Saul, waren verloren; Saul ging uit om ze te zoeken; hij begaf zich naar de ziener, d.i. de profeet Samuel, die hem op Gods bevel tot koning zalfde over Israël.
Saulus. Zie *Paulus* 2.
saus. *Geen beter saus als honger*, zie *honger* 3.
schaakmat. *Hij is schaakmat* = hij zit vast, hij kan niet verder.
Uit het schaakspel: de *sjah is mat* = de koning is dood; uitdrukking uit het Oosten overgenomen.
schaal I. *Op grote schaal* = in het groot. De schaal is lett. = de ladder; L. *scala*. Vandaar de lijn, die door dwarsstreepjes afgedeeld is, om de afstanden aan te geven, gelijk het geval is bij een landkaart. Zulk een kaart is getekend *op een grote schaal*, als alle afstanden duidelijk uitkomen.
schaal II (schub). *Hij krijgt op zijn schalen* = hij krijgt slaag; hij krijgt een geducht standje.
De schalen zijn waarschijnlijk de schubben. Men stelt zich voor, dat het lichaam met schubben bedekt is.
schaamschoenen. *Hij heeft de schaamschoenen uitgetrokken* = hij heeft geen schaamte meer; hij trekt zich nergens meer iets van aan.
De schaamschoenen, in navolging van de kinderschoenen.
schaamte. 1. *Hij heeft de schaamte de kop afgebeten* = hij heeft geen schaamte meer.
2. *Schaamte is nadeel* (Gezelle); de onbeschaamden hebben de halve wereld.
schaap. 1. *Als één schaap over de dam is, volgen er meer* = wanneer er maar eerst iemand is, die in een moeilijk geval het voorbeeld geeft, dan zijn er altijd genoeg die hem nadoen.
De dam in de sloot verbindt een stuk weiland met een ander stuk of met de weg.
2. *Er gaan veel makke schapen in één hok*, gezegde als men zich met een klein plaatsje moet tevreden stellen.
3. *'t Verloren schaap is terecht* = schertsend, wanneer men iets weervindt, waar men lang naar gezocht heeft. *'t Verloren* schaap, in ernst, is de verloren zondaar.
Aldus naar Lukas XV : 4—7, een gelijkenis van Jezus. Aldaar:
Weest blijde met mij; want ik heb mijn schaap gevonden, dat verloren was!
4. *Eén schurftig schaap bederft de ganse kudde* = het kwaad is besmettelijk; één boze man kan een heel gezelschap bederven. Die man is *het schurftige schaap*. Laurillard herinnert voor de verklaring van het gezegde aan Leviticus XXII : 21 en 22. Aldaar wordt voorgeschreven, dat een offer zal volkomen zijn. 'Het blinde, of gebrokene, of verlamde, of wratte, of droge schurftheid, of etterige schurftheid hebbende, deze zult gij de Here niet offeren.'
5. *Hij is het zwarte schaap* = hij is de man die de schuld krijgt, die verstoten wordt, die zich slecht gedragen heeft; de zondebok. Misschien naar Genesis XXX : 32, waar Jakob van het vee van Laban afzondert: 'al het gespikkelde en geplekte vee, en al het bruine vee onder de lammeren.'
6. *Er loopt een zwart schaap onder* = er is iemand bij, die niet deugt.
7. *De schapen scheiden van de bokken* = onderscheid maken tussen de goeden en de slechten; schertsend: de meisjes en de jongens, de vrouwen en de mannen afzonderlijk plaatsen.
Naar Matth. XXV: 32; aldaar wordt getuigd van de Zoon des mensen:
Voor Hem zullen alle volken vergaderd worden, en Hij zal ze van elkander scheiden, gelijk de herder de schapen van de bokken scheidt.
8. *Hij heeft zijn schaapjes op het droge* = hij is binnen; hij kan leven van zijn verdiende geld.
Van de schapen op de kwelder of op de

uiterwaarden, die veilig op een droge plek gebracht worden, als de vloed of het rivierwater komt opzetten.
Ook heeft men gedacht aan *scheepjes op het droge*, welke uitdrukking vroeger ook werkelijk gebezigd werd.
9. *Men moet de schapen scheren, naar dat ze wol hebben* = een rijke kan men gerust wat meer laten betalen dan een arme.
10. *Men moet een schaap scheren, maar niet villen* = men moet niet te veel geld vragen, niet meer dan de mensen fatsoenlijk kunnen betalen; men moet niet de kip met de gouden eieren slachten.
11. *Schapen zonder herder* = mensen zonder de nodige leiding.
Bijbels gezegde. Micha, de profeet, sprak tot koning Achab: 'Ik zag het ganse Israël verstrooid op de bergen, gelijk schapen, die geen herder hebben.' (I *Kon*. XXII : 17.)
12. Terwijl het schaapje bleet,
Verliest het een beet,
men moet niet praten onder het werk, want dan rusten de handen.
13. *Dat schaap zal een zachte dood nemen* = die zaak bloedt vanzelf dood; daar hoor je nooit meer van.
14. *Er is geen kudde, of 't loopt een schurftig schaap in* (Gezelle); geen goud zonder schuim.
schaar. 1. *Daar hangt de schaar uit* = 't is daar duur.
Gedacht is aan de kleermaker, die *de vergulde schaar* uithangt. De kleermakers worden er immers van beschuldigd, dat zij
2. *'t laken door 't oog van de schaar halen*, d.i. dat zij een deel van het laken, dat hun ter bewerking is gegeven, voor zich zelf houden.
schaats. 1. *Hij rijdt een rare schaats* = hij gedraagt zich zonderling, ook: wat hij doet, kan niet door de beugel.
2. *'t Ligt aan de schaatsen en nooit aan de man* = als men niet slaagt, dan geeft men de schuld aan slecht gereedschap of aan andere slechte omstandigheden, maar men erkent nooit dat men zelf niet in staat is, het werk te verrichten, dus dat eigen krachten tekort schieten.
schade. 1. *Door schade en schande wordt men wijs*.
Vertaling van een L. spreuk.
2. *Die de schade heeft, heeft de schande toe* = wie verliest, die wordt op de koop toe nog bespot.
schaduw. 1. *Niet kunnen staan in iemands schaduw* = verreweg voor iemand onderdoen.
Lett. = niet kunnen staan vlak bij iemand.
2. *Iemand in de schaduw stellen* = hem zeer sterk overtreffen.
't Lijkt dan net, of hij in de schaduw staat, zodat het licht hem niet meer beschijnt.
3. *Er is geen schijn of schaduw van een bewijs*. De schijn van de werkelijkheid is er niet en zelfs niet de schaduw, de gelijkenis van iets, dat werkelijk bestaat.
4. *Hij vecht tegen zijn eigen schaduw* = tegen een denkbeeldige vijand.
schamen. *Ik heb mij eenmaal geschaamd, en toen heb ik niets gekregen*, antwoord als men tot iemand zegt, dat hij zich schamen moest. De bedoeling is: met schaamte kom je er niet; ik trek mij van je verwijt niets aan.
Ook in de *Findling*.
schandpaal. *Iemand aan de schandpaal nagelen* = hem prijs geven aan openbare bespotting; zijn schande bekend maken; hem aan de kaak stellen.
Uit de lijfstraffelijke rechtspleging; het was iemand aan de kaak stellen, maar met zijn oor vastgespijkerd aan de paal. Hij mocht er zo lang blijven, tot hij zich weer losgerukt had. Deze straf werd opgelegd aan veroordeelden, die er niet voor de eerste keer stonden.
Zie *kaak* en *pronk* en *oor* 6.
scharenslijper. *Ik zit er niet voor een scharenslijper* = a. ik doe behoorlijk mijn deel van het werk; b. ik lust mijn portie wel.
De scharenslijper hier voorgesteld als een man die niet werkt. Voor een scharenslijper = als een scharenslijper.
scharlaken. *Zonde als scharlaken* = ten hemel schreiende zonde.
Bijbelse uitdrukking. 'Al waren uw zonden als scharlaken, zij zullen wit worden als sneeuw; al waren zij rood als karmozijn, zij zullen worden als witte wol.' (Jesaja I : 18.)
[Scharlaken is een vroegere naam voor een fijne wollen stof van hoogrode kleur.]
scharminkel. *'t Is een magere scharminkel* = een akelig, lelijk, mager spook.

Scharminkel = aap. Een vervorming van *simme* = aap, uit het L. *simia.*

scharrebier. *Hij betert als scharrebier op de tap* = hij wordt hoe langer hoe slechter. Scharrebier is een oud woord voor dun, schraal bier. Waar 't woord vandaan komt, is volgens Franck-v. Wijk onbekend.

Als zulk bier afgetapt wordt, dan wordt het ook niet beter.

schat. *Waar uw schat is, daar is uw hart* = men heeft zijn gedachten steeds bij hetgeen men het kostbaarst acht.

Bijbelse uitdrukking. Jezus zegt: 'vergadert u schatten in de hemel, waar ze noch mot noch roest verderft, en waar de dieven niet doorgraven noch stelen; want waar uw schat is, daar zal ook uw hart zijn.'

(*Matth.* VI : 20, 21.)

schavuit. *Een gemene schavuit* = een gewetenloze bedrieger; een schoft.

In 't Mnl. is *schavuit* een schooier; 't woord is dus in waarde gedaald.

Het woord is uit het oudfrans *chauvette*, d.i. een uil(tje). Aldus Franck-Van Wijk.

scheef. 1. *Scheef dat juffert wel* = wat een beetje scheef zit, dat staat wel netjes, dat mag een juffertje wel graag. Antwoord op de opmerking, dat een kledingstuk wat scheef zit.

2. *Geen pot zo scheef, of er past een deksel op*, zie *pot* 3.

scheel. 1. *Iets met schele ogen aanzien* = iets bekijken met een gevoel van grote afgunst.

2. *Beter scheel als blind* (Vlaams) = men moet van twee kwaden het beste kiezen.

3. *De schele is koning onder de blinden* (Vlaams) = in 't land der blinden is éénoog koning.

scheen. 1. *Hij heeft een blauwe scheen gekregen* = zijn huwelijksaanzoek is afgewezen, zijn meisje heeft hem de bons gegeven. Lett. heeft hem zijn scheen blauw geschopt.

2. *Iemand het vuur aan de schenen leggen*, zie *vuur* 4.

3. *Hij heeft het hard voor de schenen gehad* = hij heeft groot verlies geleden; hij is in zijn verwachting zeer teleurgesteld. Lett. = men heeft hem tegen de schenen geschopt, zie ook 1.

4. *Iemand iets voor de schenen werpen* = hem verwijten doen, waar hij bij is. Zie *voet* 11.

scheep. 1. *Die scheep is moet varen* = wanneer men eenmaal meedoet, kan men zich niet meer terugtrekken; wie aan een werk begonnen is, moet het ook afmaken.

2. *Daar men voor scheep komt, moet men voor varen* = waartoe men ambtshalve verplicht is of wat men als een goed werkman behoort te doen, dat moet men ook doen.

3. *Wie voor hond scheep komt, moet de benen kluiven*, bij Sprenger van Eyk ook: *moet de bonken eten*, zie *hond* 1.

4. *Daar men mee scheep is, moet men mee varen* = als men eenmaal met iem. een werk begonnen is, kan men hem niet meer kwijt.

scheepsrecht. *Driemaal is scheepsrecht*, zie *drie* 2.

Scheepsrecht is wellicht *schepensrecht*; één schout en drie schepenen spraken het uit. (*Woordenschat*, 216.)

scheet. 1. *Hij maakt van een scheet een donderslag* = hij maakt van een kleinigheid vreselijk veel misbaar.

De betekenis kleinigheid ook in 2. *'t Kon hem geen scheet schelen.*

schelen, zie *kind* 41.

schellen. *De schellen vielen hem van de ogen* = nu zag hij in, wat hij tevoren niet had begrepen.

Schellen = deksels, schillen, vliezen. 't Was dus, alsof zijn ogen bedekt geweest waren. De uitdrukking is uit *Handelingen* IX : 18. Daar wordt verhaald van Saulus, de vervolger der Christenen, die op weg naar Damascus blind werd, maar die weder ziende werd, toen Ananias de handen op hem legde: 'En terstond vielen af van zijn ogen gelijk als schellen, en hij werd terstond wederom ziende; en stond op, en werd gedoopt.'

schelm. 1. *Een schelm weet, hoe een schelm te moede is* = alle harten naar je eigen! Ook: wie wel eens wat uitgehaald heeft, begrijpt best, hoe 't met een ander gesteld is, die nu in 't zelfde geval verkeert.

2. *Hij bekeert zich van een kleine schelm tot een grote* = hij doet alsof hij zijn leven beteren wil, maar hij is nog gemener dan te voren. Zie *zwijn* 3.

schelvis. *Hij werpt een schelvis uit, om een kabeljauw te vangen* = hij geeft iets prijs van geringe waarde, om daardoor iets te bereiken, dat veel kostbaarder is.

Sterker nog *een spiering uitwerpen.* Zie ook *worst.*

schemeren. 1. *'t Schemert hem niet* = hij is helder; hij heeft een goed begrip.
Lett. = hij verkeert niet in de schemering, doch in 't volle daglicht.
2. *'t Begint hem te schemeren* = hij begint het te begrijpen, er gaat hem een licht op. Lett. = de schemering breekt door, het is geen nacht meer.

schenken.
Schenken en geven
Maakt nichten en neven,
Vlaams rijm. Men vleit degenen, bij wie er wat te halen is.

schenker. *De schenker kwam vrij,* zie *bakker* 1.

schepen. *De jongste schepen wijst het vonnis* = jongelui voeren het hoogste woord; menig jongmens meent het beter te weten dan oude en ervaren mannen.
Het is vanouds gebruik, dat in een rechtbank de jongste rechter het eerst zijn oordeel uitspreekt.
Zie ook *scheepsrecht.*

schepper. *Hij is daar schepper en schrijver* = hij heeft er alles te zeggen (Gron.).
De schepper was er de overste van een onderdeel van een waterschap, van een schepperij. Hij had het recht, boeten op te leggen, als de ingelanden niet aan hun verplichtingen hadden voldaan. Bij zijn rondgang had hij de schrijver bij zich. Maar als hij zelf schepper èn schrijver was, dan kwamen de boeten allicht nog beter binnen. Zie *abt* 2.

scheren. 1. zie *gek* 2. 2. *Hij zit er lelijk mee geschoren* = hij is er verlegen mee; hij heeft er niets dan hinder en schade van. Het woord *scheren* = delen kreeg ook de figuurlijke betekenis van kwellen. Laurillard acht het mogelijk, dat het een bijbelse uitdrukking is. Toen Hanun koning der Ammonieten geworden was, zond David hem gezanten. Deze werden echter voor verspieders gehouden; Hanun liet hun de baard half afscheren 'en sneed hun klederen half af, tot aan hun billen.' 'Deze mannen waren zeer beschaamd.' (II *Samuel* X : 4, 5.)
Ook Herderschee sluit zich bij deze verklaring aan.
3. *Hij wil leren scheren aan mijn baard,* zie *baard* 3.
4. *Daar zat geschoren en ongeschoren,* zie *geschoren* 2.

schering. *Dat was bij hem schering en inslag* = dat zei hij, dat deed hij al weer van voren af aan; dat was het enige, waar hij het steeds over had.
De *schering* van een weefsel zijn de draden, die in één richting *geschoren* worden, 'de ketting'. In de andere richting loopt de *inslag*, de draden die door de schering heen *geslagen* worden.

scherm. *Hij bleef achter de schermen* = hij deed wel mee, maar liet zich niet zien; hij was de drijver, doch hij kwam er niet voor uit.
Toneeluitdrukking: de regisseur regelt de gehele vertoning voor de spelers, maar men krijgt hem zelf niet te zien.

scherpbier. *Hij betert zich als scherpbier op de tap* = 't is een deugniet en het wordt nog dagelijks erger met hem.
Scherpbier is een soort bier, dat al niet tot het beste behoort, en dat nog zuurder wordt in de tijd dat uit het vat getapt wordt. Zie ook *scharrebier.*

scheut. *Alle scheuten zijn geen rozen* (Vlaams) = ieder kan missen. Lett. ieder schot treft de roos niet. Zie *schot* II, 2.

schibboleth, zie *sjibbolet.*

schieten. 1. *Met spek schieten,* zie *spek* 1.
2. *Onder iemands duiven schieten,* zie *duif* 3.
3. *Niet schieten is zeker mis* (Vlaams) = wie winnen wil, moet wagen.
4. *Een bok schieten,* zie *bok* 1.

schietgebed, d.i. een zeer kort maar krachtig gebed, van enkele woorden maar, dat iemand in angst en nood *uit het hart schiet.*

schiften, zie *geschift.*

schik. *Hij is in zijn schik* = hij heeft het naar zijn zin; hij is blij.
Schik = orde; dus = 't is alles in orde; alles is gelijk het behoort te wezen. Zo b.v. in Groningen:
Kort en dik
Is zonder schik,
een kort en gedrongen figuur staat niet aardig.

schild. 1. *Wat voert hij in zijn schild?* = wat is zijn bedoeling? Vooral: wat is zijn heimelijk oogmerk?
Uitdrukking uit het ridderwezen. Op 't schild van een ridder zag men een teken of een leuze; men kon dus daaraan zien, tot welke partij hij behoorde en waarvoor hij opkwam.

2. *Iemand op 't schild heffen* = hem verkiezen als leider, als aanvoerder.
Bij de oude Germanen en nog in de M.E. werd de nieuwe vorst op 't schild geplaatst en opgeheven en rondgedragen.
3. Tegen de dood is geen schild,
Leef dan, gelijk gij sterven wilt.
Tegen de dood is geen afweermiddel; de dood komt zeker en dan moet men bereid zijn.
4. *De Heer is mijn schild* = God zal mij beschermen.
schimmel. *Kinderen houden het brood uit de schimmel*, zie *brood* 23.
schip. 1. *Oude schepen blijven aan land* = al te keurige meisjes worden te oud, om nog een man te krijgen.
2. *De schepen achter zich verbranden* = zelf zich beroven van het laatste middel, om zich alsnog terug te kunnen trekken; zich zelf opzettelijk noodzaken tot de beslissende strijd.
Zo is het in de geschiedenis herhaaldelijk voorgekomen. De bekendste voorbeelden zijn die van Willem de Veroveraar, toen hij in 1066 in Engeland landde, en van Ferdinand Cortez in Mexico, 1516.
Het oudste verhaal komt voor bij de Griekse schrijver Plutarchus: de vluchtelingen uit Troje kwamen aan land bij de mond van de Tiber; de vrouwen staken de schepen in brand, omdat zij het zwerven moe waren en zij zagen, dat het een goed land was, om te wonen.
3. *Een schip op strand is een baken in zee* = men moet zich spiegelen aan eens anders ongeluk.
Waar een schip gestrand is, kan men niet varen; het wrak dient dus als baken.
4. *Een schip met zure appels* = een stevige regenbui.
Van ouds werden de wolken bij schepen vergeleken.
5. *'t Schip is in behouden haven* = de onderneming is gelukt.
6. *Schoon schip maken* = orde brengen in een verwarde boel; ook: alle oude

41. Een schip op het strand (z. *schip*)

schulden betalen.
7. *Als 't schip zinkt, dan zinkt ook de lading* = a. als een zaak bankroet gaat, dan is men ook alles kwijt, wat tot de zaak behoort. Bij uitbreiding: als 't land verloren gaat, dan is 't ook verlies van alle bijzondere belangen; b. als de kostwinner sterft, dan is ook zijn gezin ongelukkig.
8. *Een dronk op het wel aflopen van 't scheepje* = op de goede afloop, in 't bijzonder op de behouden aankomst van een nieuwe wereldburger.
Als een schip afloopt, d.i. van stapel loopt, dan wordt het ook met een dronk ingewijd.
9. *Het schip van Staat*, d.i. de Staat zelf, vergeleken bij een schip.
10. *Het schip der woestijn* = de kameel.
11. *Een klein lek doet een groot schip zinken* = een geringe onachtzaamheid kan tot grote schade leiden.
12. *Wie in 't schip zit, moet varen*, zie *scheep*.
13. *Er valt te veel tussen schip en kaai* = er gaat te veel verloren bij de behandeling van een zaak; er is te veel, dat op een oneerlijke manier verdwijnt.
Lett.: er gaat bij 't lossen van een schip te veel verloren, dat in het water valt.
14. *Als 't schip met geld komt* = Als Pasen en Pinkster op één dag komt.
15. *'t Is een schip van bijleg* = 't is een zaak, die schade oplevert.
16. *Zijn schip raakt in de lij* = men steekt hem de loef af. Zie *lij*.
17. *Als het schip zinkt, zwemmen de ratten er uit*, zie *rat* 2.
schipbreuk. 1. *Schipbreuk lijden* = mislukken; niet tot zijn doel geraken.
2. *Schipbreuk lijden in 't gezicht van de haven* = ten onder gaan, als na veel zorg en moeite het doel bijna bereikt is. Dan zegt men in Groningen: *'t voer* (koren of hooi) *valt om vlak voor de deur van de schuur*.
schipper. *Jonge schippers, ouwe zuipers* (Fries), wie al te vroeg kapitein is, die kan de weelde niet dragen. Vroeg rijp, vroeg rot.
schipperen. *Met wat schipperen zijn doel bereiken* = door te handelen naar de omstandigheden, door wat toe te geven. Lett. = handelen als een schipper, die zijn vaart regelt naar weer en wind, naar stroom en tij en naar het vaarwater.

schobbejak, d.i. een gemene vent, een loeder, een schurk.
Men heeft gedacht aan de Middeleeuwse krijgsknechten, die een jak zouden gedragen hebben, samengesteld uit metalen plaatjes, die op *schubben leken*, gelijk de ridders een maliënkolder droegen, een pantser van ringen.
Volgens Stoett kan deze verklaring niet juist zijn, daar die naam in die betekenis in geen enkel geschrift ooit is aangetroffen; het is louter een verzinsel.
Hij geeft zelf (Vacature) de volgende verklaring:
'Het znw. *schobbe* betekende vroeger *schurft*, maar ook iemand die schurftig is; in deze zin is het eveneens in Duitsland bekend geweest, waar het in de Duits-Slavische grenslanden met een in het Slavisch zeer gewoon achtervoegsel *ak* of *jak* is voorzien, dat dient om persoonsnamen te vormen, en in die streken ook wel achter Duitse woorden gevoegd wordt. Het luidt dan *schubjack*, *schobbjack*, *schuwejack*, *schobiak*, *schuwiak*, enz. In deze vorm moet het, wellicht door de Hoogduitse Joden, uit het Oosten en naar ons land zijn overgebracht. Stoett verwerpt daarentegen de verklaring, dat een schobbejak eig. iemand is, die zich schobt (schurkt), daar in de 17e eeuw, toen het bij ons bekend was, evenmin als nu, het znw. *jak* ooit gebruikt werd voor een persoon.
Schobben = schurken, zich tegen een paal of een muur wrijven, leeft echter nog volop in Groningen.
Een schobbejak zou dus zijn: iemand die zijn jak (jas) schobt.
Dan is schobbejak dus een zelfde vorming als *lichtekooi*, *Störtenbeker*, *Paardje schijtgeld* en waarschijnlijk ook *schobberdebonk*.
schobberdebonk. *Op de schobberdebonk lopen* = rondlopen en zien, of men hier of daar mee mag eten; klaplopen.
Stoett neemt de onderstelling over van Beckering Vinckers, dat de uitdrukking betekent: lopen op schobben en bonken, d.i. op schuifjes (kliekjes) en beenderen.
Maar schobben is in deze zin niet bekend, en daardoor wordt de vorm *schobber* niet verklaard. Deze vorm is echter nog zeer duidelijk in het Groninger woord *opschobberen* = bij elkaar zoe

ken, al dwalende vinden. Zo is een hond een echte *schobberdebonk*; hij schobbert bonken (botten) op. En zo doet in figuurlijke zin een berooide zwerver, die hier of daar zijn eten opscharrelt.

schoelje. *'t Is een schoelje* = een smeerlap, een gemene vent.

Schoelie = ovenpaal, zegt Stoett; nog in Zuid-Nederland in gebruik, en reeds bij De Roovere (†1482) als scheldwoord voorkomende. Als dit juist is, dan heeft zich dit scheldwoord over heel Nederland verbreid; ook in Groningen kent men 't woord *schoelie* = schelm.

schoen. 1. *De stoute schoenen aantrekken* = zich vermannen tot een vraag, die men haast niet durft te doen.

2. *Iets in eens anders schoenen schuiven* = een ander beschuldigen van wat men zelf gedaan heeft.

Deze uitdrukking kan zijn ontstaan, doordat een dief een gestolen geldstuk wegstopt in de schoen van een ander, om de verdenking van zich zelf af te wenden. (*Seiler*, 289; aangehaald door Stoett; II, 561.)

3. *Hij staat niet vast in zijn schoenen* = hij is niet zeker van zijn zaak.

4. *Hij ging er heen op loden schoenen* = de gang viel hem zeer zwaar.

5. *Ik wou niet graag in zijn schoenen staan* = in zijn geval verkeren.

6. *Hij is op een schoen en een slof hier aangekomen* = toen hij hier kwam, was hij arm en berooid. Vergelijk *stro* 7.

7. *Men moet geen ouwe schoenen weggooien, eer men nieuwe heeft*, oud gereedschap doet het ook nog wel, als men geen nieuw krijgen kan.

8. *Wie de schoen past, trekt hem aan* = op wie deze uiting gemunt is, moet die woorden ter harte nemen; de schuldige voelt wel, dat het op hem gemunt is.

9. *Hij staat niet recht in zijn schoenen* = 't is geen eerlijk man; hij gaat met streken om.

10. *Dat loopt over de hoge schoenen* = dat loopt de spuigaten uit; dat is meer

42. Elk weet best, waar ... (z. *schoen*)

dan erg.
Lett. = het is hier zo nat, dat men zelfs met hoge schoenen niet droogvoets gaan kan.
11. *Men komt niet met schoenen en kousen in de hemel*, zie *kous* 1.
12. *Elk weet best, waar hem de schoen wringt* = ieder gevoelt wel, waar bij hem zelf de moeilijkheid zit.
13. *Ik acht hem als mijn oude schoen* = ik veracht hem.
Nu verouderd spreekwoord. Lang gangbaar gebleven door de Psalmvertaling van Dathenus, die tot 1774 algemeen en daarna ook nog op veel plaatsen werd gebruikt bij 't kerkgezang. Daarin:
Het volk van Edom koen,
Dat acht ik als mijn oude schoen.
Aangehaald door Multatuli, *Idee* 182. Zie *Edom*.
14. *'t Is beter de schoenen versleten als het bed* (Vlaams) = 't is beter gezond te zijn en te werken dan ziek te bed te liggen.
15. *Met naar de schoen van een dode te wachten kan men lang blootsvoets lopen*, (Gezelle), zie *hopen* 2.
16. *In iemands schoenen treden* = zijn verplichtingen overnemen, zijn plaats innemen. Bijbelse uitdrukking naar *Ruth* IV. Boaz, de rijke boer, wilde het verkochte land van de arme Naomi lossen, d.i. terugkopen. Maar de naaste bloedverwanten gingen voor. Naomi's zwager weigerde, omdat hij dan ook Ruth trouwen moest volgens de Joodse wet en hij het erfdeel van zijn kinderen niet wilde verkleinen. Daarom trok hij zijn schoenen uit en gaf die aan Boaz; dit was tot een getuigenis in Israël, dat deze Ruth, de schoondochter van Naomi, tot vrouw nam.
17. *Alle schoenen worden niet over één leest gemaakt* (Fries) = wat goed is voor de een, past daarom nog niet voor een ander.
18. *Men moet een paar narreschoenen verslijten eer men wijs wordt*. (Cats)
schoenmaker. *Schoenmaker, hou je bij je leest!* De Griekse schilder Apelles had een schilderij gemaakt; een schoenmaker wees hem, dat een sandaal verkeerd getekend was. Apelles verbeterde de fout. Daarop begon de schoen-

43. Men moet een paar... (z. *schoen*)

maker met aanmerkingen op dingen, waar hij geen verstand van had. En dit gaf Apelles aanleiding tot zijn spreekwoordelijk geworden uitroep.

schoenriem. 1. *Niet waard zijn, iemands schoenriem te ontbinden* = verreweg de mindere zijn.

Naar Johannes 1 : 27. Johannes spreekt van Jezus: 'Dezelfde is het, Wie na mij komt, Welke voor mij geworden is, Wie ik niet waardig ben, dat ik Zijn schoenriem zou ontbinden.'

schoenzool, zie *zool*.

schonk. *Ik zal met jou schonken nog noten knuppelen*, ik zal nog best in mijn kracht zijn, als jij al lang dood bent; vriendelijke mededeling, als er twee zijn, die heftige ruzie hebben.

Noten worden niet geplukt, maar met knuppels uit de boom geslagen of geworpen.

schoof. 1. *Iemand uit de schoof trekken* = hem bevoordelen boven de anderen.

De aren in de schoof bevinden zich alle op dezelfde hoogte.

2. *'t Kan beter van de schoof dan van de band* = de rijke kan het beter betalen dan de arme.

De schoof heeft veel halmen en de band er om heen maar weinig.

Vergelijk *stad* 1.

schooier. 1. *'t Is de ene schooier leed, dat de andere bij de deur staat* = zelfs arme mensen zijn nog afgunstig op elkaar.

Bij Modderman, blz. 66:

't Is de ene hond leed, dat de ander in de keuken ziet.

2. *Ook al goed, zei de schooier, en hij kreeg niets*, gezegde als iemand zich bij teleurstelling gemakkelijk schikt.

3. *Een beschaamde schooier heeft een platte zak* (Vlaams) = men moet niet al te bescheiden zijn.

school. *Je moet niet uit de school klappen* = niet vertellen wat je in 't geheim is meegedeeld.

Letterlijk = de jongens moeten voor zich houden, wat er in de school is voorgevallen.

schoolmeester. *Honderd schoolmeesters, negen en negentig gekken*, spreekwoord uit de oude tijd, toen de koster tevens schoolmeester was en toen de kosters benoemd werden door de heer van 't dorp, die op die wijze allicht een onbruikbaar geworden koetsier kwijt raakte. 't Spreekwoord luidde dan ook: *honderd kosters* enz.

Tegen het jaar 1700 is er een pamflet verschenen over honderd kosters in Groningerland, onder de titel *Olipodrigo of het Malle-kostersboekje*, waarin de dwaasheden van die kosters op rijm worden vermeld. Het boekje is opnieuw uitgegeven bij Thieme in Zutfen.

Of 't spreekwoord van dit boekje gekomen is, of dat het geschrift moest dienen tot bevestiging van de spreuk, is niet uitgemaakt.

schoon. 1. *Zij is schoon bij de kaars* = 't is een mooie vrouw, maar men moet haar niet bij daglicht bekijken.

2. *Hoe later op de avond, hoe schoner volk*, zie *avond* 1.

3. *De schoonste meisjes zijn de vuilste wijven* (Vlaams), zie *pop* 3.

Ook:

4. *De schoonste bomen geven de schoonste vruchten niet.*

En ook:

5. *Schone appels zijn ook wel zuur.*

schoorsteen. 1. *Daar moet de schoorsteen van roken* = dat maakt, dat wij kunnen bestaan; daar leven wij van.

Hildebrand zegt in de *Camera* in zijn schets van de Noordhollandse boer: Het is niet anders dan de kaas, 'die al Noordhollands schoorstenen rooken doet.'

En in Groningerland zeggen de vrouwen, die een buurpraatje gehouden hebben en nu nodig naar huis moeten:

2. Hier staan en niet verkopen,
Daar kan de schoorsteen niet van roken.

Dit is de taal van de marskramer, die geen tijd heeft voor een praatje.

schoot I. 1. *Schoot gaan* = weggaan zonder zijn zaken af te doen; *met een meisje schoot gaan* = er vandoor gaan; ook: haar machtig worden.

Lett. gezegd van een vlieger, als het bot breekt. Oorspronkelijk *te schoot gaan*, d.i. los *schieten*.

2. *De schoot vieren* = wat meer bot geven, wat meer vrijheid toestaan.

Schoot is het touw beneden aan het zeil van een schip, waarmee men dat zeil min of meer kan laten schieten. Vergelijk *ruimschoots*.

schoot II. *Dat wordt hem in de schoot geworpen* = dat krijgt hij zonder er iets voor te doen; dat is een onverwacht for-

tuintje.
schop I. 1. *Iemand de schop geven* = hem ontslaan, wegsturen, afdanken.
Lett. = iem. wegschoppen. Stoett acht het echter ook mogelijk, dat de uitdrukking oorspronkelijk afkomstig is van *iem. op de schopstoel zetten*; zie daar.
2. *Men moet een schop van een ezel kunnen verdragen*, zie *ezel* 7.
schop II (als werktuig). *Wat hij geeft, heb ik liever op de schop dan in de hand* = wat hij geeft, dat is van geen waarde. Men denkt hierbij aan drek; als men die op een schop heeft, kan men hem tenminste wegwerpen.
schopstoel. *Hij zit op de schopstoel* = hij heeft ieder ogenblik kans om te worden ontslagen of weggestuurd.
De *schopstoel* of *schop* was een straftoestel, een wip, waarmee de veroordeelde omhoog geslingerd werd, waarop verbanning volgde. Vandaar ook: *op de wip zitten*, in dezelfde betekenis.
In Zutfen is een pleintje, dat nog de naam draagt van *Schupstoel.*
schorpioen. *Iemand met schorpioenen geselen* = hem geweldig tuchtigen.
Bijbelse uitdrukking; de jonge vrienden van koning Rehabeam rieden hem aan, dat hij tot het volk zou spreken: mijn vader (Salomo) heeft u met geselen gekastijd, maar ik zal u met schorpioenen kastijden (1 Kon. XII : 11). Zie *Rehabeam.*
Deze schorpioenen waren gesels, met scherpe stekels bezet, die zware verwondingen toebrachten.
schorriemorrie. *'t Is schorremorrie*, of in de verkorte vorm: *'t is schorem* = 't is slecht volk, volk van 't minste allooi.
't Woord zal uit het Perzisch of Turks zijn, onderstelt Stoett. Dr. Laurillard acht het ook mogelijk, dat het Hebreeuws is, nl. het woord voor de *ossen en ezels*, waarvan sprake is in 1 Samuel XXII : 19.
schors. *Steek je hand niet tussen schors en boom*, zie *hand* 58.
schot I. *Ik zal er een schotje voor schieten* = ik zal zorgen, dat het van nu af niet meer gebeurt. Vgl. *stok* 3.
't Schot = de schutting. Dus ik zal het afschieten = afsluiten, zodat er niets meer door kan.
schot II (van een vuurwapen). 1. *Hij hield zich buiten schot* = hij zorgde wel, dat hij geen gevaar liep.
2. *Elk schot is geen eendvogel* = niet alles gelukt dadelijk; 't loopt wel eens op niets uit. Zie *scheut.*
3. *Hij is geen schot kruit waard* = 't is een man van geen waarde.
Ontleend aan de jacht. Wat de jager schiet, moet ten minste zoveel waard zijn als het kruit, dat hij voor zijn schot nodig heeft.
schot III (belasting). *Schot en lot betalen* = zijn belasting voldoen.
Schot = belasting; 't geld dat men *schieten* moet; *lot* = aandeel.
schotel. 1. *Andermans schotels zijn altijd vet*, zie *anderman* 3.
2. *Gelijke schotels maken geen schele ogen* = als ieder evenveel krijgt, dan is ieder tevree.
De Vlaming voegt er bij:
3. *Ongelijke schotels maken kwade broeders.*
schouder. 1. *Iemand over de schouder aanzien* = hem met minachting behandelen. Ook: *hem met de nek aanzien.* Dus: niet waard achten, dat men hem in de ogen kijkt.
2. *Beproeft uw schouders, eer gij draagt* (Vlaams) = waag je niet aan werk boven je macht.
schraalhans. *Schraalhans is er keukenmeester* = zij hebben het zo arm, dat ze niet eens genoeg te eten krijgen.
Men stelt het voor, alsof een schrale Hans, een magere man, de kok is. Zie *mager* 2.
schrap. *Zich schrap zetten* = zich gereed maken tot weerstand, tot verdediging.
Schrap = oorspronkelijk de streep, waarop bij wedstrijden de voet geplaatst werd. Verwant met *scherp.*
schrede. *Er was maar één schrede tussen u en de dood* = u hebt in levensgevaar verkeerd.
Bijbelse uitdrukking. 'Er is maar als een schrede tussen mij en tussen de dood.' Deze woorden sprak David tot Jonathan, toen zijn leven buiten weten van Jonathan door koning Saul bedreigd werd. (1 Samuel XX : 3.)
schreef. 1. *Dat gaat over de schreef* = dat is al te erg; dat loopt de spuigaten uit.
De *schreef* is de streep op de grond, bij wedstrijden of spelen. Wat bij een spel

met centen, noten of knikkers over de schreef gaat, is verloren.
2. *Hij heeft een schreefje voor* = hij geniet een voorrecht, hij staat in de gunst. Een *schreefje* is een *streepje*. Bij menig spel wordt aangetekend met een streepje, wat men gewonnen heeft.
schreeuwen. *Veel geschreeuw en weinig wol, zei de Duivel die een varken schoor* = veel drukte en geen voordeel.
schrobbering. *Hij heeft een schrobbering gehad* = een strenge berisping.
Schrobbering is de versterkte vorm van *schrobbing*; dus men heeft hem stevig *afgeschrobd* = met de boender schoongemaakt.
schroef. 1. *Dat staat op losse schroeven* = dat is niet secuur; dat is niet vast genoeg; daar kan men niet op bouwen.
2. *Er is een schroef los* = hij is niet goed bij zijn verstand.
schrijven. 1. *Na heel wat schrijven en wrijven* = nadat er heel wat over geschreven is; verder is 't algemeen: na heel veel moeite.
't Wrijven is oorspronkelijk het heen en weer gaan van de arm bij het schrijven.
2. *Die schrijft, die blijft* = wie goed boek houdt kan zijn zaak overzien, maar wie 't niet doet, kan zijn bedrijf niet in stand houden.
schuifje. 1. *Hij kreeg het schuifje* = hij moet ongetroost heengaan.
Uit de biechtstoel: de biechteling ziet, dat het schuifje dichtgaat, zonder dat hij absolutie gekregen heeft. (Harrebomée.)
2. *Hij loopt op schuifjes* = *op de schobberdebonk*; zie daar.
Lett. hij loopt of hij iemand vinden kan, die wat 'afschuift.'
schuilevinkje. *Schuilevinkje spelen* = verstoppertje spelen; fig. zich schuil houden. Verbastering van *schuilwinkeltje* = schuilhoek.
schuim. 1. *'t Is schuim van volk* = 't minste soort mensen; schorriemorrie.
Schuim is de vuiligheid, die boven drijft, als er gekookt wordt.
2. *Hij is zo vals als schuim op 't water.* Hier is schuim niet de vuiligheid, maar de luchtbellen die bij wind op 't water komen en die ook zo weer verdwijnen.
schuin. *De schuine deur*, schertsend voor de lommerd. Men trad binnen en bleef achter de half geopende deur staan.
schuit. 1. *Nu kom je in mijn schuitje* = nu ga je tot mijn mening over; nu kunnen wij met elkaar accoord gaan; nu zijn we het eens.
Lett. = nu vaar je met mij mee.
2. *Wie in 't schuitje zit, moet meevaren* = wie zich eenmaal ernstig met een zaak heeft bezig gehouden, kan niet meer terug.
3. *De laatste schuit moet ook vracht hebben*, verontschuldiging van iemand, die er op het laatste ogenblik nog aankomt.
4. Als de bruid is in de schuit,
Is het met beloften uit,
zie *bruid* 1.
schuiven. *Schuif-voor-de-duim* = geld. Schertsend, omdat het geld geteld wordt.
schuld. 1. *Schuld is een kwaad beest, dat niemand hebben wil* = men geeft altijd de schuld aan een ander.
Bij Vader Cats:
1a, Een ander heeft altijd de schult,
Geen mensch en siet syn eygen bult.
2. *Eigen schuld plaagt het meest.* Ook, met woordspeling met het andere woord schuld:
3. *Eigen schuld wordt het meest gemaand.*
4. *'t Is zijn schuld niet, dat de oorlog zo lang duurt*, zie *oorlog* 1.
5. *Twee kijven, beide schuld*, zie *kijven.*
schulp. *Hij kroop in zijn schulp* = hij had eerst een grote ophef, maar nu trok hij zich terug; nu had hij geen groot woord meer; nu trok hij zijn belofte in. Gezegd van de hoorntjesslak, die zich bij gevaar in zijn huisje terugtrekt.
schurft. *Het schurft wil niet geraakt zijn* (Vlaams), zie *paard* 16.
schurftig. 1. Zie *schaap* 4.
2. Zie *paard* 16.
schut. *Hij staat voor schut*, zie *verschut.*
schuur. 1. *'t Schuurtje moet bij het huisje blijven* = men moet zijn zaken zo regelen, dat men uitkomt met zijn geld.
2. *Als een oude schuur begint te branden, is er geen blussen aan* (Vlaams) = als een meisje op leeftijd verliefd wordt, dan zet ze met alle middelen haar zin door.
3. *Als de schure brandt, zo lopen de ratten* (Gezelle), zie *rat* 2.
schuurzak. *In de schuurzak zitten* = a. ziekelijk zijn; b. erg bedroefd zijn.
De schuurzak bevat hetgeen er nodig is voor poetsen en schuren. De gedachte is dus, dat de zieke of bedroefde opge-

poetst moet worden.
Harrebomée zegt van iemand die in de schuurzak zit: hij wordt van beide zijden bestreden; uitdrukking vooral bij 't omberspel.
schijf. *'t Loopt over te veel schijven* = er zijn te veel personen bij betrokken.
Bij een katrol loopt het touw over één schijf. Men heeft zich daarbij voorgesteld, dat de arbeid moeilijker wordt, als er meer schijven zouden zijn.
schijn. 1. *Schijn bedriegt* = de dingen zijn niet als ze schijnen.
2. *Hoed u ook voor de schijn des kwaads* = het is niet voldoende, dat men geen kwaad doet; men moet ook zorgen, dat een ander je niet aanziet voor iemand, die verkeerd handelt.
'Onthoudt u van alle schijn des kwaads,' zo schrijft Paulus. (1 *Thessalonicensen* v : 22.)
schijnen.
Beter dat het schijnt
Dan dat het kwijnt,
gezegde waarmee men zijn vreugde te kennen geeft, dat het met iemand of met een zaak heel goed gaat.
Schijnen = schitteren; blozen van gezondheid.
Scylla. *Hij is van Scylla in Charybdis gevallen* = van de ene moeilijkheid in een nog veel ergere.
Scylla en Charybdis waren bij de Ouden de namen van twee draaikolken in de Straat van Messina, zoals te lezen is in de *Odyssee*, het beroemde gedicht van Homerus.
serpent.
Spreekt van een serpent,
't Is er bij of omtrent,
Vlaamse rijmspreuk. Zie *Duivel* 6.
servet. *Hij is te groot voor servet en te klein voor tafellaken* = hij is geen kind meer, maar hij kan toch met de groten nog niet mee doen. Gron. *Hij is tussen zwijn en big.*
sibylle. *Sibyllijnse bladen* = geschriften vol orakeltaal; onbegrijpelijke voorspellingen.
Een *sibylle* was een waarzegster, bezield door god Apollo. In Rome werden drie Sibyllijnse boeken bewaard, waarin haar orakelspreuken waren opgetekend; ze waren uit de tijd van koning Tarquinius en werden alleen geraadpleegd op bevel van de Senaat, om het lot van Rome te weten. Ze zijn verbrand, toen de Galliërs de stad innamen (389 v. Chr.).
siene, d.i. agent van politie. Van de Hebreeuwse letter *sch*, uitgesproken *sjien.* Met deze letter begon het Joodse woord voor beambte. Amsterdams, doch door 't gehele land bekend geworden door het volksliedje van *Siene, laat mij los!*
sier. *Ze maken goede sier* = ze namen het er heel goed van; ze waren aan 't feestvieren. *Sier* is het Mnl. *chiere* = gezicht, gelaat. Dus letterlijk: ze hadden een vriendelijk gezicht; vandaar: ze ontvingen hun gasten met een goed onthaal.
sigaar. *Hij is de sigaar* = hij is er bij. Zie *haas* 12.
sikker. *Hij is sikker* = dronken.
Uit het Joodse Amsterdam; Hebreeuws *sikkor* = beschonken.
sim. *Iemand onder 't sim hebben* = zo de baas over iemand zijn, dat hij gehoorzaamt. *Sim* = hengelsnoer, maar ook het touw om een net. De betekenis kan dus geweest zijn: aan de hengel of in het net hebben.
Simson. 1. *Zo sterk als Simson* = reuzensterk. Naar Simson, de richter in Israël. (Richteren XIV —XVI.)
2. *Een Simsonsverzuchting slaken* = wensen dat iets geschieden mag, zij het ook nog maar één keer.
Simson, die voor de Filistijnen spelen moest, stond tussen de pilaren en bad: Here, Here! gedenk toch mijner, en sterk mij toch alleenlijk ditmaal, o God! dat ik mij met een wrake voor mijn twee ogen aan de Filistijnen wreke. (*Richteren* XVI : 28.)
Bekend is het verhaal van het roeibootje in *De Familie Stastok*. 't Bootje raakte vast; Pieter slaakte een Simsonsverzuchting en zette de stok met zoveel kracht in de wal, dat men weer losraakte, doch waarbij de ongelukkige held kopje-onder raakte.
Sint-Anna. Sint-Anna was volgens de Roomse overlevering de moeder van de maagd Maria; zij werd op hoge leeftijd nog moeder. Zo is zij de beschermheilige van de zwangere vrouwen geworden.
1. *Er loopt iets van Sint-Anna onder*, 1. gezegde, wanneer men twijfelt of de bruid zich altijd wel zedig gedragen heeft;
2. dat is maar scherts, gekheid.
Een andere verklaring dan de hoge

ouderdom van Sint-Anna geeft Dr. H. H. Knippenberg in *De Nieuwe Taalgids* XVII, 320; hij wijst op een oude Franse legende. Daar wordt n.l. verhaald, dat Sint-Anna geboren is uit de dij van een koning Fanouel; deze gelastte dat men het kind in een bos zou doden. Maar het kwam terecht in een zwanennest en werd gezoogd door een hinde.
Dit kan aanleiding hebben gegeven tot het gezegde, *dat er iets van St. Anna onder loopt*, wanneer men iets vertelt, dat heel gek is. Doch moeilijk om uit te drukken, dat er iets in strijd is geschied met de goede zeden.
Dit zal wel verband houden met de bedevaarten, waar ook meisjes aan deelnamen om een man te krijgen.
Zo vindt men in *Volkskunde* 1946, 158 een gedicht tegen dergelijke bedevaarten, waarop veel ongerechtigheden gebeurden, uit de Geuzentijd.
Noch liep soo menighe slechte Truye,
By Sluys, Sint t'Anne, en t'Armuye,
Dat was om kint te draghen,
Veel Vroukens jonck van daghen,
Hadden int velt,
't Lief Dach ghestelt,
Onder wege int Cooren,
Bleven sy onghequelt.
Dat is in nieuw Nederlands:
Zo menig eenvoudig meisje
Liep naar Sint-Anna-ter-Muiden
Bij Sluis of naar Arnemuiden,
Dat was om zwanger te worden.
Veel jonge vrouwkes
Hadden in 't veld een afspraak
Gemaakt met haar lief,
Onderweg in 't koren
Daar hadden zij haar zin.
Zulk een heiligdom, waar onvruchtbare vrouwen en ook trouwlustige meisjes heen trokken, was er te Ter Muiden, aan het Zwin bij Sluis. Naar dit heiligdom heet de plaats nog altijd Sint-Anna-ter-Muiden. Zeeman geeft een andere verklaring. Als een bruid nog maagd was, werd bij haar huwelijk Maria's lofzang gezongen; maar als dit niet zo was, dan hoorde men Anna's lofzang.
In de Bijbel is alleen sprake van 'Anna, een profetesse; ... deze was tot grote ouderdom gekomen, welke met haar man zeven jaren had geleefd van haar maagdom af; en zij was een weduwe van omtrent vier en tachtig jaren.' (Lukas II : 36, 37.) De verklaring van Zeeman vindt men ook reeds bij Sprenger van Eyk, *Landleven*, Naschrift, blz. IX—XII. Vandaar ook:
2. *Zij zit al in Sint-Anna's schapraai* = zij is al te oud om nog te trouwen. (Vlaanderen.)
Een schapraai is een (etens)kast.
Sint-Felten. 1. *Iemand voor Sint-Felten wensen* = wensen dat de Duivel hem haalt. Sint-Felten is Sint-Valentijn, de patroon van de vallende ziekte. Hij werd met de Duivel gelijk gesteld; vandaar ook:
2. *Loop naar Sint-Felten.*
Sint-Geertenminne. *Sint-Geertenminne drinken* = een heildronk nemen bij 't aanvaarden van een reis.
Geen volkstaal. Sint-Geerte, de Heilige Geertruida, dochter van Pepijn van Landen, werd de schutspatroon der reizigers. *Minne* = gedachte. Dus een dronk ter gedachtenis aan, ter ere van Sint-Geerte.
Sint-Jan.
Met Sint Jan
Slaat de eerste maaier an,
oud boerengezegde. Sint-Jan is 24 Juni. De spreuk geldt niet meer; na de invoering van de kunstmest begint men eerder te maaien.
Sint-Joris. *Hij heeft de kost bij Sint-Joris* = hij is in 't armhuis. Ook: hij moet leven op kosten van zijn familie.
Sint-Joris was de held, die de draak versloeg; zie *draak*.
Men vond vroeger overal zijn beeltenis op uithangborden, vooral van schuttersdoelens, doch ook van de proveniershuizen. Vandaar ook: hij heeft zijn kost gekocht in een gesticht. In *Woordenschat* wordt in het bijzonder verwezen naar het Sint-Jorishof te Amsterdam, een proveniershuis.
Sint-Juttemis. 1. *Dat komt met Sint-Juttemis, als de kalveren op het ijs dansen* = dat gebeurt nooit.
Sint-Jutte bestaat niet als een heilige, het is dus een schertsende uiting. Maar men heeft ook wel vermoed, dat de naam een verbastering zou zijn van *Sint-Judith*. Haar naamdag is op 17 Augustus; en dan dansen de kalveren zeker niet op het ijs.
Dat Jutte een Middeleeuwse vrouwennaam was, blijkt o.a. uit de Delftse straatnaam *Vrouwjuttenland*.

Sint-Juttemis komt nooit, en kalveren die op 't ijs dansen zijn er ook niet. Sprenger van Eyk denkt dan ook, dat het spreekwoord een verbastering is van een andere oude uitdrukking:
als 't hard vriest, kolft men op het ijs. (Zulk een *kolfspel op het ijs* afgebeeld bij V. d. Ven, *Het Volksspel herleeft.*)
2. *Iets uitstellen tot Sint-Juttemis* = om er nooit weer op terug te komen.

Sint-Margareta.
1. Margareta's regen
Brengt ons geen zegen,
Vlaams spreekwoord, bij Dufour, blz. 155. Ook bij ons is de naamdag van *Pis-Griet* berucht:
2. Als het regent op Margriet (20 Juli),
Dan droogt het in zes weken niet.

Sint-Matthijs.
1. Sint-Matthijs
Breekt het ijs,
ook:
2. Sint-Matthijs
Werpt de eerste steen in 't ijs,
het is de dag dat de winter ophoudt; 24 Februari. In Vlaanderen ook:
3. Sint-Matthijs
Brengt sap in 't rijs.

Sint-Niklaas. *Sint-Niklaas is wel goed, maar niet gek* = je moet niet het onderste uit de kan willen hebben; gezegde als iemand niet voldaan is met hetgeen hij gekregen heeft.

Sint-Paulus.
Met Sint-Paulus bek
Legt de ekster heuren eersten stek,
Vlaams rijmpje. Bek. staat in de almanak = bekering, d.i. 25 Januari.

Sint-Velten, zie *Sint-Felten.*

sisser. *'t Liep met een sisser af* = 't leek eerst heel erg, maar 't kwam met een kleinigheid in orde.
Harrebomée denkt aan een bailetje nat kruit bij vuurwerk; dat zou branden met een sissend geluid, zonder een slag te geven.
Doch veel aannemelijker is de verklaring, dat het een spreuk is uit de dagen der lijfstraffelijke rechtspleging. Wanneer iemand ter dood veroordeeld was, kon het gebeuren, dat hij alsnog gratie kreeg en met een brandmerk vrij kwam. Dan liep het dus in letterlijke zin met een sisser af.
Men heeft echter ook wel gedacht aan de sisser, het stukje vuurwerk, een papieren rol met kruit, die wel veel vonken, doch geen knal geeft.

Sisyphus. *Een Sisyphusarbeid* = zwaar werk, dat nooit ten einde komt.
Volgens de Griekse godenleer was Sisyphus door Zeus veroordeeld, om een rotsblok op te wentelen tegen een berg; doch zodra hij eindelijk bijna boven was, rolde de steen weer naar onderen en moest hij opnieuw beginnen.

sjakes. *Zich sjakes houden* = a. zich houden alsof men van niets weet; b. zich koest houden.
Stoett vermeldt op gezag van Van Moerkerken de *Vlaamsche klucht van Sinjoor Jakus Smal*, 1645. Deze *Jakus* moet zich in een spinde doodstil houden.

sjappietouwer, d.i. een gemene vent, een doordraaier, een lichtmis.
Dr. A. Beets waagde de veronderstelling, dat het woord van Maleise oorsprong zou zijn, n.l. uit *siapa tau?* = wie weet het? in de betekenis van: wat raakt mij dat! Dit zou veelvuldig gezegd zijn door de matrozen in Indië. De oudst opgetekende betekenis van sjappietouwer was dan ook die van een matroos op de vaart naar Indië. Vandaar: een onverschillige vent, een ruwe gast.

sjezen. *Een gesjeesd student* = een student, die de studie heeft moeten opgeven.
Volgens de gewone verklaring een student, die, als hij geld genoeg gekost en niets bereikt heeft, door zijn vader op een *sjees* werd thuisgehaald.
Algemeen: *hij is gesjeesd* = gezakt bij een examen. Nog algemener: hij is bankroet, het is mis met hem.

sjibbolet, d.i. een woord, waaraan men iemand herkent; een woord dat moet worden uitgesproken, om ergens binnen gelaten te worden.
In Richteren XII, 4—6 wordt verhaald, dat Jeftha met zijn Gileadieten de mannen van de stam van Efraïm versloeg. De Efraïmieten vluchtten naar de veren over de Jordaan, maar die van Gilead zeiden:
Zeg nu *Schibbóleth.* Maar ze zeiden *sibboleth,* want zij konden het alzo niet recht spreken.
Zo grepen de Gileadieten ze en versloegen ze.

sla. 1. *Hij wist er een slaatje uit te slaan*

= er een voordeeltje uit te halen. Gewoonlijk is de verklaring:
Slaatje, voorgesteld als een smakelijk bijgerecht.
Maar dan is 't woord *slaan* wel heel vreemd; misschien onder invloed van *zijn slag slaan*.
Men heeft ook wel gedacht, dat *slaatje* in dit geval een afleiding is van slaan. Men zegt immers ook: *hij weet zijn weetje wel*. Zo kan men ook gekomen zijn tot *hij slaat zijn slaatje*, d.i. zijn *slagje*.
2. *Een slabek*, Amsterdams woord voor een grote mond, een brutale bek.
Stoett neemt aan, dat het letterlijk de mond is van een sla-venter.
slaan. 1. *Hij sloeg er een slag naar* = hij wist het niet en waagde een gissing, om achter de waarheid te komen.
Van ouds: *hij sloeg er naar, als de blinde naar het ei* klaarblijkelijk naar een blindemansspel.
2. *Zijn slag slaan* = van een gunstige gelegenheid gebruik maken.
slaap. 1. *Iemand in slaap wiegen* = maken dat zijn opmerkzaamheid wordt afgeleid van de zaak, waar het op aan komt.
2. *De slaap des rechtvaardigen slapen* = rustig slapen, zoals iem. die zich van geen kwaad bewust is.
Op vele plaatsen in de Bijbel wordt het lot van de rechtvaardige geprezen.
slaapmuts. 1. *'t Is een slaapmuts* = een man waar geen fut in zit, een sufferd.
2. *Hij neemt een slaapmutsje*, schertsend: een borrel, voor hij naar bed gaat.
slabakken, d.i. traag zijn bij 't werk; langzaam opschieten.
Voor de verklaring heeft men gedacht aan *slaphakken* = met slappe hakken lopen. Doch waarschijnlijk is het een versterk te vorm van *slakken* = slap worden, wellicht onder invloed van *slap*.
slachtoffer, een Bijbels woord om iem. aan te duiden, die te gronde gaat of althans de zeer schadelijke gevolgen ondervindt van de omstandigheden of van de boze bedoelingen van iemand anders. In Israël was het de gewoonte, dat men een slachtdier offerde aan God als dank, of om voorspoed te genieten. In Deuteronomium XII : 27 leest men: 'Het bloed uwer slachtofferen zal op het altaar des Heren, Uws Gods, worden uitgegoten.'
slag. 1. Zie *slaan* 1 en 2.
2. *Zonder slag of stoot* = zonder dat er tegenstand werd geboden, zonder dat

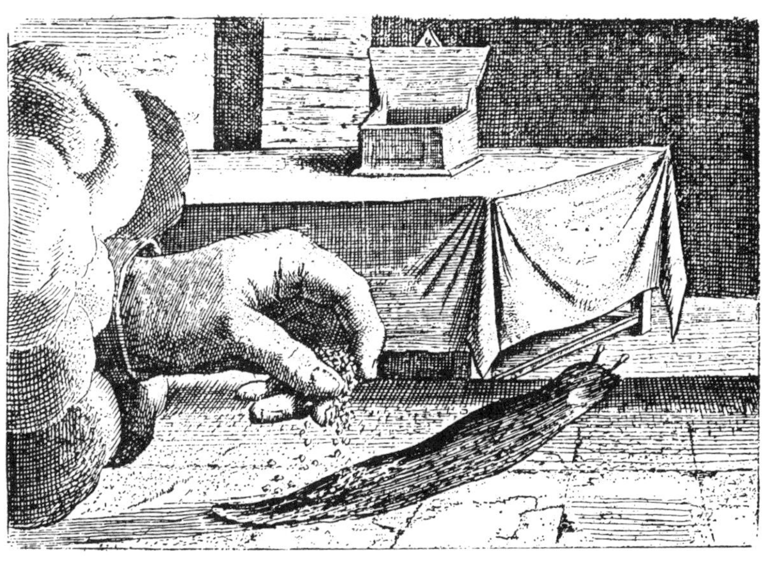

44. Men moet niet op alle... (z. *slak*)

men opgehouden werd.
Lett. zonder dat men een slag met het zwaard of een stoot met de lans behoefde te doen.
3. *Op slag raken* = beginnen handig zijn werk te doen; geleerd hebben vlot te handelen. Ook:
4. *de slag beet hebben*, bij 't smeden of bij ander werk of bij het spel = weten hoe men de zaak moet aanpakken, het werk moet doen.
5. *Slag houden* = iets verrichten, zodat het precies past bij de werkzaamheid van een of meer anderen.
Ontleend aan 't schaatsenrijden, misschien ook aan 't smeden, aan het dorsen met de vlegel of aan 't roeien.
6. *Met de Franse slag* = vlot en vlug, maar onnauwkeurig en niet degelijk.
De Franse slag was sedert de 17e eeuw een bijzondere wijze om met de zweep te slaan; uitdrukking uit de rijschool en van de paardenmarkt.
7. *Hij heeft er slag van* = hij kan het net doen, zoals het moet; hij doet het handig; 't gaat hem goed af.
Lett = hij weet hoe hij slaan moet.
8. *Hij houdt een slag om de arm* = hij vertelt niet alles, maar houdt iets voor zich; vooral ook: hij kan nog altijd terug. De *slag* is hier een eind touw, dat men om de arm houdt; men laat dus het touw vieren, maar men houdt het in de macht.
9. *Hij heeft een slag van de molen beet*, zie *molen* 2.
10. *De eerste slag is een daalder waard*, zie *klap* 4.
slak. *Men moet niet op alle slakken zout leggen* = men moet niet aldoor aanmerkingen maken, vooral niet op kleinigheden. Slakken worden verdelgd door er zout op te strooien.
slampamper, d.i. drinkebroer, vooral iemand die zijn geld verzuipt, die alles op maakt. *Slampampen* is de versterkte vorm van *slampen* = drinken.
slang. 1. *Daar schuilt een slang onder het loof*, zie *adder* 2.
2. *Hij broedt een slang in zijn boezem*, zie *adder* 1.
slapen. 1. *Zij slapen niet allen, die snorken* (Vlaams) = schijn bedriegt. Ook Fries.
2. *Geen slapende honden wakker maken*, zie *hond* 10.
3. Die slapen onder een deken
Hebben dezelfde streken,
de man en de vrouw hebben dezelfde kijk op de dingen. Ook:
4. Waar twee slapen bij elkaar,
Wordt de een gelijk de aar.
Slatius. *Hij slacht Slatius, die zijn bier verliep*, gezegde wanneer iemand heen gaat, terwijl zijn glas nog niet leeg is.
Ds. Slatius was een van de samenzweerders tegen het leven van Prins Maurits in 1623. Toen de plannen aan 't licht gebracht waren, nam hij de vlucht uit zijn standplaats. Hij kwam tot Rolde; bij de nadering van soldaten stond hij haastig op en liet hij zijn bier staan; zo verried hij zich. Hij was predikant te Bleiswijk bij Rotterdam, een heftige Remonstrant, verbitterd over de terechtstelling van Oldenbarnevelt. Met zijn boek *Klaarlichtende Fakkel* hoopte hij, een omkering der geesten te bewerken. Maar de samenzwering kwam aan het licht, zodat Slatius moest uitwijken. Hij vermomde zich zo goed hij kon en trachtte Lingen te bereiken, buiten de Republiek.
slecht (eenvoudig). *Ze leven slecht en recht* = eenvoudig en rechtuit.
Slecht in deze uitdrukking is letterlijk = effen, wat ook voorkomt in *een twist beslechten* = vereffenen, en in *een huis slechten* = slopen.
Slecht en recht, Fries *sljucht en rjucht*, met de bijvoeging *as dy fen Boalsert* = als die van Bolsward, was de spreuk van de dichter-schoolmeester Gijsbert Japix
sleeptouw. *Iemand op sleeptouw nemen* = hem wat goeds in uitzicht stellen, maar hem aldoor laten wachten. Ook: iem. meetrekken en ondergeschikt maken aan zijn wil, zodat hij al maar volgt. Men neemt een schip op sleeptouw, als men het vastmaakt aan een ander schip.
sleutel. *De sleutel op de kist leggen* = de erfenis niet aanvaarden, omdat de schulden groter zijn dan de waarde van de boedel. De kist is de doodkist. De Cock zegt dat het gebruik vroeger algemeen was; hij geeft als voorbeeld, dat de weduwe van Filips de Stoute, † 1404, dit deed. 'Naast die wijze van verzaking bestond ook de halmworp.' Zie *stro* 7.
slib. *Slib vangen*, zie *slip*.
slip. *Slip vangen* = teleurgesteld wegkomen; zijn doel niet kunnen bereiken.

Stoett verklaart *slip* als het *slippen*, de *ontslipping*. Dus zoveel als dat de goede kans, de gelegenheid iemand ontslipt. Vanouds schreef men *slip* en niet *slib vangen*. Maar daarnaast is een nieuw spreekwoord ontstaan, dat inderdaad *slib vangen* is, omdat men er bij denkt aan de visser, die slib in zijn net ophaalt in plaats van de vis, waarop hij gehoopt had. (De Vooys.)

slof I. 1. *Uit zijn slof schieten* = beginnen op te spelen, zich ineens moeite geven; ook: ineens een royale bui krijgen. *Slof* = het slof zijn; dus: zijn loomheid, zijn onverschilligheid van zich werpen. Zoals men ook zegt:

2. *'t Blijft in de slof* = het wordt verzuimd; men werkt het niet af; men komt niet tot een beslissing.

Met in beide gevallen bijgedachte aan *slof* = muil, pantoffel.

slof II (muil). *Hij kon het op zijn slofjes af* = het kostte hem weinig moeite.

In dit geval is *slof* de pantoffel. Lett. = hij behoeft er zijn schoenen niet voor aan te trekken.

slok. *Dat scheelt een slok op een borrel* = dat maakt wel een heel groot verschil.

Genomen naar de liefhebbers, die in één slok zo goed als de hele borrel doen verdwijnen.

sloot. 1. *Iemand van de wal in de sloot helpen*, zie *wal*.

2. *Hij loopt in geen twee sloten tegelijk* = hij is vertrouwd bij zijn werk; hij is voorzichtig, men zal hem niet licht beetnemen.

slot. 1. *'t Heeft slot noch zin* = 't heeft geen samenhang en geen betekenis.

Slot is in dit geval niet het einde, doch men drukt er mee uit dat de rede, het verhaal, het voorstel niet sluit, d.i. geen goed geheel vormt.

2. *Bij slot van rekening* = nadat alles wel overwogen is. Hier is *slot* = het einde.

sluis. *Het tocht hier als een sluis* = heel erg. In een sluis is n.l. een sterke stroom. Zo zegt men in Groningen:

wij zitten hier in een zijl, als het al te sterk tocht.

slijpen. *'t Is een geslepen vent* = een man, van alle markten thuis, scherp van verstand. De vergelijking met een geslepen mes ligt voor de hand.

smaak. 1. *Over de smaak valt niet te twisten*, vertaling van de L. spreuk: *de gustibus non disputandum*, die evenwel volgens Stoett in klassiek Latijn niet voorkomt.

2. *Hij heeft een kinderachtige smaak in de mond* = hij heeft zin in een borrel; schertsend gezegde. Net als een kind drinken wil, als het zich niet lekker gevoelt.

smaldoek. *Dat is geen smaldoek* = dat is royaal; dat geschiedt uit een ruime beurs; in 't algemeen: dat is niet gering. Ook: dat is duur.

Volgens Winschooten had men *smaldoek* = linnen, smaller dan ander doek.

smart. *Gedeelde smart*, *halve smart* = wanneer anderen deelnemen in je verdriet, is het lichter te dragen. Zie *last* 1.

smeer.

1. Om der wille van de smeer
Likt de kat de kandeleer,

terwille van het geld, van de beloning, van de erfenis, is men vriendelijk en onderdanig jegens iemand voor wie men niets gevoelt.

De kat likt de kandelaar, niet om die kandelaar, maar om het vet, dat van de kaars gedropen is.

2. *Iemand smeer geven* = hem een pak slaag geven.

Schertsend = *hem de rug smeren*, zijn huid lenig maken.

smeerkanis, d.i. vuilpoes.

Kanis is Bargoens = hoofd.

smeerlap = gemene vent, vuile bedrieger. De smeerlap was een lap om 't glijden van de slede in de steden te vergemakkelijken.

smeren.

Veel smeren op zijn renten
Maakt slechte testamenten,

Vlaams rijmpje. Wie het er lekker van neemt, wie zijn inkomen uitgeeft aan lekker eten en drinken, die zal niet veel nalaten bij zijn dood.

smeris, scheldnaam van een politieagent, van een Joods woord dat wacht betekent. Onder invloed van 't Ned. woord *smeerlap*.

smid. 1. *Ik zal je helpen, zei de smid, maar hij had geen ijzer en geen kolen;* zie *zeispreuken* 21.

2. *Men is beter met smid als met smeeken* (Vlaams) = een goede werkman is beter dan een slechte.

Smeeken = smidje.
3. *De beste smed slaat ook ne keer op zijn duim* (Gezelle), zie *breister*.
smoor. *Hij heeft de smoor in* = hij heeft het al heel slecht naar zijn zin; hij is nijdig.
Smoor = damp.
smijten. 1. *Daar heb je 't smijten in de glazen*, zie *glas* II, 1.
2. *Hij smijt niet, waar hij wenkt* = hij handelt anders dan men naar zijn voorgeven verwachten zou; hij verbergt zijn ware bedoeling.
snaak.
Hoe meer snaken,
Hoe meer vermaken,
Vlaams gezegde: hoe meer zielen, hoe meer vreugd.
snars. *Geen snars* = letterlijk niets; geen kruimel.
Snars, oud woord voor een teug, een slokje.
snee. *Hij heeft een snee in 't oor* = hij is dronken.
Of de uitdrukking in verband staat met de oud-vaderlandse straf, waarbij een veroordeelde een flinke snee in zijn oor kreeg en dus ook niet bedaard recht liep, durf ik niet beslissen.
Sprenger van Eyk denkt aan de gewoonte der boeren, om hun schapen of koeien te merken met een snee in 't oor. Vandaar dan: hij heeft een snee in 't oor = hij is kenbaar.
sneeuw.
1. Sneeuw op slik,
Na drie dagen dik,
als het sneeuwt na nat weer, dan komt er vorst.
Boerenwijsheid.
2. *Wegteren als sneeuw voor de zon* = haastig wegkwijnen.
sneeuwbal. De sneeuwbal en het lasterwoord groeien onder 't rollen voort, (Gezelle) = als er gelasterd wordt, doet ieder er wat bij.
snik. *Hij is niet recht snik* = hij is niet goed wijs.
Snik = snugger.
snoeien.
Het snoeien
Doet bloeien
(Gezelle), wie zijn kinderen intoomt, maakt dat ze flink en sterk worden.
snoek. *Hij heeft een snoek gevangen*, schertsend: hij is in 't water gevallen, hij heeft in de sloot gezeten.
snoer I. *Mijn snoeren zijn in liefelijke plaatsen gevallen* = a. ik heb het gelukkig getroffen in mijn leven; ik geniet voorspoed; b. ik heb het gelukkig getroffen (in dit aangenaam gezelschap; bij deze overvloedige maaltijd).
Bijbelse uitdrukking. 'De snoeren zijn mij in liefelijke plaatsen gevallen, ja, een schone erfenis is mij geworden.' (Psalm XVI : 6).
Snoer = meetsnoer, waarmee men ieders aandeel in landerijen aanwees.
snoer II (lichtekooi). *Hoeren en snoeren*, zie *hoer* 3.
snoeshaan. *Een rare snoeshaan* = een malle vent; iem. die zich vreemd aanstelt.
Stoett acht het mogelijk, dat men denken moet aan *snoetshaan* = een vent met een rare snuit.
Anderen hebben gedacht aan *snoefshaan*, zo als ook wel geschreven wordt, dus iem. die *snoeft* en pocht, of misschien = iem. die overal *snuffelt*.
Mogelijk is ook, dat snoeshaan een verbastering is van *soesoehoenan*.
snot. 1. *Hij huilde snot en kwijl* = dat de tranen hem over de wangen liepen.
2. *Je kon wel menen, dat je neus een metworst was, en 't is toch maar een snotvat*, antwoord als iemand dit of dat meent. Zie *menen* 1.
3. *Hij heeft snot in de kop* = hij is schrander; hij heeft doorzicht.
Hier is het oorspronkelijk een geheel ander woord *snot*, namelijk een oud woord voor verstand.
snuf. *Ik had er de snuf van* = ik werd het gewaar; ik merkte wat men in zijn schild voerde.
Lett. = ik snoof de lucht op; zie ook: *ik had er de lucht van*, waar lucht de betekenis heeft van reuk.
snijder. 1. *Een snijder heeft maar één darm*, spotternij van de boeren, die veel meer eten dan de kleermaker, (die vroeger uitging om te naaien en dan met het gezin mee at). Bij Van Meurs heet de snijder *Meester Eendarm* in zijn schertsend gezegde:
Om dat lapje geen dief, zei meester Eendarm, en hij haalde een broek door 't oog van de schaar.
De snijder is wel vaker het mikpunt van de spot van zijn medeburgers. Zo zegt men ook schertsend:

2. *Bij gebrek aan volk wordt een snijder kerkvoogd.* Uitdrukking, wanneer iem. een ambt krijgt, waarvoor hij de bekwaamheid helemaal mist.
En als iemand rare fratsen uithaalt:
3. *Grillen, zei de snijder, en hij beet in de tafel.*
Sodom. 1. *'t Is daar Sodom en Gomorra* = 't is een plaats waar veel slecht volk woont, een stad met bedorven zeden.
Sodom en Gomorra waren twee steden in het dal van de Jordaan; haar zonde was zeer zwaar (Genesis XVIII : 20). Beide steden werden verdelgd: Toen deed de Here zwavel en vuur over Sodom en over Gomorra regenen, van de Here, uit de hemel (Gen. XIX : 24).
2. *Een Sodomsappel* = een zaak die heel mooi lijkt, doch die slecht blijkt te zijn.
't Woord komt niet in de Bijbel voor, doch bij de geschiedschrijver Flavius Josephus, die vertelt dat er bij Sodom vruchten groeien, van buiten bekoorlijk, doch van binnen vol as.
soebatten. *Iemand soebatten* = hem om iets smeken op vleiende toon. *Om iets soebatten* = vleiend en dringend vragen.
Maleis *sobat* = vriend. Dus zoveel als: lieve vriend spelen. (Veth, *Uit Oost en West* 28.)
soep. 1. *De soep wordt nooit zo heet gegeten als hij wordt opgediend* = men overdrijft licht; ook: als een voorschrift heel streng is, dan valt de uitvoering gewoonlijk nog heel wat mee.
2. *Hij zat in de soep*; zie *rats.*
sof. *Dat wordt een sof* = een grote teleurstelling, een tegenslag.
Bargoens. Naar een Joods woord, dat *einde* betekent; vandaar: slecht einde.
soldaat. 1. *Een fles soldaat maken* = leegdrinken, opmaken.
Men heeft verschillende verklaringen beproefd. Stoett vermeldt, dat men in 't West-Vlaams onder *een soldaat* een koe verstaat, die voor 't leger bestemd is. Vercoullie verklaart *soldaat maken* als inlijven. Doch eraan geloven.
Allicht is de gedachte eenvoudig: wie soldaat gemaakt wordt is 'er bij', die moet.
2. *Een goed soldaat neemt een uur toe,* schertsende opmerking als men te laat thuis komt.
soort. 1. *Soort zoekt soort* = slechte of ruwe of dwaze lui vinden behagen in 't gezelschap van mensen, die net zo zijn.
2. *Soort bij soort*, zie *zeispreuken* 41.
sop. 1. *'t Sop is de kool niet waard* = de zaak is niet van zoveel belang, dat men er zoveel moeite voor doet.
Ook wel en juister: *de kool is het sop niet waard.*
2. *Ze zijn met hetzelfde sop overgoten* = de een is niet beter dan de ander; ze hebben dezelfde eigenaardigheden; *'t is één pot nat.*
Lett. gezegd van spijzen, die op dezelfde wijze klaargemaakt zijn.
3. *Laat hem in zijn eigen sop gaar koken* = laat hem zijn gang gaan; stoor je niet aan hem.
Ook alweer aan de keuken ontleend; gezegd van spijzen, die vet genoeg zijn, zodat er niets bij gevoegd hoeft te worden, om ze te bereiden.
spaak. 1. *Een spaak in 't wiel steken* = beletten dat een zaak door gaat.
Als men een spaak (een knuppel) in 't wiel van een wagen steekt, kan 't wiel niet draaien.
Misschien is van dezelfde oorsprong de uitdrukking:
2. *Dat loopt spaak* = dat kan zo niet voort gaan.
spaan. *Daar komt geen spaan van terecht* = er komt niets van terecht.
Geen spaan, zelfde vorming als geen zier, geen duit, geen snars enz.
spaander. *Waar gehakt wordt, vallen spaanders*, zie *hak* III, 2.
sparen. 1. *Vasten is geen brood sparen* = als men eerst heel zuinig geweest is, geeft men daarna 't geld vaak weer overvloedig uit. Wie gevast heeft, heeft daarna grote zin in lekker eten en drinken.
2. Die spaart voor de mond,
Die spaart voor kat of hond,
waarschuwing: men moet niet zo zuinig zijn, dat het eten bederft.
3. *Sparen doet garen.* Ja, zeggen degenen, die last hebben van al te grote spaarzaamheid van de huisvrouw:
4. *Sparen, daar is de kat aan gestorven.* (Gron.) = laat ons het er maar van nemen!
5. *Die wat spaart, die wat heeft*; ook:
6. Die wat spaart,
Die wat gaart.
Of ook:
7. *Wat men spaart, dat is het eerste ge-*

wonnen.
8. 't Is eer gespaard
Als vergaard,
Vlaams rijmpje; ook:
9. Men moest eerst sparen,
Wil men vergaren.
Maar men moet het doen, want
10. *Spaart in tijd, dan hebt ge in nood.*
11. Werken en sparen
Doet geld vergaren,
Vlaams rijmpje; ook:
12. Die niet wilt sparen
En kan niet vergaren. Want:
13. *Spaarmond koopt smeermond zijn hemd.*
14. *Sparen, is een groot inkomen* (Gezelle). Maar ook:
15. *Sparen als men wat heeft en sparen als men niet heeft, dat is altijd armoe.*

spat. *Hij zette de spat er in* = hij liep weg, zo hard als hij maar kon.
Spat, van *spatten*, in de zin van weglopen.

speelman. *De speelman zit nog op het dak* = de jonggetrouwden zijn nog in de wittebroodsweken.

speenvarken. *Schreeuwen als een mager speenvarken*, zie *varken* 3.
Een speenvarken is een big, die nog aan de speen van de zeug zuigt.

spek. 1. *Met spek schieten* = opscheppen, opsnijden, grove leugens vertellen. Winschooten geeft de verklaring: men schoot met spek, om brand te veroorzaken in 't (houten) schip van de vijand. Vandaar: hij bluft of liegt, dat men er versteld van staat.
Ook Tuinman zegt, 'dat het schieten met brandend spek gebruikt wordt, om brand te verwekken in huizen of schepen.'
2. *Hij mag meedoen voor spek en bonen* = hij is er ook bij, maar hij is er niet bij nodig, hij telt niet mee.
Lett. waarschijnlijk: hij krijgt geen loon, maar hij mag tenminste mee eten.
3. *Dat is geen spek voor je bek* = dat krijg je niet, dat gaat je neus voorbij. Ook: dat is iets, waar je toch niets aan hebt.
4. *'t Is een behouden spekkoper* = hij is binnen, hij is er weer boven op, hij is welgesteld.
Misschien, omdat de spekkopers vanouds goede zaken deden. Vergelijk de *Vetkopers* uit de Vaderlandse geschiedenis.
5. *Als men de kat op 't spek bindt, wil hij niet vreten*, zie *kat* 13.
6. *Met een worst naar een zijde spek gooien*, zie *worst*.
7. *Hij gaat met het spek onder het bed* = hij houdt het beste voor zich zelf.
Bij Tuinman: *hij neemt het spek mee onder de lakens*, met de verklaring: hy maakt van syn buik zyn spaarpot; hy teert alles op, eer hy te bedde gaat.
Dan zou dus de uitdrukking: *hij gaat met het spek onder 't bed* letterlijk betekenen: hij eet zelf alles op en kruipt dan onder de dekens. In de Kamper Verzameling van 1550 alleen:
Hy gaet mit dat speck ondert bedde.
8. *Gooi geen spek in een hondenest* = verkwist je goede gaven niet, waar men er terstond alles van opmaakt.
9. *Zoek geen spek in 't hondenest* = doe geen moeite, als er toch niets meer is. Vooral ook: in het huis van een dief behoef je nooit te zoeken naar dingen, die gestolen zijn.
10. *Ik ben er zo zat van als van gespogen spek* = ik walg er van; ik moet er niets meer van hebben.
Zoals men ook zijn tanden niet meer zet in spek, dat men uitgespuwd heeft.
11. *Dat geeft geen spek in de erwten* (Fries) = dat zet geen zoden aan de dijk.
12. *De naald in 't spek steken.* Zie *naald* 5.
13. *We hebben nog spek aan Mei toe* (N.H.) = wij hebben nog voorraad genoeg. Boerenspreekwoord: in het najaar wordt het varken geslacht en ingezouten.

spel. 1. *Ongelukkig in het spel, gelukkig in de liefde*, troost voor de verliezer.
2. *Alles op 't spel zetten* = alles wagen bij een onderneming.
Ontleend aan het (dobbel)spel. Zo ook:
3. *Zijn leven staat op het spel* = het kan hem het leven kosten. Lett.: het leven is de inzet; als hij verliest, is hij het kwijt.
Insgelijks aan 't spel om geld ontleend:
4. *Hij blijft buiten spel* = hij doet niet mee; hij is er niet bij betrokken.
Misschien ook van het spel, vooral van het kaartspel:
5. *'t Is net of het spel spreekt* = het is wel heel toevallig, dat het net zo uitkomt.
Net alsof het spel zelf het uitbrengt.

6. *'t Spel moet zijn gerechtigheid hebben* = aan alle redelijke eisen moet worden voldaan; men moet behoorlijk al zijn verplichtingen nakomen. Gelijk men bij het spel zich aan alle regels moet houden. Anders gezegd:
7. *'t Gaat niet om de knikkers, maar om het recht van 't spel.* Zie *knikker* 2.
speld. 1. *Er is geen speld tussen te krijgen* = men kan ook nog niet de geringste aanmerking maken op het betoog; ook: men heeft geen gelegenheid om een opmerking te maken, zo redeneert of scheldt die man.
2. *Ik steek er een speldje bij* = ik schei uit, mijn werk is vooreerst af. Ook: ik zeg geen woord meer.
Waarschijnlijk naar de vroegere gewoonte, om in een boek een speldje te steken op de plaats, waar men aan toe gekomen was.
3. *Een speld heeft ook een kop* = ook kinderen kunnen stijfhoofdig en eigenzinnig zijn.
4. *Men kon wel een speld horen vallen* = het was er doodstil.
5. *Een speld in een hooiberg zoeken* = iets onmogelijks proberen.
spelen. 1. *Hij speelt op zien komen* = hij kijkt eerst, hoe de zaak afloopt, om dan zijn gelegenheid waar te nemen; hij kijkt de kat uit de boom.
2. *Op zijn poot spelen*, zie *poot* 2.
3. *Hij speelt hoog spel* = hij zet veel op 't spel; hij waagt veel bij die onderneming. Net als men bij dobbelen of kaarten speelt om een grote inzet.
4. *Mooi weer spelen*, zie *weer* I, 1.
5. *De eerste viool spelen*, zie *viool* 1.
6. Van spelen
Komt kwelen
(Vlaams.) Wie met het gevaar speelt, komt er in om.
Kwelen = pijn lijden; gekweld zijn.
7. Spelen heeft twee zonden in:
Gram zijn om 't verlies
En gierig om 't gewin,
rijmspreuk bij Guido Gezelle.
spiegel.
Die telkens in de spiegel ziet
En zich met schoonheid vleit,
Beseft de ware schoonheid niet,
Maar jaagt naar ijdelheid.
(H. v. Alphen.)
spiegelen. *Wie zich aan een ander spiegelt, spiegelt zich zacht* = wie aan het ongeluk van iemand anders ziet, hoe hij te handelen heeft, voorkomt schade zonder dat het hem zelf wat kost.
Zich spiegelen = zich zelf zien; zijn eigen omstandigheden duidelijk onderkennen.
spier. *Ik geef er geen spier om* = ik geef er niet het minste om. *Spier* = grasspriet.
spiering. *Een spiering uitwerpen, om een kabeljauw te vangen*, zie *schelvis*.
spierwit, d.i. helemaal wit, zeer wit.
Lett. misschien = zo wit als de spier van een kip of andere vogel, die op tafel komt.
spiksplinternieuw, zie *splinternieuw*.
spil. 1. *Dat is de spil, waar alles om draait* = daar komt het op aan.
2. *De spillen liggen in de as* = de zaak is bedorven; 't ongeluk is gebeurd.
Misschien van de spil van 't spinnewiel, als die op de grond gevallen was.
Zeker van die spil het oude woord.
3. *Spilleleen*, een graafschap of ander leen, waar ook de vrouw recht van erfopvolging had; tegenover een zwaardleen. De spil als zinnebeeld van de werkzaamheden der vrouw; het zwaard het symbool van de macht en de strijd van de man.
spin. *Zo nijdig als een spin.* Misschien omdat het grote wijfje van de spin wel eens het mannetje dood maakt en verslindt.
spinazie. *Ga zo voort, mijn zoon, en je zult spinazie eten!* spottende of schertsende uitdrukking, wanneer iemand zijn werk niet af heeft of niet kan verrichten. Zoveel als: je zult het ver brengen!
Spinazie voor lekker eten in 't algemeen.
spinneweb. *Hem is geen spinneweb voor de mond gewassen* = hij kan best zijn woord doen; hij mag graag praten.
spit. *Het spit in de rug hebben*, de bekende kwaal, waarbij men zich niet verroeren kan zonder heftige, pijnlijke steken te voelen.
Misschien te verklaren uit oud volksgeloof, aldus prof. Dr. J. de Vries, omdat de voorstelling algemeen is, dat een ziekte aankomt, doordat de alven (boze geesten) een voorwerp in 't lichaam schieten.
spits. 1. *Iemand het spits bieden* = hem aanvallen of zich verdedigen, wanneer men aangevallen wordt.

Het spits = de punt van degen of lans.
2. *Hij moet het spits afbijten* = hij moet de vijand aanvallen, zodat de anderen volgen kunnen; hij moet het eerste gevaarlijke of onaangename werk doen. Ook eenvoudig: hij moet beginnen.
Misschien oorspronkelijk: hij moet het spits van de vijand aanvallen; hij moet ingaan tegen zwaard of lans. Ook: *de spits afbijten.*
Die 't spits afbijten zijn de *spitsbroeders.* Dit woord heeft nu nog de betekenis van kameraden, die tezamen een waagstuk uitvoeren.
3. *Een zaak op de spits drijven* = doorzetten tot het alleruiterste.
Volgens Stoett een vertaling van het Duitse *etwas auf die Spitze treiben.* Doordrijven tot de zaak met de spits van het wapen beslist wordt.
spitsroeden. *Door de spitsroeden lopen* = scherp gehekeld worden.
Een soldaat, die tot de spitsroeden veroordeeld werd, moest met naakt bovenlijf tussen twee rijen soldaten door, die hem met roeden van rijshout moesten slaan.
spitten.
Spitten en delven
Betaalt zich zelven,
boerenspreekwoord: wie de grond goed bewerkt, verwerft de rijkste oogst.
splint. *Zij heeft splint* = het meisje heeft geld.
Franck-Van Wijk brengt het woord in verband met *splinter*, omdat men in 't Vlaams nog 't woord *splinters* kent in de betekenis van geld.
splinter, zie *oog* 2.
splinternieuw, d.i. geheel nieuw. Lett. = zo nieuw als een splinter, die zo juist van de plank afgeslagen wordt.
Versterkt tot *spiksplinternieuw*, waarbij *spik* volgens Stoett *spijker* betekent: zo nieuw als een spijker, die pas uit het vuur komt.
spoed.
1. Haastige spoed
Is zelden goed,
wie zich al te zeer haast, doet zijn werk niet behoorlijk. Dan schiet men ook niet op, vandaar:
2. *Hoe meer haast, hoe minder spoed.*
spons. 1. *Haal er de spons maar over* = wis het uit; praat er niet meer over; denk er niet meer aan.
Wat op de lei geschreven was, werd met een spons uitgeveegd.
2. *Hij veegt met de spons van Blanus* = hij krijgt niets; dat valt hem lelijk tegen. Justus van Maurik gaf in zijn boek *Toen ik nog jong was* een volksoverlevering als verklaring. Blanus was de directeur van een paardenspel, dat op de kermis naast een ander paardenspel stond. Nu ging Blanus voor zijn tent staan met een grote natte spons, die hij uitkneep met de woorden:
Zo geweldig als 't nou uit deze spons uitloopt, zo loopt het in mijn circus in. Feitelijk veegde die ander dus *met de spons van Blanus.*
de spoor. 1. *Hij heeft zijn sporen verdiend* = hij heeft bewezen, dat hij bekwaam was; hij heeft veel en goed werk gedaan. Uitdrukking uit de riddertijd. Wie wegens zijn dapperheid en trouw tot ridder geslagen werd, kreeg een spoor aan zijn rechtervoet.
2. *Hij is gelaarsd en gespoord*, zie *gelaarsd.*
het spoor. 1. *Iemand in 't rechte spoor brengen* = hem op de goede weg brengen; hem afhouden van 't kwade en leiden tot het goede.
Bijbelse uitdrukking. 'Ik onderwijs u in de weg der wijsheid; ik doe u treden in de rechte sporen.' (*Spreuken* IV : 11.)
2. *Het spoor bijster zijn* = niet meer weten, hoe men verder moet. Jagersuitdrukking. Zo ook: *iets op 't spoor zijn*; *iemand op het spoor helpen.* In Vlaanderen: *hij is op een slecht spoor* = hij gaat het verkeerde pad op.
spot. 1. *Spottershuisjes branden licht* = als men de spot drijft met een anders ongeluk, dan is men nog volstrekt niet zeker, dat hetzelfde ongeluk de spotter zelf ook niet treft. 't Is dus een waarschuwing, om niet te spotten.
Zo is het ook met:
2. *met zijn spot naar bed gaan* = trouwen met een meisje, waar men vroeger de spot mee gedreven heeft.
spraak. 1. *De spraken zijn verward* = er is groot verschil van mening in de vergadering; men schreeuwt tegen elkaar in. Naar het verhaal van de torenbouw te Babel; 'aldaar verwarde de Here de spraak der ganse aarde' (Genesis XI : 9). Vandaar ook:
2. *'t Was er een Babylonische spraakver-*

warring.
3. *Zijn spraak maakt hem openbaar* = aan zijn manier van spreken kan men dadelijk horen, tot welke partij hij behoort.
Naar Matth. XXVI : 73. Toen Petrus loochende, dat hij ook met Jezus de Galileeër was, zei men tot hem: 'Waarlijk gij zijt ook van die, want ook uw spraak maakt u openbaar.'
4. *Hij heeft spraakwater ingenomen* = hij heeft een borrel (te veel) gedronken.
5. *Hij kent de weg en de spraak*, zie *weg* I, 10.

spreekwoord. 1. *Een spreekwoord is een waar woord.*
Vaak wel, omdat de spreekwoorden veelal volkswijsheid bevatten in een kernachtige zin. Maar er zijn ook kwaadaardige onder, die getuigenis afleggen van een boos karakter.
2. *Dat is tot een spreekwoord geworden* = dat is zo bijzonder, dat ieder er van spreekt en dat men het als voorbeeld aanhaalt.
Onder de vervloekingen, waaronder het volk van Israël lijden zal, als zij van God afwijken, zegt *Deuteronomium* XXVIII : 37 ook:
'Gij zult zijn tot een schrik, tot een spreekwoord, en tot een spotrede, onder al de volken, waarheen u de Here leiden zal.'
3. *Dat is spreekwoordelijk geworden.*

spreeuw. 1. *Spreeuwen eten wel kersen, maar de bomen poten ze niet*, gezegde als iemand de vrucht plukt van de moeite en zorg, die een ander gedaan heeft.
2. *Die man is een spreeuw* = een spotvogel.
Waarschijnlijk omdat de spreeuw vaak de stem van een mens nabootst, net of hij hem voor de gek houdt.
3. *Een spreeuwe op het dak en maakt de zomer niet* (Gezelle), zie *kraai* 2 en *zwaluw* 1.
4. *Elk houdt zijn eigen spreeuw voor een lijster* (Fries), zie *uil* I, 1.

spreken. 1. *Spreken is zilver, maar zwijgen is goud* = het is vaak beter zijn gedachten voor zich te houden dan dat men vertelt wat men weet of hoe men over een zaak denkt.
't Eerste deel van deze spreuk kan een Bijbelse uitdrukking zijn: De redenen des Heren zijn reine redenen, zilver, gelouterd in een aarden smeltkroes, gezuiverd zevenmaal (Psalm XII : 7). Het tweede deel is er dan als tegenstelling bijgevoegd.
Dezelfde gedachte wordt uitgedrukt door
2. *'t Moet al een spreker zijn, die een zwijger overtreft*, of:
3. *Er is geen spreker, die een zwijger verbetert.*
Bij Guido Gezelle:
4. *'t Is al een goed spreken, dat een goed zwijgen beteren zal.*
5. *Hij dient als spreektrompet* = hij moet de beginselen van een partij verdedigen; hij moet opkomen voor de mening van iemand anders, die hij openlijk of in 't verborgen vertegenwoordigt.
6. *Stout gesproken is half gevochten, zei Klaai, en hij gaf hem voor niemand* (Guido Gezelle), d.i. met een groot woord bereikt men, dat een ander je niet aan durft. In Groningen: *'n Groot woord houdt een kerel van de huid.* Zie *woord* 20.
7. Spreken onbedacht
Heeft menigeen in druk gebracht,
Vlaamse rijmspreuk.
Men moet dus voorzichtig zijn in zijn spreken. Doch niet spreken, d.i. altijd zijn mening voor zich houden, deugt ook niet, volgens het Vlaamse spreekwoord:
8. *Mijdt u van 'nen mens, die niet spreekt en van 'nen hond, die niet bast.*
9. *Wilt gij hebben, dat ze van u spreken, trouwt of sterft.* (Vlaams).
10. Spreek wat waar is,
Drink wat klaar is,
Eet wat gaar is.
11. *Spreekt ge niet, zo en hebt gij niet*, (Vlaams), zie no 6.
12. Die spreekt, die zaait,
Die hoort, die maait,
Vlaams rijmpje.
13. *Hier stond de spreker stil!* schertsend gezegde, als iemand in zijn rede blijft steken.
Een van de spreekwijzen, aan Nederlandse dichters ontleend, namelijk aan Tollens.
In de *Overwintering op Nova-Zembla* leest men:
Hier houdt de spreker stil;
hij snikt; hij kan niet meer.

springen. *Men moet niet verder willen springen dan de polsstok lang is* = a.

men moet zijn kracht niet overschatten; b. men moet zijn uitgaven regelen naar zijn inkomen of naar zijn vermogen.

sprong. 1. *Zijn hoge sprongen zijn gedaan* = zijn gezag is uit; zijn kracht is vervlogen; zijn trots is gebroken.

Volgens overlevering zei Gerard van Velzen tot Floris V, toen men hem gevangen nam:

Uw hoge sprongen zijn gedaan, heer Graaf!

2. *Kromme sprongen maken* = zonderlinge handelingen verrichten, vooral gezegd van iemand die in verlegenheid zit en allerlei pogingen doet, om vrij te komen. Ook:

3. *Bokkesprongen maken.* Zie *kapriolen.*

sprookje. *Dat is een sprookje van Moeder de Gans* = dat moet je niet geloven; dat is maar een verdichtsel.

De F. schrijver Perrault gaf in 1697 zijn beroemd geworden verzameling van de allerbekendste volkssprookjes uit, met Roodkapje, Gelaarsde Kat, Doornroosje, Blauwbaard, Assepoester, Ezelsvel enz. Hij noemde zijn verhalen de *Vertellingen van Moeder de Gans.*

spuigaten. *'t Liep de spuigaten uit* = 't was door alles heen, 't was al te erg.

De *spuigaten* bevinden zich boven 't dek van een schip in de rand; daar loopt het water uit, als 't dek geschrobd wordt en daar loopt op een zeeschip ook het water weer uit, dat met de hoge golven op het dek terecht komt.

Winschooten denkt ook aan het bloed, dat bij een zeegevecht de spuigaten uitliep, als het er verschrikkelijk op aan kwam.

Spuigaten, lett. = de gaten om te spuien. Wie dit niet wist, vervormde het gezegde, zodat men ook hoort: *dat loopt de spuitgaten uit.*

spijen.

Spijende kinderen,
Dijende kinderen,

oud volksgeloof: als de zuigeling spuwt, is dat een teken dat hij flink groeien zal. In Groningen: *spijers zijn dijers.* Zo overal; bij Van Dale: *spugers zijn blijvers.*

spijker. 1. *De spijker op de kop slaan* = net datgene zeggen waar het op aan komt. Verbasterd tot:

2. *Spijkers met koppen slaan.* Met de bijgedachte dat zulke spijkers de planken beter bijeenhouden. Maar in de praktijk zullen spijkers zonder koppen wel niet veel gebruikt worden.

3. *Spijkers op laag water zoeken* = ongegronde uitvluchten zoeken; bezwaren maken waar geen reden voor is.

Men denkt aan scheepstimmerwerven, waar bij ebbe of als om andere reden het water laag staat de spijkers worden opgezocht, die bij het werk op de grond gevallen zijn. Vandaar = dingen zoeken van haast geen waarde. *Op laag water* zou dus betekenen: bij laag water.

4. *Hij weet voor elke spijker een gat* = hij weet bij elke op- of aanmerking een passend antwoord. In 't algemeen: hij weet overal raad op.

5. *Hij is zo hard als een spijker* = hij heeft nergens geld voor over; hij geeft nooit wat.

Hard = hardvochtig, niet te bewegen. Bij Harrebomée: hij is arm; hij kan niets geven.

spijs. *Verandering van spijs doet eten* = men moet eens weer wat anders doen, dan begint men weer met nieuwe lust.

spijt.

1. 't Spijt gaapt wijd
En is 't leste altijd,

Vlaams gezegde = berouw komt na de zonde; zie *berouw* 3.

Vlaams ook:

2. *'t Spijt is 't leste, 't is van de Duivel gemaakt.*

En ook:

3. *Het spijt is een hinkende bode,* 't is immers een bode, die altijd te laat komt.

staan. *Wie staat, zie toe, dat hij niet valt* = men moet altijd oppassen, dat men niet voor de verleiding bezwijkt.

Deze waarschuwing is uit I *Korinthe* X : 12. 'Die meent te staan, zie toe, dat hij niet valle.'

staart. 1. *Hij trok af met de staart tussen de benen,* zie *been* 1, 16.

2. *Spreekt men over de Duivel, dan ziet men zijn staart,* zie *Duivel* 6.

3. *Maart roert zijn staart,* zie *Maart.*

4. *In de staart zit het venijn:* aan het slot komt de boze zet, de verraderlijke aanval. Vertaling van de L. spreuk *in cauda venenum,* die ontleend is aan de schorpioen.

5. *Eeǹ varken heeft wel een krul in zijn staart,* zie *varken* 9.

6. *Het krullen van de staart is 't fatsoen van de hond*, zie *krul* 2.
7. *Komt men over de hond, zo komt men over de staart*, zie *hond* 9.
staat. 1. *Daar is geen staat op te maken* = daar is niet op te rekenen, niet vast op te vertrouwen.
Staat, letterlijk = toestand; hier de lijst van goederen; de vermelding van baten en lasten; de inventaris.
2. *'t Is in staat van gewijsde*, zie *gewijsde*.
3. *Een grote staat voeren* = met grote staatsie optreden; een hoge rang ophouden met de nodige grote uitgaven.
Staat, lett. = toestand; hier = voornaam voorkomen; rijk leven.
4. Kent staat
En houdt maat,
Vlaams rijmpje: zet de tering naar de nering.
stad. 1. *'t Kan beter van de stad dan van een dorp* = de rijke kan gemakkelijker betalen dan een arme.
2. *Hij is stadskind* = hij staat onder curatele.
Dit geschiedde vroeger en nog ten tijde van de Republiek door de overheid van de stad.
staf. *De staf breken over iets* = iets veroordelen, iets streng afkeuren.
Uit het oude rechtswezen; de rechter brak een staf, wanneer hij een doodvonnis uitsprak. Fockema Andreae ziet in dit oude gebruik het zinnebeeld, dat aldus elke band tussen de veroordeelde en de mensheid werd verbroken.
stag. *Over stag gaan* = van gedachten veranderen; tot een andere partij overgaan. Zeemanswoord. De *stag* is een van de touwen; de zeeman ziet er aan, dat het schip van richting verandert. *Over stag gaan* = lett. over een andere boeg gaan; draaien.
stal. 1. *Hij wordt op stal gezet* = gepensioneerd.
Vergelijking met een paard, dat te oud is om te werken en dat het genadebrood krijgt. Boerenspreekwoord.
2. *Goed voer en een warme stal*, zie *voer*.
3. Arm in de stal
Is arm overal,
Vlaams boerenspreekwoord: wie zijn vee niet goed verzorgt, die krijgt ook geen behoorlijke opbrengst. Zie *vee* 3.
4. *'t Is te late de stal gesloten, als 't peerd gestolen is* (Gezelle), zie *kalf* 2.
stam. 1. *Op dezelfde stam groeien verschillende vruchten* (Vlaams) = de kinderen van 't zelfde huisgezin zijn vaak geheel verschillend.
2. *De appel valt niet ver van de stam*; zie *appel* en *uil* 7.
standje. 1. *Iemand een standje maken* = hem heftig berispen.
Volgens Franck-v. Wijk betekent *stand* hier troep mensen, oploop.
De uitdrukking kan een verbastering zijn van iemand *een stankje maken*, gelijk nog gezegd wordt in de Nedersaksische dialekten, b.v. in Groningen.
2. *Een klein standje is een groot gemak* = als men een standje gehad heeft, dan is men er vooreerst weer van af. Ook: men moet zich van een standje niets aantrekken, want dan is het zo weer over; dan is 't onweer van de lucht.
3. *Hij vecht voor zijn eigen standje*, voor zijn eigen zaak.
stang. *Iemand op de stang rijden* = hem dwingen tot behoorlijke plichtsvervulling, door hem streng te behandelen.
Gezegd van een paard, dat men in de macht heeft door middel van een stang in de bek.
stank. 1. Zie *standje*.
2. *Men krijgt stank voor dank* = ondank is 's werelds loon.
Stank, om het rijm. Maar Tuinman zegt: 't Is ontleend van den Duivel. Die pleegt immers, als hij weggaat, een vuile stank achter te laten.
stapel. 1. *Dat is vlot van stapel gelopen* = dat is vlug in zijn werk gegaan.
Een schip *loopt van stapel*, als het nieuw gebouwd te water gelaten wordt; de *stapel* is namelijk de op elkaar gelegde blokken hout, waar de kiel van 't schip op rust, zo lang dit nog op de helling is. Vandaar ook:
2. *Een nieuw werk op stapel zetten* = beginnen. En schertsend:
3. *Daar is wat op stapel* = er wordt een kleintje verwacht.
4. *Hard van stapel lopen* = haastig, zonder overleg te werk gaan.
stapelgek, d.i. volslagen gek. Men denkt daarbij aan opgestapelde dwaasheid, doch waarschijnlijk is het = zo gek als een *stapel*, d.i. een krekel. De krekel is spreekwoordelijk bekend om zijn zorgeloosheid; de mier verzamelt voor de winter, maar de krekel zingt de hele zo-

mer door. Misschien zit het hem ook in dat zingen zelf, dat onverstaanbaar is.
Ook bij verkorting: *hij is stapel.*
Het woord *stapel* = krekel komt nog voor in het oudste Ned. woordenboek, dat van Kiliaen in de 16e eeuw. Maar het was toen al verouderd. Echter wordt mij uit Akersloot (ten Z. van Alkmaar) bericht, dat de jongens aldaar de grote groene sabelsprinkhaan *houtstapel* noemen; hij leeft op de heggen.
staven. *Een eed staven* = bevestigen.
Uit het oude gebruik, dat de rechter die een eed afnam dit deed 'onder een plechtig zwaaien van zijn staf.' (A. de Cock.)
steeg. *Men moet stegen voor straten kennen* = men moet onderscheid maken tussen mensen en mensen, al naar hun rang of verdienste. Lett. = men moet onderscheid weten te maken tussen stegen en straten.
steek. 1. *Iemand een steek onder water geven* = hem in bedekte termen wat zeggen, dat hij als minder aangenaam voelt, dikwijls voor anderen onverstaanbaar.
Onder water duidt het bedekte van de *steek* aan. Maar 't kan ook zijn, dat men er oorspronkelijk bij gedacht heeft aan de oude uitdrukking: *een schot onder water geven* = het schip treffen met een kogel onder de waterlijn.
2. *Geen steek uitvoeren* = letterlijk niets doen. Waarschijnlijk ontleend aan het werk van de naaister, evenals
3. Zondagssteek,
Houdt geen week,
wat men op Zondag doet, daar rust geen zegen op.
Waarschijnlijk is van dezelfde oorsprong:
4. *Dat houdt geen steek* = die redenering gaat niet op; dat is niet betrouwbaar.
Versleten goed, dat genaaid wordt, *houdt geen steek*; daarin blijven de steken niet vast zitten.
De Cock meent, dat de uitdrukking afkomstig zijn kan van een steekspel: de ridder, *die steek hield*, kon de steek der tegenpartij doorstaan.
5. *Daar is een steekje aan los* = die vrouw leeft niet helemaal, zoals het behoort; op haar zedelijk gedrag is wat aan te merken. Eveneens ontleend aan het werk van de naaister.
6. *Iemand in de steek laten* = hem aan zijn lot overlaten; ook: niet op de bepaalde tijd aanwezig zijn.
Men heeft gedacht aan: iemand verlaten in het steken, d.i. in het gevecht. Misschien betekent het eenvoudig: *iem. laten steken* = hem laten, waar hij steekt, waar hij zich bevindt.
Borchardt acht de uitdrukking afkomstig van het steekspel. Die overwonnen werd moest paard en wapens in de steek laten, d.i. laten steken, laten varen.
7. *Een goede breister laat wel een steek vallen*, zie *breister*.
8. Vijf steek, zes voet,
Zit het vast, dan houdt het goed
(Gron.), opmerking tegen een al te vlugge naaister, en dan in 't algemeen: al te vluchtig werk houdt geen stand.
steen. 1. *Eén steen kan geen mosterd malen* = als men niet antwoordt op driftige uitvallen van een ander, dan komt er geen twist. Bij Modderman:
2. *Eén steen kan geen meel malen.*
3. Zie *ezel.*
4. Zie *aanstoot* 2.
5. *Een rollende steen vergaart geen mos* = wie al maar weer (van woonplaats, van werkkring) verandert, gaat niet vooruit, wordt niet rijk.
6. *Steen en been klagen* = luid en roerend klagen.
Waarschijnlijk = klagen bij het grafgesteente van een heilige, waarin of waaronder zich het gebeente van de heilige bevindt.
Maar ook bestaat de uitdrukking: *het vriest steen en been* = 't vriest zeer hard. Dus het vriest, dat alles 'stok en steen' wordt, of het vriest, dat het ijs in één nacht een steen dik is. 't Been is er dan om 't rijm bij gezegd.
En dan zou de gehele uitdrukking overgenomen zijn in: *hij klaagt steen en been.*
7. *Iemand stenen voor brood geven* = iemand die in nood verkeert hard afwijzen. In *Matth.* VII : 9 leest men: Wat mens is er onder u, zo zijn zoon hem zou bidden om brood, die hem een steen zal geven?
8. *De steen der wijzen zoeken* = naar het onmogelijke trachten.
De steen der wijzen behoort thuis in de alchemie; het was het middel om onedele metalen in goud te veranderen.
9. *Wie zal de eerste steen werpen?* = wie zal het eerst spreken, om een ander te

veroordelen? ieder mag zich zelf wel eerst onderzoeken.
Jezus zei tot degenen, die de overspelige vrouw wilden stenigen: 'Die van ulieden zonder zonde is, werpe eerst de steen op haar.' (*Johannes* VIII : 7.)
10. *'t Zal gebeuren, al moest de onderste steen boven* = ook al moest het uiterste geschieden, ook al zou er niets worden ontzien.
Waarschijnlijk een bijbels gezegde, namelijk naar de woorden van Jezus bij 't aanschouwen van de tempel: 'Hier zal niet een steen op de andere steen gelaten worden, die niet afgebroken zal worden.' (*Matth.* XXIV : 2.)
11. *'t Is of de stenen spreken* = het is een wonder, dat dit bekend geworden is.
Bijbelse uitdrukking. De Farizeeën wensten, dat Jezus zijn discipelen zou bestraffen, die Hem prezen. Jezus antwoordde:
'Ik zeg ulieden dat, zo deze zwijgen, de stenen haast roepen zullen.' (Lukas XIX : 40.)
Vandaar ook:
11a. *Dan zouden de stenen spreken* = als de mensen niet opkomen voor de waarheid, dan zullen de stenen het doen. Zo, wanneer het gaat om dingen, die niet verzwegen mogen worden.
12. *'t Valt op een gloeiende steen* = het helpt niet, 't is zo weer op, gelijk water terstond verdampt, als 't op een hete steen valt.
13. Harde stenen slijpen ijzer,
Harde stoten maken wijzer.
Bij Vader Cats:
Een harde steen die wet het yser,
En harde slagen maecken wyser.
14. *Die een steen naar de hemel werpt, krijgt hem zelf op 't hoofd* (Vlaams) = het kwaad straft zichzelf.
15. *Twee harde stenen malen zelden fijn* (Vlaams) = twee mensen die van geen toegeven weten passen niet bij elkaar. Ook Fries.
16. *Dat is één zonder steen*, zie *zeispreuken* 6.
17. *Hij heeft de eerste steen gelegd* = hij heeft de zaak gesticht; hij is met het (grote) werk begonnen; hij legde de grondvesten van het gebouw.
Naar 't leggen van de eerste steen bij een bouwwerk.
steenschaaf. De nog niet ingewijde jonge timmerknecht wordt uitgestuurd om de steenschaaf te halen. Zie *dingen die er niet zijn.*
steigeren. *Ik heb zoveel van 't steigeren als van 't metselen* = 't een is mij niet meer waard dan het ander.
Steigeren = steigers maken, het voorbereidende werk voor 't metselen.
Letterlijk dus: ik heb evenveel belang bij 't voorbereidende werk als bij het werk zelf.
stekeblind, d.i. volslagen blind. De oude vorm was *stokblind* en dit zal weer gevormd zijn naar *stokstijf.*
stekel.
Stekels maaien is stekels zaaien,
Stekels plokken is stekels lokken,
Maar stekels steken
Is ze de nek breken.
Prof. van Hall geeft dit boerenspreekwoord op voor de Beemster; het is ook welbekend in Groningerland, misschien door 't boekje van Van Hall zelf, die te Groningen werkzaam was.
Distels maaien en distels plukken helpt niet, dan komen er steeds nog meer; men moet ze uitsteken. Fig: men moet het kwaad in de wortel aantasten.
stel. 1. *Op stel en sprong* = onmiddellijk. Lett. = in niet meer tijd dan nodig is om zich te stellen, d.i. te gaan staan, en te springen.
2. *Alles is er op stel* = in volmaakte orde. *Stel* = goed gesteld, goed geregeld.
stelen. 1. *Wie eens steelt, is altijd een dief* = wordt er altijd weer op aangekeken.
2. *Groten stelen, kleinen stelen, maar de groten stelen het meeste.*
3. *Gestolen goed gedijt niet*, volksopvatting, steunende op Spreuken X : 2. 'Schatten der goddeloosheid doen geen nut.'
4. *'t Is kwaad stelen, als de waard een dief is* = men kan iemand niet bedriegen, als hij zelf een bedrieger is.
't Spreekwoord komt niet zoveel meer voor. Cats kent het:
't Is qualijck yet te stelen,
Wanneer de huyswaert self die rolle
[weet te spelen.
In Vlaanderen is 't nog gangbaar; zie *waard* 4.
5. *Gestolen wateren zijn zoet*, zie *drank.*
Bij Gezelle:
6. *Gestolen beten smaken best.*
7. *Je mag wel stelen, maar je moet elk*

en een het zijne laten (Fries), schertsend gezegde: je moet goed uit je ogen kijken, hoe een ander het doet of het heeft.
stelt. *Alles stond er op stelten* = alles was in de war; 't hele huis was in rep en roer.
Wie op stelten loopt is niet zo vast van gang en tuimelt licht.
stem. 1. *'t Was de stem van de roepende in de woestijn* = hij deed zijn best om zich te doen horen, maar geen mens bekommerde zich om hem.
Bijbelse uitdrukking. In *Matth.* III : 3 wordt van Johannes de Doper gezegd deze is het, van welke gesproken is door Jesaja, de profeet, zeggende: De stem des roependen in de woestijn: Bereidt de weg des Heren; maakt Zijn paden recht!
Daar wordt dus niet de gedachte gewekt, dat het roepen tevergeefs was.
2. *Een stem in 't kapittel hebben*, zie *kapittel.*
stempel. 1. *'t Is een man van de oude stempel* = een degelijke man, zoals ze er vroeger waren.
De uitdrukking is afkomstig van munten, die men graag aannam, omdat men het oude stempel kende.
2. *Hij heeft er zijn stempel op gedrukt* = het is werk, waarvan duidelijk blijkt dat het van hem of in zijn geest is. Ook: hij heeft het als echt erkend; hij keurt het goed.
Hier is stempel het merk, dat men op een papier plaatst, als teken van goedkeuring, van bevestiging. Zo ook: *zijn zegel aan iets hechten.*
Stentor. *Hij sprak met een Stentorstem* = zeer luid, met een ver doordringende stem. *Stentor* is bij de dichter Homerus de heraut in het leger der Grieken vóór Troje; zijn stem had meer kracht dan die van vijftig mannen.
sterk. 1. *Die niet sterk is, moet slim zijn.*
2. *Met de sterke arm* = met behulp van de politie of desnoods van het leger.
sterven. 1. *Sterven is geen verloren werk* (Vlaams), n.l. als men mag hopen op de zaligheid.
2. *Noodst van al sterft, die meest van al moet laten* (Gezelle) = de rijke sterft zo node, hij moet zo veel achter laten. Vergelijk *hemd* 7 en *goud* 8.
steven. *De steven wenden* = van gedrag, van werkwijze veranderen; tot een andere partij overgaan.
De steven is 't grote kromhout vóór aan de boeg van het schip. Dus letterlijk = van koers veranderen, of met een andere zeemansuitdrukking: *het over een andere boeg gooien.*
stief. 1. *Stief is nooit lief* = een stiefmoeder is nooit zo lief voor de kinderen als een eigen moeder. Kwaadaardig spreekwoord.
2. *Als de kinderen een stiefmoeder krijgen, dan krijgen ze ook een stiefvader* = dan handelt de vader ook zo, dan is ook de vader niet lief meer.
stier. *Hij vliegt er op aan als een stier op een opper hooi* (Gron.) = hij gaat er driest, brutaal, onbesuisd en onbedacht op in.
stil.
1. Stil en bestendig,
Maar knepen inwendig,
d.i. meisjes die zich zo bescheiden en bedeesd voordoen, tonen zich heel anders, als ze eenmaal getrouwd zijn.
2. *'t Is een stille in den lande* = iem. die aan drukte in gezelschap niet meedoet, die stil zijn gang gaat. Vaak met de bijgedachte, dat hij een stiekemerd is. Deze bijgedachte niet in Psalm XXXV : 20, waar de rustige burgers bedoeld zijn:
(Mijn vijanden) spreken niet van vrede; maar zij bedenken bedriegelijke zaken tegen de stillen in het land.
3. Zie *zeispreuken* 2.
4. *Daar 't stil is, is 't goed haver zaaien.* schertsende opmerking, als in gezelschap toevallig niemand spreekt.
Woordspeling met *stil* = zonder wind, en *stil* = zonder geluid.
5. *Stille waters hebben diepe gronden*, zie *water* II.
6. *'t Is stil, waar 't nooit en waait* (Vlaams) = in ieder huisgezin wordt wel eens getwist.
7. *Stillekens gaat verre* (Vlaams) = wie bedaard handelt, bereikt zijn doel.
stinken. 1. *Dat stinkt een uur in de wind* = dat stinkt verschrikkelijk. Lett. = men ruikt het nog op een uur gaans afstand tegen de wind in.
2. *Eigen lof stinkt*, zie *lof.*
3. *Als dat ei breekt, wat zal het stinken!* Zie *ei* 23.
4. *Zachte heelmeesters maken stinkende wonden*, zie *heelmeester.*
5. *Stinkende lieden hebben geerne rieken-*

de kruiden (Vlaams) = ieder wil graag zijn ondeugden bedekt houden.
stoel. 1. *Iets niet onder stoelen of banken steken* = er openlijk mee voor den dag komen.
2. *Hij zit tussen twee stoelen in de as* = hij had de gelegenheid om te kiezen tussen twee goede dingen, maar hij heeft die gunstige gelegenheid voorbij laten gaan en heeft nu helemaal niets gekregen.
Lett. = hij kon op beide stoelen gaan zitten, maar hij is op de vuile grond terechtgekomen.
3. *Hij sprak voor stoelen en banken* = voor een lege zaal.
4. *Daar verdient hij een stoel in de hemel mee* = dat is buitengewoon verdienstelijk werk, waar hij zich voor opoffert.
stoep. 1. *Die stoep is glad* = dat huis heeft veel aanloop; vooral, er komen veel vrijers om het meisje.
Schertsend: er is zoveel loop, dat de stoep (ook wel de drempel) er glad van wordt. Misschien ook: de drempel is er zo glad, dat je gemakkelijk naar binnen gaat.
2. *Ieder moet zijn eigen stoep vegen* = a. men moet zorgen, dat zijn eigen zaak in orde is, (vóór dat men wat van een ander zegt); b. ieder moet voor zich zelf opkomen, moet zijn eigen werk doen. Ook: *ieder moet vegen voor zijn eigen deur.*
stoethaspel. *Een rare stoethaspel* = iem. die zich zonderling aanstelt, die zich gek gedraagt.
Franck-Van Wijk bevat als verklaring, dat het woord een dubbelvorm is, gemaakt uit *stoetel* of *stoeter* en *haspel*, die ieder op zich zelf reeds het begrip bevatten van onhandig, zonderling, gek.
stof. 1. *Dat heeft veel stof opgejaagd* = dat heeft veel beroering teweeggebracht.
2. *Het stof van de voeten schudden* = heengaan, wanneer men niet wel ontvangen is.
Bijbelse uitdrukking, naar de woorden van Jezus tot Zijn twaalf discipelen:
Zo iemand u niet zal ontvangen, noch uw woorden horen, uitgaande uit die stad of uit dat huis, schudt het stof uwer voeten af. (*Matth.* X : 14.)
stoffel. *'t Is een stoffel* = een lompe onhandige man.
Stoffel = Christoffel, de reus die het kind Jezus over het water droeg, twaalf voet lang. In de oude kerk zag men zijn beeld, zodat het volk bekend was met zijn lomp en ongeschikt voorkomen.
Dat de broer van Woutertje Pieterse de naam van *Stoffel* draagt, zal geen toeval zijn.
stofje. *Dat is een stofje aan de weegschaal* = een kleinigheid van niet de minste betekenis.
Bijbelse uitdrukking. 'De volken zijn geacht als een druppel van een emmer, en als een stofje van de weegschaal.' (Jesaja XL : 15.)
stofregen. 1. *Met stofregen en met de fijnen wordt men 't meest bedrogen*, hatelijkheid tegen de fijnen, de vromen.
Stofregen acht men eerst niet, maar op den duur dringt hij door de kleren.
In de Adagia, 102:
2. *Met stofregen en fijne kwezels raakt men bedrogen.*
3. *Stofregen en klikschulden dringen door.* Klikschulden zijn kleine schulden, die dus op zich zelf niet zo zeer hinderen. Maar 't ongeluk is, dat men er allicht veel te veel van krijgt en dan worden ze toch een zware last.
stok. 1. *Ze hadden het met elkaar aan de stok* = zij hadden twist, zij het ook niet dat ze elkaar met stokken sloegen, wat wel de oorspronkelijke betekenis was.
2. *Zij viel van haar stokje* = ze werd bewusteloos.
Gezegd van een kip op stok of van een vogel in de kooi.
3. *Daar steek ik een stokje voor* = ik maak dat er een eind aan komt, dat het niet verder doorgaat.
't Stokje is de grendel op de deur, oudtijds vaak een stevig stuk hout.
4. *Spring niet verder dan je stok lang is*, zie *springen.*
5. *De stok staat achter de deur* = als overreding niet helpt, dan maar met geweld.
6. Een stokje in de thee
Brengt blijde boodschap mee.
Volksgeloof in Z. Holland.
stokdoof, zie *stekeblind.*
stokkebrood.
Eerst was 't lokkebrood,
Nu is 't stokkebrood,
zie *huwelijk.*
stokpaard. *Hij zit op zijn stokpaardje* = hij praat maar door over het onderwerp,

dat hem het naast aan 't hart ligt.
Zo als de kleine jongens overgelukkig en onvermoeid zijn, als ze op hun stokpaard zitten.

stokroos. *Een stijve stokroos* = een juffrouw, die zich in gezelschap niet weet te bewegen; die stijf op haar stoel zit en aan 't gesprek haast geen deel neemt, vaak uit trots.

stokvis. *Elk wat van de stokvis!* = ieder moet er zijn deel van hebben.
Vroeger zei men, merkwaardig genoeg: *elk zijn deel in de stokvisvellen.* En in de *Lijkrede op de weleerwaarde heer Felix Achitofel Goddorie de Steek* vindt men op blz. 4:
Ik keer mijn zelven eens,
en nog eens weder om,
Als oude dames doen,
die in haar prille jaren
In alle eer en deugd
geen fijne zusjes waren;
Die haren eersten bloei
niet in een kloostercel
Den hemel brachten,
maar den duivel in de hel,
En nu een stokvischhuid
den 'Heere Heere' offeren,
En met een vrome zucht
naar kerk en preekstoel slofferen.

stootgaren. *Op stootgaren liggen* = op de schopstoel zitten; elk ogenblik kunnen worden weggestuurd.
Zeemanstaal. De uitdrukking wil zeggen: gereed liggen om uit te varen. *Het stootgaren* is namelijk het dunne touw, waarmee de zeilen aan de ra gebonden zijn, zodat men dit maar heeft door te snijden of los te strikken, om dadelijk gereed te zijn om weg te zeilen. De zeilen kunnen dadelijk *losgestoten* worden.

storm. 1. *Een storm in een glas water* = drukte over niets. Vertaling uit het Latijn.
2. *De stormbal hijsen* = a. waarschuwen, dat een groot gevaar dreigt, dat men op zijn hoede moet zijn; b. zijn medestanders oproepen, om gezamenlijk tegen zulk een gevaar te strijden.
Als storm verwacht wordt, dan hijst men aan de haven de stormbal als een waarschuwing voor de schippers, dat het gevaarlijk is, om nu binnen te lopen.
3. *Wie wind zaait, zal storm oogsten*, zie *wind* 1.

straal. *Hij was straalbezopen* = stomdronken.
Straal = recht uit, zo recht als een straal. B.v. hij sloeg hem straal in zijn gezicht. Eig. hij heette het straal liegen. Vandaar kreeg het woord zijn versterkende kracht.

straat. 1. *Hij komt op mijn straatje* = nu redeneert hij net als ik. 't Straatje is het bevloerde paadje bij ieder huis in 't dorp. 't Kan ook kazernetaal zijn: het straatje is de ruimte tussen twee kribben in de soldatenkamer; 2. zie *steeg.*

straatvarken. *'t Is een straatvarken* = een vrouw van lichte zeden. Ook in 't algemeen een scheldwoord voor een brutaal mens, die niet deugt.
Naar de Sint-Antoniusvarkens, die in de Middeleeuwen vrij langs 's heren straten mochten lopen. Ze werden geslacht, als ze 't ver genoeg gebracht hadden; de opbrengst van deze Teunisvarkens was voor de armbesturen.

straf.
1. De straffe en de roe
Maken kinderen vroe,
Gezelle. Zie *kind* 21.
2. *Zijt gij een straffe schuldig, trouwt dan maar* (Gezelle) = het huwelijk brengt moeite en zorg.

stratendrek. *Wij storen ons aan geen stratendrek, wij wonen op een bovenkamer* (Gron.) = wij storen ons aan geen praatjes, aan geen laster; daar zijn we boven verheven.

streek. 1. *Hij raakte van streek* = hij kwam in de war; hij werd zenuwachtig. Zeemansuitdrukking. Op 't kompas staan de 32 streken, de windstreken. Wanneer een schip uit de koers is, dan is het van (de goede) streek. Vandaar ook:
2. *streek houden* = een vaste weg volgen; fig. blijven bij zijn voornemen; niet afwijken van zijn bedoeling. En ook:
3. *Hij heeft lelijke streken op zijn kompas* = hij doet wel eens verkeerde dingen; hij heeft ongunstige karaktertrekken.
Ook is van dezelfde oorsprong:
4. *Iemand op streek helpen* = hem weer aan de gang helpen; hem in staat stellen, zijn werk weer goed te doen.
5. *Ze zijn goed op streek met elkaar* = zij schieten goed met elkaar op.
Waarschijnlijk ontleend aan het schaatsenrijden, waarbij een paar of een heel gezelschap *streek moet houden.*

6. *Rechtstreeks* = a. recht op het doel aan; b. zonder eerst iets anders te doen. Waarschijnlijk ook van 't kompas = de rechte streek houdende.

streep. 1. *Er loopt een streep door* = hij is niet recht wijs. Waarschijnlijk ontleend aan weefsel met een verkeerde draad er door.

Aldus Stoett in zijn 4e druk.

Tuinman denkt aan een schuine streep op een wapen, het merk van bastaardij. Aanvankelijk had Stoett die verklaring 'waarschijnlijk' genoemd.

'Als de gefingeerde wapenkundige term werkelijk een vakterm was,' schreef De Vooys (Nw. Taalgids IX, 185).

2. *Dat is een streep door de rekening* = dat is een grote teleurstelling.

In een koopmansrekening werd een streep getrokken bij betaling. Als men dan nog eens om zijn geld kwam, bleek dat men niets meer te vorderen had. Ook haalde de winkelier een streep door de rekening, als hij zeker was dat hij toch geen geld kreeg.

3. *Hij heeft een streepje voor*, zie *schreef* 2.

4. *Een streep aan de balk*, zie *balk* 2.

streng. 1. *De derde streng houdt de kabel* = a. alle goede dingen bestaan uit drie; b. de derde man brengt de praat an.

Zeer waarschijnlijk onder invloed van *Prediker* IV : 12. 'Een drievoudig snoer wordt niet haast gebroken.'

2. *Hij maakt geen streng stijf* (Gron.) = hij arbeidt niet; hij voert niets uit.

De strengen zijn de touwen, waaraan het paard trekt; als dit geschiedt, dan staan de strengen stijf.

Bij Den Eerzamen voor Goeree:

Hij heeft nooit een streng recht getrokken.

3. Zo ook: *Hij kan zijn streng niet meer trekken* (Z.) = hij heeft geen kracht meer voor zijn werk.

strik.

Die op geen strikken let,
Zit welhaast in 't net,

Vlaams spreekwoord = weest voorzichtig, dat men je niet bedriegt.

stro. 1. *Iemand geen stro in de weg leggen* = hem niet in het minst tegenwerken, hinderen.

De *stro* is hier de halm.

2. *Hij zet niets uit het stro* (Gron.) = hij heeft geen kracht om te werken; hij voert niets uit.

Bij het dorsen worden de graankorrels in letterlijke zin uit het stro gezet.

3. *Hij klemt zich vast aan een strohalm* = hij hoopt nog op uitkomst, al moet hij zich van de geringste middelen bedienen. Gezegd van een drenkeling.

4. Vuur en stro
Dient niet alzo,

d.i. men moet aan een vrijer en een vrijster niet al te veel gelegenheid geven. Vooral gezegd, als zij onder één dak wonen. De jongelui zelf denken:

Vrijen onder één dak
Geeft groot gemak.

5. *Een stroman* = iemand, die voor de schijn optreedt in een zaak, maar die in wezen niets te zeggen heeft; een die handelt op gezag van en in plaats van een ander; iemand, die bij een verkoping voor iemand anders biedt, die zelf achter de schermen blijft.

De *stroman* is de stropop, die de vogels weg houdt, alsof hij werkelijk wat kan.

6. *Hij is met een stro te trekken* = hij laat zich niet lang nodigen; hij neemt licht een uitnodiging aan; ook: men kan hem gemakkelijk overhalen.

Lett. = een strohalm is voldoende, er is geen touw bij nodig.

Vgl. *vinger* 13.

7. *Hij is op een strowis komen aandrijven* = toen hij hier kwam, was hij arm en berooid.

Nog lopen in Groningen en Friesland verhalen van heksen, die op een bos stro over 't water varen. Boekenoogen in zijn *Zaansche Volkstaal* herinnert aan de sage, in 't Angelsaksisch, dat een kind kwam aandrijven met het hoofd op een korenschoof.

8. *Stro op de kist leggen* = de erfenis niet aanvaarden, omdat er meer schuld is dan goed. Oud gebruik.

9. *'t Is een strovuur* = de geestdrift (liefde, toorn) is heftig, maar van heel korte duur. Gelijk stro fel brandt, doch haastig uitgaat.

10. *Hij kan geen stro stuk bijten* = hij is te zwak om wat te doen; ook: hij is zo arm, dat hij niets betalen kan.

Een stro weer voorgesteld als een nietig ding, van geen betekenis.

11. *Hij ligt op stro* = hij is dood.

Oudtijds legde men een stervende op stro; stro heeft geestenwerende kracht.

Later legde men de dode op stro.
De uitdrukking werd niet meer begrepen, zodat men nu ook wel van een heel arm man zegt, dat hij op stro ligt.
12. *Hij wijkt geen strobreed* = hij geeft niets toe.
13. *Stroken voor stroken maakt de vogel zijn nest* (Vlaams), zie *kleintje* 1 en 2.
Stroken = strootje.
14. *Hij valt over een stro* = hij maakt aanmerking op de geringste kleinigheid.
stront.
1. Van boven bont,
Van onderen stront,
gezegde als een vrouw met heel mooie bovenkleren loopt, doch geen goed hemd aan 't lijf heeft.
Ook: 't zijn lui, die zich voornaam voordoen en heel wat lijken, maar die in werkelijkheid niets zijn.
2. *Hoe meer men in de stront roert, hoe harder dat het stinkt* = hoe meer men zich bezig houdt met een vuile zaak, des te akeliger last krijgt men er van.
Ook: men moet over een smerig geval zo weinig mogelijk spreken, er komt anders nog veel meer aan het licht.
3. *Men wordt eerder overreden van een strontkar dan van een koets* = wie waarlijk voornaam is, die behandelt iemand altijd keurig, maar die zich voornaam voordoen, zijn heel vaak onbeschoft, lomp en ruw.
4. *Er is stront aan de knikker* = er is iets bij de zaak wat niet deugt; ook: er is gevaar bij.
stroom. 1. *Men kan niet tegen de stroom oproeien* = men is niet in staat om te werken tegen de opvatting van iedereen in. Ook: als de moeilijkheden te groot zijn, kan men zijn doel niet bereiken.
2. *Hij volgt de stroom* = hij gaat mee met de grote massa; hij houdt zich aan de algemene opvatting; hij doet mee met zijn partij, zonder van een eigen gevoelen te laten blijken.
3. *'t Is dood stroom* = er gaat niets om (in de handel); 't is een heel stille tijd.
Dood stroom is in het water, wanneer het tot stilstand komt, doordat twee stromingen elkaar opheffen, b.v. de opkomende vloed en het water in een rivier. Zo ook: *'t is dood tij*, het ogenblik tussen het opkomen en het weer dalen van de vloed.
4. *Drinken uit de stroom der vergetelheid* = vergeten, wat er eens geweest is. Geen volksuitdrukking. De Lethe is de rivier van de Griekse onderwereld, waaruit de schimmen der doden dronken, om het verleden te vergeten.
stroop. 1. *Hij loopt met de strooppot*, d.i. hij vleit degene met wie hij omgaat. Wanneer die vleierij nog erger is, dan heet het:
2. *hij loopt met de stroopkwast*, of wat op 't zelfde uitkomt:
3. *hij smeert hem stroop om de mond.* Zie ook *honig* 1.
4. *Men vangt meer vliegen met stroop dan met azijn*, zie *vlieg* 6 en *honig* 2.
strop. 1. *Daar heeft hij een strop aan* = dat is een reuzentegenvaller. Ook: dat is een onvoordelige koop.
Lett. = nu kan hij zich wel ophangen.
2. *Een strop van een jongen* = een deugniet; ook: een echte kwajongen.
Lett. = een die niet te goed is voor de strop.
3. *Het strop van de hals en de galge is vergeten* (Gezelle), zie *roe* 1 en 2a.
struif. *Men moet geen struif bederven om een ei*, zie *ei* 9.
struikelen. *Wij struikelen allen in vele* = de mens is niet volmaakt. De woorden zijn uit Jakobus III : 2.
Schertsend wel vaak gebruikt, als iem. een vergissing begaat.
struisvogel. 1. *Dat is struisvogelpolitiek* = er is groot gevaar, maar men doet net, alsof men daar niets mee te maken heeft. Ontleend aan 't oude verhaal, dat de struisvogel zijn kop in het zand steekt, als hij zijn vervolgers niet meer ontkomen kan, hij zou dan menen, dat ze hem niet zien, als hij ze niet meer zien kan.
Doch mogelijk is ook ontlening aan de Bijbel. In *Job* XXXIX : 20 leest men van de struisvogel:
'Want God heeft haar van wijsheid ontbloot, en heeft haar des verstands niets medegedeeld.'
2. *Hij heeft een struisvogelmaag* = alle eten bekomt hem goed; hij kan elke spijs verdragen.
Van de struisvogel wordt verteld, dat hij alles inslikt wat hij krijgen kan, tot stukken ijzer toe.
strijken. *Dat gebeurt strijk en zet* = geregeld, zonder ooit over te slaan.

Waarschijnlijk ontleend aan het kaartspel of een ander kansspel, waarbij men de winst opstrijkt en dan dadelijk opnieuw weer inzet. Vandaar ook:
Hij gaat strijken met de winst = hij is de winnaar; hij haalt de buit binnen.
Dit is een gissing van Dr. Stoett. Daarnaast plaatst Dr. de Vooys de mededeling, dat *strijk en zet* voorkomt in een heierslied op Terschelling:
Hoog in de rollen,
Aardappels met knollen,
Hoog in je bed,
Strijk... en zet!
(Nw. Taalgids IX, 228.)
Dit wordt bevestigd door E. J. v. Sonsbeek te Haarlem in dezelfde jaargang, blz. 312:
Daar staat ie goed,
Waar ie wezen moet.
Hoog in je bed,
Strijk... en zet!
Hij voegt er bij:
'*Strijken* betekent laten zakken. *Zetten* betekent *laten rusten*; hier het heiblok op den kop van de paal.'
strijkgeld. *Strijkgeld is strikgeld* = door het strijkgeld wordt menigeen verleid tot een hoger bod, zodat hij blijft hangen aan een koop, die veel te duur is.
Strijkgeld of bodgeld was een zeker bedrag, dat de notaris uitloofde bij een openbare verkoping aan diegene, die een bod verhoogde. Om dat strijkgeld machtig te worden, deed menigeen een hoger bod, in de gedachte dat na hem nog wel een ander zou komen, die nog weer meer bood.
Was dat niet zo, dan werd hij de koper van goed, dat òf te duur was òf waar hij niets aan had; hij was dus in de strik gevangen.
Strijkgeld is nu bij de wet verboden.
strijkstok. *Er blijft te veel aan de strijkstok hangen* = er zijn mensen, die bij een zaak geld in de zak steken, dat niet verantwoord is; er zijn mensen, die er onrechtmatig van trekken.
Oorspronkelijk een schertsende uitdrukking. De *strijkstok* is namelijk de strekel, de stok waarmee men het koren glad strijkt, dat zich bij verkoop in de maat bevindt. Als men dus zijn maat niet krijgt, of als de boer niet genoeg geld krijgt voor zijn graan, dan heet het, dat er wat aan de strijkstok bleef hangen.
stuip. *Hij joeg mij de stuipen op het lijf* = hij maakte mij dodelijk verschrikt.
Spieren, die plotseling onwillekeurig samen trekken, veroorzaken stuipen. Vooral kinderen kunnen er onder lijden.
stuiven.
Wie zijn geld wil zien stuiven
Moet kopen tabak of duiven.
(Twente.)
stuiver. 1. *Een stuivertje kan raar rollen* = 't is nooit vooruit te zeggen, hoe een zaak afloopt, het onmogelijke kan gebeuren. 't Stuivertje was het kleinste geldstukje; als 't wegrolde wist je nooit waar het terecht kwam.
2. *Stuivertjewisselen* = de ideeën van iemand overnemen, die op zijn beurt weer de denkbeelden van die ander omhelst.
Van het kinderspel, waarbij de een op de plaats van de ander ziet te komen. Daarbij werd dan gevraagd, of men een stuivertje wisselen kon.
3. *Hij heeft een aardig stuivertje* = hij heeft heel wat geld.
4. Die de stuiver niet en geert,
Is de gulden niet weerd,
Vlaamse rijmspreuk.
Geren = begeren. Zie *klein* 1 en 6.
5. *'t Is beter één stuiver in de hand als twee te verwachten* (Vlaams), zie *vogel* 2.
6. *Iedere stuiver brengt zijn gierigheid mee* (Vlaams) = hoe rijker, hoe vrekker.
7. *Een stuiver gespaard is er twee gewonnen* (Vlaams) = sparen doet garen. Vandaar ook:
8. *'t Een stuivertje op 't ander bouwt het huis* (Gezelle).
stuk. 1. *Hij staat op zijn stuk* = hij blijft bij zijn mening, bij zijn eis.
Stuk = het onderwerp waar het over loopt; de zaak waar het op aankomt. Ditzelfde begrip in:
2. *Hij raakt van zijn stuk* = hij is de tel kwijt, hij wordt verbijsterd, hij weet niet te antwoorden.
3. *'t Is een stuk ongeluk* = een nare vent, een mispunt.
Stuk = brok; toegepast op de hele persoon. Zo ook: *'t is een verwaand stuk eten.*
4. *Hij heeft een stuk in de kraag* = hij heeft te veel gedronken.
Stuk = een massa drank; *kraag* is 't oude woord voor hals; zie *kraag*.
5. *Van stukje tot beetje* = met alle onder-

delen, niets overslaande.
Lett. = van 't ene stukje tot het andere.
6. *Stukjes draaien* = de school verzuimen om langs de straat te lopen, Hollandse uitdrukking.
Misschien = grappen maken. Doch Stoett verwijst naar de oude gezegden: *stutjes draaien*, *stutten lopen* en hij vermoedt, dat dit oorspronkelijk *op stelten lopen* betekende.
7. *Voet bij stuk houden*, zie *voet* 2.
8. *Hij komt er op geen stukken na* = hij komt er lang niet.
stukwerk. *Ons weten is maar stukwerk* = onze kennis is gebrekkig en onvolkomen.
Naar I Korinthe XIII : 9, waar Paulus zegt: 'wij kennen ten dele.'
stuur. 1. *Hij raakte overstuur* = hij was zijn zenuwen niet meer de baas; hij verloor de zelfbeheersing; hij was in de war. Ook: hij was al te zeer geroerd.
Een schip is *overstuur*, als het niet meer naar 't roer luistert; dan is het verloren. Vandaar ook:
2. *Daar is geen koe bij overstuur* = 't is zo'n erg verlies niet; er is geen koe bij verloren.
stuurboord. *Van stuurboord naar bakboord*, zie *bakboord.*
stuurman. *De beste stuurlui staan aan wal* = als iemand in nood zit of voor een moeilijke taak staat, zijn er altijd lui die veel beter weten hoe men handelen moet dan de man zelf, ofschoon zij 't zeker niet beter gedaan zouden hebben, als zij zelf in zijn geval verkeerden.
Lett. = als een schip in nood is, weten de mannen die aan de wal staan precies, hoe de stuurman te werk moet gaan.
stijfkop.
Van de stijfkop en de zot
Vult de advokaat zijn pot,
waarschuwing dat men nooit een proces moet beginnen. Zie *advokaat*, *koe* 4, *proces* en *vergelijk*.
summa summarum, Latijns gezegde, lett. = som der sommen, d.i. alles te zamen genomen.
Suzanna, zie *kuis* 2.
swiet. *Swiet slaan* = bluf slaan, pronken, vertoon maken.
In verschillende dialecten komt *swiet* voor in de betekenis van mooi. Zo in de Groninger volkstaal: wat ziet zij er *swiet uit!* Vandaar *swiet* = ophef.
Stoett denkt ook aan het F. woord *suite* = gevolg, b.v. een koning met zijn gevolg, dus met grote staatsie.
Sijmen. *Sijmen betaalt* = 't is altijd de mindere man, die de lasten moet dragen. Ontleend aan boerenschroom, het oude gezelschapsspel; de beide boeren Bartel en Sijmen verliezen en moeten betalen aan Boerenschroom, de ontvanger.
synagoge. *Hij is uit de synagoge geworpen* = hij is niet meer in tel bij zijn vroegere vrienden, hij is uit hun kring gestoten.
Toen Jezus de blinde genezen had, durfden de ouders niet zeggen, wie zijn ogen geopend had, 'want de Joden hadden alrede tezamen een besluit gemaakt, zo iemand Hem beleed de Christus te zijn, dat die uit de synagoge zou geworpen worden.' (*Johannes* IX : 22.)

T

taal. 1. *Wij hebben taal noch teken van hem* = wij hebben niets meer van hem vernomen.
Taal = bericht, tijding. *Teken* staat er wellicht bij voor de alliteratie.
2. *De tale Kanaäns* = taal, doorspekt met Bijbelse uitdrukkingen, zoals sommige vromen bij voorkeur gebruiken.
De uitdrukking zelf is ook Bijbels, namelijk naar Jesaja XIX : 18. 'Te dien dage zullen er vijf steden in Egypteland zijn, sprekende de spraak van Kanaän, en zwerende de Here der heirscharen.'
3. *Hij zweeg in zeven talen* = hij zei helemaal niets.
Schertsende tegenstelling tot iemand, die zeven talen spreekt.
Insgelijks de schertsende woordspeling:
4. *Hij kent alle talen behalve betalen.*
taart. 1. *Hij krijgt wat van de taart* = een pak slaag of voor 't minste een stevige schrobbering.
Schertsende uitdrukking. Zo ook:
2. *Ik heb er taart genoeg van gehad* = ik heb er mijn bekomst van; ik heb er genoeg akeligs van ondervonden.
tabak. 1. *Ik heb er tabak van* = ik moet er niets meer van hebben.
Waarschijnlijk een schertsende uitdruk-

king; zie *taart* 2.
2. *Dat is geen pijp tabak waard.*
tabernakel. 1. *Iemand op zijn tabernakel geven* = hem een pak slaag of een strenge berisping toedienen.
De Tabernakel was een langwerpige tent, op Gods bevel gemaakt voor de eredienst van de Joden in de woestijn; door de Levieten gedragen en in elkaar gezet.
Het binnenvertrek was 'het heilige der heiligen'; daar stond de ark met het verzoendeksel, het mocht alleen op Grote Verzoendag door de hogepriester worden betreden. Toen de Joden in Kanaän waren, kreeg de tabernakel een vaste plaats, eerst te Silo, later te Jeruzalem.
In Exodus XXV—XXVII wordt beschreven, dat de Here aan Mozes gelastte, het heiligdom te bouwen en hoe dit moest worden ingericht en bediend.
In II *Korinthen* V : 1 wordt het menselijk lichaam 'ons aardse huis dezes tabernakels' genoemd. Vandaar de uitdrukkingen:
2. *Mijn aardse tabernakel wordt verbroken* = ik moet sterven.
3. *Hij zal daar geen tabernakel bouwen* = hij zal het er niet lang uithouden.
Bijbelse uitdrukking, naar *Matth.* XVII : 4 de geschiedenis van de verheerlijking op de berg.
Jezus nam met zich de apostelen Petrus, Jakobus en Johannes; op de hoge berg zagen zij Jezus spreken met Mozes en Elias. 'En Petrus zeide tot Jezus: Here! het is goed, dat wij hier zijn; zo Gij wilt, laat ons hier drie tabernakelen maken, voor U een, en voor Mozes een, en een voor Elias.'
tafel. 1. *Je zult je voeten onder een andermans tafel moeten steken* = je zult dienstbaar worden bij een ander. Daarnaast:
2. *Men steekt gaarne zijn voeten onder een eigen tafel* = men wil liefst een eigen thuis hebben.
tafellaken. 1. *Hij is te klein voor tafellaken en te groot voor servet* = 't is nog maar een halfwas; hij is geen kind meer en hij kan ook nog niet bij de volwassenen gerekend worden. Ook fig.: hij kan met de grotelui niet meedoen en hij rekent zich zelf te voornaam voor de burgermensen.
2. *Het tafellaken doorsnijden* = niets meer met iemand gemeen willen hebben, zelfs niet meer met iemand willen omgaan.
Volgens Grimm was het een oud gebruik, dat bij een echtscheiding de man en de vrouw elk een deel kregen van een doorgesneden linnen doek.
Algemeen bekend is, dat men in de Middeleeuwen, als men met iemand aan tafel zat, met wie men geen gemeenschap meer wilde hebben, in werkelijkheid het tafellaken doorsneed. Dit overkwam o.a. aan Willem van Oostervant, de latere graaf Willem VI van Holland, te Parijs. Hij was gevlucht na de moord op Aleid van Poelgeest in 1390. Aan tafel van de Franse koning sneed een heraut het tafellaken vóór hem door. Men verweet hem namelijk, dat de nederlaag van graaf Willem IV tegen de Friezen bij Stavoren in 1345 nog niet gewroken was, zodat er een smet op zijn wapen kleefde. Willem wilde de smaad niet overleven; hij wou zich liever doodvechten tegen de Turken. Maar toen nam zijn vader hem mee naar Friesland...
tak. 1. *Men moet het takje buigen, als het jong is* = men moet de kinderen reeds vroeg brengen tot goede beginselen.
2. *Een ondeugd uitroeien met wortel en tak* = geheel en al.
3. *Van de hak op de tak springen*, zie *hak* II.
talen. *Hij taalt er niet naar* = hij vraagt nergens naar; hij spreekt er geen woord over.
Talen = oud-Nederlands voor een gerechtelijke vordering instellen, aanspraak op iets maken.
talent. 1. *Hij woekert met zijn talenten* = hij doet zijn grootst mogelijke voordeel met de hem geschonken gaven.
In de gelijkenis van Jezus in Matth. XXV is sprake van drie dienstknechten; twee er van woekerden met de talenten, die hun heer hun had toevertrouwd en zij werden rijkelijk beloond en geprezen. Maar de derde, bevreesd dat hij zijn ene talent zou verliezen, begroef het in de aarde. Hij werd bestraft, omdat hij ook niet gewoekerd had. Vandaar:
2. *Men moet zijn talenten niet begraven* = men moet gebruik maken van zijn gaven.
Er waren gouden, zilveren en zelfs loden talenten, Joodse munten. In de gelijke-

nis zullen gouden talenten bedoeld zijn.
Talitha kumi, een van de Heldringgestichten te Zetten in de Betuwe, voor verwaarloosde kinderen, 1857.
Naar het woord, dat Jezus in het Aramees sprak tot het dochtertje van de overste der synagoge, dat gestorven was. (Markus v : 41.)
'Hij vatte de hand des kinds, en zeide tot haar: Talitha kumi! hetwelk is, zijnde overgezet (Ik zeg u), sta op!'
tand. 1. *Hij liet zijn tanden zien* = hij kwam stevig, zelfs met dreigementen, voor zijn zaak op.
Ontleend aan de hond, die zijn tanden laat zien, als hij nijdig wordt en dreigt aan te vallen.
2. *Hij was gewapend tot de tanden* = voorzien van alle wapenen.
Lett. = van onder tot boven.
3. *Hij eet met lange tanden* = hij zit aan tafel, maar heeft geen zin aan eten.
4. *Iemand aan de tand voelen* = trachten gewaar te worden, wat hij weet of wat zijn bedoeling is.
Ontleend aan de paardehandel; aan de tanden van het paard is te zien, hoe oud het is, althans dat het nog niet ouder dan ongeveer zeven jaar is, want tegen die tijd verdwijnt de holte in de kroon van de kiezen; dan wordt het paard aftands. Vandaar ook:
5. *Zij is van de tand* = zij is al oud. Zie *paard* 7.
6. Handen stil,
Tanden stil,
zie *hand* 45.
7. *Haar op de tanden*, zie *haar* 11.
8. *Hij loopt op zijn tandvlees* = hij loopt op versleten schoenen; fig. hij ziet er haveloos uit, hij is doodarm.
Als de randen van het bovenleer te zien komen, dan maken de spijkertjes de indruk van tanden.
9. Rap in de hand,
Rap in de tand,
Vlaamse rijmspreuk: wie vlug werkt, eet ook vlug. Bij Gezelle net andersom, maar met dezelfde betekenis:
10. Slak ten tand,
Slak ter hand.
Slak = traag. Dit ook in 't Frans.
11. *Tegen de tand des tijds is niets bestand.* De tijd voorgesteld als een knagend gedierte, dat op den duur alles vernielt.
12. Hard gebakken en niet verbrand,
Dat is de bakker naar zijn tand.
(Vlaams. *Tand* = zin. Zo moet het brood zijn.)
tang. 1. *'t Is een tang (van een wijf)* = zij is kwaadaardig.
Voor de hand ligt de vergelijking met een werkelijke tang, een heel geschikt werktuig om er mee te slaan en in oude tijd altijd bij de hand.
Toch heeft men gedacht aan 't Maleise woord *setan* = een boos mens, een satan.
2. *Dat slaat als een tang op een varken* = dat heeft er niets mee te maken; dat past er in 't geheel niet bij.
Vanouds: *dat sluit als een tang op een varken*, dus dat zijn twee dingen, die niet bijeen behoren. Zo ook: *dat past als een haspel op een moespot.* In Groningen: *als een klink op een kraaienest.*
3. *Men zou haar met geen tang aanvatten* = zij is ten uiterste vuil en morsig. Lett.: zij is nog erger dan een pad of dan een stuk vuil, dat men met de tang wegneemt.
Tantalus. *Een Tantaluskwelling* = een nimmer eindigende kwelling; een begeerte, waaraan nooit kan worden voldaan.
Tantalus, zoon van Zeus, de opperste der Griekse goden. Hij was koning van Phrygië in Klein-Azië.
Wegens het verraden van goddelijke geheimen werd hij in de Onderwereld geplaatst, waar hij eeuwige honger en dorst moest lijden te midden van de kostelijke spijzen en dranken, die vlak bij hem waren en die hij toch niet bereiken kon.
Tante Meier, d.i. de schertsende naam voor het geheim gemak, het privaat.
Als men zich even verwijderen moest, dan gaf men deze zo algemene naam op.
tapijt. *Iets op het tapijt brengen* = een mededeling, een voorstel doen.
Het tapijt is het kleed, dat op de tafel ligt. Vergelijk: *te berde brengen.*
teem. 1. *'t Is al de oude teem* = 't is niets dan de herhaling van hetgeen hij al zo dikwijls verteld heeft; hij praat totdat het ieder verveelt.
Temen = zeurend praten. Volgens Franck-Van Wijk waarschijnlijk van L. *thema* = onderwerp van gesprek. Zo ook:
2. *Hij praat maar in één teem door* = almaar door op dezelfde vervelende toon.

teen. *Hij is gauw op zijn teentjes getrapt* = hij acht zich bij de geringste aanleiding beledigd; hij is spoedig geraakt.
teerling. 1. *De teerling is geworpen* = gezegde als men een beslissing heeft genomen van grote betekenis, waarop men niet terug komen kan.
Vertaling van de woorden van Julius Caesar, toen hij met zijn leger, terugkomende uit Gallië, over het riviertje de Rubico het eigenlijke Romeinse gebied binnentrok. L. *alea jacta est*, bij Suetonius in zijn *Leven van Caesar*. Zie *Rubicon*.
Een *teerling* is een dobbelsteen.
2. *Hij weet wat op de teerling loopt* = hij is bedreven, hij verstaat de zaak grondig, hij weet de gevolgen.
Lett. = hij is een ervaren speler; hij weet al wat er aan het dobbelspel vast zit.
3. *Hij heeft alles op één teerling gezet* = hij waagde zijn geheel bestaan, al zijn geld, in één onderneming; 't is een onbezonnen waaghals. Zie *kaart* II, 6.
Teeuwes. *Hij weet van Teeuwes noch Meeuwes* = hij weet van de zaak niets af. Ook: hij is zo dronken, dat hij zich niets meer herinnert.
Teeuwes = Mattheüs; *Meeuwes* = Bartholomeüs; het zullen de namen van twee der apostelen zijn.
tekst. *Iemand tekst en uitleg geven* = hem haarfijn de toedracht van de zaak vertellen. Lett. hem een bijbeltekst noemen en de uitleg daarvan er bij vertellen, zoals de dominee in de kerk doet.
tellen. 1. *Op zijn tellen passen* = oppassen, dat men zich niet vergist.
Lett. = oppassen bij het tellen.
2. *Hij is niet in tel* = men acht hem niet; hij wordt niet voor vol aangezien.
Hier is *tellen* = rekenen.
tempel. *Iemand op zijn tempel komen* = hem een pak slaag geven.
Bijbelse uitdrukking. In I *Korinthen* III : 16 vraagt Paulus:
'Weet gij niet, dat gij Gods tempel zijt; en de Geest Gods in ulieden woont?'
Vergelijk *tabernakel*.
Tempelier. *Zuipen als een Tempelier*. De Tempelridders uit de Middeleeuwen stonden bekend wegens hun losbandig leven.
De Tempeliers of Tempelheren vormden een geestelijke ridderorde, oorspronkelijk met de bedoeling, om de Tempel van Jeruzalem te beschermen tegen de Mohammedanen en om de pelgrims veiligheid te verschaffen; gesticht 1119, dus kort na de Eerste Kruistocht. Zij verwierven in Europa rijke bezittingen en werden daarom aangevallen door koning Philips IV van Frankrijk. In 1312 werd de orde opgeheven en sedert werden de Tempeliers vervolgd; op aandrang van Philips IV had Paus Clemens V in 1308 de orde in de ban gedaan. De Tempeliers waren gehaat om hun trots, maar hun ondeugden werden zeer breed uitgemeten, om een reden te hebben voor hun vervolging. Hun grote bezittingen vervielen aan... de koning.
tent. 1. *Uit zijn tent komen* = zijn mening zeggen, vooral als men daartoe gedwongen wordt.
Uitdrukking, afkomstig uit het krijgswezen. De krijgsman verlaat zijn tent, gereed voor 't gevecht.
1a. Ook *iemand uit zijn tent lokken* = hem er toe brengen, zijn mening te zeggen.
2. *Zij hebben daar hun tenten opgeslagen* = zij hebben zich daar (tijdelijk) gevestigd.
Bijbelse uitdrukking, b.v. in *Genesis* XII : 8. 'Abraham brak op van daar naar het gebergte, en hij sloeg zijn tent op.'
te pas. 1. *Hij komt er te pas als Krijn van Bavvelt* = hij komt net op 't slechtste ogenblik, net als hij er niet wezen moet.
Bij Harrebomée: *Hij komt van pas als Krijn te Basselt*; er wordt bij vermeld, dat dit een adellijk huis is onder Voorst, in Gelderland. Maar de schrijver heeft niet kunnen opsporen, waarom Krijn daar zó weinig van pas kwam: immers, men bezigt dit spreekwoord, om telaatkomers aan te wijzen.
In Groningen weet het volk het wel. Krijn moest gegeseld worden te Bavvelt, dat is Baflo. Toen 't afgelopen was, kwamen er nog mensen aan, die 't ook wilden zien. Maar Krijn zei: gaat maar weerom, 't is al gebeurd, maar toen ik er was, toen was het van pas.
Basselt bij Harrebomée kan gelezen zijn voor *Baffelt*, dat men aanzag voor *Basselt*.
2. *Die moet nog komen, die het ieder te pas maakt* (Fries) = men kan het nooit ieder naar de zin maken.
terecht. 1. *Iemand terechtzetten* = hem berispen, tot rede brengen.

Lett. = hem op zijn rechte plaats zetten. Stoett voegt er bij, dat in de Middeleeuwen iem. *te recht zetten* betekende: hem voor de rechtbank brengen.
2. *Iemand terechtstellen* = het vonnis uitvoeren, n.l. het doodvonnis voltrekken. *Recht* is hier dus de uitvoering van het vonnis, de strafoefening.
3. *Iets terechtbrengen* = in orde maken. In deze uitdrukking is *recht* = orde; een behoorlijke toestand.
4. *Dat komt terecht, beter dan de verzopen dubbeltjes*, schertsend als iets in orde komt. Waarop dan allicht gezegd wordt: *die komen ook terecht, als men de dochter van de kastelein trouwt.*
teren. 1. *Ze houden van teren en smeren* = zij maken graag goede sier; ze teren van de hoge boom.
Smeer = vet; dus smeren = van 't vette der aarde genieten, in letterlijke zin.
2. *Teer naar neer* = zet de tering naar de nering. Cats voegt er bij
Reck
Nae deck,
en ook.
Wilt naer het laken
Uw kleeren maken.
3. Men moet teren,
Dat het morgen niet mag deren,
Vlaams rijm; zie *tering.*
tering. *De tering naar de nering zetten* = de vertering, d.i. zijn uitgaven, regelen naar de nering = naar de opbrengst van winkel of bedrijf.
termen. *Hij valt niet in de termen* = hij hoort er niet onder; hij krijgt geen aandeel, komt niet in aanmerking.
Termen, oud-Nederlands voor de gronden, waarop een vonnis berust; ook de dag van de terechtzitting.
terug. *Daar had hij niet van terug* = op dat verwijt kon hij zich niet verdedigen; ook: daar wou hij niets van weten.
Ontleend aan 't wisselen van geld, waarvan men terug moet geven.
test. *Hij kreeg een klap op zijn test*, platte uitdrukking voor hoofd. Misschien van 't Latijn: *testa* = schedel. Misschien wordt het hoofd vergeleken met een aarden test.
Zie ook *hoed.*
te stade komen, d.i. te pas komen, te bate komen.
Stade is een oud woord = geschikte gelegenheid, dus = op de juiste gelegenheid komen.
teugel. 1. *Zijn woede de teugel vieren* = aan zijn drift toegeven.
Van 't paardrijden; *vieren* = loslaten.
2. *Hij houdt de teugels in handen* = hij zorgt, dat hij de leiding behoudt.
tevreden.
Tevreden zijn is grote gunst,
Tevreden schijnen grote kunst.
(Gezelle).
thee. *'t Is thee met witte puntjes* = 't is niet veel zaaks; daar zit geen kracht en geen heerlijkheid in.
theewater. *Hij is boven zijn theewater*, schertsend voor: *hij is boven zijn bier*, hij heeft te veel gedronken.
Thomas. *Een ongelovige Thomas* = iem. die niet licht gelooft wat men vertelt; een, die overal bewijs van hebben wil.
Toen Jezus was opgestaan, zei Thomas, een der apostelen:
Indien ik in Zijn handen niet zie het teken der nagelen, en mijn vinger steek in het teken der nagelen, en steek mijn hand in zijn zijde, ik zal geenszins geloven. (*Joh.* XX : 25.)
thuis. 1. *Hij ligt voor een oortje thuis*, zie *oortje* 2.
2. *Ik kon hem niet thuisbrengen* = ik kon mij niet herinneren, wie hij is.
3. *Daar ben ik niet van thuis* = daar moet ik niets van hebben.
Lett. = wat dat betreft, ben ik niet thuis, ben ik een vreemdeling.
Zo ook:
4. *Hij is van alles thuis* = hij weet er alles van; hij is op de hoogte.
5. Zie *markt* 1 en 2.
6. Zie *oost.*
7. *Zoals het klokje thuis tikt, tikt het nergens*; zie *klok* 4.
tien. *Iemand de tien geboden op zijn gezicht zetten* = (ruw) iemand met alle tien nagels in 't gezicht krabben.
til. *Er is wat op til* = er is iets op handen, op komst; er zal wat gebeuren.
Tillen is een oud woord = *gebeuren*, dat ook zelf opheffen betekent.
tinkast. *Zij moest in de tinkast zitten* = 't is een vrouw, die voor de pronk leeft. In de tinkast stonden vanouds borden en schotels van tin, die voor sieraad dienden en die nooit gebruikt werden. Bij Harrebomée: Ge moest hem in de glazenkast zetten.
tinnegieter. *Een politieke tinnegieter* =

iem. die over de politiek meepraat, zonder er verstand van te hebben, en die zegt wat er gebeuren moest en wat er gebeuren zal. De naam is ontleend aan het blijspel *De staatkundige Tinnegieter*, 1766. Het stuk was een vertaling van het Duits; de schrijver was echter een Deen, Ludwig von Holberg, wiens werk in 1723 verscheen.

tittel. *Hij weet er geen tittel of jota van* = niet het allergeringste.
Naar *Matth.* v : 18. 'Totdat de hemel en de aarde voorbijgaan, zal er niet één jota, noch één tittel van de Wet voorbijgaan, totdat het alles zal zijn geschied.' De *jota* is de kleinste letter in het Joodse alfabet; een *tittel* is een puntje of een streepje aan een Joodse letter.

tjokvol, d.i. stampvol. Misschien uit het E. *chock-full* = propvol; *to chock*, vastzetten, volstoppen.

toetakelen. *Iemand toetakelen* = a. hem een pak slaag geven; b. hem een zonderling uiterlijk geven.
In de letterlijke zin wordt een schip *toegetakeld*, als men het voorziet van het nodige want, dus als men het geheel gereed maakt voor de reis. Vergelijk *aftakelen.*

toeten. *Hij weet van toeten noch blazen* = hij weet niets; 't is een domkop.
Voorbeeld van een dubbelvorm. Toeten en blazen betekenen beide: op een hoorn blazen.
Wellicht ontleend aan de signalen in de kazerne.

toetmem. *Dat is één toetmem* = dat is hetzelfde; dat komt overeen uit.
Uit het F. *tout le même* = geheel hetzelfde.

toets. *Dat kan de toets doorstaan* = dat kan onderzoek lijden.
Goud wordt beproefd met de *toetssteen.*

tof. *Toffe jongens* = a. gezellige, aardige jongelui; b. jongens van de vlakte, inbrekers.
Tof is een Joods woord, dat goed betekent.

tol. *Hij moest de tol aan de natuur betalen* = het uur van zijn dood was gekomen.
De tolgaarder eist tol van wie langs de weg gaat; zo eist de natuur de schatting van het leven zelf, als de tijd gekomen is.

ton. *IJdele tonnen rollen hardst* (Vlaams) = holle vaten bommen het meest. Zie *vat* 9.
In 't Fries: *lege tonnen geven het grootste geluid.*

tong. 1. *Zij moesten op de tong rijden* = men had in dat gezelschap (waar ze niet bij waren) heel wat (kwaads) van hen te vertellen. Ook:
2. *Zij gingen over de tong.*
3. *Iemand de tong schrapen* = hem uithoren, hem dwingen alles te zeggen, wat hij weet.
4. *Zij is goed van de tongriem gesneden* = zij kan goed haar mond roeren.
De tongriem is een spiertje onder de tong, dat bij kinderen soms doorgesneden wordt, als zij een spraakgebrek hebben. Ook bij kraaien doet men dat wel, om ze te leren praten.
5. *Hij heeft een tong als een scheermes* = hij is zeer scherp in zijn wijze van spreken. Vrij zeker een bijbelse uitdrukking. 'Uw tong denkt enkel schade, als een geslepen scheermes, werkend bedrog.' (*Psalm* LII : 4.)
6. *Hij heeft een dubbele tong* = hij praat anders tegen de een dan tegen de ander; hij is vals.
7. *Hij heeft een fluwelen tong* = 't is een mooiprater, een vleier.
8. *Zijn tong slaat dubbel* = hij spreekt onduidelijk of verward, (omdat hij te veel gedronken heeft).
9. Met een tong en nen mond
Gaat men de wereld rond,
Vlaams rijm: door vragen wordt men wijs.
10. Wenst gij ooit gerust te leven,
Wilt uw tonge een toomken geven
(Gezelle) = wie zijn tong in toom houdt, blijft van twist en tweedracht vrij.
11. *De tong is een klein lid!* waarschuwing om de tong in toom te houden.
Naar Jakobus III : 5. 'De schepen worden omgewend van een zeer klein roer. Alzo is ook de tong een klein lid, en roemt nochtans grote dingen. Ziet, een klein vuur, hoe grote hoop houts het aansteekt.'
12. *De tong raakt los*, gezegde wanneer iemand aan 't praten raakt.
Misschien een herinnering aan Lukas I : 64. Daar staat geschreven van Zacharias, de vader van Johannes, die met stomheid geslagen was:
'En terstond werd zijn mond geopend en zijn tong losgemaakt, en hij sprak,

God lovende.'
13. *Haar tong gaat als een lammerstaartje* = zij praat zonder ophouden.
toon. 1. *Hij geeft daar de toon aan* = hij zegt hoe 't moet en de anderen regelen zich naar hem.
Zoals bij een muziek- of zanguitvoering de leider de toon aangeeft. Daarvan ook:
2. *Hij slaat een hoge toon aan* = hij doet zich voornaam voor; hij doet, alsof hij het te zeggen heeft.
toren. 1. *Zij blazen hoog van de toren* = ze voeren een groot woord.
Ontleend aan de torenwachter, die blaast bij brand, zodat ieder het horen kan.
Ook: *zij blazen van de hoge toren.*
2. *Onder de toren wonen de meeste geuzen* (Vlaams) = hoe dichter bij Rome, hoe slechter Christen; zie *Rome* 3.
tot hiertoe. *Tot hiertoe en niet verder* = nu is het uit.
Naar de woorden, die God sprak tot Job over de zee:
'Tot hiertoe zult gij komen en niet verder.' (*Job* XXXVIII : 11.)
touw I. 1. *Hij is de hele dag in touw* = druk bezig, altijd aan 't werk.
Het paard voor de ploeg of de wagen is *in touw*. Maar misschien is touw hier het *getouw*, het *weefgetouw*.
2. *Men kan er geen touw aan vastknopen* = er is geen kop of staart aan dat verhaal, men kan er niets van begrijpen.
3. *Wie trekt daar aan de touwtjes?* = wie zit daar achter die alles regelt? wie is er de baas?
Misschien van het Jan Klaassenspel of van de vinkebaan. Zo ook:
4. *Wij hebben hem aan het touwtje* = wij hebben hem in de macht; hij moet doen, gelijk wij willen.
5. *Ze trekken aan één touw* (Fries), zie *lijn* 1.
touw II (getouw). 1. *Iets op touw zetten* = met iets beginnen; een plan beramen.
Letterlijk: de eerste draden van een weefsel op het weefgetouw zetten.
2. Zie *vinketouw*.
traag.
1. De een traag
De ander graag,
d.i. wat de een niet lust, daar eet een ander zich dik aan; zie ook *handvol.*
2. *Traag gereden is vroeg thuis* (Vlaams), bedaard overleg bereikt eerder het doel dan haastige spoed. Zie *stil* 7.
traan. 1. *Hij schreide tranen met tuiten* = met groot gebaar van ongemeende droefheid, zoals Tuinman zegt. Dit laatste behoeft tegenwoordig het geval niet te zijn. De gewone verklaring was: tranen bij tuiten vol; een tuit is een vaas. Maar Stoett zegt: tranen die boven in een tuit uitlopen, dus eenvoudig grote tranen.
2. *Het tranendal* = de aarde met al zijn verdriet, vaak gesteld tegenover de hemel, het verblijf der gelukzaligen.
3. *Krokodilletranen*, zie daar.
4. *Wie met tranen gezaaid heeft, kan maaien met gejuich* = wie onder moeilijke omstandigheden een werk begint, heeft kans dat het einde dit werk kroont. Bijbelse uitdrukking. 'Die met tranen zaaien, zullen met gejuich maaien,' *Psalm* CXXVI : 5.
tramontane. *Hij is de tramontane kwijt* = hij is van zijn stuk, hij weet niet meer wat hij doet. Ook: hij is dronken.
Volgens J. Steendam in *De Zee*, 1922, is *tramontane* de Italiaanse naam van de noordenwind, die gunstig was voor de zeelui, die uit Genua, Venetië of Triest terugvoeren. Franck-Van Wijk zegt, dat de *Tramontane* de poolster is, dus de ster waar de schippers zich op richten. (*Tramontane* = over de bergen, over de Alpen; dus = van het noorden.)
Dit vreemde woord wordt vaak niet begrepen, zodat men, denkende aan tranen, er van maakte: *zijn tranemontanen kwijt zijn.*
trance. *Hij is in trance* = in geestvervoering, in grote blijdschap. Ook wel, schertsend, in grote benauwdheid.
Trance is ontleend aan de spiritisten; het medium verkeert in trance, in een droomtoestand, wanneer geesten zich openbaren.
tranenbrood. *Tranenbrood eten, zijn brood in tranen eten* = eten, terwijl het hart diep bedroefd is.
Bijbels woord. Psalm LXXX : 6 zegt van de Here, dat hij het volk van Israël *spijst* met tranenbrood.
tredmolen. *In de tredmolen lopen* = alle dagen hetzelfde geestdodende werk doen.
De tredmolen wordt in beweging gebracht, doordat een hond of een mens

moet treden op de planken van een wiel, waarin hij is opgesloten. Hij moet altijd doortrappen, want anders verliest hij zelf zijn steun.

trek. 1. *Iemand een trek spelen* = hem een poets bakken.

Trek is een oud woord voor een listige streek. Hetzelfde begrip in:

2. *Hij krijgt zijn trekken wel weer thuis* = men zet hem zijn streken wel weer betaald.

trekpleister. *Hij heeft daar een trekpleister* = hij heeft daar zijn meisje.

Uitdrukking, gevormd op de klank van 't woord trekken. Een trekpleister is een pleister, die een steenpuist of een andere zweer door moet *trekken*, zodat er een opening ontstaat. Hier is sprake van een meisje, dat trekt; dat is dus in wezen heel wat anders.

treuren. 1. *Hij zingt uitentreuren* = uit volle borst. Lett. = uit den treuren, zonder treuren.

2. *Hij praat uitentreuren* = zonder ophouden.

treusneus. *Ik heb het voor een treusneus gekocht* = voor een prikje, voor een kleinigheid.

Een *treuzeneus* is een wormstekige noot. (Tuinman.)

troef. 1. *Iemand troef geven* = hem een pak slaag of een zeer strenge berisping toedienen.

Aan 't kaartspel ontleend; de troef is de kaart, die de andere kaarten slaat. Vandaar ook:

2. *Hij speelde zijn laatste troef uit* = hij deed nog zijn best met het laatste middel, dat hij tot beschikking had.

3. *Hij houdt de troeven in handen* = hij zorgt wel, dat hij de leiding houdt; dat hij baas blijft.

4. *Rood is troef* = de socialisten hebben de leiding; 't socialisme is in de mode. Als in 't kaartspel b.v. *ruiten troef is*, dan zijn de spelers met ruiten aan de winnende hand.

Vandaar bij uitbreiding, b.v.

5. *Armoede is er troef* = de mensen hebben het maar arm.

45. Met trommels is het... (z. *trom*)

6. *Iemand (af)troeven* = hem op een krachtige wijze tot zwijgen brengen; hem overbluffen; hem een pak slaag geven.
Bij het kaartspel troeft men zijn tegenpartij af, door een (hogere) troef uit te spelen, waardoor die tegenpartij de slag verliest.
Troje. *Het Trojaanse paard*, zie *paard* 13.
trom. 1. *Zij zijn met de stille trom vertrokken* = zij zijn er stil vandoorgegaan. Ontleend aan het soldatenleven. Wanneer men af moest trekken, werd de trom niet geroerd. Omgekeerd.
2. *Ze slaan op de grote trom* = zij vestigen met alle middelen de aandacht op hun zaak, zij maken zoveel ophef als zij kunnen. Gelijk een overwinnend leger met slaande trom kwam aanrukken.
3. *Met trommels is het kwaad hazen vangen.* (Cats)
tronk. *Zulke tronk, zulk jonk* (Vlaams) = zulke ouders, zulke kinderen. Zie *jonk.*
trouw. 1. *Trouw moet blijken* = eerst wanneer de nood aan de man komt, blijkt het of men op iemand vertrouwen kan. In 't algemeen: men leert pas uit ervaring, of iemand trouw is.
Trouw moet blijken was de zinspreuk van de Haarlemse rederijkerskamer. Later van de sociëteit aldaar.
2. Trouw heeft brood,
Als ontrouw is in nood
(Vlaams) = trouwe vrienden helpen elkaar, maar als er ontrouw in 't spel is, dan is er geen uitkomst.
3. *Wees trouw, maar vertrouw niemand* = wees zelf eerlijk, doch onderzoek altijd of een ander ook eerlijk handelt.
4. 't Is wel duizend jaar geleden,
Dat goe trouwe is weggereden
(Gezelle) = er is al lange tijd geen trouw meer in de wereld.
trouwen. 1. *Trouwen is houwen*, waarschuwing, dat men zich wel bedenken moet, voor men een meisje ten huwelijk vraagt; men kan er niet meer af.
2. *Trouwen is beter dan branden* = is beter dan te lijden onder zijn hartstocht. De raad is uit I Korinthe VII : 8 en 9.
Aldaar zegt Paulus:
'Ik zeg de ongetrouwden, en de weduwen: Het is hun goed, indien zij blijven, gelijk als ik.
Maar indien zij zich niet kunnen onthouden, dat zij trouwen; want het is beter te trouwen dan te branden.'
Vader Cats zegt in zijn *Zinne- en Minnebeelden*:
Beter gemand dan gebrand.
Met een versje er bij:
Vriendinnen, ken u zelf,
het is u minder schand,
Voor alle man getrouwd
dan heimelijk gebrand.
3. *Een huwelijk met de smalle trouwring*, dat is: met meer dan één vrouw tegelijk. Iedere vrouw heeft er dan een deel van.
4. Zie *puthaak.*
5. *Die trouwt doet goed, maar die niet trouwt doet beter.*
Vrije vertaling van I Korinthe VII : 38. Daar staat ten aanzien van een maagd 'indien zij over de jeugdige tijd gaat'; 'Die haar ten huwelijk uitgeeft, die doet wel; en die ze ten huwelijk niet uitgeeft, die doet beter.'
6. Haastig getrouwd,
Lang berouwd,
men moet zich wel terdege goed bedenken, vóór men trouwt.
7. *Trouw naar de oor en niet naar de oog* (Vlaams) = wie een vrouw zoekt moet niet afgaan op de uiterlijke schijn, doch hij moet zijn oren goed open zetten om wel te weten, hoe zijn vrouw zijn zal.
8. Trouwen en is geen kinderspel,
Die getrouwd zijn weten 't wel.
(Gezelle).
9. *Trouwen is geen éénmanswerk* (Fries) = daar zijn twee partijen bij, vaak ieder met eigen opvatting; daar komt overleg bij te pas.
10. *Als je trouwt, dan deug je niet, maar als je dood gaat, dan was er geen beter* = op een huwelijk heeft ieder wat aan te merken, maar wie dood gaat wordt geprezen.
Truydeman. *'t Is Truydeman (Truieman) en zijn wijf* = hij is niet alleen baas; zijn vrouw heeft ook wat te zeggen.
Hoorns spreekwoord, zegt Harrebomée, maar verderop ook wel bekend. Te Hoorn woonde in de 16e eeuw het rijke echtpaar Truydeman, nog bekend om hun goede werken en stichtingen.
tuig. 1. *'t Is tuig van Laban*, zie *Laban.*
2. *'t Is tuig van de richel* = 't zijn deugnieten; 't is 't minste volk.
Van Maurik vertelt in zijn boek *Toen ik*

nog jong was, dat de richel een smal bankje was in de engelenbak van de Amsterdamse schouwburg, waar de mensen zaten en stonden die geen geld hadden voor een betere plaats.

tuin. 1. *Iemand om de tuin leiden* = hem bedriegen, beetnemen.
Tuin is 't oude woord voor de haag. In de nieuwe betekenis:
2. *Hij heeft genoeg te wieden in zijn eigen tuin* = hij moet eerst maar in 't reine komen met zijn eigen gebreken en overtredingen.
3. *De kap op de tuin hangen*, zie *kap* 2.
Hier is de tuin weer de heg, evenals in:
4. *Waar de tuin laagst is, wilt elkeen over* (Vlaams) = de zwakken worden het eerst en 't meest verdrukt.

tult. *Zij trekken er heen bij tulten* = in massa, met hele troepen.
Tult is in de houthandel een twaalftal balken.

turf. 1. *Hij is geen turf hoog* = hij is gedwee, terneergeslagen, ontmoedigd.
2. *In 't veen ziet men op geen turfje*, zie *veen*.

tussen. 1. *Iemand er tussen nemen* = hem voor de gek houden.
Letterlijk: hem in een kring nemen en bespotten. Zo ook:
2. *Hij kan er niet van tussen* = hij moet wel meedoen; hij kan 't niet nalaten; zo ook
3. *Hij kan er niet tussen uit.*

twaalf. 1. *Twaalf ambachten, dertien ongelukken,* zie *ambacht*. Ook: *'t is bij hem twaalf keer willen en dertien keer niet kunnen.*
2. *Daarvan gaan er twaalf in een dozijn* = die man is helemaal niets bijzonders. Zie *dertien*.
3. *Hij kan niet onthouden van twaalf uur tot de middag* = hij heeft een heel slecht geheugen.
4. *Twaalf eieren en dertien kuikens!* uitroep in scherts bij een onverwachte meevaller.

twee. 1. *Twee over één is moorden* = is geen eerlijke strijd.
2. *'t Zijn twee handen op één buik*, zie *hand* 5.
3. *Twee aan twee, en de rest aan troepjes!* schertsend gezegde, als een optocht wordt opgesteld.

46. Als het getij verloopt (z. *tij*)

Naar Genesis VII : 2, toen de Here tot Noach zei, wat hij in de ark moest meevoeren:

Van alle rein vee zult gij tot u nemen zeven en zeven, het mannetje en zijn wijfje, maar van het vee, dat niet rein is, twee, het mannetje en zijn wijfje.

4. *Als twee hetzelfde doen, is het nog niet hetzelfde* = 't hangt er maar van af, op welke wijze iets geschiedt.

Tweede Gezicht, zie *helm*.

tweedracht. 1. *Tweedracht breekt kracht.* Vergelijk *eendracht* 2.

2. *Tweedracht verstrooit*, zie *eendracht* 1.

3. Zie *twist* 1.

tweemaal. *Men kan beter tweemaal vragen dan éénmaal het spoor bijster worden.* (Fries.)

twist. 1. *Die twist zaait, zal tweedracht maaien*, zie *wind* 1.

2. *Twist verkwist* (Vlaams) = aan twisten is nooit voordeel.

twistappel. *De twistappel werpen* = aanleiding geven tot twist.

Toen Peleus eens, 't is lang geleen,
Met Thetis zou gaan trouwen,
Kwam vriend en maag verheugd bijeen,
Om feest met hen te houwen.

Thetis, een Griekse zeegodin, vierde haar bruiloft met Peleus; alle goden en godinnen waren genodigd, behalve Eris, de godin van de twist. Deze wierp nu een gouden appel onder de gasten, met het opschrift: Voor de schoonste. Vandaar dadelijk de twist tussen de godinnen Hera, Athene en Aphrodite. De Trojaanse herder Paris kende deze *twistappel* toe aan Aphrodite, maar dit werd aanleiding tot de oorlog met zijn vaderstad *Troje*.

twistziek. *Twistzieke honden lopen met gescheurde oren*, zie *hond* 40.

tij. 1. *Als het tij verloopt, verzet men de bakens* = als de omstandigheden veranderen, moet men andere maatregelen nemen. Het tij is eb en vloed; bij eb staat er weinig water in de geul, waardoor de schepen varen. En dus, als de stroom van 't zeewater verandert, dan moeten nieuwe bakens dat aangeven.

2. *Het tij wacht op niemand*, zie *getij* 6.

3. *Het tij is verlopen* = a. de gunstige kans is voorbij; b. zijn leven is ten einde. Het *tij* is hier de vloed; als het tij verloopt, wordt het ebbe.

tijd. 1. *Er is een tijd van spreken en er is een tijd van zwijgen* = als men iets te zeggen heeft, moet men dat op het geschikte ogenblik doen.

Bijbelse spreuk, die voorkomt in Prediker III : 7.

2. *Komt tijd, komt raad* = men moet in moeilijkheden zijn tijd afwachten; dan vindt men allicht de geschikte oplossing. Ook:

2a. *Tijd brengt raad.*

3. *De tijd uitkopen* = de tijd zo goed gebruiken, als maar mogelijk is; geen minuut verloren laten gaan.

Bijbelse uitdrukking. 'Ziet dan, hoe gij voorzichtiglijk wandelt, niet als onwijzen, maar als wijzen, de tijd uitkopende, dewijl de dagen boos zijn.' (*Efezen* V : 15, 16.) De uitdrukking komt ook voor in *Daniël* II : 8. De koning Nebukadnezar had gedroomd, maar wist niet meer wat; toch wilde hij uitleg. De tovenaars vroegen om hun de droom te zeggen en daarna vroegen zij het nog eens.

Waarop de koning antwoordde:

'Ik weet vastelijk, dat gijlieden de tijd uitkoopt.'

Hier is de zin: dat gij tijd zoekt te winnen. Bij Harrebomée:

Men dient zijn tijd wel uit te kopen,
Terwijl dat onze jaren lopen.

4. *Tijd is geld.* 'Vermoedelijk naar Bacon (Essayes, 1620): 'Time is the measure of business, as money is of wares,' d.i. 'tijd is de maat in het bedrijf, evenals geld voor waren.'

5. *De tijd baart rozen* = alles moet zijn behoorlijke tijd hebben, maar dan komt ook mettertijd alles in orde. Of 't ook waar is? Een ander spreekwoord zegt:

5a. *De tijd zal 't leren.*

6. *Tijd gewonnen, veel gewonnen* = als men maar de tijd krijgt, dan kan de zaak allicht nog in orde komen. Bij Vondel de bekende regel uit *Gijsbrecht van Aemstel*:

Een krijgsman wint al veel,
Al wint hij niets dan tijd.

Bij Guido Gezelle:

Tijd gewonnen
Is winste gesponnen.

7. *Beidt uw tijd* = wacht de goede tijd af; pas op de gelegenheid.

Spreuk van Albert Verwey, bedacht voor de beursklok van Amsterdam.

8. *Komen die tijden, komen die plagen* = klaag niet vooruit; wacht maar tot de

moeilijkheden daar zijn.
9. *Dat is nog uit de tijd, dat de beesten spreken konden* = dat is al heel oud. Herinnert aan oud volksgeloof.
10. *Andere tijden, andere zeden.*
11. Neemt uw tijd te baat,
Te vroeg is beter als te laat.
(Vlaams.)
12. Met tijd en vlijt
Geraakt men wijd,
Vlaams rijmpje. *Met tijd en vlijt* was in de 19e eeuw de naam van een zeer bekend Leuvens studentengenootschap; kanunnik *David* was er 1840—'66 de voorzitter.
13. De tijd is snel,
Gebruikt hem wel.
14. *Tijd slijt*, zegt de Vlaming. Kommer en leed worden mettertijd vergeten.
15. Met tijd en stond
Gaat men de wereld rond,
(Vlaams) = als men rustig zijn tijd afwacht, dan komt men overal mee terecht.
16. *Met tijd en stro rijpen de mispels* (Vlaams) = alle ding moet zijn tijd hebben.
17. Tijd heeft vleugels
En geen teugels.
(Gezelle). De tijd gaat snel en is niet tegen te houden.
18. *Er is een tijd van komen en er is een tijd van gaan.*
19. *Oordeel niet voor de tijd* = wees niet voorbarig in uw oordeel.
Naar I Korinthe IV : 5. Doch daar staat: *oordeelt niets voor de tijd*, spreekt in 't geheel geen oordeel uit, namelijk 'totdat de Here zal gekomen zijn.'
20. *Koop het in de tijd en gebruik het in de nood* (Fries) = zorg op tijd voor voorraad, maar gebruik die alleen, als het waarlijk nodig is.
tijdgenoeg. 1. *Tijdgenoeg komt te laat* (Vlaams) = wie altijd meent, dat er nog tijd genoeg is, komt niet tijdig klaar. Ook:
2. *Tijdgenoeg liet zijn oogst rotten en had maar één schoof.*
En ook:
3. *Tijdgenoeg liet zijn koren op het veld en pikte zijn boekweit eerst.*
Pikken = zichten. De boekweit is later rijp dan het koren.
Dan nog:
4. *Tijdgenoeg zaaide te Bamis boekweit.*
Bamis = St. Bavo's mis = 1 October. Veel te laat, om nog boekweit te zaaien.
5. En ook:
En haast u niet, zei Tijdgenoeg, men zal er nog twee zepen, eer men u scheert. (Gezelle.)

U

ui. *Een ui tappen* = een mop vertellen, letterlijk zo dat in het gezelschap de tranen over de wangen rollen. Zo is het immers ook, als men een ui pelt. Studentenuitdrukking.
uil I. 1. *Elk meent zijn uil een valk te zijn* = ieder meent allicht dat zijn kinderen (zijn meisje enz.) de beste zijn.
De gewone verklaring luidt: een uil is een domme vogel, die niet haalt bij een valk. Doch Stoett beroept zich op Chomel en zegt: ook een uil wordt gebruikt voor de vogelvangst; vandaar dit spreekwoord.
Van de valk is 't bekend genoeg, dat hij door de edelvrouwen en de ridders opgelaten werd voor de reigervangst.
Bij Guido Gezelle:
1a. *'t Dunkt elke uil, dat zijn jong een valke is.*
2. *'t Is een uil* = een domkop.
Nog erger:
3. een *uilskuiken.*
4. *Uilen naar Athene brengen* = *water in de zee dragen.*
De gewone uitleg is, dat er in de stad Athene veel tempels stonden met het beeld der godin Pallas Athene (Minerva), die steeds een uil bij zich had als zinnebeeld der wijsheid.
Maar 't is ook mogelijk, dat er veel uilen leefden in de rotsen van de Akropolis, de grote tempel van Athene. (Stoett II, 478.)
5. *'t Is beter met de uil gezeten dan met de valk gevlogen* = een vrouw, die rustig thuis blijft, al heeft zij dan ook niet zulke bijzondere eigenschappen, is te verkiezen boven een vrouw van de wereld, die haar genoegen in uitgaan stelt.
In Groningen: *'t is beter met de uil gezeten dan met de ekster te huppelen.*
Bij Vader Cats: *beter bij de uyl geseten, als met den valck gevlogen*, met de uitleg

er bij, dat een meisje beter doet, een degelijke stille man te nemen dan 'een groote joncker met pluymen op den hoet.'
In de *Proverbia communia*: Tes beter biden ule te sitten dan bi den valcke te wippen.
6. *Hij ziet er uit als een uil in doodsnood* = hij ziet er verschrikkelijk benauwd of bedroefd uit.
Contaminatie van twee begrippen:
1°. hij ziet er uit als een uil (zo spookachtig) en 2°. hij ziet er uit, of hij in doodsnood verkeert.
7. *Uilen broeden uilen* = zulke ouders, zulke kinderen. Ook:
Van uilen komen uilen.
8. *Uilen vliegen met uilen* (Vlaams) = soort zoekt zoort.
Ook: *Uilen vliegen met geen bonte kraaien.*
uil II (avondvlinder). *Een uiltje vangen* = een middagslaapje doen.
Schertsende uitdrukking, als men zich verwijdert om even rustig te gaan liggen. Ook: *een uiltje knippen* en dit weer, toen men niet meer wist wat dit uiltje te betekenen had: *een uiltje knappen.*
Uilenspiegel. *De mensen mogen mij niet lijden, zei Uilenspiegel, maar ik maak het er ook naar*, d.i. 't is vaak eigen schuld, als men niet in de gunst is.
uilskuiken, zie *uil* I, 3.
uitbrander. *Iemand een uitbrander geven* = iemand op harde en ruwe toon berispen.
De *uitbrander* = het uitbranden. In letterlijke zin worden vaten uitgebrand, door branden schoon gemaakt.
uitentreuren. *Zij zongen uitentreuren*; zie *treuren.*
uiterste. *Hij lag op zijn uiterste* = op zijn sterfbed.
Misschien een bijbelse uitdrukking. 'Een van de oversten der synagoge, met name Jaïrus (Jezus ziende) viel aan zijn voeten, en bad Hem zeer, zeggende: Mijn dochtertje is in haar uiterste.' (*Markus* V : 22, 23.)
uithangen. *Hij hangt niet uit wat hij te*

47. Elk meent zijn uil... (z. *uil*)

koop heeft (Fries) = hij laat niet merken, dat hij rijk is; hij loopt met zijn bekwaamheid, met zijn wetenschap niet te koop.
Ontleend aan het uithangbord, waaraan wel te zien is, wat er in de winkel in letterlijke zin te koop is.
uitkleden. *Men moet zich niet uitkleden vóór men naar bed gaat* = het is verkeerd, de erfenis nog bij zijn leven te schenken aan de kinderen, want die hebben dan misschien niets meer voor de ouders over. In ieder geval zijn de ouders dan niet onafhankelijk meer.
uitkomen. *'t Zal wel uitkomen, zei de zot, en hij zaaide zaagmeel* (Vlaams), spottend gezegde, als men onderstelt, dat een misdrijf of een ander geval juist nooit zal uitkomen.
Uitkomen, Vlaams voor opkomen. Zaagmeel komt niet op.
uitkomst.
Men rekent d'uitkomst niet,
Maar telt het doel alleen.
Spreuk uit het slot van Tollens' gedicht *De Overwintering op Nova Zembla.*
uitlekken. *'t Is uitgelekt* = 't is algemeen bekend geworden.
Lett. gezegd van een vloeistof, die uit een vat lekt.
uitstaan. *Ik wil niets met hem uit te staan hebben* = ik wil niets met hem te doen hebben.
In 't Mnl.: *dat staat nog uit* = die zaak is nog niet beslist, hangt nog.
uitstel. 1. *Uitstel is geen afstel* = wij moeten er voorlopig van afzien, maar we komen er wel op terug. Maar daar komt vaak niet van, en zo luidt het andere spreekwoord:
2. *Van uitstel komt afstel.*
De Vlaming zegt:
3. *Uitgesteld is niet vergeten,*
en ook:
4. *Uitstel is geen kwijtschel.*
De Fries:
5. *Uitstel heeft de Duivel bedacht.*
uitvaart. *Uitvaart zuipvaart*, oud spreekwoord uit de tijd, dat er bij de begrafenismaaltijden overvloedig gegeten en

48. Beter bij een uil ... (z. *uil*)

vooral veel gedronken werd. En deze gewoonte is weer een overblijfsel van de oud-Germaanse opvatting, dat het dodenfeest ter ere van de overledene mee door hemzelf genoten werd.

uitverkoren. 1. *'t Uitverkoren volk* = het Joodse volk.
Naar Psalm CV : 42, 43.
God 'dacht aan Zijn heilig woord, aan Abraham, Zijn knecht. Alzo voerde Hij Zijn volk uit met vrolijkheid, Zijn uitverkorenen met gejuich.'
2. *Velen zijn geroepen, maar weinigen uitverkoren.* (*Matth.* XX : 16.) Het is niet iedereen gegeven, om tot hogere volmaaktheid te komen. Zie *velen.*

uitvlakken. *Dat moet je niet uitvlakken* = dat betekent nogal wat, dat moet je niet gering achten.
Uitvlakken = uitpoetsen, wegvegen. 't Gezegde is nieuw; dus misschien van uitvlakken met *vlakgom.*

uitzijgen, zie *mug* 2.

Ultima Thule, d.i. het Uiterste Thule, dat de Ouden beschouwden als het einde der aarde; vermoedelijk een van de eilanden ten N. van Schotland. Vaak verstaat men er nu IJsland onder.

Urias. *Een Uriasbrief* = een brief, die men aan iemand meegeeft en waarin staat, dat men de brenger ter dood moet brengen.
Koning David begeerde Bathseba, de vrouw van Uria. 'Des morgens nu geschiedde het, dat David een brief schreef aan Joab (zijn veldheer); en hij zond die door de hand van Uria.
En hij schreef in die brief, zeggende: Stel Uria vooraan tegenover de sterkste strijd, en keer van achter hem af, opdat hij geslagen worde en sterve.' (II *Samuel* XI : 14 en 15.)

uur.
1. Eén uur van onbedachtzaamheid
Kan maken, dat men jaren schreit.
2. *Te elfder ure*, zie *elf* 1.

V

vaart. *Dat stuit geen vaart* = dat hindert niet, daar gaat het wel om.
Zeemanswoord: dat weerhoudt de vaart van 't schip niet.

vaarwater. *In iemands vaarwater zitten* = hem hinderen; met iem. overhoop liggen; hem tegenwerken.
Schipperstaal. De gedachte is; dat de ander dan niet doorvaren kan.

vaarwel. Geen schippersuitdrukking, doch nog uit de tijd, dat *varen* gaan betekende. Dus = 't ga je goed! Zie *varen.*

vaatje. zie *vat* 3, 4.

vader. 1. *Beter een rijke vader te verliezen dan een arme moeder* = 't ergste wat een kind overkomen kan is de dood van de moeder.
2. *Mijn vader was geen Bremer*, zie *Bremer.*
3. *Eén vader kan beter zeven kinderen onderhouden dan zeven kinderen één vader.*
4. *Tot zijn vaderen verzameld worden* = sterven.
Bijbelse uitdrukking. 'Gij zult tot uw vaderen gaan met vrede; gij zult in goede ouderdom begraven worden.' Gods belofte aan Abraham; Genesis XV : 15.
Doch misschien ook naar Gods woord tegenover koning David:
En het zal geschieden, als uw dagen zullen vervuld zijn, dat hij heen gaat tot uw vaderen, zo zal ik uw zaad na u doen opstaan, hetwelk uit uw zonen zal zijn en ik zal zijn koninkrijk bevestigen. (I Kronieken XVII : 11).
Maar ook de Romeinen hadden dezelfde uitdrukking *ad patres* = tot de vaderen.
5. *Daar helpt geen lieve vader of moeder aan* = alle mooie praatjes baten niets.

vaderland. *Hij drinkt voor 't vaderland weg* = hij drinkt almaar door, buitenmate. Lett. = net of 't voor 't vaderland is.

val I. *Hij liep in de val* = men kreeg hem te pakken, letterlijk of figuurlijk; hij kwam bedrogen uit.
Naar een dier, dat in een val terecht komt.

val II (uitslag).
Naar de val
Gaat het al
(Vlaams) = 't is net zoals het uitvalt; 't kan goed, maar ook slecht aflopen.

vallen. 1. *Dat ging met vallen en opstaan* = met grote moeilijkheden door telkens nieuwe tegenslagen.
Naar Spreuken XXIV : 16. 'De rechtvaardige zal zevenmaal vallen, en opstaan; maar de goddelozen zullen in het kwaad

nederstruikelen.'
2. *Als men gevallen is, beziet men te laat het pleksken* (Vlaams) = gedane zaken nemen geen keer. *Zeispreuken* 2. Het *pleksken* = de plek die zeer doet.
3. *Wie staat, zie toe, dat hij niet valle*, zie *staan.*
4. *'t Valt zoals 't valt, zei de vrouw, en ze zat boven de koekepan met een drup aan de neus*, schertsend, je weet niet hoe 't afloopt.
valreep. *Een glaasje op de valreep* = een afscheidsdronk.
De valreep is het laddertje, waarbij men aan boord klimt van een groot schip; wie op de valreep staat, is op het punt om aan boord te gaan.
Reep = touw, n.l. het touw, waarlangs men in de sloepen 'viel,' op het commando 'val!' (Kerdijk.)
In plaats van het touw kwam later het laddertje.
van achteren, 1. zie *achterna.*
2. *Hij weet van voren niet, dat hij van achteren leeft*, zie *van voren.*
3. *Van achteren zie je mij het laatst* (Fries) = ik kom hier niet weer.
vandaag. 1. *Komen we vandaag niet, dan komen we morgen!* = uiting van ergernis, als men aanzien moet, hoe iemand treuzelt.
2. *Vandaag voor geld, morgen om niet* = vandaag moet je nog betalen, wat je koopt; schertsend gezegde.
De spreuk zou op het uithangbord van een herberg staan.
vangen.
1. Mee gevangen, Mee gehangen, zie *hangen* 5.
2. *Met dieven moet men dieven vangen*, zie *vos* 3.
Van Speyk. 1. *Dat nooit, zei Van Speyk*, zie *zeispreuken* 24.
2. *Berg je lijf, zei Van Speyk*, gezegde als men iemand waarschuwt, dat hij zo spoedig mogelijk verdwijnen moet.
Naar de overlevering, dat Van Speyk nog net, vóór hij de lont in 't kruit stak, de scheepsjongen met deze woorden over boord gooide, om hem te redden.
van voren. *Hij weet van voren niet, dat hij van achteren leeft* = hij is buitengewoon dom.
van voren af aan. *Van voren af aan, zoals de koster van Garrelsweer zei*, gezegde als men met enig werk opnieuw beginnen moet. Volgens overlevering liet de koster van Garrelsweer de gemeente zingen in de kerk, terwijl de dominee de preekstoel besteeg. Toen 't gezang uit was, bleek de dominee ingedommeld; hij was des avonds tevoren wat lang in de herberg geweest. En toen zei de koster deze bekend gebleven woorden. (Garrelsweer, dorp bij Loppersum.)
Bij Tuinman: *Van voren af aan*, zei *Bilderbeek.*
varen. 1. *Hoe vaar je?* = hoe gaat het met je? Geen schippersuitdrukking; reeds in de M. E. algemeen, toen *varen* nog de betekenis had van *gaan.* Uit die tijd ook het oude gezegde:
2. *Deze vaart moet gevaren zijn* = dit moet gebeuren, wij moeten er toe overgaan (al is 't nog zo moeilijk of gevaarlijk).
varken. 1. *Veel varkens maken de spoeling dun* = hoe meer er zijn, die hun aandeel moeten hebben, hoe minder dat ieder krijgt. *Spoeling* = afval uit de branderijen, gebruikt als vloeibaar veevoer, vooral in het *Spoelingdistrict*, de omgeving van Schiedam.
2. *Vieze varkens worden niet vet* = kinderen, die niet flink van alles meeëten, groeien niet. Waarschuwing van moeder, als de kinderen al te kieskeurig zijn. *Vies* is 't oude woord voor kieskeurig. De nieuwe betekenis van *vies* = vuil gaf aanleiding tot een nieuw spreekwoord:
2a. *Vieze varkens worden vet*, in Groningen:
2b. *Ruige varkens dijen 't beste*, d.i. varkens, die in 't geheel niet kieskeurig zijn, groeien goed. Van kinderen: wie 't niet schelen kan, wat hij eet, groeit goed.
Bij Guido Gezelle weer omgekeerd:
2c. *Een rein varken en wierd nooit vet.*
3. *Schreeuwen als een mager varken* = zo hard als hij maar kon. Ook: *als een mager speenvarken.*
4. *'t Varken is op een oor na gevild* = de zaak is bijna klaar.
Schertsend; een varken wordt niet gevild.
5. *Dat varken zullen wij wel wassen* = dat zaakje knappen wij wel op.
6. *Veel geschreeuw en weinig wol, zei de Duivel, toen hij een varken schoor.* Zie zeispreuken 40.
7. *Hij heeft zich bekeerd van zwijn tot varken* = hij zegt, dat hij zijn leven heeft

gebeterd, maar 't is dezelfde deugniet gebleven.
8. *'t Gaat hem als een varken, hij doet eerst goed na zijn dood* = gezegde, als een rijke man sterft, die bij zijn leven niemand van dienst is geweest.
9. *Een varken heeft wel een krul in zijn staart* = zelfs de allereenvoudigste heeft nog wel iets, waar hij trots op is; waar hij mee pronkt. Zie *krul* 1.
10. *Hij hangt er tegen als een varken, dat geringd wordt* = hij ziet er vreselijk tegen op; hij doet het alleen gedwongen. Een varken krijgt een ring van ijzerdraad door zijn neus, om te beletten dat het wroet in zijn hok.
11. *Al regent het varkens, Jan Salie krijgt er geen borstel van* = wie de handen niet uit de mouw steekt, zal nooit iets verwerven, al zijn de omstandigheden nog zo gunstig.
12. *'t Varken is vet!* uitroep als er flink wordt opgedist, ook als alle lampen tegelijk branden.
In dezelfde opvatting in Maastricht: *den os is vet* (Jaspar en Endepols); in Groningen ook: *Wat is de bok vet!*
13. *Ik lust wel van 't hele varken!* Schertsend gezegde, waarmee men te kennen geeft, niet kieskeurig te zijn t.a.v. spijs of drank.
14. *Hij wil twee ruggen uit één varken snijden*, zie *rug* 5.
15. *'t Is een ijzeren varken* = hij is heel sterk; 't leven zit er ingeroest.
16. *Hij kwam er te pas als een varken in een Jodenhuis*, zie *Jood* 3.
17. *Die een varken ringen wil, moet zich het gieren getroosten* (Gron.) = wie een zaak aanpakt, moet zich niet storen aan de moeilijkheden, die er onvermijdelijk mee gepaard gaan. *Gieren* = gillen, schreeuwen. Bij Guido Gezelle:
Die tegen het ruisen van de blaren niet en kan, en moet in den bos niet gaan.
18. *Hier komt het varken onder zijn magen*, schertsend: nu komt hij bij zijn soortgenoten. *Magen* = verwanten.
19. *'t Is een slecht verken, dat zijn bak niet uitkuist* (Vlaams), men moet opeten, wat men op zijn bord geschept heeft. *Kuisen* = schoon maken.
20. *De een scheert de verkens, de ander de schapen* (Vlaams) = de een blijft altijd arm, terwijl een ander grote verdiensten heeft.
21. *Als een verken droomt, dan is 't van draf* (Vlaams) = de mens is met zijn gedachten altijd in zijn eigen wereld; ieder denkt aan wat hem lief en gewoon is.
22. *Een vet varken weet niet, dat een mager honger heeft* (Vlaams) = wie zelf genoeg van alles heeft, denkt niet aan de behoeften van een ander.
23. *Die te haastig is om verkens te maken, vergeet licht den steert* (Vlaams), zie *haastig* 5.
24. *Een blind verken vindt wel 'nen ekel* (Vlaams); zie *koe* 9. Ekel = eikel.
25. *De vuilste verkens willen 't beste stro* (Gezelle) = wie het thuis maar heel eenvoudig heeft, is bij een ander veeleisend.
26. *Twee varkens in één hok groeien naar elkaar* (Fries) = in gezelschap richt zich op den duur de een naar de ander; als de ouders matig zijn, dan worden de kinderen het ook; zoals de ouders zijn, zo groeien de kinderen op.
27. *Hij weet wel wat hij drijft, vooral als hij varkens voor heeft* (Fries), schertsend: hij weet wel hoe hij de zaak moet sturen. Vergelijk *volk* 3.
28. Zie *koe* 21.
29. *Als 't varken zat is, gooit het de bak om* = als iemand zijn doel bereikt heeft, is hij vaak onhandelbaar en ondankbaar.
30. *Varkens worden knorrende vet*, gezegde van lui, die altijd mopperen en klagen, maar die onder de hand rijk worden.

vasten. 1. *Lang vasten is geen brood sparen*, zie *sparen*.
2. *Wij kunnen er wel naar wachten, maar niet naar vasten*, gezegde wanneer iets of iemand al te lang uitblijft. Ook vaak eenvoudig: we wachten niet langer, we gaan eten.

vastenavond. 1. *'t Is alle dagen geen vastenavond* = men kan niet altijd feest vieren. In de tijden vóór de Hervorming overal, in de Katholieke streken nu nog, werd en wordt de Vastenavond uitbundig gevierd. Natuurlijk ook met veel en lekker eten en drinken. Vandaar ook:
2. *Hij heeft het zo druk als de pan op Vastenavond.*

vat. 1. *'t Is nog niet in 't vaatje, waar het in zuren moet* = de zaak is nog niet in kannen en kruiken.
2. *Een vat geeft uit wat het in heeft* = ieder vertelt de dingen op zijn eigen wijze. Vooral: iemand met een bedorven

karakter slaat vuile taal uit.
3. *Uit een ander vaatje tappen* = geheel anders praten, anders handelen.
Lett. = iemand bier of wijn schenken uit een ander vat.
4. *Een vaatje zuur bier* = een oude ongetrouwd gebleven vrouw.
Zuur bier vindt geen liefhebbers.
5. *Wat in 't vat zit verzuurt niet* = dit kunnen wij nu nog niet gebruiken, maar dat hindert niet: het komt op zijn tijd vanzelf weer te pas.
Ontleend aan goed ingemaakte spijzen. Zo ook:
6. *Dat is in dichte vaten* = dat is geheel in orde.
7. *Hij heeft nog wat in 't vat* = hij heeft nog wat te goed, meestal in schertsende zin: hij heeft nog straf te goed.
Ook ontleend aan de inmakerij. Zie *vet* 7. Ook zegt men: *hij heeft een woord bij hem in 't vat* = hij mag bij hem vrijmoedig spreken.
8. *Vrouwen zijn zwakke vaten* = ze zijn niet zo sterk als de man.
Bijbelse uitdrukking naar I *Petrus* III : 7. 'Gij mannen!... woont bij haar (de vrouwen) met verstand, aan het vrouwelijk vat, als het zwakste, eer gevende.'
In de Bijbel wordt de mens op verschillende plaatsen bij een vat vergeleken.
9. *Holle vaten bommen het meest* = mensen die niets weten, kunnen of zijn, hebben vaak het grootste woord, maken de meeste drukte.
9a. *Gevulde vaten geven geen klank.* (Fries.)
10. *'t Is een bodemloos vat* = hoeveel geld men er ook aan besteedt, het helpt niet, 't is verloren. Ook: hoeveel die man ook verdient, het geld is er dadelijk weer op.
11. *Het vat der Danaïden vullen*, zie *Danaïden.*
vechten. *Vechten tegen de Bierkaai*, zie *Bierkaai.*
vee. 1. *Vee van Laban*, zie *Laban.*
2. *Vee van de richel*, zie *tuig* 2.
3. *Die zijn vee bezorgt, bezorgt zijn beurs* (Vlaams), zie *stal* 3. In 't Fries:
4. *Aan 't vee kent men de man* = aan 't vee ziet men, of hij een goede boer en ook of hij een goed mens is.
veeg I. *Hij kreeg ook nog een veeg uit de pan* = een verwijt.
Lett. = de anderen kregen eerst het eten uit de pan en toen kreeg hij er ook nog een veeg uit.
veeg II (de dood nabij). 1. *Hij is zo veeg als een luis op een kam* = hij loopt zeer groot gevaar van te sterven.
2. *Het vege lijf redden* = zich uit de voeten maken, vluchten.
Het woord *veeg* begint te verouderen.
veel. 1. *Met veel houdt men huis, met weinig komt men toe* = als men veel heeft, heeft men ook veel nodig, doch als 't nodig is komt men er ook met weinig, als men maar met overleg handelt.
2. *Veel honden zijn der hazen dood* = voor 't grote aantal moet men zwichten.
3. *Genoeg is meer dan veel.*
4. *Niet hoeveel, maar hoe eel!* = 't komt op 't getal niet aan, als 't maar goed is.
5. *Veel koks verzouten de brij*, zie *kok* 2.
6. *Menig heeft te veel, niemand heeft genoeg* = menig rijk man bezit meer dan hij nodig heeft, zelfs meer dan goed voor hem is. En toch, hoe rijk ook, ieder begeert nog meer.
7. Daar sterven meer van te veel
Als van te weinig door de keel.
d.i. er sterven meer mensen van overmatig eten dan van honger.
veen. *Die in 't veen zit, ziet op geen turfje*

49. Gevulde vaten ... (z. *vat*)

= wie in de gelegenheid is, neemt het er van; die heeft ook allicht wat voor een ander over. Vergelijk *riet* 1.

veer I. 1. *Hij kan geen veer van de mond blazen* = hij is doodarm; hij heeft geen kracht (meer); hij is op.

Als iemand gestorven was, dan legde men hem een veertje op de mond, om na te gaan of er nog leven in zat.

2. *Hij moest een veer laten* = a. hij kwam er niet zonder schade af; b. hij verloor wat van zijn goede naam; c. er werd kwaad van hem gesproken.

Van hanegevechten of van andere vechtende vogels.

3. *Hij pronkt met een andermans veren* = hij doet het voorkomen of een anders werk het zijne is. Ook eenvoudig: hij heeft de mooie kleren van iemand anders aan.

Uit de fabels van Aesopus: de kraai maakte zich mooi met de veren van de pauw.

Vergelijk *kalf* 10.

4. *Pluk eens veren van een kikker!* zie *kikker* 1.

5. *Aan de veren kent men de vogel* = aan het uiterlijk ziet men al, wat voor een man (of vrouw) het is.

6. *Iemand een veer uit zijn staart trekken* = hem beroven van een van zijn beste dingen; hem meer laten betalen dan hij missen kan. Van de staartveren (de moedveren) van een haan.

7. *Hij hield geen veer in zijn nest* = hij had niets meer over. Vooral gezegd, als iemands boedel voor schuld verkocht wordt.

8. *'t Zijn vogels van eender veren*, zie *vogel* 5.

9. *Op lange veren slapen* = op stro.

10. *Hij is vroeg uit de veren* = hij staat vroeg op.

Naar de veren van 't bed.

11. *Met één veertje tenegader plukt men de vinke kaal* (Gezelle) = de aanhouder wint.

Tenegader = tegelijk.

12. *Iemand een veer op de hoed steken* = hem openlijk prijzen. Bij Gezelle de rijmspreuk:

13. Die goed is na 't gemene spreken,
Moet geen veder op zijn hoedje steken,
wie van iedereen geprezen wordt, moet zichzelf niet prijzen, moet niet trots worden door die lof.

Na = naar, volgens.

14. *Vlieg eens zonder veren!* (Fries) = maak eens een vuist, als je geen vingers hebt.

15. *Mooie veren maken mooie vogels* (Fries) = 't kleed maakt de man.

veer II (springveer). *Iemand een veer in de broek steken* = hem prijzen, zodat hij zich groot gevoelt.

't Is dus net of hij door een veer in zijn broek wordt omhoog getild.

vegen. 1. *Vegen met de spons van Blanus*, zie *spons* 2.

2. *Ieder moet vegen voor zijn eigen deur* = men moet eerst zijn eigen zaken in orde hebben, eer men aanmerking maakt op zijn buurman. Zo ook:

3. *Ieder moet zijn eigen straatje vegen*, 't Straatje is het stenen voetpad van de deur naar de weg, zoals men dat heeft in de dorpen. 't Kan ook een kazerne-uitdrukking zijn; daar is 't straatje de ruimte tussen twee kribben.

veiling. *Iemand in de veiling nemen* = hem er tussen nemen, hem voor de gek houden.

De veiling is de openbare verkoping, waar bijv. meubels 'in de veiling genomen worden.'

Misschien dus = iemand verkopen, waar hij zelf bij staat.

vel. 1. *Iemand het vel over de oren halen* = hem veel te veel laten betalen.

Lett. = hem villen.

2. *Men zou uit zijn vel springen* = men zou van kwaadheid buiten zichzelf raken. Verdam ziet in deze uitdrukking een spoor van het oude volksgeloof, dat iemand zijn eigen lichaam kan verlaten, om tijdelijk een andere gedaante aan te nemen. (Handelingen *Letterkunde* 1897-1898, blz. 47.)

3. *Hij heeft het malle vel om* = hij heeft een boze bui; hij is slecht gemutst.

4. *'t Is vel over been* = hij is al heel mager.

5. *Hij steekt in een kwaad vel* = hij is nooit recht gezond. Van dezelfde gedachte uitgaande:

6. *Ik zou niet in zijn vel willen steken* = ik zou niet met hem willen ruilen, n.l. wat gezondheid of geaardheid betreft.

7. Niet om haar velleken,
Doch om haar gelleken,
d.i. hij heeft die vrouw getrouwd, niet omdat ze zo mooi is, maar omdat ze geld heeft.

8. *Leeg vel rekt wel* (Vlaams) = als de maag leeg is, dan is er ruimte voor een stevig maal.
9. *'t Velleken is geen zotje, het weet wanneer het rimpelen moet* (Vlaams), de rimpels zeggen wel duidelijk, dat men oud wordt.
veld. 1. *Het veld behouden* = baas blijven. Lett. behoudt een leger het veld, als het de overwinning behaalt. Omgekeerd:
2. *Het veld ruimen* = de strijd verliezen, aan de haal gaan.
3. *Veld winnen* = de overwinning naderbij komen. Nieuwe denkbeelden winnen moeilijk veld = worden niet zo spoedig aangenomen.
Insgelijks van een oprukkend leger.
4. *Hij is uit het veld geslagen* = hij is verlegen, onthutst; hij heeft de nederlaag geleden.
Lett. gezegd van een leger, dat het slagveld verlaten moet.
5. *Te velde trekken* = a. het tegen iem. opnemen; b. met een onderneming beginnen.
Naar het leger, dat in het veld trekt.
6. *Men ziet hem in geen velden of wegen* = a. hij is nergens te zien; b. hij komt nergens.
velen. *Velen zijn geroepen, maar weinigen uitverkoren.*
Woorden van Jezus aan het slot van de gelijkenis van de wijngaard (*Matth.* xx). 'Alzo zullen de laatsten de eersten zijn, en de eersten de laatsten, want velen zijn geroepen, maar weinigen uitverkoren.' (Vers 16.) Zie *uitverkoren* 2.
Veling. 1. *Waar rook is, is ook vuur, zei de Veling, en hij stak zijn pijp aan bij een verse paardekeutel.*
De Veling (d.i. Westfaling) kwam hier te lande als tichel- en als timmerknecht, maar vooral als Hans Hannekemaaier. Door zijn lompheid en ook door zijn kromme taal is hij het mikpunt geworden (en gebleven) van allerlei spot. Dit uit zich ook in tal van zeispreuken. Zo:
2. *Ik wou wel dat ik thuis was, zei de Veling, en hij zou gehangen worden.*
(Fries.)
3. *De Veling verkeek zich in de maneschijn, hij at een pad op en meende, dat het een pekelharing was.*
4. *Elk zijn meug, zei de Veling, en hij at vijgen met mosterd* (Fries).
5. *Ik kan dit kittelen niet velen, zei de Veling, en toen deed de beul de strop om zijn hals.*
venster. *Hij moest door een hennepen venster kijken* = hij werd opgehangen.
2. *Hij zit geen boer in 't venster*, zie *boer* 6.
venijn. Geen groter venijn
Dan vriend tonen
en vijand zijn.
ver. 1. *Ver van zijn goed, dicht bij zijn schade*, zie *goed* II, 5.
2. *Wat men 't verste haalt, smaakt het zoetst* = men acht altijd dat het best, dat ver weg komt. Gezegd b.v. als iem. een vrouw aanhaalt uit een vreemde streek.
Reeds in de Kamper verzameling: *wat men van veerst haelt, dat smaecket soetst.*
Bij Gezelle:
2a. Het meeste dat men romt
Is dat van verre komt.
Dat is het, wat men het meest roemt.
3. *Van verre liegt men veel* = een vrijer, die van verre komt, kan licht vertellen dat hij rijk is. Zie *wijd* 2.
verandering. 1. *Verandering van spijs doet eten*, zie *spijs*. In Vlaanderen:
1a. *Verandering van weide doet de koeien goed.*
1b. *Verandering van werk is rust in de lenden.*
verbeelding. *Verbeelding is erger dan de derdendaagse koorts* = wie met zich zelf ingenomen is, wie zich van zich zelf te veel verbeeldt, die is onmogelijk in de omgang en niet te genezen.
verbloemen, zie *bloem* 2.
verbouwereerd staan, d.i. ontsteld, verbaasd, onthutst zijn. Verbastering van 't F. woord *ébaubi*, met dezelfde betekenis.
verdelen. *Verdeel en heers!* spreuk van koning Philippus van Macedonië in zijn oorlog tegen de gezamenlijke Griekse staten.
Vaak in L. vorm aangehaald: *divide et impera.*
verder. *Men moet niet verder springen dan de polsstok lang is*, zie *springen*.
verdieping. *'t Schort hem in de bovenste verdieping* = hij is niet goed wijs; het schort hem in zijn bol.
verdoen.
Veel verdoen en weinig winnen
Is 't verderf der huisgezinnen,
Vlaamse spreuk. Winnen = verdienen.

verdomboekje. *In 't verdomboekje staan* = slecht bekend zijn, zodat men geen goed kan doen.
Misschien een bijbelse uitdrukking.
'Ik zag de doden klein en groot, staande voor God; en de boeken werden geopend; en een ander boek werd geopend dat des levens is; en de doden werden geoordeeld uit hetgeen in de boeken geschreven was, naar hun werken.' (*Openbaring* XX : 12.) Hier is dus sprake van het boek der verdoemenis. Zie *boek* 5 en *blad* 3.
verdonkeremanen, d.i. heimelijk verbergen, wegstoppen.
Lett. gebruik maken van de donkere maan.
verdraaien. *Dat verdraai ik!* = dat vertik ik, dat doe ik in geen geval.
Verdraaien, verzachte vorm van *verdoemen*, als men dat woord zelf niet uitspreken wil.
verdriet.
Verdriet en klagen
Maken bange dagen,
Maar boze gedachten
Maken lange nachten.
Rijmspreuk bij Gezelle.
verdrinken. 1. *Hij is verdronken, eer hij water gezien heeft*, zie *water* 16.
2. *Er verdrinken meer in 't glas dan in de zee*, zie *glas* 1, 3.
verdrukking. *Hij groeit tegen de verdrukking in*, schertsend gezegde, wanneer iemand dikker wordt. Ook, een zaak bloeit ondanks de moeilijke omstandigheden.
Naar de L. spreuk: *palma sub pondere crescit* = de palmboom groeit onder de last. En dit berustte op het volksgeloof, dat een palmboom juist in de verdrukking, als men er gewichten aan hing, des te beter groeide. Laurillard echter verwijst naar *Exodus* 1 : 12, waar van het volk van Israël gezegd wordt:
Hoe meer zij (de Egyptenaren) het verdrukten, hoe meer het vermeerderde, en hoe meer het wies.'
verf. 1. *'t Is uit de verf* = het is buitengewoon goed, het is volmaakt in orde.
Letterlijk is een ding *uit de verf*, wanneer het juist heel goed is, namelijk zo goed, dat men niet meer zien kan, dat het geverfd is; zó dat het net is, alsof het een natuurlijke kleur heeft.
2. *'t Is in de verf verbrand* = 't is door en door bedorven; 't is niet meer goed te maken.
Kledingstoffen worden geverfd in een kuip. Als het sop te heet is of brandende stoffen bevat, bederft het weefsel. Dat is dus het verlies van het geheel.
vergallen. *De bot is vergald* = de zaak is bedorven; de aardigheid is er af.
De vis wordt vergald in letterlijke zin, als men bij het schoonmaken bij ongeluk de galblaas raakt; dan krijgt de vis een onaangename bittere smaak.
vergaren.
Na 'nen vergeerder
Komt een verteerder,
Vlaams rijmpje; zie *winner*.
vergelijk. *Beter een mager vergelijk dan een vet proces* = wie pleit om een koe, geeft liever een toe.
vergissen. *Vergissen is menselijk* = ieder kan zich wel eens vergissen; dus: neem mij niet kwalijk, dat ik iets gedaan heb dat niet goed was. Schertsend:
Vergissen is menselijk,
Maar niet wenselijk.
De Friezen maken er een zeispreuk van:
Vergissen is menselijk, zei de man tot zijn vrouw, toen zij zag dat hij de meid een zoen gaf.
verguld. *Hij was er mee verguld* = hij beschouwde het als een eer, hij was er heel blij mee.
Lett. = hij was er mee opgesierd, zoals een voorwerp een mooi uiterlijk verkrijgt door het te vergulden.
verhaal. 1. *Op zijn verhaal komen* = weer bij komen; na uitputting nieuwe krachten winnen; de schade weer inhalen.
In 't Mnl. bestond *zich verhalen* = weer beter worden, lett. zijn krachten weerhalen.
2. *Er is geen verhaal op* = men kan geen schadevergoeding krijgen.
Ook hier is *verhaal* = terughalen, vergoeding. *Men kan de schade niet verhalen.*
verhakstukken. 1. *Er is heel wat te verhakstukken* = er is veel en lastig werk te doen, gelijk bij de schoenmaker, die schoenen van nieuwe hakstukken moet voorzien. Ook: *verhapstukken.*
verhogen. *Wie zich zelf verhoogt, zal vernederd worden*, waarschuwing: prijs je zelf niet, acht je zelf niet hoog, meen niet dat je beter bent dan een ander.

Uit de Bijbel. 'Een ieder die zich zelven verhoogt, zal vernederd worden, en die zich zelven vernedert, zal verhoogd worden.'
(Lukas XVIII : 14; naar aanleiding van de Farizeeër, die God dankte, dat hij niet was gelijk de andere mensen: rovers, onrechtvaardigen, overspelers, of ook gelijk de tollenaars.)
verhuizen. 1. *Verhuizen kost bedstro* = verhuizen is duur.
Herinnering aan de oude tijd, dat het bed op bedstro lag; bij verhuizing moest men voor nieuw bedstro zorgen. Ook:
2. *Driemaal verhuisd is zo goed als eens verbrand.*
En met een herinnering aan de dikke veren beddekken:
3. *Verhuizen kost veren.* Bij verhuizing komen de veren door het beddetijk.
verkeren I. *'t Kan verkeren* = wie rijk is, kan arm worden; voorspoed houdt niet altijd aan.
Zinspreuk van de dichter Bredero, waarmee hij al zijn werken tekende.
Dezelfde gedachte staat op de poort van het oude Sint-Anthoniegasthuis te Groningen:
Bespot nooit een oud wijf ofte man,
Niemand weet waar 't hem toe komen [kan;
Van ouderdom en dood is God alleen [bevrijd,
Alle andere dingen veranderen metter- [tijd.
Bredero had zijn naam en ook zijn zinspreuk ontleend aan het uithangbord van zijn vader, die schoenmaker was te Amsterdam. Hij hing namelijk het beeld uit van graaf Hendrik van Brederode, 'de grote Geus' (1531—'68). En diens devies was *peut-être* (F. = misschien), vertaald als: 't kan verkeren.
Gerbrand Adriaensz. Bredero, 1585—1618, een dichter naar 't hart van 't volk te Amsterdam. Zijn liedboek was in ieders handen, zijn kluchten en blijspelen trokken veel volk, veel meer dan de stukken van Hooft en Vondel, die te hoog gingen.
verkeren II (omgaan).
1. Waar men mee verkeert,
Wordt men mee geëerd,
men wordt altijd beoordeeld naar het gezelschap, waar men mee omgaat.
Daarom ook:
2. *Zeg mij met wie je verkeert, en ik zal zeggen wie je bent.*
Bij Cats:
Segh ons met wie dat ghy verkeert,
Soo heb ick uwen aert geleert.
verkikkerd. *Verkikkerd zijn* = verliefd zijn. Stoett neemt aan dat men gedacht heeft aan de verliefde natuur van een kikker.
verkneukelen. *Zich verkneukelen* = zich verheugen, zowel bij een aangename verrassing als over andermans leed, zonder dat een ander het merkt.
Lett. = zich de knokkels wrijven.
verkopen. 1. *Men kan hem verkopen, daar hij bij staat* = hij is al te argeloos; hij vertrouwt ieder, die mooi met hem praat. Ook:
2. *Men kan hem verraden en verkopen.*
3. *Beter verkocht en berouwd als gehouden en berouwd* (Vlaams) = als men iets te goedkoop verkocht heeft, dan mag men spijt hebben, maar dat duurt niet lang. Maar als men 't niet verkocht heeft, ofschoon de gelegenheid gunstig was, dan wordt men er telkens weer aan herinnerd.
4. *Die te duur verkoopt steelt* (Vlaams).
verkorven. *Hij heeft het verkorven* = hij is uit de gunst; hij heeft het bedorven. *Verkerven*, lett. = (hout) versnijden, verkeerd bewerken.
verkruimelen. *Die zichzelf verkruimelt, wordt door de hoenders opgevreten* (Fries) = al te goed is buurmans gek.
verlakken. *Iemand verlakken* = hem foppen, hem wat wijs maken, bedriegen.
Men denkt gewoonlijk aan *verlakken* = met lak bedekken, mooi opsieren. Doch dit kan de afleiding niet zijn, daar verlakken ouder is dan 't gebruik van lak als verf. Zo vindt men in *Marieken van Nimwegen*, ± 1500, dat de Duivel zegt:
Ick sal eer een iaer meer
dan duysent sielen verlacken.
En Huygens (17e eeuw) schrijft:
Die de leewerck wil verlacken,
Moet sich vroegh ten bedd' uyt packen.
Uit deze voorbeelden blijkt, dat verlakken = vangen in een strik. En Franck-Van Wijk verwijst dan ook naar een oud woord *lac* = strik, uit het F. *lacs* en het L. *laqueus*.
Maar hij voegt er bij, dat men ook wel uit gaat van *lak*, Mnl. *lac* = gebrek,

fout, misslag, schandvlek of blaam. Zie *lak*.
verlangen. 1. *Ze verlangen terug naar de vleespotten van Egypte*, zie *Egypte* 2.
verlangen II (verlengen), zie *lied* 1.
verlegen. 1. *Beter er mee verlegen dan er om verlegen* = 't is beter dat men van iets wat te veel heeft dan dat men het nodige niet krijgen kan. Maar ook:
2. *Beter er om verlegen dan er mee verlegen* = 't is altijd nog gemakkelijker, dat men iets niet heeft dan dat men er last van heeft, dat men er geen raad mee weet.
verliefd. *Een verliefd hart is dorstig*, schertsend gezegde, als in gezelschap een van de jongelui zich nog eens laat inschenken.
verloren. 1. *De verloren zoon* = een jongeling, afgedwaald van 't rechte pad; iemand, die al zijn goed er door heeft gebracht.
Naar de gelijkenis van Jezus in Lukas XV : 11—32. De verloren zoon keert terug tot zijn vader, als hij alles verbrast heeft; *het gemeste kalf* wordt voor hem geslacht; zie *kalf* 5.
En als de oppassende broeder zich beklaagt, dan zegt de vader: 'deze uw broeder was dood, en is weder levend geworden; en hij was verloren, en is gevonden.'
2. *'t Verloren schaap*, zie *schaap* 3.
3. Eén verloren
Zeven verkoren
(Vlaams), troost die de winkelier zich zelf geeft, als hij een klant verliest.
vermaak.
Te lang vermaak
Beneemt de smaak,
't is niet goed om aldoor plezier te maken; dan gaat de aardigheid er af.
vernederen. *Die zich vernedert, zal verhoogd worden.*
Bijbelse spreuk. De gedachte wordt uitgesproken in Ezechiël XXI : 26. In *Matth.* XXIII : 12 spreekt Jezus: 'wie zich zelven zal vernederen, die zal verhoogd worden.'
verpatsen. d.i. (voor een te geringe prijs) van de hand doen. Franck-Van Wijk verwijst naar Kiliaen, 16e eeuw; aldaar *verpassen* = verruilen, verkopen.
verraden. 1. *Men kan hem verraden en verkopen*, zie *verkopen* 1 en 2.
In 't Fries ook:
2. *Hij weet niet, of hij verraden of verkocht is* = hij weet niet, waar hij aan toe is.
verrader. *De verrader slaapt niet* = wees voorzichtig met je woorden, er is zo licht iemand, die je kwaad wil en die je woorden aan anderen overbrengt.
Bijbelse uitdrukking, al is 't niet met dezelfde woorden. De verrader is de Duivel, die des nachts zijn onkruid onder de tarwe strooit. 'Het Koninkrijk der Hemelen is gelijk aan de mens, die goed zaad zaaide in zijn akker. En als de mensen sliepen, kwam zijn vijand, en zaaide onkruid midden in de tarwe, en ging weg.' (Matth. XIII : 24, 25.)
verschut. *Hij staat verschut*, ook: *hij staat voor schut* = hij is bedremmeld; hij staat er tot spot; hij is er gloeiend bij.
Uit het Bargoens: *verschutten* = in hechtenis nemen. Van *schut* = schot, afsluiting; hij zit achter 't schut.
verslingerd. *Hij is er op verslingerd* = hij houdt er zoveel van, dat hij er niet af kan blijven. *Verslingeren*, lett. = zich om iets heen slingeren; dus = zich sterk hechten aan iemand of aan iets.
verstaan. *Een goed verstaander heeft aan een half woord genoeg.*
Uitdrukking reeds in gebruik bij de Ouden.
verstand. 1. *'t Verstand komt met de jaren* = hij weet nog niet beter; laat hem maar eerst wat ouder worden.
2. *'t Verstand komt met het ambt*, spottend gezegde, als iemand in een ambt benoemd wordt, waar hij in 't geheel geen verstand van heeft. Als hij er maar eerst zit, doet hij wel, of hij er verstand van heeft.
3. *Hij praat, naar hij verstand heeft* = hij zegt maar wat, hij weet niet beter.
verstandskies. *Hij heeft de verstandskies nog niet* = hij is nog te jong, om een goed oordeel te vellen. De verstandskiezen zijn de kiezen achter in de mond, die pas doorkomen, als men volwassen wordt en die bij sommigen in 't geheel niet komen.
verstek. *Bij verstek veroordelen* = in afwezigheid van de beschuldigde.
Men heeft gedacht aan iemand, die *zich verstoken* had. Doch volgens Franck-Van Wijk is hier sprake van een oude rechtsterm, n.l. van iemand die verstoken is van het recht om zich te ver-

dedigen. *Versteken* was = beroven, uitsluiten van.

vertellen. *Die 't laatst verteld heeft, leeft* nog, zie *laat* 7.

verven. *In de wol geverfd*, zie *wol* 1.

verwezen. *Hij ziet er verwezen uit* = hij kijkt erg droefgeestig; hij is versuft.
Verwezen is 't oude woord voor veroordeeld.

verzeild. *Men weet niet, waar hij verzeild is* = waar hij beland is.
Verzeilen = verkeerd zeilen. Fig. = in moeilijkheden raken.

verzenen. *De verzenen tegen de prikkels slaan* = zich vruchteloos verzetten.
Bijbelse uitdrukking. Jezus sprak tot Saulus, die de Christenen vervolgde:
Ik ben Jezus, Die gij vervolgt. Het is u hard, de verzenen tegen de prikkels te slaan.
En hij, bevende, en verbaasd zijnde, zeide: Here! wat wilt Gij, dat ik doen zal? (*Handelingen* IX : 5 en 6.)
Ontleend aan de ossen, die achteruitslaan, wanneer ze met prikkels voortgedreven worden. Dan kwetsen ze niet de prikkels maar zichzelf.

verzetten.
Van een verzet
Komt een belet,
(Vlaams), van uitstel komt afstel.
Verzetten = verschuiven.

verzoendag. *Grote verzoendag houden*, schertsend voor zich verschonen, nieuw ondergoed aantrekken.
Op Grote Verzoendag werd het Joodse volk rein van alle zonden. Maar bovendien bevat *Leviticus* XVI : 23 en 24 het voorschrift van de verwisseling van kleren, nadat de zondebok in de woestijn gejaagd is.
'Daarna zal Aäron komen in de tent der samenkomst, en zal de linnen klederen uit doen, die hij aangedaan had, als hij in het heilige ging, en hij zal ze daar laten.'
'En hij zal zijn vlees in de heilige plaats met water baden, en zijn kleren aandoen; dan zal hij uitgaan.'

vest. 1. *Iemand op zijn vestje spuwen* = iemand boosaardige, althans felle verwijten maken in zijn gezicht.
2. *Hij is niet zuiver achter zijn vestje* = hij gevoelt zelf wel, dat hij niet eerlijk gehandeld heeft.

vet. 1. *'t Vet wil boven drijven* = de rijke man wil altijd de baas spelen.
Zie echter *waarheid* 6, waar het spreekwoord een geheel andere betekenis heeft.
2. *In andermans schotels is 't altijd vet*, zie *andermans* 3.
3. *Het vette der aarde genieten* = zich te goed doen aan de uitgezochtste spijzen en dranken; in rijkdom baden.
Uitdrukking, die herhaaldelijk in de Bijbel voorkomt. Zo in Genesis XXVII : 28, waar Izak de zegen geeft aan Jakob:
'Zo geve u dan God van de dauw des hemels, en de vettigheid der aarde, en menigte van tarwe en most.'
4. *Hij is vet* = stomdronken.
Letterlijk: hij glimt van de drank.
5. *'t Vet is van de ketel* = het meeste voordeel is weg.
Lett. = het vet is van de soep in de ketel.
6. *Hij teert op zijn vet* = hij leeft van hetgeen hij vroeger verdiend heeft en overgespaard.
Zoals iemand werkelijk doet in een schrale tijd; dan verteert het vet, dat nog uit de goede dagen overgebleven is.
7. *Hij heeft nog wat in 't vet* = wij hebben nog wat voor hem bewaard, iets goeds of iets slechts, b.v. een straf, een berisping. Met de gedachte aan spijs, die onder een laag vet wordt bewaard. Zie ook *vat* 7.
8. *Iemand zijn vet geven* = hem een standje schoppen, hem zijn fouten en gebreken verwijten.
Keukenuitdrukking: aan vlees, dat gebraden wordt, zoveel vet geven, dat het smakelijk is.
9. *Laat hem in zijn eigen vet gaar koken*, zie *sop* 3.
10. *Vette en magere jaren*, zie *jaar* 2.
11. *Dat was een vetje* = een fortuintje; ook: een feestje.
Lett. = iets dat vet is.
12. *Vet smet* = kwade gezelschappen bederven goede zeden.
13. *Hij kan zich met zijn eigen vet bedruipen*, zie *bedruipen*.
14. *Vroeg in de wei, vroeg vet*. Zie *vroeg* 1a.

vetpot. 1. *'t Is vetpot*, zie *moeder* 10.
2. *'t Is alle dagen geen vetpot* = er is niet altijd zo'n overvloed; 't is maar een enkele keer feest.

veulen. 1. *Snotterige veulens worden de gladste paarden* = kwajongens die ner-

gens voor lijken te deugen, worden vaak heel flinke mannen.
2. *En geeft het veulen geen haver en het kind geen brandewijn* (Gezelle) = behandel de kinderen niet als grote mensen; maak ze niet te vroeg wijs.
vier. *Hij heeft al te veel vieren en vijven* = hij maakt te veel bezwaren. Ook hij heeft te veel drukte; te veel noten op zijn zang.
In de Middeleeuwen zwoer men bij *gans vier!* = Gods vuur, dat is de bliksem. En dan is het mogelijk, dat daar als woordspeling *vijf* aan toegevoegd is. Maar men zwoer ook bij *Gans vijven!* = bij Gods vijf wonden.
Vandaar: *veel vieren en vijven hebben* = zweren, ketteren; bij uitbreiding: veel drukte maken.
vieren (loslaten). *Bot vieren*, zie *bot* 1, 1.
vierschaar. *De vierschaar spannen* = te recht zitten over iemand.
Letterlijk = vier banken aaneen sluiten, waarbinnen de beschuldigde stond. 't Spannen ziet misschien op een afsluiten met touw.
vin. *Ze konden geen vin verroeren* = zij konden zich niet bewegen.
Vin, van een vis. Ook in 't algemeen voor de leden van 't lichaam.
vinger. 1. *De vingers jeuken mij* = ik kan haast niet nalaten, hem een slag te geven. Ook nu zou ik dadelijk wel willen schrijven.
Lett. = ik heb een tinteling in de vingers, zodat ik ze niet stil kan houden.
2. *Hij kan nog geen vinger in de as steken, of hij hoort al verwijten* = bij 't minste wat hij doet.
In de tijd van het open haardvuur lag de haardplaat vaak vol as, waarin de kinderen figuurtjes of letters tekenden; die staken dus hun vingerw in de as.
3. *De vinger op de mond leggen* = zich voornemen te zwijgen. Ook: aan anderen een teken geven om te zwijgen.
4. *De vinger leggen op de wonde plek* = aangeven waar de moeilijkheid zit.
Zoals de dokter de plaats van de wonde bepaalt.
5. *Brand je vingers niet!* = wees voorzichtig en vergrijp je niet aan de voorschriften.
6. *Lekker is maar een vinger lang*, zie *lekker*.
7. *Hij likt er vinger en duim naar* = hij zou 't zo graag willen hebben.
Zoals kinderen duim en vinger in de mond steken bij 't zien van een lekkernij.
8. *Daar zal hij zijn vingers niet blauw aan tellen* = daar zal hij niet veel van krijgen, n.l. van de te tellen geldstukken.
Bij het tellen van de ouderwetse dubbeltjes kreeg men blauwe vingers. Vandaar nog, dat de Zwollenaars *blauwvingers* heten; zij verkochten hun klokkespel aan de Amsterdammers, die in dubbeltjes betaalden.
9. *Als men hem de vinger geeft, neemt hij de hand* = als men hem iets toestaat, dan eigent hij zich uit zichzelf al meer en meer toe, hij is nooit te voldoen.
10. *Hij heeft kromme vingers* = 't is een dief. Ook: *hij heeft lange vingers*.
11. *Men moet wat door de vingers zien* = men moet lichte vergrijpen niet al te zwaar beoordelen.
Lett. men moet de hand voor ogen houden en niet alles willen zien.
Wat door de vingers zien is dus: met opzet geen acht slaan op fouten of overtredingen.
Dit is vaak nodig, volgens
11a. Die niet door de vingers ziet,
Die past in de wereld niet.
Dat men daarmee te ver kan gaan, leert het Vlaamse spreekwoord:
11b. *Die alles door de vingers ziet, en heeft genen bril van doene* = heeft geen bril nodig; hij ziet toch niets.
12. *Men kan hem wel met een natte vinger belopen* = hij is vlak in de buurt; ik kan je hem zo wel aanwijzen.
Letterlijk: als je de vinger in de mond gestoken hebt, dan is die nog niet droog, als je bij hem bent.
13. *Hij is met een natte vinger te lijmen* = al heel gemakkelijk over te halen.
Je hoeft geen lijm aan de vinger te doen, als je de vinger maar nat maakt, is 't al genoeg. Zie ook 12.
14. *Iemand met de vinger nawijzen* = iemand minachting betonen. Ook: hem bespotten.
15. *Zij windt hem om haar vinger* = zij doet met hem naar haar wil; 't is haar zo gemakkelijk hem naar haar pijpen te doen dansen, als dat zij een doekje om haar vinger windt.
16. *Dat kun je op je vingers natellen* = dat is al heel licht na te gaan.

Lett.: daar hoef je geen papier bij te hebben, om dat uit te rekenen.
17. *Iemand op de vingers tikken* = hem een lichte vermaning geven.
Zoals de meester op school doet, als de kinderen de pen niet goed vasthouden.
18. *Vorsten hebben lange vingers* = hun macht strekt zich ver uit; zij bereiken personen op grote afstand.
19. *Dat is de vinger Gods*, zie *God* 20.
20. *Snij je niet in de vingers!* = pas op dat je niet door je eigen toedoen grote schade krijgt.
21. *'t Geld glijdt hem door de vingers* = hij doet zo licht uitgaven, dat hij zijn geld in een ommezien kwijt is. Vergelijk *gat* 10.
22. *Zeg hem dat eens en hou hem de vinger in de mond!* = als je hem dat verwijt, wordt hij heel kwaad (en zou hij je dan wel de vinger afbijten).
25. *Daar draai ik mijn vinger* (*mijn hand*) *niet voor om* = a. daar doe ik geen de minste moeite voor; b. dat kost mij in 't geheel geen moeite.
24. *Daar durf ik mijn vinger voor opsteken* = daar sta ik voor in.
Letterlijk: daar durf ik een eed op doen, omdat daarbij de beide voorste vingers van de rechterhand worden opgestoken.
25. *Ik bijt mij liever in de vingers*, gezegde als men iets volstrekt niet doen wil.
26. *Iemand in de vingers krijgen* = hem te pakken nemen, om hem een pak slaag te geven; fig. ook, om hem eens goed de waarheid te zeggen.
27. *Iemand op de vingers kijken* = nauwkeurig nagaan wat hij doet en hoe hij doet. Lett. toezien, of hij wat wegneemt.
28. *Men moet zijn viger verbrand hebben, eer men goed smid is* (Vlaams) = door schade en schande wordt men wijs.
29. *Een mens leert net zo lang tot zijn vingers even lang zijn* = men is nooit te oud om te leren.
Schertsend:
29a. *Hij wordt wijs, als zijn vingers even lang zijn.*

50. Iemand met de vinger... (z. *vinger*)

vink. *Hij slaat door als een blinde vink* = hij redeneert al maar door over dingen, waar hij geen verstand van heeft en luistert helemaal niet naar wat men er tegen inbrengt.
Herinnering aan de barbaarse gewoonte, om de vinken de ogen uit te branden in de mening, dat ze dan in de kooi beter zingen.
vinketouw. *Hij zit op 't vinketouw* = hij is gereed om zijn slag te slaan; hij wacht op een geschikte gelegenheid.
Het vinketouw is het gehele getouw van de vinkebaan, de treklijn met het slagnet.
violen. *Violen laten zorgen*, zie *fiolen.*
viool. 1. *Hij speelt daar de eerste viool* = hij geeft er de toon aan; hij heeft het te zeggen.
Uit de muziekwereld.
2. *Zo heb ik nog nooit op de viool horen spelen* = zo iets heb ik nog nooit gehoord; dat is al heel vreemd.
3. *Men kan wel een viool tegen een eikeboom stuk slaan* = als men met geweld optreedt, bederft men licht de teerste, de kostbaarste zaken.
vis. 1. *De vis wil zwemmen* = visgebruik geeft dorst.
2. *Dat is geen vis en geen vlees* = die behoort niet bij de ene en niet bij de andere partij; 't is iets halfslachtigs, men weet niet wat men er aan heeft.
3. *Hij is zo gezond als een vis*, afkorting van het oude gezegde: *zo gezond als een vis in 't water.*
4. *Een klein visje, een zoet visje* = een buitenkansje wordt vaak meer op prijs gesteld dan het loon voor harde arbeid. In 't algemeen: tevreden zijn met wat gerings. Zie *winst.*
5. *Hij hengelt naar een goudvis* = hij vrijt met een rijk meisje.
6. *Daar zijn wij, grote vissen, weer, zoals de garnaal tegen de schelvis zei.* Spottend wanneer iemand van geen betekenis

51. Grote vissen (z. *vis*)

zich gelijk rekent met wie veel voornamer zijn.
7. *Vis laat een mens zoals hij is* = vis is niet voedzaam.
8. *Boter bij de vis!* = dadelijk betalen!
9. *De grote vissen eten de kleine* = grote heren maken zich meester van het schrale bezit van de armen; rijken leven van 't goed der geringen.
Dit spreekwoord vaak als een rijmpje:
Heb je nooit geweten,
Dat grote vissen de kleine eten?
10. *Grote vissen scheuren het net* = de grootste gauwdieven weten altijd nog weer te ontkomen; grote heren, die zich vergrepen hebben, zien wel kans om zich aan de straf te onttrekken.
11. *Vissen hebben een goed leven: ze drinken als ze willen en worden om het gelag niet gemaand.*
Drinkerswijsbegeerte.
12. *Hij zit als een vis op het droge* = hij is volstrekt niet op zijn gemak; vooral: hij is aan 't eind van zijn geld.
vissen. 1. *Ieder vist op zijn getij*, zie *getij* 1.
2. *Achter 't net vissen*, zie *net* 1.
3. *'s Nachts vissen, overdag netten drogen*, zie *net* 2.
4. Zie *visser* 1 en 2.
5. *'t Is alle dagen visdag, maar geen vangdag* (Fries) = elke dag moet men werken, maar niet elke dag brengt zijn loon in.
visser. 1. *Dat is voor een vissersdeur gevist* = dat is moeite gedaan onder omstandigheden, waarvan men wel zeker kan wezen, dat men niets zal bereiken. Voor de deur van een visser is het water wel afgevist.
2. Vissers en jagers
Zijn vrouwenplagers,
Vlaams rijmpje. Mannen die graag uit vissen en jagen gaan verwaarlozen het huisgezin. Vandaar ook:
Die 's zomers vist en 's winters vinkt,
Heeft in zijn kuip geen vlees dat stinkt.
Hij zorgt namelijk niet, dat zijn vleeskuip behoorlijk gevuld wordt.
Ook kort en bondig:
3. Jagers en vissers
Zijn missers.
vizier I. *Strijden met open vizier* = strijden zonder zijn naam te verzwijgen.
Lett. een uitdrukking uit de riddertijd. *'t Vizier* was de klep van de helm, die 't gelaat bedekte. Vóór het gevecht sloeg de ridder 't vizier op, zodat de tegenpartij wist met wie hij te doen had.
vizier II (korrel). *Iemand in 't vizier krijgen* = in 't oog krijgen, bemerken.
't Vizier is in dit geval de korrel van 't vuurwapen, waardoor de schutter in staat is, recht op zijn doel te mikken. Wat hij *in 't vizier heeft*, ziet hij scherp.
vlag. 1. *De vlag dekt de lading* = iets dat niet deugt of althans veel minder goed is, wordt onder een mooie naam aan de man gebracht.
Uit de oorlogsgebruiken. Een schip met onzijdige vlag wordt door de strijdende partijen ontzien. Zo kan 't gebeuren, dat zulk een vlag smokkelwaar 'dekt'.
2. *De vlag strijken* = zich overgeven, zich overwonnen verklaren.
Men streek de vlag, d.i. men haalde de vlag neer in een zeegevecht, ten teken dat men zich over moest geven. Het tegengestelde is:
3. *Hij voert er de vlag* = hij gedraagt zich als de meester: hij maakt veel drukte. Lett. = hij is de admiraal, de aanvoerder.
4. *'t Is een vlag op een modderschuit* = 't is iets moois bij iets lelijks, b.v. gezegd als iemand zich mooi optuigt bij wie dat helemaal niet past.
5. *Ze hebben 't gewonnen met vlag en wimpel* = met glans.
Zoals in een zeegevecht de overwinning behaald werd met behoud van de vlag en zelfs van de wimpel op het topje van de mast.
6. *Onder valse vlag varen* = zich anders voordoen dan men is.
vlakte. 1. *Op de vlakte komen* = voor den dag komen, b.v. ze komen met allerlei bezwaren op de vlakte.
Vlakte = open ruimte, effen grond; ook het ijs op ondergelopen land, verzamelplaats voor schaatsenrijders. Die betekenis komt uit in verschillende uitdrukkingen; b.v.
2. *Zich op de vlakte houden* = niet zeggen waar 't op aan komt; zich in de ruimte houden;
3. *Iemand tegen de vlakte slaan* = tegen de grond slaan.
4. *Een kerel van de vlakte* = een misdadiger uit de grote stad. Ook: *een jongen van de vlakte*.
Vlakte, in dit geval de straat.
Zo ook in:

5. *Een meid van de vlakte* = een vrouw die op 'de baan' loopt.
vlam. *Een kleine vlam, een groot vuur* = kleine oorzaken hebben grote gevolgen; vermijd de oorzaak van twist en tweedracht, als het nog tijd en mogelijk is. (Fries.)
Vlaming. *Een Vlaming heeft altijd een geluk* (Vlaams) = hij troost zich bij een ongeluk: 't kon nog erger. Breekt hij een been, dan is 't andere nog heel.
vlas. *Spin ik niet, dan hou ik mijn vlas* (Vlaams), zie *hooi* 4.
vlassen. *Hij vlast er op* = hij loert er op, hij verlangt er zo naar, dat hij het ziet te krijgen.
Vlassen = vlas bereiden, waaruit zich volgens Franck-Van Wijk deze figuurlijke betekenis ontwikkeld heeft. Dus = hij maakt zijn vlas klaar; hij werkt er voor.
vlaswiek. *Men moet de rokende vlaswiek niet uitblussen* = als iemand op het punt staat te bezwijken, moet men hem nog weer ophelpen en niet van zich stoten; waar nog hoop op beterschap is, moet men de helpende hand uitsteken.
Bijbeltaal. 'Het gekrookte riet zal hij niet verbreken, en de rokende vlaswiek zal hij niet uitblussen.' (Jesaja XLII : 3.) Deze woorden worden door Jezus herhaald in Matth. XII : 20, doch daar staat: het rokende lemmet zal hij niet uitblussen.
Het lemmet of de vlaswiek is de lampepit. Zo lang die nog rookt, is er kans dat hij weer opvlamt en dienst kan doen.
Zie *riet* 4.
vlees. 1. *Ik wil weten, welk vlees ik in de kuip heb* = ik wil weten, wat ik er aan heb.
2. *'t Is geen vlees en geen vis*; zie *vis* 2.
3. *Terugverlangen naar de vleespotten van Egypte*; zie *Egypte*.
4. *Hij heeft het vlees liever dan de botten*, zie *hond* 19.
5. *Een doorn in 't vlees*, zie *doorn* 2.
6. *Alle vlees is als gras* = de mens is sterfelijk en er blijft zelfs geen herinnering over.
'Alle vlees is als gras, en alle heerlijkheid des mensen is als een bloem van het gras.' (1 *Petrus* 1 : 24.) Dit ook reeds bij Jesaja XL : 6—8. 'Alle vlees is gras... Het gras verdort, de bloem valt af, als de geest des Heren daarin blaast; voorwaar het volk is gras. Het gras verdort, de bloem valt af, maar het Woord onzes Gods bestaat in der eeuwigheid.'
7. *Hij is de weg van alle vlees gegaan*, zie *weg* 4.
8. *'t Vlees is verkocht*, zie *hand* 57.
9. *Hij houdt het vlees onder de pekel* = hij drinkt een stevige borrel.
Zoals het vlees bewaard blijft, als men zorgt dat het onder de pekel staat, zo redeneren de drinkers, dat de drank het bederf in hun lichaam weert.
10. *Het gaat hem naar den vlese* = het gaat hem goed (in stoffelijke zin); hij is welvarend.
De oude vorm *naar den vlese* naar *Romeinen* VIII, zoals men las in de Statenbijbel, in vers 1: 'Soo en is er dan nu geen verdoemenisse voor den genen die in Christo Jesu zijn, die niet na den vleesche en wandelen, maer na den Geest.'
11. *Het is vlees van mijn vlees* = hij (zij) is van mijn geslacht; 't is mijn eigen kind. Naar Genesis II : 23. Daar zegt Adam van de pas geschapen Eva:
'Deze is ditmaal been van mijn benen, en vlees van mijn vlees.'
12. *Men krijgt niet gemakkelijk een stuk vlees zonder been* (Fries) = geen mens, of hij heeft zijn gebreken.
vleet. *Bij de vleet* = in overvloed, zeer veel.
De *vleet* is het haringnet van zeer grote afmetingen, wel 6 km lang, bestaande uit tot 200 afzonderlijke netten, lang 30, breed 16 m. Het is een drijfnet, opgehangen aan *breels*, dat zijn houten tonnetjes; sommige van die breels hebben een vlaggetje, waaraan men kan zien, waar het net hangt; dit zijn de *jonen*.
vleier.
Een vleier is vriend in de mond,
Maar altijd vijand in de grond,
Vlaamse rijmspreuk. Wacht u voor de vleiers, want zij bedriegen u.
vlek. 1. *Zonder vlek of rimpel* = zonder gebreken, gaaf.
Bijbels. In *Efezen* V : 27 is sprake van 'een gemeente, die geen vlek of rimpel heeft.'
2. *Men noemt geen koe bont, of hij heeft wel een vlekje*, zie *koe* 6.
vleugel. 1. *Neem de onschuld onder uw vleugelen* = bescherm de onschuldigen.
Bijbelse uitdrukking, zo in *Ruth* III : 9: 'Ik

ben Ruth, uw dienstmaagd; breid dan uw vleugel uit over uw dienstmaagd'.
2. *Zich verschuilen onder iemands vleugelen* = zich onder zijn bescherming stellen. In Ruth II : 12 leest men: 'Uw loon zij volkomen, van de Here, de God Israëls, onder Wiens vleugelen gij gekomen zijt, om toevlucht te nemen.'
3. *Zijn vleugelen over iemand uitbreiden* = hem in zijn bescherming nemen.
Naar Ruth III : 9, waar zij tot Boaz zegt: Breid uw vleugel uit over uw dienstmaagd; want gij zijt de losser.
4. *Vlieg niet, eer je vleugels hebt* = een jonge man moet niet eerder zelfstandig optreden, vóór hij er toe bekwaam is.
vlieg. 1. *Iemand een vlieg afvangen* = iemand te gauw zijn, hem vóór zijn, hem een kans afsnoepen.
Lett. iemand iets afvangen. De vlieg zal er schertsend bijgevoegd zijn.
2. *Ik zit hier niet om vliegen te vangen* = ik moet opletten, werken; ik moet mijn tijd niet verluieren.
Tuinman verwijst naar 't verhaal, dat keizer Domitianus zich alle dagen in zijn kamer opsloot en zich daar bezig hield met vliegen vangen.
Maar Stoett zegt, dat de uitdrukking reeds voorkomt bij Aristophanes; (5e eeuw vóór Chr.).
3. *Hij sloeg twee vliegen in één klap* = hij bereikte twee dingen tegelijk.
4. *De grote vliegen breken door 't spinneweb, maar de kleine blijven er in hangen.* Zie *dief* 6 en *vis* 9.
5. *'t Gaat hem als de vlieg om de kaars* = hij speelt met het gevaar net zo lang tot hij er zelf het slachtoffer van wordt.
6. *Men vangt meer vliegen met honig als met azijn* = men wint meer met zachtheid en met een vriendelijk woord dan met strengheid en met verwijten.
7. *Hij heeft het zo vast als een hand vol vliegen* = hij kan er geen staat op maken; 't is lang niet zeker.
8. *Hij slaat niets af als vliegen* = hij neemt graag alles aan, wat men hem biedt. Schertsend, als aan tafel wat lekkers aangeboden wordt.

52. Die wel eer te hoge... (z. *vliegen*)

9. *Eén dode vlieg bederft de zalf*, zie *appel* 2.
De spreuk is uit *Prediker* x : 1. 'Eén dode vlieg doet de zalf des apothekers stinken en opwellen.'
10. *Vlieg wilt ook vogel zijn* (Vlaams) = de domme wil meepraten met de verstandigen. Zie *garnaal* 3.
vliegen. 1. *Hij ziet ze vliegen* = hij is niet wijs.
Lett. = hij verbeeldt zich, dat hij van alles voor zijn ogen langs ziet vliegen.
2. *Ik had liever dat het vloog!* = ik moet er niets van hebben; ik denk er niet aan, dat te doen.
3. Zie *vleugel* 4.
4. *Die wel eer te hoge vlogen,*
vonden zich wel licht bedrogen. (Cats) = Die hoger klimt als hem betaamt, valt lager als hij heeft geraamd.
vlieger. *Die vlieger ging niet op* = dat gelukte niet; die verwachting kwam niet uit; het werd een strop.
vloed.
1. 's Werelds goed
Is eb en vloed,
zie *wereld* 10. In Vlaanderen:
2. *Alle vloed heeft zijn weerloop.*
vloek. *In een vloek en een zucht* = in een ogenblik.
vlotten. *Laat dat maar vlotten en drijven* = laat dat maar aan zijn lot over, steek er maar geen hand voor uit.
Vlotten is hetzelfde als drijven. Dus lett. = laat een schip of een drijvend voorwerp maar aan zijn lot over.
vod. 1. *Iemand achter de vodden zitten* = hem achter de broek zitten; hem vervolgen; ook: nakijken of hij zijn werk goed doet. De *vodden* zijn de kleren. Zo ook:
2. *Iemand bij de vodden krijgen* = hem bij de kraag pakken.
voer. *Hij houdt van goed voer en een warme stal* = van eén behaaglijk ruim leven in een gezellig thuis.
Vergelijking mèt de paarden op stal.
voering. *Men vroeg hem de voering uit het hemd*, zie *hemd* 4.
voerman. *Een oud voerman hoort nog graag het klappen van de zweep* = wat

53. Een oud voerman ... (z. *voerman*)

men in zijn jeugd deed, daarvan hoort men in zijn ouderdom nog graag vertellen. Zie *paard* 34.

voet. 1. *Op staande voet* = dadelijk.
Lett. terwijl de voet staat, dus voordat men ook nog maar één stap heeft kunnen doen. Vertaling van L. *stante pede*; oude rechtsterm. Wanneer een veroordeelde niet in zijn vonnis berustte, moest hij het *staande-voets* weerspreken.

2. *Voet bij stuk houden* = niet afwijken van de zaak, waar het over loopt; vasthouden aan zijn plan; niet toegeven.
Winschooten dacht aan een stuk geschut, doch een betere verklaring komt reeds voor bij Tuinman. Deze heeft de oude vorm: *voet bij stek zetten* en zegt: 'Dit acht ik genomen te zijn van die in een tweegevecht voet tegen voet zetten en niet teruggewijken van het voorgeschreven perk.' Stuk is hier dus = grens; het is de meet. In Groningen zegt men nog:

3. *De voet bij de meet houden*, welke uitdrukking ontleend is aan het spel, waarbij men van meet af beginnen moet.
Dit is naar de mening van Harrebomée ook het geval met het gezegde:

3a. *De voet bij de kuil houden*, dat in dezelfde betekenis wordt gebruikt. Zulk een spel is b.v. het vroeger algemeen met hartstocht gespeelde tiepelspel, waarbij om een kuiltje in de grond een kring werd getrokken.

4. *Voet geven aan iemand* = hem steun geven; ook hem iets toegeven, zijn wensen inwilligen; ten slotte: aanleiding geven.
Letterlijk: iemands voet steunen, als hij hier of daar in klimmen wil; hem oplichten.

5. *Hij heeft de voet in de stijgbeugel* = hij is gereed, om zijn loopbaan te beginnen; hij is over de eerste moeilijkheden heen (geholpen).
De ruiter, die de voet in de stijgbeugel heeft, kan zich gemakkelijk te paard zetten.

6. *Iemand de voet dwars zetten* = hem beletten voort te gaan; hem verhinderen zijn plan uit te voeren.
Lett. = zijn eigen voet dwars zetten in het pad, waarlangs de ander gaan moet.

7. *Iemand de voet lichten* = hem een beentje lichten; hem met een streek van zijn ambt, van zijn plaats beroven; hem doen vallen.
Lett. = maken dat hij niet meer op zijn voeten staan kan; hem met een handige beweging ter aarde werpen.

8. *Dat had veel voeten in de aarde* = dat kostte heel wat moeite en werk; daar waren veel bezwaren. 't Ned. Woordenboek denkt aan een boom, die met veel wortels in de grond staat en die moeilijk gerooid wordt. Mogelijk ook: veel voetstappen in de grond, dus veel heen en weer geloop.
(Beckering Vinckers in Ts. XXXIX, 159.)

9. *Iemand de voet op de nek zetten* = hem doen gevoelen op een minachtende wijze, dat men hem geheel in de macht heeft; hem onderdrukken.
In oude tijden zette men inderdaad de overwonnenen de voet op de nek. Dit blijkt o.a. uit *Jozua* x : 24, waar men vindt wat het lot was van de vijf koningen die in een spelonk gevlucht waren: 'Als zij die koningen uitgebracht hadden tot Jozua, zo riep Jozua al de mannen van Israël, en hij zeide tot de oversten des krijgsvolk, die met hem getogen waren: Treedt toe, zet uw voeten op de halzen dezer koningen. En zij traden toe en zetten hun voeten op hun halzen.'

10. *Iemand de voeten spoelen* = hem overboord gooien.
Men leest dat deze uitdrukking is van Grote Pier, maar men vindt reeds in het jaar 1482 in de *Historieliederen*, uitgegeven door Mw. C. C. v. d. Graft:
Nu isser som haer voeten ghespoelt.

11. *Iemand iets voor de voeten werpen* = hem verwijten doen, hem beschuldigen.

12. *Een gebod met voeten treden* = het gebod verachten, er niets om geven.
Lett. het vertrappen.

13. *Hij staat met één voet in het graf* = hij zal niet lang meer kunnen leven.
De Voet in 't Graf, titel van een der laatste dichtbundels van Bilderdijk.

14. *Hij raakte onder de voet* = hij kwam *op de grond te liggen*. Fig. = hij werd ziek en zwak; hij bezweek.
De voet = de voeten, het oude meervoud. Letterlijk, uit het krijgsleven: op het slagveld raakte hij onder de voeten der soldaten en paarden.

15. *Op geen voeten of vamen na* = lang niet.
Letterlijk: hij was er nog voeten en vademen (1 vaam is 6 voet) van af.

16. *Op gespannen voet* = in een verhou-

ding, die ieder ogenblik vijandelijk kan worden.
Voet = wijze van doen; toestand; letterlijk de voet waarop men leeft. Die toestand is gespannen, als hij gemakkelijk gebroken wordt evenals een strak gespannen koord.
17. *Op grote voet leven* = veel uitgaven hebben aan huis, meubelen, kleding, uitgaan en gasten ontvangen.
Ook hier is *voet* = wijze van doen, handelwijze. Zo ook in:
18. *Met iemand op een goede voet staan* = vriendschappelijk met hem omgaan; veel van hem gedaan kunnen krijgen. Zo ook:
19. *Op voet van oorlog* = nadat de oorlog begonnen is; in vijandelijke verhouding.
Dezelfde gedachte in:
20. *De zaak wordt op dezelfde voet voortgezet.*
21. *Zich uit de voeten maken* = er van door gaan; vluchten.
Vroeger: zich uit de paardevoeten maken; dus zorgen dat men niet onder de hoeven komt.
22. *Dat gaat zover als 't voeten heeft* = dat gaat maar niet altijd door, er komt een eind aan; dat gaat zo ver als de omstandigheden veroorloven.
23. *Iemand op de voet volgen* = hem stap voor stap nagaan; niet van zijn voorbeeld afwijken.
Ook hier is voet het oude meervoud in de betekenis van voetstappen. Dus letterlijk: zijn voetstappen volgen.
24. *Een wit voetje bij iemand hebben* = bij hem zich dingen kunnen veroorloven, die een ander niet doen mag; in de gunst staan.
Paarden met witte voeten waren tolvrij. Men heeft ook wel aan het verhaal van de zeven jonge geitjes gedacht. De wolf had zich witte voeten gemaakt om binnen te kunnen komen.
Doch ook De Cock bevestigt, dat eertijds witvoetige paarden de poorten der Vlaamse steden tolvrij mochten binnengaan. 'Een peerd met vier witte poten mag door,' heet het thans nog te Lokeren.
25. *Iemands voetstappen drukken* = getrouw zijn voorbeeld volgen.
Vertaling uit het L., maar ook Bijbels. Zo spreekt Abigáil van 'jongelingen, die mijns heren voetstappen nawandelen' (I *Samuel* XXV : 27), en in vers 42 van 't zelfde hoofdstuk leest men van Abigáil zelf:
Zij reed op een ezel, met haar vijf jonge maagden, die haar voetstappen nawandelden.'
26. *Voetstoots verkopen* = een partij goederen verkopen, zoals ze daar liggen. Dus letterlijk: zoals men er met de voet tegen stoot; zonder uitzoeken; zonder dat men later met klachten kan komen.
27. *Hij is haar voetveeg* = zij kan met hem doen wat ze wil; hij laat zich alles welgevallen.
De *voetveeg* is de mat, waarop men zijn voeten afveegt.
28. *Zijn voeten onder andermans tafel steken*, zie *tafel* I.
29. *Hij heeft aan de voeten van Gamaliël gezeten*, zie *Gamaliël.*
30. *Iemand de voet kussen* = zich geheel aan hem onderwerpen; hem als zijn meester erkennen.
31. Ziet goed, waar gij de voeten zet,
't Hangt alles van den eersten tred,
Vlaamse rijmspreuk: handel voorzichtig en pas vooral op, hoe je een zaak eerst aanpakt.
32. *'t Is lustig te voete gaan voor die 't peerd bij de toom heeft* (Gezelle) = men kan gemakkelijk meedoen met de eenvoudigen en de kleinen, als men ook nog de nodige middelen achter de hand heeft, om rijk en voornaam te leven.
33. *Gij moet uw voeten niet verder steken dan uw bed lang is* (Gezelle), zie *springen.*
34. *Voetje voor voetje komt de man te Romen* (Gezelle) = langzaam gaat zeker.
vogel. I. *Vogeltjes die zo vroeg zingen zijn 's avonds voor de poes*, gezegde als men reeds in de vroege morgen vrolijk is; waarschuwing: het kan nog wel anders en moeilijk worden.
In Vlaanderen:
1a. Hoe eer de vogel zingt,
Hoe eer de kat hem wringt.
2. *Beter één vogel in de hand dan tien in de lucht* = wat men heeft, al is het klein, is meer waard dan schone beloften.
3. *Ieder vogeltje zingt, gelijk het gebekt is* = ieder spreekt naar zijn eigen aard en wezen; ieder handelt naar de mate van zijn ontwikkeling. *Ieder vogelke zingt zijn eigen vooizeke* (Guido Gezelle).
4. *Iemand vogelvrij verklaren* = ieder het recht geven, hem te doden, zoals Prins

Willem vogelvrij verklaard werd door de koning van Spanje.
Lett. net zo vrij als een vogel, waar ieder op schieten mag. Doch Grimm en Paul denken aan ballingen en vredelozen, wier lijf en leven 'vrij' was voor alle mensen en dieren, voor de vogels in de lucht en de vissen in het water. Vogelvrij zou dan betekenen, dat hun lichaam na hun dood spijs was voor de vogels.
5. *'t Zijn vogels van verscheiden veren* = 't zijn geheel verschillende mensen.
Vosmaer noemde zijn bundel stukken, omdat ze een verschillend karakter hadden, *Vogels van diverse pluimage*. De Nederlandse naam zou beter gevoegd hebben.
6. *'t Is een slimme vogel* = 't is iemand, die zich overal uit weet te redden. Ook:
6a. *'t Is een gladde vogel*, met de bijgedachte, dat zo iemand 'glad' is.
7. *Men kent de vogel aan zijn veren* = uit zijn eigenschappen kan men opmaken, wat iemand voor karakter heeft. Zie *veer* 1, 5.
8. *Al zullen de vogels het uitbrengen*, zie *raaf* 2 en *kraai* 1.
9. *De vogel is gevlogen* = 't is te laat, de kans is voorbij. Ook: degene, die men hebben moest, is er van door; is vertrokken. Omgekeerd:
10. *De vogel is in de knip, is geknipt* = die men zoekt, die is gevangen.
11. *Hij is zo vlug als 't vogeltje, dat koe heet*, zie *koe* 14.
12. *Hij heeft de vogel over het touw laten gaan* = hij heeft van de gunstige gelegenheid geen gebruik gemaakt.
Ontleend aan de vogelaar met zijn net, die niet op tijd dit net heeft dichtgetrokken, zodat de vogel er over heen is gevlogen.
13. *Die de vogel vindt, die mag hem roven* (Vlaams) = wie gelukkig is in zijn onderneming, die valt alles ten deel.
Zie *geluk* 9.
14. *Laat de vogelkens zorgen, die hebben vlugge pootjes* (Vlaams), spreuk van de

54. Ieder vogeltje zingt (z. *vogel*)

zorgelozen.
15. *Aan een klein vogelken past geen grote bek* (Vlaams) = kinderen moeten bescheiden zijn in gezelschap.
(Gezelle.)
16. De vogel kent men aan zijn vlerk,
En de werkman aan zijn werk.
(Vlaams.) Zie no. 7. Maar een Vlaams spreekwoord zegt ook:
17. *Men kent de vogel niet aan zijn pluimen* = schijn bedriegt.
18. *'t Is een slechte vogel, die zijn eigen nest bevuilt* = men moet geen kwaad spreken van zijn eigen huisgezin, van zijn eigen familie.
19. *Kleine vogels, kleine nesten* (Fries) = een nederig mens heeft aan weinig genoeg.
20. Van vogels, honden, trouwen,
Voor ene vreugde zeven rouwen.
vogelaar.
De vogelaar, op bedriegen uit,
De vogel lokt met zoet gefluit.
een bedrieger belooft allerlei schone dingen, die hij volstrekt niet van plan is te geven, als hij maar eerst zijn slachtoffer in de macht heeft.
Met dit spreekwoord antwoordde men in Leiden tijdens het beleg van 1574 op de schijnschone aanbiedingen van de Spanjaarden.
vol. 1. *Iemand voor vol aanzien* = hem beschouwen als iemand, die volop mee kan doen; die aan alle vereisten voldoet. Misschien uit de tijd, dat er wel munten in omloop waren, die het volle gewicht niet hadden.
2. *Hij is zo vol als een ei*, zie *zalig* 2, 3.
volgen. 1. *Goed voorgaan doet goed volgen.*
2. *Beter een die met mij gaat dan twee die mij volgen* = het is beter dat er iem. is, die mij trouw ter zijde staat, dan twee (of meer) die zeggen dat ze mij vereren; ook: die zeggen dat zij mij helpen zullen.
3. Zie *voordoen* I, 1.
4. *Ik val aan, volg mij!* De woorden van Doorman in de slag op de Javazee in 1942. Schertsend omgevormd tot een aansporing om aan tafel toe te tasten.
volhouden, misschien een zeemanswoord, n.l. de wind vol in de zeilen houden; 'houdt men goed vol,' dan blijft het schip goed op gang (Kerdijk).
Volgens Franck-Van Wijk echter is het woord misschien enkel = (een vat) vol houden, zorgen dat het vol blijft.
volk. 1. *Volkje van deux aas*, zie *deux aas*.
2. *Waar volk is, is nering*, zie *zeispreuken* 22. Schertsend, als er veel volk bij elkaar is.
3. *Dom volk en varkens laten zich slecht drijven* (Fries) = met domme mensen is niets te beginnen; ze zijn tegen de keer in evenals de varkens.
vonk. 1. *Een kleine vonk ontsteekt een grote brand* = een onbeduidend voorval kan grote gevolgen hebben.
Jakobus III : 5 zegt: 'Ziet een klein vuur, hoe grote hoop houts het aansteekt.' Daar is de tong bedoeld:
'De tong is ook een vuur, een wereld der ongerechtigheid.'
2. Blust de vonken vóór de vlam,
Schut de schapen vóór de dam
(Gezelle) = weersta het kwaad in zijn begin.
vonnis. 1. *Ongewezen vonnissen zijn te vrezen* (Vlaams) = men moet nooit een proces beginnen, want men weet niet hoe het uitvalt. Zie *advokaat*, *koe* 4, *proces* en *stijfkop*.
2. Wilt gij niet bedrogen zijn,
Strijkt geen vonnis naar de schijn,
Vlaamse rijmspreuk: schijn bedriegt.
voorbeeld. *Slechte voorbeelden bederven goede zeden.*
Naar I *Cor.* XV : 33. Aldaar: Kwade samensprekingen verderven goede zeden.
voorbij. 1. *Wat voorbij is, kopen geen kremers* = als eenmaal de gelegenheid voorbij is, dan is er aan een zaak niets meer te doen. De *kremer* stond met zijn *kraam* op de markt; later was *kremer* het algemene woord voor een koopman, vaak ook voor een venter. Nog over als geslachtsnaam en in 't woord *kremerlatijn*; de venters hadden in hun mars potjes met zalf en andere geneesmiddelen met Latijnse namen als opschrift.
Bij Gezelle:
2. *De meulen draait niet met de wind, die voorbij is.*
voordeur. *'t Gaat langs de voordeur uit en komt langs de achterdeur binnen* (Vlaams) = wat men weggeeft is niet verloren; men wordt er voor gezegend bij zijn werk en in het gezin.
voordoen I. *'t Is geen gek die 't voordoet, maar die 't navolgt* = men bespot vaak iemand, die dwaas handelt, maar hij vindt nog altijd navolgers en die zijn veel

erger.
voordoen II (uitstallen). 1. *Goed voorgedaan is half verkocht.* Zie *voorgedaan.* Ook:
2. *Goed voordoen doet verkopen*, ontleend aan de uitstalling in de winkel.
3. Vlaams:
Schoon voordoen is half verkocht,
Maar 't heeft er veel in druk gebrocht,
namelijk na 't huwelijk, als 't blijkt dat de vrouw niet zo goed is, als het vóór het trouwen wel leek.
voorgaan. *Goed voorgaan doet goed volgen.* Zal een bijbels spreekwoord zijn uit de gelijkenis van de goede herder; *Joh.* x : 1—5. 'Wanneer hij zijn schapen uitgedreven heeft, zo gaat hij voor hen heen; en de schapen volgen hem, overmits zij zijn stem kennen.'
Zie ook *kaars* 7 en *abt* 3.
voorgedaan. *Goed voorgedaan is half verkocht* = meisjes, die zich netjes voordoen, zijn gauw getrouwd.
Gezegd van mooi uitgestalde waar, die keurig voor 't raam gelegd is, en die licht kopers trekt. Zie ook: *brood* 11.
voorjaar.
Die in 't voorjaar niet zaait,
In 't najaar niet maait,
Vlaams spreekwoord; zie *zaaien* 5.
voorkauwen. *Iemand iets voorkauwen* = a. hem letterlijk vóórzeggen wat hij te antwoorden heeft; b. hem al weer van voren af aan iets vertellen, tot hij het eindelijk begrijpt.
Uit de vroegere gewoonte, dat de moeder of de baker beschuit enz. eerst kauwde en dan het voedsel in de mond stak van het kind. Vandaar ook bij Winschooten in *Seeman*, blz. 340;
Het is beeter menssen te voeren als varkens: gelijk meiden, die als zij de kinderen iets voor kaauwen, haar selven alderbest seegenen.
voorland. *Dat is je voorland* = daar kom je nog eens toe; dat is je bestemming, je toekomstig lot.
Voorland = land, dat de schipper voor de boeg heeft, waar hij belanden zal.
voorman. *Iemand op zijn voorman zetten*

55. Goed voorgedaan is ... (z. *voorgedaan*)

= hem op zijn plaats, *op zijn nummer zetten*; zie *nummer*.
Letterlijk: hem de plaats aanwijzen achter zijn voorman, de man achter wie hij in 't gelid staat, welk aanwijzen niet altijd even zachtzinnig geschiedde.
voorschijn. *Te voorschijn komen* = voor den dag komen.
Voorschijn is letterlijk = uitschijnen, uitblinken vóór, d.i. boven een ander; dus in 't oog vallen.
vooruitzicht. *Wat is 't vooruitzicht schoon.* Schertsend: wat staat het er hier goed voor! wat zullen we lekker eten en drinken!
Het gezegde wordt dus op zeer wereldse zaken toegepast. Maar het is afkomstig uit het 6e vers van de berijmde *Psalm* XIX:
Dus krijg ik van mijn plicht,
o God! een klaar bericht.
Wat is 't vooruitzicht schoon:
Hij, die op U vertrouwt,
Uw wetten onderhoudt,
Vindt daarin groten loon.
voorzichtig. 1. *Voorzichtig aan, dan breekt het lijntje niet*; zie *lijn* 2.
2. *Voorzichtigheid is de moeder der wijsheid*, oude spreuk, schertsend gewijzigd in:
3. *Voorzichtigheid is de moeder van de porseleinkast.*
voorzien.
Intijds voorzien
Baat vele lien
(Vlaams), zie *bezinnen.*
vork. *Zo zat de vork in de steel* = zo heeft de zaak zich toegedragen.
vorst. 1. *Vorsten hebben lange armen* = de macht van de koning reikt ver.
In Vlaanderen ook:
2. Des vorsten hand
Is zo groot als 't land.
vos. 1. *Een vos verliest wel zijn haar, maar nooit zijn streken* = als men ouder wordt, dan wordt men er niet knapper op, maar de aard verandert niet. Vlaams:
1a. De vos verandert wel van baard,
Maar niet van aard.
2. Als de vos de passie preekt,
Boer, pas op je ganzen!
Als de onrechtvaardigen vrome dingen doen, dan mogen de vromen op hun hoede zijn (Laurillard). Een huichelaar is nooit te vertrouwen.
De Passie = het lijden, n.l. dat van de Heer Jezus Christus.
Vergelijk *Izébel.*
3. *Men moet vossen met vossen vangen* = een slimmerd moet worden verschalkt door iemand, die nòg slimmer is; men moet dieven met dieven vangen, want die weten, hoe een dief te werk gaat.
4. *Die druiven zijn zuur, zei de vos*; zie *druif* 1.
5. *'t Is kwaad, oude vossen te vangen* = oude mensen hebben te veel ondervinding, die krijgt men niet licht in de val. (Vlaams.) Ook:
6. *Een oude vos heeft meer dan één gat.*
7. *Slapende vossen vangen geen hennen* (Vlaams) = wie niet op zijn tellen past, bereikt zijn doel niet. Zie *kat* 34.
8. Ziet gij een vos omtrent uw slot,
Sluit dan vrij uw hoenderkot,
Vlaamse rijmspreuk: demp de put, eer 't kalf verdronken is.
9. *Ik wil de witte hen niet, zei de vos, omdat hij ze niet krijgen kost*, (Vlaams); zie 4 en *druif* 1.
10. *Geluk in 't huis! zei de vos, en hij stak zijn hoofd in 't hennekot* (Gezelle) = de bedrieger komt met schone woorden.
11. *Hij moet slim zijn, die vos heet* (Gezelle) = wie eenmaal de naam heeft van slim te zijn, moet ook doorlopend tonen, dat hij slim is, anders gelooft men 't niet meer.
12. *Kleine vossen bederven de wijngaard* = van kleinigheden komt vaak groot verdriet.
Bijbelse spreuk, naar *Hooglied* II : 15. Daar zegt de minnende vrouw:
Vangt gijlieden ons de vossen, de kleine vossen, die de wijngaarden verderven.
Over de kleine oorzaken van huiselijke onvrede schreef Harriet Beecher Stowe, de schrijfster van de *Negerhut*, haar boek *De kleine Vossen.*
vossestaart. *Iemand geselen met een vossestaart* = hem voor de schijn een zeer zware straf opleggen, doch hem in werkelijkheid zeer zacht behandelen.
vossevel. 1. *Het vossevel aandoen* = list gebruiken.
2. *Het vossevel aan een leeuwehuid naaien* = list verenigen met moed.
vracht. 1. *Alle vrachtjes lichten, zei de schipper, en hij gooide zijn vrouw over boord*, schertsend = alle beetjes helpen.
2. *De laatste schuit moet ook vracht heb-*

ben, zie *schuit* 3.
vragen. 1. *Vraag mij niet, dan lieg ik ook niet*, gezegde van iemand, die zich over een zaak niet kan of wil uitlaten.
2. *'t Gaat hem als de Joden: hij vraagt naar 't kundige pad* = naar dingen, die hij zelf heel best weet. Men geeft hem geen ophelderend antwoord. Immers zegt een ander spreekwoord:
3. *Die naar 't kundige pad vraagt, wordt in de sloot gewezen.* Men geeft hem dus een verkeerd antwoord; men wijst hem niet het pad, maar men wijst hem de sloot er naast.
4. *Vragen is vrij* = men moet niet al te bescheiden, te bedeesd zijn. Maar als een brutaal heer te veel vraagt, dan luidt het antwoord wel:
Vragen is vrij,
Maar 't weigeren er bij,
't weigeren staat ook vrij.
5. *Door vragen wordt men wijs* = men moet niet schromen, bij een ervaren man inlichtingen te vragen.
Antwoord, als men niet vragen wil:
Door vragen wordt men wijs,
Van ouderdom wordt men grijs.
Ook:
6. *Met vragen komt men te Rome.*
vrede. 1. *Die de vrede wil, bereide zich ten oorlog*, vertaling van een spreuk der Romeinen.
2. Die in vrede wil leven,
Moet zijn vrouw de overhand geven;
deze spreuk moet op een klok te Breda gestaan hebben. Men kon het ook wel in menige andere stad op de klok schrijven. Ook op andere wijze kan men de vrede vinden, namelijk:
3. Die kan nemen en geven,
Die kan in vrede leven.
't Kan ook nog anders:
4. Hoor, zie en wil zwijgen,
Zo zult gij vrede krijgen.
Maar er zijn ook andere redenen, die maken dat de vrede vaak ver te zoeken is.
Zo zegt een oud spreekwoord:
5. Neem weg het mijn en dijn,
Dan eerst zal het vrede zijn.
6. *Die in vrede leven wil, moet doof, blind en stom zijn*, hij moet doen, alsof hij niets hoort of ziet en hij moet niet vertellen wat hij weet.
7. *Vrede in 't huishouden is de beste geldkoffer* (Vlaams) = eendracht in het gezin maakt dát men rondkomt met zijn loon.
vreemd. 1. *Als men in den vreemde is, moet men de vinger eens in de grond steken en er aan ruiken, in welk land men is* (Fries) = 's Lands wijs, 's lands eer.
2. *Vreemde ogen dwingen* = kinderen nemen vaak de raad van de ouders niet ter harte, maar zij gehoorzamen als anderen hun hetzelfde voorschrijven.
vreemdeling. *Hij is een vreemdeling in Jeruzalem* = hij weet niets van de zaken af, die aan ieder ander bekend zijn; ook: hij gevoelt zich hier niet thuis.
Bijbelse uitdrukking. Jezus vroeg aan de Emmausgangers, waarom zij zo droevig waren. 'En de een, wiens naam was Kleopas, antwoordende, zeide tot Hem: 'Zijt Gij alleen een vreemdeling te Jeruzalem, en weet niet de dingen, die dezer dagen daarin geschied zijn?' (*Lukas* XXIV : 18.)
vrees. *De vreze des Heren is het beginsel der wijsheid* = alle levenswijsheid behoort te berusten op godsvrucht.
De spreuk is uit *Psalm* CXI : 10.
Vrees = eerbied.
vrek. *Een schamel mens komt vele tekort, een vrek alles* (Gezelle) = een vrek heeft niets, dat hij genieten kan.
Schamel = arm. Een arm mens heeft altijd nog wel wat, dat hem verheugt.
vreter. *Er wordt geen vreter geboren, maar gemaakt* = mensen die te veel eten hebben dit te wijten aan hun eigen gewoonte.
vreugde.
Vreugden vergaan,
Deugden bestaan,
Vlaamse rijmspreuk. 't Geluk is vergankelijk, maar een deugdzaam leven is een niet te roven schat.
vriend.
1. Vrienden in de nood
Honderd in een lood.
Goede vrienden heeft men nodig, als men in nood is, maar 't blijkt maar al te vaak, dat zij zeer licht zijn, dat hun hulp niets betekent.
Een lood is een dekagram.
Bij Gezelle: *Vrienden zijn vrienden, maar wee die ze van doen heeft!*
2. *Zeg mij wie je vrienden zijn, en ik zal zeggen wie je bent* = aan de vrienden kent men iemands aard.
3. *Vrienden mogen kijven, maar moeten*

vrienden blijven = zij moeten kunnen verdragen, dat er verschil van mening is; dat de een de ander de waarheid zegt.
4. *Vrienden moeten elkaar uit de beurs blijven* = als vrienden geldzaken met elkaar hebben, loopt het vaak op twist uit.
5. Elk die geeft,
Veel vrienden heeft.
Dezelfde gedachte in *Spreuken* XIX : 6; 'een ieder is een vriend degene, die giften geeft.'
6. *Vrienden van vriendswege* = vrienden van onze vrienden, die wij dus ook kennen en als vriend beschouwen.
De oorspronkelijke betekenis is echter: familie *van familiewege*. 't Oude woord *vriend* werd gebezigd voor verwant.
7. *Vrienden als David en Jonathan*, zie *David* 2.
8. *Menigmans vriend is allemans gek* = die met iedereen bevriend wil wezen, wordt door ieder voor de gek gehouden. (Vlaams.) Daar ook:
9. *Allemans vriend is allemans zot.*
10. *Mondvrienden zijn geen vliegepoten weerd* (Vlaams), zie no. 1. Zie ook *man* 30.
11. Vrienden kent men in de nood,
Rijken kent men na hun dood.
Als een rijke man sterft, dan weet men pas, wat hij nalaat en voor wie zijn goed bestemd is. Zo weet men ook alleen in de nood, wie de ware vriend is.
12. *De vrienden slachten de zwaluwen, ze komen als 't goe weer wordt* (Gezelle).
13. Die wint of vindt een trouwe vriend,
Een dagloon heeft hij wel verdiend.
(Gezelle.)
14. *Men moet leven als vrienden en rekenen als vijanden* = als men goede vrienden wil blijven, moet men effen rekeningen maken. In Groningen:
15. *Goede vrienden moeten elkaar uit de zak blijven.*
vriendelijk. *Hij is zo vriendelijk als een armvol jonge katten* = hij is nors.
vriendschap.
1. Onder vriendschaps schijn
Bezorgt hij 't zijn
= hij doet zich uit eigenbelang voor als vriend. Ook:
2. Onder vriendschaps schijn
Zit 't ergste venijn,
want als men denkt, dat iemand je vriend is en als men hem dus van harte helpt, dan is de teleurstelling des te groter, als 't blijkt dat men zich toch zo geheel vergist heeft.
vroeg.
1. Vroeg rijp, vroeg rot,
Vroeg wijs, vroeg zot.
Ook:
1a. *Vroeg in de wei, vroeg vet.*
En Vlaams:
1b. *Vroeg vet, vroeg in de kuip* = wie te vroeg mee doet met de grote mensen, is vroeg bedorven; oorspr. van een varken.
2. Vroeg begonnen,
Veel gewonnen.
3. *Vogeltjes, die zo vroeg zingen, zijn voor de poes*, zie *vogel* 1.
4. *Die de naam heeft van vroeg opstaan, kan gerust lang te bed blijven*; zie *naam* 2.
5. Vroeg op en vroeg naar bed te zijn,
Dat is de beste medicijn,
Vlaamse gezondheidsregel. Vlaamse raad is in de rijmspreuk:
6. Die vroeg opstaat en doet zijn best,
Die vindt de vogel in zijn nest,
Maar die wat lang wilt blijven slapen,
Zal op 't lege nest staan gapen.
En ook:
6a. Vroeg uit, vroeg onder dak
Is gezond en groot gemak.
7. Bij Guido Gezelle: *Van vroeg opstaan en late trouwen en doet niemands hoofd zeer.*
En ook:
8. Vroeg op weg en traagkens varen
Helpt de tijd en rampen sparen
= wie vroeg met zijn werk begint, is vroeg klaar; wie bedaard handelt, voorkomt ongeval.
Varen = rijden (met een wagen); *traagkens* = bedaard.
9. *Vroeg gewend, oud gedaan*, ook: *vroeg gewend, oud gekend*. Zie ook *jong* 1.
vrouw. 1. *Een zuinige vrouw is de beste spaarpot*. Omgekeerd:
2. *Een vrouw kan meer in haar schort wegbrengen, dan de man met een wagen kan aanhalen*, d.i. als een vrouw koopzuchtig is, dan helpt het niet, of de man flink verdient. Ook:
3. De vrouw draagt meer uit met een [lepel
Dan de man inbrengt met een schepel.
4. Zie *haar* 12.
5. *De vrouw is de baas, overal waar de rook voor de wind uit waait*. Zie ook *dag* 9.

6. *Een vrou is duisent mannen t'ergh* (Vondel in zijn gedicht over *Huigh de Groots verlossing*) = een vrouw is alle mannen te slim af.
7. Wat de vrouw graag mag,
Eet de man elke dag,
de man moet eten naar 't welbehagen van zijn vrouw.
8. *Die zijn vrouw liefheeft, houdt haar voor ogen, zei de schipper, en hij spande haar in de lijn.* Schertsend, als de vrouw het werk moet doen.
9. Een vrouw en een poes
Horen in hoes,
aldus in Groningen. In Vlaanderen:
Mans en honden
Gaan hun ronden,
Katten en wijven
Moeten thuisblijven.
Algemeen: *Die zijn vrouw liefheeft, laat haar thuis.* Zie *hond* 54.
10. *Vrouwenhanden en paardetanden staan nooit stil* = een vrouw vindt altijd wat te doen in haar huis; een paard eet, zolang er wat in de kribbe (de ruif) is.
11. Zie *loopvrouw.*
12. *Tranen van vrouwen en Oostenwind duren geen drie dagen.*
13. *Vrouwen zijn zwakke vaten,* zie *vat* 8.
14. *Hij ziet liever een vrouw in haar hemd dan een ruiter in zijn harnas,* schertsend gezegde, evenals:
15. *Een dronken vrouw, een engel in 't bed.*
16. *Een oude vrouw en een oude koe,* zie *oud* 2.
17. *Een vrouw zonder hoofd* = zonder nukken en grillen.
Zulk een vrouw werd veel afgebeeld zonder hoofd op uithangborden en zij heette dan *de Goe Vrouw.* In Vlaanderen nog het spreekwoord:
Een goede vrouw is zonder hoofd.
18. Vrouw en man
Is één gespan
(Vlaams), d.i. als het er op aankomt, trekken man en vrouw toch altijd weer één lijn.
'Mocht het overal waar zijn,' voegt Joos er bij. Vrede in 't huishouden is de beste geldkoffer, maar
19. *Die zijn vrouw slaat, slaat zijn linkerhand met zijn rechter.*
20. De vrouw bouwt het huis,
Of breekt het in gruis
(Vlaams) = op de vrouw komt het aan; als zij oppassend is, dan is er voorspoed en welvaart, maar als zij niet deugt voor haar taak, dan gaat het gezin te gronde.
Aldaar ook:
21. *Een boze vrouw maakt van 'nen engel 'nen duivel* = maakt ook de zachtzinnigste man razend. Zie ook *wijf* 5.
22. Wat vrouwen weten blijft gesloten;
Als water in een zeef gegoten,
Vlaamse rijmspreuk.
Zo ook:
23. Twee vrouwen in één huis,
Twee katten aan één muis.
24. Weinig spreken en stille zwijgen,
Doet de vrouwen veel ere krijgen.
(Gezelle.)
Ook:
25. Schone, edel ende wijs,
Rijke, gezond, getrouw,
Deze zes zaken hebben prijs,
Als men ze vindt in een vrouw.
(Vlaams.)
26. Vrouwen, pauwen en peerden,
Niets preuser op der eerden
(Gezelle). *Preus* = trots, fier.
27. *Daar de vrouw goed huis houdt, groeit spek aan de balk* (Fries).
Het spek werd opgehangen in de wiem, d.i. aan de balken van de zolder in de woonkamer. Vergelijk *metworst* 1.
28. *Een man zonder vrouw is een paard zonder teugel.*

vrouwenhaar. 1. *Eén vrouwenhaar trekt sterker dan een kabeltouw* = de invloed van de vrouw is nooit te overschatten.
In de Scheepsspreuken van Cats:
2. *Een vrouwen hayr treckt meer als een mars-zeyl.*

vrucht. 1. *Het zijn de slechtste vruchten niet, waaraan de wespen knagen* = van de beste mensen wordt vaak gesproken in afkeurende zin, veelal door nijd en afgunst, gelijk de wespen juist het beste fruit uitkiezen.
2. *Aan de vruchten kent men de boom* = aan de daden ziet men, hoe de mensen zijn. Bijbelse spreuk. 'Een ieder boom, die geen goede vrucht voortbrengt, wordt uitgehouwen en in het vuur geworpen.'
'Zo zult gij hen dan aan hun vruchten kennen.' (*Matth.* VII : 19, 20.)
3. *Eten van de verboden vrucht* = dingen doen, die ongeoorloofd zijn.
Uit de geschiedenis van Adam en Eva in

het paradijs:
'En de vrouw zag, dat die boom goed was tot spijze, en dat hij een lust was voor de ogen, ja, een boom, die begeerlijk was om verstandig te maken; en zij nam van zijn vrucht en at; en zij gaf ook haar man met haar, en hij at.' (Genesis III : 6.)
Vandaar ook:
4. *Verboden vruchten zijn de zoetste* = wat men niet mag doen, doet men vaak juist het liefste.

vrij.
Liever vrij en geen eten
Dan met een vulle buik aan een
[ijzeren keten,
spreuk bij Gezelle: vrijheid is het hoogste goed; vrijheid blijheid.

vrijdag.
Vrijdagweer, zondagweer, Vlaamse weerspreuk.

vrijen. 1. *De een vrijt met de moeder en de ander met de dochter* = men kan verschillende wegen inslaan om zijn doel te bereiken.
Ook eenvoudig = de smaken verschillen.
1a. *Wie de dochter hebben wil, moet met de moeder vrijen,* immers: wie de moeder op de hand heeft, maakt allicht een goede kans bij de dochter.
2. Ik vrij met de broodspin,
Als ik honger heb, dan bijt ik er in,
gezegde in Groningen als antwoord op de vraag aan een meisje, wie haar vrijer is.
De *spin* is 't oude woord voor *spinde* = kast.
3. *Vrijen is een leugenachtig ambacht* = de voorspiegelingen komen niet allemaal uit. Ook: het meisje wordt geprezen meer dan zij 't verdient. In Groningen:
4. *Vrijen is zachtjes praten en hardop liegen.*
't Moet ook wel, want bij Goedthals leest men ook al de vraag:
Die niet en can,
Noch niet en weet,
Wat seght hy,
Als hy vryen gheet?
(*Niet* = niets.)
5. Vrijen onder één dak
Is een groot gemak.

56. Twee op enen tijd (z. *vrijen*)

6. Twee op enen tijd te vrijen,
ziet men zelden wel gedijen (Cats).

vrijer. 1. *Alle vrijers zijn rijk* = een vrijer doet zich graag rijk voor; maakt zich aangenaam bij de vrijster.

2. *Ik verlies mijn vrijer*, zegt een meisje, als zij haar kouseband verliest.
Ook de vrijer is graag dicht bij haar.

vrijheid. *Vrijheid, blijheid!* 'spreuk der vaderen'.

vuilik, iemand die zich met gemene streken ophoudt, of die van vuile taal en grappen houdt.
Vuilik, oorspronkelijk = kreng, aas, rottend dier. Met het minachtend achtervoegsel *ak*, dat wij door Duitsland heen uit de Poolse streken hebben overgenomen, nu ook *vuilak* (Zoals *ak* ook voorkomt in *doerak*, *Polak* enz.)

vuiltje. 1. *Er is een vuiltje aan de knikker*, zie *knikker*.

2. *Daar is geen vuiltje aan de lucht* = alles is in orde; er is geen gevaar, geen moeilijkheid.
't Vuiltje = onheilspellend wolkje.

vuist. 1. *Hij lacht in zijn vuistje* = zo stil voor zich heen, zonder dat men 't haast merkt.
Lett. = lachen achter zijn vuist.

2. *Spreken voor de vuist* = zonder dat hij 't eerst had opgeschreven; onvoorbereid.
Zoals men *voor de vuist iets koopt* = zonder eerst uit te zoeken; zie *voor de hand*, bij *hand* 46.

3. *Maak eens een vuist, als je geen hand hebt!* = zonder de nodige middelen kun je niets beginnen.

4. *Dat past als een vuist op een oog* = dat is al heel ongeschikt; daar wordt het veel erger van.

5. *Op de vuisten dansen* = zwaar werk doen met de handen, vooral gezegd van de vrouw, die aan de wastobbe staat.
Bij Tuinman ook 'gezegd van een die brood kneedt'.

vuur. 1. *Zich het vuur uit de sloffen lopen* = de uiterste moeite doen voor een ander; voor hem de zolen uit de schoenen lopen. Lett.: zo hard lopen, dat het vuur er uit vliegt.

2. *Vuur en vlam spuwen* = in zijn drift er maar alles uitgooien; heftige scheldwoorden gebruiken.
Van een draak gezegd, gelijk in de oude volksverhalen menigvuldig voorkwam en bij de ommegangen werd vertoond.

3. *Die 't dichtst bij 't vuur zit, warmt zich het best* = wie het best in de gelegenheid is, maakt er allicht goed gebruik van; die in 't riet zit, kan pijpjes maken.

4. *Iemand het vuur aan de schenen leggen* = hem tot bekentenis dwingen; hem in 't nauw brengen; hem laten bekennen, dat hij gelogen, gestolen enz. heeft.
Uit de tijd van de pijnbank.

5. *Hij vliegt voor mij door 't vuur* = hij is bereid ook het moeilijkste voor mij te doen en dat doet hij graag.

6. *Met vuur spelen* = onvoorzichtig te werk gaan, zodat er grote ongelukken kunnen komen.

7. *Een land te vuur en te zwaard verwoesten* = alles in brand steken en de bevolking ter dood brengen.

8. *Hij zat tussen twee vuren* = hij had de keus tussen twee zeer grote moeilijkheden en wist niet, wat te doen.

9. *Ik heb wel voor heter vuren gestaan* = ik verkeerde wel in groter gevaar. Gezegd van de krijgsman, die aan 't vijandelijk vuur is blootgesteld. Doch misschien komt de uitdrukking van de pijnkamer, waar de beschuldigde met blote schenen dicht voor 't vuur kwam te staan.
De Vooys denkt dat het gezegde waarschijnlijk eerst een soldaten- of matrozenuiting geweest is, maar het hete vuur kan ook dat van een bakker, glasblazer of kok geweest zijn. (*Nw. Taalgids* IX, 180.) Hij verwijst dan ook naar de uitdrukking: *voor een heet vuur zitten.* En hij denkt daarbij noch aan de pijnkamer, noch aan vijandelijk vuur.

10. *Dat ging als een lopend vuurtje door 't hele dorp* = dat was ogenblikkelijk alom bekend; de een vertelde het dadelijk aan de ander.
In de oorlog bracht men een mijn tot ontploffing, doordat men over een afstand kruit op de grond strooide, zodat degene die de mijn ontstak ver genoeg af was, om veilig te zijn. Die man stak het dammetje kruit op zijn einde in brand; die brand *ging als een lopend vuurtje* over de grond naar de mijn en dat duurde maar een ogenblik.

11. *Hij heeft de vuurproef doorstaan* = hij werd aan een zeer streng onderzoek onderworpen, maar hij kwam er glansrijk onder uit.
De vuurproef was een van de vroegere

rechtsmiddelen; het was een godsoordeel, op verschillende wijzen toegepast. Het meest gewoon was, dat de beschuldigde zijn hand in 't vuur moest steken; ook kwam veel voor, dat men over gloeiend ijzer of gloeiende kolen moest lopen: of men moest door een vlammend vuur gaan. Wie geen letsel kreeg, bleek daardoor onschuldig.

12. *Daar steek ik mijn hand niet voor in 't vuur* = dat durf ik niet voor waarheid te zeggen; dat kan geen onderzoek lijden.
Ook een herinnering aan de *vuurproef*; zie 11.

13. *Hij zat tussen twee vuren in de as* = *hij zat tussen twee vuren*; zie 8. De as is er bij gekomen door verwarring met, *hij zat tussen twee stoelen in de as*; zie *stoel* 2.

14. *Een vuurvreter* = een die nergens voor staat; ook een *ijzervreter*, een gehard krijgsman; een grote opschepper. Op de kermissen reisden de *ijzer-* en *vuurvreters*, die aan de schare lieten zien, waartoe ze in staat waren. Zo vertoonde men, meer dan een halve eeuw geleden te Zuidbroek de vuurvreter Kalikoeli, in de gedaante van een wilde. De man vòòr de tent riep: Kalikoeli uit de wildernis van Afrika, vreet vuur en tabak. 't Laatste was in ieder geval de waarheid.

15. *Olie in 't vuur*, zie *olie* 1.

16. Vuur en stro
Dient niet alzo,
men moet aan vrijer en vrijster niet al te veel gelegenheid geven. Bij Vader Cats:
Vyer by stroo,
Dient niet alsoo,
met de berijmde waarschuwing:
Als vier en stroo te samen koomt,
Wat onheyl dient er niet geschroomt?
Want schoon het raeket maer aen [den kant,
Een voncke maeckt een vollen brant.
Met nòg een spreekwoord:

17. Vyer by het vlas
Brant wonder ras.

18. Die zijn vuurken maakt te groot,
Brengt zijn zelven in de nood,
Vlaamse rijmspreuk; zie *keuken*.

57. Vuur en stro (z. *vuur*)

19. *Die hem tussen vuur en stro zet, brandt geerne* (Vlaams) = die 't gevaar opzoekt, die komt er in om.
Hem = zich; *geerne* = licht.
Ook:
20. *Die te dicht bij 't vuur zit, verbrandt zijn knoesels.*
Knoesels = enkels.
21. *Die vuur wilt hebben, moet de rook verdragen* (Vlaams), zie *varken* 17.
22. *Dat vuurken heb ik gestookt, zei de gek, en hij had zijn moeders huis in brand gestoken* (Vlaams), gezegde, wanneer iemand trots is op een daad, die hem tot schande strekt.
23. Vuur en liefde trekken sterk
En beletten menig werk,
Vlaams spreekwoord. De liefde heeft grote kracht evenals het vuur, en de liefde brengt ook menig plan geheel in de war.
24. *Beter door 't vuur te vliegen dan er door te kruipen* (Fries) = als er wat gebeuren moet, dat erg onaangenaam, pijnlijk, lastig is, dan maar dadelijk en maar flink!
vuurproef, zie *vuur* 11.
vuurvreter, zie *vuur* 14.
vijand. *Een vluchtende vijand moet men een gouden brug bouwen* = als een vijand de wijk neemt, dan moet men zich verheugen en men moet volstrekt niet opnieuw tegen hem optreden, want dan volgt er weer nieuwe strijd.
vijf. 1. *Veel vijven en zessen hebben*, gevormd naar *veel vieren en vijven hebben*, met dezelfde betekenis. Zie *vier*.
Vijven en *zessen* duiden nòg meer drukte aan.
2. *Hij heeft ze niet alle vijf* = hij is niet goed bij zijn verstand.
Naar de vijf zinnen: gezicht, gehoor, reuk, smaak en gevoel.
3. In vijf dingen is jolijt:
Lange maaltijden,
Jong vlees en oude vis,
Een mooie vrouw,
En wijn op de dis,
oude tafelspreuk.
vijg. 1. *Vijgen na Pasen* = iets dat te laat wordt aangeboden.
In oude tijd kwamen de vijgen in 't voorjaar uit Spanje; het was dus toen een lekkernij om Pasen (Harrebomée).
2. *Men kan geen vijgen van distelen lezen* = verwacht geen goede daden van boze mensen.
Uit. *Matth.* VII : 16, in de Bergrede: Leest men ook een druif van doornen, of vijgen van distelen?
3. *Hij zocht vijgebladen* = hij verontschuldigt zich met drogredenen.
Ontleend aan de geschiedenis van 's mensen val in het Paradijs, toen Adam en Eva schorten maakten, om hun naaktheid te bedekken. (*Genesis* III : 7.) 'Toen werden hun beider ogen geopend, en zij werden gewaar, dat zij naakt waren; en zij hechtten vijgeboombladeren samen, en maakten zich schorten.'
vijzel. *Hij is in de vijzel* = onder dokters handen.
De vijzel is het metalen vat, waarin de apothekers hun artsenijen fijn stampen.

W

waagschaal. *Iets in de waagschaal stellen* = iets ondernemen, dat wel eens verkeerd kan aflopen; iets op het spel zetten. Men denkt licht aan: *iets wagen*, doch *waagschaal* is eenvoudig een oude vorm van ons woord *weegschaal*; dus = zien naar welke kant de balans doorslaat.
waaien. *Hij weet, uit welke hoek de wind waait*, zie *hoek* 4.
waar I. 1. *Alle waar is naar zijn geld* = wat goedkoop is, is ook lang zo goed niet als een duur artikel.
2. *Goede waar prijst zich zelf* = heeft geen aanbeveling nodig. *Goede wijn behoeft geen krans.* In Vlaanderen:
3. *Goede waar wenkt de kopers.*
4. *Onnutte waar is dure waar* (Vlaams), zie *goedkoop* 2.
waar II.
Spreek wat waar is,
Eet wat gaar is,
Drink wat klaar is.
waard I. 1. *Hij had buiten de waard gerekend* = hij had er geen rekening mee gehouden, dat anderen ook nog wat te zeggen hadden; in 't algemeen: hij had zijn berekening te kort genomen.
Buiten de waard = zonder de waard. Hij had zijn gelag berekend, zonder eerst de waard er in te kennen.
2. *Zoals de waard is, vertrouwt hij zijn gasten* = wie zelf niet deugt, denkt ook

dat anderen schelmen zijn; men denkt, dat een ander net is als je zelf. Bij Suringar (61):
Die valsche mensche altoos vermoet,
Dat die goede boesheit doet.
3. Gij en kent nooit geen weerd,
Eer g'er mee zit rond de heerd,
rijmspreuk bij Gezelle: men kent de mensen niet, of men moet er mee verkeerd hebben.
4. *'t Is kwaad stelen, daar de weerd een dief is* (Gezelle) = men kan iemand, die óók op de hoogte is, niets wijs maken.
waard II. 1. *Parijs is wel een mis waard*, gezegde wanneer iemand van partij verandert om zijn voordeel.
't Gezegde is van Hendrik IV van Frankrijk, toen deze tot de r.-k. kerk overging, om koning te kunnen worden; 1589.
2. *Die 't kleine niet eert,*
Is 't grote niet weerd,
zie *klein* 1.
3. *Een goed begin is een daalder waard,* zie *begin* 1.
waarde. *Hij heeft de waarde genoten* = hij heeft van het leven alle genoegens gesmaakt; hij heeft sterk geleefd.
De uitdrukking is afkomstig van de wisselbrief; de rekening wordt aangeboden voor genoten waarde.
waarheid. 1. *De waarheid kan geen herberg vinden* = niemand wil graag horen, dat men hem *de waarheid zegt*, dat men hem zijn gebreken voorhoudt. In zulk een geval wordt vaak de waarheid ontkend.
2. ***Hij heeft al genoeg te doen om de waarheid te zeggen, waarom zou hij dan nog liegen?*** Schertsend gezegde, wanneer een leugenaar of een opschepper aan het woord is.
3. Al ligt de waarheid in het graf,
Al wat haar drukt, dat moet er af,
de waarheid zal ten slotte zegevieren. Vader Cats zegt er van:
De waerheyt borrelt uyt
Gelijck een sonneschijn;
De waerheyt, hoe het gaat,
wil niet begraven sijn.

58. Al ligt de waarheid... (z. *waarheid*)

Vlaams:
4. De waarheid lijdt wel nood,
Maar nooit de dood.
En ook:
5. Waarheid bestaat,
Leugen vergaat.
6. En nog:
Waarheid en kan niet onder blijven,
't Vet wil altijd boven drijven.
waarom. *Elk waarom heeft zijn daarom* = er is altijd een reden, waarom iemand zo en zo handelt, al weet men die reden niet.
wacht. 1. *Iets in de wacht slepen* = zich van iets meester maken; iets meenemen, hetzij heimelijk, hetzij voor een gering prijsje.
Van de soldaten, die iemand in letterlijke zin in de wacht slepen, als ze hem inrekenen.
2. *Iemand de wacht aanzeggen* = hem zijn plicht voorhouden onder bedreiging van straf; hem streng waarschuwen; zeggen waar 't op staat.
Lett. hem zeggen, dat hij op wacht moet. Kazernetaal.
3. *Een wacht voor de mond zetten* = behoedzaam zijn in het spreken.
Bijbels gezegde. 'Here! zet een wacht voor mijn mond, behoed de deur mijner lippen.' (Psalm CXLI : 3.)
wachten.
1. Lang gewacht en stil gezwegen,
Nooit gedacht en toch gekregen = alles komt terecht op zijn tijd.
2. *Daar is wel op te wachten, maar niet op te vasten* = het duurt wel heel lang.
Lett. = wij zullen wel zo lang moeten wachten, dat wij het zonder eten niet uithouden.
3. *Wacht-een-beetje is ook een dorp* = ieder moet behoorlijk zijn beurt afwachten.
4. Waar men niet wacht,
Wordt men niet geacht,
Vlaamse rijmspreuk: ongenode gasten zet men achter de deur.
5. *Wacht naar des Duivels dood, en hij is nog niet ziek* (Vlaams) = daar kun je lang op wachten; dat krijg je toch niet.
6. Die wacht en lijdt
Nadien verblijdt,
spreuk bij Gezelle. Die geduldig zijn tijd afwacht, zal in 't einde overwinnen.
7. *Wacht wat! je moeder heeft ook op je gewacht* (Fries) = haast je zo niet, heb een beetje geduld.
zich wachten. *Wacht u voor de getekenden*, zie *getekend.*
wachter. 1. *Een wachter op Zions muren* = iemand die trouw het kwade bestrijdt, die steeds zijn plicht vervult.
Bijbelse uitdrukking. 'O Jeruzalem! Ik heb wachters op uw muren besteld, die geduriglijk, al de dag en al de nacht, niet zullen zwijgen.' (Jesaja LXII : 6.)
2. *Wachter, wat is er van de nacht!* = hoe zijn de tijdsomstandigheden? hoe ver zijn we gevorderd?
Bijbelse uitdrukking, uit Jesaja XXI : 11. Da Costa koos deze vraag tot onderwerp van een zijner tijdzangen, voorgedragen in de Holl. Maatschappij van Fraaye Kunsten op 13 Dec. 1847; in deze 'zang' behandelt hij de omstandigheden, die aan het omwentelingsjaar 1848 voorfgingen.
3. *Liegen als een wachter* = de grootste leugens vertellen met een stalen gezicht.
Bijbelse vergelijking, steunende op *Matth.* XXVIII : 13. De Joodse overheid wilde volstrekt niet bekend hebben, dat Jezus uit de doden was opgestaan. Daarom gaven zij aan de krijgsknechten veel gelds en ze zeiden: 'Zegt: Zijn discipelen zijn des nachts gekomen, en hebben Hem gestolen, als wij sliepen.' Zie *doen* II.
wagen I. 1. *Krakende wagens rijden het langste* = wie altijd ziekelijk is wordt allicht nog heel oud.
2. *De deur staat wagenwijd open.* Voor de hand ligt de verklaring: zo wijd, dat er een wagen door kan. Doch er is twijfel, omdat men in zeer vele dialecten *wijdwagen open* zegt.
3. *Beter in een oude wagen op de heide dan in een nieuw schip op zee*, spreuk van de landrotten.
Bij Guido Gezelle:
't Is beter aan land op een versleten kruiwagen te rijden dan op zee op een nieuw schip te varen. En op rijm:
Wilt gij een man zijn van verstand,
Prijst de zee, en blijft aan land.
4. *Die een gouden wagen volgt, krijgt er wel een nagel van* = wie op zijn geluk vertrouwt, komt niet bedrogen uit. Ook, en zo bij Tuinman:
een vrijer, die 't wat hoog durft aanleggen, bereikt somtijds zijn oogmerk.
In Groningen: *Die een gouden wagen*

volgt, krijgt er wel een luns van = die een ideaal nastreeft, bereikt altijd wel wat van zijn doel. Ook: beproef je fortuin!
5. *Nieuwe wagens kraken altijd* (Fries) = men moet in het huwelijk, in een zaak, eerst aan elkaar wennen.
wagen II. *Wie niet waagt, wie niet wint;* in Groningen: *Die waagt, die wint* = beproef je fortuin. Op de Lemmersluis:
't Mag vloeyen, 't mag ebben,
Die niet en waagt
En zal niet hebben.
wagenmaker. *Dat staat niet, zei de wagenmaker tegen de smid, en 't waren allebeiden vuilaards* (Vlaams) = de pot verwijt de ketel, dat hij zwart ziet.
waken. 1. *Waakt en bidt* = wees wakker, d.i. doe je best, maar vergeet niet te bidden om Gods zegen. Naar *Lukas* XXI : 36, waar Jezus spreekt over de komst van het koninkrijk Gods en zegt:
'Waakt dan te allen tijd, biddende dat gij moogt waardig geacht worden te ontvlieden al deze dingen, die geschieden zullen.'
2. *Waken bij een gezonde*, schertsend = opblijven bij zijn meisje (oud gebruik, dat de vrijer blijven mocht, als de ouders van het meisje naar bed waren gegaan).
3. *Als ouden niet waken en jongen niet slapen, dan deugt het niet:* bij oude mensen hindert het niet, dat ze maar weinig slaap krijgen, doch als men jong is, heeft men zijn slaap nodig.
wal I. 1. *Het ging bij 't walletje langs* = zo, dat het net kon, heel voorzichtig; ook zo, dat het maar even door de beugel kon.
Van een schip, dat om voorzichtig te varen, de wal niet uit het oog verliest.
2. *Iemand van de wal in de sloot helpen* = hem achteruithelpen in plaats van vooruit. Zo ook:
3. *Hij raakt van de wal in de sloot* = van de ene moeilijkheid in een nog veel erger toestand.
4. *De wal keert het schip* = men moet zich schikken naar de omstandigheden. Immers de wal verhindert het schip om verder door te varen.
5. *Hij wil van twee wallen eten* = voordeel hebben van beide partijen.
Ontleend aan een koe in een (droge) sloot.
6. *'t Walletje moet bij het schuurtje blijven* = men moet niet meer geld uitgeven dan het lijden kan; men moet zorgen, dat men zijn zaak in orde heeft.
7. *Hij is aan lager wal*, zie *lagerwal.*
8. *Hij stak van wal* = hij begon met zijn redenering, met zijn werk enz.
Zeemanswoord. *Van wal steken* = in zee gaan.
9. *Dat raakt kant noch wal*, zie *kant* 1.
10. *Zo u de wal begeeft, houdt u dan aan 't vlotgras* (Vlaams) = handel naar omstandigheden.
't Vlotgras is de *laar* of *ladde*, dat is gras, dat op 't water drijft; de wortels zitten in de bodem van sloot en plas. Een drenkeling heeft er al heel weinig steun aan.
wal II, (stadsmuur).
't Zijn hoge en sterke wallen,
Die voor 't geld nooit omme vallen,
rijmspreuk bij Gezelle. 't Moet een sterke man zijn, die niet bezwijkt, als men hem tracht om te kopen met veel geld.
Wals. Wat wals is
Vals is,
reeds in de Middeleeuwen een Vlaamse spreuk: wat uit Frankrijk komt, dat deugt niet. *Wals*, *Waals* = Frans.
wan. 1. *Hij is dol met zijn kleinkinderen, hij wil ze wel met de wan in de zon dragen* (Gron.).
De *wan* is de grote platte mand; men doet er koren of zaaizaad in en reinigt dit van kaf en stof door het omhoog te werpen. Het fijnste zaad brengt men in de zon.
Ook in Vlaanderen en ook reeds bij Sartorius.
2. *Zij mag haar kinderen wel met een wan in de zon zetten*, schertsend gezegde van een vrouw, die veel kinderen heeft.
wand.
Wie luistert aan de wand,
Hoort zijn eigen schand,
hij hoort wat er van hemzelf voor kwaads verteld wordt.
wanten. *Hij weet van wanten* = hij is op de hoogte; ook: hij is van alle markten thuis.
Ter verklaring heeft men gedacht aan *wanten* = handschoenen. Het spreekwoord is zelfs verlengd; Harrebomée schrijft: *hij weet van wanten, hij doet een kousewinkel.* Een andere uitleg is: *hij weet van wanten* = hij kent het want van een schip; 't is een ervaren reiziger.
Een derde uitleg, die ook niet bevredigt,

is: het is een man, die overal van kan zeggen: dit is zo en zo, *want...* en nog eens: dat was weer zo, *want...*; iemand die dus altijd de reden weet.

wapen I. 1. *Hij is hoog in zijn wapen* = hij is trots; hij wil dat ieder hem ontziet; hij heeft veel inbeelding.
Lett. = hij is van hoge adel, gelijk men aan zijn wapenschild zien kan. In Vlaanderen:
2. *Groot in de wapens, klein in de beurs.*

wapen II (voor aanval en verdediging). *De wapenen wijken voor de toga* = de oorlog is uit, nu de vredesonderhandelingen beginnen. Latijnse spreuk.

warm. 1. *Hij zit er warmpjes in* = hij is welvarend, rijk, althans bemiddeld.
Misschien van een schaap, dat goed in de wol zit. Of van iemand, die warm gekleed is.
2. *Waar 't warm is, is 't goed vrijen* = de vrijers komen graag op een rijk meisje af.
3. *Iets met de warme hand weggeven* = nog bij 't leven.

was. 1. *Hij zit goed in de slappe was* = hij heeft geld; hij kan 't wel stellen.
Kazernetaal. De soldaat moet slappe was kopen, om zijn leergoed te poetsen.
2. *Een wassen neus*, zie *neus* 15.

water. 1. *Water in zee dragen* = iets brengen op een plaats, waar er al overvloed van is; *uilen naar Athene brengen.* 't Gezegde is een vertaling uit het Latijn.
2. *Water in de wijn doen* = zijn eisen matigen, gedwongen door de omstandigheden; zijn voorwaarden minder streng maken; zijn drift matigen.
3. *Loop niet in 't water!* = spottend gezegde tegen iemand, die zo met zich zelf of met zijn mooie kleren vervuld is, dat hij niet ziet waar hij loopt.
4. *Er zal nog heel wat water door de Rijn lopen, eer dat gebeurt* = 't zal nog lang duren.
5. *Hij is weer boven water* = hij is weer uit de nood.
Van een drenkeling, die zich heeft weten te redden.
6. *Hij is onder water* = hij is aan de zwier.
Lett.: 't gaat hem als een duiker; men ziet hem niet.
7. *Hij laat Gods water over Gods akker lopen*, zie *God* 6.
8. *'t Feest is in 't water gevallen* = is geheel mislukt, letterlijk door regen, figuurlijk door enige andere oorzaak. Bij uitbreiding:
dat valt in 't water = die geestigheid gaat niet op, vindt geen bijval.
9. *In troebel water is het goed vissen* = men kan licht van de moeilijkheden van anderen gebruik maken, om zijn eigen voordeel te doen.
Als men het water in sloten en plassen troebel maakt, kunnen de vissen niet ademhalen en komen ze boven drijven, zodat men ze met de handen grijpen of met een netje vangen kan.
Bij Cats:
Troebel water, 's visschers zin,
Want daer light zijn voordeel in.
10. *Op zulke waters vangt men zulke vissen* = van zulke personen kan men zo iets verwachten; kwaad gezelschap brengt tot verkeerde daden. Ook: zulke werken brengen zulke gevolgen mee; men krijgt loon naar werk.
11. *Stille waters hebben diepe gronden* = zwijgzame mensen zijn vaak niet te vertrouwen. Ook: mensen die zich niet uitlaten hebben heel dikwijls diepe gedachten; ze zijn meer dan ze schijnen.
Vlaams:
11a. *Hoe stiller water, hoe dieper boom.*
12. *'t Is water en vuur* = 't zijn mensen, die elkaar in 't geheel niet verstaan; die de grootste ruzie hebben.
13. *Vuur in de ene hand dragen en water in de andere* = schoon voor 't oog zijn, maar vals achter de rug; dubbelhartig zijn.
14. *Maak daar geen water om vuil* = doe daar geen moeite voor; maak daar geen drukte over, verspil daar niet zoveel woorden aan.
Zeemansuitdrukking. *Een schip maakt vuil water*, als het door de modder van een ondiepte drijft en met moeite voortkomt.
15. *Dat wast al het water van de zee niet af* = dat is een daad, die niet te herstellen is; dat is een onuitwisbare schandvlek. Ook: dat is niet meer te veranderen.
16. *Hij is verdronken, eer hij water gezien heeft* = hij heeft zich verslingerd aan een meisje, eer hij nog wist wat het leven betekent.
17. *Hij is bang zich aan koud water te branden* = hij is al te voorzichtig en komt daardoor niet tot een daad.

Een hond of een kat, die zich aan heet water gebrand hebben, wagen zich ook niet meer aan koud water.

18. *Hij is met hetzelfde water voor de dokter geweest* = het is hem op dezelfde wijze gegaan; hij heeft ook al eens in 't zelfde onaangename geval verkeerd.
Het water is hier de urine; herinnering aan de tijd, dat de dokters piskijkers waren.

19. *Een dichter van het zuiverste water* = van zeldzaam goede hoedanigheden.
Water is in dit geval de glans en gloed van een edelsteen, de luister van een juweel.

20. *Een Waterchinees* = een rare Chinees, d.i. een zonderling.
Lett. een Chinees, die zich op een paar stukken bamboe in zee laat drijven en daar zit te vissen met een hengel. (Dr. H. P. N. Muller, *Malakka en China*, blz. 165.)

21. *'t Hoofd boven water houden*, zie *hoofd* 15.

22. *Een steek onder water*, zie *steek* 1.

23. *'t Water loopt altijd naar de zee* = rijke mensen krijgen altijd nog meer geld. Reeds in de *Proverbia Communia: alle rivieren lopen in die zee.*
Bijbelse uitdrukking: Prediker 1 : 7. 'Al de beken gaan in de zee.'

24. *'t Is kwaad water, zei de reiger, en hij kon niet zwemmen* = de druiven zijn zuur, zei de vos.

25. *'t Water komt op de dijk* = de tranen komen in de ogen.
Lett. = 't is overstroming.

26. *Het water komt aan de lippen* = de nood komt aan de man; men verkeert in het uiterste gevaar.
Lett. het water is zo diep, dat men nauwelijks nog *het hoofd boven water kan houden.*

27. Hij is zo rijk *als 't water diep is* = hij is buitengewoon rijk.

28. *Gestolen wateren zijn zoet*, zie *drank*.

29. Die 't water deert,
Die 't water keert,
de oude rechtsregel, dat diegenen voor de zeedijken moesten zorgen, die dadelijk bij overstroming getroffen werden, dus de aanzwettende grondeigenaren. Sedert de zestiende eeuw nam geleidelijk de overheid de taak op zich, om de dijken in orde te houden.

30. *Geen water is hem te diep* = hij staat nergens voor; hij durft alles ondernemen.

31. *Als er geen water meer is, kent men de weerde van de put* (Vlaams) = men merkt eerst, hoe kostbaar een ding is, als men 't niet meer heeft. Je weet pas, hoe duur een rijksdaalder is, als je hem lenen moet.

32. *Hij komt weer boven water* = a. hij komt weer voor den dag; b. zijn roes is uitgeslapen; c. hij komt er weer bovenop.

33. *Zonder water draait de molen niet* (Vlaams) = men moet eten om te kunnen werken.

waterlanders. *Toen kwamen de waterlanders* = toen kwamen de tranen.
Schertsende woordspeling. *Waterland* is de streek land benoorden Amsterdam.

watjekou, d.i. een stevige slag in 't gezicht, een 'opdonder'. 't Woord wordt verklaard uit het matrozen-Engels *what you call*, d.i. wat je noemt.

wedden. *Wedders zijn kijvers* (Vlaams) = uit weddenschap komt twist voort.

weduwe. 1. *'t Kleed van een weduwe is lang; ieder trapt er op* = van een weduwe wordt allicht verteld, dat zij 't alweer met een andere man houdt.
2. *Het penningske der weduwe*, zie *penning* 1.

weduwnaar. *Weduwnaarspijn* = heftige pijn, die echter maar een ogenblik duurt, vooral tengevolge van een stoot met de elleboog.
Men beweert zeer algemeen, dat een weduwnaar zijn vrouw al heel spoedig vergeten is.

week. 1. *Zij kijkt in de andere week*, ruw gezegde van iemand, die erg scheel ziet. Zie *Klundert*.
2. *Na de andere week komen er veel mooie dagen* (Fries), gezegde wanneer iemand een (dringende) zaak al maar uitstelt.

weelde. 1. *Eens weelde verslaat zeven keren armoede* (Vlaams) = verontschuldiging, als een arm mens het er eens van neemt; dan kan hij de armoe weer dragen.
2. *De zoeker van de weelde is de vinder van de armoe* (Gezelle) = wie zijn geld besteedt aan een weelderig leven, wordt arm.

weer I. 1. *Hij speelt mooi weer van andermans geld* = hij maakt er goede sier

mee. *Mooi weer spelen* = uit varen of rijden gaan, wanneer 't mooi weer is. (Tuinman.)
2. *'t Is goed weer om een erfenis te delen*, schertsende opmerking, als het weer te slecht is, om naar buiten te gaan. Dan ook:
3. *'t Is geen weer, om hond of kat buiten te jagen.*
weer II. *Hij is vroeg in de weer* = vroeg bij de hand, vroeg bezig.
Weer = weerstand. Dus lett. = *zich verweren.*
weerga. 1. *Loop naar de weerga!* = loop naar de drommel.
Iemands *weerga* is zijns gelijke. Zo heeft men gedacht, dat men bedoelde: loop naar lui van je eigen soort. Doch meer voor de hand ligt, dat *weerga* een verzachting is van *weerlicht*, zoals men ook wel zegt: *loop naar de weerlicht*. En weerlicht op zijn beurt is een verzachting van de Duivel. Op dezelfde wijze:
2. *Weergase kwajongen* = duivelse jongen, dekselse jongen.
weerklank. *Weerklank vinden* = meegevoel wekken; instemming vinden.
De *weerklank* is de toon, die een piano of een viool laat horen, als een ander instrument wordt aangeslagen; de weerklank heeft dezelfde hoogte als de aangeslagen toon.
1. **weet.** *Voor mij is 't een weet, voor jou is 't een vraag*, antwoord als men op een vraag geen antwoord geven wil.
2. *Alles is maar een weet* = niets is moeilijk, als je maar eenmaal weet hoe het in elkaar zit, hoe het aangepakt moet worden.
weg I. 1. *Met iemand over weg kunnen* = met hem kunnen opschieten.
Lett. goed met hem dezelfde weg kunnen gaan.
2. *Zo oud als de weg naar Rome*, zie *oud* 10.
3. *Hij gaat de brede weg op*, d.i. de weg der zonde.
Bijbels gezegde. 'Gaat in door de enge poort; want wijd is de poort en breed is de weg, die tot het verderf leidt, en velen zijn er, die door deze ingaan.' (*Matth.* VII : 13.)
4. *Hij is de weg van alle vlees gegaan* = hij is gestorven en begraven.
Waarschijnlijk naar Genesis VI : 13, waar God tot Noach zegt:
'Het einde van alle vlees is voor Mijn aangezicht gekomen; want de aarde is door hen vervuld met wrevel; en zie, Ik zal hen met de aarde verderven.'
5. *Hij vraagt naar de bekende weg*; zie *vragen* 2 en 3.
6. *Die aan de weg timmert, heeft veel berechts* = wie in het openbaar zijn werk doet, wordt van alle zijden en veelal niet gunstig beoordeeld.
Berecht = beoordeling. Ook:
Wie timmert aan de weg.
Hoort allemans gezeg.
De spreuk leent zich zeer voor een gevelsteen, zo in letterlijke als in figuurlijke zin. Op een huis aan de Markt te Zutphen leest men:
Wie heeft oyt een huys getimmert
Sonder te wesen becalt;
Dits na mien sin;
een ander maek een,
so als 't hem gevalt.
Ook:
6a. *Wie timmert langs de weg, hoort veel berichts.*
En dan, nog weer in een gevelsteen:
6b. Wie aan den weg, zonder bereg,
Iets wil maken,
Dat waar' gepoogd, Des hemels hoogt
Met de hand te raken.
7. *Onze weg is met doornen en distelen bezaaid* = ons leven is vol moeite en verdriet.
Bijbeltaal. 'Ook zal het (aardrijk) u doornen en distelen voortbrengen, en gij zult het kruid des velds eten.' Zo sprak God tot Adam na de zondeval. (Genesis III : 18.)
8. *Hij weet weg noch steg*, zie *heg* 1.
9. *De koninklijke weg bewandelen* = flink en eerlijk handelen; zich niet van listen en lagen bedienen; openlijk optreden.
Bijbelse uitdrukking; de koninklijke weg was de openbare weg, gelijk uit Numeri XX : 17. Daar verzocht Mozes om doortocht door het land van Edom. Hij laat de boden zeggen tot de koning: 'wij zullen niet trekken door de akker, noch door de wijngaarden, noch zullen het water der putten drinken; wij zullen de koninklijke weg gaan, wij zullen niet afwijken.'
10. *Hij kent de weg en de spraak* = hij is met de zaak bekend en verder kan hij door vragen alles te weten komen, wat

hij nodig heeft.
11. *De weg loopt langs de deur* = niemand kan zeggen, wie 't gedaan heeft. 't Spreekwoord wordt vaak gebezigd, als men niet weet wie de vader van 't kind is.
12. *Alle wegen zijn geen kerkewegen* = a. het gaat niet altijd langs de gemakkelijkste weg; b. Men kan niet altijd recht op zijn doel afgaan.
De weg naar de kerk was in de oude tijd nog altijd het best begaanbaar.
Maar ook: zulk een weg mocht nooit verlegd worden, bleef van ouder tot ouder dezelfde. Zo betekent het spreekwoord oorspronkelijk en ook nu nog wel:
niet alle dingen zijn onveranderlijk; men kan het ook wel op een andere wijze beproeven.
13. *Hoe langer de weg, hoe moeder de man* (Vlaams) = hoe langer de ziekte duurt, hoe slechter wordt veelal de lijder.
14. *Schone wegen lopen niet verre* (Vlaams) = 't geluk is niet duurzaam.
15. *De weg naar de hel is met goede voornemens geplaveid* = menigeen neemt zich voor, zijn leven te beteren, maar hij komt er niet toe en zo blijft hij de oude zondaar. Dit woord zou van de Engelse letterkundige Samuel Johnson (1709-1784) afkomstig zijn. Zo verzekert zijn levensbeschrijver Boswell. (*Woordenschat*, 415.)
weg II (ontvangen, gekregen). 1. *Zij hebben hun loon weg* = zij hebben het reeds ontvangen.
Naar *Matth.* VI : 2. 'Wanneer gij dan aalmoes doet, zo laat voor u niet trompetten, gelijk de geveinsden in de synagogen en op de straten doen, opdat zij van de mensen geëerd mogen worden. Voorwaar zeg Ik u: Zij hebben hun loon weg.'
Hetzelfde begrip in:
2. *Hij heeft het lelijk weg* = hij is erg verkouden; hij is zwaar ziek.
Letterlijk: hij heeft het te *pakken*.
Eveneens met dezelfde oorspronkelijke opvatting:
3. *Daar heeft hij veel van weg* = daar heeft hij veel van, daar lijkt hij veel op.
wegen. *Gewogen, maar te licht bevonden* = afgewezen voor een betrekking en vooral ook bij een examen. Ontleend aan Daniël V : 27. Daar loopt het over de geheimzinnige woorden aan de wand van Belsazar, de koning van Babel; *mené, mené, tekèl, upharsin.*
Tekèl = gij zijt in weegschalen gewogen en gij zijt te licht gevonden.
wei. *Vroeg in de wei, vroeg vet*, zie *vroeg* 1a.
weigeren. 1. *Zoetjes geweigerd is half gegeven* (Gezelle) = wanneer men weigeren moet, dat is vaak hard; maar als men 't vriendelijk doet, dan blijft er geen wrok.
2. Vragen is vrij,
Maar 't weigeren er bij,
zie *vragen* 4.
weldaad.
Weldaad ontvaan,
Vrijheid vergaan
(Gezelle), men staat nooit vrij, althans men gevoelt zich nooit vrij tegenover iemand, aan wie men dank schuldig is.
weldoen. 1. *Doe wel en zie niet om* = handel zoals je moet en let er niet op, of men je dank weten zal. Spreuk van Piet Hein. Ook de zinspreuk van de Orde der Unie, ingesteld door koning Lodewijk in 1806.
Laurillard acht het mogelijk, dat de uitdrukking herinnert aan de vrouw van Lot, die wèl omkeek en in een zoutpilaar werd veranderd. Deze geschiedenis is inderdaad bij 't volk zeer bekend. (Genesis XIX : 26.)
Oorspronkelijk was de betekenis der spreuk: doe goed en zie niet om, of men 't wel gezien heeft, dus = doe wel in het verborgene.
Zo bij Spieghel. Die zegt:
Doet wel
En ziet niet el,
d.i. kijk niet elders; hij voegt er bij: Daad zonder roemen.
2. Die wel doet
Wel ontmoet,
zie *doen* 6.
Maar Guido Gezelle vermeldt de spreuk:
3. *Weldoen kweekt vijanden*, en dat is ook waar. De ondankbaarheid gaat soms zo ver, dat men wrok koestert tegen zijn weldoener.
wennen, zie *gewend.*
wereld. 1. *De wereld is wel goed, maar er moesten andere mensen in*, schertsende opmerking, als iemand klaagt over 't

boze mensdom en dat het zo onrechtvaardig toegaat in de wereld. Ook geeft men aan zo'n klager de raad:
2. *Schik je in de wereld, of scheer je er uit.*
3. *Ondank is 's werelds loon*, zie *ondank*.
4. Een lawaai, een leven, een drukte *van de andere wereld* = dat horen en zien je vergaat.
Volgens Laurillard naar aanleiding van de geweldige omkering en de ontzettende tekenen, die met het laatste oordeel in verband gebracht worden. Vandaar ook: *een leven als een oordeel.*
5. *De wereld wil bedrogen zijn* = men gelooft telkens weer, wat allerlei bedriegers schoon weten voor te stellen.
Vertaling van de L. spreuk: *Mundus vult decipi.*
6. De wereld is een speeltoneel,
Elk speelt zijn rol
En krijgt zijn deel,
d.i. ieder heeft zijn eigen lot op aarde. Deze woorden zijn van Vondel en stonden als opschrift boven de ingang van de Amsterdamse schouwburg.
Schertsend vervormd tot
6a. De wereld is een pijp kaneel,
Elk zuigt er aan
En krijgt niet veel.
7. *'t Is hier de verkeerde wereld* = alles staat hier op zijn kop; 't is hier alles net andersom als 't wezen moest.
De verkeerde Wereld, titel van een verhaal van Roodhaert, dat in N. Brabant speelt, toen de Roomse bevolking beheerst werd door een Hervormde overheid.
8. *De wereld is niet razend gemaakt*, opmerking als men zich niet haasten wil.
Zinspeling op het verhaal van *Genesis* I, dat de wereld in zes dagen gemaakt is.
9. *De wereld loopt op zijn eind* = er geschieden tegenwoordig vreemde dingen, dat kan zo niet doorgaan.
Naar Matth. XXIV : 21. 'Want alsdan zal grote verdrukking wezen, hoedanige niet is geweest van het begin der wereld tot nu toe, en ook niet zijn zal.'
10. Werelds goed
Is eb en vloed,
wie rijk is kan arm worden en wie nu arm is, zal later misschien welgesteld zijn. Vooral ook:
Koopmans goed
Is eb en vloed.

Bij Guido Gezelle:
10a. De wereld is een wippe,
't Ene gaat altijd af
En 't ander gaat ippe.
11. *Hij heeft de wereld in een doosje* = alles is hem naar de zin in zijn leven.
12. *Er gebeurt in de wereld meer als in zeven dorpen* (Vlaams); gezegde als men het er over heeft, wat er zoal niet voorvalt in de wereld. En als er weer wat bij is, dat niet door de beugel kan:
13. *De wereld is een vieze parochie.*
En wanneer men zeggen wil, dat de rijken en voornamen leven van 't arme volk en dat ze de armen dan ook nog minachten en slecht behandelen, dan heet het:
14. *De wereld is een kiekenkot; de bovenste bevuilen de onderste.*
15. *Zie niet te hoog, de wereld is bulterig* (Fries), wie te hoog klimmen wil, valt laag. Lett.: die niet vóór zich ziet op zijn pad, struikelt over de oneffenheden van zijn weg.
16. *De wereld gaat op en neer, zei de vos, en hij zat op de zwengel van de pomp.*
Schertsend gezegde: 't is maar, van welk standpunt men een zaak beschouwt.
17. 't Gaat ongelijk in de wereld; de een wordt er door gedragen en de ander wordt er door gesleept.
weren. *Weert het niet op mijn hooi, dan weert het op mijn boerenkool* (Gron.) = gezegde van iemand, die zich zelf troost bij tegenslag: er is altijd nog wel wat, dat goed is.
Hooi moet droog weer hebben, maar de boerenkool groeit 'als kool' bij regen. Bij Modderman, die ook een Groninger was:
Verrot mijn hooi, zo wast mijn kool, zei de boer, blz. 63.
werk I. 1. *Veel werk en weinig honig* = veel geschreeuw en weinig wol. Woordspeling met de dubbele betekenis van werk.
a. arbeid; b. de raten, waarin de bijen de cellen maken voor de honig. Zo: er is werk genoeg in de korf, maar er is nog weinig honig in. Daarop berusten nog twee andere spreekwoorden:
2. *Zonder werk geen honig*, en het omgekeerde ervan:
3. *Waar werk is, is ook honig.* Beide spreekwoorden met dezelfde woordspeling.

4. *Werk maken van een zaak* = veel inspanning er aan wijden.
5. *Er is werk aan de winkel* = wij hebben heel wat te doen.
De *winkel* is de werkplaats, b.v. van een ambachtsman.
6. *De werken der duisternis*, zie *duisternis* 2.
7. *Na gedaan werk is het goed rusten*
8. *Het werk prijst zijn meester*, aan het werk kan men zien, of iemand zijn vak verstaat.
9. *'t Is net, of 't aangenomen werk is*, gezegde als er heel hard gewerkt wordt. Bij *aangenomen werk* neemt men een werk aan tegen een bepaalde som; de aannemer heeft er dus belang bij, dat het vlug opschiet; bij werk in daghuur is dat niet het geval.
10. *Het werk loont zijn meester* = wie ijverig en goed gewerkt heeft, die vindt zijn beloning.
11. *Als elk zijn werk doet, dan worden de koeien ook gewacht* (Vlaams) = ieder moet zich met zijn eigen zaken bemoeien. De koeien wachten = hoeden.
werk II (geplozen touw). *Waar 't werk bij 't vuur ligt, is brand te vrezen* (Vlaams), zie *vuur* 16 en 17.
werken. 1. *Die niet werkt, zal niet eten.* Bijbelse uitdrukking. Paulus schrijft in II *Thessalonicensen* III : 10, 'dat, zo iem. niet wil werken, hij ook niet ete.'
Vlaams:
Die niet werkt met vlijt,
Die is zijn boterham kwijt.
2. *Loon naar werken*, zie *loon* 2.
3. *Werken zolang het dag is* = zolang men kracht en gelegenheid heeft.
Jezus zei: Ik moet werken de werken Desgenen, Die Mij gezonden heeft, zolang het dag is; de nacht komt, wanneer niemand werken kan. (*Johannes* IX : 4.)
4. Werken en sparen
Doet geld vergaren,
Vlaams spreukje.
5. *Werken is zalig, zeiden de begijntjes en ze waren met zeven, om een ei te klutsen* (Gezelle), schertsend gezegde, wanneer iemand beweert, dat werken goed voor een mens is.
Zo in Groningen:
6. Adam, gij moet werken!
— Ja, Heer, ik zal,
Maar ik wil liever niet als al.

werkman. 1. *Een slechte werkman beschuldigt altijd zijn getuig*, zie *schaats* 2. Getuig = gereedschap. (Vlaams.)
2. Zie *vogel* 13.
3. *Die werkman is, telt zijn stappen* (Vlaams) = een ijverig werkman loopt niet rond, zonder zich aan zijn werk te wijden.
wesp. 1. *Zijn hand in een wespennest steken* = zich bemoeien met een zaak, waar niets dan last van komen kan; vooral met de bijgedachte, dat men er niets mee nodig heeft.
2. *Waar de wesp door vliegt, daar blijft de mug in hangen*, namelijk in het spinneweb. Zie *dief* 6.
westen. 1. *Hij is buiten westen* = hij is in zwijm gevallen.
Steendam gaf in *De Zee* van 1922 de verklaring, dat wij hier te doen hebben met een zeemansgezegde: de schipper is buiten westen, als hij ver naar 't westen is afgedwaald van zijn koers, wat gemakkelijk kan gebeuren uit vrees voor de Hollandse en Vlaamse banken.
2. Als de zon schijnt in 't westen,
Worden de luien de besten,
wie overdag lui geweest is, tracht vaak tegen de avond door hard werken nog wat in te halen.
5. Oost, West,
Thuis best,
Zie *Oost*.
wet. 1. *Dat is een wet van Meden en Perzen* = daar wordt nooit van afgeweken. Naar Esther 1 : 19. De kamerling Memuchan sprak tot koning Ahasverus na de weigering van koningin Vasthi, om voor hem te verschijnen:
'Indien het de koning goed dunkt, dat een koninklijk gebod van hem uitga, hetwelk geschreven worde in de wetten der Perzen en Meden, en dat men het niet overtrede.'
2. *Iemand de wet stellen* = hem voorschrijven wat hij te doen heeft.
3. *Korte wetten maken* = een zaak vlug afdoen.
Kan een verbastering zijn van *korte metten maken*; zie daar.
Maar kan ook eenvoudig betekenen: korte voorschriften geven en ze vlug uitvoeren.
4. *Iemand snijden naar de Joodse wet* = veel te veel geld van iemand vorderen voor zijn waar of voor zijn dienst.

5. *Hij is onder en boven de wet* = hij behoeft zich aan geen voorschriften te storen, b.v. omdat hij nog te jong is. Dan is hij onder de wet, want die is niet op hem van toepassing, en hij is er boven, want hij behoeft zich er niet aan te storen.
weten. 1. *Wat niet weet, wat niet deert* = wat verborgen blijft, daar heeft men geen last van. Zie *oog* 14.
2. *Twee Joden weten, wat een bril kost*, zie *Jood* 5.
3. *Weet ik veel!* = ik weet er niet van, ik praat er niet over.
Joodse manier van spreken.
4. *Hij heeft zijn weetje wel* = hij is goed bij, goed op de hoogte; hij heeft veel geleerd.
Weet = kennis. Vandaar ook:
5. *Iets aan de weet komen* = gewaar worden.
6. *Al ons weten is stukwerk*. Bijbelse uitdrukking. 'Wij kennen ten dele' (1 *Korinthen* XIII : 9).
Stukwerk = gebrekkig werk.
wever. *De lamp brandt, alsof een wever vrijde* (Tuinman) = de lamp geeft haast geen licht. In Groningen: *de lamp brandt, net of er een wever om 't huis loopt te vrijen.*
't Spreekwoord veroudert, omdat men de wever als ambachtsman niet meer kent. Vroeger had ieder dorp zijn wever. Ze waren blijkbaar door 't vele zitten niet al te tierig.
wezel. *De stoutste wezels zuipen de beste eieren* (Vlaams) = de brutalen hebben de halve wereld.
wieden.
Wieden en delven
Loont zich zelven,
wie zijn grond diep omgraaft en van onkruid zuivert, heeft een rijke oogst te wachten.
wieg. 1. *Hij is niet in de wieg gesmoord* = (schertsend) hij is heel oud geworden.
2. *Tegen de wieg stoten* = een borrel nemen.
3. *Daarvoor was hij niet in de wieg gelegd* = dat was zijn bestemming niet.
4. *Het wiegstro hangt haar nog aan de rokken* = zij trouwt heel jong. Ook:
5. *Zij heeft het wiegstro nog achter de oren.*
6. *Hij moet met de bril op naar 't wiegtouw zoeken* = hij is oud getrouwd en krijgt nog kinderen.
7. *Dat is ook niet bij zijn wieg gezongen* (Fries) = wie had ooit kunnen denken, dat het zo met hem gaan zou!
8. *Rijk in de wieg, arm in het graf* (Fries) = 't geluk is onbestendig.
wiegen. *Iemand in slaap wiegen*, zie *slaap*.
wiek. 1. *Hij is in zijn wiek geschoten* = hij gevoelt zich geraakt, beledigd.
Gezegde van de wiek, de vleugel van een vogel. Zo ook:
2. *Hij kan op eigen wieken drijven* = hij heeft geen steun van anderen nodig.
3. *Hij laat zijn wieken hangen* = hij is neerslachtig, hij geeft de strijd op.
Zo doen de zieke vogels en ook de hanen, die in de kam gebeten zijn.
wiel. 1. *Iemand in de wielen rijden* = hem in zijn werk hinderen, hem zijn werk, zijn plannen onmogelijk maken.
Letterlijk van een wagen, die tegen de wielen van een andere wagen rijdt.
2. *'t Slechtste wiel van de wagen kraakt meest* (Vlaams), zie *rad* 4.
wierde. *Van ander mans wierde is 't goed klei graven* (Gron.) = van een anders leer is 't goed riemen snijden.
Wierde is de Groninger naam voor terp. De wierden bestaan uit zeer vruchtbare klei, ze zijn voor een groot deel afgegraven; de wierdegrond diende tot bemesting van de schralere zand- en veengronden.
wikken.
De mens wikt,
God beschikt,
de mens denkt (dit of dat te doen), maar God regelt het vaak heel anders. Zie *mens* 5.
wil. 1. *Dat deed hij tegen wil en dank* = tegen zijn zin. Dank had vroeger ook de betekenis van wil of zin (vgl. ondanks); het is dus een dubbelvorm.
2. Om der wille van de smeer,
Likt de kat de kandeleer,
zie *smeer* 1.
3. *De wil voor de daad nemen* = erkennen dat de bedoeling goed was, al is er dan ook niet veel van terechtgekomen.
4. *Waar een wil is, is ook een weg* = met ernstige wil bereikt men zijn doel.
wildebras. d.i. wilde jongen, woelwater. Een bras is een touw om de ra van een zeilschip naar de wind te zetten. (uit F. *bras* = arm.) Lett. dus = een los slingerend touw (Franck-Van Wijk).
Wilhelmus. 1. *Daar zijn ze, die Wilhel-*

mus blazen = a. daar zijn de lui, die wij wachten; b. dit zijn de mannen, die wij nodig hebben, die ons zullen helpen.
'*t Wilhelmus* was sedert 1568 het volkslied, dat overal ook geblazen werd in de strijd tegen de Spanjaarden.
Volgens Tuinman was Hansken van Gelder, verspieder van Prins Willem, door de Spanjaarden gevangen. Hij stond al bij de galg, toen hij door de Geuzen verlost werd en toen zei hij:
Dat zijn ze, die Wilhelmus blazen!
2. 't Is Wilhelmus van Nassauen
Met de elleboog door de mouwen,
d.i. hij ziet er haveloos uit.
willen.
1. Kinderen, die willen,
Krijgen voor de billen,
men moet niet toegeven, als de vraag onredelijk is; antwoord aan iemand, die zijn wil doordrijft.
2. *Dat deed hij willens en wetens* = met opzet.
Lett. = terwijl hij het wilde en terwijl hij wist, wat hij deed.
3. Wat gij niet wilt dat u geschiedt,
Doe dat ook een ander niet.
Uit de Bijbel. 'Gelijk gij wilt, dat u de mensen doen zullen, doet gij hun ook desgelijks.' (*Lukas* VI : 31.)
4. *Die niet wil, die niet zal* = wie geen zin heeft, moet niet meedoen.
5. *Wat ik wil, dat wil ik, zei de boer, en hij braadde boter op de tang.*
wimpel. 1. *Hij heeft het gewonnen met vlag en wimpel* = luisterrijk gewonnen. Ontleend aan 't oude zeegevecht; uit de strijd komen zonder dat de vlag of de wimpel ('t kleine vlaggetje aan de top van de mast) gehavend is.
2. *Ernstige gebreken in een kind moet men niet bewimpelen* = verbloemen, doen of ze niet bestaan, bemantelen. *Wimpel* is hier het oude woord voor sluier. Zo ook in:
3. *Iemand onbewimpeld de waarheid zeggen* = onverholen, zonder er doekjes om te winden.
wind. 1. *Wie wind zaait, zal storm oogsten* = wie onrust verwekt, ondervindt vaak zelf de ergste gevolgen, wordt er zelf het slachtoffer van. In 't algemeen: men krijgt loon naar (verkeerd) werken. Bijbelse uitdrukking. 'Zij hebben wind gezaaid, en zullen een wervelwind maaien.' (Hosea VIII : 7.)
2. *Hij is door de wind* = hij is zijn stuur kwijt; vooral ook = hij is dronken.
Wanneer een schip laveert, komt het ogenblik dat het van richting veranderen moet; dan *gaat het schip door de wind*. Dan gaat zulk een (zeil)schip niet alleen een andere kant uit, maar bij die gelegenheid helt het sterk over. Zo gaat het ook met een dronken man, en fig. met iemand, die niet weet wat hij doen moet.
De uitdrukking heeft ook een andere betekenis. *Hij gaat door de wind* = hij gaat over tot een andere partij; hij neemt een ander besluit; hij verandert, net als het schip, van richting. Om een ander zeemanswoord te gebruiken: hij gaat overstag.
3. *De wind waait uit een andere hoek* = de omstandigheden zijn geheel veranderd. Zeemansuitdrukking.
4. *Hij heeft de wind er onder* = hij heeft het nodige ontzag over zijn ondergeschikten of over zijn medewerkers of op school over de leerlingen.
Bij Harrebomée: *de wind zit er onder* = 't gaat voorspoedig. Dit is misschien de verklaring: de wind zit onder de droge bladeren en jaagt ze op, zoals hij wil.
5. *Zoals de wind waait, zo waait mijn jasje* = spottend gezegde, als er sprake is van iemand, die het met de partij houdt, die hem voordeel bezorgt en die dus ook licht van partij verandert, als hem dat meer oplevert. Van dezelfde gedachte uitgaande, zegt men ook:
6. *Hij waait met alle winden* = hij heeft geen eigen mening, 't is een weerhaan; ook: hij gaat met de partij mee, waar hij zijn voordeel in ziet.
Of, aan de weerhaan ontleend:
6a. *Hij draait met alle winden.*
7. *Alle winden hebben hun weerwinden* = bij voorspoed komt wel een tegenslag.
8. *Uit welke hoek waait de wind?* zie *hoek* 4.
9. *Hij sloeg alle goede raad in de wind* = hij hechtte er geen waarde aan; hij handelde er niet naar; hij liet hem als het ware met de wind wegwaaien.
'Ik gis, dat dit spreekwoord ontstaan is uit de gebeerde, waardoor ymand met het uitslaan van de hand in den wind dat te kennen geeft.' (Tuinman.)
10. *Wind! zei Fokke, en hij blies in 't zeil* = alle baat helpt, al is 't nog zo ge-

ring. Aldus in Groningen.
Bij Guido Gezelle:
't Is altemaal wind, zei Jan Schippers, en hij blies in 't zeil.
11. *Men kan niet van de wind leven* = er moet wat verdiend worden. Met de schertsende bijvoeging: *behalve de mulder; die leeft van de wind.*
12. *Hij laat de wind door de hekken waaien* = hij verzuimt tijd en gelegenheid, zoals de molenaar doet, die verzuimt de zeilen voor de hekken van de wieken te leggen, zodat de wind tussen die latten doorwaait en de molen er geen nut van heeft.
13. *Tegen wind en stroom is het kwaad roeien* = men heeft het zwaar, wanneer de omstandigheden alle tegenwerken.
14. *Hij is al bang, als hem een wind dwars voor zijn achterste zit* = hij maakt zich bevreesd bij de minste last.
15. *Veel wind, weinig te malen!* (Vlaams.) 't Is een grote meneer, zoals hij zich voordoet, maar 't valt erg tegen, hij heeft geen geld, geen verstand, geen aanzien. Ook:
16. *Veel wind, weinig regen!*
17. *Die tegen de wind spuwt, maakt zijn baard vuil* (Gezelle) = die tegen de overmacht in gaat, heeft er niets van dan schade of schande.
18. Kan jij je niet naar de wind draaien,
Dan zal het zand je wel in de ogen [waaien,
Friese rijmspreuk. Wie zich niet schikken kan in de wereld, die zal in zijn leven last genoeg krijgen.
19. *Hij kreeg de wind van voren* = men zei hem de waarheid vlak in zijn gezicht.
20. *'t Gaat mij niet voor de wind* = ik heb tegenspoed.
Zeemansgezegde. Zo ook:
21. *Hij heeft de wind in de zeilen* = hij is voorspoedig; 't loopt hem mee.
22. *Iemand de wind uit de zeilen nemen* = maken dat iemand geen voordeel meer heeft; hem overtroeven.
Lett. = een ander schip aan de windzijde voorbijvaren, zodat dit geen wind meer vangt en dus niet opschiet. Hetzelfde als: *iem. de loef afsteken.*

windbuil.
't Is een windbuil = een blaaskaak, een opschepper, een pochhans, een verwaande gek. Lett. een zak vol wind; 't lijkt heel wat, maar één prikje er in en 't

59. Hij draait met... (z. *wind*)

is niets meer.
windei. *Dat legt hem geen windeieren* = daar heeft hij groot voordeel van.
Een *windei* is een ei zonder dop, alleen door een vlies omgeven. Zulk een ei heeft weinig waarde. Het woord is waarschijnlijk uit het Latijn vertaald en dat weer uit het Grieks. Bij Aristoteles en Aristophanes is herhaaldelijk sprake van 'winderige' eieren.
windmolen. *Hij vecht tegen windmolens* = hij strijdt tegen een vijand, die er niet is; hij verspilt op een dwaze manier zijn krachten.
Don Quichotte, de ridder van de droevige figuur, zag windmolens voor gevaarlijke reuzen aan; hij stormde er dapper op in, maar hij kreeg een klap van de wieken beet. (Spaanse roman van Cervantes, 1605; in alle talen overgebracht.)
winkel. *In nieuwe winkels is geen oude schuld* (Fries) = nieuwe bezems vegen schoon.
winnen I. 1. *De winnende hand is mild* = wie goed verdient heeft ook wel wat voor een ander over.
2. Zo gewonnen,
Zo geronnen,
d.i. als men gemakkelijk aan iets gekomen is, raakt men het ook weer licht kwijt; dan loopt het weer weg: *geronnen* is letterlijk weggelopen.
In de *Proverbia communia.*
466. *Lichtelic ghewonnen, lichtelic verloren*, en ook 598:
Qualic ghewonnen, qualic verloren.
3. Zie *gewin.*
4. Die wint houdt nog een hemd,
die verliest is naakt,
waarschuwing om nooit met een proces te beginnen.
5. Haast gewonnen, haast verteerd,
Als men altijd geerne smeert,
Vlaams spreekwoord. Wie altijd hun geld uitgeven voor lekker eten, maken alles op wat ze verdienen.
6. *Die winnen wil, moet wagen* = die waagt, die wint.
winnen II. (in dienst nemen). *Had je mij gister gewonnen, dan had ik je vandaag gediend* (Gron.) = a. je hebt niets over mij te zeggen; doe het zelf; b. je hebt de gelegenheid voorbij laten gaan.
Zie *knecht* 4.
winner. Na een winner
Komt een verslinner,
als de vader een vermogen bij elkaar gebracht heeft, dan gebeurt het wel vaak dat de zoon het geld weer verkwist. (Groninger Hogeland.)
In de *Proverbia communia* (553):
Na den goeden houder comt een goed verterer. En in de Kamper Verzameling: Nae een guet spaerer compt een guet teerrer.
winst. 1. *Een klein winstje, een zoet winstje* = als men onverwacht verdient, als men een buitenkansje heeft, dan is dat nog meer welkom dan de verdienste, waar men op gerekend heeft.
2. *Eerste winst is katjewinst*, zie *gewin* 1.
3. *'t Is best, met winst uit het spel te scheiden* (Vlaams) = als de feestelijkheden nog op 't mooist zijn, moet men naar huis gaan; later wordt het veel minder aardig.
winter. 1. *Er hoort een strenge winter toe, eer dat de ene wolf de andere aangrijpt* (Fries) = de nood moet al heel groot zijn, eer de ene booswicht de strijd opneemt tegen de andere.
2. Als de dagen beginnen te lengen,
Begint de winter te strengen.
wip. *Hij zit op de wip* = a. hij geeft de doorslag. Vooral gezegd van iemand in een vergadering, die tussen partijen in de uitslag van een stemming beheerst.
Ontleend aan 't kinderspel van de wipplank, wie er midden op zit, kan de wip naar rechts of naar links doen overhellen.
b. *Hij zit op de schopstoel*; zie daar.
wisken. *Men moet het wisken wringen, terwijl het groen is* (Vlaams), zie *rijs. Wis, wisse* = wilgetakje.
wisseldaalder. *Hij draagt een wisseldaalder bij zich* = hij heeft altijd genoeg geld op zak.
De wisseldaalder in 't oude volksgeloof was een daalder, die altijd in de zak terugkeerde, hoe vaak men hem ook wisselde. Men verkreeg hem van de Duivel, men moest bij die gelegenheid een kat in een zak meebrengen. Zie *kat* 5 en verder het *Folkloristisch Woordenboek.*
wit. 1. *Witjes lachen* = stil voor zich heen lachen, als men zich in zijn hart verheugt, als 't iemand naar de zin gaat.
2. *Al te wit is gauw vuil* (*Vlaams*) = te grote vriendschap deugt niet.
3. *Die niet wit en wilt worden, moet uit de molen blijven*, zie *braam.* (Vlaams.)
wittebrood. 1. *De wittebroodsweken* =

de eerste tijd na de bruiloft.
Herinnering uit de tijd, dat het gewone volksvoedsel zwart roggebrood was en men alleen op feestdagen wittebrood at.
2. *Een wittebroodskind* = een verwend, vroeg bedorven kind.
Letterlijk = een mallemoederskind, dat als met enkel wittebrood en lekkernijen opgekweekt is.
3. *Die zijn wittebrood vóór eet, moet zijn roggebrood na eten*, zie *jong* 4.
woekeraar.
Een woekeraar, een molenaar,
Een wisselaar, een tollenaar,
Zijn vier evangelisten van Lucifaar.
De vier evangelisten dienen als tegenstelling. Lucifer is de aanvoerder der afvallige engelen, de overste der duivelen.
wol. 1. *Hij is in (door) de wol geverfd* = hij is een doortrapte deugniet.
Wanneer de wol geverfd wordt, eer men er laken van maakt, dan trekt de verf er geheel in; beter dan wanneer het kledingstuk of het laken geverfd wordt, als het al gereed is.
2. *Men moet de schapen scheren, naardat ze wol hebben*, zie *schaap* 9.
wolf. 1. *Wee de wolf, die in een kwaad gerucht staat* = degene die eenmaal een verkeerde naam heeft is voorgoed ongelukkig; ook als hij iets goeds doet, zoekt men er wat kwaads achter.
Lett. = wee de wolf, want die staat in een kwaad gerucht, die kan geen goed doen.
2. *Een wolf in schaapskleren* = een booswicht, die zich als een eerlijk man voordoet.
Bijbelse uitdrukking: 'Wacht u voor de valse profeten, welke in schaapsklederen tot u komen, maar van binnen zijn zij grijpende wolven.' (Matth. VII : 15.)
3. *Huilen met de wolven, waar men mee in 't bos is*, zie *huilen*.
4. *De wolf zal met het lam verkeren* = er zal vrede en vriendschap zijn.
Bijbelse voorzegging. 'De wolf zal met het lam verkeren, en de luipaard bij de geitebok nederliggen; en het kalf, en de jonge leeuw, en het mestvee te zamen, en een klein jongske zal ze drijven.' (*Jesaja* XI : 6.)
5. *De wolven verscheuren malkander niet* (Vlaams) = de bozen bevechten elkaar niet.
6. *Wolven dromen van bossen* (Vlaams), zie *varken* 21.
7. *De slapende wolf loopt geen schaap in de muil* (Vlaams), zie *kat* 34 en *vos* 7.
8. *Een oude wolf en verschiet in geen klein geruchte* (Gezelle) = een ervaren man is niet vervaard voor een klein gerucht.
9. *Eten als een wolf*, waarschijnlijk naar Genesis XLIX : 27. Jakob, oud geworden, zegent zijn zonen. Van Benjamin zegt hij: Benjamin zal als een wolf verscheuren; des morgens zal hij roof eten, en des avonds zal hij buit uitdelen.
10. *Een wolf in de schaapskooi* = een leraar die verkeerde denkbeelden verkondigt en die de gemeente dus afvallig maakt van het ware geloof. En verder in 't algemeen: iemand die ellende brengt in een vreedzaam gezin.
De uitdrukking berust op *Handelingen* XX : 29. Paulus spreekt tot de ouderlingen van Efeze:
'Dit weet ik, dat na mijn vertrek zware wolven tot u inkomen zullen, die de kudde niet sparen.'
wolk. 1. *Hij is in de wolken* = hij is opgetogen.
Opgetogen drukt hetzelfde begrip uit, n.l. opgetrokken, boven het aardse verheven.
Misschien een bijbelse uitdrukking, naar 1 *Thessalonicensen* IV : 17. 'Daarna wij, die levend overgebleven zijn, zullen tezamen met hen opgenomen worden in de wolken, de Here tegemoet, in de lucht; en alzo zullen wij altijd met de Here wezen.'
Zo kan *in de wolken wezen* de betekenis hebben verkregen van: in de hoogste mate gelukkig zijn (Laurillard).
2. *Een jongen als een wolk*, ook *een wolk van gezondheid* = een flinke, stevige, sterke jongen.
Lett. = een jongen, zo fris en bol als een wolk.
3. *Er is geen wolkje aan de lucht* = zie *vuiltje* 2.
4. *Een wolk van getuigen* = zeer veel getuigen.
Bijbels gezegde: 'Daarom dan ook, alzo wij zo groot een wolk der getuigen rondom ons hebben liggende, laat ons afleggen alle last, en de zonde, die ons lichtelijk omringt' (*Hebreeën* XII : 1).
wonder. *De wonderen zijn de wereld niet*

uit = men weet nooit, wat er nog eens gebeuren kan; de onmogelijkste zaken kunnen nog eens terecht komen.

woord. 1. *'t Woord gaat verder dan de man* = een slechte naam is bekend in grote kring, zelfs waar de man zelf nooit komt.

2. *Woord houden* = zijn belofte nakomen. Oorspronkelijk een rechtsterm; men mocht de eenmaal afgelegde verklaring niet intrekken.

3. *Een goed woord vindt een goede plaats* = wat men op een vriendelijke toon zegt, vindt waardering, wordt licht ingewilligd. Vlaams:

3a. *Een goed woordeken breekt grote gramschap.* En ook:

3b. Een goed woord baat,
Een kwaad woord schaadt.

4. *Hij is op het woord* =hij wordt besproken en dat niet in gunstige zin; men spreekt kwaad van hem.

5. *Het hoge woord moet er uit* = het woord, dat men moeilijk spreken kan, de betekenis, de erkenning van ongelijk. Vroeger = het woord waar 't op aan kwam. *Hoog*, in dit geval = belangrijk, beslissend, gewichtig.

6. *Zij hadden hoge woorden* = een twistgesprek, ruzie.
Hoog = heftig. Ook eenvoudig:

7. *Zij kregen woorden.*

8. *Het grootste woord hebben* = het luidste spreken, gevolg van dat men zich daartoe gerechtigd voelt; de boventoon voeren.
Lett. = *het luidste woord* hebben.
Daardoor ook:

9. *Het hoogste woord voeren.*

10. *Woorden, dat is niets, de eenden leggen de eieren* = praatjes vullen geen gaatjes, 't komt op de daden aan.
Woordspeling. *Woord* = *woerd*, de mannetjeseend.

11. *Iemand te woord staan* = hem aanhoren. Lett. = staan en naar iemands woorden luisteren.

12. *Doet wel naar mijn woorden, maar niet naar mijn werken!*
Gezegde als iemand wijze lessen geeft, doch er zelf niet naar handelt.
Bijbels. Jezus zei van de Schriftgeleerden en de Farizeeën:
'Doet niet naar hun werken; want zij zeggen het, en doen het niet.' (*Matth.* XXIII : 3.)

13. *Woorden zijn geen oorden* = praatjes vullen geen gaatjes.
Oorden = *oortjes*, hier dus zoveel als geld in 't algemeen.
Ook:

14. *Veel woorden vullen de zak niet.*

15. *Hij staat op zijn woord als een boer op zijn klompen*, zie *boer* 17.

16. Het ene woord
Brengt het ander voort, of ook:

17. *Het ene woord haalt het andere uit* = als er iemand een kwaad woord zegt of een verwijt doet, dan komt de andere partij ook met een hard woord en de twist is begonnen.

18. *Veel woorden de nek breken* = lang redeneren, zonder dat de zaak opschiet; dan worden er dus veel woorden kapot gemaakt.

19. *Hij wil er geen woord van hebben, hij wil 't niet woord hebben* = hij wil niet, dat er over gesproken wordt; hij wil niet, dat men weet dat hij 't gedaan heeft; 't mag niet bekend worden.

20. *Een hartig woord houdt een kerel van het lijf* = als men ferm van zich af spreekt, dan maakt dat indruk op de tegenpartij.
Lett. = als men een hoge toon voert, dan durft een kerel je niet aan te vallen.

21. Woorden zijn winden,
Schriften verbinden,
Vlaamse rijmspreuk, de vertaling van een L. spreekwoord *verba volant, scripta manent* = woorden vervliegen, geschriften blijven.

22. Woorden wekken,
Voorbeelden trekken,
Vlaams spreukje: 't goede voorbeeld is meer dan goede raad.

23. Op harde woorden zoete rede
Stelt menig korzel hoofd tevrede.
Vlaamse rijmspreuk: antwoord met een zacht en vriendelijk woord op een harde en bitse aanval; daar is de aanvaller niet tegen bestand.

24. *De woorden zijn schoon, zei de wolf, maar ik en kom in het dorp niet* (Vlaams) = antwoord, als men tracht iemand door schone woorden over te halen.

25. Het woord van één
Is 't woord van geen,
spreuk bij Gezelle: één getuige is geen getuige.

26. *Zijn woorden op een goudschaaltje wegen*, zie *goud* 4.

27. *Een goed woord is even gauw gezegd als een kwaad woord* (Fries) = 't kost voor wie wil niet meer moeite om vriendelijk, dan om nors en boos te zijn.
28. *Je woorden worden je weer thuis gebracht* (Fries) = een boos woord wordt boos beantwoord; een boos woord kwetst jezelf.
worm. *Dan zal je een lelijke worm afgaan* = dan zul je nog wat ondervinden, dat je heel onaangenaam is.
worst. *Hij gooit met een worst naar een zijde spek* = hij werpt een spiering uit, om een kabeljauw te vangen. Zie *metworst.* Boerenspreekwoord uit de tijd, dat de stukken van 't geslachte varken nog *in de wiem*, d.i. aan de zolder hingen in de woonkamer.
2. *Dun snijden is 't behoud van de worst*, aansporing tot zuinigheid.
wortel. *Een kwaad met wortel en tak uitroeien*, waarschijnlijk een bijbels gezegde. Bildad zegt van de goddeloze:
'Van onder zullen zijn wortelen verdorren, en van boven zal zijn tak afgesneden worden.' (Job XVIII : 16.)
wortelplakken. *Hij wil met wortelplakken betalen* = hij wil of kan niet betalen (Gron., Drenthe, Overijssel.)
Kinderen, die op 't ganzebord spelen, betalen met schijfjes van een peen.
woudezel. *'t Is een woudezel van een mens* = een sterke man met ruwe manieren, onhandelbaar.
In Genesis XVI : 12 wordt voorspeld van Ismaël, de zoon van Abraham en zijn dienstmaagd Hagar:
Hij zal een woudezel van een mens zijn, zijn hand zal zijn tegen allen en de hand van allen tegen hem.
wraak. *Wraak is honing in de mond, maar vergif in 't hert* (Vlaams) = wraak is zoet, maar slecht.
wijd. 1. *'t Is wijd en zijd bekend* = alom bekend.
Zijd is een oud woord, dat dezelfde betekenis had als wijd.
2. *Wijd van huis is altijd rijk*, zie *ver* 3.
wijf. 1. *Er bleef geen oud wijf achter 't spinnewiel* = ieder kwam er op af, ieder moest het zien.
Herinnering aan de tijd, dat alle oude vrouwen dagelijks zaten te spinnen.
2. *Zo heeft het gezeten, zei 't ouwe wijf*; zie *zeispreuken* 1.
3. *Hoe stiller hoe beter, zei 't ouwe wijf*; zie *zeispreuken* 2.
4. Die een wijf trouwt om 't schoon lijf,
Verliest het lijf en houdt het wijf.
5. Zelden vindt men een wijf
Zonder knorren of gekijf.
Vlaamse rijmspreuk.
6. *Een braaf wijf, een zeer been en een gescheurde broek blijven best thuis* (Gezelle) Zie *vrouw* 9.
7. *Elk ende een kan een boos wijf temmen, uitgenomen die er mede gescheuteld is* (Gezelle), zie *stuurman.*
Gescheuteld = geschoteld, fig. opgescheept.
8. *Een oud wijf en een oude koe*, zie *oud* 2.
Zo treedt het oude wijf in tal van spreekwijzen op, vooral in scherts. B.v.
Ik zal 't ouwe wijf boter aan haar achterste smeren en zelf droog brood eten! = dat kun je begrijpen: die man heeft al meer als zijn deel, hij krijgt niet meer!
9. *Daar is maar een kwaad wijf, en elk meent dat hij het heeft.*
wijn. 1. *Goede wijn behoeft geen krans* = a. goede waar heeft geen aanbeveling nodig; b. ware deugd behoeft geen lof. Oudtijds hingen de herbergiers een krans uit, als zij goede wijn te koop hadden.
2. Als de wijn is in de man,
Is de wijsheid in de kan,
dronken lui handelen onverstandig.
3. *Klare wijn schenken* = waarheid spreken; een zaak duidelijk uitleggen, namelijk wat de bedoeling er van is.
4. *Hij houdt van Wijntje en Trijntje* = hij houdt van drank en van vrouwen.
Wijntje en *Trijntje* zijn beide vrouwennamen; het is dus vanouds een woordspeling.
5. Jenever, wijn en brandewijn
Zijn voor kinderen groot venijn,
spreuk in de oude schoolboekjes.
6. *Ze waren vol zoeten wijns* = ze hadden te veel gedronken.
Bijbels gezegde. Toen de apostelen op de Pinksterdag spraken in talen die hun vreemd waren, zeiden sommige omstanders: Zij zijn vol zoeten wijns. (*Handelingen* II : 13.)
7. Wijn op melk
Deugt voor elk,
Maar melk op wijn
Is venijn
(Vlaams) = overvloed na gebrek is voor ieder aangenaam, doch gebrek na over-

vloed valt lastig. Ook:
8. Wijn op melk genomen
Zal u wel bekomen,
Maar melk op wijn
Kan venijnig zijn.
9. *Die wijn drinkt, kweekt luizen* (Vlaams) = wie zijn geld verdrinkt, houdt niets over voor schoon ondergoed.
10. *Als de wijn zinkt, zwemmen de woorden boven* (Gezelle) = een dronken man vertelt, wat hij nuchter zou verzwijgen.
11. *Nieuwe wijn in oude leerzakken* = een nieuwe inrichting in de oude vorm. Naar *Matth.* IX : 17, waar Jezus zegt: Noch doet men nieuwe wijn in oude lederzakken; anders zo bersten de lederzakken, en de wijn wordt uitgestort, en de lederzakken verderven.
12. *Als de jonge wijn bloeit, begint de oude te gisten.*
wijngaard. *Die in de wijngaard werkt, mag van de druiven eten* (Gezelle) = a. waar men werkt, moet men ook zijn onderhoud vinden; b. zie *altaar*.
wijnstok. *Hij zit onder zijn wijnstok en vijgeboom* = hij geniet van een rustig en onbekommerd leven.
Bijbelse vergelijking. 'Juda en Israël woonden zeker, een iegelijk onder zijn wijnstok en onder zijn vijgeboom, van Dan tot Berseba, al de dagen van Salomo.' (1 *Kon.* IV : 25.)
wijs I. 1. *'s Lands wijs, 's lands eer* = men doet wel, zich te voegen naar de gebruiken of naar de opvatting van andere volken, als men in den vreemde is.
2. *Hij stelt geen wijze op zijn zaken* = hij heeft zijn zaken niet in orde; er is geen orde of regel.
Wijze is hier waarschijnlijk = goede *handelwijze*. Doch Tuinman en Weiland denken aan *zangwijze*, zodat men moet denken aan een liedje zonder melodie. Harrebomée zegt: wijze = orde, regelmaat van zaken, wijze van handelen. Dit laatste ook in de Groninger uitdrukking:
3. *Dat deed hij zonder woord zonder wijs* = zonder er iets bij te zeggen en zonder enige verklaring van zijn handelwijze.
wijs II. 1. *Hij is zo wijs als Salomo*, en, *als Salomo's kat*. Zie *Salomo*, 1, 2. Ook:
2. *Hij is zo wijs, dat hij 't gras hoort groeien.*
En schertsend, maar minder netjes:
3. *Hij is zo wijs als 't schijthuis van Bremen, dat van wijsheid ondersteboven viel.* Tuinman zegt: *als 't Raadhuis te Bremen*, misschien uit fatsoenlijkheid.
Doch 't kan ook zijn, dat het gezegde nog uit de oude tijd komt, en dat het een bespotting is van de eigenwaan der bewoners van de vrije Rijksstad Bremen. Aldus in *Woordenschat*, blz. 100.
4. Vroeg wijs
Vroeg zot,
zie *vroeg* 1.
5. *Een wijze hen legt wel een ei in de netelen*, zie *hen* 2.
6. *Eén gek kan meer vragen dan zeven wijzen kunnen beantwoorden*, zie *gek* 1.
7. *Wijs bij de lui, mal om een hoekje* = hij doet zich heel netjes voor in gezelschap, maar bij zijn kornuiten doet hij heel graag mee. Ook: bij de meisjes is hij jolig genoeg.
8. Nooit hoort men wijzen
Hun eigen prijzen
(Vlaams), zie *lof*.
9. Hij is wijs en wel geleerd,
Die alle dingen in 't beste keert,
(Gezelle).
10. *De wijzen en trouwen niet, de geheel gekken en mogen niet, 't zijn maar de half gekken die trouwen.*
(Gezelle).
11. *Wijs man wil al dat hij doet, dwaasman doet al wat hij wil.*
(Gezelle.)
Ook:
12. Men zegt: het is een wijze man,
Die naar de tijd zich voegen kan,
een wijs man schikt zich naar de omstandigheden.
13. *'t Zijn al geen wijzen, die uit den Oosten komen* (Gezelle), zie *kok* 1.
Naar 't verhaal van de wijzen uit het Oosten, in Mattheüs II : 1. 'Toen nu Jezus geboren was, zie, enige Wijzen van het Oosten zijn te Jeruzalem aangekomen.'
14. *Die met wijzen omgaat, zal wijs worden.*
Bijbelse spreuk; *Spreuken* XIII : 20.
wijsheid. 1. *Hij heeft de wijsheid in pacht* = hij is een wijsneus. 't Is net, of hij alle wijsheid gepacht heeft, zodat er voor een ander niets overblijft.
2. *Zuinigheid bedriegt de wijsheid*, zie *zuinig* 4.
3. Wijsheid vindt men in de boeken,

Wijs zijn zal men verder zoeken,
rijmspreuk bij Gezelle. Eerst het leven zelf, ervaring en nadenken, brengen de ware wijsheid.
4. Als de drank is in de man,
Is de wijsheid in de kan.

wijzen. *Dat is in staat van wijzen* = dat is behoorlijk onderzocht, het oordeel (het vonnis) kan worden uitgesproken. *Wijzen* = vonnissen. Dus letterlijk: het is in een toestand, dat men vonnissen kan. Zie ook *gewijsde*.

X

Xantippe. *'t Is een Xantippe* = een kwaad wijf, een twistzieke vrouw.
Xantippe was volgens overlevering de vrouw van de Griekse wijsgeer Socrates. Over haar een blijspel van Pieter Langendijk: *Xantippe of het booze wijf des filosoofs Sokrates beteugeld*, 1756.

Y

ijdelheid. *Alle aardse dingen zijn ijdelheid der ijdelheden* = hebben geen waarde.
Uit Prediker 1 : 2. 'IJdelheid der ijdelheden, zegt de prediker; ijdelheid der ijdelheden, het is al ijdelheid.'

ijs. 1. *Het ijs breken* = het stilzwijgen in een gezelschap breken; pogingen doen tot toenadering; de eerste moeilijkheden uit de weg ruimen.
Lett. gezegd van 't stuk maken van 't ijs, zodat er weer open water komt voor de schepen.
2. *Hij waagt zich op glad ijs* = hij praat over dingen, waarvan hij niet goed op de hoogte is. Ook: over dingen, waarover het beter was te zwijgen.
Lett. = hij waagt zich op een gebied, waar hij licht uitglijdt.
3. *Op oud ijs vriest het licht* = een afgebroken vrijerij komt nog al licht weer in orde.
4. *Hij heeft zich op ijs van één nacht gewaagd* = hij heeft een zaak ondernomen, waaraan veel gevaar verbonden is en hij heeft helemaal geen zekerheid van slagen.
5. *Hij kwam beslagen ten ijs* = hij had zich degelijk voorbereid. De uitdrukking is afkomstig van 't gebruik dat men paarden die op 't ijs de arreslee of een vrachtslee trekken, *op scherp zet*, d.i. de hoefijzers beslaat met scherpe ijzeren punten.
6. IJs
Kost mensenvleis,
het ijs is altijd gevaarlijk. In Vlaanderen:
7. Die gaat van 't land op 't ijs
Is niet wijs.
En als een algemeen voorschrift, dat men met oordeel moet handelen:
8. De man is niet wijs,
Die zijn huis bouwt op 't ijs,
Want als 't ijs is gezonken,
Dan is de man verdronken.
Ook:
9. De man is niet wijs,
Die zijn huis bouwt op 't ijs;
't En kan niet blijven vriezen,
Dan moet de man zijn huis verliezen.
10. Het ijs Is alle mensen te wijs,
Groninger spreekwoord: a. Het ijs is verleidelijk en gevaarlijk; b. Het ijs maakt alle berekeningen te schande; door het ijs voert men zijn plannen niet uit.

ijver.
IJver zonder verstand
Is schade voor de hand,
al is men nog zo ijverig, het baat niet als men zijn verstand er niet bij gebruikt; als men niet met overleg te werk gaat, ligt de schade 'voor de hand.'
Spreuk met bijbelse grondslag. Paulus schrijft van de Joden, 'dat zij een ijver tot God hebben, maar niet met verstand.' (*Romeinen* X : 2.)
Dat 'voor de hand' is er om het rijm bij gevoegd.

ijzer. 1. *Dat is een heet ijzer*, afkomstig van *hangijzer*, zie daar.
2. *Men moet het ijzer smeden als het heet is* = men moet van de gunstige gelegenheid gebruik maken.
3. *Niemand kan ijzer met handen breken* = aan 't onmogelijke is niemand gehouden.
4. *Een ijzervreter* = een krijgsman, in de oorlogen gehard. Zie *vuurvreter*.
5. *Hij heeft twee ijzers te vuur* = hij heeft twee kansen; hij werkt tegelijk aan twee ondernemingen. Ontleend aan de

smederij; de smid heeft het ijzer in 't vuur, dat hij bewerken wil.
6. *Hij laat niets liggen dan heet ijzer en molenstenen* = 't is een doortrapte dief.
7. *IJzer scherpt men met ijzer* = tegen onwil moet men hard optreden; als 't nodig is moet het hard om hard gaan; bij koppige en boze mensen komt men er niet met redenering en met zachte maatregelen.
Spreuken XXVII : 17.
8. *Hij wil niet op 't ijzer bijten* = hij wil niet aanpakken bij het werk; hij heeft geen zin in arbeid.
Ontleend aan het paard, dat stevig op het ijzer van de toom bijt, als het flink trekken moet.

Z

zaad. 1. *Hij zit op zwart zaad* = hij is arm, zijn geld is op.
Gezegd van vogels in de kooi, die alleen nog maar zwart zaad hebben; ze pikken er namelijk eerst de witte korrels uit.
2. *Men kan wel goed zaad zaaien uit een slechte mand* = ook een man, die niet deugt, doet wel een goede daad.
3. *Zo het zaad, zo de oogst* = in de jeugd moet men werken, om in de ouderdom de vruchten te plukken. (Vlaams.)
4. Een zaadje in 't zand
Is een raapken in de hand,
Vlaamse rijmspreuk: verkwist niets; uit een klein zaadje, dat men achteloos wegwerpen zou, komt te zijner tijd goede vrucht voort.
zaaien. 1. *Wat men zaait, zal men maaien* = men krijgt loon naar werk; zoals wij een ander behandelen, zo zal men ook ons behandelen.
Bijbels. 'Zo wat de mens zaait, dat zal hij ook maaien.' (Galaten VI : 7.)
2. *Wie wind zaait, zal storm oogsten*, zie *wind* 1.
3. Zie *ander* 4.
4. *Een zaaier ging uit om te zaaien*, aanhef van een der gelijkenissen van Jezus. (*Matth.* XIII : 3). Door Multatuli gekozen als motto voor zijn *Ideeën*.
5. *Die slaapt in de zaaitijd*
En vindt geen maaitijd
(Vlaams) = de jonge jaren zijn de kostelijke tijd om te werken en het brood te verdienen voor later.
6. Men zaait met handen
En niet met manden
(Gezelle) = alle werk moet naar de eis verricht worden.
zaak. 1. *Gedane zaken nemen geen keer* = men moet de gevolgen aanvaarden van wat men gedaan heeft.
2. *Niet veel zaaks, zei de uil, en hij bekeek zijn eigen jongen.* (Fries.) Schertsende zeispreuk, als men over zijn eigen werk niet voldaan is.
zacht. 1. *Dat zal een zachte dood hebben* = dat betert vanzelf wel; dat loopt op niets uit.
2. *Hij kan een zachte dood hebben, als hij aan zijn verstand sterft* (Twenthe), spottend, als iemand niet al te snugger is. (W. H. Dingeldein, *Driem. Bladen*, 1950, 10.)
zadel. 1. *Hij zit vast in zijn zadel* = hij is zeker van zijn plaats in 't bestuur; meer algemeen: hij is zeker van zijn zaak, hij kent zijn zaak goed.
Waarschijnlijk nog uit de tijd van de steekspelen. Vandaar ook:
2. *Iemand uit het zadel lichten* = hem uit zijn betrekking stoten. Omgekeerd:
3. *Iemand weer in 't zadel zetten* = hem weer helpen aan zijn oude plaats, hem er weer bovenop helpen, zijn zaken weer in orde brengen.
zak. 1. *Zij zaten in zak en as* = ze waren diep ongelukkig. Ontleend aan de Bijbel; de Joden trokken bij een ramp een zak aan, d.i. een zwart jak zonder mouwen, en daarbij strooiden ze zich as op het hoofd. Zo lezen wij in *Esther* IV : 1, 'Mordechai verscheurde zijn klederen en hij trok een zak aan met as, en hij ging uit door het midden der stad.'
2. *'t Kan beter uit de zak dan uit de band* = een rijke man kan beter betalen dan een arme.
3. *Menige zak wordt toegebonden, die niet vol is* = menigeen moet onverzadigd van tafel gaan.
4. *Een zak zout met iemand gegeten hebben* = heel lang met hem hebben verkeerd. Reeds in zwang bij de Ouden.
5. *Iemand de zak geven* = iem. uit zijn dienst ontslaan, hem afdanken.
Lett. = hem een zak meegeven, waarin hij zijn spullen kan bergen.
6. *Dat kun je in je zak steken* = dat is

voor jou bestemd; die aanmerking is op jou gemunt.
Lett. = neem dat alvast mee.
7. *Onder in de zak vindt men de rekening* = het einde draagt de last; 't hinkend paard komt achteraan.
Letterlijk: de verkopers leveren graag en menige koper koopt graag een hele zak vol. Maar als hij zijn waar uitpakt, vindt hij de rekening en die valt vaak niet mee.
8. *Iemand in de zak hebben* = hem doorzien; weten wat hij wil, maar hem de baas zijn.
Letterlijk heeft men iets in zijn zak, dat men nauwkeurig kent en waarover men vrij beschikken kan. Zo is ook de gewone opvatting. De onderstelling, dat de uitdrukking afkomstig zou zijn van een worstelspel, wordt dan ook door Stoett verworpen. Die gissing vindt men bij Borchardt, die meedeelt dat bij zulk een worsteling de overwonnene in een zak gestopt werd.
9. *Met pak en zak vertrekken*, zie *pak* 3.
10. *Men kan beter op een zak met vlooien passen dan op een jonge meid* = als een meisje vrijen wil, vindt ze wel gelegenheid.
11. *Wat boven in de zak zit, moet er 't eerst uit* (Gron.) = waar 't hart van vol is, loopt de mond van over.
12. *Aan zakken te binden en huwelijken te maken kan men zelden eer behalen* (Vlaams) = niemand is tevree, wanneer de voor hem bestemde zak wordt toegebonden en zo is ook bij 't sluiten van 't huwelijk vaak geen van de twee partijen voldaan over de makelaar.
13. *IJdele zakken, ijdele zinnen* (Vlaams) = armoe maakt wanhopig. *IJdel* = leeg.
14. *Men moet geen zakken met zijde naaien* (Vlaams) = men moet geen paarlen voor de zwijnen werpen.
15. *Men moet zaaien naar de zak* (Vlaams) = men moet de tering naar de nering zetten.
16. *Twee natte zakken kunnen malkaar niet drogen* (Vlaams) = twee blinden kunnen elkaar niet geleiden; wie hulp behoeft moet zich wenden tot een sterke (rijke) man.
17. *Die de zak open houdt, doet zo kwalijk als die hem vult* (Gezelle) = de heler is zo goed als de steler.
18. *Wat 't eerst in de zak komt, komt er 't laatst weer uit* (Gron.) = de eersten zullen de laatsten zijn. Ook Fries.
19. *Er zitten geen zakken in je laatste hemd* = wie dood gaat kan niets meenemen; wees dus niet gierig.
zakvol. *Men kan beter op een zakvol vlooien passen als op een jonge meid*, zie *zoeken* 5.
zalf. 1. *Daar is geen zalf aan te strijken* = 't is verloren moeite, nog verbetering te beproeven, nog hulp te verlenen.
Net als een ongeneselijke wonde, die met geen zalf te helen is.
2. *In kleine doosjes bewaart men de beste zalf* = de waarde van een ding zit niet in de grootte.
3. *Iemand de handen zalven* = hem geld in de hand stoppen, om hem gunstig te stemmen.
zalig. 1. *'t Is zaliger te geven dan te ontvangen.* Bijbelse spreuk, namelijk uit *Handelingen* XX : 35.
2. *Hij is zalig* = stomdronken. Hier *zalig* nog de oorspronkelijke betekenis van *vol.* Voluit:
3. *Hij is zo zalig als een ei.*
4. *Zalig zijn de bezitters* = als er strijd is over een zaak dan is degene, die de zaak bezit, in de voordeligste omstandigheden; *hebben is hebben.*
Laurillard acht deze spreuk een spottende terugslag op de zaligsprekingen in *Matth.* V : zalig zijn de armen van geest, zalig zijn die treuren, zalig zijn de zachtmoedigen enz. Maar de Romeinen zeiden ook reeds: *beati possidentes.*
5. *Zalig is hij, die zijn juk in zijn jeugd draagt*, zie *juk* 3.
zand. 1. *Iemand zand in de ogen strooien* = hem bedriegen door listige kunstgrepen. Grimm deelt mee, dat men bij een worstelpartij vroeger zijn tegenstander werkelijk zand in de ogen strooide.
2. *In 't zand bijten* = sneuvelen.
Ontleend aan het steekspel. De overwonnene viel met de neus in het zand. Het 'krijt', het tournooiveld, heette *het zand.* Dit was bijv. de oude naam van de Grote Markt te Haarlem, waar vroeger steekspelen werden gehouden.
3. *Zand erover!* = laten wij er niet meer over spreken; die zaak is afgedaan.
Vroeger strooide men fijn zand over het schrift, wanneer het drogen moest, vóór het gebruik van vloeipapier.

4. *Hij heeft op zand gebouwd* = hij heeft iets tot stand gebracht op geen vaste grondslag.
In Matth. VII : 26 zegt Jezus: 'Een iegelijk, die deze Mijn woorden hoort en ze niet doet, die zal bij een dwaze man vergeleken worden, die zijn huis op het zand gebouwd heeft.'
Dit in tegenstelling tot een voorzichtig man 'die zijn huis op een steenrots gebouwd heeft' (vers 24).
5. *Talrijk als het zand der zee* = ontelbaar. Bijbelse vergelijking. Toen Abraham bereid gebleken was, zijn eigen zoon te offeren, sprak de Here:
'Voorzeker zal ik u grotelijks zegenen, en uw zaad zeer vermenigvuldigen, als de sterren des hemels, en als het zand, dat aan den oever der zee is.' (*Genesis* XXII : 17.)
6. *'t Hangt aan elkaar als los zand* = er zit niet het nodige verband in.
7. *Hij zet een zandwinkeltje op*, zeer oneerbiedig gezegde = hij is dood.
8. *Hij wordt niet meer geteld als 't zand onder de voeten* (Fries) = hij is helemaal niet in tel.
zandruiter. *Iemand zandruiter maken* = hem aan de grond helpen. Zie *zadel* 2, *zand* 2 en *ruiter* 2.
zandweg. *Zijn wagen rolt over een zandweg* = 't gaat hem voorspoedig.
Uit de tijd, dat de zandwegen een heerlijkheid waren, vergeleken bij de veen- en kleiwegen.
zandwinkeltje, zie *zand* 7.
zang. *Alle zangen worden niet ten einde gezongen* (Fries) = men kan niet alles vertellen wat men weet.
zat. 1. *Zat van dagen* = oud.
Bijbelse uitdrukking: Izak gaf de geest en stierf, en werd verzameld tot zijn volken, oud en zat van dagen; en zijn zonen Ezau en Jakob begroeven hem (*Genesis* XXXV : 29.)
2. *Wie zich niet zat eet, zal zich ook niet zat likken* (Gron.) = de laatste beetjes doen het niet meer, zo aan tafel, zo ook bij de studie en bij 't werk.
Ook Fries.
Zebedéus. *'t Is een Zebedéus* = een onnozele hals; iemand die er bedroefd uitziet.
Naar Markus I : 20, waar verhaald wordt dat Jakobus en Johannes, vissers op het meer, Jezus volgden, 'latende hun vader Zebedéus in het schip.'
zee. 1. *Recht door zee gaan*, zie *recht* 1, 2.
2. *Dat wast al het water van de zee niet af*, zie *water* 15.
3. *Water naar de zee dragen*, zie *water* 1.
4. *Wie zee houdt, wint de reis* = wie volhoudt bereikt zijn doel.
5. *In zee steken* = lett. gaan varen; fig. = met een werk, een redevoering enz. beginnen. Ook kortaf:
6. *Dat is al in zee* = dat is al begonnen.
7. *Op een stille zee kan iedereen stierman zijn* (Vlaams) = onder moeilijke omstandigheden blijkt eerst, wie aan 't hoofd van een zaak kan staan, wie de leiding kan hebben.
zeef. *Iemand in de zeef nemen* = hem voor de gek houden.
Zie *korf* 1.
zeemanschap. *Zeemanschap gebruiken* = in moeilijke omstandigheden zodanig weten te spreken, dat men met de mensen opschiet; een goed beleid tonen.
Ontleend aan de zeeman, die zijn schip weet te sturen zonder te stranden.
zeep. *Hij is om zeep* = hij is dood.
Men heeft wel gedacht aan de zeelui, die in oude tijd uitvoeren om *Spaanse zeep* (harde zeep) te halen uit de landen aan de Middellandse Zee, toen men die zeep leerde kennen ten tijde van de kruistochten. Die tochten waren zeer gevaarlijk, zodat menigeen niet terugkwam.
Doch bij oudere schrijvers blijkt, dat men van *om zeep gaan* sprak, als men een boodschap bedoelde. Vandaar = zich verwijderen. En dan, niet terugkeren.
zeer. 1. *Iemand op zijn zeer tasten* = hem zeer doen door te spreken over voor hem pijnlijke zaken; hem op zijn eksterogen trappen.
Het zeer = de zere plek. Vandaar ook:
2. *Oud zeer open krabben* = pijnlijke dingen, die al haast vergeten waren, opnieuw ter sprake brengen.
3. *Ieder voelt zijn eigen zeer het best* = men kan niet zo goed oordelen over het leed van een ander als over zijn eigen verdriet. Ook: andermans leed grieft niet zo diep als eigen zorg en nood.
zeeschip. *'t Is een lastig zeeschip* = een onhandelbaar mens, vooral: een vrouw waar niet mee om te gaan is.
Naar een lomp schip op zee, dat niet gemakkelijk wendt en keert.
Zeeuws. *Goed rond, goed Zeeuws*, zie

rond.

zegel. 1. *Zijn zegel aan iets hechten* = zijn goedkeuring schenken.

Van het oude gebruik, om een zegel in was gedrukt, aan een akte te hangen door middel van een lintje of een strook perkament. Vandaar ook:

2. *de zaak is bezegeld* = men heeft een afspraak gemaakt, een overeenkomst gesloten en en moet zich daaraan houden. Het zegel was het teken, dat de voorwaarden moesten nagekomen worden. Zo ontstond ook:

3. *'t Is geschied onder het zegel van geheimhouding*, d.i. voorwaarde is, dat de zaak niet ruchtbaar wordt.

zeggen. 1. *Eens gezegd blijft gezegd* = wat ik gezegd heb, zal ik gestand doen.

2. Tussen doen en zeggen,
Lange mijlen leggen,
zie *doen* 8. Bij Gezelle:
Zeggen en doen
Verschilt wel tien roen.
(*Roen* = roeden.)

3. *Van horen zeggen liegt men 't meest* = men moet niet als waarheid vertellen, wat men niet zelf gezien heeft.

Bij Guido Gezelle:
Die vele horen zeggen,
horen vele liegen.

4. Als gij iets zoudt geerne zeggen,
Wilt dan eerst wel overleggen,
Van wie en tegen wie gij spreekt,
Opdat g'u in geen lijden steekt,
Vlaamse rijmspreuk.

5. *Daar gaat veel zeggens in een zak, eer hij vol is* (Vlaams) = men moet niet alles geloven, wat men hoort zeggen.

6. *Zeggen is zeggen, maar doen is een ding* (Fries) = 't komt niet op de woorden, doch op de daden aan. Ook:

6a. *'t Is met zeggen niet te doen.*

zeil. 1. *Met zeil en treil* = met alles wat er bij hoort.

Van de binnenschipperij; de *treil* is het trektouw. 't Schip verkopen met zeil en treil is dus: in zijn geheel, tot het trektouw toe.

2. *Het zeil in top halen* = een grote staat voeren, vaak met de bijgedachte, dat men de tering niet naar de nering zet.

Zoals het ook gevaarlijk is, als een schipper het zeil te hoog ophaalt.

Bij Vader Cats:
Een die sijn zeyl te hooge stelt,
Wert lichtlick van den wint gevelt.

3. *Zij moesten de zeilen strijken* = zij konden het niet winnen; zij moesten voor iemand anders wijken.

In werkelijkheid strijkt de schipper de zeilen bij harde wind. Ook was het wel gebruik, dat men het zeil wat liet zakken bij de begroeting van een voornamer schip.

4. *Alle zeilen bijzetten* = zijn uiterste best doen.

5. *Hij kwam met een nat zeil thuis* = hij was dronken.

Volgens Winschooten maakte men 't zeil nat, omdat het dan meer wind ving en men beter laveren kon. En zo laveert een dronken man ook.

6. *Hij ging er heen met een opgestreken zeil* = met de bedoeling om eens ferm te zeggen, waar 't op stond; ook enkel = hij ging er driftig op los.

Opstrijken = hijsen. In de oude zeeslagen gingen de schepen tegen elkaar in met gehesen zeilen.

Ook: *hij ging er op af met een staand zeil.*

7. *Onder zeil gaan* = in slaap vallen. Ook = weggaan.

Lett. = de zeilen hijsen om te vertrekken.

8. *Een oog in 't zeil houden, zie oog* 4.

9. *Hij ging er met volle zeilen op af* = met alle kracht.

10. *Als 't zeil scheurt, heeft het een gat* (Vlaams), spreuk der zorgelozen, die zich niet bekommeren om bezwaren: *als* dit of dat gebeurt, dan...

zeis. *Hij slaat zijn zeis in een anders koren* = hij neemt wat aan een ander behoort; hij eigent zich de vrucht van andermans arbeid toe.

In letterlijke zin een verbod uit *Deuteronomium* XXIII : 25.

'Wanneer gij zult gaan in uws naasten staande koren, zo zult gij de aren met uw hand afplukken; maar de sikkel zult gij aan uws naasten staande koren niet bewegen.'

zeispreuken. In een groot aantal spreuken laat men door iemand anders *zeggen*, wat men zelf denkt. 't Zijn *andermansspreuken*. In Vlaanderen heten ze *zeispreuken*. Het gezegde wordt aan een bepaald persoon toegeschreven, maar dan komt er nog altijd bij, waarom hij het gezegd heeft of onder welke omstan-

digheden.
Dit is dan de verdediging, die verklaren moet, hoe de oude vrouw, de boer, de dief, de dominee, de meid of de jongen, de begijn of de koster aan hun wijsheid komen. Vandaar de naam *apologische spreekwoorden*; apologie = zelfverdediging.
Deze spreuken dragen steeds een komisch karakter.
Ze heten ook *Wellerismen*, naar Samuel Weller, de knecht van Pickwick, die daar specialiteit in was. Zijn navolger is kapitein Pulver uit Van Lenneps roman Ferdinand Huyck, die dezelfde komische rol vervult.
Over de zeispreuken een studie van F. van Es in de *Oostvlaamse Zanten* 1940, 55. Dr. C. Kruyskamp gaf een verzameling van 671 *Apologische Spreekwoorden* uit in 1947.

De hieronder volgende zijn nog alle gangbaar.
1. *Zo heeft het gezeten, zei 't ouwe wijfje, en toen had zij de pispot gebroken*, gezegde als iets in scherven valt.
2. *Hoe stiller hoe beter, had het oude wijf gezegd, toen ze met haar achterste in de brandnetels viel* = maak maar geen drukte, want dan wordt het nog erger.
3. *Wat ik wil, dat wil ik, zei de boer, en hij braadde boter op de tang*, gezegde om de eigengereidheid van de boer aan te duiden. Schertsend ook:
4. *Elk zijn meug, zei de boer, en hij at vijgen*; zie *boer* 12.
De boer is wel vaker het mikpunt. Zo ook:
4a. *Mijn familie slaapt, zei de boer, en hij keek in 't varkenshok.*
5. *Wind! zei Fokke, en hij blies in 't zeil*, schertsend gezegde als iemand ook zijn best wil doen, wiens hulp evenwel niet van de geringste betekenis is. Zie ook 49.
6. *Dat is één zonder steen, had de pruimedief gezegd, en hij beet in een slak*, schertsend gezegde, als 't eerste begin helemaal niet deugt.
7. *Nu wordt het mij helder, zei Duisterwinkel*, uitdrukking als iemand na een wijdlopende verklaring nog niets van de zaak begrijpt.
8. *Weer een schelling naar de weerlicht! zei de dominee*; *toen viel hem zijn bril van de preekstoel.*
Schertsend gezegde, als er iets breekt.
9. *Raad mij goed, maar raad mij niet af! zei de meid, die graag trouwen wou.*
10. *'t Is nog geen avond, zei de kraaivanger, en hij had er al één.* Zie *avond* 2.
11. *Te veel is te veel, en te min is te min zei de man, de vrouw drie kinderen en 't schaap maar één lam.*
12. *Zuinig, zei besje, lekker is maar een vinger lang.* Zie *lekker*.
13. *Hoe kan ik rijk wezen, zei de boer, ik heb mijn eerste vrouw nog.*
14. *Ik kan dat kittelen aan de hals niet verdragen, zei de dief, toen hij aan de galg moest.*
Van de dief ook:
14a. *Haast je niet, ik moet er ook wezen, zei de rover, en hij werd naar de galg geleid.*
15. *Veel kinderen, veel zegen, zei de koster, en hij stak het doopgeld in de zak.*
Schertsend antwoord op de bewering, dat veel kinderen te hebben een zegen des Heren is.
16. *Een ei is een ei, zei de boer, maar hij greep naar het dikste.*
17. *Alle baat helpt, zei de schipper en hij blies in 't zeil.*
Zie ook *wind* 10.
18. *Dat zal mij niet weer gebeuren, zei de dief, en toen hingen ze hem op*, schertsend gezegde, als iemand betuigt, dat hem dit of dat niet weer overkomen zal. Ook:
19. *Dat overkomt mij niet weer, zei de jongen, dat men mijn moeder begraaft en ik er niet bij ben.*
19a. *Ik wil hoger op, zei de jongen, en hij kwam aan de galg.*
20. *'t Breedste is nog achter, zei de panneschijter, toen was de steel er al.* Een onkies spreekwoord, zegt Van der Hulst, een 'onhoffelijk volkslijfstukje,' maar:
'ik mogt dezelve niet voorbijgaan. Evenwel, trekt de neus over dezelve niet te vies op; onze meerdere beschaving doet dit alles erger schijnen dan het is, men moet zich in eenen anderen tijd verplaatsen en het taaleigen van dien tijd in aanmerking nemen' (1823).
Maar de geest van de tijd is, in dit opzicht althans, in 't geheel niet veranderd. Het spreekwoord wordt nog altijd in vrolijke scherts gebezigd, wanneer het begin er is van een werk, waarvan de

voltooiing al zeer moeilijk of geheel onmogelijk is.
Natuurlijk is 't gezegde ook te vinden bij Anna Folie:
Het beste en het breedste zal noch volgen, zei ons Besje, zij zou een Pan kakken, en de steel quam eerst.
21. *Ik zal je helpen, zei de smid, en hij had ijzer noch kolen* = menigeen biedt zijn diensten aan, terwijl hij niets kan bijbrengen.
22. *Waar volk is, is nering, zei de mosselman, en hij schoof zijn kar in de kerk.*
23. *De mensen mogen mij niet lijden, zei Uilenspiegel, maar ik maak het er ook naar*, zie *Uilenspiegel.*
24. *Dat nooit, zei Van Speyk, dan liever de lucht in!* schertsend gezegde, als men iets volstrekt niet doen wil. Een van de 'gevleugelde woorden,' waarvan het volstrekt onzeker is, of de beroemde personen ze ooit gezegd hebben.
25. *Grillen! zei de snijder, en beet in de tafel*, zie *gril.*
26. *Die zijn vrouw lief heeft, houdt haar voor ogen, zei de schipper, en hij spande haar in de lijn.*
27. *Nu zijn we weer onder eigen volk, zei de boer tot de kinderen, en toen hadden ze de vrouw naar 't kerkhof gebracht.*
Schertsend, als men na bezoek weer onder ons is. Schertsend ook, als men een of ander bezwaar niet telt:
28. *Dat had geen zwarigheid, zei de bakker, en hij had zijn brood te licht.*
En zo ook, als men zegt, dat elk begin moeilijk is:
29. *Alle beginselen zijn zwaar, zei de dief, en hij begon met een aambeeld te stelen.*
30. *De vissen hebben 't schone, zei Buyser, ze drinken als ze willen en ze moeten geen gelag betalen.* (Vlaanderen; *moeten* = behoeven.)
31. *Wat ik aan 't koren verlies, zal ik winnen aan 't spek, zei de boer, en hij liet zijn varkens in de rogge lopen*, gezegde als het over een man gaat, die denkt dat alles vanzelf terechtkomt.
32. *Ik ben van de wijs, zei Lijs, en ze riep krentedingetjes in plaats van oliekoeken.*

60. Veel geschreeuw (z. *nr. 40*)

Zie *ding* 8.
33. *De jeugd wil er uit, zei Besje, en zij reed op een bezemstok*, schertsend gezegde, als een oud mens nog eens weer met de jeugd mee wil doen.
34. *Werken is zalig, zei de begijn, maar zij deed het node.* (Amaat Joos.)
35. *Dat schoot op, zei de meid, toen kreeg ze twee kleintjes* (Fries).
36. *God helpe ons alle dertien, zei de goeie man, toen viel hij met twaalf grauwe potten van de zolder.*
37. *'t Zal mij benieuwen wie mij krijgt, zei de meid*, schertsend antwoord wanneer iemand zegt, dat hem verwonderen zal hoe dit of dat afloopt.

Natuurlijk laat het volk ook vaak de Duivel aan het woord:
38. *Hard tegen hard, zei de Duivel, en hij scheet tegen de donder.* Fries: *hij beet in 't staal.*
39. *Daar kan ik niet mee klaar komen, zei de Duivel, toen moest hij schreien om zijn grootmoeder.*
40. *Veel geschreeuw en weinig wol, zei de Duivel, die een varken schoor. Gezegde*, wanneer iemand veel drukte maakt en toch heel weinig betekent of wanneer een zaak erg tegenvalt.
41. *Soort bij soort, zei de Duivel, en hij deed een advokaat, een mulder, een snijder en een wever in één zak.*
42. *Dat was één, had de Duivel gezegd, en hij pakte een snijder.*
Dit ook in de *Friese Findling*. De kleermaker was wegens het oog van zijn schaar bij het volk vaak mikpunt van spot.
In Friesland ook: *Dat is één, zei de Duivel en hij schopte een deurwaarder in de hel.*
43. *De deugd in 't midden, zei de Duivel, en hij ging tussen twee kapucijnen*; zie *deugd.*
44. *Mooi goed! zei de Duivel, toen bekeek hij zijn jongen* = elk meent zijn uil een valk te zijn (Gron.).

Spottend laat men ook heel wat zeggen door een vreemdeling, die immers niet voor vol werd aangezien. In Groningerland door *Hans Hannekemaaier* en in 't algemeen door een *Velink*, d.i. een Westfaling. Zo:
45. *Waar rook is, is ook vuur, zei de Velink, en hij stak zijn pijp bij een verse paardekeutel aan.*
Zie *rook* 1 en 2 en *Veling.*

Ook dieren komen aan het woord:
46. *De tijden worden aldoor minder, zei de kraai, toen werd de galg afgebroken* = gezegde, als men over slechte tijden praat; elk denkt dan aan zijn eigen belang.
47. *Wat zijn de noten tegenwoordig hard, had de ouwe aap gezegd*, schertsende opmerking, als er iemand zijn broodkorst enz. niet meer kan bijten.
Op dezelfde wijze, over iemand die niet goed meer horen kan:
47a. *'t Is wat, zei Dove Jaap, vroeger kraaiden de hanen en nu gapen ze alleen maar.*
48. *'t Is maar een overgang, zei de vos, toen men hem 't vel over de oren trok* = gezegde, als iemand zich zelf nog troost onder de ernstigste omstandigheden.
49. *Alle baat helpt, zei de mug, en piste in de zee* = schertsend, als iemand met een kleinigheid ook nog wat bijdragen wil.
En dan voegt men er bij:
50. *Alle last licht, zei de schipper, en hij gooide zijn vrouw over boord.*
51. *Elk nen goeden dag, mannen, zei de vos, en hij stak zijn neus in 't kiekenkot* (Vlaams), gezegde als men begrijpt, dat iemand bezig is met schone woorden een ander te bedriegen.
52. *Daar zijn wij, grote vissen, weer, zei de garnaal tegen de schelvis*, zie *vis* 6.
53. *De druiven zijn zuur, zei de vos*; zie *druif.*
54. *Het luwt, zei de vos, en hij kroop achter een bies*, schertsend gezegde = alle baat helpt, al is 't ook nog zo weinig.
55. *'t Is kwaad water, zei de reiger, en hij kon niet zwemmen*, zie *water* 24.

Een groot aantal van deze *sprekwizen*, verzameld door H. G. v. d. Veen, zijn opgenomen in het bekende verzamelwerk van Joh. A. Leopold en L. Leopold, *Van de Schelde tot de Weichsel*, III, 177.
Hier volgen enkele er van, uit het Fries in 't Nederlands overgezet:
56. Het lijden zal weer beginnen, zei Hessel-oom, en hij zou voor de derde keer Mennist worden.
57. Het wordt allemaal minder, zei het

wijfje, en zij kocht sprot voor haringen.
58. Beter wat als niets, zei de man, en hij kocht een paar gescheurde klompen.
59. Wie zwijgt stemt toe, zei de man, en hij verruilde zijn hoed met die van een vogelverschrikker.
60. Daar hoor ik je, zei dove Jaap, en er liep een vlo (luis) over de zolder.
60a. Alle baat helpt, zei de Duivel, en hij smeet een vlo in de hel.
61. Ze maken al wat voor 't geld, zei 't ouwe wijf, en toen zag ze een ezel.
62. Veel hoofden veel zinnen, zei de doodgraver, en hij kruide doodskoppen, en de ene rolde hier en de andere daar.
63. Dat is een ding dat vast zit, zei de vrouw, en zij had haar man bij de neus.
64. Wen je er maar aan, poesje, zei de bakker, en hij veegde met de kat de oven uit.
65. Om maar op te schieten, zei de jongen, ik zal de brij opeten, terwijl Moeder bidt.
66. Ik zal je helpen, zei de smid, en hij had geen ijzer en geen spijkers.
67. Geen zwarigheid, zei de bakker, en hij maakte het brood te licht.
68. Ik hou niet van warme bollen, zei de boer, en hij at voor tien stuiver op.
69. Ik wou maar dat ik thuis was, zei de Veling, en hij zou opgehangen worden.
70. Elk zijn meug, zei de boer, en hij at het eten op van 't kind.
71. Dat gaat vlug naar 't eind, zei 't ouwe wijf, en zij at van een Deventer koek.
72. Dat is een fortuintje, zei Klaas-oom, en zijn vrouw kreeg een tweeling.
73. Zindelijkheid is de hoofdzaak, zei de boer, en hij veegde met de bezem de tafel af.
74. Beroerd uitgevallen, zei de uil, en hij bekeek zijn eigen jongen.
75. Gemak gaat voor de eer, zei de meid, en zij sliep bij de boer; dan had ze een bed minder op te maken.
Ook bij Anna Folie.
76. Een grap is een grap, zei Oege, en hij kittelde zijn vrouw met de hooivork.
77. Dat is een karwei, zei Harm, en hij gaf zijn vrouw een pak slaag.
78. 't Is al naar 't valt, zei de jongen, toen het oude wijf hem vroeg, of hij een pannekoek wou hebben, want zij had een drup aan de neus.
Wordt ook aan Uilenspiegel toegeschreven.
79. 't Is niet ver mis, zei de jongen, en hij smeet naar de hond, maar raakte zijn stiefmoeder.
Ook bij Anna Folie.
80. Best afgelopen, zei schipper Watse, 't schip is verloren, maar het hoosvat is behouden.
Schertsend of ironisch gezegde, als iets geheel mislukt, maar men zich dan toch zelf nog troost met iets van geen waarde.
81. Ik zal maken, dat ik weg kom, zei Jan, en hij hing zich op.
82. Ik zit goed, zei de landheer, en hij zat bij de boerin te vrijen.
83. Orde moet er wezen, zei meester Ulbe, en hij werd naar 't spinhuis gebracht.
84. 't Wordt alle dagen gekker, zei de schurk, en er werd een nieuwe galg opgericht.
85. Al doende leert men, zei de dominee en hij smeet de juffrouw (zijn vrouw) uit het venster van de opkamer, om haar het vliegen te leren.
86. Jullie zullen nog eens van hoogmoed vergaan, zei de pastoor (de dominee), toen Trien met een paar nieuwe klompen in de kerk kwam.
87. 't Is met zeggen niet te doen, zei de man, en hij at twee snees eieren op. (Een snees is 20.)
88. Trouwt niet om 't geld, kindertjes, maar laat het er ook niet om overgaan, zei Grootje.
89. Dat is lekker, zei dominee Bekker, en hij stak een klontje in zijn mond, gezegde als men aan de theetafel wat lekkers krijgt.
90. Daar heb ik verstand van, zei dominee Herfst, en hij viel op de rug in de goot.

Vele van deze spreuken komen ook voor in het handschrift van Scheltema. Andere daaruit zijn vermeld door Hepkema; b.v.:
91. Advokaten en prokureurs dat is een noodzakelijk kwaad, zei Redle Robijns.
Over de pleitbezorgers gangbaar in 't hele land:
91a. We zullen ze best krijgen, zei de advokaat en hij dacht aan de guldens.
92. Als de Duivel aan de ketting zal, dan moet mijn vrouw eerst in de kist, zei Okke.
93. Als hij nergens goed voor is, maak er dan een dominee of een bakker van, zei Siemen Sacharias.

94. Vrouw te wezen, dat gaat, zei Anneke, maar weduwe te blijven, dat is mij te machtig.
95. Hoor, zei de schildwacht, daar komt de vijand aan, en toen kwam er een koe door de sloot.

Zeispreuken ook bij Waling Dijkstra:
96. Als ik een man was, zei Berber, wat zou ik dan zuipen, toen dronk ze een roemer vol anijs op.
97. Dat overkomt mij niet weer, zei de dief, en hij zou worden opgehangen.
98. Dat is een ding dat vast zit, zei de meid, en toen had ze de knecht bij de neus.
99. Ik vind mijn bed wel, zei Gosse Pimpeler, en hij kroop in 't varkenshok.
100. Ik zie op geen honderd gulden, zei de man, en hij keek in 't lege geldlaatje, woordspeling.
101. Eerst het nodigste, zei de man, en hij gaf zijn jongen een pak slaag.
102. Een arm wijf kan je evenveel plagen als een rijke vrouw, zei de boer, en daarom nam hij er een, die geld had.
103. 't Loopt spoedig af, zei 't oude wijfje, en ze at van een Deventer koek.
104. 't Is vandaag warm, zei de heks, en toen zou ze verbrand worden.
105. Daar geen krijg is, is geen eer, zei de koster, en hij sloeg de beelden met de zakdoek om de neus.
106. Mannen, broeders! zei Paulus, en 't waren allemaal ouwe wijven.
107. Zindelijkheid is de hoofdzaak, zei de boer, en hij veegde de tafel schoon met de bezem.
108. Het zekere voor het onzekere, zei de man, en hij bond een dode hond de bek dicht.
109. Nou komt er wat, zei de man, en hij smeet zijn vrouw de trap af.
110. Mijn oog is mijn liniaal, zei de baas, en 't scheelde maar zeven voet.
Verder in Friesland nog alle dagen in gebruik:
110a. Ik wil maar geen nieuwe almanak zei 't oude wijfje, die van mij kan nog wel een jaar mee.
110b. Ik wil mijn eigen man wezen, zei de jongen, en hij trouwde.
110c. Vaart mijn man voor schipper, zei Akke, dan vaar ik voor stuurman.
110d. Dat hebben we weer gehad, zei de vrouw, en zij had haar man naar 't kerkhof gebracht. (Tj. R. W. de Haan in Nieuw-Friesland, 1949.)

Een groot aantal zeispreuken zijn te vinden in de *Lyste* van Anna Folie. Veel daarvan zijn allesbehalve netjes. Van de overige volgen hier enkele proeven:
111. Dat's arbeid, zei Bakertje Butters en zij schilde en peuzelde een zout scholletje.
112. 't Is er niet dieper, zei de Loots, en hij peilde de Vleis-Kuip.
113. 't Is koeltjes op zee, zei de Snyer, en hij voer over de Rotte.
114. Dat is vergeten, zei Captein Schrijver, en hij voer zonder boter in zee.
115. Ik wou dat ik het zag, zei de Blinde, dat mijn kinderen vochten.
116. 't Geschiedt uit enkele liefde, zei de boer, en hij zoende zijn kalf voor 't gat.
117. 't Zijn al geen dokters, die rode mutsen dragen, zei den Boer, en hij zag een Kuiper staan.
118. 't Is te laat, zei den Exter, en hij had den Bout in 't gat.
119. Dat leit, zei Jaap, en hij bruide zijn wyf van de trappen.
120. Alles is mogelijk, zei Maarten, maar het wil geen Geld regenen.
121. Daar heb je 't al, zei Besje, en zij spoog het Hart uit haar lijf.
122. Men kan alle dagen geen hondsvot wezen, zei gierige Gerrit, en hij gooide een duit te grabbelen.
123. Dat mag ik lijen, zei de Meid, dat je mijn zoent daar ik bij ben.
124. Geef wat tyd, zey Vader van Vleuten, want al te haastig is quaat.
125. Ik ga maar eens om de hoogte te peylen, ik kom zo weer af, zei Pier de Potter, en hij ging naar de Galg.
126. Ho! ho! dat gebruts moet af wezen, zei schele Jaap, en zijn Buurman zoende zijn Wyf.
127. Hij vlucht niet die wykt, zei den Boer, en hy smeerde zyn schoenen met Hazevet.
128. Wie kan alle ding onthouwen, zei de Boerin, zy gong uit Melken, en zy had haar Emmers vergeten.
129. Elk wat wils, zei Besje, en zy ging zittende sterven.
130. 'k Versta je wuiven wel, je zult van de nacht niet thuis komen, zei de Vrouw, en ze zag haar Man aan de galg hangen.
131. Het zal mettertijd wel gaan, zei Jan,

en hy had een kleyn kind aan de leyband.
132. Het overleggen is 't al, zei het Wyf, en ze braadde het spek in de Boter.

Verschillende van de spreuken, die bij Anna Folie voorkomen, zijn blijkbaar zelf gemaakt. Zo leest men er:
133. Ik plag mijn glaasje voor desen wel uyt te drinken, sey Jan Droogkeel, maar nu laat ik er niet met al in.
134. Tot weerziens, zei de blindeman.
135. Dat smaakt, zey den Boer, en hy at het pap van syn kind op.
136. Nu sal er een Kunststukje komen, zey Krispyn, en hy maakte een paar schoenen sonder soolen.
137. Wel te drommel, sey Besje, sy soenen mijn dochter en laten mijn leggen.
138. Die winnen wil, die moet wagen, sey Koen, en hij vocht met Saartje om een soen.
139. Dat zal mijn gemakkelijk vallen, sey Koen Eenoog, als ik sterf heb ik er maar een te sluyten.
140. Ey kijk! die springt sonder Pols, sey Saartje de Breyster, en sy sag een Vloo in haar Hemd een kapriool maken.
141. Geen grooter vreugde op aard,
sey Jantje van der Buys,
Als 's middags lekkere kost,
En 's avonds dronken thuys.
142. Ik ga eens zien of mijn familie slaapt, sey Jorden den Boer, en hy keek in 't Varkenskot.
143. Ik heb geen smaak in die Wyn, sey Flip, en de fles was leeg.
144. Als het zoo wesen moet, patientie! sey de Quaker, en hij kreeg tijding dat hij 1000 guldens uyt de Lotery getrokken had.
145. Wie biet er geld voor? sey Goossen, en hy bracht sijn Wijf op 't Erfhuys.
156. Ik houw van die inhalige Menschen niet, zei Jochem en hij wouw vijfvierendeel voor een el hebben.
147. Ik wouw dat ik een harddraver was, sey Knelis, en sijn beenen waren afgeset.
148. Ik houw van geen ydelheid, zei Tryn, en zy voelde een lege Beurs.
149. Wat nieuws moet er wezen, zeiden de Dieven, en zy hongen de Beul aan de Galg.
150. Doet myn dat eens na, zei Gerrit, en hy brak bei zyn benen.
En zo voort, tot het allerlaatste toe:
151. Dat s'*Uyt*, zei koddige Jan,
en hy was het schryven moe,
Hebt gy een eerste deel,
zo koopt dit tweede toe.
Algemeen:
152. Ik wil vree houden met iedereen, zei de man, maar ze moeten doen wat ik zeg.
153. Vroeger kraaiden de hanen, zei de dove, nu doen ze alleen de bek maar open.
154. Nu gaat het niet verder, zei de voerman, toen zat hij met de wagen in de sloot.

zelf. 1. *Waar je zelf niet komt, daar wordt je 't hoofd niet gewassen* = men moet zijn zaken zelf behartigen. Ook:
2. *De beste bode is de man zelf.*
En reeds in het Geuzenlied:
3. Help u zelf,
Zo helpt u God.
Dat opkomen voor zich zelf kan ook te ver gaan. Wie zich om een ander niet bekommert, zegt:
4. *Elk voor zich zelf en God voor ons allen.*
5. Woordspeling met zelf = *salie*, waar de saliemelk mee bereid wordt:
Zelf is een edel kruid, ook: *zelf is het beste kruid* = men moet zijn zaken zelf nakomen. Met de toevoeging:
Maar 't wast niet in alle hoven.
6. *Die voor zijn zelven zorgt, zorgt voor 'nen goeden vriend* (Vlaams), spreuk van de baatzuchtigen, om zich te verschonen, als zij een ander niet helpen.
7. *Zelf is 't manneken* (Vlaams), zie 1.
8. *Wat men zelf doet, is bedankt en betaald* (Fries), daarvoor behoeft men niemand te bedanken of te betalen.

zelfkant. 1. *Hij behoort tot de zelfkant van de maatschappij* = hij is van lage komaf en hij is ook nooit verder gekomen.
De zelfkant is een rand van minderwaardige stof om laken of flanel; de eg of egge.
2. *Hij woont aan de zelfkant van 't land* = in een achterhoek van de grens.
3. *'t Is familie van de zelfkant* = 't is heel ver in de familie; ook: 't is familie door aanhuwelijking.

zemelknoper. *'t Is een ouwe zemelknoper* = een die altijd zanikt; een ouwe zeur. Schertsend woord: net of iemand zemels aaneenknopen kan.

zepen. *Goed gezeept is half geschoren* (Vlaams) = een goed begin is een daalder waard.

zes. 1. *Hij is van zessen klaar* = hij is handig en bekwaam; hij is zeer flink. Gezegd van een paard, dat aan alle eisen voldoet; letterlijk met vier poten en twee ogen, waar niets aan scheelt.

2. *Hij heeft al te veel vijven en zessen*, zie *vijf*.

zestig. *Ben je zestig?* = ben je niet wijs? hoe kom je erbij?

Vroeger kende ieder de alom verspreide prent van de Trap des Levens. Op tien trappen stond het menselijk leven afgebeeld; op de hoogste stond de man van vijftig jaar. En dan ging 't weer naar beneden; de man van zestig stond een trap lager. Er was een rijmpje bij:

Tien jaar een kind,
Twintig een jongeling,
Dertig jaar een man,
Met veertig komt de ouderdom an;
Vijftig jaar, stil staan,
Zestig in 't afgaan;
Zeventig jaar, grijs,
Tachtig, niet wijs,
Negentig jaar kinderspot,
Honderd, genade bij God.

Dit reeds in de Kamper verzameling (38).

zetrecht, d.i. volgens vaste gewoonte b.v. *hij komt hier zetrecht om acht uur*. Lett. naar het gezette, d.i. naar 't ingestelde recht.

zetten. *Ik kan hem niet zetten* = ik hou niet van hem.

Lett. = ik kan hem geen stoel aanbieden; ik kan hem niet te gast hebben.

zeug. *Wat de zeug doet, moeten de biggen ontgelden.* (Cats).

zeven. 1. *Zeven is een galgvol*, schertsend gezegde, als men met zijn zevenen is.

Vroeger waren er inderdaad galgen, waaraan men zeven man tegelijk kon hangen. Dus lett. = er zijn er zeven, maar ze deugen geen van allen.

Misschien is de uitdrukking van bijbelse oorsprong. Immers leest men in II *Sam.* XXI, dat David zeven nakomelingen van Saul liet ophangen te Gibea, omdat daardoor de Gibeonieten weer verzoend werden, die door Saul waren vervolgd.

61. Wat de zeug doet (z. *zeug*)

'En hij gaf hen in de hand der Gibeonieten, die ze ophingen op de berg voor het aangezicht des Heren; en die zeven vielen tegelijk.' (II Sam. XXI : 9.)
In de Gevangenpoort te 's-Gravenhage is een galg bewaard, waaraan zeven tegelijk konden hangen.
2. *Ze werkten op hun zeven gemakken* = zij namen het wel heel makkelijk op; ze werkten heel bedaard.
3. *Hij kijkt, of hij zeven op heeft en de achtste er aan zal* = hij ziet er nors en boos uit.
Misschien naar Pharao's droom van de zeven magere koeien, die de zeven vette verslonden. *Genesis* XLI : 17—22. Mogelijk ook bij vergelijking met de reus, die Klein Duimpje en zijn broers wilde verorberen.
4. *Zeven wijven vechten om één mansbroek*, gezegde wanneer een aantal meisjes haar best doen, om dezelfde jonge man machtig te worden.
De uitdrukking is naar *Jesaja* IV : 1. In de voorafgaande hoofdstukken somt de profeet de ellenden op, die de Joden zullen overkomen, inzonderheid, dat er weinig mannen zullen overblijven. En dan vervolgt hij: 'En te dien dage zullen zeven vrouwen een man aangrijpen, zeggende: Ons brood zullen wij eten, en met onze klederen zullen wij bekleed zijn, laat ons alleenlijk naar uw naam genoemd worden; neem onze smaadheid weg.'
5. *Als hij zeven voet onder de grond lag, dan was hij niet ver uit de weg* (Fries), gezegde, wanneer het een man betreft, die door ieder gehaat of veracht wordt. Al stopt men hem dubbel diep onder de aarde, dan is hij nog niet ver genoeg weg.
ziekte. 1. *Ziekte komt te paard en gaat te voet weg*, zie *paard* 21. In Vlaanderen:
2. *De ziekten komen te paard gereden*
En vertrekken met manke schreden.
ziel. 1. *Hoe meer zielen, hoe meer vreugd!* Gezegde, als er veel mensen bij elkaar in gezelschap zijn.
Ziel, in dit geval = *mens.*
2. *Iemand wat op zijn ziel geven* = hem een pak slaag of een berisping geven.
Ziel, schertsend gebruikt voor het lichaam.
3. *Met zijn ziel onder de arm lopen* = rondlopen zonder dat men werk of afleiding heeft.
4. *Bezit je ziel in lijdzaamheid!* = laat het maar gaan, erger je niet.
Bijbels gezegde: Bezit uw zielen in uw lijdzaamheid (Lukas XXI : 19).
5. *Hij is ter ziele* = hij is dood.
6. *Zij hadden elkander zielslief* = zo innig, als het maar zijn kan. Lett. = zo lief, als men zijn eigen ziel liefheeft.
Maar 't kan ook een bijbelse uitdrukking zijn. In I Samuel XVIII : 3 lezen wij: 'Jonathan nu en David maakten een verbond, dewijl hij hem liefhad als zijn ziel.'
7. *Hij is zo begerig als de Duivel op een ziel*, zie *Duivel* 28.
8. *Geen levende ziel ontkwam* = niemand. Het woord is bijbels; het komt al voor in Genesis I : 20. 'God zeide, dat de wateren overvloediglijk voortbrengen een gewemel van levende zielen.'
9. *Een zielverkoper* = iemand, die matrozen leverde voor de vaart en vooral iemand, die de plaatsvervangers overhaalde om de militaire dienst voor geld voor een ander te vervullen.
De ziel dus genomen voor de persoon. 't Woord had een onaangename klank; het volk was altijd zeer gestemd tegen deze ronselaars.
zien. 1. *Hij is ziende blind* = het is duidelijk genoeg en toch ziet hij het niet, vooral ook omdat hij het niet zien wil.
Nog sterker:
2. *Hij is ziende blind en horende doof.*
En berijmd:
3. Wat baat kaars of bril,
Als de uil niet zien en wil.
Zo o.a. bij Vader Cats.
Ziende blind en horende doof zijn bijbelse woorden. Jezus sprak tot de scharen in gelijkenissen, 'omdat zij ziende niet zien, en horende niet horen, noch ook verstaan.' (*Matth.* XIII : 13.)
4. *Al ziet men de lui, men kent ze niet* = menigeen is in werkelijkheid heel anders en niet veel beter dan hij zich voordoet.
5. *Zien gaat voor zeggen* = wat men zelf gezien heeft, dat is zekerder dan wanneer men 't maar heeft horen zeggen.
In de *Proverbia Communia* 793:
Zien gaat voer horen segghen.
zier. *Geen zier* = letterlijk niets.
Zier is een oud woord voor een wormpje. Vandaar = 't allergeringste.
zin. 1. *'s Mensen zin is 's mensen leven,*

zie *mens* 2. Bij Guido Gezelle:
1a. *Zin is zin en goeste is koop* = waar men zin in heeft, dat doet men; waar men smaak (behagen) in vindt, dat ziet men te krijgen.
2. *Als kinderen hun zin krijgen, schreien ze niet*, schertsend: geef maar toe, dan is hij weer tevree.
3. *Zoveel hoofden, zoveel zinnen*, zie *hoofd* 13.
In *Rapiarys*:
Also menich man ende menich hovet
Also menich sin, mi des ghèlovet.
4. Bij eigen zin
Is geen gewin,
spreuk in 't Schultehuis te Diever; men moet niet altijd koppig zijn eigen zin doordrijven.
5. *De een heeft zin aan de moeder en de ander aan de dochter*, zie *moeder* 11.
6. Gaat er iets niet naar uw zin,
Laat uw zin er dan naar gaan.
Wie dat kunstje leert verstaan,
Maakt van elk verlies gewin.
zingen. 1. *Men kan wel tegelijk zingen, doch niet tegelijk praten*, vermaning, als er twee of meer tegelijk aan 't woord zijn.
2. *Ik zing geen twee deuntjes voor één cent* = ik heb geen zin, hetzelfde nog eens te zeggen.
3. *Hij zal nu wel een toontje lager zingen* = hij zal zo'n groot woord niet meer voeren.
4. *Vóór het zingen de kerk uit gaan*, zie *kerk* 2.
5. *Hij kan alle stukjes zingen en naar alle fluiten dansen* (Fries) = hij kan zich naar iedereen schikken; hij weet met iedereen om te gaan; hij hangt de huik naar de wind.
zitten. *Die goed zit, schikt niet op* (Fries) = waar men 't goed heeft daar blijft men.
zode. 1. *Dat zet geen zoden aan de dijk*, zie *dijk*.
2. *Hij ligt onder de groene zoden* = hij is dood en begraven.
zoeken. 1. *Hij zoekt naar 't paard en zit er op* = hij zoekt naar iets, dat hij zelf bij de hand heeft. Ook:
2. *Hij zoekt naar zijn bril en hij heeft hem op de neus.*
3. *Soort zoekt soort*, zie *soort*.
4. *Geld zoekt geld*, zie *Duivel* 9.
5. *Liefde zoekt list*, zie *zakvol*.
6. *Die zoekt, die vindt, en die klopt die zal open gedaan worden* = die (God) om hulp vraagt, die zal verhoord worden. Woorden uit *Matth.* VII : 8.
zoen. 1. *Een zoen is maar stof*, zie *kus* 3.
2. Indien gij gooit met bloem of groen,
Dat is het voorspel van een zoen,
zoet. 1. *Het was daar de zoete inval* = a. 't was er een huisje van hou-aan, ieder was er welkom; b. een uitstekende herberg; c. een koekebakkerij. Op 't uithangbord zag men wel een man, die voorover valt in een honigkorf of een stroopvat; zo werd de *inval* zinnebeeldig voorgesteld.
2. *Iets voor zoete koek opeten* = verwijten aanvaarden en doen, alsof men 't nog goedvindt ook, omdat men geen kans heeft, zich te weer te stellen.
3. *Het zoet en zuur des levens* = het geluk en het verdriet. Zo in het *Wilhelmus*:
Nae tsuer sal ick ontfanghen
Van Godt, mijn Heer, dat soet,
Daerna soo doet verlanghen
Mijn Vorstelijck ghemoet.
zog. 1. *In iemands zog varen* = hem nadoen; hem volgen; voordeel trekken van een voorganger.
Het *zog* is het *kielzog*, het spoor dat een schip in 't water achterlaat. Daarin te varen is gemakkelijk: het voorgaande schip oefent een zuigende werking uit. Zo vliegen ook de ganzen in elkanders zog; de voorste breekt de wind.
2. *Het gaat alweer in 't ouwe zog* = 't gaat weer net zo als vroeger.
zolder. *Hoe hoger zolder, hoe leger vloer* (Vlaams) = wie 't hoogste woord voert, betekent vaak het minst.
Leeg = laag.
zomer. 1. *'t Is niet overal zomer, waar de zonne schijnt* (Vlaams) = schijn bedriegt.
2. *'t Is altijd geen zomer en zondag* = 't loopt een mens niet altijd mee.
zon. 1. *De opgaande zon aanbidden* = iemand die aan de macht komt vereren om eigen voordeel.
2. *Hij kan niet zien, dat de zon in 't water schijnt* = hij kan niet verdragen, dat een ander gelukkiger is dan hijzelf, of zelfs: het is hem al te veel, dat een ander ook geniet. De zon, die in 't water schijnt, zodat het doorzichtig is en helder lijkt, is het bewijs van mooi weer.
3. *Het land van de Rijzende Zon* = Japan. Naar het landswapen.

4. Een kring om de zon
Brengt water in de ton,
zie *maan* 3.
5. *Iemand in de zon zetten* = hem voor de gek houden tot spot van anderen, hem belachelijk maken.
Lett. = hem in 't volle licht zetten, zodat elk hem zien kan. Stoett denkt, dat de eerste betekenis geweest is: het iem. aangenaam maken, de tweede: hem vleien, en de derde: hem beetnemen. Hij beroept zich daarbij op Harrebomée.
Ook: *iemand in het zonnetje zetten.*
6. Schijnt de zon in 't Westen,
Dan zijn de luien de besten,
zie *Westen* 2.
7. *Laat de zon niet ondergaan over uw toorn* = wie twist gehad heeft, moet zich verzoenen vóór de avond.
Naar *Efezen* IV : 26. 'Wordt toornig en zondigt niet; de zon ga niet onder over uw toornigheid.'
8. Bleke zonnen en lachende vrouwen
Zijn niet te vertrouwen,
Vlaamse rijmspreuk.
In Zuid-Holland:
Blinkende zonne en uitgaande vrouwen
Zijn niet te vertrouwen.
zondaar. *Hij zit op 't zondaarsbankje* = hij wordt gedwongen tot de bekentenis van zijn verkeerd gedrag.
Misschien nu van 't Leger des Heils, waar bekeerde zondaren in 't openbaar belijdenis doen van hun zonden. Doch in de oudste Christenkerken had men ook een bank voor de boetelingen, die van de nachtmaalstafel werden geweerd.
Zondag. 1. *Een Zondagskind* = een gelukskind.
Naar 't volksgeloof zijn kinderen, op Zondag geboren, fortuinlijk in hun leven. Oudtijds geloofde men, dat een Zondagskind het tweede gezicht had, d.i. dat hij geesten kon zien en dat hij toekomstige gebeurtenissen vooruit zag. Maar die opvatting is geheel verdwenen.
2. Zondagsteek
Houdt geen week,
wat men op Zondag naait, rafelt weer los. In 't algemeen: men moet geen werk op Zondag doen. In Vlaanderen:
3. *Zondagwerk duurt maar één dag.*
zonde. 1. *Dat is een zonde tegen de Heilige Geest* = een zonde die zo erg is, dat men vergeving onmogelijk acht.
Naar Markus III : 28, 29. 'Voorwaar, Ik zeg u, dat al de zonden de kinderen der mensen zullen vergeven worden, en allerlei lasteringen, waarmede zij zullen gelasterd hebben; maar zo wie gelasterd zal hebben tegen de Heilige Geest, die heeft geen vergeving in der eeuwigheid.'
2. *Zonde is 't, zelf droog brood eten en een andermans gat met boter smeren* = men moet niets geven aan een, die zelf al meer dan genoeg heeft.
Dit spreukje wordt vaak schertsend gebruikt als antwoord, wanneer iemand beweert, dat dit of dat zonde is.
zondebok. *Hij is de zondebok* = hij krijgt de schuld, al het verkeerde wordt op zijn rekening gezet.
Volgens *Leviticus* XVI deed de hogepriester belijdenis van de zonden des volks op de Grote Verzoendag. Dan legde hij de handen op de kop van een bok en legde daarmee zinnebeeldig alle zonde op het dier, dat dan naar de woestijn werd gejaagd, naar 't gebied van de boze geest Azazel.
zondvloed. *Na ons de zondvloed!* = als de grote ramp komt, dan zijn wij er toch niet meer.
Woorden gesproken door de Markiezin de Pompadour, minnares van koning Lodewijk XV van Frankrijk, toen men haar opmerkzaam maakte op de stijgende ontevredenheid van het volk. Doch deze uitlating is pas opgetekend in 1824 in de *Mémoires* van Madame du Hausset.
Het is een bijbels gezegde, immers uit de mond van Jezus zelf. (*Matth.* XXIV : 38, 39).
'Want gelijk zij waren in de dagen voor de zondvloed, etende en drinkende, trouwende en ten huwelijk uitgevende, tot de dag toe, in welke Noach in de ark ging, en bekenden het niet, totdat de zondvloed kwam, en hen allen wegnam; alzo zal ook zijn de toekomst van de Zoon des mensen.'
zool. 1. *Schrijf dat maar op je schoenzolen* = daar komt niets van; dat geld krijg je niet.
Wat onder op de zolen van de schoenen staat, is al heel spoedig uitgewist.
2. *Voor iemand de zolen uit zijn schoenen lopen* = zich de uiterste moeite voor hem geven.
3. *Bij mijn zolen!* oude sterke bevesti-

ging; zo waar als ik hier voor je sta.
De Cock acht het mogelijk, dat dit een bijbelse uitdrukking is. Hij verwijst naar *Ruth* IV : 7. 'Nu was dit van ouds een gewoonheid in Israël... Om de ganse zaak te bevestigen, zo trok de man zijn schoen uit en gaf die aan zijn naaste; en dit was tot een getuigenis in Israël.'
Maar hij acht het ook mogelijk, dat de Engelse hulptroepen in de strijd tegen Spanje het woord hier gebracht hebben. Die toch zeggen: *by my soul* (spreek uit: *sool*) = bij mijn ziel. Zo ook bij Harrebomée II, 508.
4. *Iemand voor 't zooltje houden*, (Gron.) = hem voor 't lapje houden.
Als *zooltje* hier zo veel betekent als een oude, waardeloze lap leer, dan zou men ook bij 't Hollandse woord *lapje* wel moeten denken aan een oude, versleten lap stof. Zie *lap* 11.
zoon, zie *verloren* 1.
zorgen.
1. Laat ze zorgen
Die ons borgen,
spreuk van de zorgelozen, die geld geleend hebben en die 't niet schelen kan, al geven ze geen cent weerom. Niet zij zitten in de zorg, maar degenen die hun 't geld geleend hebben.
2. *Laat violen zorgen*, zie *fiolen*.
3. *Men moet niet zorgen voor de dag van morgen*, zie *dag* 10a en *morgen* II, 4.
4. *Men moet ook zorgen voor de dag, die men niet beleeft*, zie *dag* 10b.
5. *Geen zorgen vóór de tijd!* d.i. maak je niet bezorgd voor wat misschien nog eens komt en misschien helemaal niet komt. En komen de zwarigheden al, dan is het nog tijd om te handelen.
6. Wilt ge zorg,
Stel u borg,
zie *borg* 1.
7. Zorgen en waken
Zijn ouders zaken.
(Gezelle.)
zot. 1. *Elke zot heeft zijn marot* = ieder berijdt zijn eigen stokpaardje.
De zot is hier de hofnar, die er een marot of zotskolf op na hield; een stokje met een figuur er op, dat hij hanteerde bij zijn geestigheden.
2. Die een zot
Trouwt om zijn kot,
Verliest het kot,
Maar houdt de zot.
Het is verkeerd, een dwaze man te trouwen om zijn rijkdom. De spreuk is een van de *Rijmspreuken* van de dichter Adriaan Poirters. Maar komt ook reeds voor bij Cats. Vergelijk *wijf* 4 en *goedje*.
3. *Als een zot zwijgen kon, zou men hem voor wijs houden*, d.i. een zot verraadt zich zelf door zijn dwaze praat en die dwaze praat kan hij niet voor zich houden. Naar Spreuken XVII : 28: 'Wie wetenschap weet, houdt zijn woorden in... Een dwaas zelfs, die zwijgt, zal wijs geacht worden, en die zijn lippen toesluit, verstandig.'
4. *Als de zotten ter markt komen, dan beuren de kremers geld*, zie *gek* 14.
5. *Zotten en kinderen zeggen de waarheid*, zie *kind* 7.
6. *Zo de zotten geen brood aten, zou het koren goedkoop zijn* (Vlaams) = het is niet te zeggen, hoeveel zotten er op de wereld zijn.
7. *Een zot en zijn geld zijn haast gescheiden* (Vlaams) = een dwaas geeft al te onverstandig zijn geld uit.
8. *Een zot kan meer vragen dan tien wijzen beantwoorden kunnen*, zie *gek* 1.
9. *Alle zotten dragen geen zotskap* (Vlaams) = schijn bedriegt.
10. *Een zot heeft geen bellen vandoen* (Vlaams); *hij laat zijn zelven genoeg horen*, voegt men er bij.
11. *Gelukkige zotten hebben geen wijsheid van doen* (Vlaams) = als 't meeloopt dan komen ook de dwazen ver in de wereld, vaak heel wat verder dan een verstandig man.
11. Om zot te zijn met fatsoen,
Is er wijsheid van doen,
Vlaamse rijmspreuk: een verstandig man moet wel eens met de dwazen meedoen.
12. *Een zot zegt wel een wijs woord* = er is geen mens, of hij doet nog wel wat goeds.
13. Ieder zot
Prijst zijn eigen kot,
Vlaams rijmpje = ieder is met het zijne ingenomen, ook al is 't niet mooi of niet veel waard.
14. Van een zot verweten
Is gauw vergeten,
Vlaamse spreuk: men moet zich niet aantrekken wat een dwaas je verwijt.
15. *Hebben de zotten geld, de kramers hebben neringe* (Gezelle); zie *gek* 14 en *zot* 4.

zout. 1. *Hij komt met het zout, als het ei op is*; zie *ei* 15.
2. *Heb je 't ooit zo zout gegeten?* = heb je ooit zo iets beleefd? 't Is zo gek, als je 't nooit gehoord hebt.
3. *Hij staat daar als een zoutpilaar* = hij staat stokstijf; hij verroert zich niet.
Naar 't verhaal in Genesis XIX. De vrouw van Lot kon niet nalaten om te zien, toen Sodom en Gomorra door vuur en zwavel verwoest werden. Lot en de zijnen mochten er niet naar kijken. Tot haar straf werd Lots vrouw in een zoutpilaar veranderd.
4. *Een zak zout met iemand eten*, zie *zak* 4.
5. Zout en brood
Maakt de wangen rood,
Vlaamse gezondheidsregel: eenvoudig leven is gezond. Een ander gezegde:
5a. Zout en zuur
Krenkt de natuur.
6. *Een korreltje zout*, zie *korreltje*.
7. *Attisch zout*, zie *Attisch*.
8. *Hij zit daar als een zoutzak* = loom en log; zonder fut.
Lett. = in elkaar gezakt net als een zak zout.
9. *Hij verdient het zout in de pap niet* = 't is niet de moeite waard, wat hij verdient. In Groningen nog erger: *hij verdient het zout in de zoepenbrij* niet. De *zoepenbrij* is de karnemelkse pap, en daar komt geen zout in.
zucht.
Een zucht geeft lucht
Aan een hart vol smart,
schertsend gezegde, als iemand een diepe zucht loost.
zuidwest.
Zuidwest,
Regennest.
zuinig. 1. *Zuinig, zei Besje, lekker is maar een vinger lang*, zie *lekker*.
2. *Hij kijkt zo zuinig* = hij is teleurgesteld en ziet er dus niet opgewekt uit.
Zuinig, het tegengestelde van royaal, vrolijk.
3. Zuinigheid, met vlijt gepaard,
Bouwt huizen als kastelen,
een aansporing, om zuinig te leven, met de spottende toevoeging:
En ieder die zijn haar niet kamt,
Krijgt luizen als kamelen.
4. *Zuinigheid bedriegt de wijsheid* = als men al te zuinig is, moet men later wel vaak grote uitgaven doen, die men had kunnen voorkomen. Of men krijgt niet de inkomsten, die bij goed beleid mogelijk waren, b.v. als een boer uit zuinigheid geen geld uitgeeft voor mest.
zuivel.
Zuivel op zuivel,
Dan haalt je de Duivel,
herinnering aan de tijd, dat men geen boter en kaas tegelijk op zijn brood mocht nemen. Zo was het nog volgens overlevering in Prins Maurits' dagen. Deze strekte eens zijn morgenwandeling zo ver uit, dat hij honger kreeg. Hij vroeg een schipper om brood. Maar hij moest om aan de boterham te komen, vooraf mee het schip trekken. Toen het tijd van 't ontbijt was, legde de prins kaas op zijn gesmeerde broodje. Maar de schipper zei:
'Zo is het land niet rijk geworden!'
Harrebomée vermeldt:
Twee zuivels op één brood
Geeft hongersnood.
zuster. *Zuster Anna, zie je nog niets komen?* schertsende vraag, als men lang op iets moet wachten.
Ontleend aan 't sprookje van Blauwbaard. Blauwbaards vrouw, in angst voor de terugkeer van haar man, ziet met haar zuster uit, of haar broers nog niet verschijnen, om haar van de dood te redden.
zuur. 1. *Hij is zuur* = hij is gesnapt, hij is er bij; hij krijgt straf.
Kazernetaal. *Zuur* drukt uit, dat het er belabberd uitziet.
2. *Hij heeft het zuur* = hij is slecht gemutst, hij heeft het land.
Het zuur = het maagzuur, dat naar boven komt. Vandaar ook:
3. *Dat zal je zuur opbreken*; zie *opbreken*. En geheel anders dan:
4. *Hij heeft het zuur* = hij heeft het moeilijk. Daar is *zuur* het bvn. met de betekenis van hard, onaangenaam.
zuurdesem. *Dat is de oude zuurdesem* = de vorige zonde, het kwaad van vroeger.
Bijbelse uitdrukking. Paulus schrijft:
'Weet gij niet, dat een weinig zuurdesem het gehele deeg zuur maakt?
Zuivert dan de oude zuurdesem uit, opdat gij een nieuw deeg zijn moogt, gelijk gij ongezuurd zijt...
Zo dan laat ons feest houden, niet in de oude zuurdesem, noch in de zuurdesem

der kwaadheid en der boosheid, maar in de ongezuurde broden der oprechtheid en der waarheid.' (I Korinthe V : 6—8.)
Vroeger had men geen gist, om het brood te doen rijzen. Men gebruikte gezuurd deeg (zuurdesem) van een vorig baksel en mengde dit door het nieuwe deeg, dat dan begon te gisten.
Paulus vergelijkt de zonde met dit zuurdeeg en hij wil daarom de oude zuurdesem uitzuiveren, d.i. wegdoen, opdat het nieuwe deeg niet besmet worde.
zwaan. 1. *Een zwaan heeft zijn veren evengoed nodig als een mus* = wie een grote staat voert heeft ook zijn gehele inkomen nodig. Zoals het Gron. spreekwoord zegt:
groot is 't hof,
maar veel gaat er of.
2. *Dat was zijn zwanezang* = zijn laatste gedicht.
Volgens overlevering zingt een zwaan, wanneer hij gaat sterven. Dit volksgeloof heeft betrekking op de wilde zwaan, de huilzwaan, die in de winter uit het Noorden komt en die inderdaad welluidend 'zingt,' al is het dan ook niet alleen vlak voor zijn dood. Zijn geleerde Latijnse naam is dan ook *cygnus musicus* = de muzikale zwaan, reeds bij de Grieken 'beroemd door zijn zang, als hij sterven gaat.' (Kan en Schröder, *Latijns woordenboek*.)
zwaar. 1. *Hij is zwaar op de hand* = hij is zeer vermoeiend in zijn redenering; hij is een erg vervelende prater. Ook: hij ziet overal nog weer bezwaren.
Uit de rijschool. Een paard is zwaar op de hand van de ruiter, als het de kop laat hangen en in 't algemeen als het moeilijk te besturen is.
2. *Wat het zwaarste is, moet het zwaarste wegen* = het voornaamste gaat voor; laat de kleinigheden maar eerst liggen, zorg voor het belangrijkste.
zwaard. 1. *Het zwaard van Damocles hing hem boven 't hoofd*; zie *draad* 7 en *hoofd* 1.
2. *Honger is een scherp zwaard*, zie *honger*.
3. *Een zwaard zal door uw ziel gaan* = gij zult felle smart lijden. Woorden uit Lukas II : 35.
4. *De zwaarden worden tot sikkelen geslagen* = de oorlog is ten einde, de vrede komt.
Uitdrukking naar Jesaja II : 4. 'Zij zullen hun zwaarden slaan tot spaden, en hun spiesen tot sikkelen; het ene volk zal tegen het andere volk geen zwaard opheffen, en zij zullen geen oorlog meer leren.'
5. *Wie 't zwaard opneemt, die zal door 't zwaard vergaan* = wie met geweld optreedt wordt licht het slachtoffer van zijn wederpartij. In 't bijzonder is deze spreuk een veroordeling van alle oorlogstoebereidselen.
De tekst is van *Matth.* XXVI : 52. Toen Petrus Malchus een oor had afgeslagen, zei Jezus:
'Keer uw zwaard weder in zijn plaats, want allen, die het zwaard nemen, zullen door het zwaard vergaan.'
6. *Het zwaard des geestes* = de geestelijke wapens, het vrije woord en het vrije geschrift. Zo in de Socialistenmars:
Niet met de wapenen der barbaren,
Met kruit noch degen kampen wij,
Het geesteszwaard der vrijheidsscharen
Brengt slechts de zege aan onze zij.
Naar Efeze VI : 17. Daar is sprake van 'de gehele wapenrusting Gods,' waartoe ook 'het zwaard des geestes, hetwelk is Gods woord.'
7. *Het zwaard om zijn lendenen gorden* = zich tot de strijd voorbereiden.
Bijbelse uitdrukking, naar Psalm XLV : 4, doch daar staat: 'Gord uw zwaard aan de heup, o held!
In Nehemia IV : 18 leest men:
'De bouwers (van de muur van Jeruzalem) hadden een iegelijk zijn zwaard aan zijn lenden gegord.'
8. *Een tweesnijdend zwaard* = een redenering, waarmee men iemand aanvalt, maar die even goed gebruikt kan worden tegen de spreker zelf.
Lett. = een zwaard, aan beide kanten scherp.
zwak. 1. *Een zwak hebben voor iemand* = een voorliefde hebben voor iemand, vooral als deze dat niet verdient.
Lett. = een zwakke plek in je karakter, een gevoelige plaats. Vandaar ook:
2. *Iemand in zijn zwak tasten* = hem aanvatten daar, waar hij gevoelig is.
3. *Het zwakke vat* — de vrouw. Zie *vat* 8.
zwaluw. 1. *Eén zwaluw maakt geen zomer*, zie *kraai* 2.

2. *Hij redeneert als een zwaluw op een bonestaak* = hij praat maar wat.
zwanezang. zie *zwaan* 2.
zwang. *In zwang raken* = gewoonte worden, in gebruik komen.
Zwang is een nu verouderd woord = beweging. Dus lett. = aan de gang komen.
zwarigheid. *Dat heeft geen zwarigheid, zei de bakker*; zie *bakker* 3.
zwart. 1. *Hij is 't zwarte schaap*, zie *schaap* 5.
2. *Iemand zwart maken* = hem belasteren; kwaad van hem spreken.
Zwart is de kleur die aanduidt dat iets slecht is.
3. *Ik heb het zwart op wit* = ik heb het op schrift; ik heb het schriftelijk bewijs.
4. *Hij zag zwart van de honger* = zijn gezicht was vaal, groezelig.
zwavelstok. *Een zwavelstok in tweeën en een fles wijn bij de maaltijd* = zuinig zijn op dingen zonder waarde en tegelijk verkwistend.
Uit de tijd vóór de lucifers. Toen gebruikte men zwavelstokjes, om de pijp of de lamp aan te steken; het waren grote lucifers met koppen van zwavel, die ontbrandden door ze te wrijven langs de strijkvlakte aan de buitenkant van het potje, waarin ze in de huiskamer stonden.
zweep. *Hij kent het klappen van de zweep* = hij heeft ervaring.
Uit het voermansbedrijf; zie *voerman.*
zweet. 1. *In het zweet zijns aanschijns zal de mens brood eten*, naar Genesis III : 19. Straf opgelegd aan Adam: 'dewijl gij geluisterd hebt naar de stem uwer vrouw en van die boom gegeten.'
2. *Hij mag zijn eigen zweet niet ruiken* = hij houdt er niet van, stevig te werken.
zweren. 1. *Zweren bij hoog en laag*, zie *hoog* 2.
2. *Zweren bij kris en kras*, zie *kris.*
zweten.
Zij eten dat zij zweten,
Zij arbeiden, dat zij kou lijden,
spottend gezegde van lui, die niets uitvoeren, maar die van veel en lekker eten houden.
zwijgen. 1. *Die zwijgt stemt toe.*
2. *Hij zweeg als een mof*, zie *mof.*
3. *'t Moet al een spreker wezen, die een zwijger overtreft*, zie *spreken* 2.
4. *Spreken is zilver, maar zwijgen is goud*, zie *spreken* 1.
In *Rapiarys*:
Ic hebbe verstaan in minen sin:
Swighen brinct vele rasten in,
d.i. ik heb begrepen, dat zwijgen veel rust geeft.
5. 't Is beter gezwegen
Als van spreken schande gekregen,
(Vlaams), zie no. 4. Ook:
6. *'t Is beter stil gezwegen als kwalijk gesproken.*
7. *Met zwijgen kruist men de Duivel* (Vlaams) = als men geen kwaad spreekt, dan verliezen de bozen het spel.
8. Zie *doodzwijgen.*
9. Zwijgen en denken
Zal niemand krenken,
Vlaamse spreuk. Men kan denken wat men wil, maar als men zijn gedachten voor zich houdt, komt men niemand te na.
zwijn. 1. *'t Is een zwijn* = een vuile, gemene, liederlijke vent. Nog erger, met de Slavische uitgang *jak*:
2. *'t Is een zwijnjak.*
't Zwijn staat nu eenmaal niet in de gunst. Vandaar ook:
3. *Hij heeft zich bekeerd van zwijn tot varken.* Zie *varken* 7.
4. *Hij is tussen zwijn en big*, zie *servet.*
5. *Een zwijnevanger*, schertsend voor iemand met O-benen. (Gron.)
Bij Den Eerzamen voor Goeree: *'t is een goeien om biggen te vangen.*
6. *Iemand een zwijn in 't ijs jagen* (Gron.) = hem een lelijk koopje leveren; een handeling verrichten, die hem tot grote schade strekt.
Met de gedachte: als men iemands varken in 't ijs jaagt, d.i. op dun ijs jaagt, dan wordt dat voor hem een schadepost.
7. *Als men zijn zwijntje slacht, wordt men kozijn genoemd* (Vlaams) =
Om der wille van de smeer
Likt de kat de kandeleer.
Kozijn = neef.
8. *Men kan van een kromme zwijnssteert geen rechte pijl maken* (Gezelle) = alle hout is geen timmerhout.
zwijntjesjager, d.i. fietsendief. *Zwijn* = fiets, is de verbastering van een Bargoens-Joods woord, *hasji weinu*, d.i. voer ons terug, de aanhef van een vers bij de godsdienstoefening. Bij dit woord verdween de wetsrol uit het gezicht der gemeente. Vandaar kreeg *hasji weinu* de

betekenis van verdwijnen, later van stelen, in 't bijzonder toegepast op 't stelen van fietsen. Zo werd de fiets zelf *'t zwijn* genoemd.

zijde. 1. *Daar heeft hij geen zijde bij gesponnen* = dat zal hem niet veel voordeel bezorgen.
2. *Zijde en floers op het lijf doven 't vuur uit in de keuken* (Vlaams) = wie hun geld verdoen aan mooie kleren, hebben geen geld voor goed eten.

Weerspreuken

1. Het jaar rond

A. De Maanden en Vaste Data.

Januari. 1. *Als de muggen in januari dansen, wordt de boer een bedelaar* = buitensporige warmte in januari zal zich ten nadele van de oogst wreken. Ook:
2. *In januari ziet de boer liever een wolf in het veld, dan een ploeg*. Ook:
3. *Geeft januari muggenzwerm, dan hoort g'in Oogstmaand licht gekerm* (Vlaams).
4. *Als in januari de muggen zwermen, dan moogt gij in maart uw oren wermen* (Vlaams).
5. *Als in januari de vorst niet komen wil, verschijnt zij stellig in april.*
6. *Als 't in Louwmaand mistig is, wordt de Lentemaand heel fris.*
7. *Brengt januari ons strenge vorst, dan lijden we 's zomers geen honger of dorst.*
8. *De 7 eerste dagen des jaars zijn lotdagen* (Limburgs) = het weer in deze dagen is beslissend voor het gehele jaar.
9. *Draagt Nieuwjaarsmaand een sneeuwwit kleed, dan is de zomer zeker heet.*
10. *Geeft januari een sneeuwtapijt, dan zijn we gauw de winter kwijt.*
11. *Gelijk januari, zo ook juli* (Limburgs) = is januari gunstig voor de boeren, dan ook juli.
12. *Heeft januari koude en droge dagen, dan zal in februari de sneeuw u plagen.*
13. *In januari veel regen, brengt de vruchten weinig zegen* (Limburgs).
14. *In januari veel regen en weinig sneeuw, doet bergen, dalen en bomen wee* (Limburgs).
15. *Is januari nat, leeg blijft het vat* (Limburgs). Ook:
16. *In januari weinig water brengt veel wijn*, of:
17. *In januari veel water brengt weinig wijn.* In Vlaanderen zegt men:
18. *Is 't in januari nat, ledig blijven schuur en vat.*
19. *Is januari zacht, dan krijgen lente en zomer veel groeiende kracht.*
20. *Januari warm, dat God zich erbarm'!* of:
21. *Is januari te warm, dat dan de hemel zich erbarm'!*
22. *Januari zonder regen, is voor de boerenstand een zegen* (Vlaams).
23. *Januari zonder sneeuw maar met veel regen, brengt de boer geen zegen.* Vgl. 14.
24. *Knapt januari niet van kou, dan zit men 's zomers* (of: *in de oogsttijd*) *in de rouw* = is het in januari niet koud, dan zal men dat in de oogsttijd bezuren.
25. *Nevel in januari geeft een nat vroegjaar* (Limburgs).
26. *Sneeuw met donder in januaar, voelt men gans het jaar.*
27. *Valt in januari veel regen, dan brengt hij de vruchten veel zegen.* Deze Vlaamse weerspreuk beweert juist 't tegenovergestelde van spreuk 13 en 22.
28. *Wast het gras wel in januaar, voelt men 't ganse jaar* (Vlaams).
1 Jan.: Nieuwjaarsdag. 29. *Al wat komt vóór Nieuwjaarsdag is nog geen winterslag.*
30. *De dagen langen te Nieuwjare de tijd, dat de haan over de baaltje springt* (W.-Vl. Guido Gezelle). Baaltje = hek, richel. Ook:
31. *De dagen van Nieuwdag tot Dertiendag zijn gelingd, binst dat 'nen hond over 'nen richel springt* (Vlaams). Dertiendag is een benaming voor Driekoningen. Ook:
32. *Met Nieuwjaar lengt de dag, zoveel een haantje kraaien mag*, of:
33. *Met Nieuwjaar zijn de dagen een haneschree gelengd* (o.a. in Maastricht).
34. *Nieuwjaarsnacht schoon en klaar beduidt een vruchtbaar jaar.*
35. *Schijnt de zon op Nieuwjaar, geeft het een goed appeljaar.*
6 Jan.: Driekoningen. 36. *Als 't Driekoningen is in 't land, komt de vorst in het vaderland.*
37. *Met Driekoningen lengt de dag zoveel*

een geitje springen mag.
38. *Met Koningen langen de dagen een haneschreeuw* (o.a. in Mechelen).
39. *Op Driekoningen zijn de dagen gelengd gelijk een ruiter op zijn paard springt*, (of: *gelijk een haan over de voor springt*). Deze laatste 3 Vlaamse spreuken willen zeggen, dat op 6 januari de dagen nog maar weinig gelengd zijn. Zie 30 t/m 33.
17 Jan.: Sint Anthonius. 40. *Met Sint Antonius lengen de dagen, zoveel als het eetmaal van een monnik* (Vlaams), dus heel weinig.
41. *Maakt Sint Teunis de brug, Sint Sebastiaan slaat ze stuk.* Vriest het op 17 jan., dan dooit het op 20 jan.
42. *Met Sint Teunis en Sint Sebastiaan komen de harde koppen eerst aan* = dan begint de winter eerst goed. Een andere spreuk luidt zelfs:
43. *Sint Antoon en Sint Sebastiaan, gaan met 't hardste van de winter aan* = deze dagen zijn de koudste van het jaar.
44. *Sint Anthonius schoon en helder, vult het vat en ook de kelder.*
45. *Sint Teunis is een ijsmaker of een ijsbreker* (Limburgs en Vlaams) = dan begint het te vriezen of te dooien.
18 Jan.: St. Petrus' Stoel te Rome. 46. *Sint Petrus' Stoeltje koud, wordt 14 dagen oud.*
20 Jan.: Sint Fabianus en Sebastianus.
47. *Met Sinte Bastiaan komen de harde koppen aan* (Vlaams) = dan wordt het echt winter. Vgl. 42.
48. *Sint Bastje is 'n hard gastje* (Vlaams) = het vriest dan fel.
49. *Sint Fabiaan en Sint Sebastiaan doen het sap in de bomen gaan* = de bomen beginnen dan te herleven.
21 Jan.: Sint Agnes. 50. *Als Agnes en Vincentius* (22 jan.) *komen, begint men 't wintervuur te schromen.*
51. *Als Agnes en Vincentius komen, is er nieuw sap in de bomen* = de bomen gaan herleven.
22 Jan.: Sint Vincentius. 52. *Vincentius met zonneschijn, geeft veel koren en ook veel wijn.* Ook:
53. *Geeft Sint Vincentius zonneschijn, dan is er hoop op koren en wijn.*
25 Jan.: Sint Paulus' bekering. 54. *Is Sinte Paulus klaar, wacht dan een heel jaar.*
Of:
55. *Sint Paulus' bekering helder en klaar, doet hopen een goed jaar.*
56. *Sint Pauwelsbekeringe met de zonneschijn, is goed voor vruchten, koren en wijn.*

Februari. 57. *Al is de Sprokkel nog zo fel, zij heeft toch haar 3 zomerse dagen wel.*
Ook:
58. *Nooit is Schrikkelmaand zo fel, of ze heeft haar 5 schone dagen wel.* Beide in Vlaanderen gebezigd.
59. *Als de kat in februari in de zon ligt, moet zij in maart weder achter 't vuur* = een warme februari geeft een koude maart. Deze zelfde gedachte wordt ook in de volgende 3 weerspreuken uitgesproken:
60. *Blazen de muggen in februari alarm, houdt in maart de oren warm.*
61. *Februari muggendans, geeft voor maart een slechte kans.*
62. *Zo in februari de muggen zwermen, moet ge in meert u wermen* (Vlaams).
63. *Februari komt verklaren, dat men hout en kool moet sparen.*
64. *Februari mist, hooi in de kist.*
65. *Februari nat, vult schuur en korenvat*, of:
66. *Februari regen, is de landman zegen.*
67. *Februari zacht en stil, dan komt de Noordenwind in april.* Vgl. 59 t/m 62.
68. *Geeft Sprokkelmaand de winter niet, hij is voor Pasen in 't verschiet.* Vgl. 59 t/m 62, 67.
69. *'t Kort maandeke is dik het stortmaandeke* = het regent dan dikwijls veel.
70. *In februari sneeuw en regen betekent Goddelijke zegen.*
71. *Is februari kil en nat, hij brengt ons koren in het vat.*
72. *Is februari zacht, de lente brengt vorst bij nacht.*
73. *Komt februari met goed weer, dan vriest het in 't voorjaar des te meer.*
74. *Ligt de wind in februari stil, dan komt hij zeker in april.*
75. *Muggetjesdans in Sprokkelmaand, boerkens, wacht uw hooitas* (Vlaams) = een warme februari geeft later veel kou. Vgl. 59 t/m 62, 67 en 68.
76. *Regen in februari is mest op de akker* (Vlaams).
2 febr.: Maria Lichtmis. 77. *Als de Lichtmiskeersen door de sneeuw gaan,*

gaan de koeikens vroeg naar de wei. (Vlaams).
78. *Als er te Lichtmis druppeltjes aan de doornhagen hangen, is 't schoon vlas te wegen* (Vlaams).
79. *Als met Lichtmis de doornhagen likken, dan zullen de korenkarren kwikken.* Kwikken = wankelen (Vlaams).
Deze weerspreuk wil dus zeggen, dat bij een regenachtige Maria Lichtmis de graanoogst overvloedig zal worden. Ook:
80. *Drupt* (of: *lekt*) *met Lichtmis de hagedoorn, dan is 't een goed jaar voor het koren.*
81. *Als met Lichtmis de doornboom lekt, dan drinken de vetweiders wijn* = dan zal het een goed jaar zijn voor het vee; immers vetweiders zijn boeren, die vee voor de slacht fokken.
82. *Als met Lichtmis de zon door de kaarsen schijnt, boerkens bewaart uw hooitas wel.* Vgl. 75. Ook:
83. *Als met Lichtmis de zon op 't altaar schijnt, moet de scheper zijn orten bewaren* (Limburgs). Ort = wat de beesten van hun voer overlaten. Dit gaat gewoonlijk naar de mesthoop.
84. *Als met Lichtmis de zon door de bogaard schingt, zal 't een goed appeljaar zijn* (Vlaams).
Schingt = schijnt.
85. *Als met Lichtmis 't zonneken brandt, komt er schaarste op het land* (Aalst).
86. *Als met Lichtmis de zon schijnt op de toren, krijgt men nog zoveel sneeuw als te voren.*
87. *Als op Lichtmis de zon schijnt, door 't hout, dan is 't nog wel zes weken koud* (Vlaams), of:
88. *Als op Lichtmis de zon schijnt, gaat de vos nog 6 weken naar zijn hol terug* (Vlaams).
89. *Als op Lichtmis de zon op de kaarsen schijnt, dan mogen de boeren wel klagen* (Turnhout).
90. *Als met Lichtmis de zon schijnt op Gods autaar, dan is 't een goed bijenjaar* (Vlaams).
91. *Als met Lichtmis de zon op het misboek schijnt is het een teken dat de winter verdwijnt.*
92. *Brengt Lichtmis wolken en regen mee, is de winter voorbij en komt niet meer.*
93. *Geeft Lichtmis klaverblad, Pasen dekt met sneeuw het pad.*
94. *Geeft Lichtmis zonneschijn, het zal later winter zijn* (Aalst).
95. *Lichtmis donker, Asdag klaar, geeft een vruchtbaar jaar* (Vlaams). Asdag = Aswoensdag, de eerste dag van de 40-daagse Vasten.
96. *Lichtmis donker*
Maakt de boer een jonker.
Lichtmis helder en klaar
Maakt de boer tot bedelaar. Ook:
97. *Lichtmis donker,*
Dan wordt de boer een jonker,
Maar Lichtmis licht,
Dan wordt de boer knecht.
Voor de laatste twee regels ook:
Lichtmis helder,
De boer in de kelder.
98. *Lichtmis donker met regen en slijk, maakt de boeren rijk* (Aalst).
99. *Lichtmis helder en klaar, geeft een goed bijenjaar* (of: *iemenjaar*). Vgl. 90.
100. *Lichtmis helder en klaar, dan komt er veel sneeuw voorwaar.*
101. *Lichtmis in klaver, Pasen in sneeuw.* Vgl. 93.
102. *Lichtmis klaar, geeft een vruchtbaar roggejaar.*
103. *Met Lichtmis triestig weer, is goed voor boer en heer.*
104. *Lichtmis klaar en rein, het zal een lange winter zijn* (Kempen).
105. *Lichtmis mooi en klaar, geeft 2 winters in 't jaar.*
106. *Lichtmis vroeg de zon aan de toren, dan gaat al het vlas verloren* (Vlaams).
Het is nl. voor het vlas minder goed, dat het reeds zo vroeg warm is. Vgl. 78.
107. *Maria, zo zij kerkgang doet met helder zonneschijn, 't zal vriezen en nog kouder als van te voren zijn.*
108. *Met Lichtmis klimt de leeuwerik een ploegstaart hoog.* Of:
109. *Met Lichtmis springt de leeuwerik op de horst* (Kempen). Horst = hooggelegen land.
110. *Met Lichtmis triestig weer is goed voor boer en heer.*
111. *Met Lichtmis valt de sneeuw op een warme* (of: *hete*) *steen* (Vlaams) = het kan nog wel sneeuwen, maar de gevallen sneeuw smelt spoedig.
112. *Op Lichtmisdag ziet de boer liever de wolf in zijn schaapsstal dan de zon.*
113. *Schijnt met Lichtmis de zonne heet, dan komt er nog veel sneeuw en leed.* (Vlaams.) Vgl. 100.

114. *Schijnt de zon op Lichtmisdag, er komt meer ijs dan er reeds lag.* (Vlaams). Ook:
115. *Schijnt op Lichtmisdag onder de mis de zon over het misboek, dan heeft men nog meer winterweer te vrezen.* (Vlaams.)
116. *Vóór Lichtmis leeuwerikenzang duurt niet lang.* Immers:
117. *Zoveel dagen de leeuwerik voor Maria Lichtmis zingt, zoveel dagen zingt hij daarna* = Is het dus voor 2 febr. reeds warm weer, dan zal dat spoedig omslaan.
22 februari: Sint Petrus' Stoel in Antiochië. 118. *Vriest het op Sint Pieter-in-de-winter, dan vriest het nog 40 dagen.*
24 februari: Sint Matthias. 119. *Sint Matthijs breekt het ijs*, ook:
120. *Sint Matthijs werpt de eerste steen op 't ijs*, of:
121. *Sint Matthijs werpt een hete* (of: *gloeiende*) *steen in 't ijs* = op deze dag houdt dus de winter op.
In Vlaanderen ook:
122. *Sint Matthijs brengt sap in 't rijs.* Men zegt echter ook:
123. *Sint Matthijs*
Breekt het ijs.
En als hij geen ijs ontmoet,
Hij het vriezen doet, of:
124. *Sint Matthijs*
Breekt het ijs,
Vindt hij op 't water geen brug,
Dan heeft hij die brug op zijn rug.
25 februari: Sint Walburgis. 125. *Regen in Sint Walburgisnacht, heeft steeds de kelder vol gebracht.*

Maart. 126. *Als het in maart fel waait zal er veel fruit zijn.*
127. *Als maart geeft aprilweer, april geeft maarts weer.*
128. *Daar is geen maart zo goed, of 't sneeuwt op de boer zijn hoed.*
129. *Danst het lammetje in maart, april vat het bij de staart* = na een mooie maart volgt een koude april.
130. *De maartse maan brengt kwaad weer aan* (Vlaams) = De nieuwe maan in maart brengt slecht weer mee.
131. *De eerste donder in maart pakt de elft bij de staart.* De elft is een zeevis, die bij warm weer in het voorjaar de rivier opzwemt om te paren.
132. *De maartse zon en de aprilse wind, schendt er zo menig schoon koningskind* = Dan krijgt men sproeten. Ook:
133. *Die zichzelve wel bemint, wachte zich voor maartse zon en aprilse wind.*
134. *Dondert het in de maand van maart, in mei dekt de sneeuw de aard* (Vlaams).
135. *Donder in maart, zegen voor d'aard.*
136. *Droge maart, natte april, koele mei, vullen de schuur en de kelder er bij.*
137. *Een droge maart is goud waard.*
Soms met de toevoeging:
Als 't in april maar regenen wil. Ook:
138. *Een droge maart en natte april dat is de boeren naar hun wil.* Ook:
139. *Een droge maart en natte april, dan doet de landman wat hij wil.* Of:
140. *Een droge maart en een natte april is alle boerenschuren vol* (Vlaams).
141. *Een goede maart is niet veel waard.*
142. *Een inhoudende maart is geld waard.* Is maart koud dan worden vele schadelijke insecten gedood, is daarentegen maart warm, dan lopen de gewassen te veel uit, zodat zij niet meer tegen de nachtvorst bestand zijn.
143. *Een natte maart geeft veel lijnzaad* (Limburgs).
144. *'t Is in 't begin of wel in 't end, dat ons maart zijn gaven zendt.* (Vlaams).
145. *Maart droog, mei nat, veel hooi en zaad zat*, of:
146. *Maart droog en april nat, geeft veel koren in het vat.* Vgl. 136 t/m 140
147. *Maart guur, volle schuur* (Vlaams).
148. *Maart koel en nat, veel koren in het vat* (Vlaams).
149. *Maart zonder bloemen, zomer zonder dauwe, brengen ons op 't einde in 't nauwe.*
150. *Maart met een lange staart, brengt later spek en pens aan de haard.*
151. *Maart pakt ze met de staart, april pakt ze met de bil.* (Vlaams).
152. *Maartse regen brengt geen zegen.*
153. *Maartse sneeuw doet de (akker) vruchten wee* (Vlaams).
154. *Maartse sneeuw is beer op het vlasland.* (Vlaams.)
155. *Maart speelt met zijn staart.* Ook:
156. *Maart roert zijn staart.* Ook:
157. *Maart heeft kuren* (of: *knepen, een krul, venijn*) *in de staart.* Of, in Vlaanderen:
158. *Maarte, een vuile taarte.*
159. *Mist in maart, water of vorst in mei.*
160. *Natte maart, veel gras.*
161. *Nooit maart zo goed, of hij sneeuwt wel vol een hoed.* Ook:

162. *Nooit is maart zo zoet, of 't sneeuwt op de herder zijn hoed.*
163. *Of als hij komt, of als hij scheidt, heeft de oude maart zijn gift bereid.*
164. *Sneeuw in maart, voor vrucht en druiven nadeel baart.* Vgl. 153.
165. *Stof in maart is goud waard.* Of:
166. *Stuift het stof in maart, 't is de boer goud waard* = de boeren hebben graag een droge Maart. Vgl. 137.
167. *Vochtige maart, de boeren smarten baart* (Limburgs). Vgl. 152.
168. *Vóór maart ziet men liever een wolf in het veld, dan een schaap* = De boeren hebben liever dat het niet warm is vóór maart.
169. *Voor oude lieden heeft de maart kwaad in hare staart* = Het weer is in deze maand verraderlijk.
170. *Wat maart niet wil, dat neemt* (of: *haalt zich*) *april.*
171. *Wil maart reeds donder, sneeuw is in mei geen wonder.*
172. *Zo menig vorst in maart, zo menig dauw in april.*
173. *Zoveel nevel in maart, zoveel regen na Pasen* (Vlaams).
174. *Zoveel nevels in maart, zoveel onweders in de zomer* (Limburgs).
10 maart: 40 heilige martelaren. 175. *Zoals 't weder de 40 martelaren vindt, zo blijft het 40 dagen met zijn vrind.*
12 maart: Sint Gregorius. 176. *Is 't weer op Sint Gregorius dol, dan kruipt de vos reeds uit zijn hol.*
Soms met de achtervoeging:
Is 't schoon en zonder vlagen, hij schuilt nog veertien dagen. Na Sint Gregorius krijgen we geheel ander weer.
17 maart: Sint Gertrudis. 177. *Op Sinte Geertruid komt de warmte de grond uit* = dan eindigt de winter.
19 maart: Sint Joseph. 178. *Als 't helder is op Sint Josephdag, een goed jaar men verwachten mag.* Ook:
179. *Een schone Sint Josephdag geeft een goed jaar.* Ook:
180. *Sint Joseph helder en klaar, geeft licht een vruchtbaar jaar.*
25 maart: Maria Boodschap. 181. *Als Maria Boodschap schoon en helder is vóór zonsopgang, komt er een vruchtbaar jaar.*
27 maart: Sint Rupert. 182. *Is op Sint Rupert de hemel rein, dan zal hij 't ook in juli zijn.*

April. 183. *Als april blaast op zijn hoorn, is het goed voor gras en koorn* (Vlaams) = april moet vochtig zijn.
184. (*Een rechte*) *april doet wat hij wil.* Of:
185. *April heeft zijn* (of: *menige*) *gril.*
186. *April koud en nat, veel koren in 't vat.* Ook:
187. *April koud en nat vult zak en vat* = Geeft koren en boter in overvloed, of:
188. *April veranderlijk en guur, brengt hooi en koren in de schuur.*
189. *Een natte april belooft veel vruchten.*
190. *Een natte april, dan doet de boer wat hij wil* (Vlaams). Ook:
191. *Een natte april, hebben de boeren hun wil.*
192. *Geeft april veel regen, zo brengt het rijke zegen.*
Maar een andere spreuk zegt:
193. *April warm, mei koel, juni nat, vullen de schuur en ook het vat.*
In Vlaanderen zegt men nog:
194. *Aprilregen, boerenzegen.* Vgl. 186 t/m 192.
195. *Aprilletje zoet, geeft nog wel eens een witte hoed.* Ook:
196. *Nooit aprilletje zo zoet* (of: *goed*), *of 't sneeuwt de scheper op zijn hoed* (Vlaams).
197. *Aprilweer en herengunst, daar is geen staat op te maken* (Fries).
198. *De heren en aprillen, bedriegen wie ze willen* = Het weer is in april zeer wisselvallig.
199. *Een droge april, is niet der boeren wil.* Soms met de achtervoeging:
Maar aprilse regen, daar is hun veel aan gelegen.
200. *'t Mag vroeg of laat zijn, april wil kwaad zijn* = In april zijn altijd lelijke dagen.
201. *In april heldere maneschijn, zal de bloesem schadelijk zijn* = Heldere maneschijn in april gaat meestal gepaard met nachtvorst.
202. *Is april klaar en rein, dan zal mei des te wilder zijn.* Of:
203. *Is april mooi, dan zal mei niet deugen.*
204. *Mag het dauwen in april en mei, wij zijn in oogst en september blij.*
205. *Regen in april en wind in mei, maakt de boerkens blij.*
Vgl. 186 t/m 192, 194.

206. *Valt in april veel nat, dan zwemmen de druiven tot in 't vat* = de druivenoogst is dan overvloedig.
207. *Verschaft april veel mooie dagen, dan pleegt de mei de last te dragen* = is het weer in april mooi, dan in mei slecht.
208. *Warme aprilregen is een grote zegen.*
14 april: Sint Tiburtius. 209. *Op Sint Tiburtius na de noen, worden alle velden groen* = dan wordt het mooi weer, zodat het groen kan uitlopen.
23 april: Sint Georgius. 210. *Sint Joris warm en schoon, heeft ruw en nat tot loon.*
211. *Valt er vóór Sint Joris geen regen meer, dan komt er na hem des te meer.*
25 april: Sint Marcus. 212. *Als de vors vóór Marcus kwaakt, blijft hij later niet bespraakt* = Wanneer de kikvorsen zo vroeg in de lente reeds kwaken, zal het weer spoedig omslaan zodat er een koudere periode volgt.
213. *Sint Marcus koud, ook 't heilig Hout* = Is het op deze dag koud, dan evenzo tijdens de kruisdagen (3 dagen vóór Hemelvaart).
214. *Sint Merk, lang en sterk* = Deze dag is het gunstigst om vlas te zaaien, want dan kan men er zeker van zijn lang en sterk vlas te krijgen.
215. *Zolang vóór Marcus warm, zolang na Marcus koud.*

Mei. 216. *Als het dondert in mei, valt er dikwijls hagel bij.*
217. *Avonddauw en koelte in mei brengen veel wijn en veel hooi* (Limburgs). Ook:
218. *Avonddauw en zon in mei, hooi met karren op de wei.* Ook:
219. *Dauw in mei en april maken goede augustus en september.* Vgl. 204.
220. *De mei tot juichmaand uitverkoren, heeft toch de rijp nog achter de oren* = Ook in mei is het nog wel eens koud.
221. *Donder in mei, geeft gras in de wei* (Vlaams). Of:
222. *Het onweer in de schone mei, doet 't koren bloeien op de hei.*
223. *Donder in mei, zingt de boer: jochei.* Ook:
224. *Veel onweer in mei, maakt de boeren blij* (Vlaams).
225. *Een bijenzwerm in mei, goed teken voor de wei.* Of:
226. *Een bij in de mei, is zo goed als een ei* (Vlaams).
227. *Een koude mei, een gouden mei* (Vlaams).
228. *Een natte mei geeft boter in de wei.*
229. *Een onweer in mei maakt de boer blij.* Vgl. 223 en 224.
230. *Einde van mei, staartje van de winter* (Vlaams).
231. *Het is een wenk, reeds lang verjaard, 't vriest even vaak in mei als in maart.*
232. *Is de mei nat, een droge juni volgt zijn pad.*
233. *Is het weer in mei zeer mooi, dan ziet de schuur maar weinig hooi.*
234. *Koele mei, goed geschrei* (Limburgs). Maar ook:
235. *Mei, koel en wak, brengt veel koren in de zak.* Ook:
236. *Mei, koel en nat, vult de schuur en ook het vat.* Of:
237. *Mei, koel en nat, brengt koren in de schuur, en spek in 't vat* (Vlaams).
238. *Mei niet te koud en niet te nat, vult de schuur en ook het vat.*
Vgl. 235 t/m 237.
239. *Mei warm geeft een goed jaar* (Vlaams).
240. *Onweer in mei is een vruchtbaar getij.* Vgl. 221 t/m 224.
1 mei: Sint Philippus. 241. *Als Sint Philippus regent,is de oogst gezegend.*
12 mei: Sint Pancratius. 242. *Pancraas, Servaas en Bonifaas, zij geven vorst en ijs, helaas!* = De heiligen Pancratius, Servatius en Bonifatius vieren hun naamdag resp. op 12, 13 en 14 mei.
Daar volgens het volksgeloof deze dagen koud en guur zijn, noemt men ze wel ijsheiligen. Volgens anderen zijn de 3 Gestrenge Heren, zoals zij ook genoemd worden, Mamertus, 11 mei, Pancratius en Servatius.
13 mei: Sint Servatius. 243. *Geen rijmken na Servatius, geen vloksken na Bonifacius.* Of:
244. *Is met Servaas geen rijm te zien, dan zal Bonifatius geen sneeuw ons biên.*
245. *Servaas moet verlopen zijn, vóór nachtvorst goed en wel verdwijnt.* Ook:
246. *Vóór Sint Servaas is men niet behoed voor nachtelijke vorst.* Ook:
247. *Voor nachtvorst zijt ge niet beschermd, totdat Servatius zich ontfermt.* Ook:

248. *Vóór Servatius geen zomer, na Servatius geen vorst.*
249. *Sint Servatius, de grote bisschop van Maastricht, op wiens graf men nooit sneeuw zag* = na 13 mei valt er geen sneeuw meer.

Juni. 250. *Als het in juni veel dondert, komt er overvloed van koren* (Limburgs), of:
251. *Donderweer in juni maakt het koren dik* (Vlaams), of:
252. *Hoort ge in juni de donder kraken, dan maakt de boer ook goede zaken* (Vlaams);
ook:
253. *In juni dondergevaar, betekent een vruchtbaar jaar* (Vlaams).
254. *Als 't koud en nat in juni is, dan is de rest van het jaar ook mis.*
255. *Blaast juni in de Noordkant, verwacht veel koren dan op het land.*
256. *In juni weinig regen, voorspelt een grote zegen.*
257. *Juni meer droog dan nat, vult de schuur en ook het vat* (Limburgs). Of:
258. *Juni meer droog dan nat, vult met goede wijn het vat.*
259. *Juni nat en koud, meest heel het jaar ellende brouwt.* (Vlaams); maar:
260. *Juniregen is Gods zegen;*
Komt zonneschijn daarbij,
Dan maakt hij boer en stadslui blij.
261. *Juniweer, decemberweer* (Vlaams) = is juni goed, dan ook december, en omgekeerd.
262. *Leent noordenwind aan juni de hand, zo waait hij het koren in 't land.* (Limburgs en Vlaams). Vgl. 255.
263. *Niet te koel, niet te zwoel,*
Niet te nat en niet te droog,
Juni vult de schuren hoog.
264. *Te veel en koude regens in juni schaden wijn- en bijenstok.* Oude Limburgse weerspreuk.
8 juni: Sint Medardus. 265. *Als het op Sint Medardusdag regent, regent het 6 weken alle dagen*, ook:
266. *Regen op Sint Medaar, zes weken te voor of zes weken er naar.* Dit laatste woord natuurlijk voor het rijm.
267. *Na Sint Medardus komt geen vorst meer, die de druiven nadelig is* (Limburgs).
268. *Wat Sint Medardus geeft voor weer, brengt hij ook in de oogsttijd weer.*
11 juni: Sint Barnabas. 269. *Als het regent met Barnabas, zwemt de oogst in een waterplas.*
270. *Valt op Sint Barnabas veel nat, dan zwemmen de druiven tot in 't vat.*
15 juni: Sint Vitus. 271. *Als het regent met Sint Veith, dan regent het 6 weken in een tijd.*
272. *Zorgt wel voor de kinderwiegen, want met Sint Vitus komen de vliegen* = Dan begint het zomerweer.
24 juni: Sint Johannes de Doper. 273. *Als 't regent op Sint Jan kan de boer zijn noten tellen.*
274. *Als het regent op Sint Jan, dan regent het 40 dagen aaneen.* (Fries.)
275. *De regen van Sint Jan de oogst bederven kan.*
276. *Met Sint Jan slaat de eerste maaier an.* (Gron.)
276a. *Vóór Sint Jan neemt de zee de buien an.*
277. *Voor Sint Jan, bidt om regen, anders komt hij ongelegen.* (Limburgs.)
278. *Sinte Jan is een regenman.*
279. *Sint Jans regen voor de oogst geen zegen.*
29 juni: Sint Petrus. 280. *Sint Pieter helder en klaar, is een goed iemenjaar.*

Juli. 281. *In de Hooimaand moet gebraden wat in september moet geladen* = Voor een overvloedige oogst is een hete juli nodig. Vgl. 282.
282. *Wat juli en augustus aan de wijn niet koken, dat zal er september niet aan braden* = de wijnoogst mislukt, als juli en augustus niet heet zijn. (Limburgs.)
283. *In juli zonnebrand, wenst ieder op het land.*
284. *Wisselen in juli regen en zonneschijn, 't zal het naaste jaar voor de boeren kermis zijn* (Vlaams).
285. *Zonder dauw geen regen, heet het in juli allerwegen.*
1 juli. 286. *Is de eerste juli regenachtig, geheel de maand zal wezen twijfelachtig.*
2 juli: Maria Visitatie.
287. *Als 't regent toen Onze-Lieve-Vrouwe*
Het gebergte al ging beschouwen,
Zo zal de regen zich vermeren
En in 40 dagen niet wegkeren (Limburgs).
6 juli: Sint Godelieve. 288. *Als het op Sint Godelieve regent, zal het 6 weken lang duren.*
10 juli: De Heilige Zeven Broeders. 289.

Regent het op de Zevenbroedersdag, dan het nog 7 weken regenen mag.

10 juli: Sint Amelberga. 290. *Met Sint Amelberga gaat de honingdeur open* = Omstreeks deze dag is het pas goed zomer, zodat de bijen gaan uitzwermen.

20 juli: Sint Margaretha. 291. *Als de eerste peer komt te Sint Margriet, dan men overal de oogst beginnen ziet* = is het dus op deze dag reeds geruime tijd goed weer, dan begint men reeds met het oogsten.

292. *Als Sint Margriet aan 't regenen is, regent het 6 weken gewis.* Of:

293. *Regent het op Sint Margriet, dan krijgen we 6 weken lang een natte tied.* Maar:

294. *Is het droog weer op Pisgriet, dan regent het 30* (of: *40*) *dagen niet.* Of:

295. *Regent het op Sint Margriet niet, dan regent het in 6 weken niet.* Dus:

296. *Sinte Margriet, 30 dagen* (of: *6 weken*) *regen of niet.*

297. *De regen van Sint Margriet duurt nog 14 dagen en geeft slecht hooi,* of:

298. *Geeft Margriet geen zonneschijn, het hooi zal licht bedorven zijn.*

299. *Margaretha's regen brengt geen zegen,* ook:

300. *Regen met Sint Margriet, geeft 6 weken boerenverdriet.*

301. *Sint Margriet houdt haar water niet.*

22 juli: Sint Maria Magdalena. 302. *Regent Sinte Magdaleen, 't regent dagen achtereen.*

25 juli: Sint Jacobus. 303. *Drie dagen vóór Sint Jacob goed, een korenoogst in overvloed.*

304. *Is het helder op Sint Jacobusdag, veel vruchten men verwachten mag.*

305. *Is Sint Jacobus hel en warm, bevriest met Kerstmis rijk en arm.*

306. *Op Sint Jacob warme dagen, doen van kou en armoe klagen.*

307. *Sint Jacobszonneschijn voorspelt de winter fijn.*

308. *Sint Jacobs-wittewolkjeslucht voorspelt de wintersneeuw als vrucht.*

309. *Vroege aren, een slechte Sint Jacob* = Een vroege zomer geeft geen rijke oogst.

310. *Warme, klare Sint Jacobsdag, dan koude Kerstmis.*

26 juli: Sint Anna. 311. *Bouwt op Sint An de mier haar hopen, de winter zal niet zacht verlopen,* ook:

312. *Werken met Sint Anna de mieren, dan zult g'enen lange winter vieren* (Vlaams). Ook:

313. *Bouwt Sint Anna mierenbergen, dan zal ons de winter tergen.*

Hondsdagen. Dat deel van het jaar, waarin Sirius tegelijk met de zon opkomt, noemt men de Hondsdagen. In ons land worden ze geplaatst tussen 19 juli en 18 augustus, elders weer tussen 3 juli en 11 augustus.

314. *Hondsdagen, helder en klaar, betekenen een goed jaar.*

315. *Komen de Hondsdagen met veel regen, dan gaan we slechte tijden tegen.*

316. *Zijn de Hondsdagen hel en klaar, verwacht dan maar een vruchtbaar jaar.* Vgl. 314.

Augustus. 317. *Augustus' eerste week heet en laf, veel wintersneeuw wacht af* (Vlaams). Ook:

318. *Als d'eerste week van augustus heet is, peist dat de winter dan lang wit is* (Vlaams), of:

319. *Zo d'eerste week van Oogst is heet, dan staat een lange winter gereed.*

320. *Geeft augustus zonneschijn, zeker krijgen we gouden wijn.*

321. *In augustus regen, geeft de wijnoogst zegen.*

322. *Is het warm en voorspoedig weer, brengt augustus d'eerste peer.*

323. *Noordenwind in augustus brengt bestendig weer* (Limburgs). Ook:

324. *Noordenwind in augustus opgestaan, brengt standvastig weder aan.*

325. *Wat augustus niet kookt, laat september ongebraden* = Is augustus niet gunstig voor de oogst, dan kan september, hoe warm hij ook is, er niet veel meer aan doen.
Vgl. 281 en 282.

4 aug.: Sint Dominicus. 326. *Is het heet op Sint Domijn, 't zal een strenge winter zijn.* Ook:

327. *Als Sint Dominicus gloeit, een strenge winter bloeit.*

10 aug.: Sint Laurentius. 328. *Als men op Sint Laurentiusdag een rijpe druif vindt, is er veel hoop op goede wijn* = het is dan immers reeds geruime tijd warm weer.

329. *Als Sint Laurens het hoofd goed staat, houdt men mooi weer* (Fries).

330. *Is 't op Sint Laureijnsdag klaar, dan is er veel fruit dit jaar.*

331. *Laurentius' zonneschijn, beduidt een jaar vol wijn.*
332. *Sint Laurens en Sint Barthel* (24 aug.) *schoon, dan draagt de herfst een gouden kroon.*
333. *Sint Laurens' wind, maakt de boekweit blind* = wind op deze dag is dus ongunstig voor de boekweit.
334. *Sint Laureijns dage, brengt de regen op de hage* = deze dag is regenachtig.
13 aug.: Sint Cassianus. 335. *Het weder van Sint Cassiaan houdt nog dagen aan.* Ook:
336. *Het weder van Sint Cassiaan houdt gewoonlijk weken aan.*
15 aug.: Maria Ten Hemelopneming. 337. *Is 't weer op Maria Hemelvaart uitgelezen, zo zal 't heel de herfst voortreffelijk wezen.*
338. *Maria-Hemelvaarts zonneschijn brengt goede wijn.*
339. *Regen op Maria Hemelvaart, is weinig wijn en slecht van aard.*
24 aug.: Sint Bartholomeus. 340. *Gelijk Sint Barthel, zo ook het najaar.* (Limb.)
29 aug.: Onthoofding van Johannes de Doper. 341. *Als het regent op Sint Jans onthoofding, dan bederven de noten* (Limburgs).

September. 342. *Als in september de donder knalt, met Kerstmis sneeuw in hopen valt* (Vlaams).
343. *In september warme regen, brengt de boeren rijke zegen.*
344. *Septemberregen komt de druiven gelegen* (Limburgs).
345. *Septemberregen op het zaad, komt het boerke wel te staad* (Vlaams).
346. *Vorst in september, zacht in december.*
1 sept.: Sint Aegidius. 347. *Als Sint Giel blaast op de horen, boerkens, zaait dan uw koren.*
348. *Het weder van Sint Aegidius blijft 4 weken aanhouden* (Limburgs).
349. *Als 't op Sint Gielis regent, zal 't lang blijven aanhouden* (Limburgs).
350. *Is het schoon met Sint Giel, 't zal 't zijn tot Sint Michiel* (29 sept.).
351. *Is Sint Aegidius heet, 't geeft schone herfst met zweet.* Ook:
352. *Is 't 1 september heerlijk weer, de herfst zal mooi zijn evenzeer.*
8 sept.: Maria Geboorte. 353. *Het weder van Maria Geboorte duurt nog 8 weken* (Limburgs). Men zegt ook:
354. *Het weer van Lieve Vrouw Geboort' duurt gaarne zo 4 weken voort.*
17 sept.: Sint Lambertus. 355. *Droog zal 't voorjaar zijn, is 't met Sint Lambert zonneschijn.*
21. sept.: Sint Mattheus. 356. *Is het weder met Mattheus klaar, 't voorspelt goede oogst het naaste jaar.*
22 sept.: Sint Mauritius. 357. *Vertoont zich Mauritius klaar, vele stormen verwacht u maar.*
29 sept.: Sint Michaël. 358. *Als de eikelen vallen voor Sinte Michiel, dan snijdt de winter door lijf en ziel.*
359. *Met Sint Michiel verdwijnt de hitte.* Ook:
360. *Sinte Michiel brengt de winter onder zijn kiel.*
361. *Sint Michiel steekt het licht aan, Maria Boodschap blaast het uit* = de dagen zijn reeds zoveel gekort, dat er 's avonds bij het eten licht moet branden.
362. *Sint Michiel, verbiedt linnen broek en hennepen kiel* = Het begint reeds kouder te worden (Limburgs).
In Vlaanderen:
363. *Sint Michiel verbiedt de witte broek en blauwe kiel.* Ook:
364. *Sint Michiel schuwt de strooien hoed en ook de blauwe kiel.*
365. *Trekt voor Michiel de vogel niet, geen winter is nog in 't verschiet.*
366. *Zonder onweer, Michielsregen zachte winter, goede zegen.*
367. *Sint Michielszomer.* Aldus noemt men de dagen rond 29 september, omdat deze gewoonlijk mooi zijn.

oktober. 368. *Brengt oktober veel vorst en wind, zo zijn januari en februari zeer mild.* Ook:
369. *Een koude oktober, een zachte Nieuwjaarsmaand* (Limburgs).
370. *Brengt oktober vorst en sneeuw, men hoort des winters klaaggeschreeuw.*
371. *Is oktober warm en fijn,*
't Zal een scherpe winter zijn;
Maar is hij nat en koel,
't Is van 'n zachte winter 't voorgevoel.
372. *Oktober met groene blaân,*
Duidt een strenge winter aan. Ook:
373. *Een warme oktober, een koude februari* (Limburgs). Ook:
374. *Warme oktoberdagen, februarivlagen.*

375. *Oktoberweer komt in maart terug* (Limburgs).
376. *Veel vorst en sneeuw in oktober geeft een onbestendige winter* (Limburgs).
9 okt.: Sint Dionysus. 377. *Regen met Sint Denijs, voorspelt natte winter en weinig ijs.*
11 okt.: Sint Gummaris. 378. *Treedt Gomarus met droogte in, de winter zal nat zijn in 't begin.*
379. *Sint-Gomaruszomer* = de dagen rond 11 oktober, die dikwijls mooi zijn (Vlaams).
16 okt.: Sint Gallatius. 380. *Sint Gallen* [*laat de sneeuw vallen.*
21 okt.: Sint Ursela. 381. *Gelijk Ursela zingt, zo de winter volindt* (Limburgs). Ook:
382. *Zoals het weer van Sint Ursela is, zal ook de winter wezen.*
23 okt.: Sint Severinus. 383. *Met Sint Severien zal men de eerste kou zien.*
28 okt.: Sint Simon en Judas. 384. *Als Simon en Judas henengaan, dan komt de winter aan.* Ook:
385. *Als Simon en Judas komen, begint men de winter te schromen.* Ook:
386. *Is Simon en Judas voorbij, dan is winter kort nabij.*

November. 387. *Als 't in november 's morgens broeit, wis dat de storm 's avonds loeit.*
388. *Donder in november laat een goed jaar verhopen.*
1 nov.: Allerheiligen. 389. *Als het met Allerheiligen sneeuwt, leg dan uw pels gereed* = want dan volgt de winter spoedig.
390. *Brengt Allerheiligen de winter aan, dan doet Martinus* (11 nov.) *de zomer staan.*
391. *Geeft Allerheiligen zonneschijn, dan zal het spoedig winter zijn.*
392. *Met Allerheiligen vochtig weer, volgen sneeuwbuien keer op keer.*
2 nov.: Allerzielen. 393. *Allerzielensneeuw voorspelt een zacht voorjaar.*
11 nov.: Sint Martinus. 394. *Een donkere Sint Maarten een lichte Kerstmis.* Ook:
395. *Als op Sint Merten de ganzen op 't ijs staan, moeten ze met Kerstmis door 't slijk gaan.* Ook:
396. *Staat met Sinte Maarten op 't ijs de gans, dan houdt ze met Kerstmis in 't water een dans.*
397. *De misse van Sint Merten brengt ons de winter in 't herte.*
398. *Is 't donkere lucht op Sint Martijn,*
Zo zal 't een zachte winter zijn,
Maar is die dag het weder helder,
De vorst dringt door in menig kelder.
399. *Is om Sint Maarten nog loof aan de bomen, zo moogt ge van een strenge winter dromen.*
400. *Nevels in Sint Maartensnacht, brengen winters kort en zacht.*
401. *Sinte Martinus, warmte en regen, brengt het zaad geen grote zegen.*
402. *Wolken met Sint Merten geven onbestendige winter aan.*
403. *Zo 't loof niet valt voor Sint Martijn, dan zal 'r een harde winter zijn.* Vgl. 399.
404. *Sint Maartenszomer.* Aldus worden in sommige Vlaamse streken de dagen rond 11 november genoemd, daar deze over het algemeen helder en warm zijn. Deze naam zal ontstaan zijn onder invloed van het Franse 'l'été de la Saint-Martin.' Vgl. 367 en 379.
Elders, bijv. in Limburg, zegt men:
405. *Al moet Sinte Merten een mantelken dragen, hij moet toch nog wandelen in zomers dagen.*
19 nov.: Sint Elisabeth. 406. *Sinte Liesbeth doet verstaan, hoe de winter zal vergaan.*
21 nov.: Maria Praesentatie. 407. *Maria's opdracht klaar en hel, maakt de winter streng en fel.*
25 nov.: Sint Catharina. 408. *Als 't op Sint Catharina vriest, zo vriest het 6 weken lang.* Ook:
409. *Als vandaag de vorst begint, vriest het 6 weken lang.*
410. *Op Sint Catharina sterkt de winter.*
411. *Sint Catrien heeft dikwijls een witte mantel* (of: *rok*). Ook:
412. *Sint Catrien komt in 't wit* (Vlaams). Op deze dag sneeuwt het dikwijls.
413. *Zoals de dag van Sint Katrijn, zal de laatste januari zijn.*
30 nov.: Sint Andreas. 414. *Als Sint Andries onder sneeuw moet bukken, zal ook dat jaar geen koren lukken.* (Limburgs.)
415. *Sint Andreas' snee, doet het koren wee* (Limburgs). *Snee* = sneeuw.
416. *Sint Andries, spörrieke piep!, vandaag zie ik u nog, maar morgen niet.* Op deze dag, zo zegt men in Vlaanderen,

sneeuwt de spurrie dikwijls onder.
417. *Sint Andries brengt de vries* (Vlaams). Soms met de toevoeging: *Sint Elooi* (1 dec.) *brengt de dooi.*

December. 418. *Blaast de Noordenwind met decembermaan, dan houdt de winter 4 maanden aan* (Limburgs).
419. *Decemberwind uit het Oost, brengt de zieken luttel troost* = Er komt een strenge winter.
420. *December zacht en dikwijls regen, geeft weinig hoop op rijke zegen.*
421. *Donder in Decembermaand, belooft veel wind voor 't jaar aanstaand'.* (Vlaams).
422. *Droge december, droog voorjaar, droge zomer* (Limburgs).
423. *Is december veranderlijk, beste vrind! dan is heel de winter slechts een kind.* Ook:
424. *December veranderlijk en zacht, geeft een winter waar men mee lacht.*
425. *December koud en wel besneeuwd, zo maakt maar grote schuren gereed.* Ook:
426. *December koud en in sneeuwgewaad, een jaar vol vruchtbaarheid verraadt.* Ook:
427. *Brengt december kou en sneeuw in 't land, dan groeit er koren zelfs op 't zand.*
428. *Decembermist, goud in de kist.*
1 dec.: Sint Eligius. 429. *Als Sint Eligius met ijs begint, wil hij 3 maanden dat tot vrind.* Ook:
430. *Als de winter begint met Sint Eligius dan duurt hij 4 maanden.* Ook:
431. *Vangt Sint Eligius de winter aan, dan stut hem voort drie maal de maan.*
4 dec.: Sint Barbara. 432. *Sint Barbara gaat met haar wit kleed naar het bal.* Volgens deze Limburgse weerspreuk sneeuwt het meestal op 4 dec.
13 dec.: Sint Lucia. 433. *Als Sinte Lucie komt, lengen de dagen een vlooiensprong,* dus bijna onmerkbaar.
434. *Lucia maakt de langste nacht, half juni maakt de langste dag.*
435. *Sinte Lucije laat de dagen dijen,* d.w.z. langer worden.
Tegenwoordig gelden deze spreuken niet meer, daar na de invoering van de Gregoriaanse tijdrekening in 1582 het feest van Sint Lucia 10 dagen eerder gevierd wordt. Toch hoort men deze spreuken, vooral op het platteland, meerdere malen bezigen.
21 dec.: Sint Thomas. 436. *Sint Thomas, de kortste dag en de langste nacht* = De dagen beginnen immers weer te lengen.
25 dec.: Kerstmis. 437. *Als de zon met Kerstmis schijnt op de toren, dan is het vlas verloren.*
438. *Als met Kerstmis de muggen zwermen, kunt ge in maart uw oren wermen.* In plaats van deze Vlaamse spreuk hoort men ook:
439. *Als met Kerstmis de muggen zwermen, moet ge met Pasen uw gat wermen.* Vgl. 4, 60 t/m 62. Ook:
440. *Een Kerstmis, die u buien ziet, een Pasen straks met kou u biedt.* Ook:
441. *Een Kerstmis aan de wand, is Pasen aan de brand.* Ook:
442. *Een warme Kerstnacht maakt een koude Pasen.*
443. *Zit op Kerstmis de kraai nog in 't klavergroen, op Pasen zal hij 't in 't sneeuwveld doen.* Ook:
444. *Groene Kerstdag, witte Pasen.* Men zegt ook het tegenovergestelde:
445. *Een witte Kerstmis maakt een groene Pasen.*
446. *Geeft Kerstdag warme zonneschijn, dan zal er te Pasen nog houtvuur zijn.* Vgl. 438 t/m 444.
447. *Hangt 't ijs op Kerstmis aan de twijgen, ge zult met Pasen palmen krijgen.* (Limburgs en Vlaams). Vgl. 445.
448. *Is de Kerstdag vochtig en nat, ton en schure niets bevat* = een regenachtige Kerstmis is dus een slecht teken voor de oogst.
449. *Is er wind in de Kerstdagen, dan zullen de bomen veel vruchten dragen.*
450. *Is op Kerstmis de hemel klaar, verwacht dan vrij een vruchtbaar jaar.*
451. *Kerstmis aan deur, is Pasen aan 't veur* (= vuur). Vgl. 438 t/m 444, 446.
452. *Kerstmis donker, wordt de boer een jonker* = dan belooft deze dag een rijke oogst.
453. *Kerstmis in de sneeuw, Pasen in de modder.*
454. *Kerstmis winderig, Lichtmis stil, een massa hooi beloven wil.*
455. *Kerstnacht helder en klaar, geeft een gezegend jaar.*
456. *Met Kerstmis lengen de dagen, zoverre alsdat ge een teil pap kunt omsto-*

ten, d.w.z. zeer weinig (Vlaams). Ook:
457. *Met Kerstmis lengt de dag, zoveel een mug* (of: *mus*) *geeuwen mag.*
458. *Met Kerstmis sneeuw belooft met Pasen klaver.* Vgl. 445. Ook:
459. *Zijn de bomen om Kerstmis wit van sneeuw, ze zijn in de lente wit van bloesem.*
460. *Sneeuw in de Kerstnacht geeft een goede hopoogst.*
461. *Vliegen op Kerstdag de muggen rond, dan dekt op Pasen het ijs de grond.* Vgl. 438 en 439.
462. *Vorst vóór Kerstdag, brengt geen afslag* = valt de winter voor Kerstmis reeds in, dan zal hij toch niet eerder dan gewoonlijk eindigen.
26 dec.: Sint Stephanus. 463. *Op Sint Stefaan, sneeuw op de baan, vuil om te gaan, koud om te staan.*
464. *Sinte Steffen maakt alles effen, Nieuwjaar maakt alles klaar.*
31 dec.: Sint Silvester, Oudejaar. 465. *Silvesterwind met morgenzonneschijn, geeft zelden goede wijn.*
466. *Veel sneeuw op Oudejaar, veel hooi in 't nieuwe jaar.*

B. Veranderlijke Data.

Aswoensdag. 467. *Het weer van Aswoensdag houdt men de gehele Vasten.* Aswoensdag is de eerste dag van de 40-daagse Vasten.
Goede week. 468. *De Goede Week heeft nog nooit gedeugd.* Ook:
469. *De Goede Week is bijna altijd een kwade.* De Goede Week is de week voor Pasen.
Pasen. 470. *Als de wind op Paasavond in 't Oosten zit, blijft hij daar tot Sinksen* (= Pinksteren). (Vlaams.)
471. *Late Pasen, late zomer* (Vlaams). Maar ook:
472. *Vroege Pasen, vroege zomer* (Vlaams).
473. *Pasen in meert, is alles verkeerd.*
474. *Zo de wind op Pasen waait, zo waait hij tot aan Pinkster* (Fries). Vgl. 470.
Kruisdagen. 475. *Als 't op de Kruisdagen regent, dan zal er een goede graanoogst zijn.* Kruisdagen = de 3 dagen voor Hemelvaart.
Pinksteren. 478. *Natte Pinksteren, vette Kerstmis.*
479. *Rijpe aardbeziën om Pinksteren, dan ook een gezegend wijnjaar.* Dan is het immers reeds enige tijd warm weer.
480. *Regent het Sinksenmaandag, dan regent het 7 Zondag* (Vlaams). Sinksen = Pinksteren.

C. De Jaargetijden.

Lente. 481. *Schaarse lentebloei, honger voor de koei* (Vlaams).
481a. *Als 't onweert in 't kale hout, volgt een voorjaar, guur en koud.* Graafschap Zutfen; vgl. 549 e.v.
Zomer. 482. *Een droge zomer, een natte Bamis* (1 okt.).
483. *Vroeg zomer, kwaad gewas.*
Herfst. 484. *Brengt het najaar helder weer, 't zal des winters stormen op het meer.*
485. *Veel nevel in de herfst, veel sneeuw in de winter* (Limburgs).
Winter. 486. *Als het regent in de winter, is het goed planten in de zomer.*
487. *Komt de winter te vroeg, vertrekt hij ook vroeg* (Limburgs).

D. De dagen der week.

Zondag. 488. *Als het Zondags regent binst de hoogmis, dan zal het heel de week regenen.*
(Vlaams).
489. *De Zondag maakt de week.*
Maandag. 490. *Een Maandagse maan, kan niet zonder wind of regen vergaan* = Een nieuwe maan op maandag geeft slecht weer (Vlaams). Ook:
491. *Nieuwe maan op Maandag geeft 3 weken regenachtig weer.* Ook:
492. *Maandagse maan is een wilde maan.*
Vrijdag. 493. *Vrijdagweer, Zondagweer.*
Zaterdag. 494. *Geen Zaterdag zo kwaad, of de zon schijnt vroeg of laat.*
In Friesland:
495. *Er is geen Zaterdag in het jaar, of de zon schijnt eens helder en klaar.*
496. *Het weer van 's Zaterdags op de noen, is 's Zondags de hele dag te doen.*

II. De hemellichamen en -verschijnselen

Zon. 497. *De zon gaat onder in 'n nest, binnen 3 dagen regen of de wind West* (Zaans) = Gaat de zon onder, terwijl zij achter de wolken zit, dan komt er binnen 3 dagen regen of Westenwind; elders:
498. *Gaat de zon in een nest, morgen de wind uit de West.* Ook:
499. *Kruipt de zon in een nest, dan regent het 's anderen daags zijn best.*
500. *De zon in een nest, het ijs op zijn lest.*
501. *Een grote zon en bleek van schijn, dat zal zowaar een regen zijn.* Ook:
502. *Een waterige zon en bleke maan, kondigen meestal regenweer aan.*
503. *Kring om de zon, geeft water in de ton.* Ook:
504. *Rood rond de zon, regen in de ton.* Zie ook een zegswijze onder 510.
Maan. 505. *Als de maan op haar rug ligt, komen er zware stormen* (Vlaams). Ook:
506. *Een liggende maan doet zeelieden staan.*
507. *Brengt nieuwe maan ons Noordewind, een koele regen volgt, mijn vrind.* Ook:
508. *Bij nieuwe maan Noordewind brengt regen gezwind.*
509. *Door het schijnen van de maan, kunt ge u in het weer verstaan.*
510. *Een kring om de maan,*
Dat kan nog gaan,
Maar een kring om de zon,
Daar schreien vrouw en kinderen om.
Dan wordt het slecht weer. Voor de laatste 2 regels hoort men ook:
Een ring om de zon
is regen zonder pardon. Of:
Een balk aan de zon geeft geen pardon.
511. *Een kring om de maan, geeft wind op de baan* (Vlaams). Ook:
512. *Een kring om de maan, regen komt aan.*
513. *Is de maan als een schuit, dan valt er geen regen uit.*
514. *Nieuwe maan met donkere vlekken, kan tot bewijs van regen strekken.*
515. *Nieuwe maan met helder licht, geeft ons van droogte het bericht.*
516. *Staande maan, liggende matrozen, liggende maan, staande matrozen.* Vgl. 506.
517. *Vorst met (afgaande) maan, houdt meestal aan.*
518. *Zoveel ringen om de maan, zoveel dagen kan 't nog gaan.* (Drents.) Vgl. 510.
Sterren. 519. *Een sterretje dicht bij de maan, kondigt wel eens storm aan.*
Wolken. 520. *Des morgens bergen, des avonds water.*
521. *Hebben wolken 's morgens rode randen, altijd is er wind en nats voorhanden* (Vlaams).
522. *Heden schupjes, morgen drupjes* (Vlaams). *Schupjes* zijn schaapjeswolken.
523. *Kruislucht is altijd tegen donder* (Vlaams) = als er schaapjeswolken zijn, komt er onweer.
524. *Schaapjes aan de hemelbaan, duiden wind en regen aan.* Vgl. 522.
Mist. 525. *De mist heeft vorst in de kist.*
526. *Mistige morgen, schone dag.*
527. *Mist na regen, brengt geen zegen.*
528. *Slaat des avonds zware nevel neer, dan brengt allicht de morgen helder weer.*
Regen. 529. *Als 't regent is 't onweder gebroken.*
530. *Als 't regent uit het Oosten, regent het zonder vertroosten.* Ook:
531. *Regen uit het Oosten, acht en veertig uren zonder vertroosten* (Vlaams).
532. *In de zomer bij vlagen, in de winter bij dagen.*
533. *Regen na 8 uren, zal de hele dag niet duren.*
534. *Regen uit het Noordoosten en 't kijven van oude wijven houdt 3 dagen aan* (Fries).
Regenboog. 535. *Regenboog in de morgen, kunt gij tegen regen gaan zorgen.* Soms met de toevoeging:
Regenboog in de avondstond, leg dan uw hoofdje op een zachte grond. Ook:
536. *Regenboog in vroege morgen*
baart de wakkere boer veel zorgen,
Regenboog 's namiddags laat,
Blijde hij ter ruste gaat.
537. *Regenboog tegen nacht, is water in de gracht.*
Sneeuw. 538. *Sneeuw op slik, binnen 3 dagen ijs, dun of dik.* Ook:
539. *Als de sneeuw valt in het slik, vriest het altijd, dun of dik.* Ook:
540. *Valt de sneeuw in het slijk, binnen 3 dagen een harde dijk* (Vlaams). Ook:

541. *Modder en sneeuw op de wegen, brengt vorst te wegen* (Vlaams). Ook:
542. *Sneeuw op natte grond, vriest terstond.*
543. *Sneeuwjaar, rijk jaar.*
544. *Valt d'eerste sneeuw in de nattigheid, houdt u voor de winter bereid* (Limburgs). Vgl. 538 t/m 542.
545. *Veel sneeuw, veel brood*, Vgl. 543.
546. *Weinig sneeuw, veel regenweer, doet de akkers en velden zeer.*
547. *Zo hoog de sneeuw, zo hoog het gras* (Vlaams).
Donder. 548. *Al is de donder nog zo kloek, hij brengt de wind weer in zijn hoek* = Tijdens het onweer draait de wind dikwijls, maar na afloop komt hij uit dezelfde hoek.
549. *Donder in het dorre hout, dat geeft een voorjaar schraal en koud* (Vlaams). Ook:
550. *Donder in het dorre hout, maakt 3 (6) weken guur en koud* (Vlaams).
551. *Als 't dondert op de blote doren, is de scheper zijn wei verloren* (Vlaams).
In Drenthe:
552. *Donder op de naakte tek, 't hele jaar geen nat gebrek.*
Wind. 553. *De wind in het Zuiden, is water voor de puiden* (Vlaams) = Bij Zuidenwind komt er regen. Puiden = kikkers. Ook:
554. *Zuidwest, regennest.*
555. *De zon op sporen, daar is Noordewind mee geboren* (Vlaams).
556. *Een krimper(d) is een stinker(d)* = Krimpende wind geeft slecht weer. Ook:
557. *Krimpende wind, stinkende wind.* In de Zaanstreek ook:
558. *Krimpen en stillen, dat is straks weer drillen.* Een driller is een sterke, gelijkmatige wind. Ook:
559. *Krimpende winden en kijvende vrouwen, daar is dooreen geen huis mee te houwen.* Ook: *Krimpende wind en uitgaande vrouwen zijn niet te vertrouwen.*
560. *Hoe losser wind, hoe vaster weer* = Hoe meer de wind draait, hoe standvastiger is het weer. Ook:
561. *Lopende winden zijn staande weren.*
562. *Komt wind voor regen,*
Daar is niets aan gelegen.
Maar komt regen voor wind,
Berg dan je zeilen gezwind.
563. *Noordoostewind met snee* (= sneeuw), *zuidwestewind in zee* (Zaans).
564. *Oostewind met nat, die heb je gauw gehad* (Zaans). Elders echter:
565. *Oostewind met regen duurt drie dagen, zes of negen* (Groningen).
566. *Veel wind, veel ooft.*
567. *Veel wind, weinig regen.*
568. *Wind in de nacht, water in de gracht* (Vlaams).
Vorst en dooi. 569. *Als het vriezen wil, vriest het met alle winden.*
570. *Dooi zonder regen of wind, 't is niet waard dat hij begint* (Vlaams). Ook:
571. *Een koude dooi, een wisse* (of: *behouden*) *dooi* (Vlaams). Ook:
572. *Strenge heren regeren niet lang* = strenge vorst duurt niet lang.
IJzel. 573. *Geen ijzel zo stout, die drie dagen aan de bomen houdt.*
Hemelkleur. 574. *Avondrood,*
Mooi weer aan boord.
Morgenrood,
Water in de sloot.
Dikwijls worden alleen de laatste 2 regels gehoord. Ook:
575. *'s Avonds 't luchtje rood, 's morgens water in de sloot.*
576. *Is de avond rood en grauw de morgen, die twee ons gewis mooi weer bezorgen* (Vlaams). Ook:
577. *De avond rood, de morgen grauw, brengt het schoonste hemelblauw.* Ook:
578. *Des avonds rood en 's morgens grijs,*
Dan gaat men steeds gerust op reis,
Doch 's avonds grijs en 's morgens rood,
Dan stelt men zich aan regen bloot.
579. *Des morgens de lucht rood, des avonds plomp in de sloot* (Vlaams).
580. *Rood voor zunne* (=zonsopgang)
Is regen voor avond.
Is de zunne 's avonds rood,
's Morgens is 't schoon weder groot
(Vlaams).
580. *Is de hemel al te blauw, spoedig wordt hij dan weer grauw.*

III. De dieren

Bij. 581. *Als de bijen naar huis toe vluchten zit er regen aan de luchten* (Vlaams).
582. *Als niet de bij haar korf verlaat, maakt zeker dan op regen staat.*
Haan. 583. *Als de haan zingt op de pol-*

der, is 't looi weer op de zolder (Vlaams) = Dan komt er slecht weer.
584. *Het kraaien van de haan kondigt wind en regen aan.*
585. *Kraait de haan bij avond of nacht, dan wordt ander weer verwacht.*
Haas. 586. *Draagt het hazeken lang nog zijn zomerkleed, dan is de winter nog niet gereed* (Vlaams).
Kat. 587. *Draait de kat haar aars naar 't vuur, wind en regen, koud en guur.* Zie ook een gezegde onder 59.
Kikvorsen. 588. *Als de kikvorsen kwaken, zal mooi weer genaken.* Ook:
589. *Als de kikvors kwaakt, vast regen naakt.*
Kip. 590. *Als de hoenders kakelen lang en goed, zal het regenen in overvloed* (Vlaams).
Kraai. 591. *Een bonte kraai maakt geen harde winter.*
592. *Houden de kraaien school, zorg voor hout en kool.*
Kwartel. 593. *Als de kwakkels* (= kwartels) *lustig slagen, spreken wij van regendagen* (Vlaams). Ook:
594. *Als de kwartel rusteloos slaat, weet het spoedig regenen gaat* (Vlaams). In Nederland echter:
595. *De vaak herhaalde kwartelslag voorspelt de boer een droge dag.*
Leeuwerik. 596. *Een enkele leeuwerik maakt nog geen voorjaar.*
597. *Vliegt snel de leeuwerik naar omhoog, dan wordt de hemel klaar en droog* (Vlaams).
Meeuw. 598. *Meeuwen aan land, storm voor de hand.* In Friesland:
599. *Zeevogels op het grien* (weiland) *het weer gemien.* Men zegt in Friesland ook:
600. *Zeevogels op de bouw* (= bouwland) *het weer getrouw.*
Mug. 601. *Als de muggen dansen gaan, dan is 't met regenen gedaan.* Ook:
602. *Als de muggen dansen, wordt het goed weer. Zie ook*: 1, 3, 4, 60, 61, 62 en 75.
Muis. 603. *Komt van 't land de veldmuis, draagt dan turf en hout in huis.*
604. *Kruipen de muizen diep in de grond, zo maken zij een strenge winter kond.*
Pad, slak. 605. *Als de slakken en padden kruipen, zal het zeker spoedig druipen.* Ook:
606. *Als de slakken kruipen gaan, dan is 't met 't mooie weer gedaan.*
607. *De padden wijzen regen aan, ze zijn des avonds op de baan.*
Sijs. 608. *Vroeg sijs, vroeg ijs.*
Specht. 609. *Als de specht lacht, komt er regen.* Ook:
610. *Als de specht lacht, regen verwacht.* Ook:
611. *Als de specht roept: giet, giet!, bedriegt hij u niet* (Vlaams).
Spin. 612. *Is 's avonds laat de spin te been, 't zal regenen, ik wed tien voor een.*
613. *Maakt de spin in 't net een scheur, dan klopt de stormwind aan de deur.*
Spreeuw. 614. *Eén spreeuw op het dak maakt nog de lente niet.*
Vink. 615. *Zingt de vink in vroege morgenstond, wis en zeker hij regen verkondt.*
Vlieg. 616. *Stekende vliegen, dat kan niet liegen, zij voorspellen regen allerwegen.*
Wild. 617. *Fijne pels aan 't wild, winter mild.*
Worm. 618. *Glanst de glimworm hel bij nacht, weet dan dat de oogst u wacht* = geven de glimwormen veel meer licht dan gewoonlijk, dan moet de oogst vlug worden ingehaald, want dan komt er storm.
Zwaluw. 619. *Als de zwaluwen scheren over water en wegen, dan komt en dan blijft er wind en regen.*

IV. De plantenwereld

Bomen. 620. *Bloeien de bomen tweemaal op een rij, zal de winter zich rekken tot mei.*
621. *Bomen ontkleed, mensen gekleed* = Beginnen de bomen kaal te worden, dan is het al koud. Ook:
622. *De velden geschoren, de winter geboren.*
623. *Houden de bomen hun blaren lang, wees voor een lange winter bang.*
624. *Valt 't loof vroegtijdig van de bomen, dan is de winter niet te schromen.*
Vruchten. 625. *Als er druiven zijn en vijgen, moet men winterkleren krijgen.*
626. *Veel noten, harde winter.*

V. Allerlei

627. *Als de dagen lengen, begint de kou te strengen.* Ook:
628. *De dagen aan 't langen, de winter aan 't prangen.*
629. *Des avonds speelt de zoelte, des morgens is er koelte.*
630. *Des morgens een pronker, over dag een jonker* (Vlaams.)
631. *Door de vijfde wordt bewezen, wat het voor een maand zal wezen.*
632. *Een zieke morgen maakt een gezonde dag* (Vlaams).
633. *Wanneer de rook naar d'aarde slaat, is 't zeker dat het regenen gaat.*
634. *Ziet gij in 't moeras het dwaallicht gloren, dan blijft het weder mooi als voren.*
635. *As de vrouwlu samentropt, dan kump er nat weer* (Graafschap Zutphen). Als de vrouwen in troepjes bij elkaar staan.

Voor de weerspreuken geraadpleegde werken

Vele werken die door mij werden nageslagen, zijn vermeld in de lijst, die hiervoor is afgedrukt. De daar niet vermelde werken zijn:

P. BOORSMA – *Het molenleven en onze taal.*

WILLEM H. BOURS – *Limburgse spreekwoorden.*

J. R. S. CAUBERGHE – *Nederlandse taalschat.*

JOZEF CORNELISSEN en J. B. VERVLIET – *Idioticon van het Antwerpsch Dialect.*

'T DAGHET IN DEN OOSTEN – Limburgs tijdschrift.

DRIEMAANDELIJKSE BLADEN – tijdschrift, uitgegeven door de vereniging tot onderzoek van Taal en Volksleven.

DR. H. EKAMA – *Nederlandse Meteorologische Rijmpjes* (in Album der Natuur, 1907).

H. C. A. GROLMAN – *Nederlandse Volksgebruiken, Kalenderfeesten.*

ONS VOLKSLEVEN – tijdschrift van Jozef Cornelissen en J. B. Vervliet, Antwerpen 1889—1900.

ROND DEN HEERD – tijdschrift te Brugge, 1865—'87.

DR. JOS. SCHRIJNEN – *Nederlandsche Volkskunde*, II.

IS. TEIRLINCK – *Zuid-Oostvlaandersch Idioticon.*

VOLKSKUNDE – tijdschrift opgericht in 1888 door Pol de Mont en Aug. Gittée. Nu Ned. Tijdschrift voor Volkskunde.

H. WELTERS – *Feesten, zeden, gebruiken en spreekwoorden in Limburg.*

Geraadpleegde werken

ADAGIA – *De Vrouw in spreuk en spreekwoord*, bij Jos. Jutte, Rotterdam. 1915.
ADAGIARIUS (J. F. L. Montijn), *Latijnsche citaten*, 1889; 2e druk door D. Bruins, 1925.
O. ADOLPHI – *Das grosze Buch der fliegenden Worte, Zitate, Sprüche und Redensarten.*
AGRICOLA, zie *Suringar.*
J. A. ALBERDINGK THIJM – *Vaderlandsche Charakterschildering in onze spreekwoorden*, artikel in *Dietsche Warande* van 1858, IV, 213.
DR. D. BAX – *Ontcijfering van Jeroen Bosch*, 1949.
TACO DE BEER en DR. LAURILLARD – *Woordenschat*, 1908.
MR. L. TH. C. V. d. BERGH – *Lijst van spreuken en spreekwoorden*, geplaatst vóór de Woordenlijst in *Heinric ende Margriete van Limborch*; 1846.
I. BERNSTEIN – *Jüdische Sprichwörter und Redensarten, gesammelt und erklärt.* 2. verm. u. verbesserte Aufl. m. hebräischem u. deutschem Text, Index u. Glossar. Warschau 1908.
DR. H. L. BEZOEN – *Spreekwoorden uit Twente*, in 't maandblad *Erica*, 1947.
MORITZ BLASS – *Jüdische Sprichwörter*, 1857.
L. DE BO – *Westvlaamsch Idioticon*, 1873.
P. BOGAERT – *Toegepaste spreekwoorden*; Gent, 1852.
BORCHARDT-WUSTMANN, *Die sprichwörtlichen Redensarten*, 7e druk, 1955. Leipzig.
D. BRACKENBURG – *Verzameling van spreekwoorden voor de jeugd*, 1828.
C. BREULS – *Vademecum.* (Maastrichts dialect, 1914.)
B. C. BROERS en A. A. E. S. ROUKENS – *English Idioms and their Dutch equivalents.*
J. H. BROUWER en P. SIPMA – *De Sprekwirden fen Burmania*, 1614, heruitgegeven met inleiding en aantekeningen, 1947.
MR. JOHAN DE BRUNE – 1. *Banketwerk*, 1660; 2. *Nieuwe Wijn*, 1636.
G. BÜCHMANN – *Geflügelte Worte*, 25e druk, 1912.
Bijbelsch Woordenboek, door W. Moll, P. J. Veth en F. J. Domela Nieuwenhuis.
J. CATS, *Spiegel van den ouden ende nieuwen tijdt, bestaende uit spreeckwoorden*, 1656.
J. R. S. CAUBERGHE – *Ned. en Vlaamsche Spreekwoorden.* Brugge.
M. N. CHOMEL – *Huishoudelijk Woordenboek*, 1743.
A. DE COCK – 1. *Spreekwoorden, afkomstig van oude gebruiken*; 2e druk, 1908; 2. id. *over de Vrouwen*; 3. id. *op volksgeloof berustend.*
J. VAN DAM DEN BOUMEESTER – *De Tijd baart rozen*, een verhaal in spreekwoorden, 1855.
R. P. A. DOZY, *Vreemde Oosterlingen*, 1e druk 1867.
DS. H. VAN DRUTEN – *De Bijbel en de Volkstaal.* Vrij naar het Duits. Nijmegen, 1891.
DR. L. DUFOUR – *Onze volksche weerkunde*, uit het Frans vertaald. Brussel 1945.
IDA VAN DÜRINGSFELD en O. VON REINSBERG-DÜRINGSFELD – *Die Sprichwörter der germanischen und romanischen Sprachen*, 1872—'75.
PRUDENS VAN DUYSE – *Spreekwoorden aan geestelijke zaken ontleend.* (Belgisch Museum, 1841.)
WALING DIJKSTRA – *Uit Frieslands Volksleven*, II; 1895.
ECCLESIASTICUS, zie *Jezus Sirach.*
R. ECKART – *Niederdeutsche Sprichwörter*, 1893.
F. DEN EERZAMEN, *Spreekwoorden van Goeree en Overflakkee*, in *De Nieuwe Taalgids* XI—XIV.
J. V. ELSEN. *Zegswijzen, spreekwoorden en spreuken.* 2de verm. uitg. Averbode, 1914.
ERASMUS – *Gedenkweerdige spreuken.* Zijnde door hem meest aller beroemde heidenen hoogste wijsheit en zinspreuken, uit d'overgebleeven outheit, by een versamelt, en daar op... sijn... bedenkingen, soo christelijk als zeedelijk toegepast. U. h. Lat. vert. d. L. v. B. (Lamb. v. d. Bosch). Leeuw., H. Rintjes, 1672. Vertaling der Apophthegmata.
Colloquia familiaria, of Gemeensame t'samen-spraken, waer in... verscheydene stoffen, soo inde theologie, philosophie, als uyt de poëten, ...geleert en ver-

maecklijck worden voor-gestelt ... Bygev. de verklaringen van verscheyden spreeckwoorden ... Mitsgad. een oratie of vertoogh aen den Prince Adolph, hoemen de deughd sal omhelsen. U. h. Lat. vert. Amst., Dirck Pietersz. (Pers), (ca. 1630).
Erasmus over Nederlandsche spreekwoorden, door Dr. W. H. D. Suringar, 1873.
VAN EYK, zie *Sprenger van Eyk*.
AREND FOKKE SIMONSZ. – *Verzameling van eenige Spreekwoorden*, 1805.
FOLIE, ANNA —, pseudoniem, bij wie een *Lyste van Spreekwoorden*, 'op verscheyde voorvallen toepasselijk.'
De titel luidt:
Lyste van rariteiten, die verkocht zullen werden... ten huyze van Anna Folie; ± 1710. Te Zeg-Waerdt, by J. Silentiarium, in Momus.
De spreekwoorden (in het 3e deel) heten 'door een liefhebber der zelve by een vergadert.'
Gedrukt in Arabien, midden op de Zand-Zee.
FRIESE SPREEKWOORDEN:
1. Waling Dijkstra, *Uit Frieslands Volksleven* II;
2. P. C. Scheltema – *Verzameling van Spreekwoorden*, 2 delen, 1826.
3. J. Hepkema – *Bloemlezing uit Paulus Scheltema.*
4. W. Dijkstra in *De Vrije Fries* XXI—XXIII.
5. Brouwer en Sipma – *Burmania*;
6. M. Nissen, *Findling.*
GUIDO GEZELLE – 1. *Loquela*, als tijdschrift verschenen 1881—'95 te Roeselare; als boek 1907.
2. *Duikalmanak.*
3. *Vlaamsche Spreuken uit de Duikalmanak*, Tielt, 1945.
Ghemeene Duytsche Spreckwoorden, Adagia oft Proverbia ghenoemt, de Kamper Verzameling van 1550.
DR. J. B. F. VAN GILS – *Een andere kijk op Pieter Brueghel den ouden*, 1940.
F. GOEDTHALS – *Les proverbes anciens flamengs et françois*; Antwerpen, 1568.
GRAF UND DIETHERR – *Rechtssprichwörter.*
GRANVILLE ET GÉRARD – *Cent Proverbes*, 1845.
H. GROESSER – *Rommelzoo, Antwerpse Spreekwoorden*, 1897.
H. GRÖNINGER – *Tausend plattdeutsche Sprichwörter ir Emsländischer Mundart*, 1918.
H. C. VAN HALL – 1. *Spreekwoorden betreffende landbouw en weerkennis*, 1872.
2. *De Ned. Spreekwoorden, tot het Regt betrekkelijk*, 1853.
P. J. HARREBOMÉE – 1. *De zedeleer, voorgesteld in spreekwoorden aan God ontleend*, Purmerend, 1856.
2. *Spreekwoordenboek*, 3 delen, 1858—1870.
3. *Bedenkingen op 'Bijbel en Volkstaal' van E. Laurillard*; Gorinchem, 1877.
4. Zie Herroem.
G. HEERES – *Populaire Voorlezing, verzameld uit spreekwoorden*, 1851; gedrukt 1880.
J. HEPKEMA – *Bloemlezing uit Paulus Scheltema's Twaalfduizend Spreekwoorden.* Uitgave *Nieuwsblad van Friesland* te Heerenveen.
DR. J. HERDERSCHEE – *Namen en Spreekwijzen aan den Bijbel ontleend*, 5e druk, 1940.
A. E. B. HERROEM – *Bacchus in Spreekwoordentaal*, 1874. (Herroem, pseudoniem van Harrebomée.)
D. C. HESSELING – *Grieksche en Nederlansche Spreekwoorden* (in *Byzantium en Hellas.*)
JOHN HEYWOOD – *Proverbs, epigrams and miscellanies*, edited by John S. Farmer, London, 1906.
H. HIERONYMUS – *'t Leven ende spreucken der Vaderen*; Brugge, 1699.
J. H. HILLEBRAND – *Deutsche Rechtssprichwörter*, 1858.
J. H. HOEUFFT – *Taalkundige Aanmerkingen op eenige Oud-Friesche spreekwoorden*, 1812 en '15.
H. A. HORNING – *Spreekwoorden op het Godsdienstige leven toegepast.* 2e druk. Amsterdam, 1888—1893.
N. V. D. HULST – 1. *Luim en ernst, spreekwoorden aan eyeren ontleend*, 1823.
2. *Belangrijk Woord*, 1823. (Tegen de *Vad. Letteroefeningen.*)
D. IDINAU – *Lot van wijsheid ende goed geluck. Op drije hondert ghemeyne Sprekwoorden: in rijme gestelt. Antwerpen*, 1606.
A. DE JAGER – *Bijdragen tot de kennis der Nederduitsche spreekwoorden*, in het *Taalkundig Magazijn*, 1839, e.v.
E. JASPAR en J. ENDEPOLS – *Maas-*

trichtse zegswijzen. (Nieuwe Taalgids, XIV. 193.)
JEZUS SIRACH – *Spreuken*, 1. vertaald door J. C. Matthes en J. Dyserinck, 1908;
2. in verzen met de muziek, uitgegeven als *Ecclesiasticus* door Jan Fruytiers, 1563. Heruitgegeven door Scheurleer.
AMAAT JOOS – *Schatten uit de Volkstaal*; Gent 1887. Eenige duizenden volksspreuken.
ELLAZER KANN – *Gevleugelde Woorden.* Spreekwoorden; 1890.
P. KAT PZN. – *Bijbelse uitdrukkingen en spreekwijzen in onze taal.* Zutphen, 1926.
F. KERDIJK – *Alles wel aan boord*, spreekwoorden ontleend aan het zeewezen, 3e dr., 1946.
Over de kleuren in de spreekwoordentaal. (De Hervorming, 1892, 57—58.)
FR. KLUGE – *Seemannssprache*, 1911.
M. J. KOENEN – *Woordverklaring*, 1891.
KRUMBACHER – *Eine Sammlung byzantinischer Sprichwörter*, 1887.
DR. C. KRUYSKAMP – *Apologische Spreekwoorden*, 1948.
K. TER LAAN – *Nieuw Groninger Woordenboek*, 1929. Tweede druk 1954.
D. LAMÉRIS – *Korte Aanteekeningen bij vele woorden*, 1886.
LANCEE – *Uit het Leven der Ned. Taal.*
G. LANGELER – *Mozaiek van het paard*, 1946.
LANGUES VIVANTES, Tijdschrift voor Levende Talen, te Brussel.
Spreekwoorden uit het Textielbedrijf, 1944. *Uit het Schoenmakersbedrijf*, 1946.
FRIEDRICH LATENDORF – *Agricola's Sprichwörter*, 1862.
DR. E. LAURILLARD – 1. *Spreuken of Gezegden aan den Bijbel ontleend*, 1875. Met de gouden erepenning bekroond door de Holl. Mij. van Fraaije Kunsten. De tweede druk uitgegeven als
2. *Bijbel en Volkstaal*, 1880; 3e dr. 1901.
JACOB VAN LENNEP, *Zeemanswoordenboek*, 1856.
F. V. LIPPERHEIDE, *Spruchwörterbuch*, 2e dr., München 1909.
MAGAZIJN VAN SPREEKWOORDEN, opgehelderd door voorbeelden en vertellingen, tot een leesboek voor de jeugd, 1800—1832.
A. MAHLER – *Bäuerliches Bodenrecht in Rechtssprichwörtern*, Berlijn 1943.
DRS. HEIN MANDOS – *Oost-Brabantsche Spreekwoorden.* (In *Land van Dommel en Aa*, Eindhoven, 1947.)
L. MARTEL – *Petit recueil des proverbes.*
J. F. MARTINET, *Oorspronkelijke Ned. logogryphen of Verzameling van Vaderlandsche spreekwoorden*, ten gebruike der jeugd, 1796.
HET MERGH VAN DE NED. SPREEKWOORDEN, Amsterdam, 1660, in alfabetische volgorde.
G. A. MESTERS – *Prisma Spreekwoordenboek*, 1954.
B. V. MEURS, 1500 *spreekwoorden*, 1886.
G. J. MEIJER – *Oude Ned. Spreuken en Spreekwoorden*, 1836.
MR. A. MODDERMAN – *Bijdrage tot de huishoudkunde, samengesteld uit spreuken en spreekwoorden*, 1852.
H. MOLEMA – *Nederduitsche Spreekwoorden* (Taalgids IV en V).
J. F. L. MONTIJN – *Spreekwoorden der Romeinen*, 1893.
J. H. MOOYMAN – 101 *spreekwoorden en gezegden voor raadseloplossers.*
M. NISSEN – *De Frèske Findling, dat sen frèske sprekkwurde*, 1873—'78.
E. V. O. (Edmund van Offel) – *Spreekwoorden*; Antwerpen 1908. (Jaarboek *De Skalden.*)
DR. A. OTTO – *Die Sprichwörter der Römer*, 1890.
J. PAN – *Drentsche Woorden en spreekwijzen.* (Dr. Volksalmanak, 1845.)
PROVERBIA COMMUNIA, gedrukt te Deventer 1480 en te Delft 1495. Heten ook *Proverbia seriosa*; zie *Suringar.* Herdrukt door Prof. Dr. Richard Jente voor de universiteit in Indiana, 1947.
M. QUITARD – *Proverbes sur les femmes*, 1882.
T. RAVEN HZN. – *Toegepaste spreekwoorden*, een leesboek voor de scholen, te Groningen, 1853.
REINSBERG-DÜRINGSFELD, zie *Düringsfeld.*
REVUE DES LANGUES VIVANTES, zie *Langues.*
EM. ROSSEELS – *Levenswijsheid*; Dendermonde, 1894.
J. H. DE RUYTER en B. A. BUNINGH, *Gevleugelde Woorden.*
SARTORIUS-SCHREVELIUS – *Adagiorum Chiliades Tres*, 1656.
P. C. SCHELTEMA – 1. *Spreekwoorden*, merendeels Vriesland betreffende; 2 stukjes, 1826 en '31. 2. Handschrift met

12000 spreekwoorden; zie *Hepkema.*
DR. H. SCHRADER – *Der Bilderschmuck der deutschen Sprache*; 5e druk, 1896.
L. W. SCHUERMANS – *Algemeen Vlaamsch Idioticon*, met Bijvoegsel, 1865—'83.
H. SCHULZ – *Deutsches Fremdwörterbuch. De seer schoone Spreekwoorden in 't Franchois ende Duytsch*, gheprent t'Antwerpen, bij Hans de Let, 1549.
FR. SEILER – *Deutsche Sprichwörterkunde*, 1922.
SAMUEL SINGER – *Sprichwörter des Mittelalters*, 1944.
SPIEGELTJE. Wijsheid en humor in spreekwoorden v. d. gehele wereld. A'dam 1948.
H. L. SPIEGHEL – *By-spraax Almanack.*
J. P. SPRENGER VAN EYK – *Handleiding tot de kennis onzer vaderlandsche spreekwoorden.*
1. *Scheepvaart*, 1835. Nalezing en vervolg, 1836.
2. *Dierenrijk*, 1838. Nalezing en vervolg, 1839.
3. *Spreekwoorden, na wier oorsprong of zin gevraagd is*, 1839.
4. *Landleven*, 1841.
5. *Het spreekwoordelijk gebruik van Bijbeltaal*, 1844.
A. W. STELLWAGEN – 1. *Roomsche woorden.*
2. *Verleden en heden*, woordverklaringen, 1883.
DR. F. A. STOETT – *Ned. Spreekwoorden, spreekwijzen, uitdrukkingen en gezegden.* 4e druk, 1923.
DR. W. H. D. SURINGAR – 1. *Joannes Glandorpius als vertaler van Agricola's Sprichwörter aangewezen*, 1874;
2. *Erasmus' Adagia*;
3. Middelnederlandsche Rijmspreuken als vertaalde verzen van *Freidanks Bescheidenheit*, 1885, '86. (I en II.)
4. *Proverbia communia.* (Verslag v. h. Gymnasium te Leiden, 1862—'63.)
M. D. TEENSTRA, *Spreekwoorden betrekkelijk eenige huisdieren*, in zijn *Landhuishoudkundige Almanak* voor 1861.
FRANZ TETZNER – *Deutsches Sprichwörterbuch.* Reclam, Leipzig.
C. TUINMAN – *Oorsprong en uitlegging van Nederduitsche spreekwoorden;* Middelburg 1726 en '27.
J. VERDAM – 1. *Sporen van Volksgeloof*, Hand. Lett. 1897—'98, blz. 35—86.
2. *Uit de Gesch. der Ned. Taal.* 2e druk, 1902.
3. *Rapiarys*, 1930.
DR. P. J. VETH – *Uit Oost en West*, 1889.
VLAAMSCHE SPREUKEN *verzameld uit Guido Gezelle's Duikalmanak*, 1946.
W. V. D. VLUGT – *Overlevend volksrecht.* (Gids 1895, III.)
VOORZANGER en POLAK – *Het Joodsch in Nederland*, 1915.
DR. C. G. N. DE VOOYS – *Lessen over spreekwoorden*, in *Nw. Taalgids* VI, 81.
K. WAGENFELD – *Volksmund, plattdeutsche Sprichwörter des Münsterlandes.*
JAN WALCH – *Uit de levensgeschiedenis van woorden.*
KARL WANDER – *Deutsches Sprichwörterlexicon*, Leipzig, 1867—'80.
C. WERDA – *Ned. Spreekwoordenboek*, 2e druk, 1939.
J. WERNER – *Lateinische Sprichwörter*, 1912.
J. F. WILLEMS – *Keur van Nederduitsche spreekwoorden*, 1824.
W. à WINSCHOOTEN – *Seeman*, 1681.
NICOLAES WITSEN – *Verklaringen van scheepsspreeckwoorden* (In *Aeloude en hedendaegsche scheepsbouw*, 1671.)
F. WOESTE – *Wörterbuch der Westfälischen Mundart*, 1882.
Woordenboek der Nederlandse Taal.
Woordenschat, zie Taco de Beer.
DR. C. J. WIJNAENDTS FRANCKEN – *Fransche moralisten*, 1904; *Levenswijsheid*, 1916; *Menschenkennis en Levenswijsheid*, keur van spreuken, gedachten en aphorismen, 1932.
PATER NICOLAAS ZEGERS, vertaalde een F. werk van Nicolaas Grenier als *Het Sweert des Gheloofs.* Hij gaf ook een *Spreekwoordenboekje* uit met Latijnse vertaling. Antwerpen 1551. Hij was in 1568 overleden. Artikel over hem van Dr. P. J. M. van Gils te Roermond, in *Tijdschrift voor Taal en Letteren*, Tilburg, 1941, blz. 137.
C. F. ZEEMAN – *Spreekwoorden aan den Bijbel ontleend*, 1876; 2e druk 1888.
J. W. ZINKGREVEN, *Duytsche apophtegmata of scherpzinnige spreuken.* Amsterdam, 1668.
JAN ZOET – Aantekeningen bij *Mantel-eer* en *Bacchus.*
A. VAN ZUTPHEN – *Vaderlandsche Spreekwoorden ten dienste der scholen*, 2 stukjes, 1828.

Verzamelaars en verzamelingen van spreekwoorden, naar tijdsorde gerangschikt.

Proverbia communia, d.i. algemene spreekwoorden, de oudste verzameling van Nederlandse spreekwoorden. Deze werd uitgegeven met een rijmende Latijnse vertaling tussen de regels. Het boekje 'schijnt in het laatste gedeelte van de XVe eeuw vooral aan de Deventer school gebruikt te zijn, toen deze, onder het bestuur van Alex. Hegius, leerlingen van heinde en verre tot zich trok.' (Dr. Suringar; zie daar.)

Proverbia seriosa, andere naam van de *Proverbia communia.*

Erasmus, van Rotterdam, 1467—1536, zoon van een priester en een dienstbode, de grote humanist, een der beroemdste Nederlanders. Hij verbleef van 1486 tot 1493 in 't klooster Steyn bij Gouda; de bisschop van Kamerijk riep hem tot zich als zijn secretaris. Maar weldra was hij te Parijs, daarna in Engeland en te Rome en te Leuven, welke stad hij in 1521 verliet uit vrees voor de pauselijke nuntius Alexander. Hij vestigde zich te Bazel.

Hij verhief zijn stem tegen de gebreken der Kerk, o.a. in zijn scherpe satire *De Lof der Zotheid,* 1511, vooral gericht tegen het kloosterleven. Hij wilde hervorming in de kerk evenals zijn volgelingen Alexander Hegius, de Groninger rector Gosewinus van Halen en Gnapheus te 's-Gravenhage. Hij trok geen partij voor Luther, wiens grote heftigheid hem als geleerde afschrikte. Hij was de vriend van Thomas More en van kardinaal Wolsey in Engeland.

De Bazelse uitgever Frobenius gaf in 1516 Erasmus' Griekse Nieuwe Testament in het licht. Bij al zijn geleerde werken op godsdienstig en wijsgerig gebied had Erasmus ook aandacht voor de spreekwoorden. Zijn *Adagia* verschenen voor 't eerst in 1500 te Parijs, buiten voorkennis van de schrijver. Toen was 't een klein boekje met 800 spreekwoorden onder de titel *Collectanea Adagiorum.* Bij Erasmus' leven verschenen er 30 drukken; de laatste, te Bazel, is een foliant van over de 1000 blz. met 4151 Griekse en Latijnse spreekwoorden.

Zijn werk is de eerste verzameling spreekwoorden met verklaring; zijn voorbeeld spoorde vele anderen aan, zich met de spreekwoorden te bemoeien. Erasmus behandelde alleen de Griekse en de Latijnse spreekwoorden, maar hij voegt er bij, welke in zijn tijd ook hier onder het volk gangbaar waren. Die Ned. spreekwoorden zijn uitgegeven door *Suringar.* Zie daar.

Reyner Bogerman, *Regnerus Doccumanis,* d.i. Reiner uit Dokkum, 1475—15 ..., secretaris van Kampen 1498, 1531 van Groningen, 1540 weer van Kampen, in 1553 ontslagen. Studie over hem van Dr. T. J. de Boer in '*De Vrije Fries* XIX. Hij heeft een handschrift nagelaten in 3 delen. Een aantal Friese rijmspreuken daaruit zijn door Hepkema opnieuw uitgegeven in *'t Nieuwsblad van Friesland.*

In deze trant:

De wei nei de hel
Rint ring del,
de weg naar de hel loopt snel naar beneden.
Fen wetter wirdt lân,
As di tyd komt ter hân,
Van water wordt land mettertijd.
Is 't lok joed heech,
Moon wirdt it leech,
Is 't geluk heden hoog, morgen wordt het laag.
Nimmen mei him forstekke,
Hi wird fen de dead wol rekke,
niemand kan zich verschuilen, hij wordt door de dood wel geraakt.

Johann Agricola, 1492—1566, was de eerste, die in 't Duits over Duitse spreekwoorden schreef in zijn *Syvenhundert und Fünfftzig Teutscher Sprichwörter,* 1529. Hij was niet de eerste Duitse verzamelaar; dat was namelijk Henricus Bebel, doch die gaf zijn *Proverbia Germanica* in het Latijn uit; 1508.

Agricola's werk werd nog in 1529 vijf maal herdrukt en beleefde in de 16e eeuw nog tien of meer uitgaven. Hij was te Eisleben geboren; hij is een van de grote ijveraars geworden voor de Hervorming; in 1558 werd hij hofprediker bij de keurvorst van Brandenburg.

Zijn *Spreekwoorden* hebben hem niet enkel vreugde bereid. Hij maakte er opmerkingen bij, die aan hertog Ulrich van Wurtemberg aanleiding gaven, een aanklacht tegen hem in te stellen.

Zijn werk is veel nageschreven. Zo kwam er ook al spoedig (1550) een naamloze uitgave in het licht te Kampen onder deze titel:
Ghemene Duytsche Spreekwoorden: Adagia oft Proverbia ghenoemt. Seer gheneuchlich om te lesen, ende oock profijtelick om te weten, Allen den gheenen die der wijslick willen lezen Spreken ende Schrijven; in 12°.
Reeds bij Agricola's leven werden zijn Spreekwoorden buiten zijn kennis in het Latijn overgezet. Dr. Suringar heeft aangetoond, dat dit geschied is door Joannes Glandorpius in zijn *Latijnse Disticha* (tweeregelige versjes).
Nicolaas Zegers, O.F.M., uit Brussel, gaf in 1551 te Antwerpen een boekje uit met Nederlandse spreekwoorden en daarbij de Latijnse vertaling: *Proverbia teutonica latinitate donata collectore et interprete T. Nicolao Zegers Bruxellano.* Dit boekje was onbekend, doch in *Taal en Letteren* 1941, blz. 137, schreef Dr. P. J. M. van Gils er een artikel over. Het boekje was in zijn bezit.
Johannes Sartorius, d.i. Jan Claermaeckers, 1500—'70, Amsterdammer, een der voorlopers van de Hervorming, zeer geleerd in 't Hebreeuws, Grieks en Latijn. Behalve zijn talrijke godgeleerde werken schreef hij ook een verdietsing van Gr. en L. spreekwoorden. *Adagiorum Chiliades tres*, d.i. 3000 spreekwoorden; Antwerpen 1561, herhaaldelijk herdrukt. Daarover bij W. H. D. Suringar, *Erasmus over Ned. spreekwoorden*, 1873.
Johan Glandorp, 1501—'64, geboren te Munster, werd reeds op de leeftijd van 21 jaar lector aan 't gymnasium aldaar; in 1532 werd hij er rector van het Evangelisch Gymnasium, maar weldra moest hij voor de Wederdopers vluchten. Hij werd professor in de geschiedenis te Marburg, kort daarna, in 1536, rector te Wittenberg, en vervolgens te Hameln en te Hannover. Daar bleef hij tot 1555. Toen werd hij rector te Goslar en in 1560 te Herford.
Onder zijn vele geschriften behoren zijn beide boeken *Distichorum variarum rerum* (Tweeregelige versjes over verscheiden zaken), waarvan Dr. Suringar heeft aangetoond, dat het de vertaalde spreekwoorden van *Agricola* zijn.

Campen, zie *Ghemeene Duytsche Spreckwoorden.*
Ghemene Duytsche Spreckwoorden: Adagia oft Proverbia ghenoemt.
Seer ghenuechlick om te lesen, ende ook profytelick om te weten, allen den gheenen, die der wyslick willen leren spreken ende schryven.
Gheprent toe Campen, in dye Broederstrate. by my Peter Warnersen, woenende in den Witten Valck, 1550.
Dit is de Kamper Verzameling, een boekje in 12° van 133 blz., weer uitgegeven door Dr. G. J. Meyer in 1836.
Pieter Brueghel, de oude, Pier den Drol, 1525—'69, geboren bij Breda, beroemd schilder van het Vlaamse boerenleven, 'de Boeren-Brueghel': kermis, bruiloft, 't landschap. Van hem ook een schilderij, waarop een groot aantal spreekwoorden in beeld gebracht zijn. Dit doek was in 't bezit van een Engelsman, tot het in 1914 in het Kaiser-Friedrichmuseum te Berlijn kwam; het zit vol raadsels.
Dr. Van Gils heeft getracht ze op te lossen. Hij is tot de slotsom gekomen, dat men niet te maken heeft met Nederlandse, doch met Engelse spreekwoorden, n.l. met de *Proverbs of John Heywood*, 1546. Deze werd als Katholiek uit Engeland verbannen; † te Mechelen 1580. Zie blz. 324.
Ook in het Haagse Gemeentemuseum hangt een dergelijke spreekwoordenschilderij, van een onbekende meester. De *Haagse Courant* schreef in 1934 een prijsvraag uit voor de oplossing. De antwoorden liepen over 253 spreekwoorden. Verscheidene ervan komen ook bij Brueghel voor.
Jezus Sirach, d.i. Jezus de zoon van Sirach, een Joods schrijver, die ± 190 v. Chr. zijn grote verzameling *Spreuken* bijeen bracht. Het zijn lang niet allemaal, wat wij onder spreuken verstaan; het zijn lessen vol levenswijsheid; de deugd wordt geprezen, tegen de boosheid wordt gewaarschuwd. In deze trant:
Gods zegen bedekt de aarde gelijk een rivier, en gelijk een watervloed het droge land dronken maakt:
Alzo erven de volkeren Zijn toorn, gelijk Hij de wateren in pekel verkeert.
Zijn wegen zijn de heiligen recht, gelij-

kerwijs zij de goddelozen tot aanstoot zijn. (XI:26-28.)
Het boek is een verolg op de Spreuken van Salomo; het is opgenomen in de Apokriefe Boeken van de Statenbijbel en heeft van ouds steeds hoge achting genoten.
Jezus Sirach heeft de spreuken, die in omloop waren in Palestina, bijeengebracht en hij heeft ze aangevuld met eigen werk. Zijn verzameling is in Egypte in 't Grieks vertaald door zijn kleinzoon, die ook Jezus Sirach heette. De Hebreeuwse tekst is verloren gegaan; de Griekse vertaling is behouden gebleven. In 't geheel zijn er 51 hoofdstukken, doch de *Spreuken* gaan niet verder dan tot hs. XLIII. Dan volgt een verheerlijking van de grote mannen uit Israël; het laatste hoofdstuk is een gebed en een dankzegging.
Deze *Spreuken* zijn eeuwen lang ook te onzent veel gelezen. In 1565 werd het boek berijmd en in het Nederlands uitgegeven te Antwerpen onder de titel **Ecclesiasticus** (De Prediker) oft de wijse sproken Iesu des soons Syrach:
Nu eerstmaal deur deelt ende ghestelt in Liedekens, op bequame en ghemeyne voisen deur Jan Fruytiers.
Als voorbeeld het LXIII Liedeken, dat aldus begint:
Alsoo ghy best muecht telcker tijt,
Wilt het wijnsuypen vlieden;
Ist dat ghijt mijt,
U naect profijt;
Des zeker zijt;
Want wijn verderft veel lieden.
Dit gezangboek is geheel in de oude vorm opnieuw uitgegeven door D. F. Scheurleer, 1898.
Les Proverbes anciens, flamengs et françois, zie *François Goedthals.*
Frans Goedthals, 1539—1616, uit Brugge, advokaat aldaar, daarna hoogleraar in de rechten te Leuven en in 1583 te Douai; hartstochtelijk verdediger van het R.K. geloof.
'Alhoewel gehuwd en vader van elf kinderen, kreeg hij van de Paus verlof, om priester te worden, terwijl zijne gade in een vrouwenklooster trad'. (Frederiks en Van den Branden.)
Onder zijn talrijke werken ook: *Les Proverbes anciens, flamengs et françois*, uitgegeven te Antwerpen, bij Christofle Plantin, 1568, in 12mo, 143 dichte bladzijden Nederlandse en Franse spreekwoorden.
Een aantal daarvan zijn door Dr. G. J. Meijer uitgegeven in 1836 in zijn *Oude Nederlandsche Spreuken en Spreekwoorden.*
Hendrik Laurens Spieghel, 1549—1612, de geletterde koopman van Amsterdam, die trouw bleef aan het oude geloof en zich met de partijstrijd niet ophield. Hij behoorde tot een van de regeringsgeslachten; hij bezat de hofstede Meerhuyzen aan de Amstel, even buiten de stad. Hij was factor van de beroemde rederijkerskamer *In Liefde bloeyende.* Hij was dichter en taalzuiveraar.
Zijn grote werk is *Hartspieghel*, een libertijns leerdicht, om de waarheid te bevestigen van zijn spreuk: *Deughd verheugt*; diepzinnig en duister.
Aanprijzing van de deugd is ook zijn *Byspraax-Almanak*, 1606, vol stichtelijke wijsheid, maar ook met een keur van spreekwoorden; de wijsgeer Seneca was de man van zijn hart.
Het is maar een klein boekje, doch het heeft een zeer rijke inhoud. Hij verzamelde een schat van Hollandse spreekwoorden en hij plaatste ze in zijn almanak, soms twee of drie of nog meer bij iedere dag van het jaar.
Meer dan 200 er van zijn overgenomen uit de *Proverbia Communia*; zie *Suringar.* (*By-spraecke* = spreekwoord.)
Aan Pauw schreef Spieghel, dat hij de spreekwoorden van alle volken eenstemmig achtte met de uitspraken van de grootste wijzen: 'de natuurlykste verstandighste menschen in verscheyden landen ende verschelende ewen,' zei hij, en noemde een lange veelsoortige rij, van Job over Christus en Socrates tot Montaigne.
'Wat alle menschen zeggen is ghemene waarheid. Wykt niet van 't gemeene pat; te weten, wat alle menschen in haar onbedurven hertegrond gevoelen.' (Aangehaald in zijn studie over Spieghel door Albert Verweij.)
Spieghel heeft zijn spreekwoorden ingedeeld in 12 hoofdstukken, naar de maanden:
I. Zelfkennis. II. Geleerdheid. III. Berading en opmerking. IV. Weldoen. V. Spreken en zwijgen. VI. Geduld en ge-

voegzaamheid. VII. Gelijkheid en gezelligheid. VIII. Landzorg. IX. Huiszorg. X Rijkdom en armoe. XI. Avontuur en gevalligheid (d.i. lot). XII. God en de natuur.

De eerste spreuk van iedere dag schakelt zich aan die van de volgende dag, 'zulx dat de zin van voren tot afteren kettingsgewijs an een hangt.'

De *Byspraax-almanak* werd herdrukt in 1644 en 1694 en is ook opgenomen in de verzamelde werken van Spieghel, uitgegeven door P. Vlaming in 1723.

De uitgave van 1644 is ook afgedrukt in *Mergh van de Nederlandse spreekwoorden.*

Donaes Idinau, gaf in 1606 bij Plantijn in Antwerpen een boekje uit onder de titel: Lot van wisheyd ende goed geluck: Op drije hondert ghemeyne sprekwoorden: in rijme gestelt.

Hij noemt zich op het titelblad liefhebber der dichten die stichten.

Carel Georg van Burmania, 1570—1634, Fries edelman uit Stiens, stelde een verzameling op van 1400 Friese spreekwoorden; 't is ook mogelijk, dat hij ze enkel maar overgeschreven heeft.

In 1641 werd het met afwijkingen gedrukt; ook bestaat er een handschrift van Gabbema.

Joost Hiddes Halbertsma nam er een en ander uit over in de *Lapekoer* in 1834; Harrebomée zou het uitgeven, maar er was niet genoeg belangstelling voor 'der oude vrije friesen spreeckwoorden', zo als de titel van het handschrift luidt. Tot de uitgave kwam het pas in 1940 in de boekenreeks van de Friese Akademie door de zorg van de heren Dr. J. H. Brouwer en P. Sipma.

Jacob Cats, 1577—1660, geb. te Brouwershaven, werd in 1603 advokaat te Middelburg en weldra pensionaris van deze stad. Hij verdiende veel geld aan inpolderingen, in Zeeuws Vlaanderen en ook in Engeland. In zijn jeugd dichtte hij *Minnebeelden*, maar hij werd vroom en werkte ze om tot stichtelijke *Sinnebeelden*, met allerlei raad voor de liefde.

Hij is de dichter van de liefde gebleven; zijn hoofdwerk is het zeer grote gedicht over *Het Houwelyck.*

Hij is de meest gelezen dichter van Nederland geworden en twee eeuwen lang gebleven.

In 1623 werd hij pensionaris van Dordrecht, Hollands eerste stad; in 1636 raadpensionaris van Holland, welk ambt hij bekleedde tot 1652. Jan de Witt was zijn opvolger.

Cats is de dichter van de burgerlijke samenleving; hij verdiept zich in het huiselijk leven; hij is vóór alles leerdichter, voor de mannen, de vrouwen en de kinderen, tot in zijn *Tachtigjarige Bedenkingen* toe. Geen wonder, dat ook de spreekwoorden hem aantrokken.

Cats schreef *Spieghel van den ouden ende nieuwen tijt*, reeds in 1632, 'bestaende uyt spreeckwoorden ende sinspreucken, ontleent aen de voorige ende jedenwoordige eeuwe, verlustight door menigte van sinnebeelden, met gedichten en prenten daerop passende, dienstigh tot bericht van alle gedeelten des levens, beginnende van de kintsheyt, ende eyndigende met het eynde alles vleesch. Elck spiegle hem selven.'

De Spiegel van den Ouden ende Nieuwen Tijt is een verzameling van spreekwoorden met nuttige en vermakelijke opmerkingen. Ze hebben in zich de keest (kern) der wijste boeken. Niet alleen de Heidense wijsgeren hebben er gebruik van gemaakt, doch ook de profeten en apostelen, Jezus Sirach, Christus en Salomo. Cats behandelt alleen de 'leersame spreucken.' Hij heeft zijn boek weer in 3 delen ingedeeld: I. Opvoeding van kinderen; jongelingen en hun bedrijf; eerlijke vrijagie en 'liefdes kortsprake' = minneplichten. II. Getroude Lieden, huislycke Zaken, Winste, Verlies. III. Saken van State, ampten, Christelijcke Bedenckingen; ouderdom; het eynde van alle vleysch; samen een 'spieghel der waerheyt.'

Meynt iemant desen boeck te lang of [groot te wesen,
Die magh, indien hij wil, alleen maar [weinig lesen.
Een reden, sonder meer, een regel, [wel gevat,
Een spreucke, waerde vrient, is hier een groote schat.
Soo gij daerom dit werck misschien [eens quaemt te koopen,
Wil oock het minste woort niet haestig [overloopen:
Herkauwt, eer dat gij swelght; slock [niet gelijck een vraet,

Maer denkt meer dan gij leest, en leest
[meer dan er staet.
De eerste plaat stelt voor 'een man, een oude boom willende buigen.' Eerst volgt een toepassing in verzen, dan een stukje proza, verder spreekwoorden in het Frans, Duits, Italiaans, Nederlands, Turks, Latijn, Grieks en Spaans. De Nederlandse zijn:
1) Terwijl het rijsjen swack is, moet men 't buigen.
2) 't Moet vroeg crommen, dat een goede reep worden sal.
3) 't Is quaet, oude honden aen banden te leggen.
4) Men magh syn oude schoenen verwerpen, maar niet sijn oude seden.
5) De hen is als haar wen is.
6) Gewoonte maeckt eelt.
7) Wat heeft geleert de jonger man,
Daer hangt hem al syn leven an.
8) Qua wennis qua schennis.
Tenslotte een 'besluit' op rijm; en zo over 200 foliokolommen.
De meeste spreuken op rijm, b.v.:
1°. Twee mussen aen een koren-aer,
En maken nimmer vreetsaem paer.
2°. Wie sit en lolt (peinst),
Of sit en vrijt,
Verlet syn werck,
Vergeet sijn tijt.
3°. Twee op eenen tijt te vryen,
Siet men selden wel gedyen.
4°. Een ezel die vrijt,
Die schopt of smijt (slaat),
verklaard als:
Plompe sin,
Plompe min.
Adriaan van de Venne, 1589—1665, uit Delft, van Brabantse afkomst, schilder en dichter. Hij schreef verzen voor de *Zeeusche Nachtegael*, 1623. Een ander werk is zijn *Sinnevonck op den Hollantschen Turf*, 1634. In 1635 verscheen zijn *Tafereel van de belachende werelt, en desselfs geluckige eeuwe, goed rondt, met by-gevoegde Raedsel-Spreucken*. Deze spreuken zijn Hollandse spreekwoorden.
Jan Zoet, 1608—'74, herbergier in *De Zoete Rust* te Amsterdam, maakte verzen ter ere van Prins Willem II en tegen Jan de Witt:
Hoe Gods getergde wraak
altijd de schelmen straft.
Hij was een Chiliast en een zonderling; hij zou de Dood mee helpen overwinnen, was tegen preek, doop en avondmaal, behoort tot de Reformateurs. Hij had in zijn jeugd zijn geld verkwist en
Daarna, in arremoed,
gesworven by de Boeren,
En aan den Varkkentrog
zijn onderhoud gezogt.
Van 1640—'42 speelde hij in de Amsterdamse Schouwburg.
Van 1636 is zijn *Hedendaegsche Mantel-Eer*, een hekeldicht op de geldzucht. Daarin komen in margine een aantal spreekwoorden voor. Dit is ook het geval bij zijn gedicht *Bachus Hoogtijd, ofte Dronkerts Slempdag*, 1675.
In 1666 werd hij tot het Hof toegelaten, om een lang verjaardicht voor de Prins uit te spreken; in 1668 was hij er weer. Amalia van Solms droeg hem op, de Oranjezaal in het Huis ten Bosch te bezingen.Hij had een 'Dightschool' gesticht, die in *De Zoete Rust* bijeenkwam.
Joan de Brune, 1589—1658, Middelburger, medewerker aan de *Zeeusche Nachtegael*, 1623. In 1649 werd hij raadpensionaris van Zeeland; in 1657 droeg hij aan 'den Raed van Zeeland' het eerste deel van zijn hoofdwerk op: *Banketwerk van Goede Gedagten*; 2e deel 1658. Hij is een prozaschrijver, die altijd weer zijn vreugde toont over de rijkdom van Hollands taal; na Hooft de beste prozaschrijver der 17e eeuw.
Zijn spreekwoorden evenwel zijn berijmd en in versmaat. Deze zijn te vinden in *Nieuwe wyn in oude ledersacken, bewijzende in Spreeck-woorden 't vernuft der menschen, ende 't geluck van onze Nederlandsche Taele*, Middelburg 1636. Dit boekje bevat 7600 spreekwijzen, doch de helft er van zijn in vreemde talen, gelijk Vader Cats ze ook opnam in zijn *Spiegel*.
Salomo, de koning van Israël, wiens wijsheid groter was dan de wijsheid van al die van het Oosten, en dan alle wijsheid der Egyptenaren, sprak drieduizend spreuken. (1 Koningen IV : 32.) Suringar onderstelt, dat de *Spreuken* in de Bijbel daarvan nog over zijn, die gemeen goed werden vooral na de uitgave van de Statenbijbel in 1637.
Johan van Nyenborgh, 1612—'70, genoemd naar zijn buitentje in de Paddepoel, een half uur buiten Groningen,

waar hij de Paddepoelster letterkundige kring om zich verenigde; hofdichter en prozaschrijver.
Groninger Historijen. Schoole der Wysheyt, 1662, in de trant van Cats. Maar het meest bleef hij nog bekend door zijn *Weeck-wercken der ghedenckwaerdige historiën*, 1657. Daarin *Eenighe leersaeme ende vermakelijke Spreeck-woorden.*
Wigardus à Winschooten, geb. 1639 te Amsterdam, student te Leiden 1659, praeceptor (leraar) aan de Latijnse school aldaar 1668.
Hij gaf een zeer verdienstelijk werk uit: *Seeman*, 'behelsende een grondige uitlegging van de Neederlandse Konst, en Spreekwoorden, die uit de Seevaart sijn ontleend.' 1681.
Jacob van Lennep heeft dit boek omgewerkt.
Nicolaes Witsen, 1641—1717, na 1680 een der voornaamste regenten van Amsterdam. Hij hielp Willem III bij de Tocht naar Engeland, 1688; in 1689 werd hij er gezant en tekende er 'met bevende hand' het verbond met dit rijk. Ook heeft hij in Rusland gereisd; hij gaf voorlichting aan Czaar Peter bij diens verblijf in Amsterdam, 1697. Hij was bewindvoerder van de V.O.C. en bevorderde de tochten naar Australië. In 1692 kwam zijn groot werk uit over *Noord- en Oost-Tartarije.*
Reeds in 1671 verscheen zijn *Aeloude en hedendaagsche scheeps-bouw.* Daarin veel *Verklaringen van scheeps Spreeckwoorden.*
Ludolf Smids, 1649—1720, M.D., d.i. dokter, ook dichter; te Groningen, ging naar Amsterdam na zijn overgang van de R.K. tot de Gereformeerde kerk. Hij bewerkte een paar blijspelen van de Lat. dichter Plautus en schreef zelf ook toneelwerk.
Maar hij was vooral oudheidkundige. Hij bleef tot op onze tijd bekend door zijn *Schatkamer der Nederlandsche Oudheden, of Woordenboek, behelsende Nederlandse steden en dorpen, kasteelen, sloten en heerenhuysen, oude volkeren, rivieren* enz., 1711. In deze *Schatkamer*, die als woordenboek ingericht is, vindt men ook, 'tot een proefje,' 25 spreekwoorden, 'tot uw vermaak.'
Anna Folie. Omstreeks 1700 verscheen er een 'koddig' boek onder de titel: *Lyste van koddige Rariteyten en grappige spreekwoorden* door Anna Folie.
De tweede titel luidt: *Lyste van Rariteiten, die verkocht zullen worden op den 32 van Bokkem-maand, in den Jaren dat tweemaal drie zoo veel doet als driemaal twee.*
Ten Hüyze van Anna Folie. Alwaar dezelve Rariteiten drie dagen na de verkoping van niemand konnen gezien worden. Gedrukt in Arabien, midden op de Zandzee, in 't vervalle Kasteel van den Razenden Roeland.
Het eerste deel bevat 1008 rariteiten, zo als 'een Plank van 't Bredasche Turfschip, met een Voet van 't Trojaanse Paard, doch wat vermolmd,' of 'Eenige stenen waermede St. Steven gekocheld is; vraagt misschien iemand, hoe komen ze daar aan, het antwoord is met een woord: dat is een zotte vraag. Want men weet wel, 'dat men over al keyen vind.'
En het eindigd met een spreekwoord:
Het *end* goed, al goed,
zei Flip, en ik zeg het mé.
Hoe goed is dan een Worst,
zei Piet, die heeft er twé.
Het tweede deel is van hetzelfde allooi en bevat nog 288 rariteiten en oubollige verhaaltjes.
Het derde deel is een *Lyste van Spreekwoorden op verscheyde voorvallen toepasselyk, door een Liefhebber der zelve vergadert. Te Zeg-waardt, by Johannes Silentiarium, in Momus.*
Ook deze *lyste* draagt hetzelfde karakter. Hij is nog weer in twee stukken verdeeld, met 580 en met 481 spreekwoorden. Het zijn grappige zegswijzen, die in de smaak van het volk moesten vallen. Vele er van zijn aan de vuile kant.
Deze spreekwoordenverzameling is toch van groot belang, men ziet er uit, wat toen onder het volk gangbaar was. Zo is er een grote voorkeur voor de *zeispreekwoorden*; zie daar.
Nog altijd heeft een goed deel van het volk voorliefde voor dergelijke grappen en er zijn heel wat van de spreuken van Anna Folie, die nog alle dagen opgeld doen.
Natuurlijk is Anna Folie een pseudoniem; wie de schrijver was is niet (meer) bekend. *Momus* is de god der spotternij.
Carolus Tuinman, gaf in 1726 zijn *Nederduitsche Spreekwoorden* uit. In de *Ver-*

klaaring der Titelplaat (de Nederlandse Maagd, die van *de tuinman* een korf vol schone bloemen in ontvangst neemt) zegt hij:
Men ging de noot voor u
ontbolsteren en kraaken,
Op dat gij zoet en keest
in haare kern zoud smaaken.
Merkwaardig is het voorin gedrukte lofdicht van 'collega' Jacobus Leydekker, vooral om zijn uitspraak:
Elk, aan moeders taal verbonden,
Spreekt zoo als 't gebruik hem voert,
Zonder kennis van de gronden,
Waar op hij zijn tonge roert.
Dan is er ook nog een lofdicht van Corn. Gentman Leydekker; deze prijst de schrijver als taalzuiveraar:
o Vaderlanders, schuwt de
booze taalgebreken:
Leert van dees Tuinman net en
zuiver Neêrduitsch spreken:
En wringt de Bastaardy
den strot en gorgel toe.
De Vooys is minder goed te spreken over deze 'vlijtige liefhebber': 'de meest grillige invallen doen hier dienst als opheldering.'
Tuinman werd geboren te Maastricht in 1659; hij overleed in 1728 te Middelburg. In 1684 werd hij predikant te Sinte-Kruus bij Aardenburg, in 1667 te Sint-Maartensdijk, in 1691 te Goes, in 1699 te Middelburg.
Hij was de dichter van *Rijmlust*, van *Beginselen van Hemelwerk* en van nog veel meer verzenbundels.
Van meer betekenis waren zijn Voetiaanse werken op godsdienstig gebied. Hij trok te velde tegen de 'Papisten', maar ook tegen de Hattemisten, Spinozisten en dergelijke 'vrijgeesten' in zijn gedichten en in zeer talrijke strijdschriften. En in zijn vrije tijd hield Tuinman zich bezig met taalgeleerde werken: *Fakkel der Nederduitsche Taale*, 1722, en zijn Spreekwoordenboek, 1726 en '27. Dit gaat vergezeld van een uitvoerige *Voorreden* aan de 'gunstige lezer,' waarin hij ook de mannen noemt, die zich voor hem met de spreekwoorden hebben bezig gehouden: Erasmus, Johannes Agricola, J. Gruterus, D. G. Morhof, J. Sartorius, H. L. Spiegel, J. Cats, J. de Brune en W. à Winschooten. Hij heeft zijn spreekwoorden in 27 hoofdstukken ingedeeld:
1. Uit de H. Schrift; 2. Uit het Heidendom; 3. Uit het Pausdom; 4. Uit oude meeningen en gewoonten; 5. Uit oude, of laater geschiedenissen; 6. Uit gebeurde of verzierde kluchtvertellingen; 7. Die spelen in dubbelzinnigheid; 8. Van 't vryen, huwelijk, kinderen, enz.; 9. Van de keuken; 10. Van de kelder; 11. van kostwinning, koophandel enz.; 12. Van scheepsvaart en landreizen; 13. Van spaarzaamheid, gierigheid en verquisting, naarstigheid en verzuim; 14. Van bedriegerij, enz.; 16. Van liegen, snappen, kijven, enz.; 16. Van smaad- en scheldnamen; 17. Van pleiten, geschil hebben, enz.; 18. Van visschen, jagen, vangen, enz.; 19. Van regeerbewind, kuiperij, enz.; 20. Van zingen, dobbelen, kaatsen, enz.; 21. Van gekken, snoefshaanen, en vegters; 22. Van geweldenaarij, onlusten, enz.; 23. Van wel- of qualyk varen, en gezint zijn; 24. Van ziek zijn, ouderdom, en sterven, enz.' 25. Van veelerlei soorten in eenen bundel; 26. Van allerlei slach onder een; 27. Van mengelstoffen. Zo heeft Tuinman vele honderden spreekwoorden verzameld en al is zijn verklaring dan ook vaak maar een gissing, het is te verstaan, dat prof. Verdam spreekt van zijn 'verdienstelijke werken.' (*Uit de Geschiedenis*; 2e druk, blz. 164.)
In 1727 verscheen zijn tweede deel van 't Spreekwoordenboek. Hier zijn bijgevoegd 'natuurlijke voorteekenen van allerlei weder.'
Dit tweede deel onder het motto:
Die niet een lachje kan verdragen,
Zoek vrij in 't huilen zijn behagen.
Dr. J. F. Martinet, 1729—'95, predikant, sedert 1775 te Zutfen, werd beroemd door zijn *Catechismus der Natuur*, in 4 delen, 1777—'79; 6e druk 1829, tot in het Japans vertaald. Dit boek bevat een doorlopende beschouwing der natuur tot verheerlijking van God; de schepping is enkel geschied tot welzijn van de mens.
Met Ds. van den Berg gaf hij het *Geschenk voor de jeugd* uit in 12 stukjes, waarin hij 72 spreekwoorden ophelderde. Die ophelderingen werden ook afzonderlijk uitgegeven als *Verzameling van Vaderlandsche Spreekwoorden, ten gebruike der jeugd en in de Schoolen,*

1796; 3e druk 1829.
Joannes Lublink de Jonge, 1736—1816, zoon van een rijke koopman te Amsterdam, wijdde zich aan de letteren en aan de Patriotse beginselen; in 1795 werd hij lid van de Nationale Vergadering. Maar hij was zwak van gezicht en hij werd geheel blind. Hij sprak Frans, Duits, Engels, Deens en Italiaans, hij ging om met de dichters Feitama, Van Winter en Pater; verder met Kantelaar, Van der Palm en de dames Wolff en Deken. Van 1793—'94 schreef hij *Verhandelingen over verscheidene onderwerpen, voorgelezen in het* (Patriotse) *genootschap Concordia et Libertate*. Daarbij ook een *Verhandeling over de Spreekwoorden*, 1788. Alleen voor de vrienden gedrukt; later ook publiek uitgegeven.
Everwinus v. Wassenbergh, 1742—1826, uit Lekkum bij Leeuwarden; 1768 hoogleraar te Deventer in de klassieke talen, 1771 te Franeker. Hij gaf een aantal klassieke werken uit, doch zijn grote verdiensten liggen op het gebied van de Friese taal. Reeds in 1774 verscheen zijn *Verhandeling over de eigennamen der Friezen*; daarbij was een *Toelage van Friesche Spreekwoorden*. Zijn groot werk over deze spreekwoorden is niet meer voltooid.
In 1797 bezette hij de toen ingestelde leerstoel in het Nederlands.
Paulus Cornelis Scheltema, 1752—1853, uit Franeker, in 1775 landbouwer te Dojum bij zijn geboorteplaats, patriot; 1795 secretaris van Wymbritseradeel en notaris te Sneek; in 1804 ontvanger te Franeker. Beoefenaar van Friese taal en geschiedenis. Behalve zijn geschriften over het rundvee gaf hij in 1826 een *Verzameling* van Friese *Spreekwoorden, gezegden en anekdoten* in het licht. In 1831 volgde een tweede deeltje, dat bezorgd werd door zijn vriend W. Eekhoff. Spreekwoorden vindt men er niet veel in; 't zijn meest Friese zegswijzen en nog meer Friese anekdoten. Wel is de Maatschappij van Letterkunde nog in het bezit van een handschrift van 50 bladzijden Friese spreekwoorden, terwijl zich in de Provinciale Bibliotheek van Friesland nog een handschrift bevindt van 12000 van deze Friese spreekwoorden.
Een bloemlezing hieruit werd door Hepkema opgenomen in het *Nieuwsblad van Friesland* te Heerenveen. Ook in boekvorm uitgegeven.
Arend Fokke Simonszoon, 1755—1812, uitgever te Amsterdam, 1783. Werd in 1795 redacteur van het *Dagblad der Municipaliteit* en zelfs representant; maar die rijkdom duurde slechts kort. Hij werd onderwijzer, maar vooral voordrager in boertige trant en nog meer schrijver in diezelfde stijl. Zijn naam was al bekend door zijn *Boertige Reis door Europa* in 7 delen, 1794 In 1809 kwam *de Vaderlandsche Historie vermakelijk voorgesteld.*
Zo gaf hij ook uit zijn *Verzameling van Spreekwoorden, op eene vrolijke, onderhoudende en gemeenzame wijze verklaard.*
Dit zijn 6 verhandelingen (1805—1810):
1. Elk is een dief in zijn neering.
2. 't Is al geen goud wat er blinkt.
3. *Practica est multiplex!* zeide de Duivel, en hij sneed een Boer de Ooren af, en gebruikte het Vel tot Achterlappen voor Schoenen.
4. Bij 't scheiden van de markt leert men de kooplui kennen.
5. Geen geld, geen Zwitsers!
6. Elk meent zijn uil een valk te zijn.
De titelplaat wordt aldus verklaard:
Men ziet de (godin der) Wijsheid, ontfangende ten haren gebruike, uit de hand van eenen Arabier, (bij welke volken van ouds kortstondige Spreuken in gebruik geweest zijn), een boekrol met spreekwoorden beschreven. De *Landman*, *Krijgsman* en *Zeeman* voegen er hunne bijzondere beroepsspreuken bij, terwijl de *Koophandel* en de *Schoone Kunsten* ook vele opleveren.
Mr. Willem Bilderdijk, 1756—1831, geb. te Amsterdam, verwierf reeds in 1776 de gouden erepenning van het Leidse dichtgenootschap voor zijn gedicht over *De invloed der Dichtkunst op het Staetsbestuur*, in 1777 voor *De waere Liefde tot het Vaderland*, en in 1779 voor *Het Verband van Dichtkunst en Welsprekendheid met de Wijsbegeerte.*
En zo heeft hij zijn gehele lange leven aan de Dichtkunst gewijd. Maar hij was daarnaast een prozaschrijver van zeer grote betekenis.
Hij was de grote man van orthodox-Hervormde richting, de verklaarde vij-

and van de Verlichting en de Liberalen. Hij is de voorloper op staatkundig gebied van de Anti-Revolutionairen en Christelijk-Historischen en tot in het midden der 19e eeuw gold hij als de hoofdman van onze dichters.
Onder zijn studiën op zeer verschillend gebied behoort ook zijn *Verklaring van meerdere spreekwoorden* in zijn *Nieuwe Taal- en Dichtkundige Verscheidenheden* van 1824 en '25, 2e, 3e en 4e deel.
Dr. Nicolaas van der Hulst, 1759—1834, studeerde in Harderwijk, dokter in zijn geboorteplaats Rotterdam. Hij schreef: *Gods grootheid uit de werken der Natuur*, 1805, *Vrolijke Lentezang*, 1806; *Bloemen en vruchten*, een verzameling van ernstige en boertige stukken, 1811. Naar de mode van die tijd plaatste hij verschillende gedichten in de jaarboekjes. Afzonderlijk verschenen nog zijn *Zomer- en herfstvruchten*, 1826, en zijn *Lijkzang op Scharp*, 1828.
Hij was vooral in het boertige de navolger van zijn tijdgenoot Arend Fokke. Dit blijkt duidelijk uit zijn *Luim en Ernst*, 'verklaring en uitbreiding van eenige spreekwoorden, welke van eijeren ontleend zijn.' 1823. Dit boekje was een voordracht in de maatschappij *Verscheidenheid en Overeenstemming* te Rotterdam. Vooraf gaat een *Inleiding* over de spreekwoorden in 't algemeen; dan komt, geheel in de trant van Fokke, een komische beschouwing van *een appel en een ei, op eieren zitten* en *eieren voor zijn geld kiezen*.
Verder noemt v. d. Hulst nog 13 andere eierspreekwoorden op, die later aan de orde zouden komen.
Hij is na Tuinman weer de eerste, die getracht heeft, de spreekwoorden te behandelen volgens een bepaald stelsel. Hij deelt ze in twee afdelingen in: 1. die van beelden ontleend zijn, als *zijn haan moet koning kraaien*; 2. die zonder inkleding de waarheid vertellen, b.v. *Ver van huis, dicht bij zijn schade*, of
Nering zonder verstand
Is schade voor de hand.
Deze tweede groep deelt hij weer in als natuurkundige, huishoudkundige en zedekundige als
Oud mal boven al.
De spreekwoorden aan beelden ontleend worden in nog veel meer afdelingen ondergebracht: dieren, planten, delfstoffen, natuurverschijnsels, gewoonten, godsdienst, spijzen, kleding, handel en nering, ambachten, gereedschappen, spelen, reizen, scheepvaart, oorlog, lichaamsdelen, bijzondere personen of voorvallen, anekdoten of fabelen, zo als:
Hij maakt zich er met een Jantje van Leiden af.
Adam Abrahamsz. van Moerbeek, predikant bij de Doopsgezinden te Dordrecht, schreef een *Neue vollkommene holländische Sprachlehre*, die in 1791 te Leipzig uitkwam. Daarin een belangrijke verzameling van Nederlandse zegswijzen en spreekwoorden.
Mr. Hendrik baron Collot d'Escury, 1773—1845, lid van de Tweede Kamer 1815, later van de Raad van State. In 1824 verscheen het eerste deel van zijn grote werk over *Hollands Roem in Kunsten en Wetenschappen*, nog door zes andere gevolgd. In het 3e deel vindt men zijn hoofdstuk over *Onze Spreekwoorden*, 'zoo van de zee en het water, als van de scheepvaart ontleend.'
J. P. Sprenger van Eyk, 1777—1859, geb. te Bergsenhoek, predikant; te Rotterdam stond hij van 1809—'47. Onder zijn talrijke werken: *Handleiding tot de kennis onzer Vaderlandsche spreekwoorden, aan de scheepvaart ontleend*, 1835. Gevolgd door die uit het dierenrijk, 1838, uit het landleven, 1841, te zamen 5 delen. In 1844 volgde nog: *Het spreekwoordelijk gebruik van bijbeltaal.* Dit betoog nam hij niet in zijn *Handleiding* op, noch in *De Fakkel*, doch hij gaf het afzonderlijk uit, om des te meer lezers te bereiken. Hij noemt het spreekwoordelijk gebruik van bijbeltaal *onschuldig*, als het niet in strijd is met de eerbied voor Gods Woord; *lofwaardig*, wanneer het overeenstemt met ons godsdienstig en zedelijk gevoel; doch *verwerpelijk*, wanneer men bijbelse spreuken toepast op gewone menselijke zaken en 'mindere voorwerpen.'
Zo mag men niet zeggen: *hij heeft zich niet onbetuigd gelaten*, als iem. smakelijk gegeten heeft. Men moet ook niet zeggen: *daar is geen kracht en geen heerlijkheid aan* en men behoort niet te spreken van *een gebed zonder einde*, noch van een *zondebok* en men moet niet

zeggen: *het loopt op 't laatste der dagen.* Dienstboden zijn geen *gedienstige geesten.* En men mag *Mozes* niet bij een *kalf* vergelijken.
In een *Naschrift* bij de spreekwoorden aan het landleven ontleend beklaagt Sprenger van Eyk zich over de meesterachtige, onaangename toon, waarop de heer A. de Jager zijn werk beoordeelde. De Jager was een groot man in die tijd op het gebied der taalkunde. Hij was redacteur van het *Taalkundig Magazijn* en nam daarin zijn eigen *Bijdragen tot de kennis der Nederduitsche spreekwoorden* op; hij nam de gelegenheid waar, om een 'lijstje van wezenlijke of vermeende drukfouten' op te nemen, die hij gehaald had uit het werk van Van Eyk. 'Gebrek aan echt letterkundige opvoeding en beschaving,' antwoordde deze, en ook dat een schoolonderwijzer dient te weten, dat het woord huid vrouwelijk is. Hij hoopt, dat de heer De Jager nu wel geleerd zal hebben, hoe onaangenaam het is, een anders werk zo te bevitten, en zo niet: ijzer scherpt men met ijzer; 1841. De Jager gaf nu op zijn beurt antwoord, *Toelichtende Bedenkingen* geheten, mede 1841.
Aan Van Eyks eerste deel gaat een uitvoerige inleiding vooraf. Hij zegt, dat geen andere natie meer spreekwoorden heeft dan de onze, en dat hebben wij wel te danken aan onze opmerkzaamheid, schranderheid en scherpzinnigheid.
Dan noemt hij de schrijvers, bij wie men veel spreekwoorden vindt: Hooft, Vondel, Antonides, De Dekker en Poot, J. Jansen Struys en Van Paffenrode; ook vergeet hij de *Zeeusche Nachtegael* niet, noch Hofferus, noch Joan de Brune of Cats.
Dan vermeldt hij de schrijvers, die zich met de spreekwoorden in 't bijzonder bezig gehouden hebben: Erasmus, Spieghel, Cats en Tuinman.
Tuinman stond bij Lublink de Jonge in een kwade reuk, zegt hij, en ook Collot d'Escury noemt hem walgelijk om zijn 'zoutelooze aanmerkingen'. Doch Van Eyk erkent toch, dat wij niet weinig verplichting aan hem hebben èn om zijn grote verzameling èn omdat hij zoveel heeft opgehelderd.
En dan gaat hij verder na, wie zich na Tuinman met onze spreekwoorden heeft bezig gehouden. Hij noemt: *Martinet en Van den Berg, Geschenk voor de jeugd*; *'t Magazijn van Spreekwoorden*, door een ongenoemde; A. Fokke Simonszoon; Bilderdijk in zijn *Nieuwe Verscheidenheden*; S. Willems, *Keur van Spreekwoorden*, Antwerpen, 1824; de Oud-Friese spreekwoorden van E. Wassenbergh en die van J. H. Hoeufft, alsmede die van P. C. Scheltema; N. v. d. Hulst, *Luim en Ernst.*
Zo zet hij zijn werk wetenschappelijk op. Hij kiest als zijn voorbeeld W. à Winschooten, die reeds in de 17e eeuw het plan wilde uitwerken, om de spreekwoorden van een zeeman, een landman en een steeman te verzamelen en op te helderen. Liever had hij de spreekwoorden te pas gebracht in de vorm van een verhaal, zoals in 1828 ook beproefd is door de hoogleraar Meijer en daarna door Collot d'Escury, en hij geeft er in de Inleiding zelf ook een proeve van. Maar 't bleek hem onmogelijk, om op deze wijze tot een volledige verzameling te komen.
Door deze liefhebberijwerken bleef zijn naam voortleven. Vergeten is zijn werk over de kerkelijke geschillen van zijn dagen, met name over de Aprilbeweging van 1853. Daarover schreef hij onder pseudoniem Sincerus (de oprechte): *Broeders, waakt!* Een roepstem aan onze landgenoten bij de wederinvoering der R.K. Hiërarchie. Ook was hij van 1825—1839 de redacteur van een eigen tijdschrift *De Fakkel*, Bijdragen tot de kennis van het ware, schoone en goede.
In de 1e jaargang vindt men zijn studie *Over het zinrijke en waardige van vele Oud-vaderlandsche spreekwoorden.*
Dr. G. J. Meijer, 1781—1848, huisonderwijzer bij Van Oudermeulen te Amsterdam, 1804; hoogleraar aan 't Athenaeum te Brussel 1818, te Leuven 1822, na 1830 te Groningen. Onder zijn werken *Lofrede op Helmers*, 1814; *Het Leven van Jezus*, 1835; *Oude Ned. Spreuken en Spreekwoorden.* Hij gaf namelijk in 1836 een deel uit van de *Ghemene Duytsche Spreckwoorden, Adagia oft Proverbia ghenoemt. Gheprent toe Campen*, 1550.
Het is dus de *Kamper Verzameling.* Meijer meende dat dit het oudste Ne-

derlandse spreekwoordenboek was, doch Suringar heeft aangetoond dat de *Proverbia Communia* vrij wat ouder zijn. Zie *Suringar*.

Meijer heeft uit het bundeltje weggelaten alle spreekwoorden, die niets bijzonders voor taal of spelling opleverden. In hetzelfde werk nam Meijer een aantal Nederl. spreekwoorden op uit *Les proverbes anciens, flamengs et françois*, de verzameling van Frans Goedthals uit 1568. Hij gaf alles uit 'met taalkundige aantekeningen', en hij was blij dat hij aan zijn landgenoten iets meedelen kon uit een oud boek, dat tot nu toe alleen in zijn bezit was.

Vincent Loosjes, 1786—1841, zoon van de bekende schrijver Adriaan, een van de Vrijheidsdichters van 1813—'15. Onder zijn gedichten *De Veldslag bij Waterloo*. Een ander gedicht is *De dood van Socrates*, 1828.

In zijn *Nieuwe Zedekundige Uitspanningen* een vertoog over *Spreekwoorden aan de boter ontleend* en een ander over de *spreekwoorden over de katten*, beide 1824.

Joost Halbertsma, 1789—1869, uit Grouw, gaf met zijn broer Dr. Eeltje in 1822 in de vorm van een almanak de *Lapekoer fen Gabe Skroar* uit, d.i. de Lappekorf van Gabe de Snijder, rijmpjes en vertellingen. In de voorafspraak vindt men zijn *Friesche Spreekwoorden*, 1834. Het boek heette in zijn vermeerderde volgende druk *Rimen en Teltsjes*. Joost werd in 1813 predikant bij de Doopsgezinden te Franeker; hij stond te Deventer van 1822 tot '56.

Jan Frans Willems, 1793—1846, Vlaams letterkundige, de vader der Vlaamse Beweging, geb. te Berkhout bij Lier, notarisklerk te Antwerpen, in 1815 adjunct-archivaris, 1821 ontvanger te Antwerpen. Om zijn Vlaamsgezindheid in 1831 naar Eeklo overgeplaatst. In 1835 ontvanger te Gent. Hij bezong in 1815 de hereniging van Noord- en Zuid-Nederland; hij gaf *Reinaert de Vos* uit, 1834; de *Rijmkroniek* van Jan van Heelu, 1836, en hij schreef zelf ook zeer veel op Vlaams Letterkundig gebied. In 1837 stichtte hij het tijdschrift *Belgisch Museum*.

Van 1824 is zijn *Keur van Nederduitsche spreekwoorden*. Bij zijn *Reinaert* gaf hij als bijlage *Ned. Spreekwoorden van den Vos, den Wolf* enz.

Mr. A. Modderman, 1793—1871, geb, te Groningen, sedert 1839 procureur bij de rechtbank aldaar, nutsspreker, o.a. met *Bijdragen tot de huishoudkunde, samengesteld uit Spreuken, Spreekwijzen en Spreekwoorden*, uitgegeven in 1852.

Dr. H. C. van Hall, 1801—'74, dokter te Amsterdam, doch bovenal plantkundige, medewerker aan het prachtboek *Flora Batava*, 1825.

In 1826 volgde hij Uilkens op als hoogleraar in de plantkunde en landhuishoudkunde te Groningen; gedurende een lange reeks van jaren maakte hij zich zeer verdienstelijk. Behalve veel geschriften op het gebied van zijn vak, gaf hij in 1853 een boekje in het licht over *De Ned. spreekwoorden, tot het Regt betrekkelijk*. In 1872 volgden nog zijn *Spreekwoorden betreffende landbouw en weerkennis*.

Mr. Jacob van Lennep, 1802—'68, Rijksadvocaat sedert 1829, doch bovenal letterkundige, met een zeldzame zin voor scherts. In 1822 vertaalde hij reeds *Marino Faliero* van Lord Byron, van 1820. In 1826 kwamen zijn *Academische Idyllen*, in 1827 verscheen zijn eerste bundel *Gedichten*; van 1828—'31 zijn de berijmde *Nederlandsche Legenden*. Tijdens de Belgische Opstand ontstond zijn toneelstuk *Het Dorp aan de grenzen* en ook zijn werk *De Roem van Twintig Eeuwen*. In 1832 werd hij ridder van de Ned. Leeuw en lid van het (letterkundig) Instituut.

En zo schreef hij zijn hele leven door: romans, een geschiedenis des Vaderlands, een volledige uitgave van Vondel, toneelwerk, de levensgeschiedenis van zijn grootvader en van zijn vader, een almanak *Holland* enz.

Onder al dit werk ook het *Zeemanswoordenboek*, met de spreekwoorden, aan scheepvaart en handel ontleend. Dit was een nieuwe uitgave van Winschootens *Seeman*, 1856.

Met J. ter Gouw gaf hij in 1867 drie delen uit over *De Uithangteekens* en in 1869 nog één deel over *Opschriften*, in verband met geschiedenis en volksleven.

Maatschappij tot Nut van 't Algemeen, opgericht 1784, door Jan Nieuwenhuyzen, Doopsgezind predikant te Monnikendam. Maakte zich van de aanvang af bijzonder verdienstelijk door het streven naar verbeterd volksonderwijs en volksontwikkeling. Gaf volksliedjes uit tot verbetering van de volkszang en schreef een prijsvraag uit voor nieuwe volksliederen; stichtte overal leesbibliotheken.

Het *Nut* heeft zich ook met de spreekwoorden bemoeid. Er zijn nu eenmaal een aantal spreekwoorden, die geen ware woorden zijn, en er zijn ook verscheidene, die een verkeerde strekking hebben. Zo kwam de Maatschappij er toe, een prijsvraag uit te schrijven, om het gevaarlijke, schadelijke, ja dikwijls misdadige van dergelijke spreekwoorden aan te tonen. De gouden medaille werd verdiend door P. van der Willigen met zijn geschrift: *Een spreekwoord is niet altijd een waar woord*, 1824. Als voorbeelden noemt en behandelt hij o.a.: Als te goed is een anders gek. Wel vergeven, maar niet vergeten. De boog kan niet altijd gespannen zijn. Die zich dood werkt, wordt onder de galg begraven. Men moet de Voorzienigheid niet vooruitlopen. Wel! dat is altijd zo! dat heb ik nooit anders gezien. Een gedwongen eed is Gods leed. Het hemd is mij nader dan de rok. Ik ben mij zelven het naaste. De liefde begint van zich zelf. Een leugen om bestwil is geen zonde.

In 1835 was er een nieuwe prijsvraag uitgeschreven: 'eene korte opgave van den oorsprong van verscheidene Vaderlandsche Spreekwoorden en derzelver nut en nadeel in de gemeenzame verkeering; vergezeld van eene verzameling der meest nuttig en aangenaam geachte.' Deze maal dus niet over de slechte, doch over de goede spreekwoorden.

Dr. Prudens van Duyse, 1804—'59, uit Dendermonde, Vlaams dichter. *Zijn Verhandeling over den Versbouw* werd in 1851 bekroond door het Kon. Ned. Instituut, op voordracht van Van 's-Gravenweerd, Jacob van Lennep en Da Costa. Zijn laatste grote werk was *Jacob van Artevelde*, episch verhaal in acht zangen, 1859.

Tijdens de Belgische Opstand was hij naar het Noorden uitgeweken. In 1836 werd hij leraar, in 1838 archivaris te Gent. Hij werd er een van de grote voorvechters van de Vlaamse Beweging; 'de laatste rederijker'.

Een gedenkteken staat op zijn graf te Sint Amandsberg bij Gent; in 1894 richtte men in zijn geboorteplaats zijn standbeeld op. In het tijdschrift *Belgisch Museum* van 1841 vindt men zijn *Spreekwoorden aan geestelijke zaken ontleend*, blz. 192 en 454.

Dr. W. H. D. Suringar, 1805—'95, geb. te Lingen als zoon van de predikant aldaar, die in 1814 als professor te Leiden benoemd werd. Was van 1847—'77 rector van het gymnasium te Leiden. Hij gaf verschillende Latijnse werken uit, doch beoefende op later leeftijd vooral de kennis der Latijnse en Middelnederlandse spreekwoorden. Hij gaf uit:

1. *Erasmus over Ned. spreekwoorden*, 1873;
2. *Glandorpius in zijne Latijnse Disticha als vertaler van Agricola's Sprichwörter aangewezen*, 1874;
3. *Heinrich Bebel's Proverbia Germanica*, 1879.

Daarna ging hij over tot de uitgave van Middelnederlandse werken: *Die Bouc van Seden*, 1891; *Van Zeden*, 1892; *Dit sijn Seneka Leren*, 1895.

In zijn boek over Glandorp gaf Suringar het tweede boek der Disticha opnieuw uit en voegde daarbij de oorspronkelijke spreekwoorden van Agricola en de Nederlandse Kamper vertaling. Zie *Agricola.*

In het Verslag van 't Gymnasium te Leiden 1862—'63 gaf Suringar een *Verhandeling over de Proverbia Communia, ook Proverbia Seriosa* geheten, de oudste verzameling van Nederlandse spreekwoorden. Deze bevat ruim 800 Ned. spreekwoorden met de L. vertaling; de oudst bekende druk is van 1480. Dit boekje is opnieuw uitgegeven in 1854 door Hoffmann von Fallersleben in zijn *Horae Belgicae*, de beroemde verzameling van Oud-Nederlandse geschriften en door Rich. Jente, Bloomington 1947. De spreekwoorden zijn voor een groot deel nu nog in gebruik en verreweg de meeste worden reeds bij de oude volken aangetroffen.

Suringar vermeldt drukken van 1480, '83, '87, '90, '90 (met Platduitse tekst), '90 (ook met Duitse woorden), '95, '95, '97, wel een bewijs dat het werk zeer ge-

zocht was. Hij noemt dan ook een viertal omwerkingen van de *Proverbia Communia*, waaronder die van Bebel, 1508, en de *Bijspraaxalmanack* van H. L. Spieghel, 1606.
Het schijnt wonderlijk, dat de *Proverbia Communia* daarna in 't geheel niet meer herdrukt en geheel vergeten zijn. Suringar schrijft dit toe aan de *Adagia* van Erasmus, waarvan meer dan 50 drukken bestaan. Wel zijn in de volgende verzameling van spreekwoorden telkens weer een aantal uit de *Proverbia Communia* overgenomen, o.a. in de bekende Kamper uitgave niet minder dan 200.
Het grootste werk van Suringar is zijn *Erasmus over Ned. Spreekwoorden, uit 's mans Adagia opgezameld.* Hij nam die spreekwoorden, waarvan Erasmus zegt, dat zij ook hier gangbaar waren en hij ging na, onder welke vorm ze voorkomen in niet minder dan 95 verzamelingen van spreekwoorden, tot het *Sprichwörter-Lexicon* van Wander, 1867—'70, toe. Zo behandelt hij 266 spreekwoorden.
Daarop laat hij nog weer afzonderlijke lijsten volgen van Griekse, Latijnse, Italiaanse, Franse, Spaanse, Engelse, Deense, Hoog- en Platduitse en Nederlandse spreekwoorden.
Arie de Jager, 1806—'77, hoofd van een school, 1865 leraar te Rotterdam; taalgeleerde, die in 1850 te Groningen eershalve doctor werd. Hij schreef heel veel op taal- en letterkundig gebied en hij heeft Harrebomée zeer veel dienst bewezen bij de samenstelling van diens *Spreekwoordenboek.* Zijn eigen *Bijdragen tot de kennis der Nederduitsche spreekwoorden* plaatste hij in zijn *Taalkundig Magazijn* 1840 en '42, vooral met kritiek op het werk van Sprenger van Eyk.
P. J. Harrebomée, 1809—'80, uit Heemstede, hoofd van een school te Gorinchem van 1850—'75.
In de *Alg. Kunst- en Letterbode* van 1843 gaf hij zijn plan te kennen, om een zo volledig mogelijke verzameling van spreekwoorden bijeen te brengen, en vroeg hij om medewerking, die hem ook aanstonds van vele zijden gewerd, o.a. van Prof. Matthijs de Vries en van Dr. A. de Jager.
Het werk verscheen in afleveringen; bij elke aflevering een uitvoerige toelichting en antwoorden op ontvangen mededelingen en beoordelingen, vooral ook van Dr. H. J. Nassau. Dit alles is mee opgenomen in de uitgave van het grote werk.
Nassau had aanvankelijk aan Harrebomée alle lof toegezwaaid, maar hij kwam er op terug: hij kon het werk niet aannemen als 'een aanwinst voor de kennis onzer taal.' A. J. v. d. Aa, een van de andere grote voormannen op het gebied van de woordenboeken, troost hem: 'die aan de weg timmert, lijdt het meest aanstoot.'
Bovendien nam Harrebomée vóór in zijn boek een *Lijst van werken over Ned. spreekwoorden* op, ten getale van ± 200.
Harrebomée bracht alle spreekwoorden bijeen uit vroegere verzamelingen en die hem bekend waren uit de tegenwoordige samenleving; samen 42500. Hij is de eerste, die er een volledig woordenboek van maakte. Zijn stof vond hij in die 200 geschriften; hij heeft er bijna een mensenleeftijd aan besteed. Zijn eerste deel van *'t Spreekwoordenboek* verscheen in 1858; het tweede in 1861, het derde in 1870.
De overgrote meerderheid van zijn 42500 spreekwoorden zijn geen spreekwoorden, doch figuurlijk gebruikte uitdrukkingen als: *hij wacht de bui af*; *het is een kranke bruid*; *o, wat zijn ze bruin!* enz.
Uit de dialectspreekwoorden, die hij vond, kon hij niet altijd wijs worden. Zo heeft hij als afzonderlijk woord *bruijer* opgenomen en daarbij als 'spreekwoord': *Dat is een bruijer van eene metworst, zei de mof, en hij zag een halve kartouw.*
Nu is *bruier* het Groninger woord voor *broer*, en dan wordt ineens de zin duidelijk, al ben ik dit gezegde in de Groninger taal nooit tegengekomen.
Het 'spreekwoord' staat bij Anna Folie, doch deze schrijft er bij dat het gezegd werd door een 'Mof', en dan is het natuurlijk ook in orde.
Een andere dergelijke vergissing is: *het potje wezen*, een uitdrukking die Harrebomée plaatst bij *pot*. In 't Gronings is potje = popje, de zuigeling, het jongste kind.
Met dat al heeft Harrebomée zeer ver-

dienstelijk werk gedaan, temeer daar hij bij ieder spreekwoord aangeeft, waar hij het gevonden heeft.
Ook schreef hij onder pseudoniem A. E. B. Herroem *Bacchus in de spreekwoordentaal*, 1874, en onder eigen naam *Bedenkingen op het prijsschrift van Dr. Laurillard*, 1877.
Die bedenkingen zijn:
1. er is bij Trommius en in schrijvers Spreekwoordenboek vrij wat meer te vinden dan Laurillard heeft opgenomen.
2. Deze neemt ook teksten uit de Bijbel als spreekwoorden op.
3. Hij houdt menig gezegde, door deze of die wel eens gebezigd, al dadelijk voor een spreekwoord.
4. Zijn werk is maar een bloemlezing.
5. Hij neemt ook teksten op uit de apokriefe boeken.
6. Hij geeft ook enkele woorden op als Aäron, Abel en Abraham en dat zijn geen spreuken of gezegden.
7. Daar is ook het woord *onanie* bij.
8. Laurillard vermeldt hier en daar ten onrechte een tekst, terwijl hij ook weer verschillende spreekwoorden vergeten heeft.
Aan het slot van al deze bedenkingen komt Harrebomée tot zijn eigen werk: hij 'bewandelt' de ganse Bijbel en vermeldt alle teksten, die aanleiding gegeven hebben tot een Nederlands spreekwoord.
Laurillard was de liefhebber, die over de Bijbelse spreekwoorden een leesbaar en gezellig boek heeft geschreven. Harrebomée is de vakmanverzamelaar, die geen tekst over heeft geslagen van Genesis 1 tot het laatste woord van de Openbaring. Zo maakt hij telkens op- en aanmerkingen; hij werpt de onjuiste verklaringen weg en vult de leemten aan. En bij het lezen van zijn boek van over de 200 bladzijden gevoelt men als het ergste, dat hij telkens nog gelijk heeft ook.
Ook heeft Harrebomée een boekje geschreven onder de titel *De Zedeleer*. Daarin heeft hij '366 spreekwoorden bijeengebracht, die aan God ontleend zijn, afgedeeld naar de maanden en dagen des jaars 1856.'
In het *Nieuw Ned. Tijdschrift voor Opvoeding*, uitgegeven bij Scholtens in Groningen, plaatste hij *Eenige opmerkingen over de opvoeding der jeugd, naar aanleiding van de spreekwoorden, aan het kind ontleend*; 1857.
Een artikel over de spreekwoorden in Esopus' fabelen plaatste hij in het tijdschrift *De Nederlandse Taal*, 1e jaargang 1856. De verzameling van Herroem bevat 972 spreekwoorden, gezegden en vergelijkingen, die betrekking hebben op de drinkers en drinkgewoonten. Hij doet er in uitkomen, waar de dubbeltjes blijven en hoe men de drinker vergelijkt met het zachtzinnige schaap, met de moedige leeuw, met de dwaze aap en met het in slijk wentelende zwijn.
Suringar, de andere grote spreekwoordenkenner, luidde hem uit in de *Levensberichten* van de Maatschappij van Letterkunde. Bij de samenstelling van zijn *Spreekwoordenboek* ontving Harrebomée de medewerking van zeer velen, onder wie A. J. v. d. Aa, T. H. de Beer, D. Buddingh, J. H. v. Dale, J. ter Gouw, Mr. M. C. van Hall, H. Hemkes Kzn., J. C. Kobus, P. Leendertz, Mr. J. Pan, Dr. F. A. Snellaert, Dr. W. H. D. Suringar, Dr. E. Verwijs, J. v. Vloten, A. Wassenbergh en van de Duitse schrijver over spreekwoorden F. Latendorf. Maar het meest van al van Dr. A. de Jager. In het Naschrift aan het slot van zijn derde deel schrijft Harrebomée aan hem: 'Zonder U bestond er geen spreekwoordenboek... Van heden af zullen onze namen met betrekking tot de voortbrengselen der spreekwoordenliteratuur van Nederland in eenen adem genoemd worden. Dat dit geschieden zou, was mijne bedoeling. Daartoe alleen schreef ik deze regelen. Duid het mij niet ten kwade, vriend! en vaarwel.'
Herderschee nam in zijn verzameling alleen die bijbelse uitdrukkingen en spreekwoorden op, die in het dagelijks leven gemeenlijk worden gebruikt en die enige verklaring behoeven. Harrebomée geeft niet immer de volledige uitleg; Laurillard heeft ook de uitdrukkingen, die geen toelichting nodig hebben; Zeeman vermeldt veel spreekwoorden, die niet algemeen gangbaar zijn. Het boekje van Herderschee bedoelt een handleiding te zijn voor onderwijzers en leerlingen.
J. J. A. Goeverneur, 1809—'89, geboren te Hoevelaken, kwam als kind reeds naar Groningen, student in de letteren,

die niet afstudeerde, doch die verder zijn hele leven van zijn pen leefde. Jan de Rijmer noemde hij zich. Ook gaf hij *Fabelen en Gedichtjes voor kinderen* uit, die zeer geprezen werden in een verhandeling van De Genestet. In 1843 richtte hij het weekblad *De Huisvriend* op, dat hij 40 jaar lang verzorgde.

Dadelijk al in 1843 en weer in de jaargang 1844 verzamelde hij *Groninger Spreekwoorden.*

In de jaargang van 1863 behandelde hij een aantal *Te verbeteren spreekwoorden.*

P. Leendertz Wzn., 1817—'80, Doopsgezind predikant te Woudsend 1840, te Den Ilp 1855, te Medemblik 1864. Letterkundige; hij gaf *Der Minnen Loep* van Dirc Potter opnieuw uit, 1845. Van 1864—'75 bewerkte hij de nieuwe uitgave van Hooft naar het handschrift.

Sedert 1856 zat hij in de redactie van *De Navorscher*; sedert 1861 was hij de enige redacteur en wijdde hij er al zijn vrije tijd aan. In dit tijdschrift ook zijn studiën over spreekwoorden, vooral naar aanleiding van het grote werk van Harrebomée.

Helmer Molema, 1822—'97, geboren te Euvelgunne bij Groningen, hoofd der school te Warffum. Wijdde 40 jaar lang al zijn vrije tijd aan de samenstelling van het eerste Groninger Woordenboek, dat in 1887 verscheen... met de steun van de *Verein für niederdeutsche Sprachforschung.* In 1895 was hij gereed met een geheel nieuw handschrift van dit Wdb., dat nu in de Leidse boekerij berust. In zijn Woordenboek komen een groot aantal Groninger spreekwoorden voor.

Molema schreef een artikel over *Nederduitsche Spreekwoorden* in *De Taalgids* van L. A. te Winkel en J. A. van Dijk, 1862 en '63.

Waling Dijkstra, 1821—1914, uit Lieve-Vrouwenparochie, bakkersknecht, die door zijn Friese geschriften in proza en op rijm het gehele Friese volk bereikte en ook door zijn liederen. In 1855 kwam hij in dienst bij een uitgever te Franeker; sedert 1861 woonde hij te Holwerd als boekverkoper.

Sedert 1860 ging hij uit als voordrager op de *Winterjounenochten* (winteravondvermaken); aldus werd hij de grote man van 't Friese volkstoneel, waarvoor hij een groot aantal toneelspelen schreef. Hij gaf verschillende jaarboekjes en tijdschriften uit, b.v. *De Bijekoer* (1850—'96). Zijn voornaamste werken zijn:
1. 't Fries Woordenboek, 1900—1911;
2. *Uit Frieslands Volksleven*, in 2 delen 1895, een volledige Friese volkskunde.
In 1916 werd te zijner ere te Leeuwarden een monument onthuld.

In *Frieslands Volksleven* nam hij een belangrijke verzameling Friese spreuken en spreekwoorden op.

C. F. Zeeman, 1828—1906, uit Numansdorp, van 1862—1904 predikant te Zonnemaire. Hij is de schrijver van *Ned. Spreekwoorden aan den Bijbel ontleend*, welk werk met zilver bekroond werd door de Holl. Maatschappij van Fraaije Kunsten, 1876, toen Dr. Laurillard de gouden erepenning verwierf.

Guido Gezelle, 1830—'99, uit Brugge, priester 1854, de grote Vlaamse dichter; van 1872—'99 onderpastoor te Kortrijk. De liefde voor het Vlaams bracht hem in 1865 tot de stichting van het volkstijdschrift *Rond den Heerd*; met de priester De Bo werkte hij mee aan de samenstelling van het *Westvlaams Idioticon* (woordenboek); 1873.

Zijn liefde voor taal en volksleven toonde hij ook in zijn tijdschriften *Loquela*, 1881—'95, en *Biekorf*, sedert 1890. Ook in zijn *Duikalmanak* (scheurkalender) vindt men talrijke spreuken en spreekwoorden.

Amaat Joos schrijft van hem aan het slot van zijn *Schatten uit de Volkstaal*, 1885: Kent gij den man die, straks sedert dertig jaar, stout en boud, voor de oogen van heel Vlaanderen, de wapperende vane der volkstaal opstak?...

Kent gij hem die ons Vlaamsch, zoo geerne ziet als eene moeder haar kind? Kent gij hem die zoo fijn de woorden, hoe diep zij verdronken en verzonken liggen, weet te visschen en op te halen?

Dr. E. Laurillard, 1830—1908, was van 1862—'95 predikant in Amsterdam. Zijn eerste bundel gedichten, *Primulae veris*, verscheen in 1853; verder *Peper en Zout*, *Rust een weinig* enz. Zijn luimige stukjes werden veel voorgedragen, vooral *Een vers, dat als een nachtkaars uitgaat.*

Veel meer naam maakte Ds. Laurillard met zijn *Spreuken en Gezegden, aan den*

Bijbel ontleend, bekroond met de gouden erepenning door de 'Hollandsche Maatschappij van Fraaije Kunsten', 1875. De tweede druk daarvan werd uitgegeven in 1880 als *Bijbel en Volkstaal*; 3e druk 1901. De 2e druk bevatte menige verbetering en een niet onbeduidende uitbreiding, zo als de schrijver vermeldt in de Voorrede. Hij had gelegenheid, zijn voordeel te doen met Harrebomée's Bedenkingen op *Bijbel en Volkstaal*, 1877. Zie *Harrebomée*.
In 1894 gaf Laurillard nog uit *Op uw stoel door uw land*, bijzonderheden op het gebied van folklore en geschiedenis van tal van plaatsen.
M. Nissen, koster en schoolmeester te Stedesand in 't hertogdom Sleeswijk, gaf *De Frèske Findling* uit, 'dat sen Frèske Sprékkwurde', in de dialekten van zijn omgeving, met de Friese vertaling. In 1873 verscheen zijn eerste deel, in 1878 het zevende. Zijn plan was, dat er nog 3 deeltjes zouden volgen.
Zijn indeling is naar:
1. de getallen; 2. de ontkenningen; 3. de woorden *wat*, *meer* en *veel*; 4. de woorden *en*, *ook*, *wel* en *of*; 5. het woord *hoe*; 6. 't woord *als*; 7. vergelijkingen; 8. over de tijd; 9 over bezit; 10. over de persoon zelf.
De schrijver gaf zijn werk uit liefde voor volk en taal voor eigen rekening uit in zijn woonplaats, maar hij had het geluk dat zijn verdienste door de Regering erkend werd; voor iedere 2 delen kreeg hij uit de *Generalkasse des Ministeriums die Summe van hundert Thalern*.
(Stedesand ligt bij Tondern in het nu Deense Noord-Sleeswijk, tegenover 't eiland Sylt.)
Bernardus van Meurs, 1835—1915, leraar aan het Seminarie te Culemborg 1867, R. K. priester en dichter, geb. te Nijmegen. Hij schreef zijn Betuwse gedichten in *De Katholieke Illustratie*, maar werd algemeen bekend, toen hij ze in 1879 uitgaf als *Kriekende Kriekske*. Ze zijn humoristisch, evenals zijn *Pepermuntjes*, een verzameling puntdichten.
Die humor is ook in zijn *Vijftienhonderd spreekwoorden*, overdruk van de scheurkalender der *Katholieke Illustratie* van 't jaar 1886.
Dr. Jacob Verdam, 1845—1922, taalgeleerde, hoogleraar in het Nederlands te Leiden, die zich vooral voor 't Middelnederlands verdienstelijk gemaakt heeft. Reeds zijn proefschrift liep daarover: *Tekstcritiek van Mnl. schrijvers*, (1872). Verder gaf hij uit: *Episoden uit Maerlants Historie van Troyen*, 1873; *Ferguut*, 1882; *Seghelijn van Jerusalem*, 1878; *Theophilus*, 1882; *Aïol*, 1883.
Ook voltooide hij de uitgave van Maerlants *Strofische Gedichten*, begonnen door Verwijs, 1880.
Met Verwijs was hij begonnen aan zijn hoofdwerk, het grote *Mnl. Woordenboek*, dat later door Stoett is voltooid.
Bij de bewerking van dat Woordenboek tekende Verdam een groot aantal spreekwoorden en spreukvormige lessen van levenswijsheid aan.
De vereniging *Joan Blaeu* te 's-Gravenhage maakte van 365 van deze spreuken een boekje, onder de titel *Rapiarys, een boec van goeden poencten*, 1930. (*Rapiarys* = aantekenboekje; *poencten* = punten, d.i. gezegden, raadgevingen.)
Dat de spreekwoorden de bijzondere aandacht hadden van Dr. Verdam, blijkt ook uit zijn werk *Uit de Geschiedenis der Nederlandse taal*, waarin een hoofdstuk van bijzondere betekenis aan dit onderwerp gewijd is.
Hij onderscheidt de spreekwoorden, uitingen van volkswijsheid, van de spreuken, de vorm waarin de levenswijsheid der denkers zich kleedt.
Voor de verklaring der spreekwoorden moet men zoeken naar de oudste vorm, waarin men ze aantreft. En als zulk een oude vorm ontbreekt, moet men uit de verschillende tongvallen en de verwante talen het gelijksoortige opzoeken.
Een deel van onze spreekwoorden is erfgoed van het Germaanse stamvolk. Ze zijn van mond tot mond gegaan en van geslacht tot geslacht overgeleverd. Zo vinden wij nog tal van Middelnederlandse spreekwoorden in onze levende taal.
Uit de oude vormen blijkt heel dikwijls, dat een spreekwoord van nu daarvan afwijkt.
Spreekwoorden zijn kort en kernachtig; vaak vertonen ze stafrijm en veel jongere spreekwoorden eindrijm.
In de spreekwoorden blijven soms oude woorden en vormen bewaard, die elders in de taal niet meer voorkomen.

Vaak bestaat een spreekwoord uit twee delen van gelijke vorm, zodat de gewone woordvoeging er voor moet zwichten, zoals in: *wat niet weet, wat niet deert*, voor: *wat men niet weet.*
Dr. Verdam gaat na, waaraan de spreekwoorden ontleend zijn; aan de invloed van de Bijbel wijdt hij een afzonderlijk hoofdstuk.
Alfons de Cock, 1850—1921, de grote folklorist, was hoofdonderwijzer te Denderleeuw (in Oost-Vlaanderen, ten Z. van Aalst).
Hij stichtte met Pol de Mont het tijdschrift *Volkskunde*; samen gaven zij de *Vlaamsche Wondersprookjes* uit, 1896, en de *Vlaamsche Vertellingen*, 1898. Met Is. Teirlinck gaf hij het *Brabantsche Sagenboek* in het licht en ook de acht delen van *Kinderspel en Kinderlust*, 1902—'10.
Van hem alleen zijn de *Vlaamsche Sagen* en de *Studiën over oude vertelsels*, 1920. En reeds in 1891 was zijn *Volksgeneeskunde in Vlaanderen* verschenen.
Van bijzonder belang zijn de drie werken over spreekwoorden, in de eerste plaats die *Over de vrouwen, de liefde en het huwelijk*, 1911, 'taalkundig verklaard en folkloristisch toegelicht.'
Het werk was begonnen in *Volkskunde* van 1895 en voltooid in 1910.
De Cock's *Spreekwoorden, afkomstig van oude gebruiken en volkszeden* werden door de Koninklijke Academie van België met een 'Prijs de Keyn' bekroond. Ze verschenen eerst, sedert 1896, in het tijdschrift *Volkskunde.*
De Cock heeft de oude gebruiken als het voornaamste beschouwd; de spreekwoorden vormen enkel de omlijsting. De eerste druk (1905) was in enkele maanden uitverkocht; de aangevulde 2e druk verscheen in 1908.
Het derde boek zou de spreekwoorden bevatten, op volksgeloof berustende, folkloristisch toegelicht. De Cock heeft er enkel het eerste gedeelte van kunnen verzorgen, dat uitkwam in 1920. Wat hij gereed had over oude geneeskunde en enkele andere onderwerpen verscheen als tweede deel in 1922.
Amaat Joos, 1855—1937, uit Hamme bij Dendermonde, priester 1881, professor aan de bisschoppelijke normaalschool te Sint-Nicolaas in Oost-Vlaanderen, kanunnik.
Hij besteedde zijn gehele leven aan de studie van de gesproken taal. Hij schreef: *Raadsels en vertelsels van het Vlaamsche Volk*, 1888—'92; *Vlaamsche Volksspreuken*, 1880; *Vlaamsche Zanten*, maandblad 1899—1901; *Waalsch Idioticon*, 1900. Zijn boek over *Schatten uit de Volkstaal* bevat enige duizenden volksspreuken, 1887. In de voorrede verheerlijkt hij de 'lieve spreekwoorden'; gij zijt een wetboek, dien elkeen nuttig raadpleegt; een meester die streng verbiedt wat berispelijk is; eene moeder die hare kinderen in het goede opkweekt; een vriend die troost en verbetert.
Dr. F. A. Stoett, 1863—1936, taalgeleerde, hoogleraar te Amsterdam. Hij schreef de eerste *Middelnederlandse Spraakkunst*. Ook bezorgde hij de 2e druk van de uitgave van Hoofts gedichten door P. Leendertz. Wzn., die hij geheel zelfstandig moest herzien, 1899. Verder gaf hij heel wat werken uit van onze oudere schrijvers. Doch zijn hoofdwerk is en blijft zijn grote boek der *Nederlandse Spreekwoorden*, 1901, 4e druk 1923.
Dit is het eerste grote wetenschappelijke werk over de verklaring van onze spreuken en spreekwoorden. Hij wist, hoe moeilijk op dit gebied zekerheid te krijgen is en hij zocht daarom steeds naar de oudste vorm, waarin het spreekwoord voorkomt in onze letteren. Hij had verder steeds voor ogen, dat het met spreekwoorden gaat als met sprookjes: zij storen zich veelal aan geen grenzen. Zo trachtte Stoett naar overeenkomstige vormen in de klassieke en in de moderne Europese talen, om na te sporen of een Nederlands spreekwoord misschien van oorsprong niet eens Nederlands is, doch misschien uit den vreemde tot ons is overgekomen.
Omgekeerd was Stoett zich er van bewust, dat een spreekwoord misschien eerst juist maar een heel beperkt gebied heeft, dat het afkomstig kan zijn van een dialekt, dat maar in een deel van ons grote taalgebied gesproken wordt. Hij ging daarom, zoveel hem maar mogelijk was, de spreekwoordenschat in onze streektalen na. Met hoeveel zorg hij dit deed is mij telkens opnieuw ge-

bleken, als ik het voorrecht had, dat Dr. Stoett zich de moeite getroostte om kennis te nemen van de honderden spreuken, die voorkomen in mijn *Groninger Woordenboek*, waarmee ik toen bezig was.
Toen reeds hebben wij ook gesproken over de wenselijkheid, de ganse schat der Nederlandse spreekwoorden onder het volk te brengen voor al degenen, die van taal en letteren geen bijzondere studie maken. Voor die er meer van willen weten dan in mijn boek kan geboden worden, heb ik de spreekwoorden in dezelfde volgorde gezet, waarin ze bij Stoett voorkomen. Men vindt dus bijna overal als vanzelf de gelegenheid, om in Stoetts standaardwerk de oude vormen na te gaan en om te zien, hoe vreemde volken hetzelfde begrip uitdrukken en ook, hoe ze vaak weer van onze opvatting afwijken.
In de *Nieuwe Taalgids* IX van 1915 een studie van F. P. H. Prick van Wely over Stoetts spreekwoordenboek.
Dr. C. G. N. de Vooys, 1873—1955, was hoogleraar in 't Nederlands te Utrecht. Hij was redacteur van het tijdschrift *De Nieuwe Taalgids* en heeft daarin zeer krachtig bijgedragen tot de vernieuwing van het taalonderwijs. Ook ten aanzien van de spreekwoorden heeft hij zeer verdienstelijk werk geleverd; 1. door zijn *Lessen over Spreekwoorden* (VI, 81); 2. door zijn 'principiële opmerking bij het etymologiseren van spreekwoordelijke uitdrukkingen (IX, 178, 1915). Hier ontwikkelt hij de stelling: 'Nauwkeurig dient gelet te worden op klank- en begripsassociaties, die een spreekwoordelike uitdrukking uiterlik en innerlik kunnen vervormen.' In jaargang XIII (1919) een studie over het spreekwoordenboek *Seeman* van W. à Winschooten.
Dr. J. B. F. van Gils, 1877—1945, van 1905—'16 arts te Vlijmen, Roermond en Waalwijk, daarna dokter bij de Vereniging tot bestrijding der t.b.c., sedert 1921 secretaris-penningmeester. Hij kwam om bij het bombardement van 't Bezuidenhout in Den Haag. Hij schreef behalve zijn vakstudiën o.a. *De dokter in de toneelliteratuur*, zijn proefschrift, 1917.
En hij maakte een bijzondere studie van de schilder Pieter Brueghel de Oude. In zijn werk in drie delen *Een andere kijk op Pieter Brueghel*, 1940, tracht hij te verklaren welke spreekwoorden door deze schilder in beeld gebracht zijn. Zie *Brueghel*.
Dr. Jan Walch, 1879—1946, uit 's-Gravenhage, 1908—1916 journalist; 1918 privaat-docent in de geschiedenis van het toneel, te Leiden; 1925 leraar te 's-Gravenhage; 1936 professor in 't Nederlands aan de Sorbonne te Parijs; 1939 directeur van de Toneelschool te Amsterdam.
Hij schreef *Studiën over Literatuur en Tooneel*, 1924, o.a. een beschrijving van het leven van Louis Couperus. Van hem is ook een *Handboek tot de Letterkundige Geschiedenis*, 1940; 2e druk 1946.
Hij gaf in 1928 een boek in het licht *Uit de Levensgeschiedenis van Woorden*, met verklaring van tal van spreuken, spreekwoorden en gezegden. Het was een verzameling artikelen, die hij onder ps. *Boekenwurm* in *Het Vaderland* geplaatst had.
Afbeeldingen van spreekwoorden vindt men o.a. op de schilderij van Pieter Brueghel de Oude. Zie daar. Over hem verder W. Fränger, *Der Bauern-Brueghel und das deutsche Sprichwort*, 1923. En bij ons Jan Grauls, *De Spreekwoorden van Brueghel*, 1937. In de Verslagen der Kon. Vlaamse Academie van 1903 vindt men reeds van Lod. Maeterlinck: *Ned. Spreekwoorden*, Ook verscheen er een *Gedenkschrift van Spreekwoorden door Pieter Brueghel Jr.* te Haarlem, 1876. Dit is een afbeelding van het schilderij met uitleg der spreekwoorden, *handelend voorgesteld door Brueghel*.
De meest bekende volksprent is *Die blauw huyck* van L. Fruijtiers uit Antwerpen; met 80 spreekwoorden en met het onderschrift:
Deze wtbeeldinghe wort
die blauw huyck ghenaemt,
Maer des werelts ydel spreckwoorden
beter betaemt.
Een ander oud werk met afbeeldingen van spreekwoorden is nu heel zeldzaam geworden. Dit is: David Ioannes (Pr. d. Soc. Iesu), *Christeliicken Waerseggher*, de principale stucken van t'Christen Geloof en Leuen int cort begrijpende. Met een Rolle der Devgtsaemheyt daar

op dienende. Ende een Schildt-Wacht teghen de valsche Waersegghers, Tooveraers, etc. Antw., inde Plantijnsche Druckerije, by *I. Moerentorf*, 1603, 2 dln., 100 grav. en 1 beweegbare plaat.
Mystiek werk met 100 curieuse zinneb. gravures, d. J. Galle, afbeeldingen van religieuse spreekwoorden. De beweegbare plaat dient om de spreekwoorden te vinden.
Zeer interessante gegevens in *Ontcijfering van Jeroen Bosch*, door *Dr. D. Bax*, 1949. Beeldhouwwerk van spreekwoorden vindt men op het gestoelte op het hoogkoor van de kerk te Hoogstraten. (Peeters, *Eigen Aard* 145.)
Apologische spreekwoorden, vormen een onderdeel van de *zeispreuken*. Een handeling wordt in zulk een spreekwoord verdedigd of althans gerechtvaardigd door een spreuk (*Apologie* = verdediging). 't Model is: *Daar rook is, is ook vuur, zei Hans Hannekemaaier, en hij stak zijn pijp bij een verse paardekeutel aan.*
De handeling is dwaas en wordt in wezen volstrekt niet verontschuldigd door de vooropgezette spreuk; deze spreekwoorden dragen dan ook alle een humoristisch karakter. Dr. Kruyskamp heeft er een verzameling van uitgegeven tot een getal van 671 stuks, bijeengelezen uit schrijvers en uit boeken over spreekwoorden; de meeste ervan komen in de gewone spreektaal niet (meer) voor. Die, welke nog heden veel gebruikt worden in het gesprek of die althans nog bekend zijn bij het volk, vindt men hier onder het woord *zeispreuken*.
Dr. Kruyskamp deelt in zijn *Inleiding* mee, dat de naam *apologische spreekwoorden* het eerst voorkomt bij J. F. Schütze in 't jaar 1800. De naam *Wellerismen* is voorgesteld door de Amerikaanse schrijver A. Taylor. In de *Pickwick-Papers* van Dickens worden 39 van deze spreuken in de mond gelegd van Sam Weller, Pickwicks knecht. In navolging daarvan vindt men 9 *wellerismen* bij kapitein Pulver in Van Lenneps roman *Ferdinand Huyck*. Kruyskamp heeft ze in zijn boekje opgenomen als aanhangsel.
Ook Peeters heeft aandacht voor de *zeigezegden*. (*Eigen Aard*, 143.)